UTB **2325**

Eine Arbeitsgemeinschaft der Verlage

Beltz Verlag Weinheim · Basel
Böhlau Verlag Köln · Weimar · Wien
Wilhelm Fink Verlag München
A. Francke Verlag Tübingen und Basel
Haupt Verlag Bern · Stuttgart · Wien
Lucius & Lucius Verlagsgesellschaft Stuttgart
Mohr Siebeck Tübingen
C. F. Müller Verlag Heidelberg
Ernst Reinhardt Verlag München und Basel
Ferdinand Schöningh Verlag Paderborn · München · Wien · Zürich
Eugen Ulmer Verlag Stuttgart
UVK Verlagsgesellschaft Konstanz
Vandenhoeck & Ruprecht Göttingen
Verlag Barbara Budrich Opladen · Bloomfield Hills
Verlag Recht und Wirtschaft Frankfurt am Main
VS Verlag für Sozialwissenschaften Wiesbaden
WUV Facultas Wien

Rolf H. Hasse · Hermann Schneider ·
Klaus Weigelt (Hg.)

Lexikon Soziale Marktwirtschaft

Wirtschaftspolitik von A bis Z

2., aktualisierte und erweiterte Auflage

Ferdinand Schöningh
Paderborn · München · Wien · Zürich

Die Herausgeber

Rolf H. Hasse, geb. 1940 in Berlin, Studium der Volkswirtschaftslehre in Münster/ Westfalen und Köln. Diplom (1967), Promotion (1973) und Habilitation (1981) in Köln. 1981 bis 1998 Professor für Volkswirtschaftslehre, insb. Wirtschaftspolitik an der Universität der Bundeswehr Hamburg, seit September 1998 an der Universität Leipzig. Forschungs- und Veröffentlichungsschwerpunkte: Wirtschaftspolitik, Internationale Wirtschaftsbeziehungen, Europäische Integration.

Hermann Schneider, Jahrgang 1940, Studium der Volkswirtschaftslehre in Frankfurt und Marburg, Diplom in Marburg, dort Wissenschaftlicher Mitarbeiter mit Schwerpunkt Wirtschaftspolitik und Promotion in Entwicklungspolitik; Wissenschaftlicher Mitarbeiter der Konrad-Adenauer-Stiftung im In- und Ausland: als Landesbeauftragter in Kolumbien (1977-1982), als Stellvertreter und als Leiter des Wissenschaftsprojekts für Lateinamerika (Buenos Aires) mit dem Schwerpunkt Ordnungsfragen für Wirtschaft und Gesellschaft (1988-1994) und Landesbeauftragter in Chile (1994-1996).

Klaus Weigelt, geb. 1941 in Königsberg Pr., Diplom-Volkswirt (Freiburg i. Br.), ist seit 1971 Wissenschaftlicher Mitarbeiter der Konrad-Adenauer-Stiftung im In- und Ausland, davon elf Jahre als Leiter der Akademie der Stiftung (1981 bis 1992) und je sechs Jahre als Landesbeauftragter in Caracas/ Venezuela (1975 bis 1981) und Leiter des Europabüros in Brüssel (1992 bis 1998). Seit 2002 leitet er die Außenstelle der Stiftung in Budapest/ Ungarn. Veröffentlichungen über ordnungspolitische und wirtschaftsethische Fragen der Sozialen Marktwirtschaft.

Bibliografische Informationen der Deutschen Bibliothek

Die Deutsche Bibliothek verzeichnet diese Publikation in der Deutschen Nationalbibliografie; detaillierte bibliografische Daten sind im Internet über http://dnb.ddb.de abrufbar.

Gedruckt auf umweltfreundlichem, chlorfrei gebleichtem
und alterungsbeständigem Papier ♾ ISO 9706

2., aktualisierte und erweiterte Auflage 2005

(Verlag Ferdinand Schöningh GmbH, Jühenplatz 1, D-33098 Paderborn)
ISBN 3-506-97018-6

Internet: www.schoeningh.de

Printed in Germany.
Herstellung: Ferdinand Schöningh, Paderborn
Einbandgestaltung: Atelier Reichert, Stuttgart

UTB-Bestellnummer: ISBN 3-8252-2325-6

Inhaltsverzeichnis

Vorwort zur 2. Auflage

Nach nur knapp zwei Jahren können die Herausgeber eine erforderlich gewordene zweite Auflage vorlegen. Überarbeitet und aktualisiert wurden alle Artikel, die im Rahmen der wirtschaftspolitischen Veränderungen (Reform des Sozialsystems, EU-Erweiterung) einem Strukturwandel unterworfen sind. Ebenso wurden die Statistiken fortgeführt und es wurden neue Stichwörter (u. a. Nachhaltigkeit, Armut und Verbraucherpolitik) aufgenommen.

Parallel zu dieser Arbeit wird das Lexikon durch Übersetzungen international verbreitet. Es trifft in einem Umfeld des internationalen Umbruchs von Institutionen und Strukturen auf lebhaftes Interesse – die Nachfrage nach ordnungspolitischer Orientierung ist groß. Es liegen die Übersetzung ins Chinesische und Spanische bereits vor, drei weitere Projekte stehen unmittelbar vor der Umsetzung.

Die Herausgeber danken allen Autoren für ihre zeitgenaue und sorgfältige Arbeit. Ein besonderer Dank gebührt Herrn Dipl. Pol. Joachim Hummel, der die komplizierte redaktionelle Bearbeitung koordiniert und geleistet hat.

Am Institut für Wirtschaftspolitik der Universität Leipzig haben dankenswerterweise die weitere Koordinierung und Korrektur bis zur Druckreife Frau Stud. pol. Romy Kohlmann und Herr Mathias Rauch, MA mit hohem Einsatz und Sorgfalt übernommen.

Leipzig, Bonn, Budapest

Rolf H. Hasse Hermann Schneider Klaus Weigelt

Vorwort zur 1. Auflage

Nach einem halben Jahrhundert Wirtschaftspolitik unter dem Zeichen der Sozialen Marktwirtschaft wird diese heute von einer breiten Mehrheit als Wirtschaftsordnung für Deutschland akzeptiert. Dazu haben insbesondere die konsequente Umsetzung dieses Ordnungskonzeptes und die damit erzielten raschen wirtschaftlichen und sozialen Erfolge in der Anfangsphase der Bundesrepublik beigetragen. Diese breite Zustimmung ist allerdings mit der Tatsache verbunden, dass die Kenntnisse über die Zusammenhänge und Wirkungsweise der Sozialen Marktwirtschaft stark abgenommen haben und ihre Interpretation inzwischen einen hohen Grad an Beliebigkeit erreicht hat. Vitale ordnungspolitische Prinzipien der Sozialen Marktwirtschaft wurden dabei bis zur Unkenntlichkeit verwässert. Die Soziale Marktwirtschaft ist in der öffentlichen Diskussion fast zu einer Leerformel geworden, derer man sich allerseits bedient. Damit ist das Leitbild der Sozialen Marktwirtschaft ein Beispiel für die Fortdauer einer Idee, auch wenn deren Grundgedanken in weiten Bereichen nur noch mangelhaft umgesetzt werden und ihr Kern bedroht ist.

Die Wirtschaftspolitik in Deutschland hat mit massiven Schwierigkeiten zu kämpfen. Heute werden weder die wirtschaftlichen noch die sozialen Ziele in befriedigender Weise erreicht. Die Vielfalt der ungelösten Probleme reicht von der langfristigen Arbeitslosigkeit über die steigenden Anforderungen an die Sozialsysteme und die Gefahren erneuter Inflation bis zu den ungeklärten Fragen einer Wirtschaftspolitik im europäischen Rahmen und den weltweiten Herausforderungen durch Globalisierung, Umweltprobleme und Armut. Die Soziale Marktwirtschaft hat für diese Fragen und Probleme Antworten in ihrem Konzept. Diese sind aber verschüttet und nur noch in Teilen erkennbar; sie werden deswegen nicht angemessen genutzt. Die deutsche und die europäische Wirtschaftspolitik stecken in einer ordnungspolitischen Orientierungskrise.

Ziel dieses Lexikons ist die Klärung der wirtschafts- und gesellschaftspolitischen Konzeption der Sozialen Marktwirtschaft und ihrer politischen Umsetzung. Zum einen geht es darum, den Ursprüngen und Grundideen der Sozialen Marktwirtschaft nachzugehen. Zum anderen werden ihre Gestaltungsmöglichkeiten, ihr Anpassungsbedarf aufgrund neuer Herausforderungen, die Widerstände dagegen sowie ihre Zukunftsfähigkeit als Wirtschafts- und Gesellschaftsordnung dargestellt. Als Zukunftskonzept für Deutschland und Europa bedarf die Soziale Marktwirtschaft keiner zusätzlichen Adjektive.

Das Lexikon richtet sich an die junge Generation. Die junge Generation hat die notwendige Unbefangenheit, Offenheit und den kritischen Geist, der für die Umsetzung von Reformen erforderlich ist. Und sie ist aufgeschlossen für konzeptionelle Orientierung. Herausgeber und Autoren haben sich bemüht, in kurzen Beiträgen die wesentlichen Gesichtspunkte zusammenzufassen und die teilweise schwierigen Sachfragen in einer verständlichen Sprache zu formulieren. Für einen sicheren Gebrauch verwendet das Lexikon einmal das Mittel der Querverweise, und es verfügt über ein Glossar, mit dem Fachbegriffe und Zusammenhänge erläutert werden.

Die Herausgeber danken allen Autoren für ihre selbstlose Mitarbeit und dem Verlag Schöningh für die konstruktive Zusammenarbeit bei der Drucklegung dieses Werkes. Dank gebührt der Konrad-Adenauer-Stiftung dafür, dass sie die Anregung für dieses Werk spontan aufgenommen hat, den Fortgang der Arbeit wohlwollend begleitet und die Finanzierung gesichert hat. Für ihre Unterstützung danken wir auch der Commerzbank-Stiftung. Ein besonderer Dank gebührt Herrn Prof. Dr. Hans Willgerodt für seine Anregungen zur konzeptionellen Einheit des Werkes sowie Frau Dipl. Kfr. Marina Ignatjuk für ihre sorgfältige Arbeit bei der Koordination und Redaktion der Beiträge dieses Lexikons und Herrn Wolfgang Reeder für die Auswahl der Abbildungen und Schaubilder. Weiterhin danken wir den Mitarbeiterinnen und Mitarbeitern des Instituts für Wirtschaftspolitik der Universität Leipzig und der Konrad-Adenauer-Stiftung in Sankt Augustin, die mit vielfältigen Aufgaben zum Gelingen beigetragen haben.

Sankt Augustin und Leipzig,

Rolf Hasse Hermann Schneider Klaus Weigelt

Alphabetische Übersicht der Beiträge

Beiträge zu Persönlichkeiten — Seite

Sachbeiträge

Personenbeiträge

Beckerath, Erwin Emil von
geb. am 31.07.1889,
gest. am 23.11.1964

Von Beckeraths Lebens- und Berufsweg prägten drei historische Epochen: die letzten Jahrzehnte vor dem Ersten Weltkrieg, die Zwischenkriegsphase und die Jahre der Entstehung eines neuen staatlichen Gemeinwesens und der →Sozialen Marktwirtschaft *im (westlichen) Nachkriegsdeutschland. Aufgewachsen als Sohn einer der großen mennonitischen Kaufmannsfamilien Krefelds entfalteten sich bei seinem Doktorvater Gustav von Schmoller seine historisch-politischen, volkswirtschaftlichen und soziologischen Interessen. Unter dem Einfluss der Schriften des Finanz- und Verkehrswissenschaftlers Emil Sax öffnete sich von Beckerath noch während der Kriegsjahre der Logik und Klarheit der Wiener Grenznutzenschule (subjektive Wertlehre). Er lehrte sie von nun an in unnachahmlicher Ausdrucksweise, vertieft durch Bezüge auf die großen nationalökonomischen Denker aller Schulen. Durch seine langjährige Funktion als Vorsitzender des Wissenschaftlichen Beirats (1948-1964) hatte er maßgeblichen Anteil an der Umsetzung des Konzepts der Sozialen Marktwirtschaft.*

Nach 1945 setzte sich von Beckerath zunehmend mit der durch John Maynard Keynes in den 30er Jahren entwickelten Makroökonomik auseinander und erkannte deren Möglichkeiten für die Wirtschaftspolitik (→*Keynesianismus*). Über das, was die Gestaltung einer freiheitlichen Nachkriegsordnung erforderte, hatte er in den Jahrzehnten zuvor sehr konkrete Vorstellungen gewonnen. Mit dem Ersten Weltkrieg zerbrach die alte, im Wiener Kongress von 1815 festgelegte politische Ordnung Europas und das freihändlerische Weltwirtschaftssystem mit dem Goldstandard. Wie viele andere fragte sich von Beckerath, wie aus Chaos wieder eine gegliederte Ordnung entstehen könne. Er befasste sich mit den großen politischen Denkern – von Machiavelli über Tocqueville und Marx bis Max Weber, Bergson, Lenin, Sorel, Mosca und Robert Michels –, vor allem aber mit Vilfredo Pareto und seiner Lehre von den logischen und alogischen Handlungen sowie der „Elitenzirkulation“. Von Beckerath analysierte den Faschismus, der sich in Italien mit dem „Stato Corporativo“ als eine potenzielle, wenngleich diktatorische Ordnungskraft für Gesellschaft und Wirtschaft anbot, doch sich schon bald aus systemeigenen Gründen, in den 30er Jahren zudem noch geprägt durch den verhängnisvollen Pakt Mussolinis mit Hitler, zu einem der totalitären Systeme Europas im 20. Jahrhundert entwickelte.

Nachgedacht über Zustand und Zukunft des in einen Weltkrieg verstrickten, nationalsozialistischen Deutschlands wurde in der „Arbeitsgemeinschaft Erwin von Beckerath“. Sie hatte sich im März 1943 auf gleichsam privater Basis konstituiert, nachdem die Klasse XI der Akademie für Deutsches Recht durch die misstrauisch gewordene Reichsregierung geschlossen worden war. Jens Jessen, der nach dem Hitler-Attentat 1944 hingerichtet wurde, hatte versucht, in der „Arbeitsgemeinschaft Volkswirtschaftslehre" der Klasse XI unter dem Vorsitz von Beckeraths die nach der Auflösung des Vereins für Socialpolitik (1936) heimatlos gewordenen Nationalökonomen zu sammeln. Die Arbeitsgemeinschaft (AG) Erwin von Beckerath nahm sich vor, „die Grundlinien einer Übergangswirtschaft aus dem Krieg in den Frieden und die Gestaltung einer neuen Wirtschaftsordnung nach dem Zusammenbruch des Regimes" zu erarbeiten. Die schon weit gediehenen Vorarbeiten der AG – heute als einer der Freiburger Widerstandskreise angesehen – endeten abrupt mit dem Hitler-Attentat 1944.

Nach dem Kriege sollte die Arbeitsgemeinschaft neu belebt werden, als am 24. Januar 1948 von der Verwaltung für Wirtschaft des Vereinigten Wirtschaftsgebietes (Zweizonenwirtschaftsamt) auf Betreiben Ludwig →*Erhards* ein wissenschaftlicher Beirat eingerichtet wurde. Von den Gründungsmitgliedern hatten →*Eucken*, →*Böhm*, Lampe, Preiser, Wessels und von Beckerath – schon bald zum Vorsitzenden gewählt – bereits der AG Erwin von Beckerath angehört. Diese hatte im Beirat den genuinen Nachfolger gefunden. Der wissenschaftliche Beirat, nach der Gründung der Bundesrepublik dem Bundesministerium für Wirtschaft zugeordnet, war für viele Jahre das unangefochtene Modell für die Organisation einer unabhängigen wissenschaftlichen Beratung der Politik im neuen Deutschland. Er begleitete und inspirierte mit seinen Gutachten das Werden der Sozialen Marktwirtschaft. Von Beckerath blieb Vorsitzender bis zu seinem Tode im November des Jahres 1964.

Nach seiner Emeritierung in Bonn lehrte von Beckerath in Basel, geholt von Edgar Salin, mit dem er sich seit der Gründung der List-Gesellschaft im Jahre 1924 eng verbunden fühlte. An deren Neugründung nach dem Kriege (Juni 1955) war er ebenso beteiligt wie an der Wiederbelebung des Vereins für Socialpolitik (16. September 1948). Von seinen dogmen- und methodengeschichtlichen Arbeiten gelten die biographischen Beiträge als Kabinettstücke wissenschaftlicher Gelehrtenwürdigung. Sehr beachtet werden heute noch seine Abhandlungen zur Theorie der Wirtschaftspolitik und seine politikwissenschaftlichen Studien.

Wissenschaftlicher und beruflicher Werdegang: Studium der Geschichte in Freiburg i. Br. und zudem der Nationalökonomie in Berlin. Am 18. März 1912 Promotion an der Friedrich-Wilhelms-Universität in Berlin zum Dr. phil.; von Juli 1913 bis Februar 1915 wiss. Hilfskraft am volkswirtschaftlichen Seminar der Univ. Leipzig; von Febr. 1915 bis Jan. 1916 Militärdienst, anschließend sächsischer Prinzenerzieher mit Offiziersrang; von Jan. 1916 bis März 1917 Hilfsarbeiter des Berliner Ministeriums für öffentliche Arbeiten in Bremen; März 1917 Assistent am Lehrstuhl Stieda Univ. Leipzig; am 04. Mai 1918 Habilitation an Univ. Leipzig bei Karl Bücher; Jan. 1920 a.o. Professor für Volkswirtschaftslehre an Univ. Rostock.; 1920 o. Professor für VWL an Univ. Kiel, 1924 an Univ. zu Köln; 1937 o. Professor für wirtschaftliche

Staatswisswissenschaften an Univ. Bonn (bis zur Emeritierung am 14. September 1957); 1931 bis 1939 deutscher Direktor des deutsch-italienischen Kulturinstituts (Petrarca-Haus) in Köln.

Literaturhinweise:
BECKERATH, E. v. (1927), *Wesen und Werden des faschistischen Staates*, Berlin; DERS. (1962), *Lynkeus. Gestalten und Probleme aus Wirtschaft und Politik*, Tübingen; KLOTEN, N. (1966), Erwin von Beckerath, in: *Finanzarchiv*, N. F. Bd. 25, S. 193 ff.

Norbert Kloten

Böhm, Franz
geb. am 16.02.1895,
gest. am 26.11.1977

Böhm hat die Entwicklung von Wettbewerbsrecht und Wettbewerbspolitik in der Bundesrepublik und nicht zuletzt auch in der heutigen Europäischen Union maßgeblich beeinflusst. Er hat die wissenschaftlichen Voraussetzungen für ein Recht gegen Wettbewerbsbeschränkungen geschaffen, ein Recht, das es ermöglicht, gegen Preiskartelle, Verdrängungswettbewerb oder Monopolbildungen durch Unternehmenszusammenschlüsse vorzugehen.

Böhm hat in den zwanziger Jahren des 20. Jahrhunderts und mit konkreten Erfolgen nach dem Zweiten Weltkrieg die Erkenntnis vermittelt, dass wirtschaftlicher →*Wettbewerb* als Grundlage einer →*Marktwirtschaft* der rechtlichen Ordnung bedarf. Damit setzte er sich gegen damals herrschende Auffassungen von der Notwendigkeit einer organisierten Wirtschaft durch. Kartelle und Unternehmenskonzentrationen wurden als zwangsläufige Entwicklungen eines Spätkapitalismus angesehen. Demgegenüber wurde – von Böhm stark beeinflusst – auch im politischen Raum anerkannt, dass ein sich selbst überlassener Wettbewerb zu seiner eigenen Zerstörung führt, wenn Mittel des Rechts nicht gegen Wettbewerbsbeschränkungen eingesetzt werden können.

Das Ergebnis ist in Deutschland ein international anerkanntes hoch entwickeltes Kartellrecht, das sich auch auf die Fortbildung des Wettbewerbsrechts in der Europäischen Gemeinschaft ausgewirkt hat. Das →*Bundeskartellamt* und die Europäische Kommission gehen auf dieser Grundlage gegen wettbewerbsbeschränkende Absprachen und Fusionen vor. Betroffene können sich durch die Anrufung der Gerichte gegen die Ausübung wirtschaftlicher Macht wehren. Das Recht gegen Wettbewerbsbeschränkungen, häufig nur als Kartellrecht bezeichnet, ist zu einem selbstverständlichen Bestandteil der Wirtschafts- und Gesellschaftsordnung geworden (→*Gesetz gegen Wettbewerbsbeschränkungen*).

Franz Böhm hat diese Entwicklung zunächst begründet durch sein 1933 erschienenes Hauptwerk „Wettbewerb und Monopolkampf". In diese Zeit fällt auch die Entstehung der „Freiburger Schule", in der Böhm gemeinsam mit Walter →*Eucken* federführend wirkte. Sie bezeichnet eine Richtung des Ordo- →*Liberalismus*, eine rechtliche Ordnung von Freiheiten, die auch Grenzen gegenüber staatlichem Wirken formuliert. An der Entstehung des 1958 in Kraft getretenen Kartellgesetzes hat Böhm als Bundestagsabgeordneter mitgewirkt.

Wissenschaftlicher und beruflicher Werdegang: Professor Dr. jur.; Habilitation an der Universität Freiburg i. Br. 1933; Lehrtätigkeit an der Universität Jena, 1938 Entziehung der Lehrbefugnis aus politischen Gründen; 1946 bis zur Emeritierung 1962 Inhaber des Lehrstuhls für Bürgerliches-, Handels- und Wirtschaftsrecht an der Universität Frankfurt/ M. Böhm war Bundestagsabgeordneter der CDU von 1952-1964 und Leiter der deutschen Verhandlungsdelegation, die die Wiedergutmachungsverträge mit dem Staat Israel und den jüdischen Weltverbänden vereinbarte.

Literaturhinweise:

BÖHM, F. (1933), *Wettbewerb und Monopolkampf*, Berlin (Nachdruck 1964, Köln); DERS. (1937), *Die Ordnung der Wirtschaft als geschichtliche Aufgabe und rechtsschöpferische Leistung*, Stuttgart, Berlin; DERS. (1960), Über die Ordnung einer freien Gesellschaft, einer freien Wirtschaft und über die Wiedergutmachung, in: Mestmäcker, E.-J. (Hrsg.), *Reden und Schriften*, Karlsruhe.

Ulrich Immenga

Briefs, Goetz A.
geb. am 01.01.1889,
gest. am 16.05.1974

Briefs verfügte über eine ungewöhnliche wissenschaftlich-analytische Kraft zur schonungslosen Diagnose der Strukturprobleme der entwickelten Industriegesellschaft. Er war nicht nur Ökonom, sondern hatte einen ausgeprägten Sinn für wirtschaftsgeschichtliche Zusammenhänge. Zugleich war er fest verankert im christlichen Menschen- und Gesellschaftsverständnis. Während Briefs in seiner ersten Wirkphase die positive Rolle der Gewerkschaften bei der sozialen Bändigung des Kapitalismus herausstellte, stand er nach dem Zweiten Weltkrieg den Gewerkschaften zusehends kritisch gegenüber. Entstanden als Schutzorganisationen der Arbeiter im liberalkapitalistischen Zeitalter, sah Briefs im Übergang von der „klassischen" zur „befestigten" Gewerkschaft das Problem, dass sie Macht über die Unternehmungen zu erringen und Kontrolle über die Arbeiterschaft auszuüben versuche. Briefs bejahte die Soziale Marktwirtschaft, die er durch die Forderungen nach „paritätischer Mitbestimmung" und „Demokratisierung" der Wirtschaft und aller gesellschaftlichen Lebensbereiche gefährdet sah.

Wissenschaftlicher und beruflicher Werdegang: Briefs begann zunächst mit dem Studium der Philosophie und Geschichte in München, wechselte dann zu den Wirtschaftswissenschaften in Freiburg i. Br., wo er 1911 mit einer Arbeit über das Spirituskartell promovierte. Nach kurzem Aufenthalt in England habilitierte er sich 1913 mit der Untersuchung über das Problem der Profitrate in der klassischen Nationalökonomie. 1919 folgte Briefs einem Ruf nach Freiburg. Hier setzte sich der scharfsinnige Humanist und tiefgläubige Christ mit dem Buch Oswald Spenglers „Der Untergang des Abendlandes" kritisch auseinander. Darin entwickelte er die Kategorie der „Grenzmoral", weil unter Wettbewerbsdruck das ethische Minimum in Gefahr sei, von skrupellosen Außenseitern unterboten zu werden und dies auf alle Wirtschaftsteilnehmer abfärbe. 1921 erhielt er einen Ruf nach Würzburg, 1923 wieder nach Freiburg. Hier entstand die erste größere Abhandlung über Arbeitnehmerfragen: „Das industrielle Proletariat". 1926 folgte Briefs, der 1920 zu den Urhebern des Betriebsratsgesetzes zählte, einem Ruf nach Berlin, wo er das „Institut für Betriebssoziologie und soziale Betriebslehre" aufbaute. Zahlreiche Publikationen erschienen zu Gewerkschaftsfragen und zur Betriebssoziologie, zur Kritik an der kapitalistischen Klassengesellschaft und zu sozialethischen Themen. 1930 gehörte Briefs dem Königswinterer Kreis an, der Vorarbeiten zur Enzyklika „Quadragesimo anno" (1931) leistete. 1934 gelang Briefs die Flucht in die USA, wo er die Entwicklungen in Amerika, auch die Lehren des Keynesianismus sowie die Arbeiten J. A. Schumpeters kennenlernte. Nach einer Gastprofessur an der Catholic University of America nahm er 1937 einen Ruf an die Georgetown University an. 1960 erhielt Briefs den Ehrendoktor der Staatswissenschaften der Universität München, zum 80. Geburtstag eine Festschrift seiner Schüler, Freunde und Kollegen.

Literaturhinweise:

BRIEFS, G. (1926), *Das industrielle Proletariat*, Tübingen; DERS. (1927), Gewerkschaftswesen und Gewerkschaftspolitik, in: *HdSt*. Bd. 4, S. 1108 ff.; DERS. (1952), *Zwischen Kapitalismus und Syndikalismus. Die Gewerkschaften am Scheideweg*, Bern, München; DERS. (1955), *Das Gewerkschaftsproblem gestern und heute*, Frankfurt/ M. (1968 u. d. T.: *Gewerkschaftsprobleme in unserer Zeit. Beiträge zur Standortbestimmung*); AMSTAD, A. (1985), *Das Werk von Goetz Briefs als Beitrag zu Sozialwissenschaft und Gesellschaftskritik aus der Sicht christlicher Sozialphilosophie*, Berlin (mit Bibliographie).

Anton Rauscher

Dietze, Constantin von
geb. am 09.08.1891,
gest. am 18.03.1973

Die Bedeutung Constantin von Dietzes für die Entstehung und Entwicklung der Sozialen Marktwirtschaft kann man nicht ermessen, wenn man nur seine (wenn auch wichtigen) theoretischen Beiträge zur Volkswirtschaftslehre und insbesondere zur modernen Agrarökonomie berücksichtigt. Vielmehr prägte von Dietze die nachkriegsdeutsche Wirtschaftsordnung vor allem durch sein öffentliches Wirken und seinen Einsatz für ein gesellschaftliches und wirtschaftliches Leben auf der Grundlage eines christlichen evangelischen Glaubens.

Sein standhafter Charakter führte schon früh zum Dissens mit dem Hitler-Regime: Als Vorsitzender des „Vereins für Socialpolitik", der wichtigsten Vereinigung von Wirtschaftswissenschaftlern Deutschlands, entzog von Dietze den Verein einer nationalsozialistischen Bevormundung, indem er ihn 1936 auflöste. Als er 1937 einen bereits inhaftierten Pfarrer im Gottesdienst vertrat, wurde er zum ersten Mal kurzzeitig verhaftet. Nachdem er daraufhin die Berliner Universität verlassen musste, folgte von Dietze einer Berufung an die Freiburger Rechts- und Staatswissenschaftliche Fakultät. Hier trat er in regen Austausch mit den „Gründungsvätern" der Freiburger Schule bzw. des Ordoliberalismus um Walter →*Eucken*. Als Mitinitiator des oppositionellen Freiburger Bonhoeffer-Kreises, der im Auftrag der Vorläufigen Leitung der Bekennenden Kirche eine Denkschrift zur Nachkriegsordnung entwarf, verfasste er zusammen mit Walter Eucken und Adolf Lampe den Anhang „Wirtschafts- und Sozialordnung", der in vielen Teilen einem frühen Manifest der →*Sozialen Marktwirtschaft* gleicht. Nach dem Attentatsversuch auf Hitler vom 20. Juli 1944 gelangten Teile der Denkschrift in die Hände der Gestapo, woraufhin von Dietze erneut verhaftet wurde. Dem sicheren Todesurteil entging er durch den Zusammenbruch des Dritten Reichs.

Nach dem Krieg unterstützte von Dietze zusammen mit weiteren Mitgliedern des Freiburger Kreises die Gründung der interkonfessionellen und eher marktwirtschaftlich orientierten Badischen Christlich-Sozialen Volkspartei, die später in der CDU aufging. Darüber hinaus wirkte er mit großem persönlichen Einsatz als Wissenschaftler, als Rektor der Universität Freiburg (1946-1949) und als leitendes Mitglied der Evangelischen Kirche am Aufbau der Bundesrepublik Deutschland mit, immer in dem Bewusstsein – so ein Zitat aus dem genannten Anhang – dass „jede Wirtschaftsordnung bestimmter politischer und sittlicher Voraussetzungen bedarf".

Wissenschaftliche Laufbahn: 1909-1912 Studium der Rechts- und Staatswissenschaften in Cambridge, Tübingen und Halle. 1913-1918 Militärdienst und Kriegsgefangenschaft. 1919 Promotion zum Dr. rer. pol. an der Universität Breslau. 1922 Habilitation an der Universität Berlin. 1925-1961 Professuren an den Universitäten Rostock (1925-1927), Jena (1927-1933), Berlin (1933-1937) und Freiburg i. Br. (1937-1961). 1955-1961 Präses der Synode der Evangelischen Kirche in Deutschland.

Literaturhinweise:

DIETZE, C. v./ EUCKEN, W./ LAMPE, A. (1942/ 1979), Wirtschafts- und Sozialordnung, in: *In der Stunde Null. Die Denkschrift des Freiburger „Bonhoeffer-Kreises": Politische Gemeinschaftsordnung. Ein Versuch des christlichen Gewissens in den politischen Nöten unserer Zeit*, Tübingen, S. 128-145; DIETZE, C. v. (1962), *Gedanken und Bekenntnisse eines Agrarpolitikers*, Göttingen; DERS. (1967), *Grundzüge der Agrarpolitik*, Hamburg, Berlin.

Nils Goldschmidt

Einaudi, Luigi
geb. am 24.03.1874,
gest. am 30.10.1961

Ab 1908 war Einaudi Herausgeber der Zeitschrift Riforma Sociale, die er nach ihrem Verbot (1935) ohne inhaltliche Konzessionen durch die Rivista di storia economica ersetzte, in der er sich außerdem um eine Integration von Wirtschaftstheorie und Wirtschaftsgeschichte bemühte. 1942 veröffentlichte er darin eine sensationell-zustimmende Besprechung des später in Deutschland verbotenen Buches von Wilhelm →Röpke, *Die Gesellschaftskrisis der Gegenwart. Wie dieser trat er entschieden und mit sorgfältiger Begründung für eine wettbewerbliche, private Vermachtungen und Staatsdirigismus zurückdrängende, freihändlerische* →Marktwirtschaft *ohne politische Preise ein. Er befürwortete Vermögensbildung durch Ersparnis und hielt die Besteuerung sowohl gesparten Einkommens als auch der daraus fließenden Erträge für Doppelbesteuerung. Sein Konsumsteuerkonzept mutet modern an. Sozialpolitisch entwickelte er im Übrigen ein Konzept der Selbstverantwortung bei Startgerechtigkeit, des privaten Haus- und Grundbesitzes breiter Schichten und der bäuerlichen Verwurzelung als Gegengewichte gegen Proletarisierung, z. B. in anonymisierenden Mietskasernen. Als ganzheitlich denkender Liberaler vertrat er gegenüber dem Philosophen Benedetto Croce die überzeugende These, dass geistig-moralische und politische Freiheit ohne wirtschaftliche Freiheit keinen Bestand haben.*

1928 stimmte er im Senat mit anderen gegen die faschistische Regierung, 1935 auch gegen eine uneingeschränkte Billigung des Krieges gegen Äthiopien. Er befürwortete eine politische Union Europas durch eine Verteidigungsgemeinschaft. Von der Notenbank finanzierte Budgetdefizite und Brotpreissubventionen bekämpfte er, und es gelang ihm die Sanierung des Staatshaushaltes und die Stabilisierung der Lira auf dem erreichten Inflationsniveau ohne Währungsreform. Ähnlich wie Jacques →*Rueff*, Ludwig →*Erhard* und Reinhard →*Kamitz* konnte er als neoliberaler Professor sein Konzept mit großem Erfolg praktisch anwenden. Mit Konrad Adenauer und Shigeru Yoshida gehörte er zu den großen alten Männern, die nach dem Zweiten Weltkrieg in ruinierten Ländern entschlossen und mit ruhiger Hand den Wiederaufbau eingeleitet haben.

Wissenschaftlicher und beruflicher Werdegang: Nach der Promotion (1895) zunächst Wirtschaftsredakteur der Zeitung *Stampa*. 1902-48 in Turin Professor für Finanzwissenschaft an der Universität und für Politische Ökonomie am Technikum. 1920 auch Professor an der Universität Bocconi in Mailand. Seine Lehrtätigkeit wurde 1925 auf die Universität Turin eingeschränkt. Seit 1919 Senator des Königreichs Italien, 1943 von der nicht mehr faschistischen Regierung zum Rektor der Universität Turin ernannt, entkam er den Verfolgungen der Faschisten bei Schneesturm über einen Alpenpass in die Schweiz. 1945-48 Gouverneur der Banca d`Italia, Mitglied der Verfassunggebenden Versammlung, ab Mai 1947 auch Schatzminister und stellvertretender Ministerpräsident, 1948-55 italienischer Staatspräsident. Ab 1900 Mitarbeit bei der Zeitung *Corriere della Sera*, die er 1925 aus Protest gegen faschistische Gleichschaltung einstellte. 1908-1946 Korrespondent des *Economist*.

Literaturhinweise:
EINAUDI, L. (1958), *Saggi sul risparmio e l`imposta*, Torino; DERS. (1964), *Lezioni di politica sociale*, Torino; BENEDETTO, C./ EINAUDI, L. (1957), *Liberismo e Liberalismo*, Milano, Napoli.

Hans Willgerodt

Engels, Wolfram
geb. am 15.08.1933,
gest. am 30.04.1995

Engels gehört zu den Wirtschaftswissenschaftlern, die in ihrer Forschung, Lehre und in der publizistischen Arbeit die Bedeutung marktwirtschaftlicher Grundsätze immer betonten und offen vertreten haben. Er gehörte zu den wenigen Ökonomen, die die Einheit von Volks- und Betriebswirtschaftslehre erlernt hatten und durch ihr breites Wissen immer wieder demonstrierten. Dieser Umstand erhöhte seine Glaubwürdigkeit, als er in der 68er-Revolte gerade an der Frankfurter Universität sich mit Zivilcourage und Sachargumenten gegen die marxistischen Wortführer der Studentenunruhen stellte und den Grundsatz der individuellen Freiheit und die Vorteile der Marktwirtschaft gegenüber allen Spielarten kollektiver oder staatlicher Wirtschaftslenkung begründete.

Diese Phase ließ Engels endgültig zu einem politischen Ökonomen im Sinne des →*Liberalismus* werden. Sein Anliegen wurde es, die →*Soziale Marktwirtschaft* gegen echte Feinde und falsche Freunde zu verteidigen und weiterzuentwickeln. Schriften wie die zur „Staatsbürgersteuer" 1973 (zusammen mit J. Mitschke), mit der Personalsteuern und persönliche Sozialtransfers integriert werden sollten, Arbeiten zur Vermögensbildung (1974), zum Arbeitsmarkt und zur Mitbestimmung (1974 und 1978) sowie direkt zur Sozialen Marktwirtschaft (u. a. Mehr Markt: Soziale Marktwirtschaft als politische Ökonomie, 1976; Dreißig Jahre Soziale Marktwirtschaft, erlebt, aber unverstanden, 1979) oder zur Wirtschafts- und Sozialpolitik (Eine konstruktive Kritik des Wohlfahrtsstaates, 1979; Die Wende: Eine Bestandsaufnahme der deutschen Wirtschaftspolitik, 1984) zeugen von dieser selbstgewählten Aufgabenstellung. Daneben vergaß Engels nicht seinen zweiten wissenschaftlichen Pfeiler – Banken, Geld- und Finanzmärkte –, die er kreativ und kritisch analysierte und mit Vorschlägen versorgte, wie Markt und →*Wettbewerb* gefördert werden könnten. Als Herausgeber der Wirtschaftswoche nutzte er ihre Verbreitung, seine ordnungspolitische Innovationskompetenz sprachgewaltig einem breiten Publikum zugänglich zu machen.

Wissenschaftlicher und beruflicher Werdegang: 1953-1955 Kaufm. Lehre in Bremen; 1955-1961 Studium; 1961-1964 Verkaufsleiter in der Textilindustrie, Promotion 1962, 1964-1968 wissenschaftlicher Assistent; Habilitation 1968 bei W. →Stützel*; 1968-1995 Professor an der Johann Wolfgang Goethe-Universität, Frankfurt/ M.; 1984-1987 Herausgeber der Wirtschaftswoche; Auszeichnungen: u. a. Ludwig Erhard-Preis.*

Literaturhinweise:
ENGELS, W. (1970), *Soziale Marktwirtschaft als Politische Ökonomie*, Stuttgart; DERS. (1996), *Der Kapitalismus und seine Krisen. Über Papiergeld und das Elend der Finanzmärkte*, Düsseldorf.

Rolf H. Hasse

Erhard, Ludwig Wilhelm
geb. am 04.02.1897,
gest. am 05.05.1977

Erhard war maßgeblich am Aufbau der bundesdeutschen Wirtschaftsordnung und am Zustandekommen des „Wirtschaftswunders" beteiligt. Durch ihn wurde die →Soziale Marktwirtschaft *in Deutschland zu einem populären Begriff. Sein Ziel war „Wohlstand für alle" in einer freiheitlichen Gesellschaft. Als Bundeskanzler sorgte sich Erhard um die gesellschaftspolitische Akzeptanz der Sozialen Marktwirtschaft. Er hoffte, dass bessere Informationen über ökonomische Zusammenhänge ordnungspolitische Fehlentwicklungen verhindern könnten. Daher betrieb er die Einrichtung des* →Sachverständigenrates *zur Begutachtung der gesamtwirtschaftlichen Entwicklung. Utopisch blieb seine Vision von der „Formierten Gesellschaft", in der die partikularen Gruppeninteressen durch kooperatives Zusammenwirken unter dem Druck des Wettbewerbs überwunden werden.*

Bereits vor Kriegsende hatte Erhard in einer Denkschrift die Notwendigkeit einer Währungsreform betont. 1947 wurde er Leiter der Homburger Sonderstelle Geld und Kredit. Auf der Basis verschiedener Reformpläne deutscher Experten legte die Sonderstelle im April 1948 den Homburger Plan zur Neuordnung des Geldwesens in Deutschland vor. Die Alliierten verwendeten Elemente dieses Plans bei der Währungsreform, die am 20. Juni 1948 in den drei Westzonen stattfand. Als Wirtschaftsdirektor der Bizone stand Erhard seit März 1948 vor der Aufgabe, die Währungsreform durch eine geeignete Reform des Wirtschaftssystems zu ergänzen. Zu diesem Zeitpunkt existierte in Deutschland ein umfassendes System staatlicher Preiskontrollen und Bewirtschaftungsvorschriften. Erhard entschied sich dafür, parallel zum Ersatz der Reichsmark durch die D-Mark die vollständige Aufhebung der staatlichen Regulierungen einzuleiten und auf die Leistungsfähigkeit freier Märkte zu vertrauen. Er war überzeugt, dass erst die Überwindung der Versorgungsengpässe das Vertrauen in die neue D-Mark sichern würde. Umgekehrt war er sich bewusst, dass erst mit einem neuen stabilen Geld die Rückkehr zu einer freien Marktwirtschaft gelingen konnte. Nur eine funktionsfähige Marktwirtschaft würde ihre große Leistungsfähigkeit bei der Überwindung materieller Not erfolgreich ausspielen, damit auf Dauer in der Bevölkerung Akzeptanz finden und zu einer wahrhaft Sozialen Marktwirtschaft werden.

Der starke Produktionsanstieg nach der Währungsreform und der spürbare Rückgang der Versorgungslücken bestätigten Erhards marktwirtschaftliche Wirtschaftspolitik, die er als Bundeswirtschaftsminister konsequent weiterführte. Schon früh trat er für eine weitreichende Liberalisierung des Außenhandels ein, um die Einbindung Deutschlands in die Weltwirtschaft zu vergrößern (→*Außenwirtschaft*). Seinem Drängen ist es zu verdanken, dass bei der Wirtschaftsintegration in Europa marktwirtschaftliche Grundsätze beachtet wurden. Schon anlässlich der Währungsreform hatte er die rasche Verabschiedung eines wirkungsvollen deutschen Antikartellgesetzes angemahnt. Wettbewerbsbehindernde Absprachen zwischen Unternehmen und die Inflation blieben für ihn die Hauptgefahren für eine funktionsfähige Soziale Marktwirtschaft. Als das →*Gesetz gegen Wettbewerbsbeschränkungen* 1957 endlich verabschiedet wurde, hatte Erhard sein Ziel nur zum Teil erreicht. Das Gesetz verfügte zwar ein generelles Kartellverbot, listete aber gleichzeitig eine Reihe von Ausnahmebereichen und -tatbeständen auf. Im gleichen Jahr fixierte das Bundesbankgesetz die Unabhängigkeit der Zentralbank (→*Deutsche Bundesbank, Europäische Zentralbank*) und ihre Verpflichtung auf das Ziel der →*Preisniveaustabilität*. Für beide Kernelemente der Geldordnung hatte Erhard vehement gekämpft.

Wissenschaftlicher und beruflicher Werdegang: 1919-1922 Studium an der Handelshochschule Nürnberg, 1925 Promotion an der Universität Frankfurt/ M.; 1928-1942 Tätigkeit an einem Wirtschaftsforschungsinstitut in Nürnberg; 1945-1946 Bayerischer Wirtschaftsminister; 1947 Honorarprofessur an der Universität München; 1947-1948 Leiter der Sonderstelle Geld und Kredit in Bad Homburg; 1948-1949 Direktor der Verwaltung für Wirtschaft der britisch-amerikanischen Bizone; 1949-1977 Mitglied des Deutschen Bundestags; 1949-1963 Bundeswirtschaftsminister; 1963-1966 Bundeskanzler; 1966-1967 Bundesvorsitzender der CDU.

Literaturhinweise:
ERHARD, L. (1977), *Kriegsfinanzierung und Schuldenkonsolidierung*, Faksimiledruck der Denkschrift von 1943/ 44, Frankfurt/ M., Berlin, Wien; DERS. (1953), *Deutschlands Rückkehr zum Weltmarkt*, Düsseldorf; DERS. (1957), *Wohlstand für alle*, Düsseldorf; DERS. (1962) *Deutsche Wirtschaftspolitik. Der Weg der Sozialen Marktwirtschaft*, Düsseldorf, Wien, Frankfurt/ M.

Rainer Klump

Eucken, Walter Kurt Heinrich

geb. am 17.01.1891,
gest. am 20.03.1950

„Wie kann der modernen industrialisierten Wirtschaft eine funktionsfähige und menschenwürdige Ordnung gegeben werden?“ Diese Frage, die Walter Eucken sich selbst gestellt hat und sein gesamtes Werk durchzieht, beantwortete er mit der Entwicklung derjenigen Konzeption, die Ludwig →Erhard *umsetzte und die so zum deutschen Wirtschaftswunder nach dem Zweiten Weltkrieg geführt hat. Eucken betrachtete die Existenz von*

Macht – privater wie staatlicher – als wesentliches Problem moderner Wirtschaftsordnungen und forderte, um diese Macht zu bändigen, dass der Staat einerseits eine Ordnungspolitik betreibt, die strikt dem Wettbewerbsprinzip verpflichtet ist, und andererseits auf Eingriffe in den Wirtschaftsablauf verzichtet.

Die Einsichten Euckens sind stark geprägt durch seine eigenen Beobachtungen in der Zeit vor und nach dem Ersten Weltkrieg. Vor 1914 verfuhr die Politik nach dem klassischen liberalen Prinzip des Laisser-faire: Der Staat schafft lediglich eine Rechtsstruktur und überlässt im Übrigen die Wirtschaft sich selbst. Diese Politik wurde mit dem Recht der Menschen auf Freiheit begründet. Sie hatte allerdings zur Folge, dass sich in weiten Teilen der Wirtschaft Monopole und Kartelle durchsetzten. Denn die Wirtschaftsakteure empfinden Konkurrenz als lästig und streben daher nach monopolistischen Stellungen. So entstanden private Machtblöcke. Diese aber sah Eucken als ein fundamentales Hindernis bei der Ausübung des Freiheitsrechts anderer an. In der Zeit des Laisser-faire wurde die Gewährung von Freiheit zu einer Gefahr für die Freiheit, indem sie die Bildung privater Macht ermöglichte.

Nach dem Ersten Weltkrieg änderte sich die Wirtschaftspolitik grundlegend, verkehrte sich in das Gegenteil. Der Staat griff immer stärker in den Wirtschaftsprozess ein und versuchte, diesen – durch *→Konjunkturpolitik*, *→Geldpolitik*, *→Subventionen* usw. – einzelfallorientiert zu steuern. Dies führte dazu, dass es nunmehr der Staat war, der über eine erhebliche Machtposition verfügte. Eucken erkannte hierin eine Tendenz zur Zentralverwaltungswirtschaft (*→Sozialismus*, *→Konstruktivismus*, *→Dritte Wege*). Das Problem der freiheitsbedrohenden Macht war folglich nicht gelöst, sondern allenfalls verlagert.

Hinzu kommt noch eine zweite Konsequenz der interventionistischen Wirtschaftspolitik. Einzelfallorientierte Wirtschaftspolitik hat stets verschiedenartige Auswirkungen auf die einzelnen Wirtschaftsteilnehmer. Sie begünstigt bestimmte Gruppen und benachteiligt andere. Dieser Effekt schafft Anreize zur Bildung privater Interessenvertretungen, die danach streben, eine für ihre Mitglieder möglichst vorteilhafte Wirtschaftspolitik durchzusetzen. Sie nutzen die staatlich gewährten Privilegien, um weitere zu erkämpfen. Der Staat gerät so unter den Druck solcher Gruppierungen und wird schließlich von ihnen abhängig (→*Interventionismus*).

Die interventionistische Wirtschaftspolitik führt somit zu einem doppelten Machtproblem: Der Staat dehnt seine Macht durch vielfältige Eingriffe in den alltäglichen Wirtschaftsprozess aus und gerät zugleich zunehmend in die Hand wirtschaftlicher Machtgruppen. Die Freiheit der Menschen wird folglich in der modernen Wirtschaft von zwei Seiten her bedroht: sowohl durch staatliche Macht als auch durch private Macht.

Allgemein ist die Auffassung verbreitet, dass das Problem der privaten wirtschaftlichen Macht nur dadurch gelöst werden könne, dass der Staat die wirtschaftliche Macht bei sich konzentrieren solle. Das aber kann nicht im Sinne der individuellen Freiheit sein. Denn das Problem der wirtschaftlichen Macht kann, so Eucken, niemals durch weitere Konzentration von Macht gelöst werden. Im Gegenteil muss die Freiheit des Individuums nach beiden Seiten, sowohl gegenüber anderen Bürgern als auch gegenüber dem Staat, gewahrt werden.

Wie lässt sich angesichts dieses Dilemmas Wirtschaftspolitik betreiben? Wie kann mit anderen Worten „der modernen industrialisierten Wirtschaft eine funktionsfähige und menschenwürdige Ordnung gegeben werden?“ Als Antwort auf diese Frage entwickelte Eucken seine berühmte Konzeption der →*Ordnungspolitik*.

Ordnungspolitik ist solche Wirtschaftspolitik, die die Wirtschaftsordnung ausgestaltet. Im Gegensatz zur Ordnungspolitik steht die →*Prozesspolitik*. Bei ihr handelt es sich um diejenigen wirtschaftspolitischen Maßnahmen, mit denen die Politik in den Wirtschaftsablauf eingreift, diesen also mittelbar oder unmittelbar gestaltet.

In der grundsätzlichen Unterschiedlichkeit dieser beiden Kategorien von Wirtschaftspolitik erkannte Eucken die fundamentale Trennlinie zwischen zulässiger und gebotener Wirtschaftspolitik auf der einen Seite und unzulässiger Wirtschaftspolitik auf der anderen Seite: Die Wirtschaftspolitik hat die Wirtschaftsordnung zu gestalten, den Wirtschaftsprozess dagegen nicht zu beeinflussen.

Nun lassen sich aber sehr viele verschiedene Wirtschaftsordnungen denken. Eucken unterschied zwischen drei fundamentalen Typen: Zentralverwaltungswirtschaft, monopolistische Wirtschaftsordnung und Wettbewerbsordnung. Er widmete sich umfassend der Zentralverwaltungswirtschaft und unterzog sie einer Generalkritik. Hierauf muss an dieser Stelle nicht weiter eingegangen werden, denn die zentralverwaltungswirtschaftliche Ordnung hat sich bekanntlich ab 1989 von selbst erledigt. Die monopolistische Wirtschaftsordnung zeichnet sich dadurch aus, dass die einzelnen Güter- und Arbeitsmärkte von Monopolen oder monopolähnlichen Strukturen, etwa Kartellen, beherrscht werden. Auch sie wurde von Eucken aus den bereits genannten Gründen abgelehnt.

Es verbleibt die Wettbewerbsordnung. In ihr erblickte Eucken diejenige Wirtschaftsordnung, welche den Menschen ein Höchstmaß an Freiheit einräumt, indem sie sowohl (im Gegensatz zur Zentralverwaltungswirtschaft) die staatliche Macht als auch (im Gegensatz zur Monopolwirtschaft) die private Macht in die Schranken weist. Der →*Wettbewerb*, also die Konkurrenz der Anbieter um die Gunst der Nachfrager und, umgekehrt, die Konkurrenz der Nachfrager um die Gunst der Anbieter, ist dasjenige Verfahren, welches missbrauchbare Machtpotenziale nicht zur Entfaltung kommen lässt. Denn im Wettbewerb haben die an den Märkten agierenden Menschen stets die Wahl zwischen verschiedenen Tauschpartnern.

Die Wettbewerbsordnung kommt nicht von selbst zustande, wie die Wirtschaftspolitik des Laisser-faire vor dem Ersten Weltkrieg gezeigt hat. Was also muss der Staat tun, um sie zu errichten beziehungsweise zu erhalten? Mit anderen Worten: Welche Ordnungspolitik hat er zu betreiben? Eucken nannte sieben *Voraussetzungen*, die erfüllt sein müssen, damit die Wettbewerbsordnung zustande kommt und existenzfähig ist.

Die erste und wichtigste Voraussetzung verlangt eine Marktstruktur, welche sich durch ein funktionsfähiges, die wahren Knappheitsverhältnisse widerspiegelndes Preissystem sowie durch eine hohe Wettbewerbsintensität auszeichnet. Eine hohe Wettbewerbsintensität setzt voraus, dass möglichst viele Anbieter und Nachfrager auf den Märkten agieren. Hieraus ergibt sich ein grundsätzliches Verbot von Kartellen und Monopolen.

Die weiteren sechs Voraussetzungen können hier nur aufgezählt werden: (2) Geldwertstabilität, (3) freier Marktzutritt (→*Offene Märkte*), was die Beseitigung sowohl staatlicher als auch privatwirtschaftlicher Marktzutrittsschranken umfasst, (4) →Privat*eigentum*, (5) Vertragsfreiheit, (6) →*Eigenverantwortung* und Haftung des einzelnen Wirtschaftsteilnehmers für seine individuellen wirtschaftlichen Aktivitäten sowie (7) eine regelmäßige, stetige Wirtschaftspolitik, um Verunsicherungen bei den Menschen zu vermeiden.

Eucken widmete auch sozialen Fragestellungen breiten Raum. Mehr noch: Diese sind für ihn sogar mit erkenntnisleitend gewesen. Er legte unmissverständlich dar, dass sich ohne die Beachtung auch der sozialen Aspekte längerfristig keine Wirtschaftsordnung aufrecht erhalten lässt. Und zum Problem der Massenarbeitslosigkeit führte er aus, dass es das soziale Gewissen verbietet, Massenarbeitslosigkeit zu dulden, und die Staatsraison das Gleiche verlangt.

Sehr kritisch beurteilte er allerdings die herkömmliche →*Sozialpolitik*, weil diese den Bürger seiner Freiheitsrechte beraubt, indem sie ihn in staatliche Versicherungen zwingt. Sie führt, wie Eucken feststellte, in eine zunehmende Abhängigkeit des Individuums vom Staat und zu einer weitgehenden Entmündigung. Eucken sprach von einer Tendenz zur Staatssklaverei und, als Folge des Entzugs wesentlicher Freiheitsrechte, einer Zersetzung der menschlichen Substanz.

Darum hat auch die Sozialpolitik nach Eucken Ordnungspolitik zu sein, wenn sie Erfolg haben soll. So kann das Problem der Massenarbeitslosigkeit nur gelöst werden, indem die Prinzipien der Wettbewerbsordnung auch auf den Arbeitsmärkten gelten. Das bedeutet insbesondere auch, dass nicht Gewerkschaften und Arbeitgeberverbände als Monopole Löhne aushandeln, die dann verbindlich sind, sondern dass sich die Löhne frei am Markt bilden. Hinsichtlich der sozialen Vorsorge baute Eucken vorrangig auf die private Initiative des Einzelnen: Die Politik hat den Menschen alle Möglichkeiten zu geben, sich individuell zu sichern. Nur wenn Selbsthilfe und Versicherung nicht ausreichen, haben staatliche Wohlfahrtseinrichtungen eine Existenzberechtigung. Die Stärkung der freien Initiative des Einzelnen aber geht, so weit irgend möglich, vor.

Wissenschaftlicher und beruflicher Werdegang: 1909-1913 Studium in Kiel, Bonn und Jena, 1913 Promotion in Bonn; 1913-1918 Militärdienst; 1919-1925 Universität Berlin, 1921 Habilitation, danach Privatdozent; 1925-1927 Professor in Tübingen; 1927-1950 Professor in Freiburg i. Br.

Literaturhinweise:
EUCKEN, W. (1961), *Nationalökonomie – wozu?*, 4. Aufl., Düsseldorf; DERS. (1989), *Die Grundlagen der Nationalökonomie*, 9. Aufl., Berlin; DERS. (1990), *Grundsätze der Wirtschaftspolitik*, 6. Aufl., Tübingen.

Lüder Gerken

Frickhöffer, Wolfgang
geb. am 26.05.1921,
gest. am 31.10.1991

Der „Wachhund der Sozialen Marktwirtschaft" – so hat man Frickhöffer apostrophiert – kannte Schonung weder gegenüber den erklärten Feinden der →Sozialen Marktwirtschaft *noch denen gegenüber, die das Feldzeichen „Soziale Marktwirtschaft" vor sich hertragen, aber gegen den Geist der* →Marktwirtschaft *zu sündigen bereit sind, wenn es brenzlig wird. Für Frickhöffer war die Soziale Marktwirtschaft kein Schönwettersystem, sondern eine Konzeption für alle Jahreszeiten.*

Frickhöffer musste den bitteren Kelch der Kriegs- und Nachkriegszeit leeren: Unmittelbar nach dem Abitur am humanistischen Gymnasium Berlin-Steglitz wurde er zu Arbeits- und Wehrdienst eingezogen und geriet in Kriegsgefangenschaft. In der Nachkriegszeit hielt er sich zunächst mit verschiedenen Tätigkeiten über Wasser; er war nebenberuflicher Journalist (1949-1952), machte sein Dolmetscherexamen (1951-1954) und studierte Volkswirtschaftslehre an der Universität Heidelberg. Alexander →*Rüstow*, der nach seiner türkischen Emigration den Lehrstuhl von Alfred Weber an der Universität Heidelberg übernommen hatte, wurde sein prägender Lehrer. Im Januar 1954 trat Frickhöffer die Stellung an, die ihn von da an ausfüllen und sein Leben bestimmen sollte: Er wurde Geschäftsführer der Aktionsgemeinschaft Soziale Marktwirtschaft (ASM). Nach dem Tode Alexander Rüstows, seines wissenschaftlichen Mentors und bislang Vorsitzender der Aktionsgemeinschaft Soziale Marktwirtschaft, wurde er im Jahre 1962 dessen Nachfolger.

Die ASM hat Ludwig →*Erhard* bei seiner Reform- und Aufbaupolitik publizistische Schützenhilfe gewährt. Die Gralshüter der Lehre der Sozialen Marktwirtschaft haben hier eine Plattform für ihre Ideen und Konzepte gefunden und auf die politische Meinungsbildung einwirken können. Das →*Gesetz gegen Wettbewerbsbeschränkungen (GWB)*, die Autonomie der →*Deutschen Bundesbank*, die Ausgestaltung der Europäischen Gemeinschaft, mehrmaliger Streit um Aufwertungen und die Auseinandersetzung um die Freigabe der Wechselkurse – darüber wurde auf den Tagungen intensiv diskutiert, ja bisweilen wurde darum geradezu gerungen. Auch Wirtschaftsminister Karl →*Schiller* dozierte hier über soziale Symmetrie und den Aufschwung aus der „Talsohle". Kurz: Die ASM war und ist der Ort, wo über Weichenstellungen für die Marktwirtschaft nachgedacht und klare Wegmarken gesetzt werden.

Dafür hat Frickhöffer immer gesorgt; er hat aber nicht bloß den Denkern und Gestaltern der Sozialen Marktwirtschaft ein vielbeachtetes Forum geboten, sondern selbst die nationale und internationale Diskussion – u. a. auch über die Mont-Pèlerin-Gesellschaft – angeregt und befruchtet. Zugleich hat er in öffentlichen und persönlichen Stellungnahmen an der aktuellen Regierungspolitik aus marktwirtschaftlicher Perspektive Maß genommen; er konnte sehr deutlich werden, wenn er Flickschusterei, Verschlimmbesserungen oder gar ordnungspolitische Sündenfälle vermutete oder nachwies.

Frickhöffers Rolle als Mahner und seinen Einsatz für die res publica hat der frühere Bundeswirtschaftsminister, Otto Graf Lambsdorff, gewürdigt: „Wolfgang Frickhöffer hat das große Verdienst, mit profundem Wissen ohne Rücksicht auf tagespolitische Zwänge den Finger auf die Wunden legen zu können, die der Marktwirtschaft immer wieder zugefügt werden. Mit seinen Vorschlägen und Kommentaren rüttelt er die Politiker auf. Dabei ist er ein nicht immer bequemer Mahner. Er führt einen gerechten Kampf."

Literaturhinweise:
RÜSTOW, A. (1963), *Rede und Antwort*, Ludwigsburg; FRICKHÖFFER, W. (1964), Deutsche Politik als marktwirtschaftliches Beispiel, in: *Aktion Soziale Marktwirtschaft, Ehrliche Weltoffenheit als deutscher EWG-Beitrag*, Tagungsprotokoll Nr. 22, Ludwigsburg; DERS. (1969), Gesellschaftspolitische Folgerungen in einer freiheitlichen Ordnung – von sozialen Fiktionen zu realistischer Politik, in: *Aktionsgemeinschaft Soziale Marktwirtschaft, Freiheitliche Politik für eine freie Welt*, Tagungsprotokoll Nr. 32, Ludwigsburg.

Joachim Starbatty

Hayek, Friedrich August von
geb. am 08.05.1899,
gest. am 23.03.1992

Hayek gilt als einer der bedeutendsten Repräsentanten des „Neoliberalismus" der Weltkriegsgeneration. Für sein umfassendes ökonomisches und sozialphilosophisches Werk erhielt er 1974 den Nobelpreis. Als Liberaler in klassischer Tradition wurde er zum hervorragendsten Kritiker des Sozialismus und des Wohlfahrtsstaates und zum unerschrockenen Verfechter einer freien Gesellschaft. Hayek stand in enger geistiger Verbindung zu den

geistigen „Gründungsvätern" der Sozialen Marktwirtschaft, namentlich zu Wilhelm →Röpke, *Walter* →Eucken *und Ludwig* →Erhard. *Er kritisierte freilich scharf die Vagheit des Ausdruckes „sozial".*

Hayeks umfassendes Werk ist aus der Auseinandersetzung mit der „konstruktivistischen" Plan- oder Zwangswirtschaft der totalitären Systeme erwachsen. Er wies nach, dass der →*„Sozialismus"* nicht nur wegen der Unmöglichkeit der betrieblichen Kalkulation ohne Knappheitspreise, wie dies sein Lehrer Ludwig von Mises entdeckt hatte, sondern auch aus informationstheoretischen Gründen scheitern muss. Es sei eine „Anmaßung von Wissen", das lokal und persönlich weit zerstreute, sich ständig wandelnde, historisch durch vielerlei Erfahrung gewachsene Wissen zentral erfassen zu wollen. Hayek baute so die Theorie der „spontanen Ordnung" aus, im Anschluss vor allem an die schottischen Ordnungstheoretiker des 18. Jahrhunderts (Ferguson, Smith, Hume). Er zeigte eindrucksvoll, dass eine spontane, komplexe Ordnung zwar Ergebnis menschlichen Handelns, aber nicht rationalen Entwurfes ist. Markt, Moral, Recht, Sprache hat kein Einzelner „erfunden", sondern diese Institutionen haben sich in einem historischen Verfahren von Versuch und Irrtum entwickelt, in dem nur diejenigen Gruppen erfolgreich waren, welche namentlich das Eigentum und die entsprechenden moralischen Regeln „entdeckten". Im Besonderen bekannt wurde Hayek durch seinen wettbewerbstheoretischen Beitrag: Der →*Wettbewerb* ist „ein Verfahren zur Entdeckung von Tatsachen, die ohne sein Bestehen entweder unbekannt bleiben oder doch zumindest nicht genutzt werden würden".

Obwohl Hayek einer der schärfsten Kritiker des →*Wohlfahrtsstaates* ist und selbst Vorschläge zur „Entnationalisierung der Währungen" vorgelegt hat, kann er nicht als typischer Vertreter der „Laisser-faire-Tradition" betrachtet werden. Vielmehr ist er ein hervorragender Analytiker des (allerdings nicht vorwiegend staatlichen) institutionellen Rahmenwerks, das eine spontane Ordnung voraussetzt. Er vertrat ferner – zur Irritation mancher seiner Freunde – ein Konzept der sozialen Mindestsicherung, allerdings nicht über eine monopolistische staatliche Sozialversicherung. Gleichwohl ist er einer der dezidiertesten Vertreter einer freien Gesellschaft.

In seinen späten Jahren entwarf er eine bislang wenig beachtete Staats- und Demokratiereform. Sein Zentralanliegen war dabei die Wiederherstellung der Gewaltenteilung durch ein Zwei-Kammer-System, in welchem eine erste Kammer aus ökonomisch unabhängigen Vertretern von Altersgruppen darüber wachen sollte, dass sich die Exekutive streng an allgemeine abstrakte Regeln hält und nicht Sondergruppen begünstigt.

Hayeks Einfluss wächst seit den siebziger Jahren des 20. Jahrhunderts ständig. So beeinflusste er wesentlich die Reformen von Ronald Reagan in den USA und Margaret Thatcher in Großbritannien. Eine 1998 gegründete Friedrich August von Hayek-Gesellschaft in Berlin gibt gegenwärtig seine deutschsprachigen Werke heraus und organisiert öffentliche Veranstaltungen.

Wissenschaftlicher Werdegang: Studium der Rechts- und Staatswissenschaften an der Universität Wien; 1929 Habilitation ebendort. Ab Winter 1931 Professor an der London School of Economics; 1947 Mitgründer der „Mont-Pèlerin-Society"; 1950 Professor der Sozial- und Moralwissenschaft an der Universität Chicago; 1962 Ruf an die Universität Freiburg i. Br.; 1968 bis 1977 Gastprofessur an der Universität Salzburg; 1974 Nobelpreis für Wirtschaftswissenschaften, zusammen mit Gunnar Myrdal, 1991 Freiheitsmedaille des amerikanischen Präsidenten.

Literaturhinweise:
HAYEK, F. A. von (2003), *Der Weg zur Knechtschaft*, 3. Aufl., München; DERS. (1991), *Die Verfassung der Freiheit*, 3. Aufl., Tübingen; HABERMANN, G. (Hrsg.) (2001), *Philosophie der Freiheit. Ein Friedrich-August-von-Hayek-Brevier*, 3. Aufl., Thun; HENNECKE, H. J. (2000), *Friedrich August von Hayek: die Tradition der Freiheit*, Düsseldorf.

Gerd Habermann

Hensel, K. Paul
geb. am 24.01.1907,
gest. am 20.04.1975

Ausgehend von der Erkenntnis seines Lehrers →Eucken, *dass die einzelnen Teile einer Gesellschaftsordnung in interdependentem Zusammenhang stehen, machte Hensel die Analyse von zentralverwaltungswirtschaftlich-diktatorischen Wirtschafts- und Gesellschaftssystemen der ehemals „sozialistischen" Länder (vor allem der ehemaligen DDR und Osteuropas) und deren Vergleich mit marktwirtschaftlich-demokratischen Ländern zum Schwerpunkt des Forschungsprogramms an seinem Lehrstuhl und an der von ihm geleiteten „Forschungsstelle zum Vergleich wirtschaftlicher Lenkungssysteme". Wohl an keinem anderen Institut, vielleicht mit Ausnahme des „Osteuropa-Instituts" an der Freien Universität Berlin, sind zu diesem Themenbereich so viele Diplomarbeiten, Dissertationen und Habilitationsschriften entstanden, wie in Hensels Marburger Forschungsstelle. Dieses Feld der Wirtschaftswissenschaft hat er bis zu seinem Tod entscheidend geprägt.*

Aufgrund seiner Erfahrungen und Erlebnisse aus der Zeit seines beruflichen Werdegangs vor Studienbeginn und später beeinflusst durch die Arbeiten seines akademischen Lehrers Walter Eucken, des Begründers der ordnungstheoretischen und -politischen „Freiburger Schule" der Nationalökonomie, war Hensels besonderes wissenschaftliches Interesse auf die geistige Auseinandersetzung um die Funktionsweise von „sozialistischen" und „kapitalistischen" Wirtschaftssystemen und deren Konsequenzen für die Menschen gerichtet, also auf ein Problem, das nicht nur von abstraktem theoretischem Interesse war, sondern das jahrzehntelang die Welt politisch in Atem hielt und das Schicksal von Millionen von Menschen mitbestimmte (→*Sozialismus/ Planwirtschaft*).

In der Wirtschaftstheorie gab es bereits seit Beginn des vorigen Jahrhunderts eine dann ab den 30er Jahren heftiger werdende Kontroverse um die Frage, ob einem „sozialistischen" Wirtschaftssystem, das auf der Grundlage von staatlicher Planung des Wirtschaftsprozesses und kollektivem Eigentum an den sachlichen Produktionsmitteln arbeitet, eine rationale und geschlossene „Wirtschaftsrechnung" eingebaut werden kann, die – wie man das für Modelle eines marktwirtschaftlichen Systems kannte – dafür sorgt, dass die stets knappen, nur in begrenztem Umfang verfügbaren Produktionsfaktoren (Arbeit, Natur, Sachkapital) in die volkswirtschaftlich sinnvollen und damit richtigen Verwendungen gelenkt werden (→*Marktwirtschaft*).

Im Gegensatz zu seinem Lehrer Eucken kam Hensel in seiner 1954 erschienenen Habilitationsschrift zu dem Ergebnis, dass das abstrakte Modell eines zentral geplanten Wirtschaftssystems sehr wohl eine solche „Rechenmaschine" enthält. Freilich war er sich völlig darüber im Klaren, dass die real existierenden sozialistischen Zentralverwaltungswirtschaften einem solchen Modell ebenso wenig entsprachen, wie die in der Wirklichkeit vorhandenen Marktwirtschaften dem sehr abstrakten theoretischen Modell einer Wirtschaft mit „vollständiger Konkurrenz". Hinsichtlich der Realisierbarkeit einer wirklich funktionsfähigen zentralverwaltungswirtschaftlichen Ordnung war und blieb er außerordentlich skeptisch – wie der spätere Zusammenbruch der Wirtschafts- und Gesellschaftssysteme von „sozialistischen" Staaten eindrucksvoll bewies, völlig zu Recht.

Wissenschaftlicher und beruflicher Werdegang: 1925 Abschluss einer Schreinerlehre durch die Gesellenprüfung. 1931 erfolgreich bestandene Begabtenprüfung und anschließend Studium der Nationalökonomie in Berlin und Freiburg. 1937 Promotion und danach Studium an der London School of Economics. 1951 Habilitation in Freiburg. 1957 Berufung auf einen volkswirtschaftlichen Lehrstuhl an der Universität Marburg. 1963/ 64 Dekan der Rechts- und staatswissenschaftlichen Fakultät der Universität Marburg und 1965-1967 Rektor dieser Universität.

Literaturhinweise:
HENSEL, K. P. (1972), *Einführung in die Theorie der Zentralverwaltungswirtschaft*, 2. Aufl., Stuttgart; HENSEL, K. P./ BLAICH, F./ BOG, I./ GUTMANN, G. (1971), *Wirtschaftssysteme zwischen Zwangsläufigkeit und Entscheidung*, Stuttgart; HENSEL, K. P. (1972), *Grundformen der Wirtschaftsordnung. Marktwirtschaft – Zentralverwaltungswirtschaft*, München.

Gernot Gutmann

Höffner, Joseph Kardinal
geb. am 24.12.1906,
gest. am 16.10.1987

Wie kaum jemand verkörpert Höffner den Schritt der Kirche von der Sozialromantik – der moralisierenden Tota-

lablehnung der durch die Industrialisierung neu entstandenen Lebens- und Arbeitsformen – zur Sozialreform, der Mitwirkung an der ‚ordnungspolitischen' Gestaltung der Wirtschaftsordnung. Als einflussreichster Fachvertreter, der die christliche Gesellschaftslehre als akademische Disziplin zu einer vorher und nachher unerreichten Blüte geführt hat, betont Höffner die gerade auch ethische Bedeutung sozialer Institutionen: „Die Geschichte lehrt, dass Freiheit und Würde des Menschen weithin vom Ordnungssystem der Wirtschaft abhängen". Als einflussreicher Politikberater hat Höffner die subsidiäre Gestaltung der bundesdeutschen Arbeits- und Sozialordnung ganz wesentlich mit gestaltet, als akademischer Lehrer eine ganze Generation späterer Verantwortungsträger geprägt.

Manchmal reicht die Lebensspanne eines Menschen – auch wenn sie gut 80 Jahre umfasst – nicht aus, um seine vielfältigen Fähigkeiten und Begabungen zur vollen Entfaltung zu bringen. Für kaum einen Deutschen des 20. Jahrhunderts trifft dies so zu wie für Höffner, den am Heiligabend 1906 geborenen Westerwälder Bauernsohn, einzigen Bruder von fünf Schwestern und – nach dem frühen Tod seiner Mutter – zwei Stiefbrüdern. Sein Leben durchläuft verschiedene Rollen wie im Zeitraffer und führt ihn dabei in jeder Phase zu jener ‚Exzellenz', von der heute viel die Rede ist, für die aber vielen die nötige Selbstdisziplin und innere Weite fehlt. Dem Vater mag es nicht leicht gefallen sein, seinen Ältesten für das Studium freizugeben; vom Heimatpfarrer auf den Gymnasialbesuch vorbereitet, wird er noch im Jahr des Abiturs (1926) von seinem Bischof zum Theologiestudium an die Päpstliche Universität Gregoriana geschickt.

Höffner, der Forscher: Von 1929 bis 1941 sammelte Höffner nicht weniger als fünf Doktorgrade, bis 1934 in Rom (Theologie, Kirchenrecht, Philosophie), nach seiner Kaplanszeit in Saarbrücken und dann in Freiburg i. Br. (Theologie, Volkswirtschaftslehre). Manchem mag es gespenstisch erscheinen: Während ringsherum Europa im Zweiten Weltkrieg versinkt, promoviert Höffner nach seinem Volkswirtschaftsstudium (Diplom 1939) bei dem bekannten Nationalökonomen Walter →*Eucken*, einem der geistigen Väter der Sozialen Marktwirtschaft, mit einer Arbeit zu ‚Wirtschaftsethik und Monopole im 15. und 16. Jahrhundert'. Doch der junge Höffner zieht sich vor den Grauen seiner Zeit keineswegs in den Elfenbeinturm der Wissenschaft zurück. Sein in dieser Form seltener akademischer Brückenschlag zwischen historischer und systematischer Forschungsarbeit überwindet die These vom prinzipiellen Widerspruch zwischen kirchlichem Christentum einerseits und der moderner Welt andererseits. Höffner erarbeitet auf seinem Gebiet die Grundlagen eines erfolgreichen Neuanfangs in Deutschland nach 1945, indem er die Zustimmung der Kirche zur Sozialen Marktwirtschaft theoretisch vorbereiten und später selbst aktiv erwirken konnte.

Höffner, der Priester: Auch als vielfach promovierter Privatdozent ist sich Höffner – hier in guter Tradition christlicher Gesellschaftslehre – nicht zu schade für die pastorale Praxis. Von 1943-1945 leitet er als Pfarrer die Arbeiterpfarrei Heiligkreuz in Trier; bereits als Kaplan in Saarbrücken entscheidet er sich aus Solidarität mit einer Gruppe von Alkoholikern zu lebenslanger Abstinenz; seit März 1943 hält er das siebenjährige jüdische Mädchen Esther Sara Meyerowitz als ‚Christa Koch' versteckt – im NS-Staat ein Verbrechen, dessen Aufdeckung für einen Kirchenmann wie ihn mit Sicherheit tödliche Konsequenzen gehabt hätte.

Höffner, der Professor für Christliche Gesellschaftslehre: Erst nach dem Ende des Terrorregimes konnte Höffner Professor werden: zunächst am Priesterseminar in Trier, ab 1951 auf dem traditionsreichen Lehrstuhl für Christliche Sozialwissenschaften in Münster. Das gute Jahrzehnt in Münster umfasst die für seine Wirkung auf die →*Soziale Marktwirtschaft* wichtigste Zeit. Vorbereitet durch seine Forschungsarbeiten führt Höffner (gemeinsam mit zeitgenössischen Lehrern wie dem Jesuiten Oswald von →*Nell-Breuning* in Frankfurt und Johannes Messner in Wien) die katholische Kirche in Deutschland aus ihren Widerständen gegen die moderne Ökonomie und Gesellschaft heraus, die zu ihrer Verweigerungshaltung gegenüber der Weimarer Republik und damit zu den totalitären Verirrungen des 20. Jahrhunderts beigetragen hat; so u. a. als wissenschaftlicher Berater des ‚Bundes Katholischer Unternehmer'– einer bundesweiten Vereinigung, der er entscheidende Impulse gegeben hat.

Höffner, der Kirchenführer: Seit 1962 ist Höffner Bischof von Münster, seit 1969 Erzbischof von Köln und Mitglied des Kardinalskollegiums sowie von 1976 bis kurz vor seinem Tod 1987 Vorsitzender der Deutschen Bischofskonferenz. Als Brückenbauer zwischen Kirche und moderner Wirtschaft und Gesellschaft hat er auch in dieser Funktion gewirkt: Im 2. Vatikanischen Konzil hat er die bahnbrechende methodische Neuorientierung der Kirche in den Konzilsdokumenten (insbesondere der Pastoralkonstitution ‚Gaudium et Spes') mit beeinflusst, die die Eigengesetzlichkeit von Wirtschafts- und Sozialwissenschaft grundlegend anerkennt. Auch in der katholischen Weltkirche hat Höffner auf eine weltaufgeschlossene Christliche Gesellschaftslehre hin gearbeitet, zahlreiche Ehrendoktorwürden asiatischer und lateinamerikanischer Universitäten reflektieren dieses Engagement, seine Schriften sind in 2,8 Mio. Exemplaren in 12 Sprachen übersetzt worden. Internationale Ehrungen umfassen auch den Verdienstorden der Bundesrepublik Deutschland und der Republik Italien. Sein Einfluss hat nicht zuletzt zur finanziellen Konsolidierung des zunächst hoch verschuldeten Vatikan-Staates beigetragen.

Literaturhinweise:

HÖFFNER, J. (1983), *Christliche Gesellschaftslehre*, 2. Aufl., Kevelaer (Neuauflage 1999); SCHREIBER, W./ DREIER, W. (Hrsg.) (1966), *Gesellschaftspolitik aus christlicher Weltverantwortung. Reden und Aufsätze.* (Sonderband Institut für

Christliche Sozialwissenschaften), Münster (2. Bd. hrsg. v. W. Dreier, Münster 1969); HECK, E. J. (Hrsg.) (1986), *In der Kraft des Glaubens. Ansprachen, Aufsätze u. a. 1969-86*, 2 Bde., Freiburg i. Br.

André Habisch

Kamitz, Reinhard

geb. am 18.06.1907,
gest. am 09.08.1993

Begriff und Grundsätze der „Sozialen Marktwirtschaft" sind in Österreich nach 1945 maßgeblich von Kamitz eingeführt worden: Bereits in seiner Zeit als Leiter der Wirtschaftspolitischen Abteilung der Bundeskammer der Gewerblichen Wirtschaft (1946-1951), später mit noch größerem Nachdruck in seinen Positionen als Finanzminister (1952-1960) und als Präsident der Oesterreichischen Nationalbank (1960-1968). Diese ordnungspolitische Standortbestimmung bedurfte beachtlichen Mutes, denn die wirtschaftspolitischen Programme der beiden großen Parteien, Österreichische Volkspartei (ÖVP) und Sozialistische Partei Österreichs (SPÖ), wichen von denen der Sozialen Marktwirtschaft gravierend ab: die ÖVP in Richtung auf christlich-soziale und ständische Vorstellungen, die SPÖ in Richtung auf sozialistische, staatliche Lenkungsvorstellungen (Austromarxismus).

Kamitz verband in seiner Position die zentralen Prinzipien der Sozialen Marktwirtschaft und des Ordo-Liberalismus (→*Liberalismus*) mit einer eigenständigen Anpassung an österreichische Bedingungen. Die wirtschaftspolitischen Beiträge von Kamitz bewirkten, dass sich die politisch unklaren Vorstellungen über die „Soziale (soziale) Marktwirtschaft" soweit klärten, dass seit den Regierungen mit Julius Raab als Bundeskanzler und Kamitz als Finanzminister die in Österreich sich entwickelnde Wirtschafts- und Gesellschaftsordnung als „Soziale Marktwirtschaft" bezeichnet wurde.

Kamitz war von der „Interdependenz der Ordnungen" (W. →*Eucken*) überzeugt. Die Freiheit sei ein unteilbares Gut für Wirtschaft, Politik und Kultur. Kamitz stellte die Unabhängigkeit der Oesterreichischen Nationalbank 1955 her und verpflichtete sie auf die Stabilisierung des Geldwertes als einziges Ziel; ferner setzte er ein Verbot der Finanzierung jeglicher staatlicher Organisationen durch. Beide Ziele wurden 1992 im Vertrag von Maastricht (→*Europäische Wirtschafts- und Währungsunion*) für die Europäische Zentralbank verankert. Zusätzlich gelang es ihm, durch eine Reihe damals spektakulärer Steuersenkungen den Beweis zu liefern, dass solche Schritte geeignet sind – entgegen der in Österreich vorherrschenden Meinung –, die Einnahmen des Staates zu heben und den Willen zur Leistung und zu Investitionen zu stärken.

Für die Anwendung dieser Prinzipien hatte er sich auch bei der Gestaltung der internationalen Wirtschafts- und Währungsbeziehungen eingesetzt. Für die Stabilisierung des Preisniveaus schien ihm eine staatliche Wettbewerbspolitik, auch über die nationalen Grenzen hinaus, die Erfolg versprechendste Maßnahme zu sein, wirksamer als sozialpartnerschaftliche Lohn- und Preisabkommen und auch wirksamer als eine amtliche Preisregelung. Er hielt die Öffnung der nationalen Grenzen durch die Liberalisierungsschritte der (damaligen) OEEC zur Beseitigung der mengenmäßigen Handelsbeschränkungen für Güter und Leistungen, die Vorschriften des Internationalen Währungsfonds (IWF) zur Beseitigung aller Devisenbeschränkungen zugunsten des österreichischen Schilling und die Vereinbarungen im GATT (Allgemeines Zoll- und Handelsabkommen) zur schrittweisen Beseitigung der Zollschranken für am wirksamsten. Aus diesen Gründen ist Kamitz sehr frühzeitig für eine aktive Teilnahme Österreichs in der sich abzeichnenden Integration der europäischen Wirtschaft eingetreten, nicht zuletzt deshalb, weil er skeptisch gewesen ist, ob eine Soziale Marktwirtschaft mit der notwendigen ordnungspolitischen Konsequenz in Österreich politisch durchsetzbar wäre. Eine kartellrechtliche Bekämpfung von Wettbewerbsabsprachen ausschließlich im kleinen österreichischen Markt hielt er für ineffizient gegenüber einer Ausweitung des regionalen →*Wettbewerbs* und einer Liberalisierung des Waren- und Leistungsverkehrs sowie des Geld- und Kapitalverkehrs.

Wissenschaftlicher und beruflicher Werdegang: 1934-1939 Institut für Konjunkturforschung, Wien; 1938 Professor an der Hochschule für Welthandel, Wien; 1939-1946 Handelskammer Wien; 1946-1951 Bundeskammer der Gewerblichen Wirtschaft, Leiter der Wirtschaftspolitischen Abteilung, Stellvertretender Generalsekretär; 1952-1960 Bundesminister der Finanzen; 1960-1968 Präsident der Oesterreichischen Nationalbank.

Wolfgang Schmitz

Karrenberg, Friedrich

*1904 †1966

Karrenbergs Bedeutung besteht nicht primär in einem eigenen Beitrag zur Wirtschaftstheorie oder gar in einer theologischen Begründung der Wirtschaftsethik, sondern in einer vielfältigen Vermittlungstätigkeit zwischen Kirche, Gesellschaft und Wirtschaft. Als theologischer Laie, Unternehmer und Wissenschaftler trug er in vielfältiger Form dazu bei, um Verständnis für die →Marktwirtschaft *in kirchlichen Kreisen zu werben. Zugleich forderte er die Gemeinwohlverpflichtung und die soziale Verantwortung der Wirtschaft ein. Karrenberg trug zur Bildung von Rechtsüberzeugungen bei, die Konfessions-, Partei- und Weltanschauungsgrenzen überschritten. Bereits in seiner Dissertation 1933 „Christentum, Kapitalismus und Sozialismus" wendete er sich entschieden gegen eine konservative-lutherische Staatsverehrung. Dies ist – zusammen mit der damit verbundenen Bejahung der individuellen Freiheit in christlicher Verantwortung – eine gemeinsame Basis mit allen geistigen Vertretern der* →Sozialen Marktwirtschaft *gewesen, die ihre Verankerung im christlichen Menschenbild immer betonten.*

Beruflicher und wissenschaftlicher Werdegang: Karrenberg war in der Nachkriegszeit und beim Wiederaufbau Deutschlands als selbstständiger Unternehmer tätig, insbesondere im Rheinland; er nahm zahlreiche ehrenamtliche Funktionen in der Evangelischen Kirche wahr, u. a. nebenamtliches Mitglied der Leitung der Ev. Kirche und Vorsitzender des Sozialethischen Ausschusses der Ev. Kirche im Rheinland; Veröffentlichung wichtiger gesellschaftspolitischer Stellungnahmen in den 40er und 50er Jahren; Gründung des Sozialwissenschaftlichen Instituts in Velbert (1965) und dessen Leitung; 1950-1961 Vorsitz der Arbeitsgruppe „Arbeit und Wirtschaft" im Deutschen Evangelischen Kirchentag, 1954 Herausgabe des Evangelischen Soziallexikons in dessen Auftrag (2001 in 8. Aufl.); in den letzten Jahren seines Lebens Lehrtätigkeit als Honorarprofessor an der Universität zu Köln mit Schwerpunkt Geschichte der Sozialethik.

Literaturhinweise:
KARRENBERG, F. (1959), *Gestalt und Kritik des Westens,* Stuttgart; HÜBNER, J. (1993), *Nicht nur Markt und Wettbewerb. Friedrich Karrenbergs wirtschaftsethischer Beitrag zur Ausgestaltung der sozialen Marktwirtschaft,* Bochum; BECKMANN, J./ WEISSER, G. u. a. (1964), *Christliche Gemeinde und Gesellschaftswandel,* Festgabe für F. Karrenberg, Stuttgart, Berlin.

Martin Honecker

Lutz, Friedrich August
geb. am 29.12.1901,
gest. am 04.10.1975

Als Lutz 1920 das Studium der Nationalökonomie aufnahm, beherrschten an den deutschen Universitäten die Vertreter der historischen Schule das Fach. Angesichts ihrer Ratlosigkeit insbesondere gegenüber der galoppierenden Geldentwertung der Nachkriegszeit fand Lutz bei dem jungen Privatdozenten Walter →Eucken *das gleichgerichtete Bestreben, die Probleme theoretisch zu durchdenken und so zu ihren wahren Ursachen und den gesamtwirtschaftlichen Zusammenhängen vorzustoßen. Die Begegnung mit Eucken wurde für Lutz' ganzes Leben richtungweisend. Dieser holte ihn nicht nur aus einer praktischen Tätigkeit als Assistenten nach Freiburg i. Br. und brachte ihn auf eine wissenschaftliche Laufbahn. Lutz gehörte fortan auch zum engeren Kreis der sich damals um Eucken bildenden ordoliberalen Freiburger Schule. Unter der nationalsozialistischen Herrschaft war Lutz seiner liberalen Geisteshaltung wegen ein Fortkommen an deutschen Universitäten verwehrt. Er wanderte in die Vereinigten Staaten von Amerika aus, ein in der zeitgenössischen Theorie führendes Land. Bald nach dem Zweiten Weltkrieg kehrte er wieder in den alten Kontinent zurück.*

Seine Schaffenskraft gehörte der Forschung. Seine Forschungsgebiete waren Zinstheorie, Geldtheorie und internationale Währungsordnung. Wie seinem Lehrer Eucken war Lutz die Theorie nie Selbstzweck, sondern immer Mittel zum Verständnis der wirtschaftlichen Wirklichkeit. Ein klarer Sachverstand und die Unbestechlichkeit seines Urteils trugen ihm die Achtung der Fachwelt ein. Seinen Studenten vermittelte er keine Ergebnisse, sondern er schulte sie im schrittweisen Durchdenken der Probleme. Nie ließ er Überlegenheit spüren, weil er sich selbst als Lernenden empfand. So wirkte er als echter Lehrer durch sein Vorbild.

Über das Verständnis des Wirtschaftsablaufs hinaus suchte die Freiburger Schule die wirtschaftlichen und rechtlichen Voraussetzungen einer von Marktmacht freien Wettbewerbswirtschaft herauszuarbeiten. Diesem Bestreben kam Lutz auf dem Gebiet der Geld- und Währungsordnung nach, wo er sich den Ruf eines der besten Kenner erwarb. In zahlreichen kleineren Arbeiten befasste er sich mit den Problemen der Zeit: Zusammenbruch der Goldwährung, Bankenkrise der frühen 30er Jahre, Behinderung des internationalen Güter- und Zahlungsverkehrs durch Devisenkontrollen, Zahlungsbilanzungleichgewichte der Nachkriegszeit und vor allem die stetige Geldentwertung, deren wechselnden Ursachen er immer wieder nachspürte. Nach genauer Analyse der Tatsachen stieß er stets zu den grundsätzlichen ordnungspolitischen Fragen vor und erarbeitete Lösungsvorschläge.

Lutz leitete die Überzeugung, dass die Wettbewerbswirtschaft nicht nur auf einen freien internationalen Güter- und Zahlungsverkehr angewiesen ist, sondern vor allem auf Dauer nur dann zufriedenstellend funktionieren kann, wenn die Kaufkraft des Geldes stabil bleibt. Lutz hielt es für klüger, die Sicherung der Geldwertstabilität nicht dem Belieben der Politik anheim zu stellen, sondern sie in den Regeln der Geld- und Währungsordnung zu verankern. Lange bevor das in Bretton Woods vereinbarte internationale Währungssystem der Nachkriegszeit zu weltweiter Inflation führte und deshalb zusammenbrach, trat Lutz für flexible Wechselkurse ein, da nur diese in einer inflationistischen Welt es einem einzelnen stabilitätswilligen Land ermöglichen, seine Geld- und Konjunkturpolitik auf das Ziel der →*Preisniveaustabilität* auszurichten.

Wissenschaftlicher und beruflicher Werdegang: 1920-25 Studium der Nationalökonomie in Heidelberg, Berlin und Tübingen (Dr. rer. pol.); 1926-29 Verein Deutscher Maschinenbau-Anstalten in Berlin; 1929-32 Assistent von Prof. Walter Eucken in Freiburg i. Br.; 1932-38 Privatdozent an der Universität Freiburg i. Br.; als Rockefeller Fellow je ein Studienjahr in England und in den Vereinigten Staaten von Amerika; 1938-53 Lehrtätigkeit an der Universität Princeton (New Jersey), USA, ab 1947 als Full Professor; 1948-52 mehrmals Gastprofessor an der Universität Freiburg i. Br.; 1953-72 o. Professor an der Universität Zürich.

Literaturhinweise:

LUTZ, F. A. (1936), *Das Grundproblem der Geldverfassung*, Stuttgart, Berlin, abgedruckt in: Lutz, F. A. (1962), Geld und Währung, Gesammelte Abhandlungen. Tübingen; DERS. (1956/ 1967), *Zinstheorie*, Zürich, Tübingen; DERS. (1971), *Politische Überzeugungen und nationalökonomische Theorie, Zürcher Vorträge*, Tübingen (mit Werkverzeichnis).

Verena Veit-Bachmann

Meyer, Fritz W.
geb. am 08.11.1907,
gest. am 04.03.1980

Meyer wurde wissenschaftlich geprägt durch den Freiburger Kreis, dessen Forschungen richtungsweisend für die Entwicklung und den Ausbau der Ordnungstheorie waren und entscheidende Grundlagen für die Ordnungspolitik schufen. Als Schüler von Walter

→Eucken *war in ihm ein brennendes Interesse für die* →Ordnungspolitik *geweckt worden, das ihn Zeit seines wissenschaftlichen Wirkens nicht mehr losließ. Es schlug sich in überzeugenden ordnungspolitischen Untersuchungen und Analysen nieder, von denen zahlreiche Veröffentlichungen ein bleibendes und nachhaltig wirkendes Zeugnis ablegen, die in einer klaren und deutlichen Sprache formuliert sind und durch treffende beispielhafte Erklärungen unverwechselbare Züge tragen.*

Meyer konnte auf viele Jahre erfolgreichen Wirkens an der Universität Bonn zurückblicken, der er trotz ehrenvoller Berufungen treu blieb. Außerdem verzichtete er auf die Übernahme ihm angebotener hoher Staatsämter, und zwar deshalb, weil unvermeidbare politische Kompromisse häufig Abstriche von seinen wissenschaftlichen Überzeugungen hätten erfordern können. Seine Aufgabe sah er vielmehr darin, der Wirtschaftspolitik brauchbare Konzepte bereitzustellen. Gelegenheit hierzu bot ihm seine Tätigkeit in zahlreichen beratenden Gremien. Gerade seine tief und fest verankerte wissenschaftliche Verbindung von Diagnose und Therapie sowie die unbestechliche Klarheit seines Denkens, Schreibens und Darlegens ermöglichten es ihm, hervorragende, ja sogar bahnbrechende Erkenntnisse zu erarbeiten.

Die von Meyer aufgegriffenen Themen sind weit gespannt. Eine ausgeprägte Aufmerksamkeit galt jedoch stets den internationalen Wirtschaftsbeziehungen, der Beschäftigungs- und Entwicklungspolitik sowie den Währungsproblemen. Sein bedeutsames Werk „Der Ausgleich der Zahlungsbilanz“ aus dem Jahr 1938 bietet nach wie vor eine wegweisende Analyse, die niemand umgehen kann, der nach einer praxisrelevanten theoretischen Fundierung zur Lösung zahlungsbilanzpolitischer Fragen sucht. Darüber hinaus waren es vor allem ordnungspolitische Einzelfragen, die ihn immer wieder herausforderten und fesselten. Denn er sah es als wirtschaftspolitisch bedeutsam und als zwingende Aufgabe an, nicht nur die Grundstruktur einer marktwirtschaftlichen Ordnung herauszuarbeiten, sondern vor allem auch marktwirtschaftliche Formelemente zu untersuchen. Dabei überprüfte er drängende wirtschaftspolitische Probleme und verstand es meisterhaft, sie auf die ökonomischen Kernfragen zurückzuführen und zugleich in die Ordnungspolitik einzubinden. In kritischer Analyse deckte er gruppenegoistische Einzelinteressen ebenso schonungslos auf wie den wohl unausrottbaren Hang zum →*Interventionismus* und zu Wettbewerbsbeschränkungen, deren Begründung er mit brillanter Logik und unausweichlicher Gedankenschärfe als ökonomisch unzutreffend und unhaltbar entlarvte.

Wissenschaftlicher und beruflicher Werdegang: Studium der Volkswirtschaftslehre; 1934 Promotion bei Walter Eucken; 1934-1937 Assistent am Institut für Weltwirtschaft in Kiel und bei Walter Eucken in Freiburg i. Br.; 1938 Habilitation bei W. Eucken; 1938-1943 Dozent an der Universität Kiel; 1946 a. o. Prof., 1948 o. Prof. an der Universität Bonn; 1950 Mitglied des

Wissenschaftlichen Beirats beim Bundesministerium für Wirtschaft; 1962-1965 Mitglied des Sachverständigenrats zur Begutachtung der gesamtwirtschaftlichen Entwicklung; 1973 Emeritierung.

Literaturhinweise:
MEYER, F. W. (1938), *Der Ausgleich der Zahlungsbilanz*, Jena; DERS., Zahlreiche Aufsätze in: ORDO Jahrbuch für die Ordnung von Wirtschaft und Gesellschaft; Weltwirtschaftliches Archiv; Wirtschaftspolitische Chronik des Instituts für Wirtschaftspolitik der Universität zu Köln, in mehreren Sammelbänden; zu einer ausführlichen Würdigung der wissenschaftlichen Leistung siehe WILLGERODT, H. (1981), *Fritz Walter Meyer*, ORDO, Bd. 32 (1981), S. 199-217.

Helmut Gröner

Miksch, Leonhard
geb. am 20.05.1901,
gest. am 19.11.1950

Wenn der Begriff Ordoliberalismus oder Freiburger Schule fällt, wird er vor allem mit den Namen Walter →Eucken, *Franz* →Böhm *und Alfred* →Müller-Armack *verbunden, die mit Recht zu den exponiertesten Vertretern dieser wirtschaftspolitischen Konzeption zählen. Bedauerlicherweise wird in diesem Zusammenhang aber häufig der Name Leonhard Miksch übersehen, der – obwohl früh verstorben – sowohl in seiner Funktion als Hochschullehrer als auch als praktischer Wirtschaftspolitiker wertvolle Aufbauhilfe für die noch ganz junge Bundesrepublik leistete.*

Miksch unterscheidet sich in seinem Werdegang wesentlich von seinen ordoliberalen Mitstreitern. Nach einem anfänglichen Studium der Chemie sattelt er auf die Nationalökonomie um und erwirbt 1926 in Tübingen den Abschluss in Volkswirtschaftslehre, drei Jahre später den Promotionsgrad. Doktorvater ist Walter Eucken, der Miksch noch lange freundschaftlich verbunden war. Anstatt aber die akademische Laufbahn einzuschlagen, wird er 1929 Journalist bei der Frankfurter Zeitung, der er bis zu ihrem Verbot durch die Nationalsozialisten 1943 als Leiter der Wirtschaftsredaktion treu bleibt. Seine journalistische Karriere hindert ihn nicht daran, 1937 sein Hauptwerk mit dem Titel *„Wettbewerb als Aufgabe – Grundsätze einer Wettbewerbsordnung"* zu verfassen, das nachträglich als Habilitationsschrift eingereicht wird.

Nach Ende des Zweiten Weltkrieges engagiert sich Miksch für den wirtschaftlichen Wiederaufbau Deutschlands und arbeitet bis zu seiner 1949 erfolgten Berufung an die Wirtschaftshochschule Mannheim und die Universität Freiburg i. Br. als Referatsleiter in der Verwaltung für Wirtschaft in Frankfurt. Während dieser Zeit sollte er zu einem der wichtigsten Vertrauten und Berater Ludwig →*Erhards* werden. Miksch ist es zu verdanken, dass die Währungsreform von 1948 in einen adäquaten ordnungspolitischen Rahmen eingebettet und somit erst ein Erfolg wird. Denn das sogenannte *„Leitsätzegesetz"*, mit dem Erhard parallel zur Währungsumstellung die Preiskontrollen aufhebt und eine freie Wettbewerbsordnung erst ermöglicht, wird zu großen Teilen von Miksch verfasst. Am 19. September 1950 stirbt er, nur sechs Monate nach seinem großen Förderer und Freund Walter Eucken in Freiburg i. Br.

Wie bereits erwähnt steht Miksch eindeutig in der ordoliberalen Tradition der Freiburger Schule. Genau wie Eucken oder Böhm propagiert er somit keine Wettbewerbspolitik des *„Laisser-faire"*, also eine Politik, die keinen Einfluss auf wirtschaftliche Abläufe zu nehmen versucht. Stattdessen entwickelt er eine Art „Faustregel", anhand der bestimmten Marktformen eine adäquate Marktverfassung, also ein staatlicherseits durchgesetztes Regelwerk, zugeordnet werden kann. Folglich wäre ein Monopol einer staatlichen Lenkung zu unterwerfen, während die Marktform der vollständigen Konkurrenz keiner weiteren Eingriffe bedarf.

Dieses Festlegen von Rahmenbedingungen bezeichnet Miksch als *äußere Koordination.* Das methodische Gegenstück dazu stellt die *innere Koordination* dar. Während die innere Koordination auf Freiwilligkeit und gegenseitigen Nutzenerwägungen der Marktteilnehmer basiert, ist die äußere Koordination immer ein Ausdruck von Macht. Um zu verhindern, dass diese Macht zu privater Willkür ausartet, etwa durch Monopole, hat Miksch das Leitbild des „Wettbewerb-als-ob" entwickelt. Ziel der Wettbewerbspolitik müsse es sein, durch angemessene regulierende Maßnahmen ein Marktergebnis zu erzeugen, das dem bei →*Wettbewerb* entspricht. Somit fordert Miksch weder ein Per-se-Verbot noch die Verstaatlichung von Monopolen, sondern befürwortet eine anreizorientierte staatliche Regulierung wie sie zum Beispiel heute implizit bei der Regulierungsbehörde für Post und Telekommunikation auch verfolgt wird.

Staatliche Willkür könne dagegen durch demokratische Mehrheitsentscheidungen eingedämmt werden. Miksch kommt sogar zu dem Schluss, dass Demokratie und Marktwirtschaft in einem gegenseitigen Wechselverhältnis stehen. Eine freiheitliche Wirtschaftsordnung setze ein stabiles demokratisches System voraus, während eine marktwirtschaftlich orientierte Wirtschaftsordnung eine *„Diktatur der Bürokratie"* zu vermeiden helfe und somit die Demokratie stärke.

Wissenschaftlicher Werdegang: 1920-26 Studium der Chemie und der Nationalökonomie in Prag und Tübingen. 1929 Promotion zum Dr. rer. pol. an der Universität Tübingen. 1937 Habilitation. 1949 Professur an der Staatlichen Wirtschaftshochschule Mannheim und der Universität Freiburg.

Literaturhinweise:
MIKSCH, L. (1937), *Wettbewerb als Aufgabe. Grundsätze einer Wettbewerbsordnung*, Stuttgart, Berlin, 2. erw. Aufl., Godesberg 1947; DERS. (1948), Die preispolitischen Grundgedanken, in: Miksch, L./ Rubrath, W., *Die Preisfreigabe. Wirtschaftspolitik und Recht*, Siegburg, S. 3-18; DERS. (1949), *Die Wirtschaftspolitik des „Als-Ob"*, Zeitschrift für die gesamte Staatswissenschaft, Jg. 105, S. 310-338.

Heinz-Dieter Smeets
Michael Sket

Müller-Armack, Alfred
geb. am 28.06.1901,
gest. am 06.03.1978

Müller-Armack ist der Wegbereiter des Konzeptes und Schöpfer des Begriffes der Sozialen Marktwirtschaft. Die Verwirklichung einer freiheitlichen und menschenwürdigen Ordnung betrachtet er als gesellschaftspolitische Aufgabe, zu deren Verwirklichung die Wirtschaft beizutragen habe.

Das wissenschaftliche Werk Müller-Armacks ist umfassend. Ausgehend vom Thema der →*Konjunkturpolitik* – einem der Stilmerkmale der Sozialen Marktwirtschaft – hat sich Müller-Armack über seine unter anderem durch Max Weber inspirierten kultur- und religionssoziologischen Schriften der 30er und frühen 40er Jahre dem Gebiet der Wirtschaftsstilforschung zugewandt. Nicht spontane Gesetzmäßigkeiten, auf die der Mensch kaum Einfluss hat, sondern Gesinnungen, Werthaltungen und Machtverhältnisse sind es, die nach Müller-Armack bestimmte Typen des wirtschaftlichen und gesellschaftlichen Zusammenlebens hervorbringen. Ausgehend von dieser Prämisse, durchdringt ein Thema Müller-Armacks Werk wie ein roter Faden: die Bedeutung gesellschaftlicher Wertorientierungen und die Bereitschaft zur Übernahme der Verantwortung für ihre Realisierung. In der 1946 erschienenen Schrift „Wirtschaftslenkung und Marktwirtschaft", die sein Konzept einer Sozialen Marktwirtschaft im Kern darstellt, entwickelt Müller-Armack den Gedanken einer sozial verantwortlichen Marktwirtschaft erstmals systematisch. →*Soziale Marktwirtschaft* ist hier und in den nachfolgenden Schriften konzipiert worden als ein Wirtschaftsstil, der den sich im Zeitablauf ändernden gesellschaftlichen Bedingungen angepasst werden muss. Trotz dieser notwendigen Anpassungen gibt es einen bleibenden Grundgedanken der Sozialen Marktwirtschaft, deren Sinn Müller-Armack darin sieht, das Prinzip der Freiheit auf dem Markt mit dem des sozialen Ausgleichs zu verbinden. Aus der Perspektive der von Müller-Armack empfohlenen →*sozialen Irenik* erscheint die Soziale Marktwirtschaft somit als eine weltanschauungsübergreifende Sozialidee, deren wirtschaftsordnungstheoretische Grundlage jedoch zweifelsfrei durch marktwirtschaftliche Koordination gekennzeichnet ist. Dies klargestellt, betrachtet er die Wirtschaftsordnung der Sozialen Marktwirtschaft auch nicht als einen dritten Weg zwischen →*Marktwirtschaft* und Zentralverwaltungswirtschaft (→*Sozialismus/ Planwirtschaft*), sondern als einen besonderen Typus von Marktwirtschaft mit der Spezifik einer sozialen Qualität, die nicht veräußerbar ist.

Müller-Armack hat sich sowohl durch seine politischen Aktivitäten als auch durch sein wissenschaftliches Werk bleibende Verdienste erworben. Sein Konzept der Sozialen Marktwirtschaft ist im Bereich der Ordnungstheorie und -politik immer wieder zum Ausgangspunkt für ein vertieftes Nachdenken geworden. Anlässlich seines 100. Geburtstages im Jahre 2001 fanden in Bonn und Leipzig wissenschaftliche Symposien statt, auf denen national und international ausgewiesene Weggefährten, Schüler und Kenner seiner Theorie das Andenken von Alfred Müller-Armack ehrten.

Wissenschaftlicher und beruflicher Werdegang: Müller-Armacks wissenschaftlicher Weg begann mit dem Studium der Nationalökonomie an den Universitäten Gießen, Freiburg, München und Köln. 1923 Promotion bei Leopold von Wiese an der Universität zu Köln *(Das Krisenproblem in der theoretischen Sozialökonomik)*, 1926 Habilitation *(Ökonomische Theorie der Konjunkturpolitik)*. Von 1926 bis 1938 war Müller-Armack Privatdozent und außerplanmäßiger Professor in Köln. 1938 nahm er eine Vertretung an der Universität Münster an und wurde dort 1939 außerordentlicher Professor, bevor 1940 seine Ernennung zum Ordinarius für Nationalökonomie und Kultursoziologie, insbesondere Religionssoziologie, erfolgte. Zeitgleich war Müller-Armack in Münster geschäftsführender Direktor des Institutes für Wirtschafts- und Sozialwissenschaften. 1941 wurde er hier Mitbegründer der Forschungsstelle für Allgemeine und Textile Marktwirtschaft. Müller-Armack war 1948 Gründungsmitglied des Wissenschaftlichen Beirates bei der Verwaltung für Wirtschaft in Frankfurt/ M. 1950 folgte er einem Ruf an die Universität Köln und trat die Nachfolge von Leopold von Wiese an. Die Gründung des Kölner Instituts für Wirtschaftspolitik 1950/ 51 geht wesentlich auf Müller-Armack zurück. Parallel zur Wahrnehmung seines Ordinariats ist Müller-Armack von 1952 bis 1958 mit der Funktion des Kommissarischen Leiters der Grundsatzabteilung des Bundeswirtschaftsministeriums betraut gewesen. 1958 wurde er zum Staatssekretär für Europäische Fragen im Bundeswirtschaftsministerium unter Wirtschaftsminister Ludwig →*Erhard* ernannt. Müller-Armack trat 1963 von dieser Funktion zurück und nahm bis 1969 die Aufgaben eines Hochschullehrers wahr. Bis zu seinem Tode ist Müller-Armack wissenschaftlich und gesellschaftlich aktiv tätig geblieben, was sich in zahlreichen Ehrungen, die ihm zuteil wurden, widerspiegelt.

Ausgewählte Publikationen von Alfred Müller-Armack:
Wirtschaftsordnung und Wirtschaftspolitik. Studien und Konzepte zur Sozialen Marktwirtschaft und zur Europäischen Integration, Bern. Stuttgart, 2. Aufl., 1976.
Diagnose unserer Gegenwart. Zur Bestimmung unseres geistesgeschichtlichen Standortes, Bern, Stuttgart, 2. erw. Aufl., 1981.
Genealogie der Sozialen Marktwirtschaft. Frühschriften und weiterführende Konzepte, Bern, Stuttgart, 2. erw. Aufl., 1981.
Religion und Wirtschaft. Geistesgeschichtliche Hintergründe unserer europäischen Lebensform., Bern, Stuttgart, 3. Aufl., 1981.

Literaturhinweise:
DIETZFFELBINGER, D. (1998), *Soziale Marktwirtschaft als Wirtschaftsstil. Alfred Müller-Armacks Lebenswerk*, Gütersloh;
MÜLLER, E. (1997), *Evangelische Wirt-*

schaftsethik und Soziale Marktwirtschaft, Neukirchen-Vluyn; WATRIN, Ch. (1988), Alfred Müller-Armack (1901 bis 1978), in: Henning, F.-W. (Hrsg.), *Über den Beitrag Kölner Volkswirte und Sozialwissenschaftler zur Entwicklung der Wirtschafts- und Sozialwissenschaften*, Köln, Wien, S. 39-68.

Friedrun Quaas

Nell-Breuning, Oswald von
geb. am 08.03.1890,
gest. am 21.08.1991

Oswald von Nell-Breuning (NB) kommentierte sowohl den „Neoliberalismus" als Theoriehorizont als auch die sich auf ihn berufende Praxis, die er gerne als „sogenannte ‚Soziale Marktwirtschaft'" (SM) bezeichnete, in ihrer Anfangsphase in den 50er Jahren sehr kritisch (vgl. Neoliberalismus und Katholische Soziallehre 1955). Erst spät (Können Neoliberalismus und Katholische Soziallehre sich verständigen? 1975) signalisierte er unter Hinweis auf einen Beitrag von Franz →Böhm *(ORDO XXIV [1973] 11-84) eine bedingte Versöhnungsmöglichkeit.*

Um diese Position verstehen zu können, muss man bis in die Ursprünge der Enzyklika „Quadragesimo anno" (QA, 1931) zurückgehen, als einer deren „Ghostwriter" NB nach eigenen Angaben anzusehen ist. Dort unterzieht Papst Pius XI. die „kapitalistische Wirtschaftsweise", insbesondere deren „Vermachtung als Ergebnis der Wettbewerbsfreiheit" einer massiven Kritik (vgl. QA 105-109) und räumt gleichzeitig ein, sie sei „als solche nicht zu verdammen" (QA 101). Die „Wettbewerbsfreiheit" sei zwar „innerhalb der gehörigen Grenzen berechtigt und von zweifellosem Nutzen", könne „aber unmöglich regulatives Prinzip der Wirtschaft" sein. Sie könne keinesfalls eine „Selbststeuerung" der Wirtschaft bewirken, denn: „Macht ist blind – Gewalt ist stürmisch". Um „segenbringend für die Menschheit zu sein, bedarf sie selbst kraftvoller Zügelung und weiser Lenkung". Diese könne sie sich aber selbst nicht geben. Dazu bedürfe es „höherer und edlerer Kräfte ..., die die wirtschaftliche Macht in Strenge und weise Zucht nehmen: die →*soziale Gerechtigkeit* und soziale Liebe".

Für Pius XI. wie für NB lautet also die entscheidende Frage: „Wie kann man die Wirtschaft wieder einem echten und durchgreifend regulativen Prinzip" unterstellen, nachdem im bisherigen Liberalkapitalismus „die verderblichen individualistischen Theorien umgesetzt wurden" (QA 88). Genau darum ging es ja auch den „Vätern" der SM, diesen Anspruch vertreten ihre Befürworter bis heute.

Das „echte" regulative Prinzip. Der Streit zwischen NB und bestimmten neoliberalen Vertretern der SM und vor allem jener politischen Praxis in Deutschland, die sich seit 1949 auf die SM beruft, dreht sich im Kern um dieses „echte" regulative Prinzip. NB äußert in seinen kritischen Einlassungen immer wieder den Verdacht, der →*Wettbewerb* werde auch von den „Neoliberalen" trotz allen anderen Beteuerungen als „regulatives" Prinzip schlechthin betrachtet, weil sie wegen ihrer „neukantianischen" Erkenntnistheorie gar nicht anders könnten. Bei den „Neu-Kantianern" werde das (wirtschaftliche) Gemeinwohl nur als „regulative Idee" ohne apriorisch erkennbaren materialen Gehalt angesehen. Insofern könnten sie die Ergebnisse des Wettbewerbs nur nachträglich korrigieren, dieser selbst aber habe „freien Lauf". Genau das aber laufe auf die bekannte „altliberale" Theorie hinaus, die man lediglich durch die Etikette SM zu „schönen" versuche.

Die unter Ludwig →*Erhard* und Alfred →*Müller-Armack* in ihrer Wirtschafts- und Gesellschaftspolitik politisch praktizierten Inhalte einer SM gingen für NB hinsichtlich ihres „sozialen" Gehalts nicht weit genug. Als Parameter seiner Kritik zeigen sich insbesondere die Unternehmungsverfassung (NB vertrat einen „Laborismus", wonach in den Aufsichtsräten der Kapitalgesellschaften die Anteilseigner, die Belegschaft und die Unternehmer (Manager) drittelparitätisch vertreten sein sollten) und die für ihn unzureichende Streuung des Produktivkapitals. Insoweit stand er auch den DGB-Gewerkschaften und der SPD näher als der CDU und wirkte bei der Formulierung des Godesberger Programms der SPD ebenso mit wie in der SPD-nahen Zeitschrift „Die neue Gesellschaft".

Die bedingte Versöhnung. Was aber wäre für NB eine „wahre" SM, die von ihm sogar „freudige Zustimmung" erfahren würde? Dieser Terminus findet sich in seinem wichtigsten und zugleich abschließenden Aufsatz zu dieser Frage in der Festschrift für Franz →*Böhm* zu dessen 80. Geburtstag (1975). NB kommt hier in einer „persönlichen Erinnerung" auf ein „Argument" zu sprechen, bei dem es 1948 unter dem Vorsitz von Franz Böhm im „Wissenschaftlichen Beirat der damaligen Verwaltung für Wirtschaft" um die Frage ging, „welche Ordnung der Wirtschaft an die Stelle der inzwischen völlig zusammengebrochenen Kriegswirtschaft treten solle". Eine Zentralverwaltungswirtschaft (ZVW) „mute dem einzelnen zu, fast pausenlos dem eigenem Interesse mit Rücksicht auf das Wohl des Ganzen zuwiderzuhandeln". Dem gegenüber gelte, „daß in der Marktwirtschaft Eigeninteresse und Erfordernisse des Gemeinwohls im weiten Umfang übereinstimmen". Da „Moral ... von allen Mangelwaren die knappste" sei, und die ZVW „die Moral *überfordere*", müsse man zur „Marktwirtschaft übergehen, die auch bei weniger hohem Stand der Moral noch funktionsfähig sei". Böhm habe diesem Argument mit der Bemerkung zugestimmt: „Die Marktwirtschaft führe den Menschen *weniger in Versuchung*" (alle Zitate 469 f.).

Damit akzeptierte NB grundsätzlich jenen von Adam Smith vorgenommenen „Paradigmenwechel" (Karl Homann), wonach es in der Wirtschaftsordnung um die „eingebaute Moral" der Institution Markt geht, die ihre ethischen Ziele eben als Institution und nicht aufgrund der persönlichen (hohen) moralischen Qualität der Marktteilnehmer (Konkurrenten) erreiche. Allerdings sei damit eine zwar notwendige, aber keineswegs hinreichende Bedingung einer SM formuliert. Denn der Wettbewerb ist für NB „nicht das Ordnungsprinzip der Marktwirtschaft", sondern (nur) das ihr „eigentümliche Ordnungsinstrument" (1968 – vgl. QA 88).

Anthropologisch ergibt sich die Marktwirtschaft als Konsequenz der „Privatautonomie" und der damit einhergehenden „Beseitigung" der ihrer Entfaltung entgegenstehenden „Hindernisse" (ebd.). Da Privatautonomie „entarten" könne bis hin „zur völligen Zerstörung der Markwirtschaft" (468), bedarf es einer „marktwirtschaftlichen Ordnungspolitik", um die „Kulturpflanze" (Böhm) Markt überhaupt am Leben zu erhalten. Der Markt als solcher kennt nur „*eine* Kategorie von Werten", aus denen sich gemäß dem wirtschaftlichen Rationalprinzip die Maxime ergibt: „Kosten minimieren, Gewinn maximieren" (463). Darum sei die Entscheidung für eine Marktwirtschaft nichts mehr als „ein Intelligenztest" (464). Der Markt habe insofern eine werthafte „Steuerungsfunktion", als die Marktteilnehmer auf die „durch die Preise signalisierten Knappheitsverhältnisse" sachgerecht reagieren müssen. Die „Privatautonomie" mit dem Markt als notwendigem Ordnungsinstrument führt jedoch „nicht ohne weiteres ... zu einer *Ordnung* der Wirtschaft" (465). Um zu einer solchen zu gelangen, braucht man eine „ihrem Vollzug und ihrer Sicherung dienende Ordnungs*politik*" (469).

Die anthropologische Basis dafür ist der „Sinn" der Wirtschaft. Er besteht darin, nicht nur die Marktteilnehmer „mit Kaufkraft zu versehen ..., sondern *alle* lebenden Menschen, und zwar aus keinem anderen Grund, als weil sie leben", wie NB zustimmend F. Böhm zitiert (461). Daraus folgt für NB, dass eine „echte" SM sich nicht auf eine bloße staatliche Sicherung des Wettbewerbs reduzieren darf, sondern die Wirtschaft insgesamt im Sinne der „*mehr*dimensionalen Wertewelt" (463) des Menschen ordnungspolitisch gestalten muss. Der „Schwarzarbeiter" (Böhm) Markt darf die Wirtschaft nicht „ausschließlich" steuern, vielmehr muss man „die Möglichkeit *korrigierender Staatsinterventionen*" einbeziehen. Sie besteht, neben der Gewährleistung der Privatautonomie vor allem in Gestalt des „Privateigentums" und der „Vertragsfreiheit", in der Beschaffung der finanziellen Mittel (Steuern, Abgaben), mit denen der Saat in die „marktwirtschaftliche Einkommensverteilung" eingreift, in der keineswegs „automatisch gesteuerten Geldordnung", in der Konjunktur- sowie Strukturpolitik. Gerade durch letztere, so NB, werde „die Wirtschaft auf einen a*nderen Weg*" gelenkt als demjenigen, „auf dem die Marktkräfte sich steuern" (467).

Ein Resümee der Einstellung NBs zur SM muss vor allem drei Aspekte hervorheben: (1) NB reagiert geradezu allergisch gegen eine angebliche „Selbststeuerung" der Wirtschaft durch eine „Hypostasierung" des Marktes, der nicht mehr (aber auch nicht weniger) sei als ein Ordnungsinstrument, das sich freilich zwingend aus der Autonomie des Menschen ergibt. (2) NB warnt vor allem vor dem „Aufbau privater (Über-) Macht", die „einem Mindestmaß an

Markt*gleich*gewicht funktionsfähiger Privatautonomie den Boden" entzieht und so zu einer „Verwahrlosung" der →*Marktwirtschaft* (468) führen muss. (3) Für NB gehört zu SM notwendigerweise ein →*Sozialstaat* mit einer Umverteilungs- und Strukturpolitik, durch die das Wertziel der Wirtschaft, nämlich die Versorgung *aller* Menschen mit dem „zum Lebensunterhalt Nötigem" (461) möglichst gut erreicht wird. Wenn eine solche Sicht von SM „*authentischer* Neoliberalismus" sei, so das letzte Wort NBs in der Sache, „dann, allerdings auch *nur* dann, sind Neoliberalismus und Katholische Soziallehre miteinander *versöhnt*" (469). Zu fragen bleibt allerdings, ob eine solche Versöhnung nicht nur mit Ideen von Franz Böhm, sondern auch (schon früher als 1975) mit Alfred →*Müller-Armack* u. a. möglich gewesen wäre, die über die Kritik NBs an der von ihnen vertretenen Theorie und Praxis der SM enttäuscht waren.

Wissenschaftlicher und beruflicher Werdegang: Dr. theol., Dr. rer. h. c. Nell-Breuning war ab 1928 Professor für Moraltheologie und Sozialwissenschaften an der Philosophisch-Theologischen Hochschule St. Georgen in Frankfurt und 17 Jahre lang Mitglied des wissenschaftlichen Beirats beim Bundesministerium für Wirtschaft sowie Ehrenbürger der Städte Trier und Frankfurt/ M.

Literaturhinweise:

NELL-BREUNING, O. v. (1955), Neoliberalismus und katholische Soziallehre, in: Ders.: *Wirtschaft und Gesellschaft heute III Zeitfragen 1955-1959*, Freiburg 1960, S. 81-98; DERS. (1956), Die soziale Marktwirtschaft im Urteil der katholischen Soziallehre (1956), ebd. S. 99-102; DERS. (1975), Können Neoliberalismus und katholische Soziallehre sich verständigen?, in: Sauermann, H./ Mestmäcker, E.-J. (Hrsg.), *Wirtschaftsordnung und Staatsverfassung* (Festschrift Franz Böhm zum 80. Geburtstag), Tübingen, S. 459-470.

Lothar Roos

Nipperdey, Hans Carl
geb. am 21.01.1896,
gest. am 21.01.1968

Nipperdeys Ansicht nach sind im Grundgesetz (GG), obwohl es keinen besonderen Abschnitt über die Wirtschaftsverfassung enthält, wirtschaftsverfassungsrechtliche Grundprinzipien enthalten, die in ihrer Gesamtheit die Wirtschaftsordnung der Sozialen Marktwirtschaft garantieren. Namentlich aus den Grundrechten, vor allem der allgemeinen Handlungsfreiheit (Art. 2 Abs. 1 GG), der Berufsfreiheit (Art. 12 Abs. 1 GG), der Vereinigungs- und Koalitionsfreiheit (Art. 9 Abs. 1 und 3 GG) sowie der Eigentumsgarantie (Art. 14 Abs. 1 GG), folge als Verfassungsprinzip die Marktwirtschaft, die durch das in Art. 20 Abs. 1, 28 Abs. 1 GG niedergelegte Sozialstaatsprinzip geprägt und zur Sozialen Marktwirtschaft modifiziert werde. Allerdings konnte sich Nipperdey mit dieser Ansicht nicht durchsetzen, da das Bundesverfassungsgericht (BVerfG) und die überwiegende Literatur von einer wirtschaftsverfassungsrechtlichen Neutralität des GG ausgehen.

Nipperdeys umfangreiche wissenschaftliche Tätigkeit, für die er zahlreiche nationale und internationale Ehrungen erhielt, spiegelt sich in über 400 Publikationen wider. Sie bezog sich auf alle Gebiete des Bürgerlichen Rechts, des Handels- und Wirtschaftsrechts, des Urheber- und Wettbewerbsrechts und des Arbeitsrechts. Jedoch hat Nipperdey auch maßgeblich zur Entfaltung des Verfassungsrechts in diesen Bereichen beigetragen. In der Weimarer Zeit hat er das Sammelwerk „Die Grundrechte und Grundpflichten der Reichsverfassung" herausgegeben und in ihm das Koalitionsrecht des Artikels 161 Weimarer Reichsverfassung (WRV) kommentiert. Nach dem Zweiten Weltkrieg gab er gemeinsam mit Scheuner, Neumann und Bettermann das „Handbuch der Theorie und Praxis der Grundrechte" heraus und bearbeitete dort die Themen „Menschenwürde" und „Freie Entfaltung der Persönlichkeit". Vor allem seine Thesen zur Drittwirkung der Grundrechte im Privatrechtsverkehr und die verfassungsrechtliche Garantie der →*Sozialen Marktwirtschaft* fanden starke Beachtung in Literatur und Rechtsprechung und wirken bis heute fort.

Seine Darlegungen zu den wirtschaftsverfassungsrechtlichen Gehalten der Grundrechte sind auch heute noch von Bedeutung, da sie deutlich machen, dass die Neutralität des Grundgesetzes nicht in dem Sinne absolut ist, dass der Staat beliebig zu Formen der Zentralverwaltungswirtschaft und planwirtschaftlichen Koordination (→*Sozialismus*) übergehen könnte. Vielmehr ziehen die wirtschaftsrechtlich relevanten Grundrechte der Gesetzgebung Grenzen und sichern im Grundsatz eine dezentrale Zuständigkeitsordnung im wirtschaftlichen Bereich, so dass durchaus von wirtschaftssystembegründenden Wirkungen der Grundrechte gesprochen werden kann. Mittlerweile ist im EG-Vertrag (insbesondere Art. 4 Abs. 1) ein Bekenntnis zum Grundsatz einer vom →*Wettbewerb* geprägten →*Marktwirtschaft* enthalten, so dass jedenfalls auf der Ebene der Europäischen Gemeinschaften die Marktwirtschaft wirtschaftsverfassungsrechtlich abgesichert ist (→*EU*).

Wissenschaftlicher und beruflicher Werdegang: Sohn eines praktischen Arztes. Nach seinem Abitur in Weimar Jurastudium in Heidelberg, Leipzig und Jena. Im Ersten Weltkrieg war er Kriegsfreiwilliger. Nach der 1917 erfolgten Promotion (Thema der Dissertation: Grenzen der Erpressung durch Drohung, vor allem im Hinblick auf den Arbeitskampf) habilitierte er sich 1920 in Jena mit der Schrift „Kontrahierungszwang und diktierter Vertrag". Dort 1924 zum außerplanmäßigen, außerordentlichen Professor ernannt. 1925 berief ihn die Universität zu Köln als ordentlichen Professor auf den Lehrstuhl für Bürgerliches Recht, Handels- und Wirtschaftsrecht und Arbeitsrecht. Dieser Universität blieb er trotz zahlreicher Rufe anderer Universitäten bis zu seinem Tod verbunden. 1954 wurde er erster Präsident des neu errichteten Bundesarbeitsgerichts in Kassel. Aus dem Richteramt schied er 1964 mit Erreichen des 68. Lebensjahres aus. Danach setzte er seine Lehr- und Forschungstätigkeit an der Universität zu Köln, die er auch während seiner Richterdienstzeit in Kassel beibehalten hatte, als Emeritus fort.

Literaturhinweise:

Umfassende Nachweise zusammengestellt von REICHENBERGER, K. (1965), *Festschrift für H. C. Nipperdey zum 70. Geburtstag*, Bd. II, München, Berlin, S. 937 ff.; NIPPERDEY, H. C. (1954), *Die soziale*

Marktwirtschaft in der Verfassung der Bundesrepublik, Bd. 10 der Schriftenreihe der Juristischen Studiengesellschaft, Karlsruhe; DERS. (1965), *Soziale Marktwirtschaft und Grundgesetz*, 3. Aufl.

Hans-Jürgen Papier

Röpke, Wilhelm
geb. am 10.10.1899,
gest. am 12.02.1966.

Für Röpke steht fest: Recht, Staat, Sitte und Moral, feste Normen- und Wertüberzeugungen und eine solide Währungsordnung, für die nicht der Automatismus des Marktes, sondern Zentralbank und Regierung Tag für Tag die Verantwortung übernehmen müssen, gehören zum Rahmenwerk einer →Sozialen Marktwirtschaft*; hinzukommen muss eine Wirtschafts-, Sozial- und Finanzpolitik, die „jenseits des Marktes“ Interessen ausgleicht, Schwache schützt, Macht begrenzt, Spielregeln setzt und ihre Einhaltung überwacht. Kapitalmarkt, Investitionen und Außenwirtschaft sind die zentralen Bereiche, die nicht durch staatliche Eingriffe in den Marktprozess verzerrt werden dürfen. Das Individualprinzip im marktwirtschaftlichen Kern muss durch das Sozial- und Humanitätsprinzip, das die Elemente, die zum Rahmenwerk gehören, auszeichnet und prägt, in einer Balance gehalten werden. Der Gerechtigkeitswille prägt eine „Freiheitsidee“, die den Grundwert der Solidarität bejaht, und die einschließt, dass jede Person angemessen am Volkseinkommen partizipiert; krasse Ungleichheiten der Verteilung des Volkseinkommens und Volksvermögens sollen ausgeglichen werden.*

Die Wirtschaftsordnung, die Röpke anstrebt, bezeichnet er als „ökonomischen Humanismus“ oder als „Dritten Weg“. Er gründet seine Lehre von der Politischen Ökonomie auf dem Postulat der Unverletzlichkeit der Würde des Menschen. Es geht ihm um eine Gesellschaft und Politik, für die die Wahrung der Menschenrechte oberstes Gebot ist. Röpkes Werk ist ein Mahnmal für die Anhänger einer liberalen Staatsidee, einer Civitas Humana „jenseits von Angebot und Nachfrage“. Es will Wissenschaft, Politik und Öffentlichkeit bleibend daran erinnern, dass zur Verwirklichung der grundlegenden Prinzipien einer „Sozialen Marktwirtschaft“ ein stetiges Streben nach zeitgerechten Lösungen erforderlich ist.

Röpke betrachtet die Wirtschaftswissenschaften grundsätzlich als Politische Ökonomik. Insbesondere die moderne wirtschaftliche Wirklichkeit werde durch einen Grad der Politisierung gekennzeichnet, der den früheren Epochen unbekannt oder ganz unvorstellbar gewesen sei. Diese Ortsbestimmung entspricht Röpkes Erfahrungen. Er empfiehlt bereits 1931 als Mitglied der Reichskommission zum Studium der Arbeitslosenfrage (Brauns-Kommission), die aus mannigfachen Gründen fehlende Privatinitiative zur Belebung der Konjunktur durch kreditpolitisch finanzierte, zweckmäßig organisierte Nachfrageaktivitäten der öffentlichen Hand zu ersetzen. Mittels einer „Initialzündung" werde die Wirtschaftstätigkeit angefacht. Damit könne die →*Arbeitslosigkeit* nach und nach abgebaut werden.

Schon in den Jahren ab 1923 wirbt Röpke für die Einsicht in die Notwendigkeit einer „neuartigen" Synthese von „Liberalismus, Gemeinsinn und Loyalität gegenüber den Gesetzen des Staates". Sie soll ein einseitiges Denken im Laisser-faire-Stil oder in Gemeinwohl-Kategorien überwinden. Kein Urteilsfähiger könne die wohlstandschaffende Kraft jenes abendländischen Wirtschaftssystems leugnen, das auf dem Privateigentum an den Produktionsmitteln, einer unerhörten Differenzierung der Produktion und auf einer langen Liste von Freiheiten der Individuen beruht. Diese zu beseitigen, um ein „spätkapitalistisches" System zu überwinden, bedeute in aller Regel, dass bewusst einem „totalen Staat", einer politischen Diktatur der Weg geebnet wird. Er warnte vor der nationalsozialistischen Erwartung eines „neuen, großartigen, gleichwohl bislang konturenlosen Tausendjährigen Reichs" und den Folgen der damals zu beobachtenden politischen Hysterie. Der Nationalsozialismus sei eine radikale, dem liberalen Staat feindliche Ideologie. Sie werde nach der Wirtschaftskrise Deutschland in eine Staatskrise stürzen. Jeder, der nationalsozialistisch wähle, müsse wissen, „dass er Chaos statt Ordnung, Zerstörung statt Aufbau wählt".

Röpkes Weg in die Emigration ab 1933 war von dem Willen geleitet, die internationale Welt daran zu erinnern, dass es immer noch ein „anderes Deutschland" gab (z. B. im „Freiburger Kreis" um Franz →*Böhm* und Walter →*Eucken*). Er arbeitete an Entwürfen für eine Wirtschafts- und Gesellschaftsordnung nach dem Nationalsozialismus, getragen von dem Grundgedanken, ein Gemeinwesen zu schaffen, in dem das wirtschaftliche Gleichgewicht mit den Postulaten der sozialen Gerechtigkeit und des Interessenausgleichs verknüpft ist und das „um die Bedeutung sittlicher Werte im gesellschaftlich-wirtschaftlichen Leben der Völker weiß". Ludwig →*Erhard* bestätigte Wilhelm Röpke zum 60. Geburtstag mit diesen Worten, wie wesentlich dessen Gedanken die Ausgestaltung des Konzepts der „Sozialen Marktwirtschaft" beeinflusst hatten.

Wissenschaftlicher und beruflicher Werdegang: Volkswirtschaftliches Studium in Göttingen, Tübingen und Marburg, dort Promotion (1921) und Habilitation zum

Privatdozenten der Politischen Ökonomie (1922). Nach Berufungen als außerordentlicher Professor nach Jena (1924) und als Ordinarius nach Graz (1928) ging er nach Marburg zurück auf das Ordinariat für Politische Ökonomie (1929). Dort wirkte er, bis ihn das Hitler-Regime 1933 aus politischen Gründen entließ. Vom Herbst 1933 bis zum Wintersemester 1937/ 38 war er als Direktor des Sozialwissenschaftlichen Instituts an der Universität Istanbul tätig, danach bis zu seinem Tode als Professor für Internationale Wirtschaftsfragen am Institut Universitaire des Hautes Etudes Internationales in Genf.

Literaturhinweise:
RÖPKE, W. (1944/ 1979), *Civitas humana: Grundfragen der Gesellschafts- und Wirtschaftsreform*, 4. Aufl. 1979, Bern, Stuttgart; DERS. (1958/ 1979), *Jenseits von Angebot und Nachfrage*, 5. Aufl. 1979, Bern, Stuttgart; TUCHTFELDT, E./ WILLGERODT, H. (1937/ 1994), Wilhelm Röpke – Leben und Werk, in: Röpke, W., *Die Lehre von der Wirtschaft*, Bern, Stuttgart, Wien, 13. Aufl. 1994; HAMM, W./ KRÜSSELBERG, H.-G. u. a. (1999), verschiedene Beiträge in: *Ordo*, Band 50, Stuttgart.

Hans-Günter Krüsselberg

Rueff, Jacques
geb. am 23.08.1896,
gest. am 23.04.1978

Rueff verbindet als französischer Nationalökonom, Finanzexperte, Währungs- und Wirtschaftspolitiker wie kaum ein anderer innovative Beiträge zur ökonomischen Theorie mit erfolgreicher Tätigkeit in der praktischen Wirtschaftspolitik und Staatsverwaltung. Er hat die französische Währungs- und Wirtschaftspolitik stärker beeinflusst als jeder andere Wissenschaftler oder Politiker. Er hat sich stets für eine freiheitliche Wirtschaftsordnung und eine liberale Wirtschaftspolitik eingesetzt, auch in Zeiten, in denen dies nicht populär war. Mit der Theorie der Eigentumsrechte, mit seinem Kampf gegen die Inflation, mit der Kritik am Gold-Devisen-Standard und mit den Vorschlägen für eine Stabilitätspolitik und für eine Regelbindung der Geldpolitik war er seiner Zeit voraus. Einige seiner Reformvorschläge wurden später akzeptierte Praxis, z. B. im Europäischen Währungssystem und in der →Europäischen Wirtschafts- und Währungsunion.

Rueffs theoretisches Hauptwerk ist *L'ordre social* (1. Aufl. 1945). Der Titel der deutschen Übersetzung *Die Soziale Ordnung* (1952) ist missverständlich; richtiger wäre „Die Wirtschafts- und Gesellschaftsordnung". Ausgehend von einer Preis-, Produktions-, Geld- und Markttheorie entwickelt Rueff darin eine Inflationstheorie und eine Theorie der Wirtschafts- und Gesellschaftsordnung. Er geht dazu von der damals innovativen (und von den meisten Kritikern kaum gewürdigten) Idee aus, dass jeder Gütertausch (Kauf, Verkauf) am Markt ein Austausch von *Eigentumsrechten* (droits de propriété) ist. Damit ist Rueff der wichtigste Vorläufer der heutigen Theorie der Verfügungsrechte (property rights theory). Mit der Theorie der Eigentumsrechte erklärt Rueff auch die Inflation: Der Staat schafft zur Finanzierung eines Budgetdefizits „falsche" (oder „gefälschte") Eigentumsrechte, indem er die (weisungsabhängige) Zentralbank zwingt, im Grunde wertlose Staatspapiere als Grundlage der Schaffung von Zentralbankgeld zu akzeptieren, das dem Staat zur Nachfrage nach Gütern und Dienstleistungen zur Verfügung gestellt wird. Wenn die von dieser Zusatznachfrage ausgelösten Preissteigerungen durch einen Preis- und Lohnstopp verhindert werden, entsteht statt der offenen eine „zurückgestaute“ Inflation („inflation réprimée“).

Der Kampf gegen die *Inflation* und für Währungsstabilität bildet ein Leitmotiv für Rueffs praktische wirtschaftspolitische Arbeit. Schon 1926 leistete er wichtige Vorarbeit für die Stabilisierung des Franc-Wechselkurses und die Wiederherstellung der Goldkonvertibilität des Franc durch Ministerpräsident Poincaré. Rueff berechnete auf der Grundlage von Kaufkraft- und Lohnparitäten einen Franc-Wechselkurs, der durch die Einführung des stabilen und in Gold konvertiblen „Franc Poincaré“ auch realisiert wurde. Mit der richtigen Wechselkurswahl erreichte Rueff, dass die Rückkehr zur Goldwährung in Frankreich nicht – wie vorher in England – Deflation und Lohnsenkungen zur Folge hatte.

Rueffs bedeutendste Leistung ist zweifellos die Konzeption der Wirtschafts- und Währungsreform in Frankreich 1958, die sogar auf seine Initiative zurückgeht. Die Wirtschaftslage in Frankreich hatte sich 1958 krisenhaft zugespitzt: hohes Haushaltsdefizit, Inflation, Kapitalflucht, Schrumpfen der Devisenreserven, Devisenbewirtschaftung, Importprotektionismus, Verlust der internationalen Wettbewerbsfähigkeit, Abwertungsdruck. Auf der Grundlage eines Vorschlags von Rueff erarbeitete ein Ausschuss unter seinem Vorsitz ein konsistentes Reformprogramm für die Regierung, das 1958/ 59 vom Regierungschef de Gaulle und vom Finanzminister Pinay in die Praxis umgesetzt wurde: (1) Um die Inflation zu stoppen, musste die Finanzierung des Haushaltsdefizits durch die Zentralbank verboten und das Defizit selbst beseitigt werden. (2) Zur Behebung des Budgetdefizits waren Steuern zu erhöhen und konsumtive Staatsausgaben – vor allem →*Subventionen* – zu reduzieren; staatliche Investitionsausgaben wurden dagegen erhöht (→*Staatsausgaben*). (3) Die Indexbindungen von Löhnen und anderen →*Einkommen* wurden abgeschafft. (4) Um Preissteigerungen zu verhindern, wurden zahlreiche Mengenbeschränkungen für Importe aufgehoben und so Wettbewerbsdruck durch Importe hergestellt. (5) Um die durch die Inflation beeinträchtigte Wettbewerbsfähigkeit der französischen Wirtschaft wiederherzustellen, wurde der Franc abgewertet. (6) Gleichzeitig wurde als „vertrauensbildende Maßnahme“ eine neue Währungseinheit der „Neue Franc“ (= 100 alte Franc) geschaffen und die Konvertibilität des Franc eingeführt, d. h. die Devisenbewirtschaftung aufgegeben.

Die Reform erwies sich als ein großer Erfolg: Die französische Nachkriegsinflation wurde schlagartig beendet, der Staatshaushalt saniert, der Wechselkurs stabilisiert, die Zahlungsbilanz ausgeglichen, das Wirtschaftswachstum auf Jahre hin gesichert und die französische Wirtschaft für den Gemeinsamen Markt wettbewerbsfähig gemacht. Um verbleibende Wachstumshemmnisse zu beseitigen, erarbeitete 1959/ 60 – wiederum auf Initiative Rueffs – ein zweiter Expertenausschuss unter dem Vorsitz von Rueff und Louis Armand einen Bericht über die Hindernisse für das Wirtschaftswachstum (Rueff-Armand-Bericht). Es handelt sich um das erste *→Deregulierungs*programm der Welt, das die Beseitigung von Wettbewerbsbeschränkungen, Marktzugangsbeschränkungen, staatlichen Preisfestsetzungen und Starrheiten des Arbeitsmarkts empfahl und Verbesserungen im Bildungswesen sowie in der Verwaltung anregte.

Seit 1961 trat Rueff als Kritiker des damaligen *Weltwährungssystems* von Bretton Woods hervor. Der damalige Gold-Dollar-Standard ermöglichte dem Leitwährungsland USA jahrelang inflationsfinanzierte Budgetdefizite und Zahlungsbilanzdefizite, ohne zu einer Abwertung des Dollar und einem Inflationsstopp gezwungen zu sein. Dadurch wuchsen die Dollarguthaben der ausländischen Zentralbanken immer mehr an (was dort zu einer importierten Inflation führte). Rueff sah frühzeitig die Gefahr, dass der Goldbestand der USA nicht mehr ausreichen würde, um die formal bestehende Verpflichtung zur Einlösung dieser Dollarguthaben in Gold einhalten zu können. Er befürchtete als Folge entweder eine Deflationskrise in den USA oder die Aufhebung der Goldkonvertibilität des Dollar. Letzteres trat 1971 tatsächlich ein.

Um die Instabilität und Inflationsneigung des Gold-Dollar-Standards zu überwinden, schlug Rueff die Rückkehr zum internationalen Goldstandard vor: Die Geldpolitik der Zentralbanken sollte dadurch *Regeln* unterworfen werden; zum Ausgleich von Zahlungsbilanzdefiziten sollten statt Devisen nur Goldübertragungen verwendet werden. Länder mit Zahlungsbilanzdefiziten wären dadurch einem Zwang zur Stabilitätspolitik unterworfen worden. Staatspräsident de Gaulle machte sich diese Reformvorschläge Rueffs zu Eigen, konnte sie aber international nicht durchsetzen.

Wissenschaftlicher und beruflicher Werdegang: Nach dem Militärdienst Studium an der Ecole Polytechnique in Paris ab 1919, ab 1922 Dozent für Statistik und mathematische Ökonomie an der Universität Paris. Eine Auswahlprüfung (Concours) eröffnet ihm 1923 die Karriere zum Inspecteur Général des Finances, einer der angesehensten Positionen der französischen Verwaltung. 1927-30 Mitglied des Wirtschafts- und Finanzausschusses des Völkerbunds (Genf), 1930-34 Finanzattaché an der französischen Botschaft in London. Seit 1931 Professor für Volkswirtschaftslehre an der Ecole Libre des Sciences Politiques, Paris (später Institut des Sciences Politiques). 1934-39 im französischen Finanzministerium, 1939-40 Vizepräsident der französischen Zentralbank. Ab 1945 Wirtschaftsberater der französischen Militärregierung in Deutschland. Ab 1952 Richter am Gerichtshof der Europäischen Gemeinschaft für Kohle und Stahl, 1958-62 am Europäischen Gerichtshof (EuGH). In den 60er Jahren Wirtschaftsberater des französischen Staatspräsidenten de Gaulle. Mitglied der Académie Française und der Académie des Sciences morales et politiques.

Literaturhinweise:
RUEFF, J. (1977-81), *Œuvres complètes* (Vollständige Werke), 4 Bände, Paris, auch in englischer Übersetzung: New York (Lehrman Institute), darunter Band 1: Autobiographie, in deutscher Übersetzung: *Die soziale Ordnung*, Bremen 1952; KNAPP, F. (1972), *Die Währungssünden der westlichen Welt*, Frankfurt/ M.

Josef Molsberger

Rüstow, Alexander
geb. am 08.04.1885,
gest. am 30.06.1963

„Brauchst Du eine hilfreiche Hand, so suche sie zunächst am Ende Deines rechten Armes". Dieses von Rüstow gerne genutzte Bonmot beschreibt seine tiefe Überzeugung, nach der auf der Grundlage von Freiheit und Eigenverantwortung jedes Individuum – im Rahmen seiner Kräfte – zunächst selber für die Gestaltung und Absicherung seines Lebens sowie für die Prägung seines (unmittelbaren) Umfeldes verantwortlich ist. Bis Rüstow allerdings zu dieser Erkenntnis fand, war es ein weiter Weg, der ihn über eine breite humanistische Ausbildung, eine tiefe Auseinandersetzung sowohl mit der Theorie des →Sozialismus *als auch mit der des* →Liberalismus *in die Opposition und schließlich ins Exil während des Dritten Reiches geführt hat.*

Unter dem Eindruck der anhaltenden Wirtschaftskrise in der Weimarer Republik forderte Rüstow bereits 1932 eine vollständige Abkehr von der interventionistischen Wirtschaftspolitik des Staates (→Interventionismus*). Stattdessen sollte sich der Staat – wie ein Schiedsrichter – auf die Gestaltung und Einhaltung der wirtschafts- und gesellschaftspolitischen Rahmenbedingungen konzentrieren. Die Durchsetzung des Wettbewerbsprinzips als dem grundlegenden marktwirtschaftlichen Koordinationsverfahren dient dabei der Schaffung und Sicherung der persönlichen Entscheidungs- und Handlungsspielräume. Rüstows Ziel war eine freiheitliche Ordnung des Gemeinwesens, die den Menschen in den Mittelpunkt stellt und mit ihren Ordnungselementen die menschlichen Verhaltensweisen erfasst und nutzt. Diese Vorstellung von einer Gesellschaftsordnung entwickelte sich bei Rüstow, weil er sich mit ganz unterschiedlichen Themen beschäftigte und schließlich die Erkenntnisse aus seinen kulturhistorischen, soziologischen und wirtschaftswissenschaftlichen Forschungen zu einem Puzzle zusammensetzte. Und weil Rüstow einer der ersten in dieser Denkrichtung war, wird er heute neben Walter* →Eucken, *Wilhelm* →Röpke, *Alfred* →Müller-Armack, *Franz* →Böhm *und Ludwig*

→Erhard *zu den Gründungsvätern der* →Sozialen Marktwirtschaft *gezählt.*

In der von Rüstow skizzierten Gesellschaftsform, in der Demokratie und →*Marktwirtschaft* untrennbar miteinander verflochten sind, bestehen unterschiedliche Interessensphären, die er in wirtschaftliche und überwirtschaftliche gliedert. Für die Wirtschaft spricht er von deren dienender Funktion, die nicht mehr als nur die materielle Versorgung des Einzelnen sowie der Gemeinschaft sicherzustellen hat. Grundsätzlich gilt für den Markt der →*Wettbewerb* als Organisationsprinzip. Gleichzeitig aber begrenzen die durch die Ordnungspolitik gesetzten Rahmenbedingungen den Wettbewerb der Wirtschaftssubjekte auf dem Markt und schützen diesen vor Monopolbildung und Wettbewerbsverzerrungen. Die darüber hinausgehenden Lebensbereiche wie Kultur, Erziehung und Familie, Ethik und Religion oder Staat sind für Rüstow von größerer Bedeutung als das Wirtschaften; in diesen Lebensbereichen werde das Verhalten durch moralische Werte gesteuert.

Diesen ordnungspolitischen Rahmen will Rüstow durch eine umfassende, in sich logische Sozialpolitik – er nennt sie „Vitalpolitik“ – ergänzen. Mittels dieser Vitalpolitik will er das tägliche Leben des Einzelnen, dessen familiäre Situation, dessen Wohn- und Arbeitsumfeld, also dessen Wohlbefinden insgesamt menschenwürdig gestalten. Rüstow sieht die von ihm konzipierte Vitalpolitik als Bestandteil der Wirtschaftspolitik an und unterwirft sie damit auch grundsätzlich den gleichen Anforderungen. Entsprechend gelten für die Vitalpolitik die Prinzipien der Marktkonformität, der Subsidiarität und der grundsätzlichen Gleichwertigkeit von Leistung und Gegenleistung im Rahmen des wirtschaftlichen Tauschprozesses. Sozialpolitisch motivierten Fragen, wie etwa die der sozialen Sicherung, der Start- und Bildungsgerechtigkeit oder der Siedlungs- und →*Familienpolitik*, sind somit nur im Rahmen der neoliberalen Ordnungsvorstellungen zu lösen. Die soziale Frage wird damit von Rüstow grundsätzlich als Teil der Wirtschaftsordnungsfrage gesehen.

Zur Realisierung dieser neoliberalen Wirtschafts- und Gesellschaftsordnung stellt Rüstow klare Anforderungen an jedes Mitglied der Gesellschaft. Er fordert einen rücksichts- und verantwortungsvollen Umgang miteinander und den Respekt vor den Bedürfnissen des jeweils anderen. Darüber hinaus appelliert er immer wieder an das Individuum, das eigene Schicksal selbst in die Hand zu nehmen und im jeweiligen Umfeld für den Erhalt der persönlichen und damit auch der gesellschaftlichen Freiräume zu arbeiten.

Rüstow hat einen wesentlichen Einfluss auf die Ausgestaltung des Neoliberalismus genommen; konkret auf

- die geistesgeschichtliche Fundierung der neoliberalen Wirtschafts- und Gesellschaftsordnung sowie deren Abgrenzung gegenüber →*Sozialismus* und (altem) Wirtschaftsliberalismus,

- das Kennzeichnen der Bedeutung, die ein Ordnungsrahmen für den Erhalt einer freiheitlichen Wirtschafts- und Gesellschaftsordnung hat, sowie
- die Kennzeichnung der überwirtschaftlichen Einflussgrößen auf die Gestaltung der menschlichen Lebensräume.

Gleichwohl haben Rüstows Grundsätze in Form der Subsidiarität, der Leistungsgerechtigkeit sowie der Konsistenz wirtschaftspolitischen Handels in der seit 1948 praktizierten Wirtschaftspolitik nur begrenzte Berücksichtigung gefunden. Neben einer Vielzahl von Momenten, die eine mangelhafte Verwirklichung der Sozialen Marktwirtschaft begünstigt haben, ist sicherlich ein Grund auch darin zu sehen, dass die Entwicklung der komplexen, neoliberalen Wirtschafts- und Gesellschaftsordnung einerseits und deren politische Umsetzung andererseits, weitgehend in unterschiedlichen Händen lag und somit zu vermuten ist, dass bei den politisch Verantwortlichen ein tiefes Verständnis für die Gestaltung des neoliberalen Ordnungsrahmens fehlte.

Bis in das hohe Alter wurde Rüstow nicht müde, sich u. a. als Vorsitzender der Aktionsgemeinschaft Soziale Marktwirtschaft (ASM) auf dem Wege der Politikberatung für eine ordnungskonforme Ausgestaltung der Sozialen Marktwirtschaft einzusetzen.

Wissenschaftlicher und beruflicher Werdegang: 1903 Humanistisches Abitur in Berlin; 1903-1908 Studium der klassischen Philologie, Philosophie, Mathematik, Physik, Jura sowie Nationalökonomie in Göttingen, München und Berlin. 1908 Promotion in klassischer Philologie über das kretische Lügnerparadoxon (Der Lügner. Theorie, Geschichte und Auflösung. Leipzig 1910). 1908-1914 Lektor in einem renommierten Berliner Verlag für klassische Texte. 1914-1918 Kriegsdienst bei der Artillerie, zum Schluss als Leutnant d. R.; Träger des Eisernen Kreuzes I. und II. Klasse. 1919-1924 Referent für Kartellfragen im Reichswirtschaftsministerium. 1924-1933 Syndikus und Leiter der wirtschaftspolitischen Abteilung im Verein Deutscher Maschinenbauanstalten (VDMA). 1933-1949 Professor an der Universität zu Istanbul, Lehrstuhl für Wirtschaftsgeographie und Wirtschafts- und Sozialgeschichte. 1949-1956 Professor an der Universität zu Heidelberg, Lehrstuhl für Wirtschafts- und Sozialwissenschaften. 1955-1962 Vorsitzender der Aktionsgemeinschaft Soziale Marktwirtschaft (ASM).

Literaturhinweise:
RÜSTOW, A. (1932), Freie Wirtschaft – Starker Staat (Die staatspolitischen Voraussetzungen des wirtschaftspolitischen Liberalismus), in: Boese, F. (Hrsg.), *Deutschland und die Weltkrise*, Schriften des Vereins für Socialpolitik, Bd. 187, Dresden, S. 62-69, neu veröffentlicht in: Hoch, W. (Hrsg.), *Alexander Rüstow. Rede und Antwort*, S. 249-258, ferner unter dem Titel: Interessenpolitik oder Staatspolitik? in: *Der deutsche Volkswirt*, Bd. 7, Nr. 6, Berlin 1932, S. 169-172; DERS. (1945), Das Versagen des Wirtschaftsliberalismus als religionsgeschichtliches Problem, in: *Istanbuler Schriften*, Nr. 12, Istanbul, Zürich, New York, 2. Aufl., Helmut Küpper 1950; DERS. (1950 u. a.) *Ortsbestimmung der Gegenwart. Eine universalgeschichtliche Kulturkritik*. I. Band: Ursprung der Herrschaft, Erlenbach-Zürich 1950, II. Band: Weg der Freiheit, Erlenbach-Zürich 1952, III. Band: Herrschaft oder Freiheit? Erlenbach-Zürich 1957.

Jan Hegner

Schiller, Karl
geb. am 24.04.1911,
gest. am 26.12.1994

Wissenschaft als Beruf und Politik als Beruf sind nur selten in einer Person vereinigt. Zwei Persönlichkeiten mit dieser Kombination prägten die Wirtschaftspolitik der Bundesrepublik Deutschland: Erst Ludwig →Erhard, *dann Karl Schiller. Beide kamen von der Wissenschaft zur Politik, beide erlebten die Spannungen zwischen längerfristigen wirtschaftspolitischen Konzeptionen und der kurzfristigen Orientierung der Politik. Schiller verband die Fähigkeit zur fundierten Analyse mit großer rhetorischer Brillanz und Überzeugungskraft. Er wandte sich im Laufe seiner wissenschaftlichen und ministeriellen Karriere immer stärker der* →Marktwirtschaft *zu. Folgerichtig hat er seine große Fachbibliothek dem Walter-Eucken Institut in Freiburg i. Br. vermacht.*

1953 formulierte Schiller seine berühmt gewordene Leitregel „Wettbewerb soweit wie möglich, Planung soweit wie nötig", die gegen manchen Widerstand 1959 in das Godesberger Programm der SPD übernommen wurde. Die 1964 erschienene Aufsatzsammlung „Der Ökonom und die Gesellschaft" trug bereits den bezeichnenden Untertitel „Das freiheitliche und das soziale Element in der modernen Wirtschaftspolitik". In seiner Zeit als Bundeswirtschaftsminister der Großen Koalition wurde 1967 das Stabilitäts- und Wachstumsgesetz verabschiedet, das in wesentlichen Punkten seine Handschrift trägt. Er selbst wies später der wettbewerbsorientierten →*Ordnungspolitik* einen immer größeren Raum zu und wurde zum „marktwirtschaftlichen Gewissen" der SPD. Der Wiedervereinigung der beiden deutschen Staaten stand er im Prinzip positiv, im Detail mit mancherlei Kritik gegenüber.

Wissenschaftlicher Werdegang: 1931-1935 Studium in Kiel, Frankfurt/ M., Berlin, Heidelberg. 1934 Diplom-Volkswirt, 1935 Dr. rer. pol. 1935-1941 Forschungsgruppenleiter am Institut für Volkswirtschaft an der Universität Kiel. 1939 Habilitation in Kiel. 1941-1945 Kriegsdienst. 1944 Ruf an die Universität Rostock (nicht angetreten). 1946 Gastprofessor an der Universität Kiel. 1947-1972 Professor an der Universität Hamburg (1956-1958 Rektor). 1958-1960 Mitglied des Wissenschaftsrates.
Politisches Wirken: 1946 Eintritt in die SPD. 1948-1953 Wirtschafts- und Verkehrssenator in Hamburg. 1949-1953 Mitglied des Bundesrates. 1961-1965 Wirtschaftssenator in Westberlin. 1964 Wahl in den Vorstand der SPD. 1965 Bundestagsabgeordneter, stv. Fraktionsvorsitzender und wirtschaftspolitischer Sprecher der SPD-Fraktion. 1966-1972 Bundeswirtschafts-, ab 1971 auch Bundesfinanzminister. 1972 Rücktritt wegen grundlegender Meinungsverschiedenheiten in der Fiskalpolitik. 1972 Austritt aus der SPD, 1980 Wiedereintritt. Später umfangreiche Schlichter- und vor allem Beratertätigkeit, auch im Ausland.

Literaturhinweise:
SCHILLER, K. (1936), *Arbeitsbeschaffung und Finanzordnung in Deutschland*, Berlin (Dissertation, bald nach Erscheinen verboten); DERS. (1940), *Marktordnung und Marktregulierung in der Weltagrarwirtschaft*, Kiel (Habilitationsschrift); DERS. (1964), *Der Ökonom und die Gesellschaft. Das freiheitliche und das soziale Element in der modernen Wirtschaftspolitik*, Stuttgart; DERS. (1994), *Der schwieri-*

ge Weg in die offene Gesellschaft. Kritische Anmerkungen zur deutschen Vereinigung, Berlin.

Egon Tuchtfeldt

Schleyer, Hanns-Martin
geb. am 01.05.1915,
gest. am 18.10.1977

Sein sozialpolitisches Credo – die Überzeugung, „dass unser gesamtes politisches Handeln bestimmt wird durch die Begriffe Freiheit, Toleranz, Leistung" – legte Schleyer in seinem 1973 erschienenen Buch „Das soziale Modell" nieder, in dem er sich kompromisslos gegen jeden systemfremden Eingriff in die →Marktwirtschaft *wendet.*

Schleyer studierte Rechts- und Staatswissenschaften (1933-1938) in Heidelberg und Karlsruhe und Volkswirtschaftslehre in Prag (Abschluss 1941). Er promovierte 1951 zum Dr. jur. in Innsbruck. Während seiner akademischen Ausbildung war er in der studentischen Sozialarbeit tätig. Nach Wehrpflicht, Kriegsdienst und Entlassung aufgrund einer Verletzung ist Schleyer von 1942 bis 1945 im „Centralverband der Industrie in Böhmen und Mähren" in Prag eingesetzt worden. Von 1945 bis 1948 wurde er von den Franzosen interniert, bevor er 1949 in die Industrie- und Handelskammer Baden-Baden als Leiter des Außenhandelsbüros eintrat. 1952 wechselte er zum Stuttgarter Automobilkonzern Daimler-Benz AG. Dort wurde er 1959 stellvertretendes, 1963 ordentliches Vorstandsmitglied. Er war für die Personal-, Sozial- und Bildungspolitik und seit 1976 zusätzlich für die gesellschafts- und sozialpolitischen Grundsatzfragen des großen Unternehmens verantwortlich.

Schleyer spielte bald in den Verbänden eine führende Rolle. So war er von 1962 bis 1968 Vorsitzender des Verbandes der Württembergisch-Badischen Metallindustriellen. 1972 wurde er zum Vorsitzenden des Verbandes der Metallindustrie Baden-Württemberg gewählt und war schließlich auch stellv. Vorsitzender von „Gesamtmetall".

1973 fand sich Schleyer bereit, das Amt des Präsidenten der Bundesvereinigung der Deutschen Arbeitgeberverbände (BDA) zu übernehmen, der er bereits seit 1965 als Vizepräsident angehörte. Im Juni 1976 wurde Schleyer auch mit Wirkung von Anfang 1977 zum Präsidenten des Bundesverbandes der Industrie (BDI) gewählt. Auf diese Weise standen erstmals beide großen Verbände unter gemeinsamer Führung. Ihre stärkere Ausrichtung auf gesellschafts- und sozialpolitische Probleme trug Schleyers Handschrift.

Als Exponent der deutschen Wirtschaft wurde Schleyer nach den Morden an Generalbundesanwalt Buback und dem Dresdner Bank-Chef Ponto am 5. September 1977 von einem RAF-Kommando entführt. Er wurde am 19. Oktober 1977 in einem in Mülhausen/ Elsass abgestellten PKW erschossen aufgefunden. Nach dem Ergebnis der Untersuchungen wurde er am 18. Oktober 1977 ermordet.

Literaturhinweise:
Internet: www.dihk.de.

Franz Schoser

Schmölders, Günter
geb. am 29.09.1903,
gest. am 07.11.1991

Die Skepsis gegenüber dem Staat als „wohlwollendem Diktator", der als Figur große Teile der modernen Volkswirtschaftslehre durchzieht und sie viel vom Marktversagen und weniger vom Staatsversagen sprechen lässt, saß bei Schmölders tief. Er hatte im Zweiten Weltkrieg dem Kreisauer Kreis und den Männern des 20. Juli 1944 (Attentat auf Adolf Hitler) nahegestanden. Nach dem Krieg gehörte er der Aktionsgemeinschaft Soziale Marktwirtschaft an und war aktives Mitglied der Mont-Pèlerin-Society, einer internationalen Gemeinschaft liberaler Ökonomen. So sah er es denn auch als zutreffende Beschreibung an, dass der Verfasser ihn in einer Ansprache zum 85. Geburtstag als „einen in der Wolle gefärbten Liberalen" kennzeichnete.

Schmölders betrieb eine lebensnahe Wirtschaftswissenschaft mit den Schwerpunkten öffentliche Finanzen und „das Geld". Er entwickelte keine mathematischen Modelle, sondern die empirische „sozialökonomische Verhaltensforschung", auf Basis soziologischer und sozialpsychologischer Methoden. Titel wie „Das Irrationale in der öffentlichen Finanzwirtschaft" (Hamburg 1960) und „Finanz- und Steuerpsychologie" (Hamburg 1970) erarbeiteten entsprechende Ergebnisse für die Finanzwissenschaft (als Lehre von der öffentlichen Finanzwirtschaft) und gingen in die finanzwissenschaftlichen Hauptwerke ein: „Finanzpolitik" (3. Aufl., Berlin, Heidelberg, New York 1970) und „Allgemeine Steuerlehre" (5. Aufl., Berlin 1980, diese Auflage zusammen mit K.-H. Hansmeyer). Mit den gleichen Methoden ging er Fragen des Geldes an. Dementsprechend waren „Psychologie des Geldes" (Reinbek bei Hamburg 1966) und „Gutes und schlechtes Geld" (Frankfurt/ M. 1968) Vorarbeiten zu seiner „Geldpolitik" (2., Aufl. Tübingen, Zürich 1968).

Heute würde man Schmölders in die Nähe der Neuen →*Institutionenökonomik* und Public-Choice-Schule rücken, weil er – für seine Zeit ungewöhnlich früh – auch die Eigeninteressen der Beteiligten einbezog („Die Politiker und die Währung", Frankfurt/ M. 1959) und den Einfluss der Parteien und Verbände auf die politische Willensbildung und damit die Wirtschaftspolitik berücksichtigte.

Wissenschaftlicher und beruflicher Werdegang: Promotion und Habilitation in Berlin, 1934 Professur in Breslau (Nachfolger von Karl Bräuer), 1940 bis zur Emeritierung 1971 Professur in Köln (Lehrstuhl von Erwin von Beckerath) mit dem von Fritz Karl Mann 1927 gegründeten Finanzwissenschaftlichen Forschungsinstitut, 1965/ 66 Rektor, Ehrendoktor Innsbruck und Gent. Seit Gründung 1950 bis 1975 Mitglied des Wissenschaftlichen Beirats beim Bundesministerium der Finanzen. Seit 1959 ordentliches Mitglied der Akademie der Wissenschaften und der Literatur in Mainz. 1969 Großes Bundesverdienstkreuz. 2003 Symposium im Wissenschaftszentrum Berlin zum 100. Geburtstag.

Literaturhinweise:
SCHMÖLDERS, G. (1988), *Gut durchgekommen? Lebenserinnerungen,* Berlin; KIRSCH, G. (1993), *In memoriam Günter Schmölders. Gedenkrede,* Kölner Universitätsreden, Heft 73, Köln; ZIMMERMANN,

H. (1998), Schmölders, Günter, in: Killy, W./ Vierhaus, R. (Hrsg.), *Deutsche Biographische Enzyklopädie*, Bd. 9, München, S. 38.

Horst Zimmermann

Schreiber, Wilfrid
geb. am 17.09.1904,
gest. am 23.06.1975

Ohne Zweifel gehört Schreiber zur Gruppe der profiliertesten wissenschaftlichen Sozialpolitiker der Nachkriegsjahrzehnte. Schon vor seiner Berufung hat er als Verbandsgeschäftsführer, aufbauend auf der ΔKatholischen Soziallehre, *zu Fragen des Familienlastenausgleichs, der Mitbestimmung, der Politik der Vermögensbildung in Arbeitnehmerhand und insbesondere zur Reform der* →Rentenversicherung *Stellung genommen.*

Seine wissenschaftlich bedeutendste Leistung ist die Entwicklung des „Schreiber-Planes". Die Grundidee: Aus dem Arbeitseinkommen der Erwerbstätigen wird einerseits den noch nicht erwerbsfähigen und -tätigen Kindern und Jugendlichen (als Jugendrente) und andererseits den nicht mehr Erwerbstätigen (als Altersrente) ein „maßgerechter Anteil" zugesichert. Die Höhe der erstmals festgesetzten Altersrenten soll durch das jeweils erreichte Niveau der Arbeitseinkommen und die Beitragsleistung der Versicherten während ihres Erwerbslebens bestimmt werden, die sog. Bestandsrenten sollen jährlich an die Entwicklung der Arbeitseinkommen angebunden werden. Durch diese „Dynamisierung" der Renten werden auch die nicht mehr Erwerbstätigen an der Wohlstandsentwicklung beteiligt.

Neue Aktualität gewinnt Schreibers bereits 1951 vorgetragene Idee einer Jugendrente. Sie beruht auf der Einsicht, dass eine Gesellschaft nicht nur die nicht mehr Erwerbstätigen, sondern auch die noch nicht Erwerbsfähigen und -tätigen versorgen muss. Der Vorschlag Schreibers, nicht nur die Eltern, sondern die gesamte Gesellschaft an der Finanzierung der Versorgung nachwachsender Generationen zu beteiligen, wurde nicht verwirklicht. Dieses politische Versäumnis musste letztlich die langfristige finanzielle Stabilität der Rentenversicherung in einer Gesellschaft untergraben, in der wegen der Erhöhung der Lebensdauer einerseits und eines starken Geburtenrückgangs andererseits immer weniger Erwerbstätige immer mehr Rentner versorgen müssen. In einer Gesellschaft, in der diejenigen, die keine Kinder versorgt haben, unter sonst gleichen Umständen gleich hohe Renten erhalten wie diejenigen, die Kinder erzogen und versorgt haben, wird die →*soziale Gerechtigkeit* gravierend verletzt. Zu recht betonte Bundeskanzler Kiesinger in der unten erwähnten Festschrift, dass Schreiber „durch seine wissenschaftliche Forschung, sein gesellschaftspolitisches Engagement im Bund der Katholischen Unternehmer und durch seine Beratung der Bundesregierung in sozialpolitischen Fragen zur Entwicklung unserer Gesellschaftspolitik einen bedeutenden Beitrag geleistet" hat.

Wissenschaftlicher und beruflicher Werdegang: Schreiber war nach dem Studium der Wirtschafts- und Sozialwissenschaften (Köln), der Ingenieurwissenschaften (TH Aachen und München) sowie der Mathematik und der Physik (Köln) in den Jahren 1922 bis 1930 und von 1931 bis 1947 als Journalist tätig, studierte 1947 an der Universität Bonn erneut wirtschaftliche Sozialwissenschaften und wurde 1948 bei Erwin von Beckerath promoviert. 1955 wurde er habilitiert. 1949 bis 1959 war er Geschäftsführer des Bundes Katholischer Unternehmer. 1960 wurde er auf einen Lehrstuhl für Sozialpolitik an der Universität zu Köln berufen. 1972 wurde er emeritiert.

Literaturhinweise:

o.V. (1969), Schriftenverzeichnis zu Schreiber, in: Greiß F./ Herder-Dorneich, P./ Weber, W. (Hrsg.), *Der Mensch im sozioökonomischen Prozess*, Festschrift für Wilfrid Schreiber zum 65. Geburtstag, Berlin; SCHREIBER, W. (1955), Existenzsicherheit in der industriellen Gesellschaft. Vorschläge zur Sozialreform, in: *Schriftenreihe des Bundes Katholischer Unternehmer*, Köln; DERS. (1951), Kinderzulage für alle Arbeitnehmer, in: *Rheinischer Merkur* vom 21.09.1951.

Heinz Lampert

Stoltenberg, Gerhard

geb. am 29.09.1928,
gest. am 23.11.2001

Stoltenbergs persönliche Erfahrungen des Elends der Kriegs- und Nachkriegsjahre – das Kriegsende erlebte der junge Flakhelfer in britischer Gefangenschaft –, sein Herkommen aus einem protestantischen Pfarrhaus, seine umfassende historische und geisteswissenschaftliche Bildung sowie feste christliche Wertvorstellungen verbanden sich mit einer tiefen Skepsis gegen Planungseuphorie und den Glauben an die Steuerbarkeit sozialer und wirtschaftlicher Prozesse, wie sie die „moderne Finanzpolitik" der späten 60er und der 70er Jahre beherrschten.

Stoltenberg forderte, förderte und praktizierte eine sozialethisch begründete, ordnungspolitisch orientierte Finanz- und Wirtschaftspolitik als konzeptionelle Einheit von Haushalts-, Steuer-, monetärer und Privatisierungspolitik.

Sein Ziel war eine Wirtschaftsordnung, die als Kernstück einer freiheitlichen Verfassung begriffen wurde. Notwendig schien ihm eine Rückbesinnung auf die innovativen Kräfte der Sozialen Marktwirtschaft. Eröffnungs- und Schlussbilanz seiner Amtszeit als Bundesminister der Finanzen von 1982 bis 1989 zeigen die Wirksamkeit dieser Politik Stoltenbergs, die er aber gegen die weitverbreitete Dürftigkeit und mangelhafte Standfestigkeit ordnungspolitischer Grundüberzeugungen in den Führungsgremien der Koalition und in der Öffentlichkeit, insbesondere ab 1986, nur mit z. T. erheblichen Abstrichen durchsetzen konnte.

Konrad Adenauer und Ludwig →*Erhard* waren die wichtigsten Bezugspunkte für die praktische Politik Stoltenbergs, Walter →*Eucken*, Alfred →*Müller-Armack* und Wilhelm →*Röpke* bestimmten den theoretischen Hintergrund. Prägend für den jungen Studenten der Geschichte, der Sozialwissenschaften und der Philosophie, der bereits 1947 der CDU beitrat, war vor allem die Erfahrung, wie nach der Währungsreform die befreiende Tat Erhards, Bezugsscheinsystem und andere Bewirtschaftungsmaßnahmen aufzuheben, Optimismus, Vertrauen und wirtschaftliche Dynamik schufen. Wirtschaftliche Prosperität bewährte sich als Grundvoraussetzung einer gesicherten demokratischen Entwicklung.

Stoltenberg strebte eine entschlossene Erneuerung der Sozialen Marktwirtschaft an, das hieß nach der Überforderung der Finanzpolitik in den 70er Jahren die Rückführung des Staatsanteils durch haushälterische Ausgabendisziplin und durch Umbau des Steuersystems zur Stärkung der Wachstumskräfte und zur Anerkennung beruflicher Leistung.

Für Stoltenberg galt es 1982, die vorgebliche Gesetzmäßigkeit eines ständig wachsenden Staatsanteils und ständig wachsender Staatsausgaben zu brechen. Konsolidierung wurde zu einem zentralen Ziel seiner Finanz-, Wirtschafts- und Gesellschaftspolitik. Die Staatsquote ging von 51,9 Prozent in 1982 auf 45,8 Prozent in 1990 zurück. 1989 erzielten die Gebietskörperschaften und die Sozialversicherungen erstmals seit Beginn der 70er Jahre wieder einen Finanzierungsüberschuss, die Gebietskörperschaften reduzierten ihr Defizit im gleichen Zeitraum von 32,2 Mrd. Euro auf 6,4 Mrd. Euro, der Bund senkte die Nettokreditaufnahme von 19 Mrd. Euro in 1982 auf 19,2 Mrd. DM in 1989. Harte Sparmaßnahmen trugen diese Entwicklung ebenso wie eine günstige Einnahmeentwicklung dank einer prosperierenden Wirtschaft.

Dem ordnungspolitischen Denken Stoltenbergs hätte es entsprochen, nach den quantitativen Konsolidierungserfolgen der ersten Jahre die qualitative Verbesserung der öffentlichen Haushalte hin zu mehr Investitionen in Zukunftsaufgaben energisch voranzutreiben, wie ihm dies als Bundesminister für wissenschaftliche Forschung unter Bundeskanzler Erhard gelungen war. Die sichtbare Entspannung der finanziellen Gesamtsituation minderte in der Koalition und in den Ländern und Gemeinden aber den Reformdruck. Zu den schon damals erforderlichen tiefgreifenden Reformen in den sozialen Sicherungssystemen fühlte sich niemand mehr aufgerufen, im Gegenteil es wurden dauerhaft ausgabenwirksame Projekte beschlossen, der Subventionsabbau stockte.

Erst die spürbaren Erfolge der konsequenten Konsolidierungspolitik schufen Spielräume für die dreistufige Steuerreform 86/ 88/ 90 mit einer Nettoentlastung von rund 25,6 Mrd. Euro. Die Steuerquote erreichte 1990 mit 22,5 Prozent gegenüber 23,8 Prozent in 1982 den niedrigsten Stand seit 30 Jahren. Sonderbelastungen der Länder und Gemeinden wurden vermieden, ihre Investitionskraft gestärkt. Ziel war der Umbau des Steuersystems weit über Tarifentlastungen hinaus. Die direkten Steuern sollten dauerhaft gesenkt, das Steuerrecht wachstumsfördernd und familienfreundlich wirken, Deutschland als Standort für Zukunftsinvestitionen im härter werdenden internationalen →*Wettbewerb* attraktiver werden.

Obwohl im ersten Schritt vor allem die Bezieher kleinerer →*Einkommen* entlastet und starke familienfreundliche Elemente eingebaut wurden, brachte der neue linear-progressive Tarif dauerhafte Entlastungen für alle. Dennoch bestimmten verteilungspolitische Argumente, aber auch die Steuerbefreiung für Flugbenzin, Rabatte auf Jahreswagen, Zuschläge für Sonntagsarbeit und die Quellensteuer zunehmend das Bild. Auch bei der Verbreiterung der Bemessungsgrundlage, also dem Abbau steuerlicher →*Subventionen*, gab es Rückschläge. Stoltenberg überschätzte die ordnungspolitische Grundorientierung der für eine dauerhafte Reformpolitik wichtigsten Mitspieler in Politik und Wirtschaft ebenso wie den wirtschaftlichen Sachverstand der öffentlichen Diskussion. Dennoch wird seine Steuerpolitik von Wissenschaft, Wirtschaft und Politik vor allem auch angesichts der Erfahrungen aus den seiner Amtszeit vorangegangenen und ihr folgenden Jahren außerordentlich positiv beurteilt.

In enger Zusammenarbeit mit der Bundesbank erreichte Stoltenberg eine stabilitätsorientierte Verzahnung von monetärer und Fiskalpolitik. Ebenso wie die Märkte fassten die Währungshüter Vertrauen in die Verlässlichkeit seiner Politik. Der Diskontsatz, der 1983 noch bei 7 % lag, sank 1987 auf 3 %, die Kapitalmarktzinsen zogen nach. Dieser für jeden erkennbare Schulterschluss zwischen Zentralbank und Finanzministerium in der Ausgestaltung des monetären Ordnungsrahmens beeindruckte In- und Ausland.

Die Zusammenarbeit mit der Bundesbank bewährte sich in den turbulenten Zeiten der Währungskrisen, der Paritätendiskussion im Europäischen Währungssystem (EWS) und in der aufbrechenden Schuldenkrise wichtiger Schwellenländer sowie beim Börsencrash im Herbst 1987. Stoltenbergs hohe Kompetenz und seine Verlässlichkeit ließen ihn zum informellen Führer der G-7 Finanzminister werden. Mit seinem Grundsatzpapier vom 15. März 1988 zur Zukunft des Europäischen Währungsraumes unterstrich er den deutschen Standpunkt zur stabilitätsgerechten Weiterentwicklung des EWS in klarer Abgrenzung zu verschwommenen außenpolitischen Wunschvorstellungen.

Den grundsätzlichen Vorrang von Privateigentum und privater Initiative im marktwirtschaftlichen Denken und Wirken Stoltenbergs spiegelt sein Gesamtkonzept für die Privatisierungs- und Beteiligungspolitik des Bundes wider, das am 26. März 1985 vom Bundeskabinett beschlossen wurde. Der Bund privatisierte in den folgenden Jahren erhebliche Teile seines industriellen Besitzes.

Die nahezu sieben Jahre, in denen Stoltenberg Verantwortung für die Finanzpolitik trug, erbrachten den Beweis, dass mit einer Erneuerung der Sozialen Marktwirtschaft wirtschaftlicher Erfolg, Mehrung des Wohlstandes, soziale Gerechtigkeit und Vertrauen in die Demokratie einhergehen. Die Bundesrepublik befand sich 1990 dank dieser Politik in der Lage, die ökonomischen Lasten der deutschen Einheit zu tragen.

Beruflicher Werdegang: 1944-1945 Wehrdienst, 1949 Abitur, Studium der Geschichte, Sozialwissenschaften und Philosophie in Kiel, 1954 Promotion, wissenschaftlicher Assistent an der Universität Kiel, 1956 Lehrbeauftragter der Pädagogischen Hochschule Kiel, Dozent. 1965 und 1969-1970 Direktor der Friedrich Krupp GmbH. 1947 Mitglied der CDU, 1955-1961 Bundesvorsitzender der Jungen Union, 1955-1971 stellvertretender Landesvorsitzender der CDU in Schleswig-Holstein, seit November 1971 Landesvorsitzender, 1969 stellvertretender Bundesvorsitzender der CDU. Mitglied des Landtages Schleswig-Holstein 1954-1957 und 1971-1982. Mitglied des Bundestages von 1957-1971. 1965-1969 Bundesminister für wissenschaftliche Forschung, danach stellvertretender Vorsitzender der CDU/ CSU-Bundestagsfraktion; 1971-1982 Ministerpräsident des Landes Schleswig-Holstein. 1982-1989 Bundesminister der Finanzen, danach bis 1992 Bundesminister der Verteidigung; vom 20. Januar 1993 bis 30. März 2001 stellvertretender Vorsitzender der Konrad-Adenauer-Stiftung.

Literaturhinweise:

STOLTENBERG, G. (1954), *Der Deutsche Reichstag 1871 bis 1873*; DERS. (1960), *Die politischen Strömungen im schleswig-holsteinischen Landvolk 1919-1933*; DERS. (1968), *Hochschule – Wissenschaft – Politik*; DERS. (1969), *Staat und Wissenschaft*; DERS. (1978), *Schleswig-Holstein – heute und morgen*; DERS. (1986), *Unsere Verantwortung für eine gute Zukunft*; DERS. (1997), *Wendepunkte*; KONRAD-ADENAUER-STIFTUNG (Hrsg.) (1999), *Das Konzept der Sozialen Marktwirtschaft*, (mit einem Vorwort von Gerhard Stoltenberg), Sankt Augustin; SCHLECHT, O./ STOLTENBERG, G. (Hrsg.) (2001), *Soziale Marktwirtschaft. Grundlagen, Entwicklungslinien, Perspektiven*, München.

Peter Wichert

Stützel, Wolfgang

geb. am 23.01.1925,
gest. am 01.03.1987

Wolfgang Stützel war einer der kreativsten, vielseitigsten und vielleicht auch einer der umstrittensten deutschen Ökonomen des 20. Jahrhunderts. Sein Forschungsspektrum reichte von juristischen und betriebswirtschaftlichen Fragestellungen über die Mikroökonomie bis hin zur Makroökonomie geschlossener und offener Volkswirtschaften.

Stützel war ein kompromissloser Verfechter marktwirtschaftlicher Grundsätze, ohne einer Schule anzugehören. Viele seiner wissenschaftlichen Erkenntnisse trafen zuerst auf Widerstand, setzten sich dann aber in der Wirtschaftspolitik durch, weil sie auf einem klaren ordnungspolitischen Fundament aufbauten, das Stützel mit großer Konsequenz weiterentwickelte. Seine Weitsicht und seine Bereitschaft zum Widerspruch belebten die wissenschaftliche Diskussion und befruchteten die Gestaltung der Wirtschaftsordnung in der Bundesrepublik Deutschland.

Stützel hat sich in seiner Dissertation (1952) vor allem mit dem Phänomen der Macht im Wirtschaftsleben auseinandergesetzt, die er auf das Verhältnis zwischen dem Wert und Preis eines Gutes zurückführte. Eine seiner einfachsten und eindrücklichsten Botschaften war der Satz: „Wer Marktpreise bezahlt oder Marktpreise erhält, der sichert seine Freiheit und seine Würde". In seiner Habilitationsschrift (1958) behandelte er die „Saldenmechanik" makroökonomischer

Zusammenhänge. Ein wichtiges Ergebnis seiner Analyse war, dass für die Zahlungsfähigkeit von Volkswirtschaften freie Kreditkonditionen, d. h. ein vollständiges liberalisiertes Bankensystem entscheidend sind. In einem Gutachten über die Bankenregulierung in Deutschland („Bankenpolitik – heute und morgen", 1964) setzte sich Stützel konsequenterweise für eine vollständige Beseitigung der Anfang der sechziger Jahre noch bestehenden staatlichen Regulierungen für Soll- und Habenzinsen ein. Ein wichtiges Ergebnis dieser Arbeit war die „Maximalbelastungstheorie", die als ein Vorläufer der „value at risk"-Modelle angesehen werden kann.

Durch seine Mitgliedschaft beim →*Sachverständigenrat* zur Begutachtung der gesamtwirtschaftlichen Entwicklung (1966-68) geriet Stützel in den Mittelpunkt der damals sehr kontrovers geführten Debatte über die deutsche Wechselkurspolitik. Im Gegensatz zur Mehrheit des Rates setzte sich Stützel für ein striktes Festhalten am damaligen Festkurssystem von Bretton Woods ein. Stützel schied vorzeitig aus dem Rat aus, da er sich durch die Ratsmehrheit in seinen Rechten beschnitten sah.

Es ist Stützels großer wissenschaftlicher Verdienst, dass er schon in den sechziger Jahren erkannte, wie instabil sich ein System flexibler Wechselkurse verhalten würde. In diesem Zusammenhang wies er darauf hin, dass es vor allem für kleinere Länder kaum möglich sei, durch den Übergang zu flexiblen Kursen ein höheres Maß an geldpolitischer Autonomie zu erlangen. In den siebziger Jahren konzentrierte sich Stützel auf die Ursachenanalyse der nach der Rezession der Jahre 1974/ 75 stark angestiegenen →*Arbeitslosigkeit.* Frühzeitig erkannte er, dass es sich dabei weniger um ein konjunkturelles als um ein strukturelles Problem handelte. Er plädierte daher für eine Reduzierung der Sozialhilfe (→*Soziale Grundsicherung*) des Kündigungsschutzes und für eine allgemeine Neugestaltung des Systems der sozialen Sicherung in Deutschland. Einen Überblick über diese Vorstellungen gibt Stützel in seinem Buch „Marktpreis und Menschenwürde" (1981).

Ebenso innovativ sind seine bankbetrieblichen Beiträge z. B. zur Entwicklung von Insiderregeln und sein Engagement für die Stückaktie („nennwertlose Aktie"), für die Bilanzierungspflicht stiller Reserven und für ein Anrechnungssystem („Teilhabersteuer") in der Körperschaftssteuer. Viele wurden vom Gesetzgeber verwirklicht, allerdings wurde das Anrechnungsverfahren mit der Steuerreform 2001 wieder abgeschafft.

Wissenschaftlicher Werdegang: Promotion 1952; Habilitation 1957; 1958-1987 Professor an der Universität Saarbrücken.

Literaturhinweise:

STÜTZEL, W. (1978), *Volkswirtschaftliche Saldenmechanik*, 2. Aufl., Tübingen; DERS. (1981), *Marktpreis und Menschenwürde*, Stuttgart; SCHMIDT, H./ KETZEL, E./ PRIGGE, S. (Hrsg.) (2001), *Wolfgang Stüzel – Moderne Konzepte für Finanzmärkte, Beschäftigung und Wirtschaftsverfassung*, Tübingen.

Peter Bofinger

Thielicke, Helmut
geb. am 04.12.1908,
gest. am 05.03.1986

Der konservative evangelische Theologe Thielicke lehrte Dogmatik und Ethik – zuletzt in Hamburg. Er bekennt sich weder zur Kapitalistischen Wirtschaft noch zum →Sozialismus. *Für Thielicke gibt es keine Mischformen. Thielicke setzt sich nicht für eine von Gott gebotene Wirtschaftsordnung ein. Vielmehr ist es der Verantwortung des Menschen übertragen, sich um die Ausgestaltung von Sach- und Lebensgebieten zu kümmern. Die Wettbewerbswirtschaft, die als ein Strukturgesetz der Welt gesehen werden kann, da sie sich des Egoismus als Triebkraft menschlicher Existenz bedient, hat eine besondere „Affinität zur menschlichen Natur" (entspricht also dem Menschen am besten). Das bedeutet, dass Gott in ihr „den in der Konkurrenz sich äußernden Egoismus gegen den Egoismus der Faulheit" zur Wirkung bringt. Aufgabe des Staates ist es, sich dafür stark zu machen, dass die Leistungskonkurrenz eingehalten wird. Er muss ordnend eingreifen, wenn der* →Wettbewerb, *der die Tendenz zur Maßlosigkeit hat, die Sorge des Menschen für sich selbst als „ungebremste Antriebskraft" (Alexander* →Rüstow*) in ihren Dienst stellt.*

Thielicke war einer der wenigen führenden evangelisch-lutherischen Theologen, der sich in der Nachkriegszeit ausführlich mit dem Problem der Ethik in der Wirtschaft und ihrer Ordnung auseinandergesetzt hat. Er widmete sich in seiner „Theologischen Ethik" der freien Wettbewerbswirtschaft als einer Ordnung dieser Welt.

Seine Ethik war durch die „Äonenlehre" (Lehre von den Zeitaltern) geprägt. Der Mensch befindet sich danach in einer Kontinuität und Diskontinuität mit diesem Äon, dem Zeitalter zwischen Schöpfung und Weltende. Die Kontinuität besteht darin, dass er den Gesetzen und Ordnungen dieser Welt unterworfen ist. Gott hat diesen Äon nicht aufgelöst; es herrschen als seine „Strukturgesetze" die Ordnungen des Lebens. Der Christ ist aber als Erlöster herausgerufen und den Mächten dieser Welt entzogen. Er lebt unter der frei machenden Gnade des Evangeliums in Jesus Christus. Darin äußert sich der Aspekt der Diskontinuität. Thielicke stellt die lutherische Rechtfertigungslehre, die dieses Spannungsfeld beschreibt, in den Mittelpunkt seiner Überlegungen. Danach ist der Mensch in dieser Welt Sünder und gerecht (erlöst) zugleich. Aus dem Luthertum übernahm er den Begriff der Ordnungen (Politik, Staat, Wirtschaft etc.) Diese sind für ihn als Notverordnungen (in der Zeit nach der Schöpfung bis zum Weltende) zur Gestaltung dieser Welt eingesetzt. Er verstand sie als Schutz für die gefallene Welt. Nur die Familie und Ehe sind für ihn bereits vor der Schöpfung zur Ordnung dieser Welt bestimmt worden.

In einem Zeitalter, das die Eigengesetzlichkeit (vgl. auch „Sachzwang") der einzelnen Lebensgebiete zur vordergründigen Weltanschauung erklärt, ist eine ständige Warnung durch das Gesetz (als Hinweis auf die Vorläufigkeit des gegenwärtigen Zeitalters) notwendig. Die Wirtschaft dient für Thielicke der Befriedigung von Bedürfnissen. Sie steht unter der ihr eigenen Gesetzlichkeit. Er sieht ihre theologisch-ethische Aufgabe darin, die „Fahrrinne" des Handelns zu markieren. Das bedeutet eine Eigengesetzlichkeit von „relativem Rang".

Die christliche Theologie und auch die Kirche werden deswegen nur eine Wirtschaftsordnung befürworten, die diesen relativen Rang der Eigengesetzlichkeit anerkennt und dem Menschen gerecht wird. Beide haben als christliche Ethik „die Fallstricke des Bösen" sichtbar zu machen.

Für den Staat bedeutet die relative Eigengesetzlichkeit zweierlei: „Als strenge Marktpolizei" aufzutreten und →*Sozialpolitik* zu betreiben. Der Staat hat danach die Aufgabe, die Wirtschaft zwischen einem →*Liberalismus* (Laisser-faire) und einem Dirigismus hindurchzusteuern. Jeden anderen Einfluss auf die Wirtschaft lehnt er ab. Darum wendet er sich auch gegen jede Art von →*Sozialismus/ Planwirtschaft*.

Thielicke steht in seiner Bejahung der Wettbewerbswirtschaft dem Gedanken Rüstows nahe. Aber eins gilt für ihn mit Nachdruck: Jede noch so intakte Wirtschaft steht unter dem Zeichen des gefallenen Äons.

Wissenschaftlicher und beruflicher Werdegang: Als ein Schüler des lutherischen Theologen Paul Althaus in Erlangen blieb er dem dortigen Luthertum ein Leben lang treu – aber nicht der politischen Ausrichtung seines Lehrers verpflichtet. Zur Zeit des Dritten Reiches stand er auf Seiten der Bekennenden Kirche. Deshalb verlor er in Heidelberg seine kommissarische Professur. Nach dem Krieg war er Professor für Systematische Theologie und Ethik in Tübingen und Hamburg, Mitbegründer der Theologischen Fakultät in Hamburg, später Rektor der dortigen Universität. An seiner Theologischen Ethik, die allein im prinzipiellen Teil über tausend Seiten umfasst, hat er von 1943 bis 1964 gearbeitet. Die beiden mittleren Bände wurden noch kurz vor seinem Tode von ihm selbst aktualisiert. Er war darüber hinaus ein viel beachteter Prediger.

Literaturhinweise:

THIELICKE, H. (1958 ff.), *Theologische Ethik*, 4 Bde., Tübingen; DERS. (1968 ff.), *Der Evangelische Glaube*, 3 Bde., Tübingen.

Rolf Kramer

Veit, Otto

geb. am 29.12.1898,
gest. am 31.01.1984

Veit, Sohn eines Generals, gilt als einer der herausragendsten Geld- und Währungstheoretiker und -praktiker der Nachkriegsjahre in der Bundesrepublik Deutschland. Er hat einen bedeutenden Beitrag zum Aufbau einer stabilen Geld- und Währungsverfassung und damit zur politischen Umsetzung des Konzeptes der Sozialen Marktwirtschaft geleistet. Darüber hinaus hat sich Veit mit Philosophie und Soziologie beschäftigt und sich ein Ansehen als Universalgelehrter erworben. Sein Selbstverständnis als „Liberaler" und seine enge Mitgliedschaft im Freiburger „Ordo-Kreis" unterstreichen seine Zugehörigkeit zum Kreis der Väter der Sozialen

Marktwirtschaft. Er galt als ausgezeichneter Schreiber und Redner, war humanistisch gebildet und bekannt als ausgeprägte, prinzipienfeste Persönlichkeit.

Seine wissenschaftlichen Veröffentlichungen beziehen sich in erster Linie auf die Geld- und Währungspolitik und sind nicht erst während seiner Zeit an der Universität entstanden. Eines seiner Hauptwerke, die „Reale Theorie des Geldes“ (publiziert 1966), entsprang bereits einem Denkprozess der letzten Kriegswochen und entstand ohne enge Verknüpfung mit der herrschenden Geldtheorie. Veits Verständnis von Geld als einem Gut, das sich nicht in seinem Wesen, sondern nur im Grad seiner Liquidität, also der Verfügungsmacht über andere Güter von diesen unterscheidet, zieht sich wie ein roter Faden durch seine Publikationen zur Geldtheorie und begründet seine eigenständige liquiditätstheoretische Position. In dem Sammelband „Währungspolitik als Kunst des Unmöglichen“ und einem geldpolitischen Standardwerk der 60er und 70er Jahre, „Grundriss der Währungspolitik“, verarbeitet Veit auch seine Erfahrungen aus seiner Zeit als Präsident der Landeszentralbank von Hessen.

Veit befasst sich in seinen Büchern und Aufsätzen nicht nur mit Währungstheorie und -politik, sondern auch mit kultursoziologischen und -philosophischen Themen. Im Zentrum des Interesses steht dabei – ähnlich wie bei Walter →*Eucken* und Alexander →*Rüstow* – die Freiheit des Menschen, deren Erhaltung er bereits in den Zeiten nationalsozialistischer Diktatur eingefordert hatte und die als Grundlage seiner nationalökonomischen Theorien dient. In seinem soziologischen Hauptwerk „Soziologie und Freiheit“, das 1957 als Überarbeitung des zehn Jahre zuvor publizierten Werkes „Die Flucht vor der Freiheit“ veröffentlicht wurde, setzt sich Veit mit der Gefahr des Freiheitsverlustes durch die „Hypertrophie der materiellen Entwicklung“ auseinander. Immer wieder sucht Veit auch nach Erklärungen für die schrecklichen Geschehnisse während des Nationalsozialismus. In seinem 1965 publizierten Buch „Christlich-jüdische Koexistenz“ versucht er, eine Basis für ein gleichberechtigtes Zusammenleben in Deutschland zu schaffen.

Beruflicher und wissenschaftlicher Werdegang: Nach dem Kriegsdienst sowie dem Studium der Volkswirtschaftslehre und der Philosophie in Frankfurt trat Veit 1929 eine Stelle als Schriftenleiter der „Industrie- und Handelszeitung“ (später „Nachrichten für den Außenhandel“) an, die er jedoch 1934 aus politischen Gründen wieder aufgeben musste. Er arbeitete daraufhin im Bankhaus Hardy & Co. in Berlin zunächst als volkswirtschaftlicher Berater, später bis Ende des Krieges als Geschäftsführer. In dieser Zeit entstanden seine ersten währungspolitischen Publikationen, so dass es nicht verwunderlich war, dass er 1946 zunächst als Generaldirektor zur Nassauischen Landesbank nach Wiesbaden und bereits ein Jahr später zum Präsidenten der Landesbank von Hessen nach Frankfurt berufen wurde. Dadurch war er ex officio Mitglied des Zentralbankrats der Bank deutscher Länder, der Vorgängerin der →*Deutschen Bundesbank*, und wirkte während der ersten Monate ihres Bestehens als deren provisorischer Vorsitzender. Er saß bis 1952 an dieser Schaltstelle der Geld- und Währungspolitik in Deutschland. Im Februar 1952 übernahm er den neu eingerichteten Lehrstuhl für Wirtschaftliche Staatswissenschaften, insbesondere Währungs- und Bankpolitik an der Johann Wolfgang Goethe-Universität in Frankfurt/ M. und wurde zugleich Direktor des dortigen Instituts für Kreditwesen, wo er bis zu seiner Emeritierung 1969 lehrte. Er galt als Grandseigneur der deutschen Währungspolitik und blieb auch als Universitätsprofessor der Notenbank als Leiter des Prüfungsamtes verbunden.

Literaturhinweise:
VEIT, O. (1947), *Die Flucht vor der Freiheit: Versuch zur geschichtsphilosophischen Erhellung der Kulturkrise*, Frankfurt/ M.; DERS. (1948), *Die Volkswirtschaftliche Theorie der Liquidität*, Frankfurt/ M.; DERS. (1957), *Soziologie der Freiheit*, Frankfurt/ M.; DERS. (1961), *Grundriss der Währungspolitik*, Frankfurt/ M.; DERS. (1965), *Christlich-jüdische Koexistenz*, Frankfurt/ M.; DERS. (1968), *Währungspolitik als Kunst des Unmöglichen*, Frankfurt/ M.; DERS. (1966), *Reale Theorie des Geldes*, Tübingen.

H. Jörg Thieme

Welter, Erich

geb. am 30.06.1900,
gest. am 10.06.1982

Ein ganzes Leben lang hat sich Welter darum bemüht, Nichtökonomen ordnungspolitisches Denken, und das heißt: Denken in wirtschaftlichen Zusammenhängen, in einer einfachen, für jedermann verständlichen Sprache nahe zu bringen. Seine Verdienste als Kämpfer für eine freiheitliche Ordnung können schwerlich überschätzt werden. Seine Devise war: Sich „nicht darauf verlassen, dass die Wahrheit sich selbst durchsetzt, nur weil sie wahr ist. Man muss für die Wahrheit kämpfen." Welter ist für sein mutiges publizistisches Wirken unter anderem mit dem Großen Bundesverdienstkreuz mit Stern (1975) und mit der Ludwig-Erhard-Medaille (1978) ausgezeichnet worden.

Als Wissenschaftler, Publizist und Zeitungs-Unternehmer hat sich Welter gleichermaßen und mit hohem Engagement für eine freiheitliche Ordnung von Wirtschaft und Gesellschaft eingesetzt. In einer Zeit, in der die Bewährungsprobe der →*Sozialen Marktwirtschaft* noch ausstand und in der sogar ein Generalstreik die Abberufung von Bundeswirtschaftsminister Ludwig →*Erhard* erzwingen sollte, focht Welter in engem Kontakt mit Erhard für die Beseitigung der Reste staatlicher Zwangswirtschaft, für das →*Gesetz gegen Wettbewerbsbeschränkungen*, für die Liberalisierung der außenwirtschaftlichen Beziehungen, für eine unabhängige Zentralnotenbank, für ein hohes Maß an Geldwertstabilität, für eine konsequente Beschränkung der staatlichen Aktivitäten auf ordnungspolitische Aufgaben, für den Rückzug des Staates als Unternehmer, für den Abbau des staatlichen →*Interventionismus* und für ein marktwirtschaftliches Einkaufsverhalten staatlicher Organe. Eine große Anzahl von Aufsätzen in der Frankfurter Allgemeinen Zeitung galt diesen Themen.

Wissenschaftliche Laufbahn: Promotion in Berlin 1921 (bei Hermann Schumacher); Habilitation in Frankfurt 1941 (bei Wilhelm Gerloff); seit 1944 außerplanmäßiger

Professor; von 1948 bis zur Emeritierung 1963 ordentlicher Professor für Volkswirtschaftslehre an der Universität Mainz; Gründer des Forschungsinstituts für Wirtschaftspolitik an der Universität Mainz 1950; von 1949 bis 1971 Mitglied des Wissenschaftlichen Beirats beim Bundesministerium für Verkehr; von 1953 bis 1975 Mitglied des Forschungsbeirats für Fragen der Wiedervereinigung Deutschlands.

Beruflicher Werdegang: 1921 Eintritt in die Handelsredaktion der Frankfurter Zeitung; von Januar 1933 bis April 1934 Chefredakteur der Vossischen Zeitung, die ihr Erscheinen unter dem Druck der Nationalsozialisten einstellen musste; 1934 Rückkehr zur Frankfurter Zeitung, wo er bis zum stellvertretenden Hauptschriftleiter aufrückte; 1943 nach dem Verbot der Frankfurter Zeitung als Reserveoffizier „wissenschaftlicher Beobachter“ im Planungsamt des Ministeriums für Rüstung und Kriegsproduktion; 1946 Gründung der „Wirtschaftszeitung“ in Stuttgart (später „Deutsche Zeitung und Wirtschaftszeitung“), aus der Welter aus besatzungsrechtlichen Gründen ausscheiden musste; 1949 Gründung der Frankfurter Allgemeinen Zeitung, deren Herausgeber und zentraler Kopf Welter bis 1980 geblieben ist.

Literaturhinweise:

WELTER, E. (1954), *Falsch und richtig planen. Eine kritische Studie über die deutsche Wirtschaftslenkung im Zweiten Weltkrieg,* Heidelberg; DERS. (1960), *Der Staat als Kunde. Öffentliche Aufträge in der Wettbewerbsordnung,* Heidelberg; DERS. (1953), Die wirtschaftspolitische Bildungsaufgabe, in: Hunold, Albert (Hrsg.), *Wirtschaft ohne Wunder*, Erlenbach, Zürich, S. 339 ff.

Walter Hamm

Sachbeiträge

Agrarpolitik

Die Agrarpolitik nimmt in fast allen Ländern eine Sonderstellung in der Wirtschaftspolitik ein. Ausgeprägte Eingriffe des Staates in das Geschehen an den Agrarmärkten sind an der Tagesordnung. In Entwicklungsländern – die im Folgenden nicht weiter betrachtet werden – werden die Agrarpreise häufig unterhalb des Niveaus der Weltmarktpreise gehalten, um den armen Bevölkerungsschichten den Kauf von Nahrungsmitteln zu erleichtern. In den Industrieländern wird umgekehrt das Ziel verfolgt, den Landwirten ein ausreichendes →*Einkommen* zu gewähren. Die Agrarpreise werden dort typischerweise – oft erheblich – über dem Niveau gestützt, das sich auf freien Märkten einstellen würde. Gleichzeitig werden in vielen Industrieländern erhebliche →*Subventionen* an die Landwirtschaft gezahlt und vielfältige andere Eingriffe in die Agrarmärkte vorgenommen (→*Interventionismus*).

Der Hintergrund für diese protektionistische Ausrichtung der Agrarpolitik in den meisten Industrieländern ist die Tatsache, dass die Einkommen der Landwirte eine Tendenz aufweisen, im Zuge des gesamtwirtschaftlichen →*Wachstums* hinter den Einkommen in anderen Wirtschaftsbereichen zurückzubleiben. Der Grund dafür liegt in einer besonderen Konstellation der Entwicklung von →*Angebot und Nachfrage* an den Agrarmärkten. Die Nachfrage nach Nahrungsmitteln und damit nach Agrarprodukten wächst langsamer als das gesamtwirtschaftliche Einkommen, weil Nahrungsmittel Sättigungsgüter sind: Die „Einkommenselastizität der Nachfrage nach Nahrungsmitteln" ist gering, wie das in dem (nach dem preußischen Statistiker Engel benannten) „Engelschen Gesetz" zum Ausdruck kommt: Wenn die Verbrauchereinkommen um ein Prozent steigen, nimmt die Nachfrage nach Agrarprodukten um deutlich weniger als ein Prozent zu. Gleichzeitig sind aber in der landwirtschaftlichen Erzeugung die Produktivitätsfortschritte (z. B. durch Ertragssteigerungen in der pflanzlichen und tierischen Produktion) besonders hoch, typischerweise sogar höher als im Durchschnitt der Volkswirtschaft. Das Angebots-Potenzial bei Agrarprodukten wächst deshalb besonders schnell.

Das rasch steigende Angebot an den Agrarmärkten trifft also auf eine nur langsam wachsende Nachfrage. Die Folge ist, dass die Preise für Nahrungsmittel tendenziell sinken (genauer: hinter der Preisentwicklung bei anderen Gütern zurückbleiben). Die Einkommen der Landwirte kommen auf diese Weise unter Druck. In Reaktion auf diesen Einkommensdruck nimmt die Zahl der Beschäftigten in der Landwirtschaft kontinuierlich ab. So waren z. B. in Deutschland (früheres Bundesgebiet) um 1950 noch etwa 5 Millionen Personen in der Landwirtschaft beschäftigt. Inzwischen sind es nur noch gut 700.000 (heutiges Bundesgebiet). In anderen Industrieländern war der Verlauf ähnlich. Diese Abwanderung aus der Landwirtschaft und der sie auslösende Einkommensdruck gehen natürlich mit sozialen Problemen einher. Die umfangreichen Hilfen, welche die Landwirtschaft durch die Agrarpolitik erhält, sind im Kern der Ausdruck des Bestrebens, diese sozialen Probleme mit Mitteln der Wirtschaftspolitik zu lindern.

So sehr dieses Bestreben politisch verständlich ist, so wenig kann aus wirtschaftswissenschaftlicher Sicht allerdings die Wahl der Instrumente befriedigen, die traditionell in der Agrarpolitik eingesetzt wurden. Im Wesentlichen liefen diese Instrumente darauf hinaus, der Tendenz sinkender Agrarpreise entgegenzuwirken. Das wurde insbesondere dadurch angestrebt, dass Importe aus anderen Ländern durch Zölle und ähnliche Maßnahmen verteuert, Exporte mit Subventionen gefördert und im Inland Subventionen für Agrarprodukte gezahlt wurden. Die Marktsignale wurden dadurch außer Kraft gesetzt. In vielen Fällen entstand ein Überangebot an Agrarprodukten, das oft zunächst in staatliche Läger („Interventionsläger") übernommen, schließlich aber mit Subventionen auf den Weltmarkt exportiert oder bisweilen sogar vernichtet wurde. Wenn die Weltmärkte nicht mehr aufnahmefähig waren oder die finanziellen Mittel für die Überschussbeseitigung nicht mehr ausreichten, wurde das Angebot in einigen Fällen durch Kontingente (Mengengrenzen) beschränkt, die den einzelnen Landwirten auferlegt wurden, oder durch administrativ erzwungene Stilllegung von Flächen eingeschränkt.

Das wesentliche Bestreben der Agrarpolitik war es also, an den heimischen Märkten die Preise höher zu halten, als dies bei freiem Spiel der Marktkräfte der Fall gewesen wäre. Diese agrarpolitische Orientierung war aber aus zwei Gründen höchst problematisch. Erstens konnte das eigentliche Kernproblem der Landwirtschaft, nämlich das starke Angebotswachstum bei geringer Nachfragesteigerung, auf diese Weise nicht wirklich gelöst werden. Zwar konnte die jeweilige nationale Agrarpolitik den heimischen Landwirten durch die gestützten Agrarpreise den Eindruck vermitteln, die Nachfrage nach ihren Produkten sei hoch. Auf der weltweiten Ebene konnte auf diese Weise die Gesamtnachfrage aber natürlich nicht gesteigert werden. Letztlich lief die Agrarpolitik jedes einzelnen Landes deshalb darauf hinaus, den heimischen Landwirten einen Absatzmarkt zu bescheren, der Landwirten in anderen Ländern weggenommen wurde. Entsprechend führte diese Agrarpolitik, die von fast allen Industrieländern in ähnlicher Weise betrieben wurde, deshalb zu immer schärfer werdenden Handelskonflikten.

Zweitens setzte die Politik der Agrarpreisstützung nicht an der richtigen Stelle an, nämlich bei dem sozialen Problem, das sie beheben wollte. Direkte Einkommensübertragungen an Landwirte (Transfers) hätten dies leisten können, ohne die Marktsignale außer Kraft zu setzen. In der Agrarpolitik hat man sich allerdings lange Zeit gegen diese Politikalternative gewehrt, weil befürchtet wurde, die Stützung der landwirtschaftlichen

Einkommen könnte auf diese Weise transparenter und damit politisch anfälliger werden.

Seit einigen Jahren hat allerdings weltweit ein Umdenken in der Agrarpolitik begonnen, und viele Länder haben angefangen, ihre Agrarpolitik zu reformieren. Auf der internationalen Ebene kam das in den neuen Regeln für den Agrarhandel zum Ausdruck, die in der Uruguay-Runde der GATT-Verhandlungen (1986-94) beschlossen wurden (→*Internationale Organisationen*). Die heftigen Konflikte im internationalen Agrarhandel sollen auf diese Weise abgebaut werden. Auf der nationalen Ebene haben immer mehr Länder begonnen, die Eingriffe in die Agrarmärkte zu reduzieren und stattdessen die landwirtschaftlichen Einkommen durch direkte Zahlungen zu stützen (→*EU: Agrarpolitik*). Die Agrarpolitik ist also zur Zeit weltweit auf dem Weg zu neuen Ufern.

Literaturhinweise:
HENRICHSMEYER, W./ WITZKE, H. P. (1991), *Agrarpolitik, Bd. 1, Agrarökonomische Grundlagen*, Stuttgart; HENRICHSMEYER, W./ WITZKE, H. P. (1994), *Agrarpolitik, Bd. 2, Bewertung und Willensbildung*, Stuttgart.

Stefan Tangermann

Altersrente

Es gehörte von Beginn an zu den tragenden Säulen des Konzepts der →*Sozialen Marktwirtschaft*, den alten Menschen eine auskömmliche Ruhestandsperiode frei von Armut zu ermöglichen. Dabei sollten die Einkünfte im Alter nicht den Charakter von Almosen haben, sondern ein Anspruch sein, der sich aus geleisteten Beiträgen während der Erwerbsphase ableitet. Deshalb gibt es in Deutschland ein so genanntes beitragsfinanziertes Rentensystem, in das jeder Arbeitnehmer einen festgelegten Prozentsatz seines Arbeitseinkommens einzahlt und aus dem jeder Rentner nach Maßgabe seiner geleisteten Beiträge sein Altersruhegeld bezieht. Leider liest sich dies einfacher, als es in der Realität ist. Ein Grund dafür ist, dass entschieden werden muss, in welcher Form die eingezahlten Beiträge verwendet werden sollen. In Deutschland ist es bisher so, dass die eingezahlten Beiträge unmittelbar an die Rentner ausgeschüttet werden. Man nennt dieses Verfahren das Umlageverfahren. Werden die eingezahlten Beiträge hingegen nicht direkt ausgeschüttet, sondern zunächst zinsbringend angelegt, so spricht man vom Kapitaldeckungsverfahren. Dabei wird für jeden Rentner im Laufe der Zeit ein Vermögen angespart. Später werden die Renten dann aus den daraus erwachsenden Zinserträgen finanziert und davon, dass das Vermögen schrittweise wieder aufgelöst wird. Das Kapitaldeckungsverfahren entspricht im Prinzip der Logik einer Lebensversicherung.

Das zentrale Problem des in Deutschland – und übrigens auch den meisten anderen Ländern – praktizierten Umlageverfahrens ist, dass seine Finanzierbarkeit direkt von der Entwicklung der Erwerbsbevölkerung abhängt. Der Grund ist einfach: Die Einnahmen der Rentenkasse ergeben sich aus dem Durchschnitt der Beiträge, multipliziert mit der Zahl der Arbeitnehmer. Die Ausgaben ergeben sich aus der durchschnittlichen Rente, multipliziert mit der Anzahl der Rentner. Wenn nun die Zahl der Rentner steigt oder die Zahl der Arbeitnehmer sinkt (oder beides), dann steigen die Ausgaben oder es sinken die Einnahmen (oder beides). Da die Rentenkasse aber kein Defizit aufweisen darf, muss in einem solchen Falle die Rente gesenkt oder es müssen die Beiträge angehoben werden. Genau dieses Problem eines Anstiegs der Zahl der Rentner und eines Rückgangs der Zahl der Erwerbstätigen wird sich in Deutschland ab etwa dem Jahr 2020 ergeben. So kamen im Jahr 2000 auf jeden Rentner noch etwa zwei Arbeitnehmer. Im Jahre 2020 werden es – rein rechnerisch – nur noch 1,5 Arbeitnehmer pro Rentner sein, und im Jahre 2040 sogar nur noch ein Arbeitnehmer! Der Grund ist, dass seit etwa Mitte der 70er Jahre jede Frau in Deutschland statistisch gesehen nur noch 1,4 Kinder zur Welt bringt. Die sich hieraus ergebende „Lücke" in der Zahl der Erwerbstätigen könnte nur durch eine sehr starke Zuwanderung von mindestens 1 Mio. Personen pro Jahr ausgeglichen werden (→*Demographische Entwicklung*).

Nun steht Deutschland mit dieser Entwicklung nicht allein. In fast allen Industrieländern ist die Bevölkerungsentwicklung ähnlich, wenngleich in den meisten Fällen nicht ganz so drastisch. Häufig wird daher gefordert, das zumeist praktizierte Umlageverfahren aufzugeben und die Altersvorsorge nach dem Kapitaldeckungsverfahren zu organisieren. Dies stößt aber auf zwei Probleme: Erstens fehlen in der Übergangsphase die Mittel für die Rente einer ganzen Generation. Denn wenn heute das Verfahren umgestellt würde, so würden die eingezahlten Beiträge ja nicht mehr direkt ausgeschüttet, sondern zunächst zinsbringend angelegt. Wenn aber die Rentenbeiträge nicht mehr direkt ausgeschüttet werden, dann stellt sich die Frage: Woher sollen die Mittel für die heutigen Rentner kommen? Hierauf gibt es keine zufrieden stellende Antwort. Ein zweites Problem ist, dass auch das Kapitaldeckungsverfahren nicht völlig unabhängig von der Bevölkerungsentwicklung ist. Der Grund: Die Beiträge zur Rentenversicherung müssen ja irgendwo angelegt werden. Man kauft dafür zum Beispiel Aktien und sonstige Wertpapiere oder auch Immobilien. Wenn man diese Anlagen im Rentenalter wieder „zu Geld machen will", so wird man sie verkaufen müssen. Zu diesem Zeitpunkt werden aber wegen des Bevölkerungsrückgangs nur noch relativ wenige junge Leute da sein, und so wird auch die Nachfrage nach Aktien, Wertpapieren und Immobilien vergleichsweise gering sein. Die Rentenkassen werden dann Schwierigkeiten haben, ihre Anlagen an die nächste Generation zu verkaufen. Sie müssen daher die Preise dafür senken, und dadurch fallen die Einnahmen der Rentenkasse: Die Rente muss wiederum sinken. So bleibt denn auch das Kapitaldeckungsverfahren vom Bevölkerungsrückgang nicht verschont, wenngleich die Wirkung nach Ansicht der meisten Fachleute weniger stark ausfällt.

Vor diesem Hintergrund wird in fast allen Industrieländern an Reformen der Rentenversicherung gearbeitet. Zumeist laufen diese Reformen auf einen Mix von Umlageverfahren und Kapitaldeckungsverfahren hinaus, und zwar auf der Basis von so genannten Zwei- oder Drei-Säulen-Systemen. Dabei ist die erste Säule eine reduzierte Version des Umlageverfahrens. Die hieraus gezahlten Renten sollen hierzu schrittweise abgesenkt werden, so dass sich alle Beteiligten in angemessener Zeit darauf einstellen können. Die finanziellen Einbußen, die durch die Absenkung für die Rentner entstehen, sollen dann mit Hilfe einer oder zweier weiterer Säulen ausgeglichen werden, die beide nach dem Kapitaldeckungsverfahren aufgebaut sind. Im Falle der zweiten Säule werden meist zusätzliche Zwangsbeiträge erhoben, die dann zinstragend angelegt werden. Im Falle der dritten Säule handelt es sich um freiwillige Beiträge zu einer finanziellen Anlage mit dem Zweck der Altersvorsorge, die dann aber durch staatliche Zuschüsse – etwa in Form von Steuervergünstigungen – gefördert wird. In Deutschland wird es nur zwei Säulen geben, und zwar eine nach wie vor relativ große erste Säule nach dem Umlageverfahren und eine zweite Säule mit staatlich geförderten, aber freiwilligen Anlagen zum Zwecke der persönlichen Einkommenssicherung im Alter. Eines indes ist angesichts der Bevölkerungsentwicklung ab dem Jahre 2020 sicher: Weitere Reformen werden (und müssen) folgen.

Literaturhinweise:
DEUTSCHES INSTITUT FÜR ALTERSVORSORGE (1998), *Reformvorschläge zur gesetzlichen Altersversicherung in Deutschland*, Köln; LAMPERT, H. (2001), *Lehrbuch der Sozialpolitik*, 6. Aufl., Berlin; BUNDESMINISTERIUM FÜR GESUNDHEIT UND SOZIALE SICHERUNG (2003), *Nachhaltigkeit in der Finanzierung der Sozialen Sicherungssysteme*, Berlin.

Thomas Apolte

Angebot und Nachfrage

Wenn Unternehmen und Haushalte ihre Wirtschaftspläne aufstellen, orientieren sie sich an ihrem Eigeninteresse. Das heißt, dass Unternehmen Gewinne erzielen und Verbraucher ihre Bedürfnisse befriedigen wollen. Diese Pläne versuchen sie auf den Märkten durchzusetzen. Dazu müssen die Anbieter (z. B. von Konsumgütern oder von Arbeitskraft) mit den Nachfragern Geschäfte abschließen. Durch den Wettbewerb der Anbieter um die Nachfrager wird dabei jeder zu einem Leistungsangebot veranlasst, das den Wünschen der Nachfrager entspricht. Das Nachfragerinteresse wird sogar um so besser verwirklicht, je konsequenter die Anbieter ihre Eigeninteressen verfolgen, je schärfer also der →*Wettbewerb* um die Geschäftsabschlüsse ist. Wie mit einer „unsichtbaren Hand" (Adam Smith) bewirkt der Wettbewerb, dass das Eigeninteresse letztlich dem Gesamtwohl im Sinne einer günstigen Verbraucherversorgung dient. Weil die vielen Einzelpläne durch den Wettbewerb vorteilhaft aufeinander abgestimmt werden, spricht man auch von der *Selbststeuerung der Marktwirtschaft*.

Anhand der Preisbildung auf Gütermärkten lässt sich dies gut verdeutlichen. Dabei wird angenommen, dass es so viele Anbieter und Nachfrager gibt, dass keiner von ihnen den Preis alleine bestimmen kann (Polypol). Sowohl das Angebot an als auch die Nachfrage nach einem Gut hängen üblicherweise von seinem Preis ab (vgl. Schaubild). Nach dem *Nachfragegesetz* wird von einem Gut in der Regel um so weniger nachgefragt, je höher sein Preis ist (siehe fallende Nachfragegerade). Das *Angebotsgesetz* besagt hingegen, dass mit steigenden Preisen normalerweise auch die angebotene Menge des Gutes zunimmt (siehe steigende Angebotsgerade). Dies ist darauf zurückzuführen, dass es bei steigenden Preisen leichter möglich wird, das Gut zumindest kostendeckend bereitzustellen. Während also relativ hohe Preise die Unternehmen zu einem großen Güterangebot anspornen, werden die Verbraucher von einem Kauf tendenziell abgeschreckt. Als Folge ergibt sich bei hohen Preisen (z. B. beim Preis P_A) zunächst ein Überangebot. Das heißt, dass die angebotene Menge die Nachfrage übersteigt. Da die Anbieter aber ihre gesamte Produktion verkaufen wollen, werden sie sich im Preis unterbieten, um möglichst viel Nachfrage auf sich zu ziehen. Der Marktpreis sinkt dadurch. Folglich nimmt die Nachfrage zu (Nachfragegesetz), während das Angebot nach und nach verringert wird (Angebotsgesetz).

Dieser Druck auf den Preis hält so lange an, bis die angebotene Menge der nachgefragten Menge entspricht. Dies ist zum Preis $P_{Gleichgewicht}$ der Fall. Liegt der Preis der Anbieter unterhalb dieses Preises (z. B. bei P_B), dann übertrifft die Nachfrage das Angebot. Es herrscht Übernachfrage, d. h. nicht alle Kaufwilligen können das Gut bekommen. Sobald die Anbieter dies bemerken, werden sie die Chance zur Preiserhöhung nutzen. Dadurch geht die Nachfrage zurück (Nachfragegesetz), während für die Unternehmen eine Angebotserhöhung lohnend wird (Angebotsgesetz). Die Preissteigerung hält so lange an, bis wiederum der Preis $P_{Gleichgewicht}$ verwirklicht ist. Zum Gleichgewichtspreis wird die Gleichgewichtsmenge $M_{Gleichgewicht}$ realisiert. Sie ist unter kurzfristig konstanten Angebots- und Nachfragebedingungen die größte Menge, die auf diesem Markt umgesetzt werden kann: Bei Preisen oberhalb des Gleichgewichtspreises ist die Nachfrage geringer und bei Preisen unterhalb des Gleichgewichtspreises ist das Angebot geringer. So ist in einem Gleichgewicht die Güterversorgung am besten. Dem Preis kommt dabei die Aufgabe zu, Angebot und Nachfrage zum Ausgleich zu bringen und die Knappheit des Gutes anzuzeigen *(Ausgleichs- und Signalwirkung der Preise).*

Es bleibt aber nicht nur bei diesen kurzfristigen Tendenzen zum Gleichgewicht. Das Eigennutzstreben führt auch dazu, dass sich das Angebot langfristig erhöht. Neben den Preisen kommt dabei den Gewinnen eine besondere Steuerungsfunktion zu. Sie entstehen, wenn der Preis die Kosten des Angebots übersteigt. Solche →*Gewinne* üben auf die aktuellen

Anbieter einen Anreiz aus, die eigene Produktion auszudehnen, um noch höhere Gesamtgewinne zu verwirklichen. Außerdem werden durch die Gewinne im Laufe der Zeit neue Unternehmen in den Markt gelockt, wodurch das Angebot zusätzlich steigt. Durch die zunehmende Angebotsmenge kommt es bei stabiler Nachfrage zu einem Überangebot, das den Gleichgewichtspreis – zum Vorteil der Nachfrager – unter seine ursprüngliche Höhe drückt. Darüber hinaus versuchen die Unternehmen, ihre Kosten zu verringern. Dazu können sie rationelle Produktionsverfahren von Konkurrenten nachahmen (Imitation) oder neue, noch kostengünstigere Verfahren entwickeln (Innovation). Damit lassen sich bei gegebenen Güterpreisen erneut Gewinne erzielen. Allerdings zwingt der Wettbewerb die Anbieter wiederum dazu, die Kostenvorteile auf Dauer in sinkenden Preisen an die Nachfrager weiterzugeben.

Preisbildung auf einem Gütermarkt

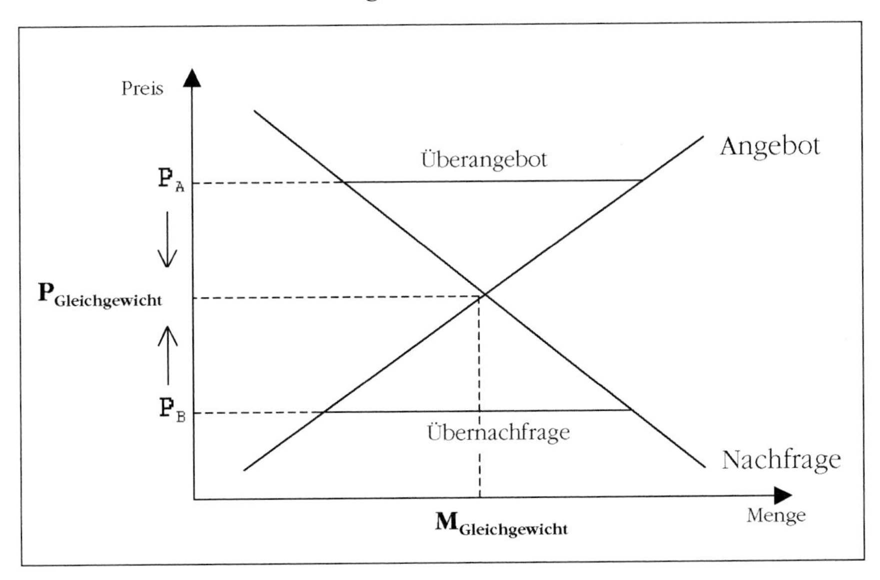

Diese Preisbildung im Wettbewerb bewirkt eine besonders vorteilhafte Verwendung der knappen Produktionsfaktoren. Güterproduktionen, die wegen der Wertschätzung der Nachfrager hohe Gewinne versprechen, werden ausgebaut. Demgegenüber geben die Unternehmen Verlustproduktionen auf, um die frei werdenden Produktionsfaktoren sinnvoller einsetzen zu können. Außerdem sorgt der Wettbewerb dafür, dass die Produktionsfaktoren entsprechend ihrer Marktleistung entlohnt werden. So wird jeder Marktteilnehmer stimuliert, zur Überwindung der Güterknappheit bestmöglich beizutragen *(Anreiz- und Lenkungswirkung der Preise).*

Literaturhinweise:

BARTLING, H./ LUZIUS, F. (2002), *Grundzüge der Volkswirtschaftslehre*, 14. Aufl., München; BÖVENTER, E. v. u. a. (1999), *Einführung in die Mikroökonomie*, 9. Aufl., München, Wien; WOLL, A. (2003), *Allgemeine Volkswirtschaftslehre*, 14. Aufl., München.

Hans Peter Seitel

Arbeitskampf

Die aus der verfassungsrechtlich geschützten Koalitionsfreiheit abgeleitete Tarifautonomie kann nur funktionieren, wenn zwischen Gewerkschaften und Arbeitgeberverbänden als Tarifvertragsparteien ein wenigstens ungefähres Machtgleichgewicht besteht (Gegenmachtprinzip). Da es in den Tarifverhandlungen neben gemeinsamen Zielen, wie zum Beispiel dem Erhalt der Wettbewerbsfähigkeit, insbesondere hinsichtlich der Aufteilung von →*Gewinn* auf die Faktoren Arbeit und Kapital, auch um divergierende Interessen geht, müssen die Durchsetzungschancen so verteilt sein, dass nicht die eine Seite der anderen ihre Bedingungen diktieren kann. Streik und Aussperrung sind die einsetzbaren Instrumente, wenn ein akzeptabler Kompromiss anders nicht zustande kommt.

Unter einem Streik versteht man die geplant eingesetzte, kollektive Arbeitsniederlegung eines Teils oder aller beschäftigten Arbeitnehmer, um so Arbeitgeber durch die Kosten von Produktionsausfällen dazu zu zwingen, gewerkschaftlichen Tarifforderungen nachzugeben. Der oder die betroffenen Arbeitgeber können auf diese Kampfmaßnahme mit einer Aussperrung reagieren, indem sie den Betrieb schließen und die Zahlung von Löhnen oder Gehältern vorübergehend einstellen. Das Drohpotenzial besteht auf Seiten der Gewerkschaften also im Entzug der Arbeitsleistung, auf Seiten der Arbeitgeber in der verweigerten Lohnzahlung. Das Beschäftigungsverhältnis ruht während des Arbeitskampfes und besteht danach weiter (suspendierende Wirkung).

In der Praxis sind es zunächst und vor allem die Gewerkschaften, die auf das Streikrecht angewiesen sind, da sie regelmäßig als Fordernde auftreten und das Zustandekommen angemessener tarifvertraglicher Vereinbarungen sonst nicht gewährleistet wäre. Beim Einsatz ihrer Arbeitskampfinstrumente müssen die Gewerkschaftsführungen zum einen die Bereitschaft ihrer Mitglieder zum Streik durch das Abhalten einer sog. Urabstimmung berücksichtigen, zum anderen die wirtschaftlichen Folgen, da sie für den ausfallenden Lohn sog. Streikgelder an ihre Mitglieder zahlen. Um ihre Streikziele mit dem geringstmöglichen Einsatz zu erreichen, bemühen sich die Gewerkschaften, den Arbeitskampf zeitlich und regional auf die neuralgischen Punkte im Produktionsprozess zu begrenzen. Die zunehmende Produktionsverflechtung sowie die Abhängigkeit von Zulieferprodukten haben ihre Möglichkeiten hierfür beträchtlich erweitert. Die früher häufigeren weitflächigen Erzwingungsstreiks – denen die Arbeitgeberseite dann oftmals mit Flächenaussperrungen begegnete – sind inzwischen weitgehend von relativ kurzen und örtlich begrenzten Punktstreiks abgelöst worden. Abgesehen davon gehört die Bundesrepublik Deutschland, zusammen mit Österreich und der Schweiz, zu den Ländern mit der niedrigsten Streikhäufigkeit.

Da Arbeitskämpfe hohe volkswirtschaftliche Verluste verursachen und dazu führen können, dass Lieferzusagen nicht eingehalten werden, hat die Kompromissbereitschaft der →*Sozialpartner* wesentliche Bedeutung für die internationale Wettbewerbsfähigkeit eines Landes. Trotzdem ist das Arbeitskampfrecht in Deutschland im Gegensatz zu den meisten anderen Industrieländern nicht gesetzlich geregelt. Der rechtliche Rahmen für die Durchführung von Arbeitskämpfen orientiert sich stattdessen an oftmals vagen Handlungsrichtlinien, die sich aus fallweise getroffenen Entscheidungen des Bundesarbeitsgerichts sowie des Bundesverfassungsgerichts ergeben haben. Diese Rechtsfortschreibung durch sog. Richterrecht hat im Zeitablauf häufiger Richtungsänderungen erfahren.

Während zum Beispiel in den 50er und 60er Jahren Arbeitskampfmaßnahmen nach höchstrichterlicher Auffassung nur das letzte Mittel nach Ausschöpfung aller Verhandlungsmöglichkeiten sein durften (Ultima-Ratio-Pinzip), hat sich die heutige Rechtsprechung dahin gewandelt, zeitlich und personell begrenzte

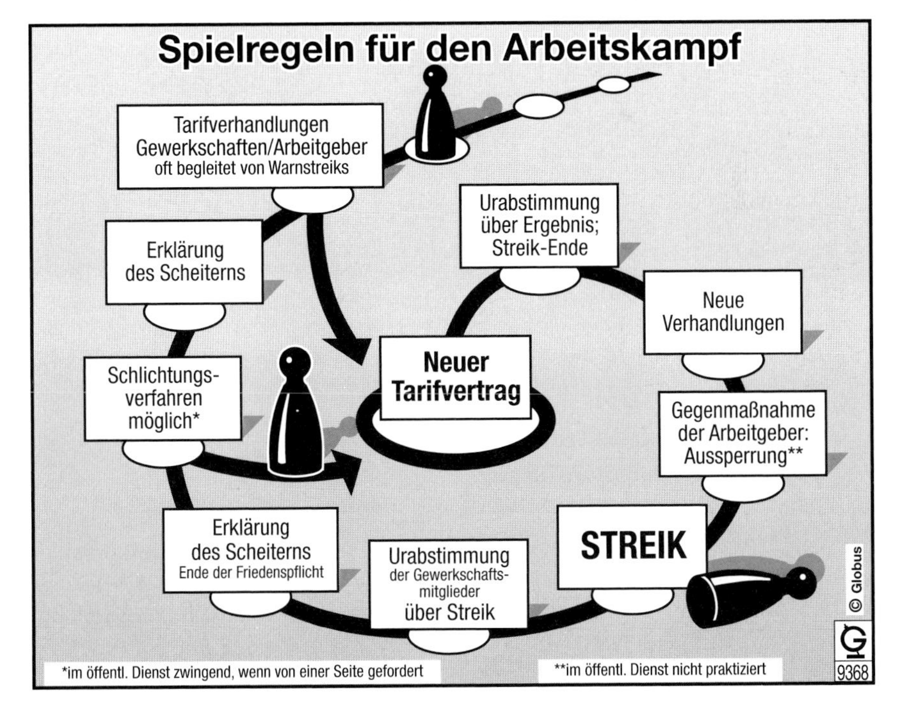

Warnstreiks während laufender Verhandlungen als geeignet anzusehen, den Abschluss eines neuen Tarifvertrags zu beschleunigen. Nur wenn noch oder bereits wieder ein gültiger Tarifvertrag besteht, dürfen keine Arbeitskampfmaßnahmen ergriffen werden (Friedenspflicht), aber auch hier ist die richterliche Beurteilung von sog. wilden Streikaktionen bei noch gültigen Tarifverträgen häufig ambivalent.

Nach wie vor scheint allerdings die Rechtsauffassung zu überwiegen, dass Streiks als Bestandteil der Tarifautonomie nicht um allgemeine politische, sondern nur um bestimmte tarifvertragliche Ziele geführt werden dürfen. Des Weiteren müssen Arbeitskampfmaßnahmen fair durchgeführt werden und dürfen sich nur gegen direkt Beteiligte richten. Politische Streiks und Solidaritätsstreiks sind deshalb grundsätzlich verboten; ebenso müssen Ausmaß und Intensität der jeweiligen Arbeitskampfmaßnahmen angemessen sein (Prinzip der Sozialadäquanz).

Literaturhinweise:
RIEBLE, V. (1996), *Arbeitsmarkt und Wettbewerb. Der Schutz von Vertrags- und Wettbewerbsfreiheit im Arbeitsrecht*, Berlin, Heidelberg; KELLER, B. (1997), *Einführung in die Arbeitspolitik. Arbeitsbeziehungen und Arbeitsmarkt in sozialwissenschaftlicher Perspektive*. München, Wien.

Hans Jürgen Rösner

Arbeitslosigkeit: Soziale Sicherung

1. Eine Aufgabe mit Verfassungsrang

Die „Allgemeine Erklärung der Menschenrechte" der Vereinten Nationen vom 10. Dezember 1948 sieht in der Schaffung einer Welt frei von Furcht und Not das von allen Völkern und Nationen zu erreichende gemeinsame Ideal. Artikel 22 verlautet: „Jeder Mensch hat als Mitglied der Gesellschaft Recht auf soziale Sicherheit." Artikel 23 stellt fest, dass jeder Mensch das Recht auf Arbeit, auf freie Berufswahl, auf angemessene und befriedigende Arbeitsbedingungen sowie auf Schutz gegen Arbeitslosigkeit hat; und im Artikel 25 wird unter dem Stichwort „soziale Betreuung" ausdrücklich auf „Sicherheit im Falle von Arbeitslosigkeit" verwiesen.

Das in der Bundesrepublik Deutschland seit dem 25. Juni 1969 geltende, inzwischen mehrfach novellierte Arbeitsförderungsgesetz soll im Rahmen der von der jeweiligen Bundesregierung betriebenen Sozial-, Wirtschafts- und Finanzpolitik dazu beitragen, den Ausgleich am Arbeitsmarkt zu fördern. Mit der letzten Novelle wird ausdrücklich anerkannt, dass die ursprüngliche, durch die Euphorie postkeynesianischen Beschäftigungsdenkens (→*Keynesianismus*) getragene Idee, durch staatliches Handeln nicht nur Vollbeschäftigung (→*Beschäftigung*) garantieren, sondern zugleich auch das wirtschaftliche →*Wachstum* fördern zu können, eine Überschätzung der konkreten Möglichkeiten der Wirtschaftspolitik ist.

Aus diesen Gründen soll in Zukunft die Unterstützungsfunktion der Arbeitsförderung besonders herausgestellt werden; sie soll Brücken zum regulären Arbeitsmarkt bahnen und stärker auf eine gestaltende, aktive

Arbeitsvermittlung ausgerichtet sein. Arbeitsförderung umfasst sowohl Aktivitäten zur Verhütung von Arbeitslosigkeit als auch Leistungen bei bereits bestehender Arbeitslosigkeit. Letztere sind so auszugestalten, dass sie die Ein- oder Wiedereingliederung des von Arbeitslosigkeit Betroffenen in das Arbeitsleben so rasch wie möglich erreichen lassen. Nach dem Willen des Gesetzgebers gilt eindeutig das Prinzip des Vorrangs der Sicherung *vor* Arbeitslosigkeit, also der Vermittlung in Ausbildung und Arbeit *vor* der Sicherung bei Arbeitslosigkeit durch die Gewährung von Lohnersatzleistungen (z. B. Arbeitslosengeld, Arbeitslosenhilfe) an potenziell Erwerbsfähige in Zeiten unfreiwilliger Beschäftigungslosigkeit. Gleichwohl soll ein gesetzlich fundierter Anspruch begründet werden, der Geldleistungen denjenigen zufließen lässt, deren Lebensunterhalt infolge Arbeitslosigkeit als nicht gesichert anzusehen ist. Der Gesetzgeber folgt damit der folgenden Auffassung: Generell steigert die Dynamik einer Wettbewerbswirtschaft den wirtschaftlichen und gesellschaftlichen Wohlstand. Wenn diese Dynamik allerdings für Einzelne zu unfreiwilliger Arbeitslosigkeit führt, schuldet die Gesellschaft ihnen einen Lohnersatz und Hilfeleistungen bei der Suche nach einem neuen gleich- oder gar höherwertigen Arbeitsplatz.

2. Das Arbeitsförderungsrecht und Reformbedarf

„Arbeitslos im Sinne des Gesetzes ist ein Arbeitnehmer, der vorübergehend nicht in einem Beschäftigungsverhältnis steht, eine versicherungspflichtige Beschäftigung sucht, dabei den Vermittlungsbemühungen des Arbeitsamtes in eine zumutbare Beschäftigung zur Verfügung steht und sich beim Arbeitsamt arbeitslos gemeldet hat." In diesem Fall haben die Betroffenen, wenn sie die Anwartschaftszeit erfüllt haben, einen nach der Dauer ihrer versicherungspflichtigen Beschäftigung und dem Lebensalter zeitlich gestaffelten Anspruch auf Arbeitslosengeld. Der Höchstanspruch für jüngere Arbeitnehmer liegt bei einem Jahr. Arbeitslosenhilfe wird geleistet, wenn kein Anspruch auf Arbeitslosengeld (mehr) besteht, besondere Anspruchsvoraussetzungen aus einem Dienstverhältnis erfüllt sind und Bedürftigkeit im Sinne von Mittellosigkeit vorliegt. Arbeitslosenhilfe wird grundsätzlich unbefristet gewährt, längstens bis zur Vollendung des 65. Lebensjahres.

Im Gesamtsystem der sozialen Sicherung soll die öffentliche Sozialhilfe die Lücken schließen, die andere Sozialleistungssysteme offen ließen. Ihre Aufgabe besteht darin, den Empfängern der Hilfe eine menschenwürdige Lebensführung auf dem sozialkulturellen Mindestniveau der Gesellschaft in der Bundesrepublik Deutschland zu ermöglichen. Als allgemeines Auffangnetz für Menschen, die in Not geraten, d. h. nicht in der Lage sind, aus eigenen Kräften ihren Lebensunterhalt zu bestreiten, fungiert die Sozialhilfe (→*Soziale Grundsicherung*), die grundsätzlich allen Bürgern des Landes bei Bedürftigkeit per Rechtsanspruch zusteht. Jeder Hilfeempfänger soll durch staatliche Hilfe befähigt werden, sich wiederum in das allgemeine Arbeitsleben der Gemeinschaft einzugliedern. Dazu nach eigenen Kräften mitzuwirken, ist gefordert.

Im Vergleich zum Jahr 1980, in dem nur etwa 10 v. H. der damals knapp 1,3 Mio. Hilfeempfänger arbeitslos waren, ist deren Anteil im Jahr 1998 – bei 2,9 Mio. Sozialhilfeempfängern – auf 40 v. H. angestiegen. Als eine der Hauptursachen für die nahezu explosive Erhöhung des Volumens der Sozialhilfeleistungen in der Bundesrepublik Deutschland ist das beachtliche Ausmaß an Langzeitarbeitslosigkeit zu betrachten. Durch den Anspruch eines jeden Bürgers auf Unterstützungsleistungen in Höhe des Sozialhilferegelbedarfs ist in allen Fällen, in denen die Arbeitslosenhilfe oder das Arbeitslosengeld dieses Niveau nicht erreicht, die Differenz durch Sozialhilfemittel zu decken. Konkrete Fallstudien für das Jahr 1997 kamen zu dem Ergebnis, dass insbesondere geringqualifizierte Arbeitslose mit Familie über die Leistungen aus der ergänzenden Sozialhilfe Bezüge erhielten, die in ihrer Gesamtheit bis zu 93 v. H. ihres früheren verfügbaren (Arbeits-) Einkommens erreichten.

Die politische Schlussfolgerung lautet nun, dass das deutsche Sozialhilfesystem somit in ein Spannungsfeld gerät zwischen einer sozial orientierten Versorgung und der Motivation für die Arbeitslosen, sich um eine neue Beschäftigung oder auch um eine bessere berufliche Qualifizierung zu bemühen. Es wird daher in Wissenschaft und Praxis von der Existenz einer durch die Politik geschaffenen „Abhängigkeitsfalle“ gesprochen und zu einer Reform geraten, die die Bemühungen von Arbeitslosen, sich aus der Arbeitslosigkeit zu lösen, auch finanziell belohnt. In allen Reformvorschlägen geht es letztlich darum, eine Kombination von Geldleistungen zu finden, die der Anbahnung von Erwerbsarbeit dient, zugleich aber soziale Härten vermeidet.

Dabei muss stets bedacht werden, wie die Verantwortlichkeiten verteilt werden sollen. Zu erinnern ist daran, dass die sich im Zuge des Industrialisierungsprozesses entwickelnden Selbsthilfeorganisationen der Gewerkvereine und Gewerkschaften lange Zeit wegen der Nähe zu den Betroffenen als die geeignetsten Träger einer Arbeitslosenversicherung angesehen wurden, insbesondere dann, wenn die öffentliche Hand Teile der Finanzierung zu übernehmen bereit ist. Auch dieser Weg wird wiederum als Reformschritt angeboten. Gewiss aber sollten jene Anregungen ebenfalls besondere Aufmerksamkeit finden, die den Kommunen die Zuständigkeit für eine aktive Beschäftigungspolitik übertragen und gleichzeitig gewährleistet wissen wollen, dass diesen aus dem vertikalen Finanzausgleich (→*Fiskalföderalismus*) entsprechende finanzielle Mittel zufließen. Ohne wohl durchdachte und schrittweise zu erprobende Reformen wird sich das aktuelle Beschäftigungsdilemma kaum bewältigen lassen, aber Reformen sind notwendig.

3. Arbeitslosigkeit – Die individuelle und familiäre Perspektive

Inwieweit Arbeitslosigkeit für die

Lage der Individuen und Familien von Belang ist, wird ausführlich im 5. Teil des V. Familienberichts aus dem Jahr 1994 erörtert. Dort wird auf die gravierenden Folgen von Arbeitslosigkeit für das individuelle und familiäre Schicksal aufmerksam gemacht, zugleich aber auch betont, dass der konkrete Informationsstand über die Einzelerfahrungen äußerst unbefriedigend sei. Für die Langzeitarbeitslosigkeit werden folgende Tatbestände genannt: Tendenzen zu einer sozialen Isolation und Desintegration, zu Identitätskrisen bis hin zu Selbstmordgefährdungen, zum Verlust der Arbeitsorientierung und Arbeitsmotivation sowie des Zeitgefühls, zu psychosomatischen Erkrankungen. Verwiesen wird aber ebenfalls auf die Notwendigkeit der Betrachtung des Einzelfalls im Kontext einer Familie und das daraus möglicherweise erwachsende gemeinsame Verarbeitungs- und Stabilisierungspotenzial in Bezug auf diese Krise. Nicht ausgespart wird andererseits der Blick auf familiäre Gefährdungen in Gestalt etwa einer drohenden „Erziehungsnot" der Kinder, der Zunahme von Schwererziehbarkeit und Verwahrlosung, eines Verzichts auf Ausbildung aus Gleichgültigkeit gegenüber der eigenen Zukunft.

In der Fachliteratur wird allerdings durchgängig betont, dass Arbeitslosigkeit ein durch und durch historisches Phänomen sei – insbesondere durch die Art der Verarbeitung durch Betroffene innerhalb ihres sozialen Bezugsfeldes. Einfache Schlussfolgerungen sind nicht vertretbar. Der Umgang mit Erwerbslosigkeit hängt zudem sehr stark von der Art der Einstellung gegenüber sozialen Sicherungssystemen und ihrer Inanspruchnahme sowie von grundlegenden Orientierungen gegenüber den Wertmustern der Arbeitswelt ab. So ist denn auch aufgrund empirischer Forschung die These entwickelt worden, dass Erwerbstätige in der „alten" Bundesrepublik gelernt hätten, Unterbrechungen im Erwerbsverlauf biographisch zu normalisieren. Unterbrechungen der Erwerbsarbeit würden unter diesen Voraussetzungen von vielen Kurzzeit-Arbeitslosen nicht mehr als schicksalhafte Ereignisse empfunden, die mit dem Stigma der materiellen und psychischen Verelendung behaftet sind. Sollte diese Einschätzung zutreffen, könnte tatsächlich die vom Gesetzgeber beabsichtigte „Entdramatisierung" zumindest von Übergangsarbeitslosigkeit bewirken, dass Einzelne in ihrer konkreten Erfahrung diese Arbeitslosigkeit akzeptieren. Zentrale Bedingungen für die Verwirklichung derartiger sozialer Stabilisierungsprozesse müsste – das ist eine notwendige Schlussfolgerung – eine Wirtschafts-, Finanz- und Arbeitsmarktpolitik sein, deren Verlässlichkeit jedem Einzelnen erkennbar ist.

In jedem Fall aber setzt der Weg aus der Arbeitslosigkeit für jeden Einzelnen voraus, dass sie/ er über Ressourcen als Hilfsmittel verfügt und über ein menschliches Handlungspotenzial, das zur vollwertigen Teilnahme an allen gesellschaftlichen Prozessen befähigt und deshalb zu Recht heute als Humanvermögen bezeichnet wird. Diese Befähigung, gekoppelt mit Zugangsmöglichkeiten zur aktiven Nutzung anderer Varianten von Vermögen, was vor allem durch die (Förderung der) Bildung von Vermögen in Arbeitnehmerhand zu erreichen ist, muss deshalb mit aller Kraft und deutlich mehr Kreativität als bisher unter Einsatz aller denkbaren Mittel gestärkt werden.

Literaturhinweise:
KLÖS, H.-P. (1998), *Arbeit plus Transfers*, Köln; KRÜSSELBERG, H.-G. (1981), Soziale Sicherung bei Arbeitslosigkeit, in: *Handwörterbuch der Wirtschaftswissenschaft* (HdWW), Bd. 6, Stuttgart, S. 603-611; MUTZ, G. (1993), *Biographische Normalisierung diskontinuierlicher Erwerbsverläufe*, München.

Hans-Günter Krüsselberg

Arbeitslosigkeit: Wirkungszusammenhänge

Arbeitslosigkeit ist kein individuell verschuldetes Schicksal. Arbeitslosigkeit ist sachgerecht nur zu verstehen und zu lösen, wenn man die Einflussfaktoren in ihrer Breite berücksichtigt: Sie ist das Ergebnis eines äußerst komplexen Wirkungszusammenhangs, der von Personen über das institutionelle Rahmenwerk des Staates, der Märkte und der Gesellschaft bis zu gesellschaftlichen Verfassungen reicht. Historisch gesehen hat die Entwicklung dieses Wirkungszusammenhangs zu einem bislang in der Welt unvorstellbaren Wohlstandsniveau geführt. Arbeitslosigkeit signalisiert Mängel im Arrangement der wesentlichen Einflussfaktoren und Prozesse. Eine Lösung des Problems Arbeitslosigkeit erfordert deshalb eine Schwachstellenanalyse. Einige Schritte dazu sollen im Folgenden unternommen werden.

1. Arbeitsmärkte und Beschäftigung

Für alle fortgeschrittenen Industriegesellschaften der Welt gilt wie auch für die Bundesrepublik Deutschland, dass sich in ihnen, wenngleich in unterschiedlicher Gestalt, ein System der „organisierten" Arbeit entwickelte, dessen wirtschaftliche Effizienz alle bisherigen Produktionsformen weit übertrifft. Dieses System der organisierten Arbeit hat sich zwar marktwirtschaftlichen Prinzipien verpflichtet: Das geltende Arbeitsrecht ermöglicht eine freiheitliche Regelung der Arbeitsbedingungen. Es vertraut damit zum Zweck allgemeiner Wohlstandssteigerung auf die Wirtschaftlichkeitserfolge eines Systems dezentraler Planung. Gleichwohl ordnet sich das Arbeitsrecht in den Rahmen einer Verfassung ein, die als Grundrecht die Koalitionsfreiheit verbrieft. Freiwillig ist der Zusammenschluss von Arbeitnehmern und Arbeitgebern in Koalitionen (Gewerkschaften und Arbeitgeberverbänden). Diese jedoch beeinflussen durch kollektive Vereinbarungen in Tarifverträgen die Gestaltung der Arbeits- und Wirtschaftsverhältnisse (→*Tarifrecht*). Das organisatorische Element im Bereich der Arbeitsverfassung zeigt sich somit im Koalitions-, Tarifvertrags- und →*Arbeitskampf*recht sowie im →*Betriebsverfassung*s- und →*Mitbestimmung*srecht. Beabsichtigt ist die Gewährleistung von →*sozialer Gerechtigkeit* in einem System von Märkten, in denen die Übermacht einer Marktpartei generell vermieden werden soll. Das wichtigste Argument zugunsten des

Vorrangs der kollektiven Vertretung der Arbeitnehmer durch Gewerkschaften ist die Annahme, dass ein Machtungleichgewicht zwischen den einzelnen Arbeitnehmern und dem Arbeitgeber bestünde (→*Arbeitsmarktordnung*).

Das Charakteristikum eines marktwirtschaftlichen Systems ist die dezentrale Planung. Sie besteht darin, dass eine Vielfalt von Produktionseinheiten (Unternehmen) selbstständig und selbstverantwortlich Pläne zur Befriedigung der Bedürfnisse der Nachfrager (Kunden) durch spezielle Produkt- und Dienstleistungsangebote entwirft und dabei die zur Erstellung dieser Angebote notwendigen Produktionsfaktoren durch Verträge an sich bindet. Unternehmen bieten regelmäßige Arbeit auf der Grundlage dieses Systems ausgeprägter Arbeitsteilung an. Durch die Annahme des Arbeitsplatzangebots durch Arbeitnehmer, konkret durch die tatsächliche Aufnahme der Beschäftigung, entstehen Beschäftigungsverhältnisse, deren Bedingungen durch Arbeitsverträge für Arbeitgeber und Arbeitnehmer verbindlich geregelt sind.

Zu den Leistungsanforderungen an die Beschäftigten zählen neben ihrer speziellen beruflichen Qualifikation ein ausgebildeter Sinn für Pünktlichkeit, Genauigkeit und Präzision im Arbeitsvollzug, Verantwortungsgefühl für Material und Menschen und zudem die soziale Fähigkeit zur Anpassung ihrer Aktivitäten an die anderer Menschen sowie zu einem kooperativen Arbeitsstil. Solche Kompetenzen sind Voraussetzungen für die auf Markteffizienz ausgerichtete Organisation von Arbeitsabläufen in →*Unternehmen*. Diese Organisation ist ihrerseits die Basis für die an die Belegschaft zu entrichtenden Arbeitsentgelte. Die auf den Arbeitsmärkten vereinbarten Entgelte werden auf der Grundlage von Arbeitsplatz- und Leistungsbewertungen ermittelt. Sie sind die weitaus größte Quelle der in der Volkswirtschaft erzielten →*Einkommen*.

2. Dynamik des Wettbewerbs als Quelle der Wohlstandssteigerung und Ursache der stetigen Umsetzung von Arbeit

In marktwirtschaftlichen Systemen vertraut man bezüglich der Wohlfahrtssteigerung auf die Dynamik des →*Wettbewerbs*. Neue Produkte, neue Verfahren, neue Märkte und neue Organisationsstrukturen bewirken, dass sich eine permanente Veränderung der Produktions- und zugleich der Erwerbsstruktur, also eine Veränderung in der Struktur der Erwerbsarbeit vollzieht. In Zeiten, in denen das damit verbundene Volumen an Freisetzung und Wiedereinstellung von Arbeitskräften deckungsgleich bleibt – das sind im Allgemeinen nur solche Perioden mit hohen Steigerungsraten des Sozialprodukts –, verkümmert rasch das Bewusstsein dafür, dass äußerst sensible und komplizierte Prozesse der Marktsteuerung am Werk sind.

Die Dynamik dieser Prozesse zeigt sich auf den Arbeitsmärkten vor allem in den Zahlen des jährlichen Beschäftigungswechsels. Nach der Beschäftigungsstatistik der →*Bundesagentur für Arbeit* veränderte sich

1998 das Beschäftigungsverhältnis für fast ein Drittel der Erwerbstätigen. Das bedeutet, dass sich die Wirtschaftsstruktur in einer 3-Jahres-Frist nahezu komplett wandelt. Wie das im Einzelnen aussehen mag, lässt sich anhand von Angaben veranschaulichen, die aus Arbeitsmarkt-Untersuchungen während der siebziger und achtziger Jahren stammen: Bei einem Gesamtvolumen an Arbeitsplätzen von ca. 26-27 Mio. erfolgten jährliche Neubesetzungen in Höhe von 10-12 Mio. Diese rekrutierten sich aus Zugangs- und Abgangsmobilität in Höhe von 3-4 Mio. (das sind 12-15 v. H. aller Arbeitsplätze), durch zwischenbetriebliche Wanderungen in Höhe von ca. 2,5 Mio. (das ist ungefähr ein Fünftel aller Arbeitsplatzwechsel); innerbetriebliche Umsetzungen erreichten ein Gesamtvolumen von ca. 4-5 Mio. Angesichts dieser Dynamik und ihrer konkret nicht vorhersehbaren Details muss grundsätzlich davon ausgegangen werden, dass es zu allen Zeiten ein gewisses Ausmaß unfreiwilliger Arbeitslosigkeit geben wird.

3. Zur Typologie der Arbeitslosigkeit

Die Bezugnahme auf diese ständige Bewegung in den Marktprozessen trägt am ehesten zum Verständnis der Ursachen der Entstehung von Arbeitslosigkeit bei. Sie öffnet den Blick auf eine Typologie der Arbeitslosigkeit. Die wichtigste Fragestellung hierfür lautet: Wodurch wird ein für alle unfreiwillig Arbeitslosen wünschbarer rascher Abgang aus der Arbeitslosigkeit in ein Beschäftigungsverhältnis blockiert. Gefragt wird also vor allem nach den Tatbeständen, die nach einem Ausscheiden eine zügige Wiedereingliederung in die Erwerbstätigkeit behindern können. Die folgende Abbildung zeigt die denkmöglichen Erwerbszugangssperren, die den Einzelnen in der Arbeitslosigkeit halten.

Bei Auswertung dieses Schemas lässt sich erstens sagen, dass es in gewissen Zeiten deshalb nicht zu einer befriedigenden Annäherung an das Vollbeschäftigungsniveau (→*Beschäftigung*) kommen mag, weil die Höhe der volkswirtschaftlichen Gesamtnachfrage zu gering ist; diese wird wesentlich bestimmt durch die Zukunftserwartungen der Konsumenten und Investoren sowie durch die Budgetverwalter der privaten und öffentlichen Haushalte im In- und Ausland. Hier ist jedoch zweitens zwischen saisonalen, konjunkturellen und durch Strukturveränderungen bedingten Schwankungen der Nachfrage zu unterscheiden. Zu den systemtypischen Merkmalen von Arbeitslosigkeit zählen drittens auch jene Elemente, die auf Inflexibilitäten bei der Entwicklung von Löhnen und Lohnstrukturen als Folge von Tarifverträgen zurückzuführen sind, ferner solche staatlichen Entscheidungen im Sektor der Steuer-, Abgaben- und Wettbewerbspolitik, die beschäftigungsmindernd wirken. Aktuelle Schätzungen für die Bundesrepublik Deutschland bis 1998 gehen dahin, dass Fehlentwicklungen in diesem dritten Bereich zu der Arbeitslosenquote bis zu etwas mehr als 8 v. H. beigetragen haben mögen. Die empirische Forschung hat sich viertens mit der darüber hinausgehenden Frage auseinandergesetzt, inwieweit individuelle, d. h. personenabhängige Merkmale Vermittlungsengpässe für Erwerbsarbeitsuchende begründen können. Was an Vermittlungshürden grundsätzlich auf dem deutschen Arbeitsmarkt wirksam wird, zeigt die folgende Abbildung.

Thematisiert wird in dieser Abbildung neben der Frage der konkreten Chancen für eine Arbeitsvermittlung besonders das Problem der „Langzeitarbeitslosigkeit" („ein Jahr und länger arbeitslos") als Folge einer Kumulation von mehreren vermittlungserschwerenden Faktoren. Einer davon ist die bereits bestehende Dauer der

Zur Typologie der Arbeitslosigkeit

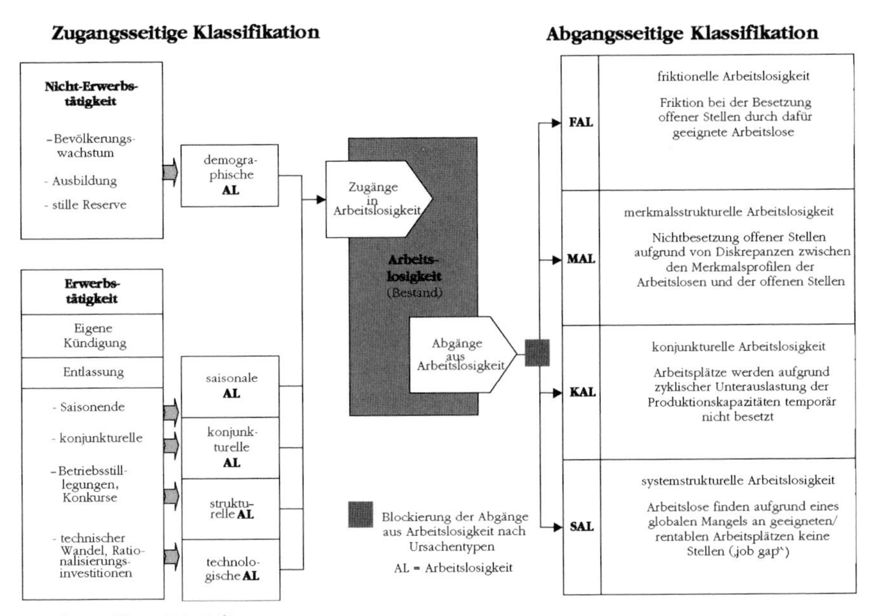

Quelle: Willke 1990, S.63

Arbeitslosigkeit. Wichtig ist deshalb eine zügige Wiederbeschäftigung. Scheitert diese wegen hoher Anpassungshürden, z. B. wegen zu hoher und starrer Löhne als Folge der Tarifsysteme, droht – wie es seit 1997 beobachtet wird – trotz generell sinkender Arbeitslosigkeit ein Anstieg der Langzeitarbeitslosigkeit. Dieser Tatbestand lässt erkennen, wie wichtig einmal die systematischen Unterscheidungen zwischen den Ursachen für Arbeitslosigkeit bezüglich der Wahl der wirtschaftspolitischen Maßnahmen zu deren Bekämpfung sind. Zum anderen ist zu sehen, dass diese Unterscheidung allein nicht genügt; es muss stets gleichzeitig die für jeden Einzelfall greifende Verflechtung von Ursachen und Wirkungen beachtet

Arbeitsmarkt: Die Vermittlungs-Hürden

Nur knapp ein Drittel aller Arbeitslosen könnte problemlos vermittelt werden.

	1980	1983	in %	1999 (in %) *Fort-schreibung*
Arbeitslose insgesamt (in 1000)	823	2134	100	100
davon				
• Arbeitslose, die problemlos vermittelt werden könnten (kein vermittlungs-erschwerender Faktor)	231	659	30,9	28,5
• Arbeitslose mit *einem* vermittlungs-erschwerenden Faktor	328	843	39,5	36,6
davon				
ohne Ausbildung	233	564	26,4	17,0
über 55 Jahre	16	36	1,7	4,6
über ein Jahr arbeitslos	21	160	7,5	8,9
gesundheitlich eingeschränkt	58	83	3,9	6,1
• Arbeitslose mit *zwei* vermittlungs-erschwerenden Faktoren	172	448	21,0	16,7
davon				
ohne Ausbildung und gesundheitlich eingeschränkt	88	103	4,8	3,7
ohne Ausbildung und über 55 Jahre	18	36	1,7	1,7
ohne Ausbildung und über ein Jahr arbeitslos	24	216	10,1	5,9
gesundheitlich eingeschränkt und über 55 Jahre	17	23	1,1	2,3
gesundheitlich eingeschränkt und über ein Jahr arbeitslos	18	53	2,5	3,5
über 55 Jahre und über ein Jahr arbeitslos	7	17	0,8	5,5
• Arbeitslose mit *drei* vermittlungs-erschwerenden Faktoren	77	160	7,5	10,1
davon				
ohne Ausbildung, gesundheitlich eingeschränkt und über 55 Jahre	21	23	1,1	1,2
ohne Ausbildung, gesundheitlich eingeschränkt und über ein Jahr arbeitslos	37	96	4,5	2,9
ohne Ausbildung, über 55 Jahre und über ein Jahr arbeitslos	9	23	1,1	2,9
gesundheitlich eingeschränkt, über 55 Jahre und über ein Jahr areitslos	10	17	0,8	3,1
• Arbeitslose mit allen *vier* Faktoren	16	26	1,2	2,2

Quelle: Institut für Arbeitsmarkt- und Berufsforschung; IW-Berechnungen Institut der deutschen Wirtschaft (iwd) 1985, Nr. 42, Seite 5; Fortschreibung für 1999, H. G. K.; Stichtag jeweils 30. September.

werden. Übersieht die Diagnose die potenzielle Vielfalt verursachender Faktoren, muss auch die Therapie scheitern. Leider mangelt es in der Alltagspolitik allzu häufig an einer hinreichend differenzierten Analyse.

Literaturhinweise:
BUNDESMINISTERIUM FÜR FAMILIE UND SENIOREN (Hrsg.) (1994), *Fünfter Familienbericht: Familien und Familienpolitik im geeinten Deutschland – Zukunft des Humanvermögens*, Bonn; IWD – Informationsdienst des Instituts der deutschen Wirtschaft (1985), *Das Qualifikationsdefizit*, Jg. 11, Nr. 42, S. 5; WILLKE, G. (1990), *Arbeitslosigkeit – Diagnosen und Therapien*, Hannover.

Hans-Günter Krüsselberg

Arbeitsmarktordnung

In der Ordnungskonzeption der →*Sozialen Marktwirtschaft* soll die wirtschaftliche Leistungsfähigkeit einer freiheitlichen →*Marktwirtschaft* mit sozialem Schutz und Ausgleich verbunden werden (A. →*Müller-Armack*). Für die theoretische Fundierung dieser Ordnungskonzeption wird die traditionelle Lösung der Probleme der Arbeiterfrage des 19. Jahrhunderts durch →*Sozialpolitik* damit zu einer grundlegenden Aufgabe der Ordnung von Wirtschaft und Gesellschaft. Die vor allem durch Walter →*Eucken* systematisch ausformulierte Konzeption einer ebenso wirtschaftlich leistungsfähigen wie „sozialgerechten" und „menschenwürdigen" Wettbewerbsordnung umfasst eine als Einheit verstandene Gruppe von konstituierenden und regulierenden Ordnungsprinzipien, die auch eine besondere Ordnung des Arbeitsmarktes begründen. Die besondere Arbeitsmarktordnung der Sozialen Marktwirtschaft ist zwar auf die Überwindung der Probleme der historischen sozialen Frage ausgerichtet. Als Bestandteil einer zukunftsoffenen Ordnungskonzeption ist die Arbeitsmarktordnung aber auch offen gegenüber zukünftigen Entwicklungen der Erwerbsarbeit.

In der Phase der Frühindustrialisierung führte eine uneingeschränkte kapitalistisch-marktwirtschaftliche Wirtschaftsverfassung und ein massives Überangebot an Arbeit zu der als „Proletarität" (Götz →*Briefs*) gekennzeichneten Entwicklung der Arbeiterklasse. Die erste staatliche Reaktion hierauf war ein Verbot der Kinderarbeit. Dabei hat sich die vordergründig gegen „wirtschaftliche Interessen" durchgesetzte Regulierung des Arbeitsmarktes auf längere Sicht (gesamt- und einzelwirtschaftlich) letztlich als wohlstandsverbessernd erwiesen.

Trotz einer anhaltend hohen →*Arbeitslosigkeit* zeichnet sich in Deutschland für das 21. Jahrhundert angesichts der Schrumpfung und Alterung der Bevölkerung (wie in praktisch allen hochentwickelten Ländern) die Vision einer Verknappung des Arbeitskräftepotenzials ab. Der historische Umbruch vom Überangebot an Arbeit („Nachfragermarkt") zur Knappheit an (mindestens grundlegend qualifizierten) Arbeitskräften („Anbietermarkt") erleichtert zwar die Realisierung sozialstaatlicher Anliegen. Dem steht die Gefahr eines Marktversagens bzw. mangelhafter Wohlfahrtswirkungen auf dem Markt für Erwerbsarbeit entgegen. Der Bereich der Erwerbsarbeit benötigt aus den folgenden Gründen auch bei weiteren Fortschritten in der Qualifikation und der Selbstständigkeit/ Mündigkeit der Arbeitnehmer bzw. der →*Unternehmer* ihres eigenen

Humanvermögens ein Mindestmaß an besonderen Regulierungen.

- Das Arbeitseinkommen bleibt für die Mehrzahl der Erwerbstätigen und der Haushalte die dominierende Existenzgrundlage, so dass einmal weiterhin von einer Machtasymmetrie zwischen Angebot (Arbeitskräfte) und Nachfrage (Unternehmen) auf dem Arbeitsmarkt und ferner von einer Angebotsanomalie (Steigerung des Arbeitsangebotes bei sinkenden Lohnsätzen) ausgegangen werden kann. Diese Besonderheiten begründen, dass für die Lohnbildung am Arbeitsmarkt institutionelle Regeln erforderlich sind und dass besondere Gruppen eines besonderen Schutzes bedürfen.
- Neben den normalen persönlichen Lebensrisiken (Gesundheit und Pflegebedarf, Invalidität, Alter) bleiben kollektiv interdependente Risiken der Arbeitslosigkeit bzw. des Auftragsmangels im Falle von Konjunktur-, Struktur- oder Wachstumskrisen bestehen.
- Arbeit ist kein einheitliches „Gut", sondern durch unterschiedliche Qualifikation gekennzeichnet; verschiedene Leistungen und Gegenleistungen können nur unvollständig im allgemeinen Arbeitsvertrag festgelegt werden. Ein (nur gedanklich konstruierbarer) Gesamtarbeitsmarkt bleibt selbst mit den Möglichkeiten der heutigen Informations- und Kommunikationstechnologie letztlich nicht völlig überschaubar und einsichtig.
- Berufswahl und Qualifizierungsentscheidungen erfolgen unter Unsicherheit über die Bedingungen und Dauer ihrer Verwertbarkeit. Daher werden rationale Arbeitskräfte und Betriebe nur bei einer gewissen Stabilität der Beschäftigungsverhältnisse ausreichende Investitionen in den Erwerb von Qualifikationen (Humanvermögen) vornehmen.

Aus diesen Gründen würde sich vermutlich in jeder Wirtschaftsordnung mit freien und gleichen Bürgern eine Mindestregulierung für den Bereich der Arbeit herausbilden und aufgrund ihrer ökonomischen Vorteile für beide Marktseiten auch Bestand haben.

Auf der Grundlage des Rechts der freien Entfaltung der Persönlichkeit, der Gleichheit vor dem Gesetz, des Rechts auf Privateigentum, der Gewerbefreiheit, des Rechts auf freie Niederlassung, der Freiheit der Berufs- und Arbeitsplatzwahl sowie auf der Grundlage einer staatlichen Verantwortung für ein gesamtwirtschaftliches Gleichgewicht könnte die *Arbeitsmarktordnung auf fünf Säulen* aufgebaut werden.

Die erste zentrale Säule der Arbeitsmarktordnung in Deutschland ist die *Tarifautonomie* (kollektives Arbeitsrecht), die nach dem Subsidiaritätsprinzip den sachnahen Tarifparteien (Gewerkschaften, Arbeitgeber (-verbände), →*Sozialpartnerschaft*) die Vereinbarung von Mindestnormen für die Einzelarbeitsverträge überlässt. Für die Tarifverhandlungen wird von einem Interessen- und Verteilungskonflikt ausgegangen. Daher wird den Tarifparteien (außerhalb der Friedenspflicht) auch die freie Gestaltung ihrer Beziehungen bis hin zu dem Einsatz von →*Arbeitskampf* (Streik, Aussperrung) als letztes Konfliktinstrument zugestanden. Tarifvereinbarungen sind für Angehörige der Tarifparteien verbindlich; von ihnen kann nur zugunsten des Arbeitnehmers abgewichen werden (Günstigkeitsprinzip). Ob Verhandlungen zentral oder dezentral geführt werden, wie differenziert und flexibel Tarifverträge sind, hängt von den Zielen und Organisationsbedingungen der Gewerkschaften und Arbeitgeberverbände sowie vom →*Tarifrecht* ab.

Das Anliegen, die Stellung des Arbeitnehmers als Objekt der modernen Arbeitsorganisation zu überwinden, soll zweitens durch eine repräsentative →*Mitbestimmung* der Arbeitnehmer auf der Ebene des Betriebes (→*Betriebsverfassungs*gesetz) und im Unternehmen erreicht werden. Im Gegensatz zur Beziehung in einem Tarifvertrag ist das Verhältnis von Betriebsrat und Unternehmensleitung auf vertrauensvolle Zusammenarbeit angelegt. Betriebsvereinbarungen können tariflich festgelegte Gestaltungsspielräume („Öffnungsklauseln“) entsprechend den betrieblichen Erfordernissen ausfüllen.

Neben den Tarifnormen sichern drittens *gesetzliche Arbeitnehmerschutznormen* (z. B. für Schwerbehinderte, Kinder und Jugendliche, Mütter; Kündigungsschutz, Arbeitszeitschutz, Mindesturlaub; Gefahren- und Gesundheitsschutz) die Tarifnormen oder nicht organisierte Beschäftigungsbereiche nach unten ab (nach oben gelten vielfach günstigere Tarifnormen, siehe →*Arbeitsschutz*).

Viertens ist die →*Bundesagentur für Arbeit* (BA) eine Institution für den Arbeitsmarkt, die mit ihren Informationen, ihrer Berufsberatung und Arbeitsvermittlung sowie durch Qualifikationsförderung und Mobilitätshilfen Hemmnisse beim Ausgleich von Arbeitsangebot und Arbeitsnachfrage überwinden hilft.

Im Falle der Arbeitslosigkeit verhindert fünftens die *Arbeitslosenversicherung* einen sozialen Abstieg (durch Aufhebung des Zwangs zur Annahme nicht zumutbarer Arbeitsangebote), indem sie Lohnersatzleistungen (Arbeitslosengeld, Arbeitslosenhilfe) sowie die Übernahme der Renten- und Krankenversicherungsbeiträge gewährleistet (→*Arbeitslosigkeit: Soziale Sicherung*).

Die im kollektiven und individuellen Arbeitsrecht kodifizierte Arbeitsmarktordnung befindet sich in ständiger Weiterentwicklung durch die Rechtsprechung und durch Innovationen der Tarifparteien. So konnten und können die in der ökonomischen Literatur geforderten Differenzierungen und Flexibilisierungen von Tarifvereinbarungen weitestgehend durch die Tarifparteien selbst entwickelt werden. Die Organisation der Tarifparteien ist mit dem sektoralen Wandel der Beschäftigungsstrukturen und mit Prozessen der Unternehmensorganisation zunehmend in Bewegung gekommen. Die nicht mehr selbstverständlich gesicherte Organisationsbereitschaft auf Arbeitnehmer- und auf Arbeitgeberseite (insbesondere in den neuen Bundesländern) sowie die zunehmende Bedeutung neuer Formen selbstständiger Erwerbstätigkeit werden weitere Anpassungen der Institutionen und neue Formen von Regulierungen des Arbeitsmarktes bewirken.

Literaturhinweise:
FRANZ, W. (1999), *Arbeitsmarktökonomik*, 4. überarb. Aufl., Berlin u. a.; KLEINHENZ, G. (1997), Sozialstaatlichkeit in der Konzeption der Sozialen Marktwirtschaft, in: Ders. u. a. (Hrsg.), *Sozialstaat Deutschland*, Jahrbücher für Nationalökonomie und Statistik, Bd. 216/ 4 + 5, Stuttgart, S. 392 ff.; DERS. (1979), Verfassung und Struktur der Arbeitsmärkte in marktwirtschaftlichen Systemen, in: Lampert, H. (Hrsg.), *Arbeitsmarktpolitik*, Stuttgart, New York, S. 8 ff.

Gerhard D. Kleinhenz

Arbeitsmarktpolitik

1. *Arbeitsmarktpolitik aus ökonomischer Sicht.* Die Funktionsfähigkeit des Arbeitsmarktes und die Anreizstrukturen der Akteure auf dem Arbeitsmarkt werden durch komplexe Regelwerke, vor allem das Tarifvertragsrecht, das Betriebsverfassungs- und das Mitbestimmungsgesetz, Kündigungsschutzregelungen sowie die Bestimmungen zur Arbeitslosenunterstützung und die Sozialhilferegeln beeinträchtigt: Die deutsche Arbeitsmarktverfassung bevorzugt kollektive vor dezentralen und unternehmensnahen Regelungen für Lohn- und Beschäftigungsbedingungen, sie stärkt und schützt die korporatistische (d. h. auf Verbände konzentrierte) Regelungsmacht von Gewerkschaften und Arbeitgeberverbänden. Durch diese Marktstruktur wird der →*Wettbewerb* auf dem Arbeitsmarkt stark eingeschränkt, so dass spontane Korrekturprozesse, die auf Märkten üblicherweise durch Preisreaktionen ausgelöst werden, blockiert werden.

Wie ordnungspolitische Marktpolitik allgemein, sollte Arbeitsmarktpolitik (AMP) darauf abzielen, die Transparenz am Arbeitsmarkt, die Mobilität der Wirtschaftssubjekte, die Flexibilität der Löhne und die sonstigen Funktionsbedingungen des Arbeitsmarktes zu verbessern. Es geht also um das gesamte institutionell-rechtliche Regelwerk des Arbeitsmarktes, innerhalb dessen sich Arbeitnehmer und Unternehmen bei ihren Entscheidungen bewegen. In normativer Hinsicht sollte Arbeitsmarktpolitik (im ökonomischen Sinne) also ihre Maßnahmen darauf richten, die korporatistische (verbandsorientierte) Regelungsmacht durch die Förderung von Außenseiterkonkurrenz einzuschränken (beispielsweise dadurch, dass individuelle und kollektive Vereinbarungen im Tarifvertragsrecht gleichgestellt werden) und die Anreizstruktur im System der sozialen Sicherung durch Reformen in Richtung auf eine höhere Anpassungsbereitschaft und -fähigkeit zu verbessern mit dem Ziel, die Flexibilitätsspielräume für den einzelnen Arbeitnehmer auszuweiten (z. B. bei den Löhnen, in der Arbeitszeit und in der geografischen, sektoralen sowie fach- und qualifizierungsspezifischen Mobilität). Dies ist notwendig, um das Potenzial der Marktkräfte für einen Abbau von →*Arbeitslosigkeit* und eine Ausweitung der →*Beschäftigung* mobilisieren zu können.

2. *Arbeitsmarktpolitik im engeren Sinne.* AMP wird jedoch zumeist sehr eng gefasst und auf Reparaturmaß-

nahmen des Staates eingegrenzt, die im Wesentlichen an spezifischen Merkmalen ansetzen, wenn bereits Arbeitslosigkeit eingetreten ist. Es wird zwischen *passiver* und *aktiver AMP* unterschieden. Während die passive AMP im Kern darauf zielt, die Einkommenssituation von Arbeitslosen zu stabilisieren, ist es das Hauptanliegen der aktiven AMP, schwer vermittelbare Arbeitslose wieder in ein normales Beschäftigungsverhältnis zu bringen, also den Übergang in eine neue Beschäftigung zu erleichtern und die Phase der Arbeitslosigkeit zu verkürzen. Beide Elemente der AMP sind im Arbeitsförderungsrecht (Sozialgesetzbuch, Drittes Buch) rechtlich verankert. Die Umsetzung beider Elemente der AMP in die Praxis ist Aufgabe der →*Bundesagentur für Arbeit* (BA) in Nürnberg.

Die BA hat in der AMP folgende *Arbeitsfelder*: die Berufsberatung, die Vermittlung von Arbeits- und Ausbildungsplätzen, Hilfen zur Verbesserung von Beschäftigungschancen und die sonstige Förderung der beruflichen Eingliederung.

Die *Instrumente* der passiven AMP sind: Arbeitslosengeld, Arbeitslosenhilfe, Kurzarbeitergeld, Insolvenzgeld und Winterausfallgeld. Die Instrumente der aktiven AMP sind: Arbeitsbeschaffungsmaßnahmen (ABM), Förderung der Berufsbildung/ Förderung der beruflichen Weiterbildung, Trainingsmaßnahmen, Unterstützung der Beratung und Vermittlung, Mobilitätshilfen, Eingliederungszuschüsse, Hilfen zur Gründung einer selbstständigen Existenz, Einstellungszuschüsse bei Neugründungen, Bekämpfung der Langzeitarbeitslosigkeit, Eingliederungsverträge und Förderung von Strukturanpassungsmaßnahmen (SAM).

3. *Kritik an Einkommensersatzleistungen.* Das hohe Niveau der Arbeitslosigkeit und die für viele Arbeitnehmer (in Zukunft vermutlich) zunehmende Wahrscheinlichkeit, einmal oder auch mehrmals während ihres Erwerbslebens arbeitslos zu werden, erhöhen die Bedeutung einer adäquat ausgestalteten Arbeitslosenversicherung. Diese sollte es den Erwerbstätigen erlauben, Einkommensrisiken aus vorübergehender Arbeitslosigkeit abzumildern und die Zeit der Suche nach einer angemessenen neuen Arbeitsstelle zu überbrücken, ohne unmittelbar auf Unterstützungsleistungen zurückgreifen zu müssen, die aus Steuermitteln finanziert werden. Kritisiert wird, dass insbesondere von der Dauer und der Höhe der Lohnersatzleistungen ein erheblicher (negativer) Einfluss sowohl auf das Verhalten einzelner Arbeitnehmer bzw. Arbeitsloser als auch auf das der Tarifvertragsparteien ausgeht. Sie vermindern die Bereitschaft zur Lohnzurückhaltung und beeinträchtigen die Anpassungsbereitschaft. Ökonomen bezeichnen ein solches Verhalten als *moralische Versuchung* („moral hazard"). Um dies zu vermeiden, wäre es zweckmäßig, den Versicherungscharakter der Arbeitslosenversicherung zu stärken, also Dauer und Höhe der Leistungen mit entsprechend unterschiedlichen Beitragssätzen zu koppeln. Für beschäftigte Angestellte und Arbeiter würde dann zwar weiterhin

ein Versicherungszwang bestehen, zugleich aber die Wahlfreiheit zwischen verschiedenen Leistungsoptionen.

4. *Effektivität und Effizienz aktiver Arbeitsmarktpolitik (AAMP).* Einer *Bewertung der AAMP* stehen erhebliche statistische Probleme entgegen, da wichtige Daten der wirtschaftswissenschaftlichen Forschung nicht allgemein zur Verfügung stehen. Die BA bewertet ihre Aktivitäten anhand von Indikatoren, die angeben, wie viele Teilnehmer sechs Monate nach Beendigung einer Maßnahme nicht mehr als arbeitslos gemeldet sind („Verbleibquote") bzw. die den Prozentsatz der Teilnehmer ausweisen, die eine bestimmte Zeit nach Ende einer Maßnahme beschäftigt sind („Eingliederungsquote").

Nach Auffassung des Sachverständigenrates zur Begutachtung der gesamtwirtschaftlichen Entwicklung sagt die Verbleibquote allerdings nichts über die Erfüllung des eigentlichen Anliegens der Arbeitsmarktpolitik aus, also über den Übergang von Personen in eine reguläre Beschäftigung oder über die Verbesserung ihrer Wiederbeschäftigungschancen, da Teilnehmer auch (z. B. weil sie den Mut verloren haben) in die stille Reserve oder in den frühzeitigen Ruhestand gewechselt sein können. Bei beiden Indikatoren wird ein Vergleich mit Personen vernachlässigt, die arbeitslos waren und ohne Teilnahme an einer arbeitsmarktpolitischen Maßnahme wieder eine Beschäftigung aufnehmen. Überdies geben sie, so der →*Sachverständigenrat*, keinen Hinweis auf die Effizienz einer Maßnahme, d. h. darauf, ob eine Eingliederung mit geringeren Kosten möglich gewesen wäre.

Studien zu den Wirkungen der Förderung der beruflichen Weiterbildung und der Arbeitsbeschaffungsmaßnahmen (ABM) setzen entweder auf der Mikroebene bei den einzelnen Betroffenen und bei Kontrollgruppen oder auf der gesamtwirtschaftlichen Ebene an. Für Maßnahmen zur Förderung der beruflichen Bildung werden überwiegend negative Wirkungen festgestellt; oft ergibt sich aus diesen Maßnahmen für die Betroffenen eine Verschlechterung ihrer Arbeitsmarktsituation. Allenfalls für einzelne Gruppen, so für Geringqualifizierte, bringt diese Maßnahme der Arbeitsmarktpolitik eine höhere Beschäftigungschance mit sich.

Für den Einsatz von ABM liegen bislang nur Ergebnisse auf der Basis von Individualdaten, also der Mikroebene, für Ostdeutschland vor, wo sie wegen der dramatischen Beschäftigungseinbrüche ganz besonders intensiv eingesetzt wurden. Danach sind die Wiederbeschäftigungschancen von Maßnahmeteilnehmern im Vergleich zu Nichtteilnehmern geringer. Wenn sich positive Wirkungen zeigen, hängen sie vermutlich eher mit dem Auslaufen von finanziellen Leistungen als mit der Teilnahme an der Maßnahme zusammen; offensichtlich bemühen sich die Betroffenen erst dann verstärkt um einen Arbeitsplatz, wenn die finanzielle Unterstützung endet.

Makroökonomische (gesamtwirtschaftliche) Untersuchungen zeichnen alles in allem ein etwas positiveres Bild: Für ABM wird in der Mehrzahl der Fälle von einer Verringerung der strukturellen Arbeitslosigkeit berichtet. Maßnahmen zur Förderung der beruflichen Weiterbildung wird eine Senkung der regionalen Langzeitarbeitslosigkeit attestiert.

5. *Fazit.* Den Arbeitslosen zu helfen, auf dem Arbeitsmarkt wettbewerbsfähiger zu werden, anstatt ihnen nur Hilfen zum Lebensunterhalt zu geben, ist ein weithin akzeptierter Grundsatz staatlichen Handelns. Dieses allgemeine Argument ist die Grundlage für aktive Arbeitsmarktpolitik (AAMP). In der Arbeitsmarktpolitik wird auch weiterhin versucht werden müssen, die Möglichkeit für eine Eingliederung von Arbeitslosen in den regulären Arbeitsmarkt zu verbessern. Besonders dringlich ist dies bei Personen, die von Langzeitarbeitslosigkeit betroffen oder bedroht sind. Doch ist zu bedenken, dass nicht jedermann das Talent oder den Willen hat, sich beruflich zu qualifizieren oder neu zu qualifizieren; nicht jede Qualifizierungsmaßnahme ist auf den tatsächlichen Bedarf am Arbeitsmarkt zugeschnitten. Durch Arbeitsbeschaffungsmaßnahmen werden nicht neue, rentable Arbeitsplätze geschaffen; es kann vielmehr sogar zu Verdrängungseffekten kommen, unter denen die normale Beschäftigung im privaten Sektor leidet.

Die Organisation for Economic Cooperation and Development (OECD), die „Denkfabrik" der Industriestaaten, hat in ihren Länderberichten deutlich gemacht, dass die Maßnahmen der AAMP häufig darunter leiden, dass sie nicht zielgenau entworfen, nur ineffektiv durchgeführt und nur wenig überwacht werden. Es hat sich gezeigt, dass Maßnahmen, die passgenau auf Gruppen mit ähnlichen Beschäftigungsproblemen ausgerichtet sind und mit klar und präzise zugeschnittenen Inhalten und Methoden in einem stark arbeitsbezogenem Umfeld durchgeführt werden, am effektivsten sind. Demgegenüber sind groß angelegte Trainingsprogramme in schulischem Umfeld, die auf wenig qualifizierte erwachsene oder ältere Arbeitslose abstellen, wenig erfolgreich.

Maßnahmen für Jugendliche leiden darüber hinaus unter dem Handikap, dass junge Schulabbrecher schwer in einem schulischen Umfeld zu motivieren sind. Lohnsubventionen für den privaten Sektor und temporäre Beschäftigungsprogramme im öffentlichen Sektor gehen oft einher mit Verdrängungseffekten, Schwerfälligkeit in der Verwaltung und Stigmatisierungsproblemen. Öffentliche Vermittlungsinstitutionen sollten dem Wettbewerb mit privaten und kommunalen Institutionen ausgesetzt werden, um ihre Effektivität zu steigern. Stringenz bei der Durchführung kann auch durch glaubhafte Sanktionen gesteigert werden, nicht zuletzt um zu verhindern, dass Maßnahmen der AAMP eher als Vehikel für das Erwerben erneuter Ansprüche von Arbeitslosengeld denn als Instrument für die erfolgreiche Eingliederung in den offiziellen Arbeitsmarkt genutzt werden.

Literaturhinweise:

SCHMIDT, C. M./ ZIMMERMANN, K. F./ FERTIG, M./ KLUVE, J. (2001), *Perspekti-*

ven der Arbeitsmarktpolitik. Internationaler Vergleich und Empfehlungen für Deutschland, Berlin, Heidelberg; SACHVERSTÄNDIGENRAT zur Begutachtung der gesamtwirtschaftlichen Entwicklung (2000*), Chancen auf einem höheren Wachstumspfad, Jahresgutachten 2000/ 2001*, Stuttgart, S. 85 f.; SOLTWEDEL, R. (1997), *Dynamik der Märkte – Solidarität des Sozialen. Leitbild für eine Reform der Institutionen.* Kieler Diskussionsbeitrag 297/ 298, Kiel, S. 19-33.

Rüdiger Soltwedel

Arbeitsrecht

Im Arbeitsrecht werden die Beziehungen zwischen Arbeitnehmern und Arbeitgebern geregelt. Man unterscheidet Individualarbeitsrecht (Rechtsbeziehungen des einzelnen Arbeitnehmers zu seinem Arbeitgeber), kollektives Arbeitsrecht (Rechtsbeziehungen durch Betriebsvereinbarungen, Tarifverträge oder Dienstvereinbarungen) und →*Arbeitsschutz*recht (Gefahren- und Gesundheitsschutz der Arbeitnehmer).

Grundlagen des Arbeitsrechts sind einerseits staatliche Vorschriften (Gesetze und Verordnungen), andererseits autonome Regelungen der Beteiligten mit Verbindlichkeit für die Betroffenen (Einzelverträge, Betriebsvereinbarungen, Tarifverträge, Vorschriften der Berufsgenossenschaften). Daneben ist das Arbeitsrecht stärker als andere Rechtsgebiete durch die Rechtsprechung (Richterrecht) geprägt. Dies gilt insbesondere für das kollektive Arbeitsrecht und für den →*Arbeitskampf*, für den es keine gesetzliche Regelung gibt.

Für Streitigkeiten zwischen den Beteiligten sind die Arbeitsgerichte zuständig. Bei kollektivrechtlichen Vereinbarungen besteht darüber hinaus die Möglichkeit eines Schlichtungsverfahrens. Für rund $^2/_3$ aller Tarifverträge sind zwischen den →*Sozialpartnern* Schlichtungsverfahren vereinbart, die zur vorgerichtlichen Beilegung von Interessenkonflikten beitragen sollen. Einigungsvorschläge von Schlichtungsstellen sind allerdings nicht verpflichtend. In einzelnen Bundesländern gibt es ein subsidiäres staatliches Schlichtungsverfahren, das gleichfalls die Tarifvertragsparteien nicht binden kann.

Ursprünglich sollte das Arbeitsrecht vorrangig die Arbeitnehmer vor Beeinträchtigungen, wirtschaftlichen Nachteilen und gesundheitlichen Gefahren schützen. Heute ist es – umfassender – auf die Ordnung des gesamten Arbeitslebens ausgerichtet. Der Staat sichert durch seine Rechtsetzung nur Mindeststandards – etwa zulässige Höchstarbeitszeiten, bezahlten Mindesturlaub, Kündigungsfristen oder Entgeltfortzahlung im Krankheitsfall. Im Übrigen ist es Sache der Betroffenen, die Arbeitsbedingungen interessengerecht auszugestalten, vor allem Art und Umfang der Arbeitsleistung, Höhe der Bezahlung, des Urlaubsanspruches oder möglicher Zusatzleistungen festzulegen.

Für die meisten Branchen werden die Arbeitsbedingungen durch Tarifverträge geregelt, die jedoch grundsätzlich nur die →*Unternehmen* binden, die einem vertragsbeteiligten Arbeitgeberverband angehören. Von Rechts wegen gilt ein Tarifvertrag auch auf der Arbeitnehmerseite nur für die Mitglieder der tarifgebundenen Gewerkschaften; faktisch finden die Regelungen jedoch auf alle Arbeitnehmer Anwendung. Neben Lohn- und Gehaltstarifverträgen gibt es eine Vielzahl tariflicher Vereinbarungen über Zusatzleistungen (z. B. Urlaubsgeld, Lohnfortzahlung, vermögenswirksame Leistungen etc.).

Auf der Ebene eines einzelnen Unternehmens können sowohl Tarifverträge (zwischen Arbeitgeber und Gewerkschaften) als auch Betriebsvereinbarungen (zwischen Arbeitgeber und Betriebsrat) abgeschlossen werden. Tarifverträge und Betriebsvereinbarungen gelten unmittelbar und bedürfen keiner individuellen vertraglichen Umsetzung. Sie können zwingendes staatliches Recht allerdings nicht außer Kraft setzen. Im Übrigen gilt für die Arbeitnehmer das Günstigkeitsprinzip: Für sie dürfen nur über den Tarifvertrag oder die Betriebsvereinbarung hinausgehende günstigere Regelungen getroffen werden.

Der schnelle Wandel im Arbeitsleben – Entstehen neuer Branchen, wachsender Dienstleistungssektor, Rückgang der klassischen Produktionsbereiche, geringerer Organisationsgrad bei Arbeitnehmern und Arbeitgebern – hält das Arbeitsrecht ständig in Fluss. Sowohl die autonomen Regelungen der Beteiligten als auch das Richterrecht sorgen für zeitnahe und praxisgerechte Anpassungen.

Immer wichtiger werden auch internationale Rechtsquellen. Übereinkommen der →*Internationalen Arbeitsorganisation* (ILO) erlangen erst nach ihrer Ratifizierung und Umsetzung in nationales Recht Verbindlichkeit; meist entspricht das deutsche Recht aber bereits zum Zeitpunkt der Ratifizierung dem jeweiligen Übereinkommen. Das Recht der →*EU* greift demgegenüber unmittelbarer in das nationale Arbeitsrecht ein. Insbesondere den Richtlinien über die Gleichbehandlung von Männern und Frauen (bei Entgelt, beruflicher Bildung, Berufszugang und Arbeitsbedingungen), über Arbeitszeitgestaltung und Mindesturlaub, über europäische Betriebsräte oder für den grenzüberschreitenden Einsatz von Arbeitnehmern (Entsenderichtlinie) kommt große Bedeutung zu. Auch die 1989 beschlossene Gemeinschaftscharta der sozialen Grundrechte der Arbeitnehmer sowie das dem Maastrichter Vertrag beigefügte Protokoll und das Abkommen über die →*Sozialpolitik* führen zu einer stetigen Angleichung der arbeitsrechtlichen Mindeststandards in den Mitgliedstaaten. Infolge der hohen europarechtlichen Regelungsdichte ist die Harmonisierung inzwischen im technischen Arbeitsschutz besonders weit vorangeschritten.

Literaturhinweise:
SCHAUB, G. (2000), *Arbeitsrechts-Handbuch*, 9. Aufl., München; LEINEMANN, W. (Hrsg.) (1997), *Kasseler Handbuch zum Arbeitsrecht*, Neuwied; DIETRICH, T./ HANAU, P./ SCHAUB, G. (1998), *Erfurter Kommentar zum Arbeitsrecht*, München.

Gernot Fritz

Arbeitsschutz

Indem der Staat durch die Arbeitsschutzgesetzgebung Mindeststandards für Arbeitsbedingungen setzt, versucht er, *drei Ziele* zu verwirklichen: Schutz der Arbeitnehmer vor ungerechtfertigten Ansprüchen des Arbeitgebers, Schutz der Erwerbstätigen vor eigener Selbstausbeutung und schließlich Schutz vor den objektiv-technischen Risiken der modernen Arbeitswelt. Die Arbeitsschutzgesetze sollen verhindern, dass sich unter den Bedingungen des marktwirtschaftlichen →*Wettbewerbs* die *individuellen Optionen* zu *kollektiven Zwängen* wandeln: Ohne allgemein verbindliche Schutzstandards könnte es bei →*Arbeitslosigkeit* und bei individuell völlig frei ausgehandelten Arbeitsverträgen zu einem Unterbietungswettbewerb von Arbeitnehmern um Arbeitsplätze kommen, bei dem Arbeitnehmer auf wichtige Schutzbestimmungen verzichten, um einen Arbeitsplatz zu bekommen. Durch die Arbeitsschutzgesetzgebung wird kurzfristig die Arbeitsleistung verteuert, langfristig aber kann eine Wohlstandssteigerung erwartet werden, da ein verstärkter Anreiz zur Investition in das Humankapital besteht.

Rechtsgrundlage der Arbeitsschutzgesetze in der →*Sozialen Marktwirtschaft* ist das *Grundgesetz* – GG, insbesondere Art. 1 (Schutz der Menschenwürde), 2 (Grundrecht auf freie Entfaltung der Persönlichkeit), 3 (Diskriminierungsverbot), 12 (Freiheit der Arbeitsplatz- und Berufswahl) sowie 20 und 28 (→*Sozialstaat*sgebot). Bei der Interpretation und Fortentwicklung der Arbeitsschutzgesetze gehen wesentliche Impulse von der *Arbeitsgerichtsbarkeit* aus, die eine Sondergerichtsbarkeit für Fragen der Arbeitsverträge und Arbeitsbedingungen ist.

Das *Arbeitszeitgesetz* (AZG) soll die zeitlichen Voraussetzungen für die freie Entfaltung der Persönlichkeit des Arbeitnehmers gewährleisten. Höchstarbeitszeiten und Arbeitsverbote, gestuft für Erwachsene, Frauen (Schwangere) und Kinder, standen am Beginn der Arbeitsschutzgesetzgebung Mitte des 19. Jahrhunderts. In der Sozialen Marktwirtschaft sind aufgrund weitergehender tarifvertraglicher Regelungen nicht alle Vorschriften des Arbeitszeitgesetzes für alle Arbeitnehmer spürbar. Beträgt z. B. die wöchentliche Höchstarbeitzeit gemäß § 3 AZG 48 Stunden (8 Std. à 6 Arbeitstage), so gelten in den meisten Tarifbereichen Wochenarbeitszeiten von 35 bis maximal 40 Stunden je Woche. Gleichwohl hat die Reform des AZG 1994 die Arbeitsbedingungen spürbar neu gefasst, indem z. B. der bisherige besondere Frauenarbeitsschutz aus Gründen der Gleichbehandlung weitgehend aufgehoben und die Ausgleichszeiträume für Mehrarbeit oder Ruhezeiten ausgeweitet wurden. Es ist insgesamt eine Tendenz zur Flexibilisierung des AZG (auch des Ladenschlussgesetzes) festzustellen.

Im Bereich des *Kündigungsschutzes* hat die Zulassung befristeter Arbeitsverträge durch das Beschäftigungsförderungsgesetz von 1985 eine neue Situation geschaffen. Das Vorliegen eines die Befristung rechtfertigenden, sachlichen Grundes ist nun nicht mehr erforderlich. In der Praxis hat sich gezeigt, dass befristete Arbeitsverträge im öffentlichen Dienst regelmäßig eingesetzt werden. In der Privatwirtschaft hingegen werden Befristungen entweder zum Abfangen von Auftragsspitzen vereinbart oder aber das befristete Arbeitsverhältnis wird vom Arbeitgeber als ‚verlängerte Probezeit'genutzt. Da jedoch über 90 Prozent aller Arbeitsverträge unbefristet abgeschlossen werden, stehen für den Großteil der Arbeitnehmer die Regelungen des Kündigungsschutzgesetzes (Neufassung 1993) im Vordergrund. Es regelt sowohl die außerordentliche (fristlose) Kündigung als auch die gesetzlichen Kündigungsfristen in Abhängigkeit von der Betriebszugehörigkeit.

Eine zentrale Funktion bei der Fortentwicklung des Schutzes vor objektiv-technischen Risiken der Arbeitswelt nimmt in der Sozialen Marktwirtschaft die *gesetzliche →Unfallversicherung* ein, die bereits 1884 im Zuge der Bismarckschen Sozialgesetzgebung eingeführt wurde. Ihre drei Hauptaufgaben sind gemäß *§ 1 Sozialgesetzbuch (SGB) VII*: erstens die Unfallverhütung, zweitens die Wiederherstellung der Leistungsfähigkeit nach Eintritt eines Unfalls sowie drittens die Entschädigung der Versicherten bzw. der Hinterbliebenen durch Geldleistungen. Die gesetzliche Unfallversicherung gilt als sehr erfolgreiche Sozialversicherung, da sie über ein differenziertes Beitragssystem für die *→Unternehmen* deutliche Anreize zur Vorbeugung setzt und die Unternehmen bei der Unfallverhütung umfassend berät. Diese ausgeprägte Präventionsorientierung ist aus Sicht des Arbeitsschutzes als sehr positiv hervorzuheben.

Eine Bewertung der Rolle des Arbeitsschutzes in der Sozialen Marktwirtschaft sollte nicht pauschal – etwa nach der Art „Deregulierung: Ausweg oder Irrweg?" – erfolgen, sondern die Wirkung einzelner Vorschriften auf den Arbeitsmarkt und die *→Beschäftigung* diskutieren. Ein wichtiger Anhaltspunkt bei einer differenzierten Beurteilung des Arbeitsschutzes ist, den *Interessenkonflikt* zwischen den 90 Prozent erwerbstätigen Insidern und den 10 Prozent arbeitslosen Outsidern offen zu legen. Es dürfen die Interessen keiner der beiden Gruppen grundsätzlich übergangen werden.

Literaturhinweise:
BUNDESMINISTERIUM FÜR ARBEIT UND SOZIALORDNUNG (Hrsg.) (1997), *Übersicht über das Arbeitsrecht*, 6. Aufl., Bonn; LAMPERT, H./ ENGLBERGER, J./ SCHÜLE, U. (1991), *Ordnungs- und prozeßpolitische Probleme der Arbeitsmarktpolitik in der Bundesrepublik Deutschland*, Berlin; ZERCHE, J./ SCHÖNIG, W./ KLINGENBERGER, D. (2000), *Arbeitsmarktpolitik und -theorie. Lehrbuch zu empirischen, institutionellen und theoretischen Grundfragen der Arbeitsökonomik*, München, Wien.

Werner Schönig

Armut

1. Ursprünge der Bewertung

Armut ist ein dauernder Bestandteil der Geschichte der Menschheit. In jeder Gesellschaft gibt es eine ungleiche Verteilung von Gütern, Geld, Rechten, Fertigkeiten, Wissen usw. Führt diese Ungleichheit zu einer Notsituation, die nicht mehr zeitlich begrenzt, sondern für die Lebenslage des oder der Betroffenen bestimmend ist, so spricht man von Armut.

Die *Bewertung der Armut* war im europäischen Kulturkreis nie eindeutig. Einerseits galt die antike Tradition fort, wonach Arme stigmatisiert und verachtet wurden. Andererseits wurde in der Erfüllung der Forderung des Neuen Testamentes die Sorge um die Armen (Caritas) als christliche Tugend angesehen und Armut sogar freiwillig gelebt (Bettelorden). Die Armenfürsorge war zunächst eine traditionelle Aufgabe der Klöster, die später durch die Schaffung von Armenhäusern und Stiftungen vermehrt auf die Kommunen überging. Mit dem Beginn der Industrialisierung wurde Armut nicht mehr als individuelles Schicksal, sondern als Folge wirtschaftlicher und sozialer Prozesse verstanden. Gegen Ende des 19. Jahrhunderts übernahmen daher öffentliche Einrichtungen – „Sozialversicherungen" – die Aufgabe, Armutsrisiken (Krankheit, Unfall, Arbeitslosigkeit) abzusichern und zu verringern. Die heutige Bekämpfung der Armut wird begründet mit der Beeinträchtigung der Menschenwürde, der Behinderung der Selbstentfaltungsmöglichkeiten der Betroffenen sowie mit den wirtschaftlichen und politischen Folgen der Armut wie Kriminalität, Migration, unausgeschöpfte Wachstumsreserven usw.

2. Formen der Armut

Die moderne wissenschaftliche und politische Diskussion über Armut bezieht sich einmal auf die Lage in vielen Entwicklungsländern und den dortigen Mangel an lebensnotwendigen Nahrungsmitteln. Das physische Existenzminimum und das Überleben der Menschen ist dort zum Teil nicht gesichert. Diese *absolute Armut* ist nach der Definition der Weltbank erreicht, wenn die Betroffenen weniger als einen Dollar pro Tag zum Leben zur Verfügung haben. Unter statistischen Aspekten ist diese Art der Armut leicht zu messen, sofern eine einigermaßen entwickelte Einkommensstatistik in dem betroffenen Land vorhanden ist.

Anders gestaltet sich die Armutsdiskussion in den Industrieländern, den ehemaligen kommunistischen Ländern und den Schwellenländern. Hier geht es nicht allein um das materielle Überleben der Armen, sondern vielmehr auch um deren Teilhabe am allgemeinen gesellschaftlichen Leben bzw. um die Ausgrenzung davon. Es kann danach nicht nur ein bestimmter Grad an materiell ungleicher Ausstattung mit Subsistenzmitteln bzw. materiellen Ressourcen als Armut gelten. Darüber hinaus gibt es Vorstellungen, dass auch der Mangel an sozialen Kontakten, menschlicher Zuwendung, Bildung, Abhängigkeiten usw. als Armut definiert werden müssen. Folglich muss der Armutsbegriff sehr viel komplexeren Situationen gerecht werden; er ist demgemäß auch viel schwerer zu messen. Der Ministerrat der EU hat eine Definition dieser *relativen Armut* versucht, an der sich auch die Bundesregierung orientiert. Demnach sind diejenigen Einzelpersonen, Familien oder Personengruppen arm, die „über so geringe (materielle, kulturelle und soziale) Mittel verfügen, dass sie von der Lebensweise ausgeschlossen sind, die in dem Mitgliedstaat, in dem sie leben, als Minimum annehmbar sind."

Dieser komplexe Armutsbegriff orientiert sich an überkommenen Vorstellungen. Denn im Mittelalter galt nicht allein der Bettler oder der ohne steuerbares Vermögen lebte oder der kein standesgemäßes Leben führen konnte als arm. Als arm galten auch die Personen, die im Gegensatz zu den „Starken" weder über physische Stärke noch über soziale Macht verfügten, die in rechtlicher Hinsicht benachteiligt waren und sich nicht mit der Waffe verteidigen konnten, d. h. Alte, Kranke, Behinderte, Witwen, Waisen und Gefangene, aber auch Fremde und Pilger.

3. Das Problem der Messung

In der Wissenschaft gibt es eine Fülle von *Messmethoden* zur Bestimmung von Armut, wobei die gängigen Operationalisierungen am erzielten Markteinkommen ansetzen. Sie stellen demnach allein auf wirtschaftliche Kategorien (Einkommensarmut) ab. Richtig daran ist: Jeder muss ein Mindesteinkommen haben, um ein Leben in Würde führen und am sozialen Leben teilhaben zu können. Es geht um die zum Leben notwendigen Ressourcen.

Als wichtigstes Maß für die Armut dient die im Zusammenhang mit EU-Armutsprogrammen von Wissenschaftlern häufig benutzte Abweichung vom *Durchschnittseinkommen*. Danach gilt derjenige als arm, der *weniger als 50 v. H. des Durchschnittseinkommens* einer Volkswirtschaft zu seinem Lebensunterhalt zur Verfügung hat. Andere Grenzen sind denkbar und werden benutzt. Nach dem ersten Armuts- und Reichtumsbericht der Bundesregierung aus dem Jahr 2000 sind danach derzeit zwischen 5,7 v. H. und 19,6 v. H. der deutschen Bevölkerung als arm zu bezeichnen.

An diesem Konzept wird vielfältige Kritik geübt, die auch für vergleichbare Armutsmaße gilt. Ein nicht geringer Teil der erwirtschafteten Ressourcen, die eine Person zur Verfügung hat, werden nicht über den Markt gehandelt: Eigenarbeit, do it yourself, hauswirtschaftliche Tätigkeiten, hypothetische Mieten bei eigengenutzten Wohnungen, illegale Einkommen durch Schwarzarbeit, Schmuggel usw. sind zwar Ressourcen, werden aber nicht als Markteinkommen erfasst. Weiterhin müssen die staatlichen Transfers als nicht über den Markt abgewickelte Ressourcenzufuhr verstanden werden, wie kostenlose Bildung, Erziehung, Subventionen für Bibliotheken, Schwimmbäder, öffentlicher Nahverkehr, Mietzuschüsse, staatlich geförderte soziale Dienste, Kinderhorte usw. Schätzungen gehen dahin, dass sich diese geldwerten Leistungen des Staates auf rund ein Viertel des offiziellen verfügbaren deutschen Durchschnittseinkommens belaufen, d. h. um diese Differenz ist letzteres zu klein.

Dieses Konzept misst also nicht Armut, sondern Ungleichheit der Einkommensverteilung. Danach kann man z. B. zu dem Ergebnis kommen, dass in Nordkorea bzw. Kuba die Armut weniger ausgeprägt ist als bei uns, obwohl die Menschen dort teilweise hungern. Grund ist die relative Gleichverteilung aller →*Einkommen*. Auch im zeitlichen Vergleich ist dieses Maß problematisch. Denn ein gleicher prozentualer Zuwachs aller Einkommen ändert an dem Grad der Armut nichts. Definitionsgemäß ist die Armut danach niemals besiegbar, so lange die Menschen nicht alle gleiches Einkommen haben. Paradox ist auch, dass die Armut dann abnimmt, wenn man den Reichen etwas abnimmt, ohne den Armen etwas zu geben. Dann sinkt der Durchschnitt, damit auch die Armutsgrenze, und die Armut geht zurück.

Eine weitere Kritik betrifft die ökonomische bzw. sozialwissenschaftliche Begründung dieses Maßes. Es gibt *keinerlei wissenschaftliche Begründung* dafür, dass als Referenzgröße das Durchschnittseinkommen einer Vergleichsbevölkerung herangezogen wird. Eine weitere Frage ist die nach der Vergleichsbevölkerung. Streng genommen dürfen die Vergleiche nur im sozialen Kontext vorgenommen werden. Ebenfalls kann nicht begründet werden, warum gerade diejenigen als arm bezeichnet werden, die weniger als 50 v. H. des Durchschnittseinkommens verdienen.

Bei der Berechnung der statistischen Größen taucht ferner das Problem auf, dass die Einkommen Haushalten von unterschiedlicher Größe zufließen. Es herrscht die Vorstellung, dass bei jedem weiteren Haushaltsmitglied bei gleicher Lebensführung ein geringeres Einkommen benötigt wird, weil verschiedene Güter gemeinschaftlich benutzt werden. Um hier eine Vergleichbarkeit herzustellen, müssen die Einkommensgrößen auf sog. *Äquivalenzeinkommen* umgerechnet werden. Je nachdem wie diese angesetzt werden, kann das Ausmaß der so „gemessenen" Armut manipuliert werden.

Als weiteres wichtiges Armutsmaß wird die Sozialhilfe (*→Soziale Grundsicherung*) herangezogen. Sie wird gewährt, wenn die eigenen finanziellen Möglichkeiten ausgeschöpft sind und aus anderen „vorgelagerten" Sicherungssystemen keine ausreichenden Leistungen in Anspruch genommen werden können. Sozialhilfe erhalten Deutsche und Ausländer, die sich in Deutschland aufhalten, sofern sie die Leistungsvoraussetzungen erfüllen.

Durch die Sozialhilfeleistungen soll das Existenzminimum sichergestellt werden, um dem Empfänger die Führung eines Lebens zu ermöglichen, das der Würde des Menschen entspricht. Die Geltendmachung des Anspruchs auf Sozialhilfe führt dann aber dazu, dass Armut im ökonomischen Sinn nicht entstehen kann. Andernfalls wären das Leistungsniveau der Sozialhilfe und das Existenzminimum falsch festgelegt. Die Sozialhilfe kann somit kein Indikator für Armut sein. Sie misst vielmehr die durch Hilfen verhinderte Armut.

Darüber hinaus führt auch die Sozialhilfe als Armutsmaß zu Ergebnissen, die mit seiner Zielsetzung nicht übereinstimmen: Danach haben Länder mit einem guten Sozialhilfesystem viele Arme, während Länder ohne entwickelte Grundsicherung keine Armen hätten. Und: Die Ausweitung der Hilfen und damit der Anspruchsberechtigten würde die Armut erhöhen. Die effektivste Armutsbekämpfung ließe sich danach durch Kürzung oder Abschaffung der Sozialhilfeleistungen erreichen.

Die Sozialhilfezahlen sind auch deshalb als Maß für die Armut wenig geeignet, weil sie sich einer wirtschafts- bzw. sozialpolitischen Beeinflussung entziehen. Da sind z. B. die Zuwanderungen in die Bundesrepublik. Dieses Segment der Sozialhilfe hat heute einen Umfang angenommen, dass es letztlich Niveau und Bewegungsrichtung dieser Größe bestimmt. Dies aber bedeutet, dass sich in steigenden Sozialhilfezahlen nicht eine Verelendung der Bevölkerung in unserem Land ausdrückt. Vielmehr kommt darin die deutsche Hilfsbereitschaft gegenüber Zuwanderern aus aller Welt zum Ausdruck.

Es gibt einen Personenkreis, der von weniger als dem Existenzminimum gemäß der Sozialhilfe lebt und seine Ansprüche aus der Sozialhilfe nicht ausschöpft. Über die Gründe für diese *„verdeckte Armut"* kann man nur spekulieren: Scham, Unwissenheit, Scheu vor der Geltendmachung von Ansprüchen gegenüber Angehörigen, Scheu vor der Überprüfung der persönlichen Verhältnisse, z. B. wegen der Angabe von Vermögenswerten bzw. Warten auf andere Leistungen aus sozialen Sicherungssystemen (Überbrückung). Der Begriff der verdeckten Armut ist irreführend, denn aus der Definition der Sozialhilfe heraus ist dieser Personenkreis derjenige, der die tatsächlich Armen umfasst. Die Einkommen dieser Personen liegen unter dem Existenzminimum. Allerdings gibt es nur wenige empirische Untersuchungen über diesen Bereich.

4. Einige Schlussfolgerungen

Die in der gegenwärtigen Armutsforschung herausgestellte starke Relativierung des Armutsbegriffs und die *Herausstellung der subjektiven Befindlichkeit* nähert die Vorstellung von Armut weit an die allgemeinere Vorstellung von gesellschaftlicher Schwäche und Ungleichheit der Lebenslagen an. Alle persönlichen Probleme werden so zu sozialen Problemen und werden als Gegenstand der →*Sozialpolitik* vornehmlich zu Armutsproblemen. Armut stellt aber nicht auf den Nutzen ab, den der Einzelne aus seinem Einkommen zieht, und ist nicht das Gegenteil von Glück. Armut ist auch nicht Ungleichheit. „Teilhabe" bedeutet, dass man die Dinge haben sollte, „die man für das Funktionieren als soziales Lebewesen nach absoluten Maßen gebraucht." Sie ist ein objektiver Tatbestand.

Eine Sozialpolitik als vorwiegend auf Armutsprobleme und Ausgegrenzte bezogene Politik würde auch den Stellenwert der Sozialpolitik verändern. Sie stellt sich bisher dar als eine grundsätzlich für alle Bürger relevante, gesellschaftsgestaltende und die grundlegenden Ordnungsregeln ergänzende Politik.

Eine Gesellschaft, die in unermesslichem Reichtum lebt – verglichen mit früheren Zeiten und dem Rest der Welt – braucht offenbar einen gewissen Grad an schlechtem Gewissen, um mit diesem Wohlstand umgehen zu können. Auch ist vielen Menschen bewusst, dass der Wohlstand ständig gefährdet ist. Daher ist die Öffentlichkeit beim Thema Armut sensibilisiert und bereit zu glauben, dass die Armut in unserer Gesellschaft stetig steigt. Schlagwörter wie „Abbau des Sozialstaates", „neue Armut", „Zwei-Drittel-Gesellschaft", „Ausgrenzung" fallen auf einen fruchtbaren Boden. Manche Wissenschaftler, Journalisten, Politiker und auch Kirchenvertreter betreiben mit diesem Thema ihr „Geschäft". Darüber hinaus ist dieses emotionsgeladene Thema wie kein zweites dazu geeignet, politische Schuldzuweisungen glaubhaft zuordnen zu können. Dabei geschieht dies nicht nur gegenüber bestimmten Personen oder Parteien, sondern auch gegenüber der geltenden Wirtschaftsordnung in Deutschland. Gleichzeitig scheint es aber so zu sein, dass den wirklich Armen in unserer Gesellschaft, den Nichtsesshaften, den Streunern usw. wenig Aufmerksamkeit gewidmet wird.

Literaturhinweise:
KRÄMER, W. (2001), *Armut in der Bundesrepublik*, Volkswirtschaftliche Korrespondenz der Adolf-Weber-Stiftung, Nr. 7/01; LIPPE, P. von der (1995), *Lebensstandard und Wirtschaftssysteme*, Studien im Auftrag des Wissenschaftsfonds der DG Bank, Hrsg.: Fischer, W., Frankfurt/ M., S. 59 ff.; DEUTSCHER BUNDESTAG (2000), *Lebenslagen in Deutschland*, Erster Armuts- und Reichtumsbericht, Drs. 14/5990.

Horst-Dieter Westerhoff

Aufbau Ost

Die ostdeutschen Lebensbedingungen und -chancen sollten nach der Einigung möglichst rasch an westdeutsche Verhältnisse angeglichen werden. Als Voraussetzung hierfür sah man den Aufbau einer leistungsfähigen ostdeutschen Wirtschaft an, die aber nach der Errichtung der Währungs-, Wirtschafts- und Sozialunion (→*Wiedervereinigung*) zunächst einen dramatischen Einbruch erlebte. Die industrielle Warenproduktion ging bis Anfang 1991 um 70 v. H. zurück. Die verschiedenen Maßnahmen des Aufbaus Ost sollten deshalb die ostdeutsche Wirtschaft beleben, auch um eine drohende massive Abwanderung Ostdeutscher nach Westdeutschland zu verhindern. Dabei knüpfte man an die westdeutschen Erfahrungen mit der betrieblichen und regionalen Wirtschaftsförderung an.

Finanzhilfen – z. B. Investitionszuschüsse, Bürgschaften, Zinsverbilligungen – und Steuervergünstigungen – z. B. Sonderabschreibungen (→*Subventionen*) – sollen die private Investitions- und Gründungstätigkeit anregen (Schaubild), anfangs aber auch die Privatisierung ehemaliger Staatsbetriebe erleichtern (→*Treuhandanstalt*). Ferner wurde und wird der Aufbau von Forschungs- und Entwicklungskapazitäten gefördert, wobei hierunter auch außerbetriebliche/ universitäre Forschungseinrichtungen (u. a. Max-Planck-Gesellschaft, Blaue-Liste-Institute, Fraunhofer-Gesellschaft) fallen. Der zügige Ausbau der mangelhaften Infrastruktur, insbesondere der wirtschaftsnahen (u. a. Verkehr, Telekommunikation, Gewerbegebiete), sollte den wirtschaftlichen Aufholprozess unterstützen. Dabei wurden und werden auch sog. weiche Standortfaktoren einbezogen, wie der Wohnungs- und Städtebau sowie der Umweltschutz. Sozial- und arbeitsmarktpolitische Maßnahmen (u. a. Arbeitsbeschaffungsmaßnahmen, Sozialpläne, Frühverrentung), sollen die Anpassungsprozesse (z. B. erhöhte →*Arbeitslosigkeit*) für die Menschen erträglich gestalten.

→*Bund, Länder* und *Gemeinden* sowie Sondervermögen – ERP-Sondervermögen, Treuhandanstalt, Fonds Deutsche Einheit (→*Erblastentilgungsfonds*) – finanzierten diese Hilfen. Das Steueraufkommen des Bundes, der Länder und Gemeinden sowie die Beitragseinnahmen der Sozialversicherungen (Renten- und Arbeitslosenversicherung) in Ostdeutschland reichten natürlich nicht aus, um den Aufbau Ost und seine soziale Flankierung zu finanzieren. Es waren deshalb westdeutsche Transferleistungen erforderlich. Sie bewegten sich in der Vergangenheit zwischen 77 und 97 Mrd. € im Jahr, je nachdem, welche Leistungen man einbezieht und wie man sie ggf. quantifiziert (Heilemann/ Rappen 2000, S. 12 ff.). Der überwiegende Teil der Transferleistungen diente der sozialen Flankierung, insbesondere dem Ausgleich der ostdeutschen Defizite in den Arbeitslosen-, Kranken- und Rentenversicherungen sowie der Finanzierung der öffentlichen Leistungen in Ostdeutschland.

Der Aufbau Ost war durchaus erfolgreich, wenn man nicht die unrealistischen Anfangserwartungen zu Grunde legt. Das reale Bruttoinlandsprodukt je Einwohner (Ostdeutschland einschließlich Berlin) konnte von 1991 bis 2002 von gut 49 v. H. auf etwa zwei Drittel des westdeutschen Niveaus gesteigert werden. Diese Angleichung ist indes auch Ergebnis einer passiven Sanierung bzw. erheblicher Bevölkerungsverluste im Betrachtungszeitraum (–5,4 v. H.) Die Infrastrukturausstattung dürfte mittlerweile zwei Drittel des Westniveaus erreicht haben. Die Anpassung der Einkommensverhältnisse hat sich fortgesetzt. Erreichte die durchschnittliche Bruttolohn- und Gehaltssumme pro Monat 1991 erst 48 v. H. der Westdeutschen, so belief sie sich 1998 bereits auf 78 v. H. Berücksichtigt man zusätzlich die geleisteten Steuerzahlungen und die empfangenen Transferleistungen der Haushalte, so erreichten die ostdeutschen Haushalte 1998 sogar bereits 87 v. H. des Westniveaus. Im Jahre 2002 erreichte das Arbeitnehmerentgelt je Arbeitnehmer 81,5 v. H.

Trotz eindrucksvoller Erfolge ist Ostdeutschland noch weit von einer sozioökonomischen Angleichung an Westdeutschland entfernt. Sie dürfte aus heutiger Sicht noch mindestens eine weitere Generation in Anspruch nehmen. Dem trägt auch die Fortführung des Solidarpaktes ab 2005 Rechnung. Er beinhaltet zwei Elemente bzw. Körbe. Die Sonderbedarfs-Bundesergänzungszuweisungen (SoBEZ) des sog. Korb I zielen auf den Abbau des infrastrukturellen Nachholbedarfs Ostdeutschlands und den Ausgleich der unterproportionalen kommunalen Finanzkraft ostdeutscher Gemeinden. Sie werden zeitlich befristet und mit degressivem Verlauf gewährt. Die Leistungen belaufen sich auf insgesamt 105 Mrd. € für die Jahre 2005 bis 2019. Der Bund sichert den ost-

Finanzhilfen und gefördertes Investitionsvolumen 1990 bis 1998; in Mrd DM

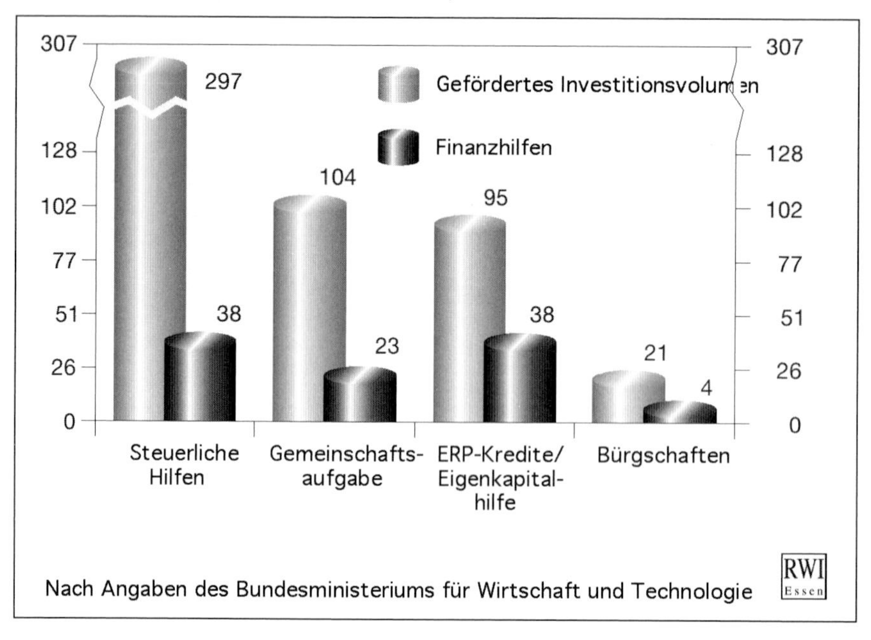

deutschen Ländern im Korb II zu, dass sie im Vergleich mit den westdeutschen Ländern auch künftig überproportionale Hilfen für den Aufbau Ost erhalten. Dabei ist an einen Betrag von insgesamt 51 Mrd. € gedacht, der aber nicht gesetzlich garantiert ist. Zur Zeit wären dem Korb II zuzuordnen: die überproportionalen Leistungen des Bundes für die Gemeinschaftsaufgaben, Finanzhilfen, Mittel aus den EU-Strukturfonds sowie der Bundesanteil an der Investitionszulage Ost.

Literaturhinweise:
BUNDESMINISTERIUM FÜR WIRTSCHAFT UND TECHNOLOGIE (HRSG.) (1999), *Bilanz der Wirtschaftsförderung des Bundes in Ostdeutschland bis Ende 1998*, Bonn; DEUTSCHES INSTITUT FÜR WIRTSCHAFTSFORSCHUNG/ INSTITUT FÜR ARBEITSMARKT UND BERUFSFORSCHUNG/ INSTITUT FÜR WELTWIRTSCHAFT/ INSTITUT FÜR WIRTSCHAFTSFORSCHUNG HALLE/ ZENTRUM FÜR EUROPÄISCHE WIRTSCHAFTSFORSCHUNG (2002), *Fortschrittsbericht wirtschaftswissenschaftlicher Institute über die wirtschaftliche Entwicklung in Ostdeutschland*, Sonderheft 3/2002, Halle; HEILEMANN, U./ RAPPEN, H. (2000), *„Aufbau Ost“ – Zwischenbilanz und Perspektiven*, Hamburger Jahrbuch für Wirtschafts- und Gesellschaftspolitik, 45, S. 9-39; RAPPEN, H. (2002), Blühende Landschaften? – Die Infrastruktur als finanzpolitische Variable des Aufbaus Ost, in: Denzer, H. (Hrsg.), *Glanz der Infrastruktur – Elend der politischen Kultur? Zur Entwicklung der Demokratie in Ostdeutschland*, München.

Ullrich Heilemann
Hermann Rappen

Aufsichtsämter

Die *Aufsicht über die Wirtschaft* ist für den öffentlichen Sektor als Träger der Wirtschaftspolitik eine systemnotwendige Aufgabe auf jenen Märkten, für die angenommen wird, dass es zwischen Anbietern und Nachfragern aufgrund unterschiedlicher Informiertheit über die Märkte zu keinem gleichgewichtigen Ergebnis kommt. Deshalb greift der Staat mit Hilfe von Regulierungen und mit *Aufsichtsämtern* als Kontrollinstitutionen ein. Das Ziel dieser Form der Wirtschaftspolitik ist es, das Gemeinwohl zu erhöhen, indem die selbstverantwortlichen privaten Wirtschaftsaktivitäten von Haushalten und →*Unternehmen* durch besondere Rechtsregeln und Rahmenbedingungen beeinflusst werden. Diese werden für notwendig erachtet, um die Funktionsfähigkeit bestimmter Märkte ökonomisch und in ihren sozialen Wirkungen zu erreichen und zu sichern. Für die den Aufsichtsämtern übertragenen *Überwachungs-, Berichtigungs- und Sanktionsfunktionen* hat der Gesetzgeber konkrete Regeln und Rechte zu entwickeln; nur so sind die Ziele, Mittel und Maßstäbe der Eingriffe für die betroffenen Wirtschaftssubjekte vorhersehbar und messbar und dadurch auch das Handeln der Aufsichtsämter berechenbar (Rechtsstaatsprinzip).

Unter *Wirtschaftsaufsicht* (nicht zu verwechseln mit der Staatsaufsicht über →*öffentliche Unternehmen*, die zusätzlich ebenfalls der Wirtschaftsaufsicht unterworfen sind) standen oder stehen z. B. Apotheken, Banken, Einzelhandel, Energiewirtschaft, Forstwirtschaft, Lebensmittelhandel, Luftfahrt, Verkehr, Versicherungen u. a. (*branchengebundene Fachaufsicht*); Arbeitsschutz, Eichwesen, Immissionsschutz u. a. (*Spezialaufsicht*); Kartelle, Preise, Steuern u. a. (*allgemeine Aufsicht*). Durch die Aufzählung wird deutlich, dass es sowohl sektoral abgrenzbare oder branchengebundene als auch allgemeine bzw. gesamtwirtschaftliche Aufsichtsbereiche gibt. Ferner ist die Tendenz zu einem umfassenden Gestaltungsanspruch der Wirtschaftsaufsicht erkennbar.

So unterschiedlich die gesetzlich festgelegten Bereiche der Aufsicht sind, so vielfältig und unterschiedlich sind auch die *Aufgaben* selbst. Ansatzpunkt einer Wirtschaftsaufsicht ist im Allgemeinen das Marktverhalten der Marktteilnehmer, das beobachtet und evtl. berichtigt wird. Die *Zwecke* der Wirtschaftsaufsicht reichen dabei vom Schutz eines „unmündigen Vertragspartners“ (Kunde von Versicherungen) über die Sicherstellung des gewünschten Angebots einzelner Unternehmungen (z. B. Hygiene in Gaststätten), die Sorge um die Struktur eines ganzen Wirtschaftszweiges (Erlaubnis oder Verbot von Kartellbildung, →*Bundeskartellamt*) bis hin zur gesamtwirtschaftlichen Gefahrenabwehr (Kontrolle der Finanzmärkte).

Eine einheitliche, übergreifende und in sich geschlossene Organisation der Wirtschaftsaufsicht ist nicht gegeben und aufgrund der Aufgabenvielfalt auch kaum gestaltbar. Vielmehr sind die *Aufsichtsbefugnisse* und die konkrete Umsetzung des

Auftrags an zahlreiche, z. T. sich überschneidende Zuständigkeitsbereiche verteilt. Der organisatorisch aufwendigste und wirtschaftspolitisch bedeutende Schwerpunkt konzentriert sich dabei auf die *Bundesaufsichtsämter*, die als selbstständige Bundesoberbehörden im Geschäftsbereich des Bundesministeriums der Finanzen angesiedelt sind. Sie betreffen den Bereich der Finanzmärkte und sind unterteilt in das Bundesaufsichtsamt für das Versicherungswesen, das Bundesaufsichtsamt für das Kreditwesen und das Bundesaufsichtsamt für den Wertpapierhandel.

Die klassische und älteste Wirtschaftsaufsicht (seit 1901) betrifft das *Versicherungswesen*. Rechtsgrundlage ist das Gesetz über die Beaufsichtigung der Versicherungsunternehmen (1931, mehrfach novelliert). Mit der Begründung der Besonderheit des Produkts „Versicherung“, seiner sozialen Bedeutung, des Vertrauensbedürfnisses der Versicherungswirtschaft sowie ihrer volkswirtschaftlichen Bedeutung werden vom *Bundesaufsichtsamt für das Versicherungswesen* (Sitz in Bonn) im Wesentlichen zwei Hauptziele verfolgt: Die Belange der Versicherten zu wahren und dabei insbesondere sicherzustellen, dass die künftigen Verpflichtungen des Versicherungsunternehmens jederzeit erfüllbar sind. Aufsichtsmaßnahmen sind u. a. Konzessionspflicht, Kautionszwang, Rechnungslegung und Publizität, Überwachung der Geschäftsführung sowie Eingriffsmöglichkeiten beim Geschäftsbetrieb.

Eine vergleichbar weitreichende Aufsicht wird im *Kreditwesen* praktiziert. Die Bankenaufsicht, deren allgemeine Aufgabe in der Förderung der Stabilität der Kreditinstitute und des Finanzsystems besteht, wird überwiegend vom *Bundesaufsichtsamt für das Kreditwesen* mit Sitz in Bonn in Zusammenarbeit mit der →*Deutschen Bundesbank* übernommen. Rechtliche Grundlage der Aufsicht ist das mehrfach novellierte Gesetz über das Kreditwesen von 1961. Die Bankenaufsicht hat insbesondere Missständen im Kredit- und Finanzdienstleistungswesen entgegenzuwirken, welche die Sicherheit der Einlagen der Kunden gefährden, die ordnungsgemäße Durchführung der Bankgeschäfte beeinträchtigen oder erhebliche Nachteile für die Gesamtwirtschaft herbeiführen.

Als jüngste Aufsichtsbehörde wurde 1995 das *Bundesaufsichtsamt für den Wertpapierhandel* mit Sitz in Frankfurt gegründet. Seine Aufgabe ist es, Missständen entgegenzuwirken, welche die ordnungsgemäße Durchführung des Wertpapierhandels beeinträchtigen oder erhebliche Nachteile für den Wertpapiermarkt bewirken können. Insbesondere obliegt ihm die Überwachung der Publizitätspflicht börsennotierter Unternehmen sowie als weitere wesentliche Aufgabe die Aufdeckung und Verfolgung von Verstößen gegen die Insiderregeln.

Vor dem Hintergrund der schnell fortschreitenden Veränderungen auf den Finanzmärkten hin zu einem Allfinanzmarkt und aus der daraus folgenden Notwendigkeit einer organisatorischen Anpassung wurden am 1. Mai 2002 die bisherigen Bundesaufsichtsämter für das Versicherungswesen, das Kreditwesen und für den Wertpapierhandel mit all ihren bestehenden Aufgaben in die neu errichtete, rechtlich selbstständige *Bundesanstalt für Finanzdienstleistungsaufsicht (Allfinanzaufsicht)* zusammengeführt. Erwartet werden hiervon höhere Aufsichtskompetenzen, Synergieeffekte bei Querschnittsaufgaben und insgesamt eine Stärkung der Aufsichtseffizienz.

Literaturhinweise:

SCHMIDT, R. (1988), Wirtschaftsaufsicht, in: Albers, W. u. a. (Hrsg.), *Handwörterbuch der Wirtschaftswissenschaft*, Band 9, ungekürzte Studienausgabe, Stuttgart u. a., S. 34-44; BUNDESANSTALT FÜR FINANZDIENSTLEISTUNGSAUFSICHT (www.bafin.de).

Dieter Fritz-Aßmus

Aus- und Weiterbildung, berufliche

Die berufliche Bildung ist im Gegensatz zur Allgemeinbildung (allgemeinbildende Schulen) auf das Aneignen von speziellen Kenntnissen und Fertigkeiten eines bestimmten Berufes (Ausbildung) oder auf den Erwerb von Zusatzqualifikationen (Weiterbildung) gerichtet. Im Gegensatz zu anderen Ländern, etwa Großbritannien, ist die Berufsausbildung in Deutschland ganzheitlich, beruflich umfassend angelegt und nicht modulartig, ausschließlich fachbezogen. Sie findet als duale Ausbildung mit ihrem praktischen Teil im Betrieb und mit ihrem theoretischen Teil in der Berufsschule statt und dauert in der Regel 2,5 bis 3,5 Jahre.

Die Definition eines Berufes (Berufsbild) erfolgt durch Berufsausbildungsordnungen, die zwischen den Tarifparteien unter Hinzuziehung von Experten auf der Grundlage des Berufsbildungsgesetzes (Bundesgesetz im Gegensatz zu den Schulgesetzen, die Landesgesetze sind) erarbeitet und dann vom Staat als rechtskräftig erklärt werden. In sie fließen unmittelbar die Arbeitsplatzanforderungen der Arbeitgeber ein, und zwar dergestalt, dass die Anforderungen eine allgemeine Gültigkeit haben, also nicht nur betriebsspezifisch, sondern auf dem Arbeitsmarkt generell als Anforderungen anerkannt sind. Ca. 365 Berufe werden auf diese Art und Weise unterschieden.

Das deutsche Ausbildungssystem genießt – im Gegensatz zu den deutschen Schulen und Hochschulen – im Ausland hohes Ansehen. Die Erklärung dafür ist vor allem das starke Interesse der ausbildenden Betriebe und →*Unternehmen*, sich möglichst guten qualifizierten Nachwuchs heranzuziehen: Da der größte Teil der Ausbildung im Betrieb stattfindet (betriebliche Ausbildung) und von den einzelnen Betrieben selbst zu finanzieren ist, ist das Interesse der Betriebe an einer guten und geeigneten Ausbildung sehr groß. Es ist deutlich größer als das einer öffentlichen Schule oder Hochschule, für die der Erfolg in der Ausbildung der Schüler und Studierenden keine Konsequenzen hat.

Voraussetzung für eine berufliche Ausbildung ist ein Ausbildungsvertrag, der zwischen dem Auszubildenden und dem Betrieb abzuschließen ist. Das Problem ist, dass derartige Verträge auf freiwilliger Basis abgeschlossen werden und ein Unternehmen oder eine staatliche Verwaltung dazu nur bereit sind, wenn ein Bedarf besteht und es die geeigneten Auszubildenden findet. Oft fallen die beruflichen Vorstellungen der Auszubildenden und der Ausbildungsbedarf der Wirtschaft auseinander. Auch halten sich Unternehmen in der Ausbildung dann zurück, wenn die geschäftlichen Aussichten auf längere Sicht nicht gut sind.

Hinzu kommt, dass es geburtenstarke und geburtenschwache Jahrgänge gibt und es dementsprechend zu einem Nachfrageüberhang oder einem Nachfragedefizit (Angebotsüberhang) nach Ausbildungsplätzen kommen kann. So kommt es vor, dass nicht alle einen Ausbildungsplatz finden, die einen suchen, oder umgekehrt, nicht alle Ausbildungsplätze besetzt werden können. Letzteres ist selbst dann möglich, wenn ein Teil der Ausbildungsplatzsuchenden keinen gefunden hat und arbeitslos wird, weil die Betroffenen die Anforderungen nicht erfüllen oder die von ihnen gesuchten Ausbildungsplätze (regional oder beruflich) nicht mit denen übereinstimmten, die verfügbar sind.

Um zu vermeiden, dass junge Menschen keinen Ausbildungsplatz finden und um die Auswahlfähigkeit zu erhöhen, wird deshalb immer wieder die Einführung einer Umlagefinanzierung von Ausbildungsplätzen erwogen. Eine solche Umlage soll von allen Betrieben erhoben werden, die ausgebildete Arbeitskräfte beschäftigen, sie soll in einen Fonds eingezahlt werden, aus dem schließlich die Ausbildungsplätze finanziert werden. Die meisten dieser Vorschläge, die von Arbeitnehmerseite gemacht werden, sehen dabei vor, dass die Betriebe, die selbst ausbilden, in dem Maße ihrer tatsächlichen Ausbildungsleistung von der Abgabe (Umlage) befreit werden. Das setzt allerdings voraus, dass die Kosten dieser Ausbildungsplätze erfasst werden, um die Umlage um diese zu kürzen. Das verursacht Verwaltungsaufwand und führt mit hoher Sicherheit dazu, dass die Fondsverwaltung präzise Vorschriften der Kostenerfassung sowie andere Vorschriften, die die Ausbildung regeln, den Betrieben auferlegt. Das engt deren Handlungsspielraum ein und entlässt die Betriebe mehr und mehr aus der Verantwortung. Die Steuerung der Ausbildung nach den Anforderungen des Beschäftigungssystems würde aufgeweicht. Unter anderem aus diesen Gründen hat die Arbeitgeberseite einer solchen Regelung bisher nicht zugestimmt.

Tatsächlich beruht die Leistungsfähigkeit des deutschen dualen Systems der Berufsausbildung auf dem Prinzip der einzelbetrieblichen Finanzierung (*→Bildungsfinanzierung*). Sie gibt den Anreiz, Ausbildungsbedarfe betrieblich sorgfältig abzuschätzen und qualitätsvoll auszubilden. Um die Nachteile zu beseitigen, die die einzelbetriebliche Finanzierung der Berufsausbildung hat, ist es deshalb zweckmäßiger, einen Ausgleich von *→Angebot und Nachfrage* nach Ausbildungsplätzen durch Kostensenkung (Anpassung der Ausbildungsvergütung) bzw. Erhöhung der produktiven Beiträge der Auszubildenden als Kompensation für die vom Betrieb zu tragenden Ausbildungskosten zu erreichen. Außerdem kann der Staat in einer →*Sozialen Marktwirtschaft* Ausbildungszulagen (Ausbildungssubventionen) und steuerliche Erleichterungen gewähren.

Die berufliche Weiterbildung ist im Gegensatz zur betrieblichen Ausbildung gesetzlich nicht geregelt, spielt aber im Zeitalter der Wissensgesellschaft und des lebenslangen Lernens eine immer größere Rolle (→*Bildungs- und Wissenschaftspolitik*). Dabei wird der Einzelne mehr Verantwortung für seine Qualifizierung übernehmen müssen, um beruflich flexibel zu sein und das Risiko der →*Arbeitslosigkeit* zu verringern. Das erfordert mehr Transparenz und Beratung durch zuständige Führungskräfte und Experten, wie es in einigen Betriebsvereinbarungen und inzwischen vereinzelt auch in Tarifverträgen (→*Tarifrecht*) als vertraglicher Anspruch vorgesehen ist. Es setzt auch voraus, dass der Einzelne bereit ist, den in einer Reihe von Bundesländern bestehenden Rechtsanspruch auf Bildungsurlaub für die berufliche Weiterbildung zu nutzen und ggf. Freizeit zu opfern sowie sich an den Kosten der Weiterbildung zu beteiligen. Letzteres ist dann erforderlich, wenn die berufliche Weiterbildung zwar dem Einzelnen nützt, nicht aber dem derzeitigen Arbeitgeber. Die →*Bundesagentur für Arbeit* unterstützt außerdem im Rahmen der aktiven →*Arbeitsmarktpolitik* Arbeitnehmer bei der Fortbildung, Umschulung und Einarbeitung, um deren Arbeitslosigkeit von vornherein zu vermeiden. Fernunterricht, Internet und der Einsatz neuer Technologien eröffnen darüber hinaus kostengünstige Möglichkeiten der beruflichen Weiterbildung.

Literaturhinweise:
BUNDESMINISTERIUM FÜR BILDUNG UND FORSCHUNG, *Berufsbildungsbericht* (jährlich) sowie *Berichtssystem Weiterbildung* VII (erscheint im 2-Jahresrhythmus); LITH, U. v. (1992), *Wirkungen der Einführung einer Umlagefinanzierung der beruflichen Bildung auf Landesebene am Beispiel Berlin*, Beiträge Nr. 1, Institut für Wirtschaftspolitik, Zittau.

Ulrich van Lith

Ausprägungen von Marktwirtschaften

Die konstituierenden Elemente von Wirtschafts- und Gesellschaftsordnungen sind „Ort der Entscheidungsfindung" – dezentral (→*Unternehmen* und Haushalte) oder zentral – und „Form des →*Eigentums*" – Privat- oder Kollektiveigentum. Wenn wir diese Elemente miteinander kombinieren, ergibt sich folgende Matrix:

Dabei sind sozialistische Marktwirtschaft und kapitalistische Zentralverwaltungswirtschaft entweder bloß gedankliche Konstrukte oder Übergangsphänomene (z. B. in Kriegszeiten), die im Zeitverlauf zu dem einen oder anderen Grundtyp tendieren. Damit gibt es in der realen Welt im Prinzip bloß zwei Grundtypen: →*Marktwirtschaft* oder Zentralverwaltungswirtschaft. Sie galten als stabil; man muss inzwischen korrigieren – als relativ stabil, sind doch die sozialistischen Gesellschaften wie morsche Gebäude zusammengebrochen;

Eigentum \ Entscheidung	dezentral	zentral
privat	kapitalistische Marktwirtschaft	kapitalistische Zentralverwaltungswirtschaft
kollektiv	sozialistische Marktwirtschaft	sozialistische Zentralverwaltungswirtschaft

bei Kuba, Nordkorea und China lautet die Frage, wie lange deren →*Sozialismus* sich noch halten kann.

Wenn es zu Zeiten des real existierenden Sozialismus statthaft war, Wirtschafts- und Gesellschaftsordnungen entweder als Marktwirtschaft oder als Zentralverwaltungswirtschaft zu klassifizieren, so muss man jetzt die verschiedenen Ausprägungen von Marktwirtschaften in den Blick nehmen. Auch hier vereinfachen wir die Realität, wenn wir zwischen vier Formen unterscheiden:

a. Marktwirtschaften ohne staatliche Interventionen,
b. Marktwirtschaften mit staatlichen Interventionen,
c. Marktwirtschaften mit überlappenden staatlichen und privaten Einflusssphären,
d. früher sozialistische Wirtschaftsordnungen auf dem Wege zur Marktwirtschaft, die sog. Transformationsländer.

ad a. Die USA gelten als eine Marktwirtschaft ohne staatliche Interventionen (→*Interventionismus*). Die Wirtschaft wird nahezu ausschließlich über Preise und Gewinne gesteuert. Staatliche Betätigung ist auf Infrastruktur und Rahmenbedingungen konzentriert; privater Initiative wird breiter Raum gelassen. Die Gesellschaft ist individualistisch ausgerichtet. Zugleich sind Innovationskraft und Dynamik stark ausgeprägt. Wenn der Einzelne sich nicht auf die Gemeinschaft verlassen kann und auch nicht soll, so wird der Anreiz, selbst Abhilfe zu schaffen, gestärkt. Als Problem hat zu gelten: Was geschieht mit denen, die dazu nicht oder kaum in der Lage sind? Auch wenn man nicht sagen kann, dass eine solche Gesellschaft unsozial ist, so kann man doch dem Nobelpreisträger Robert Solow zustimmen: „Mein eigenes Land ist ziemlich gut, was den ‚Markt-Teil' betrifft, und schlecht, was den ‚Sozial-Teil' betrifft. In Deutschland ist es heutzutage in etwa umgekehrt. Die Frage ist, kann man beiden Aspekten in gleicher Weise gerecht werden?"

ad b. Es ist das Ziel der „→*Sozialen Marktwirtschaft*", „auf der Basis der Wettbewerbswirtschaft die freie Initiative mit einem gerade durch die marktwirtschaftliche Leistung gesicherten sozialen Fortschritt zu verbinden" (Alfred →*Müller-Armack*). Ein wirtschaftspolitisches Programm des „Wohlstands für alle" (Ludwig →*Erhard*) sollte die Bürger so stellen, dass sie auf staatliche Fürsorge immer weniger angewiesen seien. Der politische →*Wettbewerb* führte jedoch dazu, im Zuge wachsenden Wohlstands und steigender Steuereinnahmen die Sozialsysteme zu perfektionieren und auszubauen. Der →*Sozialstaat* ist andere Wege gegangen, als dessen Vertreter den Bürgern versprochen haben. Die darauf aufbauende Bürokratie spielt die politische Verfügung über die Einkommen anderer einer kleinen Gruppe in die Hände: Dies widerspricht aber jenem Bild von Freiheit und Gleichheit, für das die politischen →*Parteien* angetreten sind. Die real existierende Soziale Marktwirtschaft soll daher im Sinne Ludwig Erhards und Alfred Müller-Armacks erneuert werden. Angela Merkel (Parteivorsitzende der CDU) will für die „Wir-Gesellschaft" einen neuen Ausgleich zwischen Ansprüchen und Leistungsfähigkeit bzw. -bereitschaft finden.

ad c. Noch vor gut zehn Jahren galten Japan und Südostasien als Zukunftsmodelle für die europäischen Staaten, weil die Überlappung von Staat und Privatwirtschaft sowohl den Staat stärke, weil sich dieser der wirtschaftlichen Kraft seiner Unternehmen versichern könne, als auch die Unternehmen, weil deren Konkurrenten auf den jeweiligen Märkten es nicht bloß mit einem einzelnen Unternehmen zu tun hätten, sondern mit dem „System Japan" oder der „Japan inc.". Gerade diese Verquickung gilt nun als Problem für Japan und eine Reihe südostasiatischer Staaten, weil so die Verantwortlichkeiten verwischt und das Prinzip Haftung zumindest weitgehend ausgehebelt wurden. Daher wird diesen Staaten von allen Ratgebern ein Prozess der →*Deregulierung* empfohlen, also letztlich ein Rückzug des Staates aus den Bereichen, in denen er steuernd auf private wirtschaftliche Aktivitäten eingewirkt hat. Die Schwierigkeiten bei der Deregulierung liegen einmal in der Tradition dieser Staaten begründet, die ein füreinander Einstehen immer als vorteilhaft angesehen haben – die Tugend der Loyalität –, und in den damit verbundenen Anpassungskosten, die gerade bei sich stark abschwächender Wirtschaftstätigkeit als schmerzhaft empfunden werden.

ad d. Länder, die nach dem Scheitern des Sozialismus eine marktwirtschaftliche Ordnung einführen müssen, haben nicht nur marktwirtschaftliche Verfahren in den verschiedenen Bereichen zu verankern, sondern sie müssen auch die Grundlagen für ein Privatrechtssystem schaffen. Nach 40 Jahren Sozialismus braucht man einen politischen Herkules, um den Augiasstall der Pfründen, Privilegien und Korruptionsanfälligkeit auszumisten. Erfahrungsberichte zeigen, dass genau hier die größten Schwierigkeiten liegen. Auch sind die Chancen des Neuanfangs für die Menschen ungleich und für viele ungerecht verteilt. In dem Halbdunkel von Marktwirtschaft und staatlicher Einmischung fühlt sich eine Spezies Mensch besonders wohl, die kaum Skrupel gegenüber den Mitbürgern kennt. Die daraus folgenden Bereicherungs- und Ausbeutungsmethoden werden dann der Marktwirtschaft angelastet, die als kalt und menschenfeindlich empfunden wird. Viele Menschen, die früher den sozialistischen Systemen immer tiefe Skepsis entgegenbrachten, sagen heute vielfach: Die sozialistischen Führungen haben uns immer betrogen und belogen, nur in einem haben sie die Wahrheit gesagt: Der Kapitalismus gleicht genau dem Bild, das sie uns gezeigt haben.

Im Zuge der →*Globalisierung* wird sich eine Angleichung der Merkmale der einzelnen marktwirtschaftlichen Ausprägungen vollziehen; doch wird es immer Unterschiede geben, die etwa mentalitäts- und auch traditionsbedingt sind. Entgegen landläufiger Meinung sind nationale Regierungen dem Globalisierungsprozess nicht hoffnungslos ausgeliefert, sondern zu guter →*Ordnungspolitik* herausgefordert; genau wie Schiffe auch scharfen Gegenwind durch eine geschickte Takelung nutzen können, können Staaten durch eine kluge ordnungspolitische Umrüstung auf die Globalisierung eingestellt werden.

Literaturhinweise:

BARBIER, H.-D./ VAUBEL, R. (1993), *Handbuch Marktwirtschaft*, 2. Aufl., Stuttgart; LUDWIG-ERHARD-STIFTUNG (Hrsg.) (1995), *Transformation als ordnungspolitische Herausforderung*, Bonn; DIES. (Hrsg.) (1994), *Grundtexte zur Sozialen Marktwirtschaft*, 3 Bände, Stuttgart, Jena, New York.

Joachim Starbatty

Außenwirtschaft

Zur Außenwirtschaft eines Landes zählen alle grenzüberschreitenden wirtschaftlichen Transaktionen: Ex- und Importe von Sachgütern und Dienstleistungen, internationale Finanz- und Sachkapitalbewegungen und Zahlungen an supranationale Institutionen. Deutschland kann als eine vom Ausland abhängige und dem Welthandel gegenüber offene Volkswirtschaft bezeichnet werden. Dies erscheint auf den ersten Blick nicht so erkennbar, wird aber deutlich, wenn man die Vielzahl der Produkte in Deutschland betrachtet, die bspw. den Nachweis „Made in China“ und „Hergestellt in der EU“ tragen. Die Abhängigkeit der Arbeitsplätze bei VW oder BMW von Nachfrageschwankungen in den USA macht den Sachverhalt ebenfalls deutlich.

In den statistischen Erhebungen zum Außenhandel machen sich diese Interdependenzen regelmäßig in hohen Import- bzw. Exportquoten (Anteile der Importe bzw. Exporte am BIP) und Handelsverflechtungen mit anderen EU-Staaten bemerkbar. Erfasst werden außenwirtschaftliche Transaktionen in der gesamtwirtschaftlichen Zahlungsbilanz. In den drei großen Teilbilanzen werden wertmäßig abgebildet: Sämtliche während eines Jahres ex- bzw. importierten Güter und Dienstleistungen, laufende Übertragungen an das Ausland sowie Nettoerwerbs- und -vermögenseinkommen gegenüber dem Ausland (*Leistungsbilanz*); Kapitalexporte und -importe, die eine Veränderung der Forderungen bzw. Verbindlichkeiten gegenüber dem Ausland hervorrufen (*Kapitalbilanz*) sowie Veränderungen der Forderungen der Zentralbank gegenüber dem Ausland, die sich überwiegend aus dem Bestand an ausländischen Währungen zusammensetzen (*Devisenbilanz*).

Die Außenwirtschaft und ihre Lehre werden üblicherweise in die reale und die monetäre Außenwirtschaftstheorie (AWT) unterteilt. Die *reale AWT* erklärt die Struktur der internationalen Arbeitsteilung und die Vorteile einer globalen Ordnung des Freihandels. Als ursächlich für die Spezialisierung der Länder auf die Produktion ganz bestimmter Produkte können neben genereller Nichtverfügbarkeit von Produktionsfaktoren sowie der technischen oder wirtschaftlichen Nichtmöglichkeit der Güterproduktion im importierenden Land auch Qualitätsdifferenzen sein. Diese Bedingungen bewirken, dass zwischen einer vergleichbaren Produktion in zwei Ländern bei bestimmten Produkten absolute Kosten- bzw. Preisvorteile für ein Land existieren. Die wichtigste Erklärung für Außenhandel ist jedoch, dass zwischen zwei Ländern komparative Kostenvorteile bestehen. Beide Länder können ein Produkt herstellen, aber ihre Kosten differieren, weil ein Land einen Produktivitätsvorsprung hat, oder weil Unterschiede in der Ausstattung mit den Produktionsfaktoren Arbeit (mengenmäßig, qualitativ Humankapital) und Kapital gegeben sind; dies führt zu Unterschieden in den Lohn- und Kapitalkosten und damit zu Unterschieden in den Stückkosten (*→Betriebliches Rechnungswesen*).

Die Länder spezialisieren sich auf die Produktion der Güter, die sie vergleichsweise am günstigsten herstellen können. Ein Teil der Produktion wird im Ausland im Tausch gegen Produkte abgesetzt, die die Importländer nur zu relativ hohen Kosten herstellen können. So lassen sich für alle Länder Produktivitätsgewinne realisieren und das den Bürgern zur Verfügung stehende Konsumgüterangebot erhöhen.

Die *monetäre Außenwirtschaftstheorie* versucht zu erklären, von welchen Faktoren die Zahlungsbilanzsituation eines Landes beeinflusst wird, welche Mechanismen zum Ausgleich der Zahlungsbilanz beitragen, wie es an den Devisenmärkten zu Schwankungen der Wechselkurse kommen kann und welche Auswirkungen auf *→Konjunktur*, *→Beschäftigung* und Preisniveau damit verbunden sind. Diese Abhängigkeit der internen Stabilität einer Volkswirtschaft vom Grad internationaler Verflechtungen einer Volkswirtschaft wirft die Frage nach den Einflussmöglichkeiten durch die Außenwirtschaftspolitik auf.

In welchem Umfang sich eine Volkswirtschaft auf dem Weltmarkt engagiert, hängt zum einen von der reinen Notwendigkeit zum Import z. B. von im Inland nicht verfügbaren Rohstoffen ab, und zum anderen von der Ausrichtung der Außenwirtschaftspolitik, die sich am Leitbild des Freihandels orientieren oder eine auf Importverdrängung gerichtete, protektionistische Linie verfolgen kann. So wird in vielen Staaten die Auffassung vertreten, der freie Austausch von Gütern und Dienstleistungen über nationale Grenzen hinweg schade der inländischen Volkswirtschaft, da hierdurch die Erzeugnisse inländischer Produzenten verdrängt würden. Importe werden dann mit Zöllen oder mengenmäßigen Beschränkungen belegt. Exporte ins Ausland werden dagegen allgemein als förderlich für das inländische Wirtschaftswachstum und die Entwicklung des Arbeitsmarktes angesehen, so dass es häufig zu einer Bevorzugung von exportorientierten Branchen kommt, was sich u. a. in umfangreichen staatlichen →*Subventionen* zur Förderung internationaler Wettbewerbsfähigkeit äußert. Ähnlich verhält es sich im Bereich des internationalen Kapitalverkehrs, der durch staatliche Maßnahmen eingeschränkt werden kann (Kapitalverkehrskontrollen, Devisenbewirtschaftung).

Außenwirtschaftliche Beziehungen sind somit durch eine Vielzahl politisch motivierter Verzerrungen gekennzeichnet, die Anlass zu ordnungstheoretischen Auseinandersetzungen gegeben haben. Die Außenwirtschaftstheorie stellt spätestens seit Adam Smith (1723-90), David Ricardo (1772-1823) und John Stuart Mill (1806-73) einen der Eckpfeiler der Volkswirtschaftslehre dar. In diesen ersten umfangreichen Analysen wurden die protektionistischen Ansichten der *Merkantilisten*, die eine Beschränkung des Warenverkehrs zwi-

schen den Staaten und damit eine Einengung des inländischen Konsums auf das Angebot an heimischen Gütern als positiv ansahen, widerlegt und umfangreiche Beweise für die Überlegenheit des Freihandels geliefert – gerade für den Konsumenten (mehr Güter, große Gütervielfalt, niedrigere Preise durch mehr Konkurrenz).

Der Kern der wissenschaftlichen Diskussion liegt seitdem in der Beantwortung der Frage „Warum und mit welchen Auswirkungen kommt es zu außenwirtschaftlichen Verflechtungen" und mündet zumeist in dem Ergebnis, dass freier Handels-, Kapital- und Zahlungsverkehr für alle beteiligten Länder überwiegend Vorteile bringt, was gerade auch im Zeitalter der →*Globalisierung* von besonderer Aktualität erscheint. Das Leitbild des Freihandels und freier Kapital- und Devisenmärkte stellt daher auf weltwirtschaftlicher Ebene das Organisationsprinzip dar, das dem binnenwirtschaftlichen Leitbild eines marktwirtschaftlichen Ordnungsrahmens entspricht (→*Welthandelsordnung*).

Literaturhinweise:
ROSE, K./ SAUERNHEIMER, K. (1999), *Theorie der Außenwirtschaft*, 13. Aufl., München; SIEBERT, H. (2000), *Außenwirtschaft*, 7. Aufl., Stuttgart; MAENNIG, W./ WILFLING, B. (1998), *Außenwirtschaft – Theorie und Politik*, München.

Markus Neimke

Außenwirtschaftliches Gleichgewicht

Rechtliche Grundlage des Ziels „Außenwirtschaftliches Gleichgewicht" ist das Gesetz zur Förderung der Stabilität und des Wachstums der Wirtschaft (StabG) aus dem Jahr 1967. § 1 StabG legt fest, dass der Bund und die Länder bei ihren wirtschafts- und finanzpolitischen Entscheidungen die Erfordernisse des gesamtwirtschaftlichen Gleichgewichts zu beachten haben. Sie sollen so handeln, dass im Rahmen der marktwirtschaftlichen Ordnung die Ziele →*Preisniveaustabilität*, hoher →*Beschäftigungs*stand, stetiges und angemessenes Wirtschaftswachstum und außenwirtschaftliches Gleichgewicht erreicht werden. Da sich die vier Ziele nicht gleichzeitig erreichen lassen, wird vom sogenannten magischen Viereck gesprochen. Auch wenn die bei der Einführung des StabG vorherrschende keynesianische Stabilisierungskonzeption (→*Keynesianismus*) zu Beginn des 21. Jahrhunderts nicht mehr das dominierende wirtschaftspolitische Leitbild darstellt, gilt das StabG bis heute unverändert.

Außenwirtschaftliches Gleichgewicht ist zum einen das Ziel, in der Weltwirtschaft bestehende Instabilitäten zu neutralisieren. Ferner wird angestrebt zu verhindern, dass wirtschaftspolitische Maßnahmen im Inland, die der Stabilisierung der Binnenwirtschaft dienen sollen, durch außenwirtschaftliche Einflüsse gefährdet werden. Das außenwirtschaftliche Gleichgewicht zu definieren, ist schwierig und umstritten. Es wird häufig als realisiert angesehen, wenn der Saldo der Leistungsbilanz durch den Saldo der internationalen Kapitalbewegungen ausgeglichen wird. Allerdings besteht auch die Möglichkeit, je nach den Zielen der Wirtschaftspolitik, den Ausgleich anderer Zahlungsbilanzkomponenten als Ziel anzustreben.

Die Bundesregierung definiert das Ziel „außenwirtschaftliches Gleichgewicht" in ihren Jahreswirtschaftsberichten als prozentualen Anteil des Außenbeitrages (Ausfuhr minus Einfuhr von Sachgütern und Dienstleistungen) am nominalen Bruttoinlandsprodukt (BIP = Summe aller im Inland erzeugten und bewerteten Güter und Dienstleistungen). In der Vergangenheit wurde ein Überschuss zwischen 0,5 und 0,9 Prozent des BIP angestrebt. Ein Vergleich der Zielwerte mit den realisierten Daten zeigt jedoch, dass dieses Ziel nur selten erreicht wurde.

Im gegenwärtig existierenden System eines zum Großteil freien Kapital-, Waren- und Dienstleistungsverkehrs kann das Ziel des außenwirtschaftlichen Gleichgewichts von den politischen Entscheidungsträgern nur schwer angestrebt werden. Grund dafür ist, dass die von der Bundesregierung festgelegte Zielgröße, der Außenbeitrag, durch wirtschaftspolitische Maßnahmen nur schwer beeinflusst werden kann, weil auf die ausländische Nachfragesituation nicht direkt Einfluss genommen werden kann und Außenhandelsbeschränkungen nicht in ein liberales Welthandelssystem passen (→*Welthandelsordnung*).

Literaturhinweise:
CASSEL, D./ THIEME, H. J. (1999), Stabilitätspolitik, in: Bender, D. u. a (Hrsg.), *Vahlens Kompendium der Wirtschaftstheorie und Wirtschaftspolitik*, Band 2, 7. Aufl., München.

Marcus Cieleback

Beschäftigung

Das Problem der →*Arbeitslosigkeit* hat für den Einzelnen unmittelbare und nachhaltige Folgen (Verminderung des Lebensstandards, psychische Probleme). Deshalb besteht das vorrangige Ziel der Wirtschaftspolitik in der Schaffung von Arbeitsplätzen und der Bekämpfung der Unterbeschäftigung. Ökonomen befassen sich mit der Arbeitslosigkeit, um ihre Ursachen festzustellen und um der Politik wirtschaftspolitische Handlungsempfehlungen zu geben. Die Höhe der Beschäftigung ergibt sich grundsätzlich aus dem Zusammenspiel von Arbeitsangebot und Arbeitsnachfrage. Der Angebotsüberhang am Arbeitsmarkt wird konventionell lediglich durch die Höhe der Arbeitslosigkeit gemessen, obwohl sich ein zusätzlicher Teil der potenziellen Arbeitsanbieter auch in der „stillen", nicht als arbeitslos registrierten Reserve befindet.

Komponenten der Arbeitslosigkeit: Trotz der Vielzahl von Typologien der Arbeitslosigkeit ist es sinnvoll, die Arbeitslosenzahl in eine friktionell-strukturelle Komponente und in einen Angebotsüberhang zu zerlegen.

a) Friktionell-strukturelle Komponente: Friktionelle bzw. strukturelle Arbeitslosigkeit wird auf Hindernisse bei der Vermittlung zwischen →*Angebot und Nachfrage* auf dem Arbeitsmarkt zurückgeführt. Dies beruht darauf, dass aufgrund unterschiedlicher Anforderungen an Arbeitsangebot und -nachfrage hinsichtlich regionaler Verfügbarkeit, Qualifikation etc. Schwierigkeiten bei der Zuteilung von Arbeitskräften auf freie Arbeitsplätze auftreten, die sich in einer Koexistenz von Arbeitslosen und offenen Stellen äußern. In sämtlichen Marktwirtschaften tritt trotz aller wirtschaftspolitischer Maßnahmen zu jedem Zeitpunkt ein gewisses Maß an Arbeitslosigkeit auf. Diese friktionelle bzw. strukturelle Arbeitslosigkeit spiegelt vor allem den auch in wirtschaftlich normalen Zeiten zu erwartenden dauernden Strukturwandel wider, durch den permanent alte Arbeitsplätze abgebaut und neue geschaffen werden. Schon die Tatsache, dass dieser Wechsel nicht völlig friktionslos (also ohne Reibung bzw. zeitliche Verzögerung) vonstatten gehen kann, führt zur steten Existenz einer Arbeitslosenquote.

Diese *natürliche Arbeitslosenquote („natural rate of unemployment – NRU")* beschreibt die durchschnittliche Unterbeschäftigung, um die die statistisch gemessene Arbeitslosigkeit im Zeitverlauf schwankt. Sie ist eigentlich alles andere als natürlich und wird bestimmt durch die Quote der aufgelösten und die der neu abgeschlossenen Arbeitsverhältnisse (genauer: Entlassungs- und Wiedereinstellungswahrscheinlichkeiten). Diese beiden Bestimmungsfaktoren werden im Wesentlichen beeinflusst durch die zur sozialen Abfederung von Arbeitslosigkeit geschaffenen sozialstaatlichen Transfers, Mindestlohngesetzgebung, Kündigungsschutzregelungen sowie den Strukturwandel. Beispielsweise verringert eine hohe und dauerhaft gewährte Lohnersatzleistung (Arbeitslosengeld) das Arbeitsangebot, da der Anreiz für Erwerbspersonen zur Aufnahme einer Arbeit sinkt. Die Beschäftigten sind hieran ebenfalls interessiert, da die Konkurrenz durch Arbeitslose geringer wird. Eine neue Erklärung der NRU bietet die *Hysteresis-Theorie*: Allgemein wird mit dem Begriff Hysteresis der langfristige Einfluss vergangener temporärer wirtschaftlicher Ereignisse auf die natürliche Quote bezeichnet. Speziell für die NRU heißt dies, dass die NRU in der laufenden Periode steigen wird, wenn die tatsächliche Arbeitslosenquote der Vorperiode die NRU der Vorperiode überstiegen hat (Zeitpfadabhängigkeit). Zur Ursachenerklärung gibt es zwei Ansätze: Die *Dauerarbeitslosigkeitstheorie* besagt, dass die Arbeitslosen während der Zeit ihrer Arbeitslosigkeit an Qualifikation verlieren und damit die Zahl der Langzeitarbeitslosen steigt. Die *Insider-Outsider-Theorie* betont die Macht der Arbeitsplatzbesitzer, die notwendige Lohnsenkungen verhindern und somit Outsider (Arbeitslose) vom Arbeitsprozess fernhalten können.

b) Angebotsüberhang: Der Angebotsüberhang – die zweite Komponente der Arbeitslosigkeit – ist die Differenz zwischen dem aggregierten Arbeitsangebot der privaten Haushalte und der Anzahl der von den →*Unternehmen* nachgefragten Arbeitskräfte. Für die Analyse des Angebotsüberhangs stehen zwei Modelle zur Verfügung: Während die *neoklassische Schule* einen Angebotsüberhang auf dem Arbeitsmarkt stets auf überhöhte Reallöhne zurückführt und den Tarifparteien die Verantwortung für die Höhe der Beschäftigung zuweist, lautet die *keynesianische Gegenposition*, dass Arbeitsmarktungleichgewichte einen Mangel an realwirtschaftlicher Güternachfrage widerspiegeln. In einer Unterbeschäftigungssituation erscheint demnach eine Reallohnsenkung bzw. eine Ankurbelung der Güternachfrage angezeigt, wenn die Arbeitslosigkeit abgebaut werden soll. Die entscheidenden Variablen, insbesondere Preisniveau, reale Güternachfrage, Beschäftigung und Reallöhne bilden sich hierbei gemeinsam in einem *simultanen Systemzusammenhang*, der von den wirtschaftspolitischen Akteuren nicht ohne weiteres beeinflusst werden kann. Es zeigt sich, dass für die Bestimmung der Beschäftigungsmenge das Verhältnis von Güternachfrage und Nominallöhnen relevant ist, welches von der *Geld-, Fiskal- und Tarifpolitik* beeinflusst werden kann.

Beveridgekurve: Die Beveridgekurve wurde nach Lord Beveridge, Wissenschaftler und Englischer Arbeitsminister nach dem Zweiten Weltkrieg benannt. Sie ermöglicht es, eine Aufteilung der Arbeitslosenquote in die oben genannten Komponenten vorzunehmen und beschreibt den negativ-konvexen Zusammenhang zwischen der Arbeitslosenquote und der Quote der offenen Stellen. Ein Zuwachs der offenen Stellen führt dabei zum Sinken der Arbeitslosenquote und umgekehrt. Das Ausmaß der friktionell-strukturellen Komponente der Arbeitslosigkeit lässt sich durch die räumliche Lage der Beveridgekurve zum Ausdruck bringen. Dem gegenüber bestimmt die Angebots-Nachfrage-Konstellation auf dem Arbeitsmarkt, wo auf einer gegebenen Beveridgekurve wir uns befinden.

„Magisches Viereck“: Neben dem Ziel eines *hohen Beschäftigungsstandes* sind für die Wirtschaftspolitik drei weitere makroökonomische Ziele von Bedeutung (Stabilitäts- und Wachstumsgesetz vom 8. Juni 1967). Da sich diese jedoch zum Teil nicht gleichzeitig verwirklichen lassen (*→Zielkonflikte in der Wirtschaftspolitik*), spricht man vom *„magischen Viereck“ der Wirtschaftspolitik*.

a) Angemessenes und stetiges Wirtschaftswachstum: Das Wirtschaftswachstum misst man als Veränderung des realen Bruttoinlandsprodukts (BIP) im Vergleich zum Vorjahreszeitraum. Die in der Realität zu beobachtende negative Beziehung zwischen Arbeitslosigkeit und BIP wird als *Okunsches Gesetz* bezeichnet (die Arbeitslosigkeit sinkt, wenn die wirtschaftliche Wachstumsrate steigt). Jedoch führt nicht jede Größenordnung und nicht jede Qualität an *→Wachstum* unmittelbar zu einer geringeren Arbeitslosenrate. Die Arbeitslosenquote bleibt unverändert, falls das tatsächliche BIP-Wachstum dem so genannten „natürlichen“ BIP-Wachstum entspricht. Dieses „normale“ Wachstum ist auf Bevölkerungszunahme, Kapitalakkumulation und technischen Fortschritt zurückzuführen. Liegt aber das tatsächliche Wirtschaftswachstum über dem „normalen“ Wachstum, so sinkt die Arbeitslosenquote. Aufgrund dieser Eigenschaft bezeichnet man das „natürliche“ BIP-Wachstum auch als *„Beschäftigungsschwelle“*. In den USA lag die Beschäftigungsschwelle im Zeitraum 1960-1998 bei 3 v. H.

b) Preisniveaustabilität: Unter dem Begriff *„Phillipskurve"* wurde in den 60er und 70er Jahren ein negativer Zusammenhang zwischen Inflationsrate und durchschnittlicher Arbeitslosenquote diskutiert (geringere Arbeitslosigkeit bei höherer Inflationsrate und umgekehrt). Man ging von einer Wahlmöglichkeit für die Wirtschaftspolitik (*Trade-off*) zwischen beiden Größen aus: Eine staatlich wünschenswerte Arbeitslosenquote kann durch eine entsprechende Inflationsrate „erkauft" werden. Dieser Zusammenhang konnte jedoch nur kurzfristig und unter bestimmten Voraussetzungen beobachtet werden. Langfristig besteht keine Wahlmöglichkeit zwischen Arbeitslosigkeit und Inflationsrate, da sich vor allem die Tarifparteien bei der Lohnfindung an der Bereitschaft der Regierung, Inflation zu erzeugen, orientieren und diese Erwartungen ihren Lohnforderungen zugrunde legen. Preise und Löhne steigen deshalb langfristig mit derselben Wachstumsrate; der Reallohn (Lohn geteilt durch Preisniveau) als wichtigste Bestimmungsgröße der Beschäftigung verändert sich nicht. Dies erklärt auch das Phänomen der *Stagflation*: Trotz höherer Arbeitslosigkeit steigt das Preisniveau weiter an. Die Gewährleistung von *→Preisniveaustabilität* durch eine stetige und voraussehbare Geldpolitik der Zentralbank ist somit unverzichtbare Grundlage für ein angemessenes Beschäftigungswachstum.

c) Außenwirtschaftliches Gleichgewicht: Gerade in der Bundesrepublik Deutschland wurden konjunkturelle Wendepunkte immer wieder vor allem durch Änderungen der Höhe des Außenbeitrags eingeleitet. Insofern besteht kein empirisch begründeter Widerspruch zwischen dem Ziel eines *→außenwirtschaftlichen Gleichgewichts* und dem Ziel der Vollbeschäftigung. Jedoch führt eine Erhöhung der Exporte keineswegs zwingend zu einer Verbesserung der Arbeitsmarktlage. Denn Rigiditäten auf Arbeitsmärkten wie hohe Einstellungs- und Kündigungskosten, Immobilität der Arbeitskräfte, können die Anregung zusätzlicher Beschäftigung in bestimmtem Umfang verhindern. Auch die Wahl des *Wechselkurssystems* spielt eine Rolle (*→Währungsordnung und Wechselkurssysteme*). Entscheidet man sich im Verhältnis zu den wichtigsten Handelspartnern für eine Ausschaltung des Wechselkursrisikos durch unwiderruflich fixierte Wechselkurse, d. h. für eine *Währungsunion*, können negative Arbeitsmarkteffekte überhöhter Lohnabschlüsse nicht mehr durch eine Abwertung der heimischen Währung ausgeglichen werden. Vermutlich steigt hierdurch der Wettbewerb zwischen länderspezifischen Arbeitsmarktinstitutionen (*→Systemwettbewerb*). Anreize für strukturelle Reformen auf verkrusteten Arbeitsmärkten („Eurosklerose") werden erhöht. Durch diese endogenen Effekte der Währungsunion werden Zielkonflikte vermieden.

Bei flexiblen Wechselkursen werden Konflikte zwischen binnenwirtschaftlichen Stabilitätszielen und dem außenwirtschaftlichen Gleichgewicht durch Wechselkursanpassung weitgehend vermieden und gelöst. Voraussetzung hierfür ist allerdings, dass der Wechselkurs systematisch und vorhersehbar auf Änderungen ökonomischer Fundamentaldaten (Preis, →*Einkommen* u. a.) reagiert. Zielkonflikte zwischen dem Ziel eines hohen Beschäftigungsstands und den drei anderen Zielen des „magischen Vierecks" bestehen insgesamt gesehen dann nicht, wenn Preise, Lohnsätze und Zinssätze sich möglichst frei bilden, der →*Wettbewerb* gestärkt wird und eine stetige Geldpolitik betrieben wird. Zur Beseitigung von Unterbeschäftigung wird deshalb von Vertretern der Hysteresis-Theorie vorgeschlagen, eine expansive Nachfragepolitik (Zinssatzsenkungen, expansive Fiskalpolitik) durch angebotsseitige flexibilisierende Maßnahmen (Investitionsanreize, Lohnzurückhaltung) zu ergänzen („two-handed approach").

Literaturhinweise:
BELKE, A. (2001), *Wechselkursschwankungen, Außenhandel und Beschäftigung*, Berlin u. a.; FRANZ, W. (2003), *Arbeitsmarktökonomik*, 5. Aufl., Berlin; LANDMANN, O./ JERGER, J. (1999), *Beschäftigungstheorie*, Berlin u. a.; INSTITUT FÜR ARBEITSMARKT- UND BERUFSFORSCHUNG (IAB) der Bundesagentur für Arbeit: http://www.iab.de/iab/publikationen/themen.htm.

Ansgar Belke
Frank Baumgärtner

Beschäftigungspolitik

1. Bereiche der Beschäftigungspolitik: In der wirtschaftspolitischen Debatte wird die Beschäftigungspolitik häufig mit Begriffen gleichgesetzt, die nur deren *Teilbereiche* betreffen (z. B. Arbeitsmarktpolitik). Als *Beschäftigungspolitik* werden alle wirtschaftspolitischen Aktivitäten zusammengefasst, die der Beeinflussung der Beschäftigungslage des Produktionsfaktors Arbeit dienen. Dabei wird grundsätzlich auf die *abhängigen* Erwerbspersonen abgestellt. Unter *Arbeitsmarktpolitik* hingegen werden Maßnahmen verstanden, die Angebot und Nachfrage auf dem Arbeitsmarkt und die Beziehungen zwischen ihnen direkt zu beeinflussen versuchen. Folglich umfasst die Beschäftigungspolitik ein größeres Feld als nur die Arbeitsmarktpolitik. Darüber hinaus beinhaltet die Beschäftigungspolitik beschäftigungsfördernde Maßnahmen, die der *Konjunktur-, Wachstums- und Strukturpolitik* zugeordnet werden können. Der größte Teil der *Lohnpolitik* sowie →*konzertierte Aktionen/ „Bündnisse für Arbeit"* sind ebenfalls der Beschäftigungspolitik zuzurechnen. Über die genannten (Teil-) Bereiche hinaus hat die Beschäftigungspolitik als ein *Oberbegriff* enge Beziehungen zu anderen Politikfeldern, wie z. B. zur →*Sozialpolitik*. Das quantitative Ziel der Beschäftigungspolitik liegt im Erreichen eines hohen Beschäftigungsstands.

2. Beschäftigungspolitische Strategien: Beschäftigungspolitische Strategien und Instrumente haben die Aufgabe, das Ungleichgewicht zwischen Arbeitskräfteangebot und Arbeitskräftenachfrage zu verringern und dadurch →*Arbeitslosigkeit* abzubauen. Dabei gibt es grundsätzlich zwei Ansatzmöglichkeiten: die Angebotsseite oder die Nachfrageseite des Arbeitsmarktes. In der Praxis liegt das Schwergewicht beschäftigungspolitischer Strategien bei den Maßnahmen, die an der Nachfrageseite ansetzen.

2.1 An der Angebotsseite des Arbeitsmarktes ansetzende Strategien: Verringerung des angebotenen Arbeitsvolumens durch eine Verkleinerung des Erwerbspersonenpotenzials (demographische Komponente, Verringerung der Erwerbsneigung, Induzieren eines Wanderungssaldos) oder durch eine Reduzierung der Arbeitszeit (kollektive standardisierte Vereinbarungen wie z. B. Verkürzung der tariflichen Wochenarbeitszeit oder Verlängerung des tariflichen Urlaubs oder individuelle Regelungen).

2.2 An der Nachfrageseite des Arbeitsmarktes ansetzende Strategien: Beabsichtigt wird eine Erhöhung der Arbeitskräftenachfrage, da der Arbeitsmarkt vom Gütermarkt abgeleitet wird und die Nachfrage nach Arbeit von der geplanten Güterproduktion abhängt. Strategien zur Beeinflussung der *Beschäftigung* setzen daher am Produktionsvolumen an: 1) *konjunkturpolitische Maßnahmen* (Erhöhung der Gesamtnachfrage durch expansive Geld- und Fiskalpolitik, *→Konjunkturpolitik*); 2) *strukturpolitische Maßnahmen* (Förderung des Strukturwandels, *→Strukturpolitik*); 3) *wachstumspolitische Maßnahmen* (bei anhaltender Wachstumsschwäche). In welchem Umfang hierdurch zusätzliche Arbeitsplätze geschaffen werden, hängt allerdings entscheidend davon ab, wie sich das Wirtschaftswachstum und die gesamtwirtschaftliche Produktivität entwickeln, d. h. ab welcher Wachstumsrate die Gesamtbeschäftigung steigt (*Beschäftigungsschwelle,* z. B. Westdeutschland 1987-1993 0,7 v. H.).

3. Lohnpolitik und Arbeitsmarkt: Auf dem deutschen Arbeitsmarkt ergibt sich die Lohnfindung nicht durch das freie Spiel von *→Angebot und Nachfrage*, sondern durch Nominallohnverhandlungen zwischen Gewerkschaften und Arbeitgeberverbänden im Rahmen der *Tarifautonomie* (Art. 9 Abs. 3 Grundgesetz). Den Tarifvertragsparteien wird durch die Arbeitsmarktverfassung entscheidende beschäftigungspolitische Verantwortung zugewiesen (*beschäftigungspolitisches Assignment*). Daher muss die Tarifpolitik zur Erhaltung bestehender und Schaffung neuer Arbeitsplätze beitragen, indem sie genügend Raum für Differenzierungen nach Regionen, Branchen, Qualifikationen und der besonderen Lage einzelner Betriebe lässt (*→Tarifrecht*). Der Versuch, durch höhere Lohnforderungen die *Lohnquote* (Anteil der *→Einkommen* aus unselbstständiger Beschäftigung am Volkseinkommen) zu maximieren, hilft wegen des hierdurch ausgelösten Ersatzes des Faktors Arbeit durch den Faktor Kapital (*Rationalisierung*) nicht weiter.

3.1 Lohnniveau und Beschäftigung: In der aktuellen Diskussion über die Ursachen der hohen Arbeitslosigkeit spielen das Argument, das *reale* Lohn*niveau* sei zu hoch, sowie die abgeleitete Empfehlung, die Entwicklung des Lohnniveaus abzubremsen, um die Beschäftigung zu erhöhen, eine große Rolle. Die Nachfrage nach Arbeit sei um so geringer, je höher die Kosten des Produktionsfaktors Arbeit seien. Nicht nur werde der teurer werdende Faktor Arbeit durch den sich relativ verbilligenden Faktor Kapital ersetzt, sondern sinkende Gewinne führen zu weniger Investitionen. Die Ursache für Arbeitslosigkeit sieht die *neoklassische* Arbeitsmarkttheorie folglich primär im *Lohnkartell* der Arbeitnehmer- und Arbeitgeberverbände. Die von ihnen ausgehandelten Tariflöhne haben in der Regel den Effekt eines über dem Gleichgewichtsniveau liegenden Mindestpreises (*Mindestlohn*) (*→Arbeitsmarktordnung*).

3.2 Lohnstruktur und Beschäftigung: Darüber hinaus wird eine falsche Lohn*struktur* für die Beschäftigungsprobleme mitverantwortlich gemacht. Die Löhne entsprechen in branchenmäßiger, qualifikatorischer und regionaler Hinsicht nicht den spezifischen Angebots- und Nachfragebedingungen (*Mismatch*). Hieraus resultieren eine Fehlsteuerung der Produktions- und Beschäftigtenstruktur und eine Verringerung des möglichen Beschäftigungsvolumens. Die *keynesianischen* Gegner dieser Position interpretieren den Lohn hingegen als Nachfrage schaffendes Einkommen und folgern, wenn wegen steigender Löhne die Nachfrage wachse, können die Produktion und Beschäftigung ausgeweitet werden (*Kaufkraftargument*) *→Keynesianismus.*

3.3 Lohnfindung im Rahmen der Tarifautonomie: Es lassen sich vier *„lohnpolitische Konzepte“* unterscheiden: 1. *produktivitätsorientierte Lohnpolitik* i. e. S. (Zuwachs der Nominallöhne = Steigerungsrate der gesamtwirtschaftlichen Arbeitsproduktivität); 2. *kostenniveauneutrale Lohnpolitik* (Erhöhung der Löhne = Steigerungsrate der Arbeitsproduktivität +/– Änderung der Nichtlohnkosten); 3. *kostenniveauneutrale Lohnpolitik* (wie 2 + Aufschlag für voraussichtliche „unvermeidbare Preisniveausteigerung“); 4. *umverteilende Lohnpolitik* (+ Umverteilungszuschlag gemäß Kaufkraftargument).

4. „Bündnis für Arbeit“: Bundesregierung sowie Repräsentanten der Wirtschaftsverbände und der Gewerkschaften haben sich am 7. Dezember 1998 bei einem Spitzengespräch darauf verständigt, gemeinsam in einem Bündnis auf einen Abbau der Arbeitslosigkeit hinzuarbeiten und die Wettbewerbsfähigkeit der Wirtschaft nachhaltig zu stärken. Erforderlich für eine positive Entwicklung am Arbeits- und Ausbildungsmarkt sei eine *dauerhafte Zusammenarbeit und Abstimmung zwischen Staat, Gewerkschaften und Wirtschaft.* Die am Bündnis für Arbeit, Ausbildung und Wettbewerbsfähigkeit beteiligten Seiten streben u. a. eine weitere dauerhafte Senkung der gesetzlichen Lohnnebenkosten sowie eine strukturelle Reform der Sozialversicherung an.

Literaturhinweise:
Quellen zur Darstellung und Bewertung von Maßnahmen der Beschäftigungspolitik im INTERNET: www.iab.de/iab/publikationen/publikationen.htm; www.zew.de; www.ilo.org.

Ansgar Belke

Bewegungen auf dem Arbeitsmarkt

	West		Ost	
	1996	**2000**	**1996**	**2000**
		in 1.000		
Abgänge an Arbeitslosen	4.684	4.886	2.101	2.287
Zugänge an Arbeitslosen	4.967	4.650	2.175	2.286
Davon aus				
• Erwerbstätigkeit	2.511	2.171	1.287	1.162
• Betrieblicher Ausbildung	129	132	50	92
• Nichterwerbstätigkeit	2.328	2.346	838	1.032
Zugänge an offenen Stellen	2.388	3.120	890	984
Arbeitsvermittlungen	2.553	2.601	811	917
Durchschnittliche Dauer der Arbeitslosigkeit (in Wochen)	29,3	28,3	27,9	30,9

Quelle: Bundesanstalt für Arbeit Institut der deutschen Wirtschaft Köln

Betriebliches Rechnungswesen: Grundbegriffe

Unter Rechnungswesen als Teildisziplin der Betriebswirtschaftslehre wird die zahlenmäßige Abbildung von wirtschaftlichen Sachverhalten in einem Zeitpunkt verstanden. Zur Bezeichnung und Abgrenzung von Güterbeständen, Schulden, Eigenkapitalströmen etc. eines Unternehmens sind Begriffe definiert worden, die zum Teil auch umgangssprachlich verwendet werden. Man unterscheidet danach vier Rechengrößen:

(1) Einzahlungen und Auszahlungen

Jeder Vorgang, der den Bestand an liquiden Mitteln (Kassenbestände, Guthaben bei Kreditinstituten, Schecks etc.) eines Unternehmens erhöht, wird als Einzahlung, jeder Vorgang, der zu einer Abnahme der liquiden Mittel führt, wird als Auszahlung bezeichnet. Die Differenz von Ein- und Auszahlungen heißt Zahlungsüberschuss bzw. Cashflow. Auf diesem Basisrechnungssystem beruht die Investitions- und Finanzierungsrechnung. Beispiel: Ein Unternehmen verkauft ein Produkt im Wert von 10.000 Euro an einen Kunden, der sofort bar bezahlt. Die liquiden Mittel haben sich erhöht, es hat also eine Einzahlung in Höhe von 10.000 Euro stattgefunden.

(2) Einnahmen und Ausgaben

Einnahmen bezeichnen den geldlichen Wert von veräußerten Gütern und Dienstleistungen, Ausgaben den geldlichen Wert von zugegangenen Gütern und Dienstleistungen. Es liegt also eine Einnahme (Ausgabe) dann vor, wenn das Geldvermögen (liquide Mittel sowie Forderungen abzüglich der Verbindlichkeiten) durch einen Geschäftsvorfall erhöht (vermindert) wurde. Die Differenz von Einnahmen und Ausgaben heißt Finanzsaldo. Beispiel: Ein Unternehmen verkauft am 1.6. Waren in Höhe von 10.000 Euro, die der Kunde abnimmt und bis zum 1.7. zu bezahlen hat. Am 1.6. findet keine Einzahlung statt, da sich die liquiden Mittel noch nicht erhöht haben. Das Unternehmen hat aber bereits am 1.6. eine Forderung gegenüber dem Kunden, so dass eine Einnahme von 10.000 Euro vorliegt.

(3) Erträge und Aufwendungen

Erträge und Aufwendungen stellen die bewertete betriebliche Gütererstellung bzw. den bewerteten betrieblichen Güterverzehr innerhalb einer Abrechnungsperiode (Geschäftsjahr) dar. Es liegt dann ein Ertrag vor, wenn sich das Nettovermögen, d. h. die Summe aus Geldvermögen und Sachvermögen (z. B. Vorräte, Maschinen, Wertpapiere etc.), erhöht. In Deutschland umfassen Erträge alle Erhöhungen des Eigenkapitals, Aufwendungen alle Minderungen des Eigenkapitals. Der Saldo von Erträgen und Aufwendungen heißt Jahresüberschuss bzw. Jahresfehlbetrag. Die beiden Begriffe stellen auf die Zeitpunkte des Verbrauchs von Gütern bzw. der Entstehung von Gütern ab. Im Gegensatz dazu stellt die Einzahlungs-/ Auszahlungsrechnung auf die Zeitpunkte der Bezahlung von bezogenen Gütern bzw. des Zahlungserhalts für gelieferte Güter und die Einnahmen-/ Ausgabenrechnung auf die Zeitpunkte des Bezugs von Gütern bzw. der Lieferung von Gütern ab. Beispiel: Das Unternehmen verkauft Waren, die in der Finanzbuchhaltung mit 8.000 Euro bewertet sind, zu 10.000 Euro. Es entsteht eine Einnahme in Höhe von 10.000 Euro. In Höhe von 8.000 Euro findet eine Erhöhung des Geldvermögens statt, aber keine Erhöhung des Nettovermögens, weil eine gleich hohe Verminderung des Sachvermögens eintritt. Nur die Differenz zwischen höherem Verkaufspreis und Buchwert stellt eine Einnahme und einen über den entstehenden Aufwand hinausgehenden Ertrag, also einen Nettovermögenszugang in Höhe von 2.000 Euro, dar.

Auf diesen Rechengrößen basiert der handelsrechtliche Jahresabschluss, den Kaufleute in Deutschland unter Beachtung gesetzlicher Bestimmungen, insbesondere der Rechnungslegungsvorschriften des Handelsgesetzbuches, erstellen. Da dieser Jahresabschluss auch Unternehmensexternen (z. B. Lieferanten, Banken, Aktionären, Finanzamt) zur Verfügung steht, wird seine Erstellung auch als externes Rechnungswesen bezeichnet.

(4) Erlöse (Leistungen) und Kosten

Im Gegensatz zu den bisher erläuterten Begriffspaaren, die vorwiegend im externen Rechnungswesen benutzt werden, sind Erlöse (oder Leistungen) und Kosten Grundlage der Kosten- und Leistungsrechnung. Die Kosten- und Leistungsrechnung ist Bestandteil des internen Rechnungswesens, das nicht an gesetzliche Vorschriften gebunden ist, also unternehmensindividuell ausgestaltet werden kann und i. A. Außenstehenden nicht zur Verfügung steht.

Leistungen sind die bewertete betriebliche Gütererstellung einer Periode, Kosten sind der bewertete betriebliche Güterverzehr, der Saldo wird als Betriebsergebnis bezeichnet. Erlöse und Erträge sowie Aufwendungen und Kosten stimmen nicht in vollem Umfang überein. Besonders deutlich wird dies bei dem in der Kostenrechnung üblichen Ansatz von sogenannten kalkulatorischen Kosten. Kosten, denen kein Aufwand oder Aufwand in anderer Höhe gegenübersteht, heißen kalkulatorische Kosten, weil sie eigens für die Kosten- und Leistungsrechnung kalkuliert werden. Man unterscheidet z. B. kalkulatorische Abschreibungen, kalkulatorische Zinsen, kalkulatorischen Unternehmerlohn, kalkulatorische Wagniskosten und kalkulatorische Miete. Beispiel: Die kalkulatorischen Zinsen sind die Zinsen, die das betriebsnotwendige Kapital bei alternativer Verwendung erbracht hätte. Berücksichtigt werden damit nicht ausschließlich Fremdkapitalzinsen, die beispielsweise für Kredite gezahlt werden müssen, sondern auch fiktive Zinsen auf das Eigenkapital. Das Eigenkapital muss zwar nicht tatsächlich verzinst werden, es verursacht aber unverzinst dennoch einen Nutzenentgang, weil es anderweitig gewinnbringend angelegt werden könnte (Alternativkosten, Opportunitätskosten).

Literaturhinweise:

BUSSE VON COLBE, W./ PELLENS, B. (1998), *Lexikon des Rechnungswesens*, München, Wien; COENENBERG, A. G. (2003), *Kostenrechnung und Kostenanalyse*, Stuttgart; WÖHE, G. (2002), *Einführung in die Allgemeine Betriebswirtschaftslehre*, München; ENGELHARDT, W. H./ RAFFEE, H./ WISCHERMANN, B. (2004), *Grundzüge der doppelten Buchhaltung*, Wiesbaden.

Marc Richard

Betriebsverfassung

Das Betriebsverfassungsrecht regelt die Zusammenarbeit zwischen dem Arbeitgeber und den Arbeitnehmern eines Betriebes. Die Belegschaft wird dabei durch den Betriebsrat vertreten, der institutionalisierte Beteiligungsrechte hat.

Das Betriebsverfassungsgesetz findet auf Betriebe mit mindestens fünf ständig beschäftigten Arbeitnehmern Anwendung. Die Größe des Betriebsrates ist nach der Zahl der Arbeitnehmer gestaffelt, wobei Teilzeitarbeitnehmer mitzählen, nicht jedoch leitende Angestellte. Arbeiter und Angestellte müssen ihrem zahlenmäßigen Verhältnis entsprechend im Betriebsrat vertreten sein. Betriebsräte mit mehr als neun Mitgliedern (in Betrieben mit über 300 Arbeitnehmern) bilden einen Betriebsausschuss, der die laufenden Geschäfte führt. In Unternehmen mit mehreren Betrieben ist ein Gesamtbetriebsrat zu bilden; innerhalb eines Konzerns mit rechtlich selbstständigen →*Unternehmen* kann ein Konzernbetriebsrat errichtet werden. Besondere Vertretungen für Jugendliche und Auszubildende gibt es in Betrieben mit mindestens fünf Lehrlingen oder Arbeitnehmern unter 18 Jahren. In Betrieben mit wenigstens fünf schwerbehinderten Beschäftigten wählt diese Gruppe eine(n) Vertrauensmann/ -frau.

Das Betriebsverfassungsgesetz gilt nur für privatrechtlich organisierte

Betriebe; für den öffentlichen Dienst findet das Personalvertretungsrecht Anwendung. In sogenannten Tendenzbetrieben mit beispielsweise politischer, karitativer, konfessioneller oder erzieherischer Ausrichtung sind die Rechte der Belegschaftsvertreter beschränkt.

Das Betriebsverfassungsrecht gibt Belegschaften keine Rechte bezüglich der wirtschaftlichen und unternehmerischen Entscheidungen. Die Befugnisse der Betriebsräte beschränken sich auf die gesetzlich vorgesehenen Bereiche: Neben Informationsrechten gibt es besondere Vorschlags-, Anhörungs- und Beratungsrechte. Vorschlagsrechte betreffen beispielsweise die Personalplanung und die Förderung der Berufsausbildung. Anhörungsrechte gibt es vor allem bei einer Kündigung durch den Arbeitgeber. Beratungsrechte existieren hinsichtlich der Arbeitsplatzgestaltung, der Personalplanung, der Berufsausbildung und vor geplanten Betriebsänderungen. In einigen im Gesetz benannten sozialen Angelegenheiten hat der Betriebsrat echte Mitbestimmungsrechte. Sie betreffen vor allem die Arbeitszeitregelung, die Art der Auszahlung der Arbeitsentgelte, die Urlaubsplanung, die Nutzung technischer Einrichtungen und den Gesundheitsschutz.

Betriebsräte und Arbeitgeber können neben formlosen Regelungsabreden auch schriftliche Betriebsvereinbarungen treffen. Ähnlich wie Tarifverträge gelten Betriebsvereinbarungen unmittelbar für alle Arbeitnehmer; einzelvertragliche Abweichungen sind nur zugunsten des Arbeitnehmers zulässig. Betriebsvereinbarungen können sämtliche betrieblichen Angelegenheiten regeln, sofern nicht gesetzliche Bestimmungen entgegenstehen. Auch Tarifverträge gehen den Betriebsvereinbarungen vor. Die Tarifvertragsparteien können allerdings abweichende Betriebsvereinbarungen ausdrücklich gestatten.

In wirtschaftlichen Angelegenheiten dürfen Betriebsräte nicht mitentscheiden; lediglich bei geplanten Betriebsänderungen mit wesentlichen Nachteilen für die Belegschaft gibt es eine Erörterungspflicht. Durchsetzen kann der Betriebsrat in diesem Fall aber einen Sozialplan zur Milderung oder zum Ausgleich der wirtschaftlichen Nachteile für die Arbeitnehmer.

Keine besonderen Mitwirkungsrechte stehen der Betriebsversammlung zu, die der Betriebsrat in regelmäßigen Abständen durchzuführen hat; sie dient lediglich der Information und Aussprache; gleiches gilt für die Jugend- und Auszubildendenversammlung, die – im Gegensatz zur Betriebsversammlung – nicht obligatorisch ist.

Für Unternehmen, die in mehreren Mitgliedstaaten der Europäischen Union tätig sind, sieht eine EU-Richtlinie die Einrichtung eines europäischen Betriebsrates vor. Allerdings hat eine freiwillige Vereinbarung über die Unterrichtung und Anhörung einer europäischen Arbeitnehmervertretung Vorrang vor einem kraft Gesetzes gebildeten europäischen Betriebsrat, der nur zustande kommt, wenn eine Verhandlungslösung zwischen Arbeitnehmern und Arbeitgeber scheitert.

Literaturhinweise:
FABRICIUS, F./ KRAFT, A. (1977), *Betriebsverfassungsgesetz*, 6. Aufl., Neuwied; FITTING, K./ KAISER, H./ HEITHER, F./ ENGELS, G./ SCHMIDT, I. (2000), *Betriebsverfassungsgesetz*, 20. Aufl., München; SCHAUB, G. (1995), *Der Betriebsrat*, 6. Aufl., München.

Gernot Fritz

Bildungs- und Wissenschaftspolitik

Die Bildungs- und Wissenschaftspolitik rückt zu Beginn des 21. Jahrhunderts ins Zentrum der Wirtschaftspolitik. Der Grund dafür ist, dass mehr denn je die wirtschaftliche Existenz und der Erfolg des Einzelnen wie der Wirtschaft als Ganzes von Bildung und Wissenschaft abhängen. Was heute an Wissen und Qualifikationen (Befähigungen) erworben wurde, kann in kurzer Zeit schon auf dem Arbeitsmarkt nicht mehr verwertbar sein. Das gilt für den Facharbeiter ebenso wie für den Ingenieur und für andere Hochschulabsolventen. Während früher eine solide Ausbildung i. d. R. für das gesamte aktive (Arbeits-) Leben ausreichte, ist das seit einigen Jahren aufgrund des rapiden technischen Wandels und der strukturellen Veränderungen der Wirtschaft nicht mehr der Fall.

Die Funktionstüchtigkeit des Bildungs- und Wissenschaftssystems ist deshalb heute noch wichtiger geworden als der einmal erreichte Wissens- und Bildungsstand des Einzelnen und der Gesellschaft. Hauptaufgabe des Bildungssystems und seiner Elemente (Schulen, Universitäten und andere Hochschulen, aus- und weiterbildende Betriebe) ist es, (1) das an Werten, Haltungen, Wissen, Fertigkeiten und Kompetenzen zu vermitteln, was die Gesellschaft für ihr Zusammenleben, was Wirtschaft und Verwaltung benötigen, und (2) die Begabungen und Neigungen der Schüler/ innen und Studierenden ausfindig zu machen und Letztere so zu bilden, aus- und weiterzubilden, dass sie in die Lage versetzt werden, aus ihren natürlichen Anlagen Bestmögliches für sich und die Gesellschaft zu machen. Diese Aufgabe soll das Bildungs- und Wissenschaftssystem möglichst kostengünstig, das heißt unter Verwendung möglichst geringer Ressourcen leisten (Allokationsfunktion).

Soll ein Bildungs- und Wissenschaftssystem dies leisten, muss es entsprechend geordnet und organisiert sein. Im Gegensatz zur staatlichen Verwaltung, die darauf angelegt ist, Gesetze einheitlich auszuführen und den einzelnen Bürger vor dem Gesetz gleich zu behandeln, kommt es hier darauf an, zum einen die verschiedenen Anlagen und Begabungen der Menschen möglichst gut zu erkennen und zu berücksichtigen. Zum anderen sind die vielfältigen Anforderungen von Wirtschaft, Staat und Gesellschaft richtig einzuschätzen, in Bildungsziele und -inhalte (Lehrpläne) umzusetzen und entsprechend die Menschen zu bilden.

Da die Gewinnung von Informationen über die Begabungen der einzelnen Menschen und die zukünftigen Anforderungen von Wirtschaft und Gesellschaft nicht leicht ist und die gewonnenen Informationen zwangsläufig unsicher sind, ist das, was Schulen und Fakultäten (die Lehreinheiten von Universitäten) zu leisten haben, eine echte unternehmerische Aufgabe: nämlich Handeln unter dem Risiko der Fehlentscheidung. Diese Aufgabe unterscheidet sich lediglich inhaltlich von dem, was der gewerbliche →*Unternehmer* am Markt auf eigenes Risiko tut und was die Schule und Fakultät bisher auf die Schüler/ innen bzw. Studierenden abwälzen können. Es versteht sich, dass eine als Teil einer Verwaltung organisierte Schule oder Fakultät dies nicht leisten können; diese sind darauf angelegt, das einheitlich und gleich behandelnd auszuführen, was von oben angeordnet wird.

Die Bildungsverfassung der Bundesrepublik Deutschland trägt diesem Sachverhalt Rechnung, wird aber teils zu sehr vergangenheitsorientiert interpretiert: Sie garantiert die Unverletzlichkeit der Person und freie Entfaltung der Persönlichkeit, die Schulwahlfreiheit und die freie Wahl des Ausbildungsplatzes für den Einzelnen (bei Minderjährigen indirekt durch das elterliche Erziehungsrecht). Sie garantiert ferner die Privatschulfreiheit, also das Recht, private Schulen zu errichten, und gewährt Professoren der Universitäten Freiheit der Forschung und Lehre. Den Lehrern und Schulen wird Freiheit und damit Entscheidungsbefugnis lediglich im Rahmen der gesetzlich vorgeschriebenen Curricula und anderer Normen zugestanden. Allerdings wird ihnen seit einigen Jahren mehr pädagogische Freiheit und Eigenständigkeit (Schulautonomie) gewährt. Man hat erkannt, dass die Schulen für die beschriebene Aufgabe stärker selbst in die Verantwortung genommen werden und entsprechend auch eigenständiger reagieren können müssen.

Der entscheidende Punkt aber ist, dass die Schulen, die zum allergrößten Teil von den Städten und Gemeinden bzw. Gemeindeverbänden getragen werden, wirtschaftlich nicht eigenständig sind, sondern Teil des kommunalen Haushaltes, was die Schulgebäude, -einrichtungen, Lernmaterialien und das nicht pädagogische Personal (Hausmeister, Sekretärinnen) betrifft. Die Lehrer sind Bedienstete des Landes. Für die Universitäten und anderen Hochschulen ist die Situation ähnlich: Sie sind als staatliche Einrichtungen haushaltsrechtlich Teil des Landeshaushaltes.

Die Folge ist, dass Schulen und Hochschulen keine wirtschaftlichen Risiken zu tragen und für ihre pädagogischen, fachlichen und wissenschaftlichen Leistungen ökonomisch nicht gerade zu stehen haben. Zwar gewährt der Staat seit einiger Zeit den Schulen und vor allem den Hochschulen gewisse wirtschaftliche Entscheidungsbefugnisse durch weniger detaillierte Vorgaben, wozu welche Mittel aufzuwenden sind (Haushaltsflexibilisierung, Globalzuweisungen), aber ein existenzielles wirtschaftliches Risiko tragen sie nicht. Schließlich sind Lehrer und Professoren Beamte und werden für ihre pädagogischen Aufgaben und in der Lehre bisher kaum nach Leistung bezahlt.

Hinzu kommt, dass der Staat sich in Deutschland ökonomisch als Produzent von Bildung und Wissenschaft versteht und entsprechend verhält. Die Folge ist, dass die Schulen und Hochschulen einer Vielzahl von Regulierungen und Vorgaben unterworfen sind und sich mehr nach den Vorgaben des Staates richten als unmittelbar nach den Bildungs-, Aus- und Weiterbildungserfordernissen ihrer Schüler/ innen und Studierenden. So entlassen die Schulen und Universitäten ihre Absolventen, ohne sich intensiv und systematisch für deren berufliches Fortkommen zu interessieren und daraus Schlüsse für die eigene Arbeit zu ziehen, wie das erwerbswirtschaftliche Unternehmen am Markt mit Selbstverständlichkeit und ausgefeilten Methoden machen.

Deshalb ist heute eine Reformdiskussion in Gang, ob der Staat die Hochschulen und Schulen nicht stärker in die Eigenverantwortung entlassen soll und lediglich die Rahmenbedingungen (Mindeststandards, Markt- und Leistungstransparenz, Schulpflicht), festlegen sollte, unter denen diese im →*Wettbewerb* um Schüler/ innen und Studierende konkurrieren. Öffentliche Schulen und Hochschulen wären unter diesen Bedingungen mit privaten (staatlich anerkannten) gleichgestellt, und der Staat würde sein Augenmerk nicht mehr auf die Produktion von Bildung richten und sich als Produzent verstehen, sondern als Schützer und Promotor des Bildungsinteresses seiner Bürger. Konflikte, die dadurch entstehen, dass der Staat selbst für das verantwortlich ist, was in Schule und Hochschule geschieht, und er zugleich die Aufsicht (Schul-, Hochschulaufsicht) darüber hat, lassen sich dadurch vermeiden. Hauptaugenmerk des Staates wäre dann der gebildete Bürger, ganz

Eckdaten des deutschen Bildungssystems (1998)

Anzahl der Schüler (2002/03)	9,8 Mio.
Anzahl der Lehrer (2002/03)	676.100
Anzahl der Auszubildenden (2002)	1,6 Mio.
Anzahl der Studierenden (2002/03)	1,9 Mio.
Kosten eines Ausbildungsplatzes (1995)	durchschnittlich ca. 22.000 DM
Ausgaben pro Schüler (2000)	– an Grundschulen ca. 3.600 E – an Hauptschulen ca. 5.100 E – an Realschulen ca. 4.300 E – an Gymnasien ca. 5.200 E – an Berufl. Schulen ca. 3.200 E
Ausgaben je Auszubildeneden (2000)	durchschnittlich ca. 10.300 E
Ausgaben je Studenten (2000)	– an Fachhochschulen ca. 6.000 E – an Universitäten ca. 6.300 E
Ausgaben für Bildung, Wissenschaft und Kultur (2002)	90,5 Mrd. E (entspricht 4,28 % des BIP)

Quelle: Statistisches Bundesamt

gleich woher der Bürger seine schulische und sonstige Bildung, Aus- und Weiterbildung bezieht, ob im eigenen Bundesland oder einem anderen, ob im In- oder Ausland. Der Staat würde Wert darauf legen, dass die besten Schulen, Universitäten und anderen wissenschaftlichen Einrichtungen auf seinem Territorium tätig werden.

Literaturhinweise:
INTERNET: zahlreiche Materialien zum Herunterladen unter www.rhein-ruhr-institut.de; speziell zum SCHULFÖRDERVEREIN: www.schulfoerderverein.de.

Ulrich van Lith

Bildungsfinanzierung

Bildung (Schul-, Hochschulbildung, betriebliche Aus- und Weiterbildung) ist für den Einzelnen ökonomisch eine Investition in die eigenen Anlagen, Fähigkeiten und Fertigkeiten und gesamtwirtschaftlich eine Investition in das Volksvermögen. Letzteres setzt sich aus Humanvermögen (Humankapitalbestand) und dem Sachvermögen eines Landes zusammen. Die Kosten dieser Investition fallen als *Lernkosten* (eigene Mühe bzw. Verzicht auf andere Betätigungen wie Freizeitaktivitäten oder entgeltliche Arbeit, Kosten der Hilfsmittel, wie Schulbücher, Notebook etc.) unmittelbar beim Schüler, Studierenden bzw. Aus- oder Weiterzubildenden an. Als *Unterrichtskosten* bzw. Kosten des Lehrens oder Unterweisens entstehen sie beim Bildungsanbieter (Schule, Hochschule, Betrieb etc.).

Im Gegensatz zu den Kosten dieser Investition fallen die Erträge in der Regel erst Jahre später nach Abschluss der Schule, des Studiums oder der Berufsausbildung an. Erst dann können der Einzelne und die Wirtschaft insgesamt durch das Erlernte und die erworbenen Fertigkeiten Erträge (höheres Geldeinkommen, immaterielle Vorteile wie soziales Prestige, soziale Stellung etc.) erzielen, die er/ sie ohne die Investition in Bildung bzw. Ausbildung nicht erzielt hätten. Eine Investition lohnt sich dann, wenn die Gesamtheit der Erträge die Gesamtkosten, also Lern- und Lehrkosten übersteigen. Trägt der Staat die Unterrichtskosten, lohnt sich individuell Bildung schon dann, wenn die Gesamtheit der individuellen Erträge die Lernkosten übersteigen.

Aus der zeitlichen Differenz zwischen dem Anfall der Kosten (Preis) der Bildung und ihrer Erträge entsteht das Problem der Bildungsfinanzierung: Es sind zunächst Ausgaben zu tätigen für die Lehre (Kosten des Unterrichts bzw. eines Schul-, Hochschul-, Aus- oder Weiterbildungsplatzes) und für das Lernen (Lebenshaltungskosten; eigene Mühe ist zwar ein subjektives Opfer, führt aber zu keiner Ausgabe oder Zahlung). Das Problem der Bildungsfinanzierung wird noch dadurch verstärkt, dass es sich bei der Finanzierung von Schul- und Hochschulbildung um lange Zeiträume (z. B. in Deutschland 10 bzw. 12/ 13 Jahre Schule und mindestens 4,5 Jahre Hochschulbildung) handelt. Dabei fallen die Kosten der Bildung mit hoher Gewissheit an, während die zukünftigen Erträge unsicher sind.

Hinzu kommt, dass es sich bei Schülern/ innen zum großen Teil um Minderjährige handelt, die selbst noch nicht geschäftsfähig und in der Lage sind, den Nutzen von Bildung überhaupt abzuschätzen. Zwar stehen in diesem Fall normalerweise die Eltern oder Erziehungsberechtigten zur Verfügung. Sie haben sogar im Rahmen ihrer Unterhaltspflicht die Aufgabe, für die Erziehung und Bildung – folglich auch für die schulische – Sorge zu tragen und die Kosten zu übernehmen und ggf. vorzufinanzieren. Konsequent fortgedacht würde daraus folgen, dass später, wenn die Erträge aus Bildungsinvestitionen fließen, ein Anspruch der Eltern auf Rückzahlung oder Versorgung im Alter entsteht, wie dies in zahlreichen Kulturen noch der Fall ist, in denen die Familie und die Generationen einer Familie noch einen hohen Zusammenhalt aufweisen und eine wirtschaftliche Einheit bilden (z. B. in asiatischen Ländern, Israel, angelsächsischen Ländern).

In Deutschland hat der Staat die Finanzierungsfunktion für die gesamten Kosten des schulischen Unterrichts und für die Hochschulbildung (Nulltarif) übernommen. Die Familie hat wirtschaftlich entsprechend weniger finanziell vorzusorgen und die gesetzliche Rentenversicherung (→*Rentenversicherung*, →*Parafiski*) hat dazu beigetragen, die Ausbildung der Kinder als wesentlichen Teil der Altersvorsorge zu betrachten. Der Staat beteiligt sich außerdem unabhängig vom Familieneinkommen zum Teil an den Lernkosten durch Unterhaltszahlungen im Rahmen des Familienlastenausgleichs (z. B. Fortzahlung des Kindergeldes nach Vollendung des 18. Lebensjahres bis zur Vollendung des 26., solange der Sohn bzw. die Tochter sich in der Ausbildung befindet) und des BAföG (Bundes-Ausbildungsförderungsgesetz).

Die Finanzierung von Investitionen in Bildung (Investitionen in Humankapital) wird dann zu einem Problem und erfordert eine subsidiäre Funktion des Staates, wenn der Einzelne oder seine Familie die Mittel nicht aufbringen können. Im Gegensatz zu Investitionen in Sachkapital, die es dem Investor ermöglichen, auf dem Kapitalmarkt die notwendigen Gelder aufzunehmen, ist dies bei Investitionen in Humankapital nicht möglich. Der Grund liegt in den Sicherheiten, die der Kreditgeber verlangt, um das Risiko der Rückzahlungsunfähigkeit zu reduzieren. Im Fall von Sachkapitalbildung lässt sich dieses als Sicherheit übereignen. Im Fall der Humankapitalbildung ist das nicht möglich, da ein Zugriff auf das Humanvermögen durch das Grundrecht (Unverletzlichkeit der Person, Unveräußerlichkeit, Verbot der Zwangsarbeit) ausgeschlossen ist.

Dem Darlehnsgeber verbleibt deshalb lediglich ein Zugriff auf den monetären Ertragsstrom (Geldeinkommen), wenn nach Ende der Ausbildung ein Einkommen erzielt wird. Aber auch dieser Zugriff ist beschränkt, soweit es unpfändbares →*Einkommen* ist. Vor allem aber weiß der Darlehensgeber nicht, ob der Darlehensnehmer Jahre später, z. B. nach dem Studium, bereit ist, Arbeit anzunehmen (Familiengründung, Mutterschaft) oder er/ sie arbeitslos wird oder ob er/ sie sich nicht absichtlich der Rückzahlung entzieht (Wohnortswechsel, Wegzug ins Ausland, falsche Einkommensangaben). Aus diesen Gründen sind Banken nur in den Fällen bereit, einen Schulbesuch oder ein Studium vorzufinanzieren, wenn sie auf andere Sicherheiten zurückgreifen können (Sicherheiten durch Sachvermögen, Bürgschaft der Eltern etc.). Es ist deshalb effizienzsteigernd, wenn der Staat als Vorfinanzierer in all den Fällen auftritt, in denen eine Vorfinanzierung (Darlehensfinanzierung) von ertragreichen Bildungsinvestitionen ansonsten unterbliebe. Täte er das nicht, wäre das ein Verlust für den Einzelnen wie für die Gesellschaft insgesamt.

In der Regel übernimmt der Staat aus Praktikabilitätsgründen die gesamte Finanzierung der Unterrichtskosten während der Schulpflichtzeit, in Deutschland sogar darüber hinaus, nämlich die Oberstufe des Gymnasiums und das Hochschulstudium. Außerdem beteiligt er sich über das Kindergeld, BaföG und steuerliche Vergünstigungen an den Kosten der Lebenshaltung.

Während diese Finanzierungsschwierigkeiten für Schul- und Hochschulbildung zutreffen und den Staat herausfordern, ist die Situation im beruflichen Teil der Bildung (Aus- und Weiterbildung) anders: Zum einen ist die zeitliche Differenz zwischen Kosten und Erträgen der beruflichen Ausbildung deutlich geringer. In vielen Berufen decken außerdem die Erträge (produktive Beiträge der Auszubildenden zum Produktionsergebnis des Unternehmens) die Kosten der Ausbildung schon während der Ausbildungszeit. Zum anderen sind die ausbildenden →*Unternehmen* und Betriebe im Gegensatz zu Banken und andern Kreditinstituten bereit, die Kosten der Ausbildung vorzufinanzieren. Sie tun dies, weil sie die Auszubildenden selbst ausgesucht haben, sie wissen, welche Qualifikationen sie in Zukunft im Betrieb benötigen, und sie können mit relativ hoher Sicherheit damit rechnen, dass sie später einen Teil der selbst Ausgebildeten nach Beendigung der Ausbildung im regulären Arbeitsverhältnis beschäftigen werden. Die vorläufige Übernahme der Ausbildungskosten und deren Vorfinanzierung ist für sie vorteilhafter, als sich am Markt fremde Fachkräfte zu höheren Löhnen zu beschaffen.

Dieses Verfahren der Finanzierung der beruflichen Ausbildung hat aber seine Grenze. Es greift nur in den Fällen, in denen Unternehmen und Betriebe bereit sind, Ausbildungsplätze anzubieten. Früher mussten Auszubildende Lehrgeld zahlen, um die Bereitschaft der Unternehmen zur Ausbildung zu erhöhen. Heute wird in diesen Fällen ebenfalls der Staat aktiv und zahlt Zulagen an die Unternehmen oder gibt ihnen steuerliche Anreize, was einer teilweisen Vorfinanzierung gleich kommt.

Unterscheidet man die Bildungsfinanzierung danach, wer die Mittel unmittelbar erhält, so lassen sich grundsätzlich zwei Verfahren der Bildungsfinanzierung unterscheiden: die *Angebotsfinanzierung* und die *Nach-*

fragefinanzierung. Bei der *Angebotsfinanzierung* finanziert der Staat den Schul-, Hochschul- oder Ausbildungsplatz unmittelbar. Die jeweilige Einrichtung erhält nach bestimmten Kriterien (Schüler-, Studenten-, Absolventenzahlen, Kapazitätsverordnung) die Mittel. Von der Angebotsfinanzierung ist deutlich zu unterscheiden, wer Träger der Schulen, Hochschulen und Ausbildungseinrichtungen ist und die Bildung bzw. Ausbildung durchführt (Bildungsproduktion). Dies muss keinesfalls der Staat sein, es können private Schulen oder auch eigenständige öffentliche Schulen sein.

Bei der *Nachfragefinanzierung* erhält der Schüler (Eltern) bzw. der Studierende die finanziellen Mittel, um mit diesen den Schul-, Hochschul-, Aus- oder Weiterbildungsplatz seiner Wahl zu finanzieren. Die Mittel können zweckgebunden in Form von Zuweisungen gewährt werden, etwa auch in Form eines Bildungsgutscheins oder in Form von Darlehen, die unter verschiedenen Bedingungen zurückzuzahlen sind (s. Abb.). Diese Form der Bildungsfinanzierung macht deutlich, dass staatliche Bildungsproduktion und staatliche Bildungsfinanzierung zweierlei Dinge sind. Die letztere würde konsequenterweise auch die Möglichkeit eröffnen, mit staatlichen Mitteln einen Schulplatz oder ein Studium im Ausland zu finanzieren. Voraussetzung wird dabei in der Regel sein, dass es sich um staatliche oder durch eine Akkreditierungseinrichtung anerkannte Schulen und Hochschulen (approved schools, chartered universities) handelt. Für die Entwicklung eines europäischen Bildungsmarktes ist diese Form der Finanzierung von besonderer Bedeutung. Sie macht deutlich, dass der Staat dem Bürger bei der Finanzierung seiner Bildung und Ausbildung behilflich sein und diesen weitestgehend frei entscheiden lassen muss, an welcher Schule oder Universität, ob einer staatlichen oder privaten, im In- oder Ausland er/ sie sein Wissen erwerben möchte.

Literaturhinweise:

LITH, U. van (1985), *Der Markt als Ordnungsprinzip des Bildungsbereichs, Verfügungsrechte, ökonomische Effizienz und die Finanzierung schulischer und akademischer Bildung*, München; DERS. (1998), *Bildungsunternehmertum, seine institutionellen Bedingungen, Finanzierung, Kosten und Nutzen der Bildung*, Mülheim a. d. R.; DERS. (1999), Fortentwicklung der einzelbetrieblichen Finanzierung der Berufsbildung, in: *Handbuch der Aus- und Weiterbildung*, Ergänzungslieferung Nr. 118, Juni 1999, Köln.

Ulrich van Lith

Private Bildungsfinanzierung

Finanzierung der Lehrkosten	Finanzierung der Lernkosten
(Kosten des Schul-, Studien-, Ausbildungsplatzes) • über Preise und Gebühren (Nutzer zahlt) Unterrichts- und Studiengeld, früher auch Lehrgeld für die Berufsausbildung (bei staatlichen Einrichtungen: Schul- u. Studiengebühren) • über freiwillige Leistungen (Spender zahlt direkt oder über Schul-, Hochschulfördervereine) Barspenden (indirekt auch Sachspenden und unentgeltliche Arbeitsleistungen von Eltern, Schülern, Studierenden sowie anderen) Stiftungen • über Nebenleistungen Sponsoring, Werbung, Verkauf von Werbeartikeln wie T-Shirts u. Ä., Vermietung von Räumlichkeiten, Verkauf von Dienstleistungen wie PC-Schulungen u. Ä.	(Fahrkosten, Lernmaterialien wie Lehrbücher, Software, Notebook, Lebenshaltungskosten) • über Eigenmittel (Ersparnisse), Mittel der Eltern • über Stipendien u. a. private Zuwendungen Dritter • über Erwerbstätigkeit, Nebentätigkeiten (eigenständig oder abhängig beschäftigt, ‚jobben')

Staatliche Bildungsfinanzierung

Angebotsorientierte Finanzierung	Nachfrageorientierte Finanzierung
(unmittelbarer Mittelempfänger ist die Schule bzw. Universität) • Institutionelle Finanzierung, strukturierter Haushalt (detaillierte Einzelvorgaben der Mittelverwendung, kein unmittelbarer Zusammenhang zur erstellten Leistung) Defizitdeckungsverfahren z. B. für anerkannte Privatschulen • flexibilisierter Haushalt (begrenzte Übertragbarkeit von Haushaltspositionen: zeitlich, sächlich) • Globalhaushalt: nach Kennzahlen und diskretionär (leistungsbezogen) • Nach Kennzahlen, z. B. Anzahl der Schüler, Absolventen; pro-Kopf-Zuweisungen, pauschal z. B. als pauschale pro-Schüler-Zuweisung an Privatschulen in einigen Bundesländern (Baden-Württemberg, Niedersachsen u.a.)	sowohl die Lehr- als auch der Lernkosten zweckgebunden oder nicht a) vom Familieneinkommen unabhängig • Fixbetrag pro Kopf/ Jahr bzw. Semester als Voll- oder Teilkostenbetrag • Pro-Stück (z. B. Unterrichtseinheit, Vorlesung) als Vollstückkosten- oder Teilkostenzuschuss b) einkommensabhängig, pro Kopf gestaffelt als Bildungsgeld, Gutschein oder im Steuerabzugsverfahren nachträglich von der zu zahlenden Einkommensteuer in absoluten Beträgen bis zu einem Höchstbetrag abziehbar (Bürgergeld, negative Einkommensteuer, wenn der Abzugsbetrag die zu zahlende Einkommensteuer übertrifft: Nettoauszahlung) c) vom zu versteuernden Einkommen bis zu einem bestimmten Betrag absetzbar, z. B. als Sonderausgaben

d) als Darlehen mit fester oder einkommensabhängiger Rückzahlung mit oder ohne Zinssubventionen, Staatsbürgschaft mit speziellen Rückzahlungsfreistellungstatbeständen, wie z. B. Mutterschaft, Arbeitslosigkeit, Invalidität, Tod u. a.
e) als Mischform von Zuschuss und Darlehen: z. B. BaföG, Meister-BaföG
f) sonstige Vergünstigungen (Zuschüsse) zur Kranken- und Rentenversicherung (Anrechnungszeiten), Wohngeld, Zuschüsse zu Eintrittsgeldern öffentlicher Einrichtungen wie Museen, Theater u. a.

Bund, Länder, Gemeinden

In einem mehrgliedrigen Staatswesen müssen die Kompetenzen für öffentliche Aufgaben, Ausgaben und Einnahmen zwischen den einzelnen Ebenen geregelt werden. Für die Aufgabenverteilung kommen zwei grundlegende Modelle in Frage: Bei einer *zentralen* Lösung werden die Aufgaben eher der *über*geordneten Ebene zugewiesen. Der Vorteil einer solchen Regelung wird vor allem in einer größeren *Verwaltungseffizienz* gesehen, da mit der Bündelung von Zuständigkeiten bei der staatlichen Aufgabenerfüllung gewöhnlich Kosten eingespart werden können. Bei einer *dezentralen* Lösung werden die Aufgaben hingegen eher der *unter*geordneten Ebene zugewiesen. Der Vorteil einer derartigen Regelung besteht insbesondere in der größeren *Versorgungseffizienz*, da die staatliche Aufgabenerfüllung näher zum Bürger erfolgen kann. Der Vorzug der einen ist daraufhin jeweils zugleich der Nachteil der anderen Lösung: Einer konsequenten *Zentralisierung* steht entgegen, dass einige öffentliche Leistungen sinnvoll nur vor Ort erbracht werden können (z. B. Bereitstellung von Infrastruktur). Eine konsequente *Dezentralisierung* findet indessen ihre Grenze in dem Bemühen, bei anderen öffentlichen Leistungen eine einheitliche Versorgung aller Bürger verwirklichen zu wollen (z. B. Vermeidung eines West-Ost- oder Stadt-Land-Gefälles).

Für die drei gebietskörperschaftlichen Ebenen in der Bundesrepublik Deutschland – Bund, 16 Länder und über 16.000 Gemeinden – gilt sodann grundsätzlich das *Subsidiaritätsprinzip*: Staatliche Leistungen, deren Wirkungen sich auf einen Ort oder eine Region begrenzen lassen, sind auch örtlich bzw. regional zu regeln. Nur im Fall übergreifender Effekte soll die jeweils höherrangige Gebietskörperschaft zuständig sein. Folgerichtig weist das dem Föderalismus verpflichtete *Grundgesetz* generell den *Ländern* die Ausübung hoheitlicher Befugnisse und die Erfüllung öffentlicher Aufgaben – einschließlich der Gesetzgebungskompetenz – zu. Abweichend davon obliegt dem *Bund* erstens von vornherein eine *ausschließliche* Gesetzgebung bei einigen zentralen Angelegenheiten (z. B. Landesverteidigung). Zweitens kommt dem Bund eine *konkurrierende* Gesetzgebung zu, soweit für alle Bürger gleichwertige Lebensverhältnisse herzustellen oder eine rechtliche oder wirtschaftliche Einheit zu wahren sind (z. B. Rechtswesen und Fürsorge). Drittens kann der Bund an *Gemeinschaftsaufgaben* mitwirken, falls einschlägige Maßnahmen einzelner Länder national von Bedeutung sind und die Lebensverhältnisse verbessern (z. B. Agrarstruktur und Küstenschutz). Für die *Gemeinden* verbleiben zuletzt *freiwillig* übernommene Aufgaben (z. B. Theater), gesetzlich zugewiesene *Pflichtaufgaben* (z. B. Wasserversorgung) sowie *Auftragsangelegenheiten* des Bundes und der Länder (z. B. Standesämter).

Über die Verteilung der Aufgaben auf die inländischen Gebietskörperschaften hinaus ist zum einen in räumlicher Hinsicht noch die *Europäische Union* (→*EU*) als eine vierte Ebene zu berücksichtigen. Ihr sind in Anwendung des Subsidiaritätsprinzips (u. a. Art. 5 EG-Vertrag) ebenfalls eigene Zuständigkeiten übertragen (z. B. Währungswesen). Dies gilt zum anderen aber auch national für die sogenannten →*Parafiski,* denen die soziale Sicherung obliegt (z. B. gesetzliche Arbeitslosen- oder Rentenversicherung). An die Aufgabenverteilung schließt sich eine Verteilung der Ausgaben an, die wiederum durch eine entsprechende Einnahmenverteilung sicherzustellen ist.

Literaturhinweise:

DICKERTMANN, D./ GELBHAAR, S. (2000), *Finanzwissenschaft. Eine Einführung in die Institutionen, Instrumente und ökonomischen Ziele der öffentlichen Finanzwirtschaft,* Herne, Berlin, insb. S. 37 ff.

Klaus Dieter Diller

Bundesagentur für Arbeit

Die Bundesagentur für Arbeit (BA) ist eine (rechtsfähige bundesunmittelbare) Körperschaft des öffentlichen Rechts mit Selbstverwaltung und hat ihren Sitz in Nürnberg. Organe der Selbstverwaltung (durch die Arbeitnehmer, die Arbeitgeber und die öffentlichen Körperschaften) sind Vorstand und Verwaltungsrat sowie die Verwaltungsausschüsse der Landesarbeitsämter und Arbeitsämter. Die BA ist Träger der *„Arbeitsförderung“* nach dem Dritten Buch des Sozialgesetzbuches (SGB III vom 16. Dezember 1997). Historisch folgt die am 1. Mai 1952 gegründete Bundesanstalt für Arbeit nach der nationalsozialistischen „Gleichschaltung“ auf die am 1. Oktober 1927 eingerichtete „Reichsanstalt für Arbeitsvermittlung und Arbeitslosenversicherung“ auf der Grundlage des Gesetzes über Arbeitsvermittlung und Arbeitslosenversicherung (AVAVG) vom 16. Juli 1927, das eine Lücke der Bismarck'schen Sozialversicherungsgesetzgebung geschlossen hatte. Anfang 2002 setzte die Bundesregierung die Kommission ‚Moderne Dienstleistung am Arbeitsmarkt', die sog. ‚Hartz-Kommission', ein. Ihre Aufgabe war es, den Arbeitsmarkt in Deutschland effektiver und die Arbeitsverwaltung effizienter zu machen. Auf der Grundlage der Vorschläge der ‚Hartz-Kommision' wurden vier Gesetze für moderne Dienstleistungen am Arbeitsmarkt („Hartz I-IV") verabschiedet. Als Teil des Reformprozesses, der Ende 2004 abgeschlossen sein soll, wurde die Bundesanstalt für Arbeit am 1. Januar 2004 in Bundesagentur für Arbeit umbenannt.

Schon im 19. Jahrhundert waren vor allem in Großstädten kommunale Arbeitsvermittlungsstellen entstanden. Nach der kriegswirtschaftlichen Arbeitskräftelenkung und dem Aufkommen einer Vielfalt von Einrichtungen für Arbeitsnachweise und Erwerbslosenfürsorge wurde mit der wachsenden Massenarbeitslosigkeit in der Weimarer Zeit die Notwendigkeit einer umfassenden, neutralen und effizienten Arbeitsmarktorganisation deutlich.

Die Verknüpfung eines öffentlichen Beschäftigungsservice mit der Einkommenssicherung bei →*Arbeitslosigkeit* kann als ein erster Schritt einer vorbeugenden (prophylaktischen) →*Sozialpolitik* gegenüber dem Risiko der Arbeitslosigkeit angesehen werden. Das Arbeitsförderungsgesetz (AFG) von 1969 und seine Reform 1997 (AFRG/ SGB III) hatten diesen Vorrang von Vermittlung, Erhaltung der Beschäftigungsfähigkeit und der Eingliederung in reguläre Erwerbstätigkeit durch die Ausweitung und systematische Ausgestaltung eines differenzierten, dezentral einsetzbaren Instrumentariums der *„Aktiven →Arbeitsmarktpolitik"* verstärkt.

Angesichts der besonderen Unvollkommenheiten des Arbeitsmarktes können solche institutionellen Arrangements für die Erwerbsarbeit („Institutionalisierter Arbeitsmarkt") in der ökonomischen Theorie als Möglichkeit zur Wohlfahrtssteigerung begründet werden. Die Gründerväter der →*Sozialen Marktwirtschaft* hatten in dem Bestreben, die historischen Probleme der *„Arbeiterfrage"* zu überwinden, insbes. die Vermeidung von Arbeitslosigkeit zum zentralen Anliegen der Wirtschaftsordnungspolitik gemacht (Ludwig →*Erhard*, Alfred →*Müller-Armack* und Walter →*Eucken*). Die Bundesagentur für Arbeit kann daher als unverzichtbares Element der regulierenden Ordnungsprinzipien für den Arbeitsmarkt in der Sozialen Marktwirtschaft angesehen werden (→*Arbeitsmarktordnung*).

Auch angesichts der in fünf Jahrzehnten erreichten Verbesserungen der Lebenslage der Arbeitnehmer in Deutschland bleibt das Arbeitseinkommen für die Mehrzahl der Erwerbstätigen für die Existenzsicherung entscheidend. Eine private Versicherung gegen das Risiko der Arbeitslosigkeit ist wegen der kollektiven Interdependenz des Eintritts von Schadensfällen bei Konjunktur-,

Struktur- und Wachstumskrisen nicht zu erwarten. Zudem macht die Beeinflussbarkeit des Risikos durch den Betroffenen („moral hazard") Arbeitslosigkeit zu einem privatwirtschaftlich nicht versicherbaren Risiko. Es gibt keinen einheitlichen Gesamtarbeitsmarkt, vielmehr eine „Spaltung" in fachberufliche, qualifikatorische, sektorale und räumliche Teilarbeitsmärkte. Der Arbeitsmarkt ist gekennzeichnet durch eine besonders hohe Intransparenz der Angebots- und Nachfrageseite. Die Arbeitsverträge sind unvollständig und die Mobilität der Arbeitskräfte ist beschränkt. Diese Bedingungen erschweren auf dem Arbeitsmarkt die reibungslose Zusammenführung von →*Angebot und Nachfrage* sowie die einzel- und gesamtwirtschaftlich optimale Lenkung der Ressource „Arbeit" in die Verwendungen, bei denen ein hoher ökonomischer Ertrag durch den Einsatz des Faktors nach Menge und Qualität erzielt wird.

Die BA kann durch Information über Lage und Entwicklung der Arbeitsmärkte, durch Berufsberatung und Vermittlung sowie durch zügige Besetzung offener Stellen den Ausgleich am Arbeitsmarkt unterstützen (§ 1 SGB III). Mit diesem Dienstleistungsangebot schafft die BA eine wichtige Voraussetzung für Arbeitgeber und Arbeitnehmer, ihre besondere Verantwortung für die Entwicklung und Erhaltung beruflicher Leistungsfähigkeit und für die Beschäftigung (§ 2 SGB III) wahrzunehmen.

Trotz der Aufhebung des früheren Monopols der Vermittlung von Arbeitskräften (Vermittlungsmonopol) ist die BA auch in einer Zeit zunehmender Internet-Jobbörsen die einzige umfassend kompetente, neutrale und ortsnah-dezentral verfügbare Institution (mit 10 Regionaldirektionen, 180 Agenturen für Arbeit und 660 Dienststellen). Die BA ist der öffentlich-rechtliche Dienstleister (Public Employment Service) für alle Fragen des Berufs, der →*Aus- und Weiterbildung*, der Mobilität, der →*Beschäftigung* und für Wege zur Gründung einer selbstständigen Existenz.

Die Gewährung von Lohnersatzleistungen im Falle der Arbeitslosigkeit (Arbeitslosengeld, Unterhaltsgeld, Arbeitslosenhilfe) hängt von einer durch Beiträge begründeten Anwartschaft ab und orientiert sich grundsätzlich am vorherigen Erwerbseinkommen. Höhe und Dauer der Ansprüche (sowie deren Beendigung bei Arbeitsaufnahme) werden im internationalen Vergleich vielfach als mit ursächlich für die Hartnäckigkeit hoher Arbeitslosigkeit eingeschätzt.

Um erfolgreiche Dienstleistungen für Arbeitnehmer und Arbeitgeber und für die Sicherung der Beschäftigungsfähigkeit durch vorbeugende Arbeitsförderung anbieten zu können, benötigt die Bundesagentur wissenschaftliche Analysen von Arbeitsmarkt und Beschäftigung, die vom Institut für Arbeitsmarkt- und Berufsforschung der BA (IAB) angefertigt werden (§ 282 SGB III). Neben dem laufenden Controlling für die Umsetzung der geschäftspolitischen Ziele wird der Einsatz des arbeitsmarktpolitischen Instrumentariums einer ständigen Wirkungsanalyse unterzogen.

Die Überprüfung der aktiven Arbeitsmarktpolitik hat wiederholt zu Anpassungen und zur Verbesserung von Effektivität und Effizienz der Arbeitsförderung geführt. Sie hat zudem verdeutlicht, dass die Arbeitsmarktpolitik der BA nur ergänzend zu einer gesamtwirtschaftlichen Wachstums- und →*Beschäftigungspolitik* wirksam sein kann (vgl. § 1 AFG; weniger deutlich: § 1 SGB III). Bei der Bekämpfung der Massenarbeitslosigkeit im Transformations- und Anpassungsprozess Ostdeutschlands wurden diese Einschränkungen einer aktiven Arbeitsmarktpolitik, insbesondere von Arbeitsbeschaffungsmaßnahmen (ABM), bei der Bekämpfung von Arbeitslosigkeit vielfach besonders deutlich, auch wenn dieser Tatbestand nicht immer beachtet wird.

Bei der Beurteilung von Maßnahmen der Arbeitsförderung sind (bei hoher Unterbeschäftigung und mangelnder Arbeitsnachfrage) neben allgemeinen Grundsätzen rechts- und sozialstaatlicher Verwaltung auch die Maßnahmen zur Entlastung des Arbeitsmarktes, die Erhaltung von beruflicher Qualifikation und Beschäftigungsfähigkeit durch Bildungsmaßnahmen sowie die Beiträge zum Ausbau der regionalen Infrastruktur und Brückenfunktionen für Ältere und schwer integrierbare Personengruppen für den Arbeitsmarkt bedeutsam und genießen einen hohen politischen Stellenwert.

Literaturhinweise:

LAMPERT, H. (1997), *Die Wirtschafts- und Sozialordnung der Bundesrepublik Deutschland*, 13. Aufl., München/ Landsberg a. Lech; ROTTENECKER, H./ SCHNEIDER, J. (1996), Geschichte der Arbeitsverwaltung in Deutschland, in: Siebrecht/ Kohl/ Streich, *Aufgaben und Praxis der Bundesanstalt für Arbeit*, Bd. 9; KLEINHENZ, G. (1979), Verfassung und Struktur der Arbeitsmärkte in marktwirtschaftlichen Systemen, in: Lampert, H. (Hrsg.), *Arbeitsmarktpolitik*, Stuttgart, New York, S. 8 ff.

Gerhard D. Kleinhenz

Bundeskartellamt

Das Bundeskartellamt ist die wichtigste der deutschen Kartellbehörden. Als *selbstständige Bundesoberbehörde* ist es dem Geschäftsbereich des Bundesministeriums für Wirtschaft und Arbeit zugeordnet. Infolge des Regierungsumzugs ist sein Sitz von Berlin nach Bonn verlegt worden. Aufgabe des Bundeskartellamtes ist in erster Linie das →*Gesetz gegen Wettbewerbsbeschränkungen* – GWB anzuwenden, das am 1. Januar 1958 zum Schutz des Wettbewerbs in Kraft getreten ist.

Das Bundeskartellamt beschäftigt ca. 300 Angestellte und Beamte, von denen rd. 150 dem höheren Dienst angehören. Dieser besteht fast ausschließlich, etwa jeweils zur Hälfte, aus Juristen und Ökonomen. Entscheidungen über Zusammenschlüsse (Fusionen), Kartelle und Missbrauch von Marktmacht treffen die 11 Beschlussabteilungen des Bundeskartellamtes, von denen jede für bestimmte Branchen zuständig ist. Jeder Fall wird dabei von einem Gremium bestehend aus dem Vorsitzenden der betreffenden Abteilung und zwei Beisitzern dieser Abteilung entschieden. Die Beschlussabteilungen unterliegen dabei keinen Weisungen, sondern entscheiden unabhängig. Im Zuge der 6. GWB-Novelle, die am 1. Januar 1999 in Kraft getreten ist, wurden zusätzlich zwei Vergabekammern des Bundes bei dem Bundeskartellamt eingerichtet. Die Vergabekammern des Bundes sind für die Prüfung der Vergabe öffentlicher Aufträge im Verantwortungsbereich des Bundes zuständig. Ihre Zahl wurde kürzlich auf drei erhöht, um den steigenden Arbeitsanfall zu bewältigen.

Das Bundeskartellamt verfolgt alle Wettbewerbsbeschränkungen, die sich in der Bundesrepublik Deutschland auswirken. Zu seinen Aufgaben gehören im Einzelnen die Durchsetzung des Kartellverbotes, die Ausübung der Missbrauchsaufsicht sowie die Durchführung der Fusionskontrolle (→*Konzentration*). Für die Durchsetzung des Kartellverbots und die Missbrauchsaufsicht ist das Bundeskartellamt allerdings nur insoweit zuständig, als die wettbewerbsbeschränkende Wirkung über ein Bundesland hinausreicht. Bleibt die Wirkung auf ein Bundesland begrenzt, verfolgen die jeweiligen Landeskartellbehörden die Wettbewerbsverstöße. Für die Durchführung der Fusionskontrolle hat das Bundeskartellamt jedoch die ausschließliche Zuständigkeit. Darüber hinaus nimmt es als zuständige Behörde alle Aufgaben wahr, die den Mitgliedstaaten durch die Wettbewerbsregeln des EG-Vertrages übertragen sind. Schließlich nimmt das Amt, gestützt auf seine praktischen Erfahrungen, zu wettbewerbspolitischen und wettbewerbsrechtlichen Fragen Stellung.

Literaturhinweise:
Internet: www.bundeskartellamt.de

Kurt Stockmann

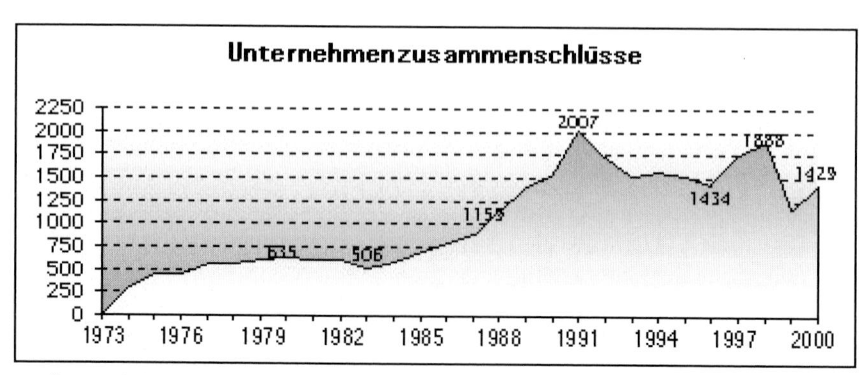

Quelle: Bundeskartellamt

Das Bundeskartellamt – Organigramm

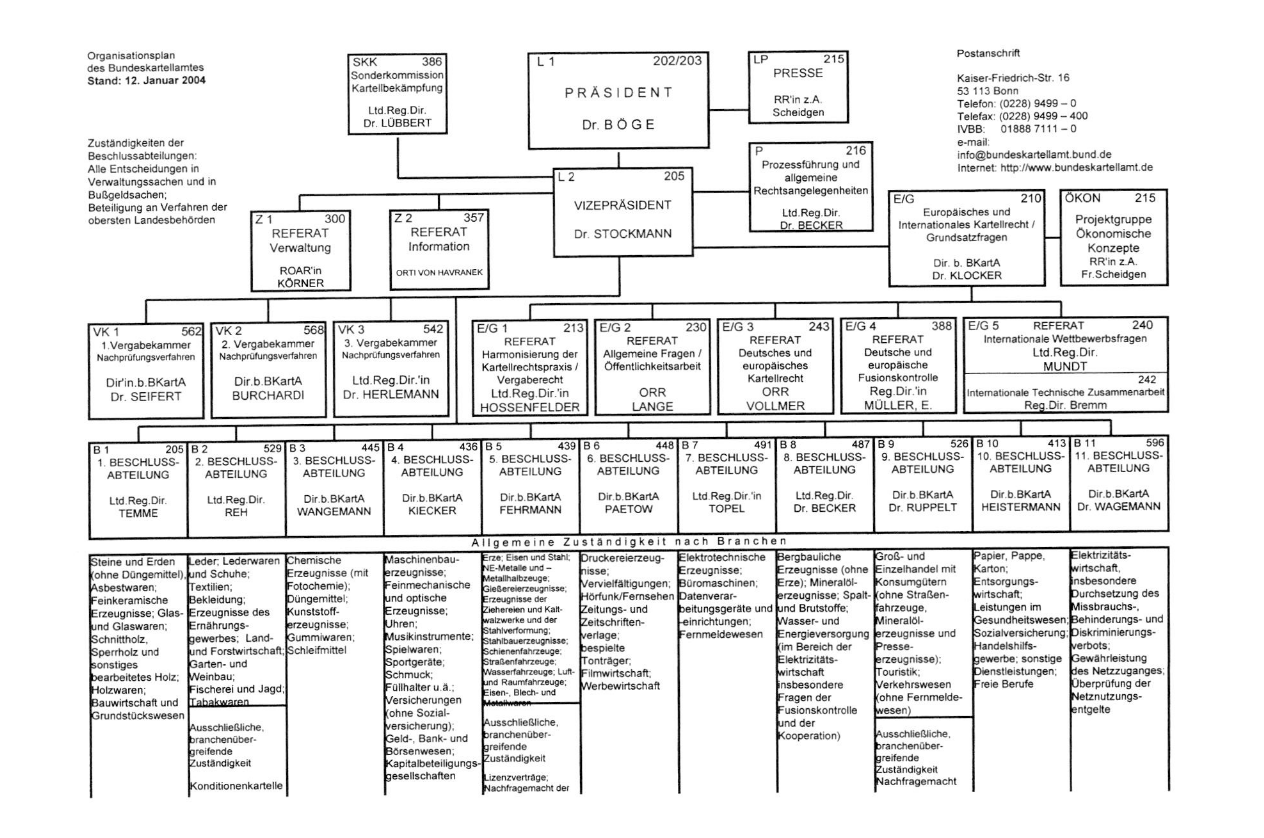

Demographische Entwicklung

1. Fakten

Das 20. Jahrhundert wird als das Jahrhundert der größten Bevölkerungszunahme in die Geschichte der Menschheit eingehen. Lebten um 1900 weltweit gut 1,5 Milliarden Menschen, waren es 1950 bereits 2,5 Milliarden. Am Ende des Jahrhunderts bevölkerten mehr als 6 Milliarden Menschen unseren Planeten. Was vorher mehrerer tausend Jahre bedurfte, erfolgte im 20. Jahrhundert innerhalb weniger Dekaden – eine Vervielfachung der Bevölkerung.

1.1 Wachsende Weltbevölkerung

Das Bevölkerungswachstum wird auch in diesem Jahrhundert weitergehen, wenn auch verlangsamt. Nach Schätzungen der UN dürften im Jahr 2030 etwas mehr als 8 Milliarden Menschen und im Jahr 2050 rund 9 Milliarden Menschen leben. Diese Zahl ist weit von den Katastrophenszenarien entfernt, die eine Bevölkerungsexplosion prognostiziert hatten. Sie bedeutet aber trotzdem eine gewaltige Herausforderung, weil noch einmal 3 Milliarden Menschen mehr als heute Wasser, Nahrungsmittel, Energie und Rohstoffe beanspruchen werden! Allerdings sind knapper werdende natürliche Ressourcen und zunehmende ökologische Probleme weniger die Folge des globalen Bevölkerungswachstums als eher die Konsequenz des individuellen Produktions- und Konsumverhaltens.

1.2 schrumpfende Bevölkerung in Europa

In Deutschland und den andern OECD-Ländern in Europa und Nordamerika ist das Bevölkerungswachstum kein Thema mehr. Im Gegenteil, es zeichnet sich ein Schrumpfen der Bevölkerung ab. Leben heute in Deutschland rund 82 Millionen Menschen, dürften es um 2025 knapp unter 80 Millionen und 2050 nur noch 70 bis 75 Millionen sein, je nach Annahmen über die Größe der Zuwanderung (→*Internationale Wanderungen*).

2. Ursachen

Die Entwicklung der Bevölkerung ist nur vom Verlauf zweier unabhängiger Variablen bestimmt: Geburtenhäufigkeit (Fruchtbarkeit, Fertilität) und Sterblichkeit (Mortalität). Für die nationalen Bevölkerungsgrößen kommt als dritte Unbekannte der (internationale) Wanderungssaldo dazu.

2.1 Viele Geburten bei sinkender Sterblichkeit außerhalb Europas

Das starke Wachstum der Weltbevölkerung im letzten Jahrhundert lässt sich im Kern auf eine ganz einfache Gleichung zurückführen: Die Zahl der Geborenen übertraf bei weitem die Zahl der Gestorbenen. Damit bleibt die Frage zu beantworten, was zu diesem Auseinanderklaffen von Fruchtbarkeit und Sterblichkeit führte. Hier ist zunächst auf die *demographische Transformation* zu verweisen. Damit ist der Rückgang der Sterblichkeit in Afrika, Asien und Lateinamerika vor allem als Folge verbesserter medizinischer, hygienischer und wirtschaftlicher Lebensbedingungen angesprochen, dem erst zeitlich verzögert ein Rückgang der Fruchtbarkeit folgte. Dadurch entstanden die relativ starken Differenzen zwischen Geburten und Sterbefällen.

Zweitens haben die hohen Geburtenziffern der jüngeren Vergangenheit in Afrika, Asien und Lateinamerika zu einem Altersaufbau mit einem relativ gewichtigen Anteil von jungen Frauen geführt, die sich im reproduktionsfähigen Alter befinden oder gar erst in dieses hinein wachsen. Selbst wenn die Fruchtbarkeit ab heute, hypothetisch und aus welchen Gründen auch immer, sehr stark zurück ginge (bspw. auf 2 Kinder pro Familie), würden die Bevölkerungen noch sehr lange sehr stark wachsen. Diese Eigendynamik der Bevölkerungsentwicklung wird noch für einige Jahrzehnte eine weiterhin stark positive Wachstumsrate der Bevölkerung zur Folge haben.

2.2 starker Geburtenrückgang bei steigender Lebenserwartung in Europa

Seit Mitte der sechziger Jahre gehen in den industrialisierten Staaten die Geburtenzahlen zurück. Deutschland bildet dabei keine Ausnahme. Seit dem Höhepunkt des „Baby-Booms" Mitte der sechziger Jahre ist die Fertilität stark zurückgegangen. 1965 brachten 100 in Deutschland lebende Frauen im Laufe ihres Lebens durchschnittlich etwa 250 Kinder zur Welt. Innerhalb einer Dekade (also bis 1975) sank die Geburtenhäufigkeit auf weniger als 150 Kinder. Seither ging diese Zahl weiter zurück – besonders dramatisch nach der deutschen →*Wiedervereinigung*, weil vor allem in den neuen Bundesländern der Kinderwunsch stark zurückging. 1998 brachten 100 Frauen in Deutschland durchschnittlich gerade noch 133 Kinder zur Welt – halb so viele wie eine Generation früher.

Die Nettoreproduktionsrate (NRR) misst die Anzahl der lebendgeborenen Mädchen, die von 100 Frauen einer Generation zur Welt gebracht werden. Eine NRR von 100 bedeutet, dass ein Bevölkerungsstand konstant bleibt, weil eine Frauengeneration gerade durch die von ihr geborenen Töchter „ersetzt" wird. Eine NRR < 100 (>100) bedeutet, dass eine Bevölkerung schrumpft (steigt). Bspw. bedeutet eine NRR von 70, dass eine Bevölkerung innerhalb einer Generation um 30 v. H. schrumpft. Für Deutschland lag die NRR 1960 bei 110, 1975 bei 68, 1990 bei 70 und 1998 bei 66, was bedeutet, dass innerhalb der nächsten Generation die deutsche Bevölkerung um rund 1/3 schrumpfen wird.

Die Gründe für den Geburtenrückgang lassen sich nicht allein in einem singulären Schlüsselereignis finden. So ist auch die These vom „Pillenknick" nicht haltbar. Verhütungsmittel führen zwar zu einem Rückgang der ungewollten Geburten; ihre Verfügbarkeit stellt hingegen nur eine Bedingung, nicht aber die Ursache für den Geburtenrückgang dar. Nicht das Vorhandensein von Verhütungsmitteln ist entscheidend, sondern die Absicht, sie anzuwenden. Für die Er-

klärung des Geburtenrückgangs wichtiger dürften sein:
1. der Funktionswandel der Familie,
2. das neue Rollenverständnis der Frau („Emanzipation“),
3. die Individualisierung der Gesellschaft.

Der Wunsch nach Kindern wird heute verstärkt von den individuellen Interessen beider Lebenspartner geleitet. Hierbei fördert die Tatsache, dass Kinder „kostspielig“ sind, die Tendenz zur Klein- und Kleinstfamilie. Dabei geht es nicht nur um „direkte“ Kosten, sondern ebenso um indirekte (Zeit-) Kosten, die dadurch entstehen, dass wegen der Kinder berufliche (Karriere-) Chancen nicht wahrgenommen werden können.

Das 20. Jahrhundert hat in Deutschland zu einem markanten Anstieg der Lebenserwartung geführt (vgl. nachstehendes Schaubild). 1871 lag die Lebenserwartung bei Geburt für Knaben bei 36 Jahren und für Mädchen bei 38 Jahren. 1910 erreichte sie 45 Jahre für Knaben und 48 Jahre für Mädchen. Wer 1998 geboren wurde, darf damit rechnen, 74-jährig (Männer) bzw. über 80-jährig (Frauen) zu werden. Vor allem die Sterblichkeit im ersten Lebensjahr und zwischen 60 und 80 Jahren ist stark zurückgegangen. Ein weiterer Rückgang der Sterblichkeit wird in diesem Jahrhundert nach dem Stand des heutigen medizinischen Wissens nur sehr verlangsamt vorangehen. Noch ist die Formel zum ewigen Leben nicht gefunden und so konnte gerade die maximale Lebenslänge auch im 20. Jahrhundert nur unwesentlich ausgedehnt werden.

3. Folgen

Mit der Schrumpfung der Bevölkerung in Europa entstehen gewaltige Probleme, die sich aus der veränderten Altersstruktur der Bevölkerung ergeben. Die Zahl der Jungen geht zurück, die Zahl der älteren und alten Deutschen und übrigen Europäer steigt. Es kommt zu einer Alterung der deutschen und europäischen Bevölkerung. Ist heute noch über die Hälfte der Deutschen weniger als 40 Jahre alt, steigt dieses Medianalter bis 2050 um runde 10 Jahre. Zur Jahrhundertmitte wird die Hälfte der in Deutschland lebenden Menschen älter als 50-jährig sein.

Die Alterung einer Gesellschaft lässt sich durch den sogenannten Altersquotienten eindrücklich veranschaulichen. Der Altersquotient (ALQ) drückt das Verhältnis von Rentner(innen) im Alter von 65 Jahren oder älter zur erwerbsfähigen Bevölkerung zwischen 15 und 64 Jahren aus. Ein ALQ von 0,5 bedeutet also, dass einem Rentner zwei Erwerbsfähige gegenüberstehen oder anders ausgedrückt: Es gibt doppelt so viele Erwerbstätige als Rentner(innen). Ein steigender ALQ zeigt, dass einem Rentner immer weniger Erwerbsfähige gegenüberstehen. Bei einem ALQ von eins gibt es gerade gleich viele Rentner wie Erwerbstätige. Für Deutschland ergeben sich für den ALQ folgende Werte: 1991: 0,22; 2000: 0,23; 2020: 0,32; 2040: 0,48. Also: Statt heute vier kommen in 40 Jahren nur noch zwei erwerbstätige

Deutsche auf einen nicht mehr erwerbsfähigen Deutschen.

3.1 Makroökonomische Folgen der demographischen Alterung Europas

Kaum ein Bereich der modernen Dienstleistungsgesellschaft wird von den Folgen der Alterung ausgespart bleiben. Zunächst wird sich eine *Veränderung im Arbeitskräfteangebot* ergeben. Immer weniger junge Arbeitskräfte werden bereit stehen, um die aus dem Produktionsprozess scheidenden älteren Arbeitskräfte zu ersetzen. Das heutige Problem der *→Arbeitslosigkeit* wird hier also in Teilen durch demographische Prozesse entschärft. Nicht auszuschließen ist, dass es sogar zu einem Mangel an jüngeren, leistungsfähigen Arbeitskräften kommt, der dann durch verschiedene Maßnahmen behoben werden könnte:

1. Das Ausschöpfen heute nicht beanspruchter „stiller" Reserven (vor allem Frauen und „Frührentner").
2. Die Flexibilisierung des Rentenalters auch nach oben (bspw. eine Erhöhung des Renteneintrittsalters entsprechend der längeren und weiter steigenden Lebenserwartung).
3. Eine verstärkte Zuwanderung (besonders von jüngeren Fachkräften).
4. Die Beschleunigung des (arbeitssparenden) Produktivitätsfortschritts.

Kurz gesagt, gerade die demographische Entwicklung wird einen stärkeren Einbezug der Frauen und älterer Menschen als Arbeitskräfte- und als Know-how-Reservoir erforderlich machen.

3.2 Wie sicher sind die Renten?

Längerfristig wird die Alterung der (deutschen) Gesellschaft zu einem Problem der *→Rentenversicherung* führen. In Deutschland und nahezu allen andern europäischen Ländern beruht der größte Teil der Altersvorsorge auf einem staatlichen Pflichtversicherungssystem, das nach dem Umlageverfahren finanziert wird.

In einem Umlagesystem finanzieren die Erwerbstätigen durch laufende Einzahlungen in das Rentensystem die auszubezahlenden Renten der nicht mehr Erwerbstätigen. Vereinfacht dargestellt gilt folgende Rentenformel: Die Summe der Beiträge (= Anzahl der Zahlenden multipliziert mit dem durchschnittlichen Beitragssatz, multipliziert mit dem Durchschnittseinkommen) muss der Summe der Auszahlungen (= Anzahl der Rentner multipliziert mit dem durchschnittlichen Rentensatz, multipliziert mit dem durchschnittlichen letzten Erwerbseinkommen) entsprechen.

Umlagesysteme reagieren relativ sensitiv auf Änderungen in der Altersstruktur einer Bevölkerung. Bei der sich in Deutschland abzeichnenden Alterung wird nämlich in der o. g. Rentenformel einerseits die Zahl der Einzahlenden geringer und andererseits die Zahl der Rentenbezugsberechtigten größer. Dadurch müssen entweder die durchschnittlichen Beitragssätze erhöht oder die durchschnittlichen Rentenauszahlungen verringert werden (eine dritte Lösung bestünde in einer ungleichen Verteilung künftiger Produktivitätsfortschritte). Immer stärker gilt es wohl, die (gesetzliche, staatliche, obligatorische) Rentenversicherung auch durch eine zusätzliche zweite Säule zu ergänzen, die auf individueller Eigenvorsorge basiert (bspw. private Ersparnisse). Eine andere Lösung, deren Effekt aber zu schnell überschätzt wird, liegt in der Zuwanderung. Allerdings bedarf es je nach Prognosemodell jährlicher Zuwanderungsströme von mehreren hunderttausend Menschen, um den ALQ auf dem heutigen Niveau halten zu können. Zudem wirken die Zuwanderungseffekte nur temporär, da auch die Einwandernden früher oder später Ansprüche an das von ihnen mitfinanzierte Rentensystem stellen werden (→*Altersrente*).

Literaturhinweise:
BUNDESINSTITUT FÜR BEVÖLKERUNGSFORSCHUNG (BiB) beim Statistischen Bundesamt, *Materialien zur Bevölkerungswissenschaft*, laufende Hefte, Wiesbaden; STATISTISCHES BUNDESAMT, *Statistisches Jahrbuch für Deutschland* (jährlich), Wiesbaden; WELTBANK, *Weltentwicklungsbericht*, (jährlich).

Thomas Straubhaar

Mittlere Lebenserwartung der Neugeborenen in Jahren*

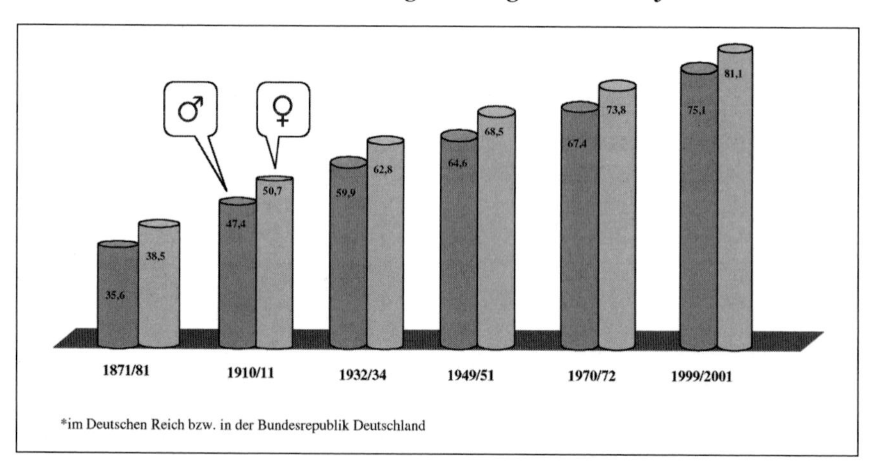

Quelle: Statistische Jahrbücher verschiedener Jahrgänge

Deregulierung

Deregulierung ist Politik der Marktöffnung. Durch sie werden *spezielle* Regulierungen beseitigt, die der Staat oder – mit dessen Einverständnis – Verbände und berufsständische Organisationen zugunsten bestimmter Gruppen von Erwerbstätigen eingeführt haben, z. B. Beschränkungen des Marktzugangs und -austritts (→*Offene Märkte*), Preis- und Mengenvorschriften und zwingende Vertragsgestaltungen. Hinzu kommen gezielte Freistellungen vom generellen Kartellverbot und Sonderstellungen für →*öffentliche Unternehmen*. Solche speziellen Eingriffe in die Gewerbefreiheit sind ökonomisch nur dann gerechtfertigt, wenn ein Markt- oder Wettbewerbsversagen vorliegt. Das ist u. a. der Fall bei positiven oder negativen „externen Effekten" der Produktion und im Konsum, bei „öffentlichen Gütern", bei „natürlichen" Monopolen und bei „Informationsasymmetrien" (ungleicher Informationsstand) zwischen Vertragsparteien. Ohne Regulierung käme es hier zu Fehlentwicklungen. In der Realität sind Marktunvollkommenheiten dieser Art eher selten. Einzelne Regulierungen wirken oft harmlos, aber in der Summe werden sie zu einem Problem, weil sie Verkrustungen und Ineffizienzen sowie ein überhöhtes Kostenniveau in der Volkswirtschaft erzeugen, die das wirtschaftliche Wachstum lähmen und die Erwerbs- und Beschäftigungschancen der Menschen verringern. In Deutschland war bis in die neunziger Jahre hinein etwa die Hälfte der Wirtschaft, besonders im Bereich der Dienstleistungen, mehr oder weniger streng durchreguliert. Für den Arbeitsmarkt gilt das auch heute noch (kollektiver Flächentarifvertrag, überzogene Schutzrechte für Arbeitnehmer, weitreichende →*Mitbestimmungs*regelungen in den Unternehmen) und entsprechend groß sind die Funktionsstörungen mit einer hohen Dauerarbeitslosigkeit im Gefolge. In den vergangenen Jahren sind in verschiedenen Bereichen Regulierungen abgebaut worden, meist im Zusammenhang mit der Vollendung des europäischen Binnenmarkts. Der Telekommunikationssektor, der Luftlinienverkehr und die Stromwirtschaft sind markante Beispiele.

Bei einer Deregulierung geht es nicht immer darum, bestehende Regulierungen ganz abzuschaffen; mitunter reicht es, Regulierungen zu mildern oder zu modifizieren. Abzubauen sind die Regulierungen, wo sie überflüssig geworden sind oder von Anbeginn an waren und wo der Regulierungszweck die gesamtwirtschaftlichen Kosten, insbesondere die Allokationsverzerrungen, offensichtlich nicht rechtfertigt. Von einer Deregulierung kann man sich gesamtwirtschaftlich betrachtet fünf nachhaltige Vorteile versprechen: *Erstens* belebt, wie es im Volksmund so treffend heißt, Konkurrenz das Geschäft. Alle Produzenten, die ja Gewinne machen wollen, werden sich anstrengen müssen, die Produktivität in den Betrieben zu erhöhen und Kosten und Preise zu senken sowie attraktive Waren und Dienstleistungen auf den Markt zu bringen. *Zwei-*

tens führt der vergrößerte Spielraum für eine lohnende Wirtschaftstätigkeit dazu, dass die Produktion zunimmt. Diese Mehrproduktion schlägt sich in einer Mehrnachfrage nach Arbeitskräften nieder. *Drittens* erlauben flexible Märkte eine reibungslose Anpassung der Unternehmen und der Arbeitnehmer an die im Zeitalter der →*Globalisierung* und des Internets tiefgreifenden strukturellen Veränderungen in der Wirtschaft. Ein zügiger Strukturwandel ist wachstumsfördernd und beschäftigungsfreundlich. *Viertens* werden die positiven Beschäftigungseffekte von Flexibilisierungsmaßnahmen auf den Gütermärkten verstärkt, wenn auch die →*Arbeitsmarktordnung* liberalisiert wird. Die Tarifvertragsparteien müssen dann stärker darauf achten, dass die Abschlüsse über den Lohn und die sonstigen Arbeitsbedingungen der Höhe und der regionalen und qualifikatorischen Struktur nach marktgerecht und ausreichend differenziert sind; die Einstellungshürden für Arbeitsuchende werden niedriger, Ausweichreaktionen in die Schattenwirtschaft weniger lohnend. Und *fünftens* können die international mobilen Produktionsfaktoren mit einer attraktiveren Rendite rechnen, wodurch das Land als Investitions- und Produktionsstandort aufgewertet wird; Sachkapital und qualifizierte Fachkräfte wandern zu statt ab, und damit vergrößert sich das gesamtwirtschaftliche Produktionspotenzial.

Die Politik der Deregulierung entfaltet die positiven Wirkungen umso nachhaltiger, je breiter sie angelegt ist. Im Einzelnen wird es natürlich auch Verlierer geben. Nachteilig betroffen sind im Prinzip jene, die bislang durch spezielle Regulierungen vor →*Wettbewerb* geschützt waren. Doch dank der erhöhten gesamtwirtschaftlichen Dynamik, die durch eine umfassende Deregulierung freigesetzt wird, werden diese Benachteiligungen für die meisten Menschen nur vorübergehend sein.

Die Deregulierung muss, um möglichst effektiv zu sein, in dreierlei Hinsicht abgesichert werden. *Erstens* von einer Vereinfachung und Beschleunigung der gesetzlichen und administrativen Genehmigungsverfahren, die für Investitionen und Existenzgründungen von Bedeutung sind. *Zweitens* ist stets zu prüfen, inwieweit bestehende Gesetze, Rechtsverordnungen und Verwaltungsvorschriften fortgelten müssen oder auslaufen können. Eine Flut von Regelungen ist Gift für die wirtschaftliche Aktivität und verleitet zum Rechtsbruch. Und *drittens* braucht die Deregulierung die konsequente Anwendung des Wettbewerbsrechts, damit es nicht zu Kartellabsprachen unter den vormals Regulierten oder zu einem Missbrauch von Anbietermacht zu Lasten der Nachfrager kommen kann. So hat es sich z. B. bei der Deregulierung der Telekommunikation als notwendig erwiesen, asymmetrisch das einstige Monopolunternehmen in verschiedenen Funktionsbereichen (Entgelte für Telefongespräche im Festnetz, Zugang zur Teilnehmeranschlussleitung der Telekom) zu regulieren, um den Wettbewerb durch neue Anbieter überhaupt in Gang zu bringen und zu intensivieren. Die Regulierungen können zurückgeführt werden, sobald genügend Wettbewerb auf den Endkundenmärkten herrscht. Dies sollte eine neutrale Instanz, in Deutschland die Monopolkommission, feststellen.

Nicht Gegenstand der Deregulierung sind die *konstitutiven* Regulierungen. Diese gelten für jedermann und sichern – vor allem im Rahmen der Privatrechtsordnung – die Funktionsfähigkeit der *→Sozialen Marktwirtschaft*.

Literaturhinweise:
DEREGULIERUNGSKOMMISSION (1991), *Marktöffnung und Wettbewerb: Berichte 1990 und 1991*, Stuttgart; BOSS, A./ LAASER, C.-F./ SCHATZ, K.-W. u. a. (1996), *Deregulierung in Deutschland: Eine empirische Analyse*, Tübingen; KNIEPS, G. (2001), *Wettbewerbsökonomie – Regulierungstheorie, Industrieökonomie, Wettbewerbspolitik*, Berlin.

Juergen B. Donges

Deutsche Bundesbank, Europäische Zentralbank

Träger der Geld- und Währungspolitik sind die Notenbanken. Sie stehen gleichsam an der Spitze des Bankensystems und regeln die Geldversorgung der Wirtschaft. In den ersten fünfzig Jahren des Bestehens der Bundesrepublik Deutschland war die Deutsche Bundesbank mit Sitz in Frankfurt verantwortlich für die deutsche Geld- und Währungspolitik. Seit Anfang 1999 ist die Währungshoheit auf das Europäische System der Zentralbanken (ESZB) übergegangen. In der Europäischen Währungsunion sind die nationalen Notenbanken der Teilnehmerländer integraler Bestandteil des Eurosystems geworden, an dessen Spitze die Europäische Zentralbank – EZB, ebenfalls mit Sitz in Frankfurt, steht (*→Europäische Geld- und Währungspolitik*).

Das vorrangige Ziel der EZB – wie zuvor der Deutschen Bundesbank – ist es, *→Preisniveaustabilität* in ihrem Währungsgebiet zu gewährleisten. Mit der Sicherung der Kaufkraft leistet die Zentralbank ihren Beitrag zu einem dauerhaften und angemessenen Wirtschaftswachstum sowie einem hohen Beschäftigungsstand. Eine Wettbewerbsordnung kann auf die Dauer nur funktionieren, wenn das Preisniveau hinreichend stabil ist. Inflation und Deflation führen gleichermaßen zu Verzerrungen bei der Erstellung, Verwendung und Verteilung der gesamtwirtschaftlichen Produktion und sind damit wohlfahrtsmindernd (*→Zielkonflikte in der Wirtschaftspolitik*).

Um ihr Endziel der Preisstabilität zu erreichen, ist die EZB mit einem geldpolitischen Instrumentarium ausgestattet (*→Europäische Geld- und Währungspolitik: Instrumente*), das in Anlehnung an die geldpolitische Praxis und Erfahrung der am Eurosystem teilnehmenden Notenbanken entwickelt wurde. Im Vordergrund stehen marktorientierte Instrumente, die der bestehenden Wettbewerbsordnung im Finanzwesen am besten entsprechen. Durch so genannte Hauptrefinanzierungsgeschäfte können die Banken einmal wöchentlich für eine Laufzeit von einer Woche die benötigten liquiden Mittel (Zentralbankgeld) von der EZB ersteigern. Daneben bietet die EZB – ebenfalls im Versteigerungswege – längerfristige Refinanzierungen für drei Monate an. Für besondere, kurzfristige Liquiditätsbedürfnisse oder für die Anlage von Überschussliquidität können die Geschäftsbanken auf zwei ständige Fazilitäten zurückgreifen: Die Spitzenrefinanzierungsfazilität (die Banken brauchen Liquidität und können sie von der EZB zu einem höheren Zinssatz als bei den Hauptrefinanzierungsgeschäften erhalten) und die Einlagefazilität (die Banken haben überschüssige Liquidität und können sie zu einem niedrigeren Zinssatz bei der EZB anlegen). Die Zinssätze für diese beiden Instrumente bilden einen Korridor, innerhalb dessen sich die Geldmarktsätze für Tagesgeld bewegen. Als Puffer für die Tagesschwankungen der Bankenliquidität dient eine Mindestreserve, welche die Geschäftsbanken bei der Zentralbank halten und im Durchschnitt eines Monats erreichen müssen. Die Mindestreserve errechnet sich als bestimmter Anteil der kurzfristigen Kundeneinlagen bei Banken und kann von der EZB variiert werden, um geldpolitische Ziele zu erreichen.

Die Entscheidungen über den Einsatz der geldpolitischen Instrumente werden zentral im Rat der EZB gefällt und dezentral in den teilnehmenden nationalen Zentralbanken umgesetzt. Der EZB-Rat setzt sich aus den sechs Mitgliedern des Direktoriums der EZB und den zur Zeit (2004) 12 Präsidenten der nationalen Zentralbanken des Eurogebietes zusammen.

Um Zielkonflikte insbesondere zwischen den Regierungen und der primär auf Preisniveaustabilität verpflichteten EZB zu vermeiden, ist der EZB-Rat bei seinen Beschlüssen unabhängig. Seine Mitglieder dürfen Weisungen von dritter Seite weder einholen noch entgegennehmen. Ferner sind alle politischen Institutionen verpflichtet, keinen Druck auf die EZB auszuüben (Art. 108 EGV). Als zusätzlicher Schutz vor politischer Einflussnahme ist es der EZB und den nationalen Notenbanken verboten, Kredite an Einrichtungen der Europäischen Union oder an nationale Regierungen zu gewähren.

Aufgaben, Ziele, Instrumente und Kompetenzen des ESZB entsprechen – wie früher bei der Bundesbank – den Anforderungen an eine →*Soziale Marktwirtschaft*. Das von Walter →*Eucken* geforderte Primat der Währungspolitik ist mit der Schaffung eines effizienten institutionellen Rahmens sichergestellt.

Literaturhinweise:
EUROPÄISCHE ZENTRALBANK (2004), *Die Geldpolitik der* EZB, Frankfurt/ M.; EUROPÄISCHE ZENTRALBANK (2004), *Die Einheitliche Geldpolitik in Stufe 3 – Allgemeine Regelungen für die geldpolitischen Instrumente und Verfahren des Eurosystems*, Frankfurt/ M. (www.ecb.int); ISSING, O./ GASPAR, V./ ANGELONI, I./ TRISTANI, O. (2001), *Monetary Policy in the Euro Area – Strategy and Decision Making at the European Central Bank*, Cambridge; ISSING, O. (1996), *Einführung in die Geldpolitik*, 6., überarbeitete Aufl., München.

Reiner König

Dritte Wege / „Mixed Economy"

Die Ersten Wege (→*Marktwirtschaften*) sind gekennzeichnet durch eigenverantwortliche Individuen, die auf der Grundlage der Vertragsfreiheit und privatwirtschaftlicher Eigentumsrechte (→*Eigentum*) für ihre Entscheidungen haften. Der Bezugspunkt des ordnungspolitischen Handelns ist das Individuum. Auf dem Zweiten Weg, häufig auch Zentralverwaltungswirtschaft genannt, ist festgelegt, was jeder Bürger im Rahmen eines staatssozialistisch organisierten Systems von Befehlen und Zuteilungen (mit dem Charakter eines radikal-egalitären Umverteilungsstaates) zu tun und zu lassen hat (→*Sozialismus*). Der Handlungsraum der Menschen ist auf der Grundlage des verstaatlichten Eigentums an den Produktionsmitteln durchgehend kollektiviert und wird planmäßig für die Ziele der Politik instrumentalisiert. Der Bezugspunkt ordnungspolitischen Handelns ist das Kollektiv. Dazwischen gibt es zahlreiche Versuche, eine Mischung von Kollektiv- und Individualprinzip zum Bezugspunkt ordnungspolitischen Handelns zu machen (daher „Mixed Economy").

Ausgehend vom Zweiten Weg wurde nach dem Zweiten Weltkrieg in Jugoslawien mit der Arbeiterselbstverwaltung, in der Tschechoslowakischen Sozialistischen Republik und in Ungarn mit einer sog. „Synthese von Plan und Markt" experimentiert. Die-

Dritte Wege

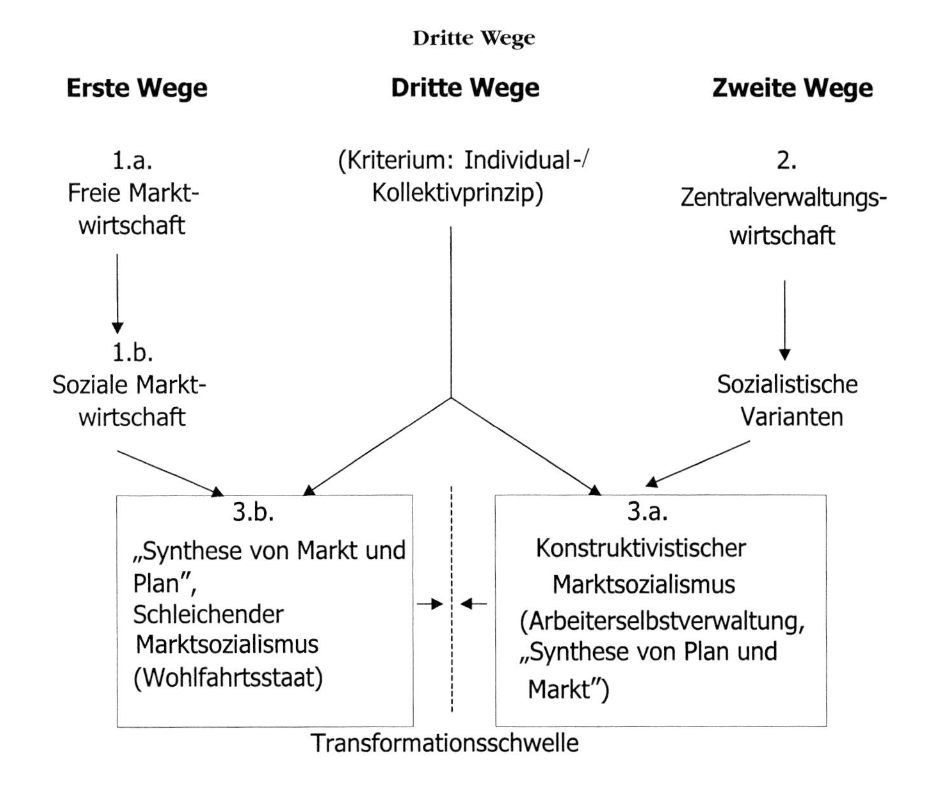

se Dritten Wege, auch „Sozialistische Marktwirtschaften" genannt, relativieren das Kollektivprinzip nur bis zu der Grenze, an der die Dominanz des gesellschaftlichen oder staatlichen Eigentums an den Produktionsmitteln und das Machtmonopol der kommunistischen Partei hätten gefährdet sein können. Die vorherrschende Koordination dieses konstruktivistischen Versuchs, das Kollektivprinzip mit begrenzten Elementen des Individualprinzips zu mischen, äußerte sich in politisierten, bürokratisierten, verantwortungs- und innovationsscheuen Verhandlungslösungen (→*Konstruktivismus*). Diese erschienen freilich gegenüber dem rigiden Befehls-Zuteilungs-System des Zweiten Weges als Fortschritt.

Ausgehend vom Ersten Weg wurden in Westdeutschland seit Ende der 60er Jahre Vorstellungen zur „Synthese von Markt und Plan" entwickelt, die auf der Grundlage der Verstaatlichung von Schlüsselbereichen der Wirtschaft eine Wirtschaftslenkung vorsahen, die mit der zunehmenden Relativierung des Individualprinzips sachlogisch dem Kollektivprinzip im Sinne des Zweiten Weges zum Durchbruch verhelfen sollte. Dazu ist es nicht gekommen.

Demgegenüber wurde seit dieser Zeit in Westdeutschland der Dritte Weg gleichsam *schleichend* über den Ausbau des →*Sozialstaats* eingeschlagen – von den demokratischen und christlichen Sozialisten als Ziel, ja als moralischer Wert an sich, von den marxistischen Sozialisten als Zwischenziel in Richtung Zweiter Weg aufgefasst. Am Beginn des Einbiegens in den Dritten Weg stehen wählerwirksame Einschränkungen des privatunternehmerischen Handlungsspielraums durch eine Verstaatlichung des Sozialen mit dem Anspruch, einen größtmöglichen Einkommensausgleich zu schaffen. Wesentliche Tätigkeiten der Menschen verlieren ihren Privatrechtscharakter und geraten in den Sog der Politik. Der Staat bemächtigt sich hierbei zunehmend der →*Einkommen* der Individuen über Steuern und Sozialabgaben, um diese nach politischen Gesichtspunkten umzuverteilen (→*Sozialpolitik*). Hinsichtlich der Leistungs- und Einkommensbedingungen des Wirtschaftens wird das Äquivalenzprinzip vom Versorgungsdenken verdrängt.

Typische Ordnungsmerkmale des „Schleichenden Marktsozialismus" sind: das Streben nach egalitärer Gerechtigkeit, Kollektive (Verbände, „Bündnisse für ...") als Bezugspunkt ordnungspolitischen Handelns, starke Abneigungen gegen die Wettbewerbs- und Preisfreiheit, eine weitgehende Verstaatlichung der Systeme der sozialen Sicherung. Die daraus entstehenden Verhaltensweisen in der Gesellschaft sind geprägt von tiefgreifenden Fehlanreizen und Verantwortungslücken, einer selbstschädigenden Anspruchshaltung der Bevölkerung gegenüber dem Staat, von einer allgegenwärtigen Gängelung der Menschen durch Verbände und staatliche Stellen, durch einen nachhaltigen Verlust an unternehmerischem Denken und Handeln, von einer zunehmenden Autoritätseinbuße des Staates bei den Bürgern, durch den Verlust an wirtschaftspolitischer Gestaltungs- und Durchsetzungskraft der Regierungen.

Die Grenzen zwischen Erstem und Zweitem Weg verschwimmen. Der Dritte Weg erweist sich als eine verbale Hülse, die – wie aktuell in den deutschen Systemen der sozialen Sicherung – entweder die schleichende Kollektivierung individueller Handlungs- und Gestaltungsrechte verdecken oder – bestenfalls – die mangelnde Akzeptanz eines Ersten Weges rechtfertigen soll.

Literaturhinweise:

SCHÜLLER, A. (2000), *Soziale Marktwirtschaft und Dritte Wege*, ORDO – Jahrbuch für die Ordnung von Wirtschaft und Gesellschaft, Band 51, S. 169-202.

Alfred Schüller
Thomas Welsch

Eigentum

Zu den Grundlagen einer gut funktionierenden →*Sozialen Marktwirtschaft* gehört, dass nicht nur Arbeitskraft und Wissen, sondern auch Häuser, Grundstücke, Mobiliar, Fabriken, Maschinen, Geld, Wertpapiere, Rentenansprüche etc. weitgehend einzelnen Menschen gehören oder „zu eigen" sind, die entscheiden, was damit geschieht. Sie können es verbrauchen oder →*Einkommen* damit erzielen. Sie können es vermieten oder verpachten, es belasten, veräußern, verschenken oder vererben. Sie können damit Arbeitsplätze einrichten, sie verändern oder abbauen.

Die mit dem Privateigentum verbundene Verfügungsmacht über Geld und Gegenstände hilft bei der Entfaltung der eigenen Persönlichkeit wie beim Aufbau und dem Erhalt der Familie (*Entfaltungs- und Familienfunktion*). Es hilft, die materielle Existenz zu sichern, und kann die Unabhängigkeit bei der Wahl des Arbeitsplatzes unterstützen – ganz besonders dann, wenn es den Aufbau eines selbstständigen Unternehmens erlaubt.

Ein stark ausgebildetes Privateigentum von vielen Menschen nützt jedoch nicht nur dem jeweiligen Eigentümer, sondern der Gesellschaft insgesamt, weil es →*Marktwirtschaft* ermöglicht. Es garantiert, dass unabhängig voneinander viele Entscheidungen über das Angebot von Waren und Diensten sowie über Investitionen in neue oder erweiterte Produktionen und Dienste getroffen werden.

Das ist wichtig, weil Entscheidungen immer mit Unsicherheiten oder Risiken behaftet sind. Sie können richtig, falsch oder teilweise richtig bzw. falsch sein. Wird nur von einer Stelle aus entschieden und entscheidet diese Stelle falsch, so ist alles falsch. Entscheiden dagegen viele, so werden manche Entscheidungen falsch, einige sehr gut und viele mittelmäßig sein, doch nach und nach wird die beste Entscheidung ihre Nachahmer finden und weniger gute Entscheidungen werden korrigiert. Das Privateigentum bietet die Grundlage für im →*Wettbewerb* miteinander getroffene Entscheidungen, und die sind ein vorzügliches „Entdeckungsverfahren" für optimale und innovative Lösungen im Interesse der gesamten Gesellschaft (*Dezentralisierungsfunktion*).

Das Privateigentum bildet aber nicht nur die Grundlage für Entscheidungen im Wettbewerb. Es motiviert auch in idealer Weise zu guten wirtschaftlichen Entscheidungen und zu gutem Vollzug. Es erlaubt dem Eigentümer und Entscheidungsträger, durch Gewinne aus richtigen Entscheidungen sein Eigentum zu vermehren, „mit Lust" mehr zu konsumieren oder mehr für weitere Aktionen einzusetzen. Es führt ebenso dazu, dass er für falsche Entscheidungen mit Vermögens- oder Eigentumsverlusten haftet (*Motivationsfunktion*).

Ein weiterer, für viele sogar noch wichtigerer Vorteil des Privateigentums ist, dass es nicht nur wirtschaftlichen Erfolg, sondern gleichzeitig politische Freiheit ermöglicht. Das ist nicht nur eine Folge der wirtschaftlichen Selbstbestimmung oder Souveränität. Wichtige politische Grundrechte wie Versammlungsfreiheit und Meinungsfreiheit kommen am leichtesten dann zum Tragen, wenn rivalisierende politische Gruppen Privateigentümer finden, die ihnen um ihres eigenen Vorteils willen Versammlungshallen, Zeitungsspalten und Sendezeiten zur Verfügung stellen (*Freiheitsfunktion*).

Die Vorteile des Privateigentums werden besonders deutlich, wenn man es dem „Kollektiveigentum" ganzer Völker gegenüberstellt. Im untergegangenen →*Sozialismus* sowjetischer Prägung befanden sich die Produktionsmittel (das Sachkapital) weitgehend in Kollektiveigentum. Das sollte Gleichheit garantieren. Faktisch bedeutete es jedoch extreme Ungleichheit: Die wichtigsten und meisten wirtschaftlichen Entscheidungen wurden nur von wenigen Menschen zentral getroffen, und zwar im Interesse des eigenen Machterhalts. Aus diesem Grund und aufgrund unzureichender Informationen gingen die Entscheidungen an den Bedürfnissen der meisten Menschen vorbei. Sie waren mit schweren Fehlern behaftet, wenig innovativ und wenig motivierend. Für Investitionen blieben vergleichsweise wenig Mittel übrig, und die wurden schlecht eingesetzt. Miserable wirtschaftliche Ergebnisse waren die Folge, die Freiheit verschwand hinter Mauer, Schussapparaten und Stacheldraht.

Das fehlgeschlagene sozialistische Experiment bestätigt nicht nur alle ordnungstheoretischen Forschungen, sondern auch eine biblische Ordnungsregel. Zentrale Verfügung kann nur dann überlegen sein, wenn es sich um einen „weisen Diktator", einen Josef in Ägypten, einen König David oder einen König Salomo handelt. In der Regel kann keineswegs davon ausgegangen werden, dass eine solche Ausnahmepersönlichkeit zur Verfügung steht. Dem Volk Israel wird im Alten Testament eindeutig eine Privateigentumsordnung gegeben, von der auch im Neuen Testament ausgegangen wird.

Das Grundgesetz der Bundesrepublik Deutschland garantiert in Art. 14 das Privateigentum. Es bestimmt gleichzeitig, dass sein Gebrauch dem Wohl der Allgemeinheit (Gesellschaft) dienen soll. Inhalt und Schranken konkreter Eigentumsrechte müssen so festgelegt werden, dass die Privateigentümer durch den Einsatz ihres Eigentums dann am besten verdienen, wenn sie positive Leistungen für die Nachfrager erbringen und sich nicht etwa über Marktmacht, Monopolbildung, Kartelle und Preisabsprachen bereichern. Das →*Gesetz gegen Wettbewerbsbeschränkungen* (GWB) mit allen seinen Einengungen der Eigentumsrechte ist ein Markenzeichen der Sozialen Marktwirtschaft. Ebenso wirken offene Handelsgrenzen und globaler Wettbewerb (→*Globalisierung*) der Bildung von Marktmacht entgegen.

Auch andere rechtliche Regelungen, wie insbesondere die staatliche Abgabenpolitik, bestimmen die Eigentumsrechte mit. Steuern und Abgaben sollen für einen gewissen sozialen Ausgleich sorgen. Dabei darf jedoch die Motivationsfunktion des Privateigentums nicht beschädigt werden. Zu Recht werden daher Abgabenlasten von mehr als der Hälfte des Einkommens als verfassungswidrig eingestuft. Die Funktion des Privateigentums bleibt daran gekettet, dass Eigentumsrechte nicht beliebig, sondern verlässlich sind – bis in die Vererbung hinein.

Das setzt auch der Erbschaftsteuer Grenzen. Wenn Eigentum nicht in ausreichendem Maße nach dem Willen des Eigentümers vererbt werden kann, leiden nicht nur die Motivations- und Familienfunktion, sondern auch die Zukunftsvorsorge in Form von Kapitalbildung für die Gesellschaft insgesamt. Der Privateigentümer wird eher zum Konsum im eigenen Interesse als zur Kapitalbildung im Interesse künftiger Generationen neigen, wenn er das von ihm gebildete Kapital nur sehr eingeschränkt den Erben übertragen kann.

Wenn der Privateigentümer im Gegensatz dazu sein Eigentum weitestgehend so vererben darf, wie er will, wird er sich gleichzeitig auch verpflichtet wissen (Eigentum verpflichtet!), nicht nur für die ökonomische Nachhaltigkeit des Kapitalstocks zu sorgen, sondern auch für die ökologische Nachhaltigkeit (*Nachhaltigkeitsfunktion* des Eigentums). Gerade das Denken in Generationen ist der beste Garant für eine nachhaltige Entwicklung, denn Kinder und Eigentum für die Kinder machen nur dann einen Sinn, wenn das Leben auf diesem Globus lebenswert bleibt.

Zu den Möglichkeiten des Privateigentümers gehört, durch freiwillige Vereinbarungen die Eigentumsrechte sehr differenziert zu gestalten. In ehelichen Gütergemeinschaften, Erbengemeinschaften oder Personengesellschaften kann gemeinsames Eigentum mehrerer Personen begründet sein. In großen Aktiengesellschaften haben die einzelnen Aktionäre kaum noch einen direkten Einfluss auf die Nutzung des Eigentums. Und doch tragen sie mit dem Kauf von neuen Aktien zum dezentralen Entscheidungsprozess bei, indem sie anderen Personen Verfügungsrechte über Kapital zuteilen. Und mit dem Kauf oder Verkauf vorhandener Aktien beeinflussen sie die Aktienkurse. Damit bewerten sie die Ausübung der Verfügungsrechte.

In der modernen Wissensgesellschaft wächst die Bedeutung „geistigen Eigentums". Die Möglichkeiten nehmen zu, in die eigene Person zu investieren und durch die Aneignung von Wissen „human capital" zu bilden. Die jungen Unternehmen der →*New Economy*, meist Internet- und Biotechnologiefirmen, bestehen zum großen Teil aus human capital, in das allerdings auch außenstehende Personen investieren, indem sie den Firmen durch Kredite oder den Kauf ihrer Aktien ermöglichen, ihr Wissen auszubauen und neue Nutzanwendungen zum Beispiel in Ernährung und Gesundheit bereitzustellen. Dabei spielen die Rechte an geistigem Eigentum, zum Teil gesichert durch Patente (→*Patentwesen*), eine große Rolle.

Manche Erwartungen an die New Economy haben sich als übertrieben hoch oder voreilig erwiesen. Bereinigungen bei den Firmenwerten mit empfindlichen Verlusten für Anleger, Unternehmer und Mitarbeiter waren die Folge. Das ist eine unliebsame, aber auch wohl unvermeidliche Begleiterscheinung des *Trail and error*-Innovationsprozesses, der auf unabhängigen Entscheidungen von Privateigentümern beruht. Eine Alternative dazu ist nicht erkennbar. An der langfristig zunehmenden Bedeutung von Eigentum in Form von „human capital", nicht zuletzt generiert durch Bildung, sowie von geistigem Eigentum, nicht zuletzt generiert durch Forschung, wird sich jedoch nichts ändern.

Literaturhinweise:

HÖFER, H./ WITTE, M. (1978), Wozu privates Produktiveigentum?, in: Otto A. Friedrich Kuratorium, *Grundlagen. Eigentum und Politik*, Band 3, Köln; HÖFER, H. (1980), Eigentum, rechtlich und wirtschaftlich, in: *Evangelisches Soziallexikon*, 7. völlig neu bearbeitete und erweiterte Aufl., Stuttgart, Berlin; WILLGERODT, H. (1980), Eigentumsordnung (einschl. Bodenordnung), in: *Handwörterbuch der Wirtschaftswissenschaften* (HdWW), Band 2, Stuttgart u. a.

Heinrich Höfer

Eigenverantwortung

Grundsatz der Eigenverantwortung. Eigenverantwortung bedeutet, dass jedes Individuum für sein Handeln und für die aus diesem Handeln resultierenden Folgen selbst verantwortlich ist.

Eigenverantwortung im Bereich marktwirtschaftlicher Handlungen. Dieser Grundsatz ist in denjenigen Fällen allgemein akzeptiert, in denen ein enger Zusammenhang zwischen Handlung und Folge der Handlung besteht. Beispiele sind unmittelbare Verletzungen des Freiheitsrechts anderer und die Erfüllung von Verträgen: Wer die Freiheitssphäre eines anderen verletzt, fügt diesem materiellen (Sachbeschädigung), immateriellen (Rufschädigung) oder körperlichen Schaden (Körperverletzung) zu. Hier ist es ein fundamentaler Rechtsgrundsatz, dass der Schädiger für den von ihm verursachten Schaden verantwortlich ist und deshalb für diesen aufkommen muss. Ebenso gilt, dass jemand, der sich durch einen Vertrag bindet, grundsätzlich dafür verantwortlich ist, dass er seine vertraglichen Pflichten erfüllt. Andernfalls kann sein Vertragspartner Schadenersatz verlangen.

In anderen Bereichen dagegen ist der Zusammenhang zwischen Handlung und Folge der Handlung weniger offensichtlich. Dies betrifft vor allem die Fälle, in denen ein Marktteilnehmer Einkommensverluste erleidet, ohne sich eines Fehlverhaltens bewusst zu sein. Auch hier gilt aber der Grundsatz der Eigenverantwortung: Bei der Berufswahl etwa werden sich einige Individuen für die Selbstständigkeit entscheiden. Andere werden eine abhängige Beschäftigung vorziehen. Nun bedeutet die Entscheidung für diese oder jene berufliche Tätigkeit keineswegs, dass damit ein bestimmtes →*Einkommen* dauerhaft gewährleistet wäre. Sie bedeutet nicht einmal, dass das Einkommen allein von dem eigenen Verhalten abhängt. Zwar wird man den Konkurs eines Unternehmers, der aus Nachlässigkeit seine Anlagen veralten lässt oder keine zureichende Kostenkontrolle betreibt, als selbstverschuldet bezeichnen. Aber ebenso ist es möglich, dass er ohne eigenes Zutun aus dem Markt verdrängt wird, weil neue Wettbewerber mit völlig neuen und patentierten Produkten in den Markt treten (→*Offene Märkte: Markteintritt und Marktaustritt*).

Ähnliches gilt für den Arbeitnehmer. Eine Entlassung wegen der Verletzung von Arbeitspflichten kann ihm unmittelbar als eigenes Verschulden zugeschrieben werden. Dies gilt jedoch nicht, wenn ihm trotz Fleiß und Engagement gekündigt wird, weil sein Arbeitgeber aus Rationalisierungsgründen die Stelle streicht oder gar in Konkurs geht. In dem Verhältnis zwischen Leistung und Erfolg spielen neben den individuellen Kenntnissen und Fähigkeiten viele Unwägbarkeiten und auch der Zufall eine erhebliche Rolle. Die Entlohnung richtet sich in der →*Marktwirtschaft* nicht ausschließlich nach den Verdiensten und persönlichen Anstrengungen des Unternehmers oder des Arbeitnehmers, sondern nach der anonymen Bewertung der Leistung durch den Markt.

In Fällen, in denen der →*Unternehmer* oder der Arbeitnehmer ohne ihr Zutun ihre →*Beschäftigung* verlieren, gibt es nun meistens auch niemand anderen, der hierfür zur Rechenschaft gezogen werden darf. Beispielsweise ergibt sich aus einem Arbeitsvertrag kein genereller Anspruch auf unbegrenzte Beschäftigung, nicht gegenüber dem Arbeitgeber und schon gar nicht gegenüber Dritten wie etwa den Geschäftspartnern des Arbeitgebers. Daher muss jedes Individuum selbst die Konsequenzen seiner wirtschaftlichen Handlungen tragen, und zwar auch dann, wenn ihn am Scheitern seiner Anstrengungen kein Verschulden trifft.

Da die unmittelbar Beteiligten – der neue Konkurrent des Unternehmers oder der Arbeitgeber des Arbeitnehmers – nicht gezwungen werden können, Abhilfe zu schaffen, könnte man sagen, dass es Aufgabe der Gesellschaft sei, das Unternehmen bzw. die Arbeitsplätze vor der Vernichtung zu retten. Auch das ist jedoch verfehlt. Die Gesellschaft kann nur für das Scheitern einzelner Menschen am Markt einstehen, indem die hieraus resultierenden Lasten den übrigen Individuen auferlegt werden. Da diese in der Regel hierzu nicht freiwillig bereit sind, wäre dies ohne Zwang nicht möglich. Ein solcher Zwang ist jedoch ein unzulässiger Eingriff in die Freiheit des Einzelnen. Hieraus folgt, dass die umfassende individuelle Freiheit aller Bürger nur aufrechterhalten werden kann, wenn sie mit einer gleichermaßen umfassenden Verantwortung für das eigene Schicksal verbunden ist. In der marktwirtschaftlichen Ordnung hat somit jedes Individuum die Konsequenzen seiner wirtschaftlichen Handlungen auch dann zu tragen, wenn ihn am Scheitern seiner Anstrengungen kein Verschulden trifft.

Konsequenzen der Kollektivierung von Verantwortung. Für eine Gesellschaft, in der die Bürger ihre individuelle Verantwortung auf die Gemeinschaft verlagern können, ergeben sich langfristig Auswirkungen, die weit über die in jedem Einzelfall auftretende Verletzung des Freiheitsrechts hinausgehen. Erstens wird durch die fortgesetzte Abschiebung von Verantwortung auf die Gesellschaft die individuelle Freiheit in der Gesellschaft immer mehr von der Macht eines gesellschaftlichen Kollektivs verdrängt, welches den Menschen in dem Maße, wie es deren Verantwortung übernimmt, die Freiheit entziehen muss. Zweitens wird bei den Menschen die zunehmende Erwartung erzeugt, dass andere sich schon um die individuellen Probleme kümmern werden. Die Menschen sind dann immer weniger bereit oder verlernen sogar, Verantwortung zu tragen. Das Streben nach individueller Verantwortungslosigkeit führt somit nicht nur zu einer Verlagerung der Verantwortung auf die Gemeinschaft, sondern auf diese Weise letztlich auch zu ihrer Beseitigung. Dadurch werden auf Dauer die Grundlagen der gesellschaftlichen Ordnung der Freiheit und damit auch der Sozialen Marktwirtschaft zerstört. Denn ein Gemeinwesen, in dem sich die Menschen weder für sich selbst noch für die Gemeinschaft verantwortlich fühlen, ist nicht überlebensfähig.

Literaturhinweise:
EUCKEN, W. (1990), *Grundsätze der Wirtschaftspolitik*, 6. Aufl., Tübingen, S. 279-285; HAYEK, F. A. von (1991), *Die Verfassung der Freiheit*, 3. Aufl., Tübingen, S. 89-104.

Lüder Gerken

Einkommen

Als Einkommen wird der Strom von Gütern (Naturaleinkommen) oder Geldbeträgen (Geldeinkommen) bezeichnet, der einer Person, einem Haushalt oder einem →*Unternehmen* in einer bestimmten Zeiteinheit aus unterschiedlichen Quellen zufließt. Einkommen entsteht im volkswirtschaftlichen Produktionsprozess als Entgelt für den Einsatz der Produktionsfaktoren (Arbeit, Boden, Kapital, →*Produktion und Angebot*). Als Gegenleistung werden die Produktionsfaktoren mit den Faktoreinkommen Lohn und Gehalt, Miete und Pacht, Zins und →*Gewinn* entlohnt (Lohn und Gehalt als Entgelt für geleistete Arbeit; Miete und Pacht als Entgelt für die Bereitstellung von Boden oder die zeitweise Überlassung anderen Sachkapitals; Zins als Gegenleistung für die Bereitstellung von Geldkapital, Gewinn – oder auch Verlust

– als Risikoprämie für den →*Unternehmer*). Die Verteilung des Einkommens, die sich aus dieser Entlohnung der verschiedenen Produktionsfaktoren für ihren Beitrag zum Volkseinkommen ergibt, ist die sogenannte funktionale Einkommensverteilung.

Gesamtwirtschaftlich entspricht die Summe dieser Faktoreinkommen dem Volkseinkommen und damit auch dem Gesamtwert aller durch den Einsatz der Produktionsfaktoren erstellten Waren und Dienstleistungen in einer Zeitperiode (Nettosozialprodukt zu Faktorkosten). Die im volkswirtschaftlichen Produktionsprozess entstehende Verteilung des Einkommens auf die Produktionsfaktoren wird auch als primäre Einkommensverteilung bezeichnet.

Diesen auch als Leistungseinkommen bezeichneten Faktoreinkommen stehen die Transfereinkommen gegenüber. Transfereinkommen fließen Wirtschaftssubjekten ohne (direkte) Gegenleistung aufgrund rechtlicher Ansprüche (z. B. Renten, Pensionen, Arbeitslosengeld) oder aufgrund freiwilliger Zuwendungen durch den Staat (→*Subventionen*) oder durch andere private Wirtschaftssubjekte zu. Nach dieser Umverteilung von Teilen des funktionalen Einkommens durch Transfers (und Steuern) wird aus der primären Einkommensverteilung die sekundäre Einkommensver-

Lorenzkurve

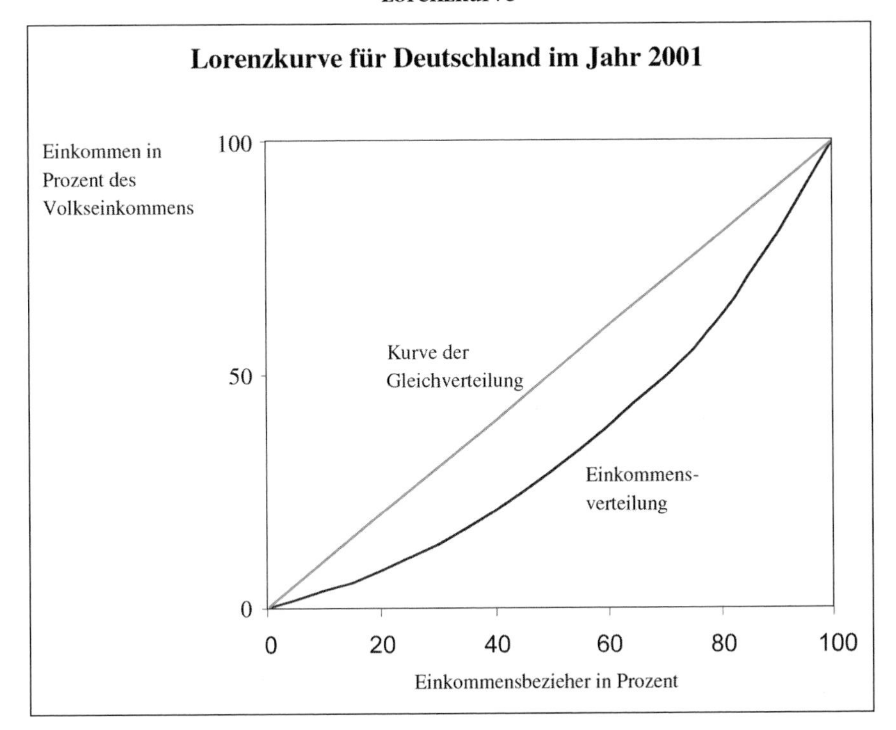

teilung. Diese Umverteilung wird damit begründet, dass die gesellschaftliche Wohlfahrt auch von einer „gerechten“ Einkommensverteilung abhängig ist (→*Soziale Gerechtigkeit*).

Bei allen Auffassungsunterschieden, die auch in der →*Sozialen Marktwirtschaft* noch darüber existieren, was als gerecht gelten kann (Leistungsgerechtigkeit, Startgerechtigkeit, Bedarfsgerechtigkeit), besteht Einvernehmen darüber, dass eine übermäßige Ungleichheit bei der Einkommensverteilung vermieden werden muss. Aus diesem Grund gilt ein progressiv verlaufender Einkommensteuertarif, der höhere Einkommen auch prozentual stärker belastet, als ebenso integraler Bestandteil der Sozialen Marktwirtschaft wie eine Unterstützung derjenigen Bevölkerungsgruppen, die nicht in der Lage sind, ein (ausreichendes) funktionales Einkommen zu erwirtschaften. Beide Maßnahmen können jedoch auch zu einer Minderung der Anreize zur Leistung und damit der Leistungsbereitschaft sowie zu einem vermehrten Ausweichen in die →*Schattenwirtschaft* führen.

Um Fragen der Verteilung der Einkommen auf Bevölkerungsgruppen oder einzelne Wirtschaftssubjekte zu untersuchen, muss von der funktionalen auf die personelle Einkommensverteilung übergegangen werden. Sie berücksichtigt die Summe der Einkommen einer Gruppe von Wirtschaftssubjekten (z. B. der privaten Haushalte oder der Selbstständigen) und trägt der Tatsache Rechnung, dass beispielsweise ein Haushalt in der Regel nicht nur über Lohneinkommen verfügt, sondern auch über Einkommen aus dem Einsatz anderer Produktionsfaktoren (z. B. Vermögenseinkünfte und Mieteinnahmen). Damit ist die personelle

Anteil der Einkommensarten am Volkseinkommen

(in %)

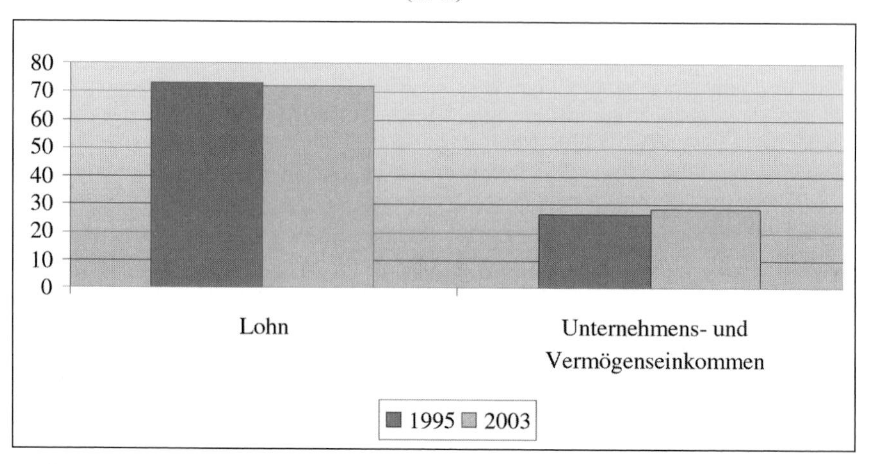

Quelle: Institut der deutschen Wirtschaft Köln

Einkommensverteilung als Ansatzpunkt für die Untersuchung der Einkommensverteilung in einer Volkswirtschaft und für die Verteilungspolitik besser geeignet als die funktionale Einkommensverteilung.

Als Maßstab für die Verteilung der Einkommen in einer Volkswirtschaft wird die Lorenzkurve verwendet (benannt nach dem US-Amerikaner Max Lorenz, der diese Darstellungsform 1905 einführte). Sie stellt dar, wie viel Prozent der Einkommensbezieher (Abszisse) jeweils welchen Anteil am Gesamteinkommen (Ordinate) erhalten. Eine Volkswirtschaft, in der alle Wirtschaftssubjekte das gleiche Einkommen erhielten, wäre durch die Winkelhalbierende dargestellt. Eine ungleiche Verteilung der Einkommen führt zu einer Wölbung der Kurve nach unten. Je weiter eine Verteilungskurve unter der Winkelhalbierenden liegt, um so stärker ist die Konzentration der Einkommen. Als Maß für die Einkommenskonzentration wird der Gini-Koeffizient verwendet. Er setzt die Fläche zwischen der Winkelhalbierenden und der tatsächlichen Einkommensverteilung ins Verhältnis zur gesamten Fläche unter der Winkelhalbierenden.

Literaturhinweise:
STOBBE, A. (1966/ 1994), *Volkswirtschaftslehre 1: Volkswirtschaftliches Rechnungswesen*, Berlin, Heidelberg, New York.

Jörg Winterberg

Entwicklungshilfe, Entwicklungspolitik

Der Begriff *Entwicklungspolitik* umfasst alle Maßnahmen, die zur Verbesserung des Entwicklungsstandes unterentwickelter Staaten (Entwicklungsländer) ergriffen werden. Als Entwicklungsländer bezeichnet man i. d. R. diejenigen Länder, deren Entwicklungsstand in einem als nicht tolerierbar angesehenen Ausmaß unter dem der Industrieländer liegt. Diese Abgrenzung bezieht sich primär auf den Aspekt der Bedürfnisbefriedigung. Der Lebensstandard, d. h. die Möglichkeiten der Menschen, ihre Bedürfnisse zu befriedigen, ist in Entwicklungsländern sehr viel geringer als in Industrieländern. Als Indikator für den Lebensstandard wird häufig die Höhe des Pro-Kopf-Einkommens gewählt. Viele Menschen in Entwicklungsländern leben in absoluter Armut und sind nicht in der Lage, mit ihrem verfügbarem Pro-Kopf-Einkommen ihre Grundbedürfnisse zu befriedigen. Zu den Grundbedürfnissen gehören ausreichende Ernährung, Wohnung und Bekleidung sowie der Zugang zu Bildungs- und Gesundheitseinrichtungen, Trinkwasser sowie öffentlichen Verkehrsmitteln.

Oberstes Ziel der Entwicklungspolitik ist es, den Lebensstandard in Entwicklungsländern insbesondere für die armen Bevölkerungsgruppen zu erhöhen. Entwicklungspolitische Maßnahmen verfolgen zudem wirtschaftliche, politische und gesellschaftliche Teilziele. Aus wirtschaftlicher Sicht orientiert sich die Entwicklungspolitik an drei Zielvorgaben: Grundvoraussetzung für eine Verbesserung des Lebensstandards ist eine verbesserte Güterversorgung durch wirtschaftliches →*Wachstum* (Wachstumsziel). Zweitens muss eine Verteilung der Güter angestrebt werden, welche der Gesellschaft eine maximale Bedürfnisbefriedigung ermöglicht. Das erfordert in fast allen Entwicklungsländern einen Abbau der absoluten Armut und eine Verringerung der Einkommenskonzentration (Verteilungsziel). Drittens sind dauerhafte Verbesserungen des Lebensstandards nur möglich, wenn auch die Umweltwirkungen berücksichtigt werden, die von menschlichen Tätigkeiten ausgehen. Daher muss der entwicklungspolitische Zielkatalog auch ein →*Umweltschutzziel* beinhalten.

Stabile politische, gesellschaftliche und ökonomische Rahmenbedingungen sind eine Grundvoraussetzung zur Verwirklichung der genannten Ziele. Ihr Fehlen ist in vielen Entwicklungsländern das größte Entwicklungshemmnis. Die zentralen Handlungsfelder der wirtschaftlichen Entwicklungspolitik sind neben der Etablierung stabiler Rahmenbedingungen die Förderung der Sachkapitalbildung, die Verbesserung des Bildungs- und Gesundheitsstandes der gesamten Bevölkerung, der Ausbau der Infrastruktur sowie die Errichtung wichtiger Institutionen (u. a. Finanzinstitutionen und soziale Sicherungssysteme).

Während Entwicklungspolitik alle Maßnahmen zur Steigerung des Entwicklungsstandes eines Landes umfasst, bezeichnet der *Entwicklungshilfebegriff* solche Maßnahmen, die vom Ausland zur Unterstützung des Entwicklungsprozesses unterentwickelter Länder ergriffen werden und die ohne den Hilfegedanken in der Form nicht zustande kommen würden (bspw. zinsfreie Kredite). Entwicklungshilfe wird heutzutage i. d. R. als Entwicklungszusammenarbeit bezeichnet und auf vielerlei Weise untergliedert.

Nach Art der Herkunft der Hilfe unterscheidet man zwischen bilateraler und multilateraler Zusammenarbeit. Bei der bilateralen Zusammenarbeit kommen die Hilfsleistungen aus einem einzelnen Geberland. Bei der multilateralen Zusammenarbeit stammen die Hilfsmittel von einer Gruppe von Geberländern oder →*internationalen Organisationen* (Weltbank, Internationaler Währungsfonds – IWF).

Auf funktionaler Ebene unterscheidet man zwischen der finanziellen, personellen und technischen Zusammenarbeit. Im Falle der finanziellen Zusammenarbeit wird den Entwicklungsländern Kapital zu besonderen Konditionen zur Verfügung gestellt. Dies geschieht zumeist über günstige Kredite. Die personelle Zusammenarbeit will über die →*Aus- und Weiterbildung* von Fach- und Führungskräften den Bildungsstand in Entwicklungsländern erhöhen. Die technische Zusammenarbeit vermittelt Technologien sowie organisatorische als auch wirtschaftliche Kenntnisse und Fähigkeiten an Entwicklungsländer. Alle drei Formen der Zusammenarbeit ergänzen sich gegenseitig.

Oftmals wird im Rahmen der Entwicklungszusammenarbeit auch zwischen Programm- und Projekthilfe unterschieden. Während die Projekthilfe direkt für bestimmte Aktivitäten (z. B. Straßenbau) vorgesehen ist, wird die Programmhilfe zur Unterstützung sektoraler und gesamtwirtschaftlicher Reformprogramme vergeben. Die Verwendung der Mittel wird in diesem Fall dem Nehmerland freigestellt, allerdings ist ihre Auszahlung normalerweise an bestimmte Bedingungen (i. d. R. die Umsetzung von Reformen) gebunden (Konditionalität). Die bekannteste Form der Programmhilfe erfolgt innerhalb der Strukturanpassungsprogramme von IWF und Weltbank. Hierbei beschließt ein Land in Abstimmung mit der jeweiligen Geberinstitution ein marktwirtschaftliches Reformprogramm, dessen Umsetzung durch Strukturanpassungskredite unterstützt wird.

Literaturhinweise:
BMZ (2000), *Medienhandbuch Entwicklungspolitik*; HEMMER, H.-R. (1988), *Wirtschaftsprobleme der Entwicklungsländer*; WELTBANK (laufende Jahrgänge), *Weltentwicklungsbericht*; sowie die Homepage der Weltbank: htttp://www.worldbank.org.

Hans-Rimbert Hemmer

Erblastentilgungsfonds

Die Über- und Neuaufnahme von Schulden als Folge der deutschen →*Wiedervereinigung* erfolgte zu einem erheblichen Teil durch neu geschaffene Sondervermögen des Bundes. Der sog. Kreditabwicklungsfonds übernahm die Schulden des DDR-Staatshaushalts aus der „Wendezeit". Banken und Wirtschaftsunternehmen wurden Ausgleichsforderungen gegen den Fonds „Währungsumstellung" eingeräumt, um ihre Bilanzen auszugleichen. Dies war erforderlich, da die Umstellung von Aktiva (Forderungen) und Passiva (Verbindlichkeiten) von Mark (der DDR) auf DM nicht im gleichen Verhältnis erfolgte. Darüber hinaus wurden den Banken Ausgleichsforderungen eingeräumt, um notwendige Abschreibungen von Forderungen an nicht mehr sanierungsfähige →*Unternehmen* auszugleichen und ihr Eigenkapital auf 4 v. H. ihrer Bilanzsumme aufzustocken. Auch die Verbindlichkeiten des Ausgleichsfonds wurden in den Kreditabwicklungsfonds eingestellt. Ferner wurde die →*Treuhandanstalt* gegründet, deren Aufgabe die →*Privatisierung* marktfähiger und die Abwicklung nicht marktfähiger Unternehmen war. Sie konnte indes die damit verbundenen Ausgaben (u. a. für die Übernahme von Altkrediten, Investitionshilfen und Sozialplänen) nicht durch Verkaufserlöse (Privatisierung von Unternehmen) decken, so dass ihre Schlussbilanz 1994 Verbindlichkeiten von knapp 105 Mrd. Euro aufwies.

Der Erblastentilgungsfonds übernahm 1995 als neu geschaffenes Sondervermögen des Bundes die Verbindlichkeiten des Kreditabwicklungsfonds, der Treuhandanstalt, aber auch die Altverbindlichkeiten ostdeutscher Wohnungsunternehmen und privater Vermieter von Wohnraum. Ferner werden die seit 1995 entstandenen und noch entstehenden Ausgleichsforderungen in den Fonds eingestellt. Die Fondsverbindlichkeiten können zudem noch auf Grund weiterer Teilentlastungen nach dem Altschuldenhilfegesetz geringfügig anwachsen. Das Bundesministerium der Finanzen verwaltet den Fonds, der Bund haftet für dessen Verbindlichkeiten. Damit wurde eine weitgehende Konsolidierung der im Gefolge der Deutschen Einigung entstandenen Sondervermögen erreicht. Ausgeklammert blieben letztlich nur Vermögen mit einer Sonderstellung: Das Bundeseisenbahnvermögen, dem die Altschulden von Reichsbahn (der DDR) und Bundesbahn übertragen wurden, sowie der Fonds Deutsche Einheit, dessen Zins- und Tilgungsverpflichtungen vom Bund *sowie* den westdeutschen Ländern und ihren Gemeinden getragen werden. Der Bund übernimmt im Zuge der Neuordnung des Finanzausgleiches ab 2005 die Annuitäten des Fonds Deutsche Einheit bis zu seiner Auflösung Ende 2019. Er erhält im Gegenzug einen festen Anteil am Umsatzsteueraufkommen von knapp 1,32 Mrd. Euro. Eine bestehende Restschuld bei seiner Auflösung von bis zu 6,54 Mrd. Euro geht vollständig auf den Bund über; an Beträgen, die darüber hinaus gehen, beteiligen sich die westdeutschen Länder (einschließlich West-Berlin) zu 53,3 Prozent.

Während bis Ende 1994 bestehende Zins- und Tilgungsverpflichtungen der einigungsbedingten Schulden i. d. R. durch Neuverschuldung finanziert wurden, werden die Schulden des Erblastentilgungsfonds gezielt abgebaut. Der Fonds erhielt von 1995 bis 1998 46,7 Mrd. Euro an Zuführungen aus dem Bundeshaushalt (anfänglich jährlich 7,5 v. H. der Bruttoverbindlichkeiten des Fonds) sowie 12,8 Mrd. Euro an Bundesbankgewinnen (derjenige Teil der Bundesbankgewinne, der den Betrag von 3,5 Mrd. Euro überstieg). Damit konnten nicht nur die fälligen Zinsen beglichen werden, sondern der Schuldenstand um etwa 25,1 Mrd. Euro verringert werden. Der Erblastentilgungsfonds tilgte aber nicht nur Schulden, sondern übernahm 1997 zusätzlich noch bestehende kommunale Verbindlichkeiten für den Bau gesellschaftlicher Einrichtungen. Als Gegenleistung zahlen die neuen Bundesländer dem Bund 143 Mill. Euro p. a. bis zur Auflösung des Erblastentilgungsfonds. Dies entspricht der Hälfte der jährlichen Annuität für diese kommunalen Altkredite.

Im Haushaltsjahr 1999 wurde der Erblastentilgungsfonds in den Bundeshaushalt integriert, d. h. Tilgung und Zinszahlungen werden seitdem im Rahmen des allgemeinen Schuldendienstes des Bundes geleistet (→*Staatsverschuldung*). Dies bedeutet auch, dass der Bund die Anschlussfinanzierung fälliger Verbindlichkeiten übernimmt. Die weiterhin zugeführten Bundesbankgewinne und die Zahlungen der ostdeutschen Länder werden nunmehr *ausschließlich zur Tilgung fälliger Verbindlichkeiten eingesetzt* (sog. Tilgungsbeitrag des Fonds). Darüber hinaus erzielt der Fonds weitere Einnahmen, u. a. aus Privatisierungserlösen der Wohnungsunternehmen, die für Ausgaben im Zusammenhang mit der Abwicklung von Außenhandelsbetrieben eingesetzt werden. Liquiditätsüberschüsse des Fonds werden an den Bundeshaushalt abgeführt.

Ende 2003 beliefen sich die Schulden des Erblastentilgungsfonds auf nur noch etwa 33 Mrd. Euro, gegenüber dem zwischenzeitlichen Höchststand der Schulden ohne Tilgungen von 181,4 Mrd. Euro. Mittels der Einnahmen aus der Versteigerung der UMTS-Lizenzen wurden 2001 außerplanmäßig 34 Mrd. Euro getilgt. Die letzte planmäßige Verbindlichkeit des Erblastentilgungsfonds steht 2011 zur Tilgung an.

Literaturhinweise:

DEUTSCHE BUNDESBANK (1997), *Die Entwicklung der Staatsverschuldung seit der deutschen Vereinigung*, Deutsche Bundesbank Monatsbericht, 3, S. 17-31; BUNDESMINISTERIUM DER FINANZEN (2003), *Finanzbericht 2004*, S. 51 f.

Ullrich Heilemann
Hermann Rappen

EU-Reformen und -Vertiefung: Politische Aspekte

Angesichts der beachtlichen Dynamik des europäischen Integrationsprozesses unterlag der ursprünglich in den Jahren 1952 bzw. 1958 für sechs Gründerstaaten und eine eng begrenzte Anzahl von Politikbereichen entwickelte Gemeinschaftsrahmen vielfachen Änderungen. Auf den Regierungskonferenzen, die zur Einheitlichen Europäischen Akte (Inkrafttreten 1987), zum Maastrichter und Amsterdamer Vertrag über die Europäische Union (1993 und 1999) sowie zum Vertrag von Nizza (2003) führten, wurde das ursprüngliche Vertragswerk umfassend ergänzt und differenziert. Entwickelte sich die Europäische Gemeinschaft von einer Zollunion zu einem Binnenmarkt, beschäftigen sich die Organe und Gremien der Union spätestens seit dem Maastrichter Vertrag – wenn auch nach variierenden Verfahren – mit modernen staatlichen Aktivitätsbereichen wie Umwelt- und Verbraucherschutz sowie fast allen originären Staatsaufgaben, wie z. B. innere und äußere Sicherheit. Die Regelungsbreite und -dichte der Gemeinschaft hat ebenfalls deutlich zugenommen.

Da die Ausweitung der behandelten Politikfelder und Kompetenzzuweisungen jedoch nicht mit einer entsprechenden Reform der Gemeinschaftsorgane, wie sie in den Römischen Verträgen (1958) konzipiert wurden, einherging, bestand für die EU – insbesondere mit Blick auf die geplanten Erweiterungsrunden um die Staaten Süd-, Mittel- und Osteuropas – beträchtlicher Reformbedarf. Um die Vertiefung der Union, die „Verwirklichung einer immer engeren Union der Völker Europas“ (Art. 1 des EU-V) zu erreichen, sah sich die Gemeinschaft veranlasst, neben der Reform zentraler Politikfelder (Agrar- und Strukturpolitik) auch die Funktionsweise der Institutionen (Größe und Zusammensetzung der Kommission, Stimmwägung im Rat, Ausweitung von Abstimmungen mit qualifizierter Mehrheit) zu prüfen. Nachdem der Europäische Rat in Berlin mit der im März 1999 beschlossenen Agenda 2000 bereits die Reform der Gemeinsamen →*Agrarpolitik* und Maßnahmen zur Gewährleistung des wirtschaftlichen und sozialen Zusammenhalts einleitete, war der Vertrag von

Nizza als das Fundament institutioneller Reformen gedacht.

Ein Schwerpunkt des Nizzaer Reformprozesses lag auf der Neugewichtung der Stimmen im Rat. Da mit Blick auf kommende Erweiterungsrunden die bevölkerungsschwachen Mitgliedstaaten einen Stimmvorteil gegenüber den großen Staaten erhalten würden, hätten im negativsten Fall Entscheidungen mit qualifizierter Mehrheit getroffen werden können, hinter denen nicht einmal die einfache Mehrheit der gesamten Bevölkerung stünde. Daneben drohte eine starke Verzerrung der Bevölkerungsgewichte einzelner Mitgliedstaaten. In Nizza wurde aus diesem Grund eine stärkere Spreizung der Stimmen vorgenommen, die nun von 29 (Deutschland) bis 3 Stimmen (Malta) reicht, und drei Hürden vorsieht. Demzufolge ist für einen Rechtsakt zusätzlich zur qualifizierten Mehrheit (in Abhängigkeit von der Anzahl der Mitgliedstaaten rund 71 bis 74 Prozent der Stimmen) und einer einfachen Mehrheit der Mitgliedstaaten – auf gesonderten Antrag hin – noch ein Quorum von 62 v. H. der EU-Bevölkerung notwendig. Mit diesem Reformschritt wurde die künftige Hürde für Mehrheitsentscheidungen erschwert, da in einer auf 27 Mitgliedstaaten erweiterten Union weder die bisherigen 15 EU-Mitglieder noch die dann 13 größten oder 22 kleinsten Mitgliedstaaten allein eine gestaltende Mehrheit bilden. Im Gegensatz zur Stimmwägung im Rat orientiert sich die Neuverteilung der Sitze im Parlament stärker an demographischen Maßgaben. Die Bundesrepublik, die in einer 27er EU ca. 17 Prozent der Bevölkerung stellen würde, kommt dabei mit unverändert 99 Stimmen auf einen Anteil von 13,5 Prozent der Sitze.

In Anbetracht der rund 70 Artikel der Gemeinschaftsverträge, die der Einstimmigkeit unterliegen, gehörte auch die Ausweitung von Mehrheitsentscheidungen zu den Kernpunkten institutioneller Reform. Mit dem Vertrag von Nizza wurde der Bereich der Mehrheitsentscheidungen um weitere 28 Punkte erweitert, zentrale auf europäischer Ebene geregelte Politikbereiche wie etwa die Steuerpolitik unterliegen jedoch unverändert der Einstimmigkeitserfordernis.

Angesichts der ernüchternden Ergebnisse von Nizza und positiver Erfahrungen mit dem Grundrechtekonvent wurde die Idee vorangetrieben, für eine weit reichendere Reform der EU einen öffentlich tagenden Konvent einzusetzen. Auf Grundlage der Laekener Erklärung tagte _ unter Leitung von Präsident Valéry Giscard d'Estaing _ zwischen Februar 2002 und Juni 2003 ein 105-köpfiges Gremium mit Beteiligung aller Mitglied- und Beitrittsstaaten sowie der EU-Organe und der nationalen Parlamente, um als Alternative zur Regierungskonferenz die „wesentlichen Fragen", die „die künftige Entwicklung der Union aufwirft" zu beantworten. Der vom Konvent verabschiedete Entwurf für einen „Vertrag über eine Verfassung für Europa" lieferte zahlreiche Optionen zur Verbesserung der Handlungsfähigkeit der Gemeinschaftsinstitutionen. Insbesondere zur Kompetenzabgrenzung zwischen den einzelnen Ebenen (EU, Mitgliedstaa-

Stimmverteilung im EU Rat und Parlament nach Inkrafttreten des Nizzaer Vertrages

MITGLIED-STAAT	1. BEVÖL-KERUNG IN MIO.	2. BEVÖL-KERUNG BEI EU-27 IN %	3. STIM-MEN IM RAT[1]	4. RAT BEI EU-27 IN %	5. SITZE IM EP[2]	6. EP BEI EU-27 IN %
Deutschland	82,5	17,02	29	8,41	99	13,52
Frankreich	59,8	12,33	29	8,41	72	9,84
Großbritannien	59,2	12,21	29	8,41	72	9,84
Italien	57,6	11,88	29	8,41	72	9,84
Spanien	41,9	8,64	27	7,83	50	6,83
Polen	38,2	7,88	27	7,83	50	6,83
Niederlande	16,2	3,34	13	3,77	25	3,42
Griechenland	11,0	2,27	12	3,48	22	3,01
Portugal	10,4	2,15	12	3,48	22	3,01
Belgien	10,4	2,15	12	3,48	22	3,01
Tschechien	10,2	2,10	12	3,48	20	2,73
Ungarn	10,1	2,08	12	3,48	20	2,73
Schweden	9,0	1,86	10	2,90	18	2,46
Österreich	8,1	1,67	10	2,90	17	2,32
Dänemark	5,4	1,11	7	2,03	13	1,78
Slowakei	5,4	1,11	7	2,03	13	1,78
Finnland	5,2	1,07	7	2,03	13	1,78
Irland	4,0	0,83	7	2,03	12	1,64
Litauen	3,5	0,72	7	2,03	12	1,64
Lettland	2,3	0,47	4	1,16	8	1,09
Slowenien	2,0	0,41	4	1,16	7	0,96
Estland	1,4	0,29	4	1,16	6	0,82
Zypern	0,7	0,14	4	1,16	6	0,82
Luxemburg	0,4	0,08	4	1,16	6	0,82
Malta	0,4	0,08	3	0,87	5	0,68
Summe EU-25	455,3		321		(682)[2]	
Rumänien	21,7	4,48	14	4,06	33	4,51
Bulgarien	7,8	1,61	10	2,90	17	2,32
Summe[3] EU-27	484,8	99,98	345	100,05	732	100,03

Quelle: Eurostat, Europäisches Parlament.

[1] Stimmverteilung im Rat gilt erst seit 1. November 2004. Zwischen 1. Mai und 31. Oktober 2004 galten Übergangsregelungen.

[2] Diese Sitzverteilung sollte eigentlich mit den Wahlen zum Europäischen Parlament 2004 wirksam werden. Da Bulgarien und Rumänien aber voraussichtlich frühestens 2007 der EU beitreten werden, wurden die für sie vorgesehenen Sitze unter den anderen Mitgliedstaaten gleichmäßig aufgeteilt, so dass das Europäische Parlament heute bereits über die Maximalzahl von 732 Abgeordneten verfügt.

[3] Abweichungen von 100 Prozent aufgrund Rundung.

ten, Bundesländer/ Provinzen u. Ä.), zur Rolle der nationalen Parlamente im Integrationsprozess und zur Vereinfachung der Verträge wurden Reformvorschläge gemacht. In der wichtigsten Frage, dem Abstimmungsmodus im Ministerrat, plädierte der Konvent für das Prinzip der doppelten Mehrheit, demzufolge ab 2009 Ratsentscheidungen mit qualifizierter Mehrheit sowohl die Mehrheit der Mitgliedstaaten (50 %) als zugleich auch die Mehrheit EU-Bevölkerung (60 %) erfordern.

Da sich auf der Regierungskonferenz im Dezember 2003 jedoch nicht auf das Prinzip der doppelten Mehrheit verständigt werden konnte, scheiterte auch der Gesamtentwurf des Konvents für einen Verfassungsvertrag. Angesichts veränderter (partei-) politischer Konstellationen in den EU-Mitgliedstaaten wurde der Konventsvorschlag im Rahmen der irischen Ratspräsidentschaft im Sommer 2004 doch angenommen und liegt nun den Mitgliedsländern zur Ratifizierung vor.

Literaturhinweise:

WEIDENFELD, W. (Hrsg.) (2002), *Europa-Handbuch*, Gütersloh; GIERING, C. (Hrsg.) (2003), *Der EU-Reformkonvent – Analyse und Dokumentation*, Gütersloh, München.

Jürgen Mittag
Wolfgang Wessels

EU-Reformen und -Vertiefung: Wirtschaftliche Aspekte

Die Europäische Wirtschaftsgemeinschaft zieht seit ihrer Gründung 1958 neue Mitglieder an (Erweiterung). Gleichzeitig übertrugen die Mitgliedsländer mehr und mehr Aufgaben den gemeinsamen europäischen Institutionen (Vertiefung). So entwickelte sich die Europäische Wirtschaftsgemeinschaft mit sechs Gründungsmitgliedern zu einer 25 Länder (Stand Anfang 2005 – vgl. Zeittafel) umfassenden Europäischen Union mit einem gemeinsamen Binnenmarkt, einer gemeinsamen Währung (→*Europäische Wirtschafts- und Währungsunion*) und gemeinsamer Politikkoordination. Sowohl acht osteuropäische Staaten als auch Zypern und Malta haben mit der EU Beitrittsverhandlungen im Dezember 2002 abgeschlossen und traten zum 1. Mai 2004 der EU bei. Darüber hinaus haben 5 weitere Länder einen Aufnahmeantrag gestellt (vgl. Zeittafel): Zwei weitere osteuropäische Länder, Bulgarien und Rumänien, sollen der EU im Jahr 2007 beitreten, wenn genügend weitere Fortschritte bei der Erfüllung der Beitrittskriterien erreicht wurden. Bei dem Europäischen Ratstreffen in Helsinki 1999 wurde der Türkei ein spezieller Kandidatenstatus gewährt; über die Eröffnung von Beitrittsverhandlungen soll der Europäische Rat auf Grundlage eines Kommissionsberichts im Laufe des Jahres 2005 entscheiden. 1972 und 1994 wurden in Volksabstimmungen in Norwegen die Beitrittsbedingungen abgelehnt, 1992 setzte die Schweiz ihren Beitrittsantrag aus.

Die große Anzahl an Beitrittsanträgen spiegelt die wirtschaftliche Attraktivität der Europäischen Union wider. Der gemeinsame Binnenmarkt, der die Freizügigkeit von Personen, Kapital, Waren und Dienstleistungen sowie die Niederlassungsfreiheit für →*Unternehmen* gewährleistet, ermöglicht eine effiziente Allokation der Produktionsfaktoren und wirksamen →*Wettbewerb* innerhalb der EU. Das trägt zu Wohlfahrtssteigerung in allen beteiligten Staaten bei. Der damit verbundene Strukturwandel fordert jedoch Anpassungsbedarf in den betroffenen Sektoren und Gebieten. In nicht (mehr) wettbewerbsfähigen Branchen kann dies zu einem Beschäftigungsrückgang führen, während die →*Beschäftigung* in den wachsenden Wirtschaftszweigen zunimmt. Wanderungen der Produktionsfaktoren Arbeit und Kapital sind eine wichtige Voraussetzung, um die Nachfrage nach Arbeitnehmern in Einklang mit dem Angebot an Arbeitskraft zu bringen und damit die gesamteuropäische Wirtschaftsleistungen zu erhöhen. Die von einigen Seiten befürchtete Massenwanderung von Arbeitnehmern nach der Süderweiterung (Griechenland, Spanien und Portugal) ist nicht eingetreten und ist auch nach der Osterweiterung der EU nicht zu erwarten. Durch Transferzahlungen der EU an die ärmeren Mitgliedsländer im Rahmen der Strukturfonds (→*EU: Regional- und Strukturpolitik*) wird versucht, Wachstumsimpulse in diesen Ländern zu geben und die Annäherung der Lebensstandards innerhalb der EU zu beschleunigen.

Es wurde auch ein einheitliches Regelwerk geschaffen, das innerhalb aller Mitgliedstaaten gilt. Dieser sog. „*acquis communautaire*" umfasst (1) den Inhalt, die Prinzipien und die politischen Ziele der Verträge (einschließlich die der Verträge von Maastricht 1992, Amsterdam 1997 und Nizza 2000); (2) die Gesetzgebung auf der Basis der Verträge und die Rechtsprechung des europäischen Gerichtshofs; (3) die angenommenen Stellungnahmen und Resolutionen innerhalb des EU-Rahmens; (4) die Positionen, Erklärungen und Entscheidungen im Rahmen der gemeinsamen Außen- und Sicherheitspolitik; (5) die Positionen, Entscheidungen und angenommenen Konventionen im Rahmen der gemeinsamen Justiz- und Innenpolitik und (6) die internationalen Abkommen der EU sowie die Vereinbarungen zwischen den Mitgliedstaaten, die mit Bezug auf besondere EU-Aktivitäten geschlossen worden sind.

Trotz des beträchtlichen Umfangs von mehr als 80.000 Seiten des *acquis communautaire* müssen alle Beitrittsländer das gesamte Regelwerk übernehmen, damit für alle Mitgliedsländer die gleichen Rechte und Verpflichtungen gelten. Deswegen sind im Allgemeinen keine Abweichungen erlaubt; jedoch können Beitrittsländern Übergangsfristen für besonders schwierige Bereiche eingeräumt werden (Umweltpolitik, Agrarpolitik, Hygienevorschriften, Niederlassungsfreiheit für Unternehmen und das Recht, Grund und Boden zu erwerben). Aber auch die Alt-Mitglieder verlangen Übergangsfristen, z. B. bei der Freizügigkeit für Arbeitskräfte (Bundesrepublik und Österreich: 7 Jahre).

Da einige Aspekte des *acquis communautaire* nicht dem Entwicklungs-

Zeittafel der Erweiterungen und der Anträge auf Mitgliedschaft in der EU

	Antrag	Stellungnahme der Kommission	Eröffnung der Verhandlung	Ende der Verhandlung	Beitritt
Großbritannien	09.09.1961 10.05.1967	29.09.1967	08.11.1961 30.06.1970	29.01.1963 22.01.1972	01.01.1973
Dänemark	10.08.1961 11.05.1967	29.09.1967	20.06.1970	22.01.1972	01.01.1973
Irland	31.07.1961 11.05.1967	29.09.1967	20.06.1970	22.01.1972	01.01.1973
Norwegen	30.04.1962 21.07.1967	29.09.1967	30.06.1970	22.01.1972	–
Griechenland	12.06.1975	29.01.1976	27.07.1976	28.05.1979	01.01.1981
Portugal	28.03.1977	19.05.1978	17.10.1978	12.06.1985	01.01.1986
Spanien	28.07.1977	29.11.1978	05.02.1979	12.06.1985	01.01.1986
Türkei	14.04.1987	14.12.1989 13.10.1999			
Österreich	17.07.1989	01.08.1991	01.02.1993	12.04.1994	01.01.1995
Schweden	01.07.1991	31.07.1992	01.02.1993	12.04.1994	01.01.1995
Finnland	18.03.1992	01.11.1992	01.02.1993	12.04.1994	01.01.1995
Norwegen	25.11.1992	24.03.1993	05.04.1993	12.04.1994	–
Schweiz	26.05.1992				
Zypern	04.07.1990	30.06.1993	30.03.1998	13.12.2002	01.05.2004
Ungarn	31.03.1994	16.07.1997	30.03.1998	13.12.2002	01.05.2004
Polen	05.04.1994	16.07.1997	30.03.1998	13.12.2002	01.05.2004
Estland	24.11.1995	16.07.1997	30.03.1998	13.12.2002	01.05.2004
Tschech. Rep.	17.01.1996	16.07.1997	30.03.1998	13.12.2002	01.05.2004
Slowenien	10.06.1996	16.07.1997	30.03.1998	13.12.2002	01.05.2004
Malta	16.07.1990	30.06.1993	15.02.2000	13.12.2002	01.05.2004
Rumänien	22.06.1995	13.10.1999	15.02.2000		
Slowakei	22.06.1995	13.10.1999	15.02.2000	13.12.2002	01.05.2004
Lettland	13.10.1995	13.10.1999	15.02.2000	13.12.2002	01.05.2004
Litauen	08.12.1995	13.10.1999	15.02.2000	13.12.2002	01.05.2004
Bulgarien	14.12.1995	13.10.1999	15.02.2000		

Quelle: Piazolo, D. (2001), *The Integration Process between Eastern and Western Europe*, Kieler Studien 310, Berlin. Zusätzliche Ergänzungen.

stand der Beitrittsländer und auch einiger ärmerer EU-Mitgliedsländer entsprechen, entstehen auch erhebliche Kosten und Verzerrungen durch die Umsetzung (z. B. durch Umweltschutzmaßnahmen). Diese Problematik der Vereinbarkeit von EU-Erweiterung (mit zunehmenden unterschiedlichen Ländern bezüglich der Wirtschaftskraft) und EU-Vertiefung (da einige Länder weitergehende gemeinsam geltende Regelungen anstreben) verlangt nach Reformen, die über die Beschlüsse des Vertrags von Nizza im Dezember 2000 hinausgehen. So wird angestrebt, in einer erweiterten EU Untergruppen von Mitgliedsländern das Recht einzuräumen, die →*Integration* zwischen den beteiligten Ländern voranzutreiben, ohne dabei automatisch den *acquis communautaire* zu erweitern (Avantgarde).

Literaturhinweise:
CAESAR, R./ HEINEMANN, F. (Hrsg.) (2001), *EU-Osterweiterung und Finanzmärkte*, ZEW Wirtschaftsanalysen Band 57, Baden-Baden; LEACH, R. (2000), *Europe – A Concise Encyclopedia of the European Union from Aachen to Zollverein*, Fitzroy Dearborn Publishers, London, Chicago; PIAZOLO, D. (2001), *The Integration Process between Eastern and Western Europe*, Kieler Studien 310, Berlin, Heidelberg.

Daniel Piazolo

EU: Agrarpolitik und Ost-Erweiterung

Obwohl →*Agrarpolitik* in vielen Ländern als eine sensible nationale Angelegenheit behandelt wird, haben sich die Mitgliedsländer der damaligen neu gegründeten Europäischen Wirtschaftsgemeinschaft entschlossen, gleich zu Beginn der europäischen →*Integration* ihre nationalen Agrarpolitiken weitgehend aufzugeben und an ihre Stelle eine Gemeinsame Agrarpolitik mit einem einheitlichen Agrarmarkt zu setzen. Das war keineswegs selbstverständlich, denn zuvor hatten die einzelnen Mitgliedsländer ihre nationalen Agrarpolitiken durchaus unterschiedlich betrieben. Ein freier Agrarhandel zwischen den Mitgliedsländern im Rahmen einer gemeinsamen Politik war aber insbesondere für Frankreich ein wichtiges Ziel, denn damit sollte ein Ausgleich für die Öffnung des französischen Marktes für den Import von Industriegütern aus Deutschland erreicht werden.

Bei der Gründung der Gemeinsamen Agrarpolitik in den Jahren nach 1960 galt es, das gemeinsame Agrarpreisniveau zwischen den zuvor niedrigen Agrarpreisen in Ländern wie Frankreich und den hohen Agrarpreisen in Ländern wie Deutschland festzulegen. Nach harten Auseinandersetzungen fiel die Entscheidung – insbesondere aufgrund deutschen Drängens – zugunsten eines vergleichsweise hohen Niveaus der Agrarpreise. In den folgenden Jahren wurden die Agrarpreise in der EU zudem immer weiter angehoben. Sie entfernten sich damit zunehmend von dem Niveau, das auf staatlich unbeeinflussten Märkten geherrscht hätte.

Die Folge war ein Anstieg der Agrarproduktion in der EU, der weit über das Wachstum der Nachfrage hinausging. Die EU, bei Gründung der Gemeinsamen Agrarpolitik noch Agrarimporteur, wurde damit bei allen wichtigen Agrarprodukten zum Exporteur. Der Export der zunehmenden Überschüsse, die zwischenzeitlich oft in staatliche Läger übernommen worden waren, war allerdings nur mit hohen →*Subventionen* möglich, da die Weltmarktpreise deutlich unter den von der Agrarpolitik gesetzten Preisen in der EU lagen. Für die Beseitigung der wachsenden Überschüsse an den Agrarmärkten der EU mussten deshalb rasch steigende staatliche Mittel aufgewendet werden. In den Jahren um 1980 führte das dazu, dass etwa drei Viertel des gesamten Haushaltes der EU für die Gemeinsame Agrarpolitik aufgewendet werden musste und die EU in eine schwere Finanzkrise geriet. Gleichzeitig entstanden zunehmend scharfe Handelskonflikte zwischen der EU und anderen Ländern (insbesondere den USA), die ihre Interessen im Agrarexport durch die Markteingriffe der EU verletzt sahen.

Zur Abwendung dieser nachteiligen Folgen der Gemeinsamen Agrarpolitik wurden allerdings zunächst nicht die Ursachen, sondern die Symptome bekämpft. Im Jahr 1984 wurden – wegen der besonders am Milchmarkt stark wachsenden Haushaltsausgaben – Kontingente (Mengenbeschränkungen) für die Milchproduktion eingeführt, die den einzelnen Landwirten vorschrieben, wie viel Milch sie verkaufen durften. Zur Milderung des Überschussproblems am Getreidemarkt der EU wurde die Stilllegung von Flächen beschlossen. Mit Maßnahmen dieser Art hoffte man, die Ausgaben für die Gemeinsame Agrarpolitik im Rahmen einer dann 1988 eingeführten Obergrenze halten zu können.

Zu einer an den Wurzeln des Problems, nämlich bei den überhöhten Agrarpreisen ansetzenden Reform kam es allerdings erst im Jahr 1992, nachdem sich in der Uruguay-Runde der GATT-Verhandlungen herausgestellt hatte, dass die Gesamtverhandlungen nicht abgeschlossen werden könnten, wenn die EU ihren Verhandlungspartnern im Agrarbereich nicht substanziell entgegenkäme. Unter EU-Agrarkommissar MacSharry wurden bei Getreide und Rindfleisch die Stützpreise in erheblichem Maße gesenkt. Zum Ausgleich der Einkommensverluste für die Landwirte wurden direkte Zahlungen aus dem EU-Haushalt eingeführt. Mit den Beschlüssen zur Agenda 2000 wurde diese Reform im Jahr 1999 unter Agrarkommissar Fischler um weitere Schritte vorangetrieben, indem die Preise für Getreide und Rindfleisch erneut gesenkt und zukünftige Preissenkungen bei Milch beschlossen wurden – jeweils mit weiteren (wenngleich die Einkommensverluste nicht voll ausgleichenden) Direktzahlungen an die Landwirte. Mit diesen Reformschritten hat die EU ihre Preisstützung zumindest bei Getreide inzwischen so weit abgebaut, dass sie in der Lage sein dürfte, Getreide zukünftig im Wesentlichen ohne Subventionen zu exportieren.

Wie das Gesamtpaket der Agenda 2000 sollten auch diese weiteren Reformschritte in der EU-Agrarpolitik dazu beitragen, die EU auf die bevorstehende Ost-Erweiterung vorzubereiten (→*EU: Erweiterung*). Das erschien deshalb erforderlich, weil die Beitrittsländer aus Mitteleuropa ein erhebliches agrarisches Produktionspotenzial mitbringen und deshalb zu einer bedenklichen Verschärfung der Überschussprobleme an den EU-Agrarmärkten und damit zu einer schweren Belastung des EU-Haushalts beitragen können. In dieser Hinsicht dürften die agrarpolitischen Reformschritte der Agenda 2000 auch durchaus wirksam gewesen sein, wenngleich zur durchgreifenden Bereinigung der Probleme an den Agrarmärkten, gerade auch im Zusammenhang mit der Ost-Erweiterung, noch weitere Reformschritte erforderlich bleiben. Sie sollen im Rahmen der für 2002-03 vorgesehenen „Halbzeitbewertung" unternommen werden. Kommissar Fischler will diese Gelegenheit offensichtlich nutzen, um die Reform der EU-Agrarpolitik weiter nachdrücklich voranzutreiben (→*EU: Finanzverfassung*).

Das schwierigste agrarpolitische Problem, das im Rahmen der Ost-Erweiterung auftreten wird, ist allerdings auch durch die Agenda 2000 nicht im Geringsten gelöst worden: Nach wie vor ist ungeklärt, ob die Landwirte in den Beitrittsländern ebenfalls die Direktzahlungen erhalten sollen, die seit 1992 in der EU eingeführt worden sind. Die EU hat bisher die Position vertreten, das sei nicht erforderlich und sinnvoll, denn diese Zahlungen seien in der bisherigen EU zum Ausgleich von Preissenkungen eingeführt worden, die in den Beitrittsländern nicht eintreten. Die Regierungen der Beitrittsländer beharren allerdings nachdrücklich darauf, dass auch ihre Landwirte diese Zahlungen erhalten sollten. Sie können sich dabei auf eine Reihe schwer abweisbarer Argumente stützen. Insbesondere trifft es zu, dass der →*Wettbewerb* zwischen den Landwirten in der bisherigen EU und in den Beitrittsländern gravierend verzerrt würde, wenn die Zahlungen in den neuen Mitgliedsländern nicht geleistet würden.

Eine entscheidende Zukunftsaufgabe für die EU-Agrarpolitik ist deshalb – insbesondere, aber nicht nur im Zusammenhang mit der Ost-Erweiterung – die Entscheidung über die Zukunft der Direktzahlungen. Diese Zahlungen sind inzwischen zum zentralen Element der EU-Agrarpolitik geworden und machen bereits die Hälfte aller Ausgaben für diese Politik aus, mit steigender Tendenz. Wie die Zukunft der Zahlungen gestaltet wird, ist bisher noch nicht zu erkennen. Wahrscheinlich ist aber, dass die Zahlungen zunehmend von der Produktion entkoppelt und damit marktgerechter ausgestaltet werden, dass sie im Zeitablauf schrittweise reduziert werden, und dass schließlich an ihre Stelle ganz anders konzipierte Fördermittel treten, mit denen gezielt solche gesellschaftlichen Leistungen honoriert werden, welche die Landwirtschaft insbesondere für die Umwelt und die regionale Entwicklung erbringt.

Literaturhinweise:

HENRICHSMEYER, W./ WITZKE, H. P. (1991), *Agrarpolitik. Bd. 1, Agrarökonomi-*

sche Grundlagen, Stuttgart; HENRICHSMEYER, W./ WITZKE, H. P. (1994), *Agrarpolitik. Bd. 2, Bewertung und Willensbildung*, Stuttgart.

Stefan Tangermann

EU: Beschäftigungspolitik

Ziele: Zu den in den Verträgen zur Europäischen Union (EUV) und zur Europäischen Gemeinschaft (EGV) erwähnten wesentlichen Grundsätzen, Zielen und Aktivitäten gehört die Förderung eines hohen Beschäftigungsniveaus in der Gemeinschaft durch die Entwicklung einer *koordinierten Beschäftigungsstrategie*, insbesondere im Hinblick auf die Förderung qualifizierter, ausgebildeter und anpassungsfähiger Arbeitskräfte für flexible Arbeitsmärkte, die auf den wirtschaftlichen Wandel reagieren. Mit dem Vertrag von Amsterdam wurden zwar koordinierte Maßnahmen eingeführt; die allgemeine *Zuständigkeit* für Maßnahmen gegen die →*Arbeitslosigkeit* liegt jedoch weiterhin *bei den Mitgliedstaaten.*

Ergebnisse:

1) Die ersten Instrumente:

a. Die Arbeitnehmer haben seit den 50er Jahren von der *Wiederanpassungshilfe* der Europäischen Gemeinschaft für Kohle und Stahl (EGKS) profitiert. Arbeitnehmer im Kohle- und Stahlsektor, deren Arbeitsplätze durch industrielle Umstrukturierungsmaßnahmen bedroht sind, erhalten Beihilfen.
b. Der *Europäische Sozialfonds*, der Anfang der 60er Jahre eingerichtet wurde, ist das wichtigste Instrument der Gemeinschaft zur Bekämpfung der Arbeitslosigkeit.

2)Neue Initiativen in den 80er Jahren und Anfang der 90er Jahre:

a. Aktionsprogramme für die →*Beschäftigung* von besonderen Zielgruppen: Langzeitarbeitslose, örtliche Beschäftigungsentwicklung und Unterstützung von kleineren und mittleren →*Unternehmen* (KMU).
b. System der gegenseitigen Unterrichtung über die Beschäftigungspolitiken in den Mitgliedstaaten und gemeinschaftliches Dokumentationssystem über die Beschäftigung.
c. Förderung der Freizügigkeit und Unterstützung der Arbeitnehmer bei der Stellensuche in einem anderen Mitgliedstaat.

3) Seit dem Anfang der 90er Jahre: umfassende Beschäftigungspolitik:

a. *Der Gipfel von Essen:* In den 80er und 90er Jahren nahm der Rat einige Entschließungen zur Beschäftigungslage an; aber erst 1993 eröffnete die EU ernsthafte Diskussionen über die Lösung des Beschäftigungsproblems auf europäischer Ebene. In diesem Zusammenhang ist das *Weißbuch der Kommission* aus dem Jahr 1993 „Wachstum, Wettbewerbsfähigkeit, Beschäftigung" (Delors-Bericht) zu sehen, in dem konkrete Lösungen für die Verbesserung der Beschäftigungslage vorgeschlagen werden. Auf der Tagung des Europäischen Rates im Dezember 1994 in Essen wurden ausgehend von diesem Weißbuch die Grundlagen für eine *gemeinsame europäische Beschäf-*

tigungsstrategie geschaffen, indem die Mitgliedstaaten dringend aufgefordert wurden, die Prioritäten von Essen in Mehrjahresprogramme umzusetzen, die jährlich von den Staats- und Regierungschefs im Rat geprüft werden. Die fünf Schlüsselbereiche lauteten: Erhöhung der Investitionen in die Berufsbildung, Steigerung der Beschäftigungsintensität des →*Wachstums*, Senkung der Lohnnebenkosten, Verstärkung der Wirksamkeit der →*Arbeitsmarktpolitik* und Verbesserung der Maßnahmen zugunsten der von Arbeitslosigkeit besonders betroffenen Gruppen (Jugendliche, Langzeitarbeitslose). Die Wirksamkeit dieser Verfahren war jedoch beschränkt, weil sie im Gegensatz zu den Bestimmungen über die →*Europäische Wirtschafts- und Währungsunion* (EWWU) keine Rechtsgrundlage im Vertrag hatten; daher trat das EP für die Aufnahme eines eigenen Beschäftigungskapitels in den revidierten Vertrag ein, worüber auf der Regierungskonferenz 1996/ 97 verhandelt wurde.

b. *Der Vertrag von Amsterdam:* Mit der Einigung über den Entwurf des Vertrags von Amsterdam im Juni 1997 und der Einführung eines *neuen Beschäftigungskapitels* schaffte die EU ein Rechtsinstrument zur Einführung einer *koordinierten Beschäftigungsstrategie*. Die Mitgliedstaaten, die ihre *ausschließliche Zuständigkeit* in diesem Bereich behalten, müssen trotzdem ihre →*Beschäftigungspolitiken* so gestalten, dass sie den Grundzügen der Wirtschaftspolitik der Gemeinschaft entsprechen, während die Förderung der Beschäftigung als gemeinsames Anliegen betrachtet wird. Der Rat erstellt jährliche *beschäftigungspolitische Leitlinien*, die die Mitgliedstaaten in ihren Politiken berücksichtigen müssen. Der Europäische Rat von Amsterdam einigte sich auch darauf, bestimmte Artikel des neuen Vertrags über die Beschäftigung sofort umzusetzen, ohne dessen Inkrafttreten abzuwarten. Er erklärte, dass im November 1997 eine außerordentliche Tagung des Europäischen Rates zur Frage der Beschäftigung stattfinden sollte, der *„Beschäftigungsgipfel"* in Luxemburg.

c. *Der Gipfel von Luxemburg:* Die Minister erklärten ihre Unterstützung für die *Leitlinien* für 1998. Letztere sollten in die *nationalen Aktionspläne* (NAP) für Beschäftigung einbezogen werden und sehen *vier Säulen* vor: Verbesserung der Beschäftigungsfähigkeit, Entwicklung des Unternehmergeistes, Förderung der Anpassungsfähigkeit der Unternehmen, Stärkung der Maßnahmen für Chancengleichheit. Die Leitlinien für 1998 wurden am 15. Dezember 1997 offiziell angenommen. Ende Januar 1998 wurde eine gemeinsame Struktur *der nationalen Aktionspläne* vereinbart. Der Europäische Rat von Cardiff im Juni 1998 stellte im Hinblick auf die NAP fest, dass die Mitgliedstaaten erhebliche Anstrengungen zur Stärkung aktiver Arbeitsmarktpolitiken unternommen haben. Der Luxemburger Gipfel unterstützte ferner die Finanzierung von KMU und von innovativen Maßnahmen auf dem Arbeitsmarkt sowie einen Aktionsplan für die Europäische Investitionsbank mit dem Ziel neuer Kredite für KMU, neue Technologien und transeuropäische Netze.

d. *Gipfel von Köln*: Auf dem Kölner Gipfel im Juni 1999 wurde, anknüpfend an den Vertrag von Amsterdam, ein ‚*Beschäftigungspakt*' beschlossen. Der Beschäftigungspakt besteht aus drei aufeinander abzustimmenden Prozessen:

a) Weiterentwicklung und Umsetzung der auf dem Beschäftigungsgipfel in Luxemburg 1997 beschlossenen beschäftigungspolitischen Leitlinien (*Luxemburg-Prozess*),

b) Institutionalisierung eines kooperativen ‚*makroökonomischen Dialogs*' zwischen den Tarifparteien, der Europäischen Zentralbank (EZB), dem Europäischen Rat und der EU-Kommission (*Köln-Prozess*) sowie

c) *Reformen* zur Verbesserung der Innovationsfähigkeit und zur Steigerung der Effizienz von Güter-, Dienstleistungs- und Kapitalmärkten *(Cardiff-Prozess)*. Alle drei Elemente sollen sich wechselseitig verstärken.

Risiken: Unterschiedliche Entwicklungen und Ausprägungen der Arbeitslosigkeit in den EU-Ländern begrenzen die Möglichkeiten einer europäischen Beschäftigungspolitik, da sie *auch unterschiedliche Ansätze zur Beseitigung* der strukturell verhärteten Arbeitslosigkeit erfordern. Eine Koordinierung der Beschäftigungspolitik verhindert →*Systemwettbewerb*. Fehlentwicklungen auf EU-Arbeitsmärkten sind daher nicht auszuschließen.

Literaturhinweise:
EUROPÄISCHE ZENTRALBANK (2000), *Entwicklung und Strukturmerkmale der Arbeitsmärkte im Euro-Währungsgebiet*, Monatsbericht Mai, S. 61-79; EUROPEAN ECONOMIC ADVISORY GROUP AT CESifo (2004), *Report on the European Economy 2004 – Chapter 2: Labour Market Reform in Europe*, München; LESCH, H. (2000), *Brauchen wir eine europäische Bildungspolitik?*, in: Politik und Zeitgeschichte, B 14-15, Beilage zur Wochenzeitung Das Parlament, Bonn, S. 14; RHEIN, T. (2003), *Perspektiven der Europäischen Beschäftigungsstrategie – neue Leitlinien der EU für 2003*, IAB-Kurzbericht Nr. 14/2003, Nürnberg; SCHATZ, K.-W. (2001), Europäische Beschäftigungspolitik, in: Ohr, R./ Theurl, T. (Hrsg.), *Kompendium Europäische Wirtschaftspolitik*, München, S. 537-575.

Ansgar Belke

EU: Bildungs- und Wissenschaftspolitik

Die Bildungssysteme sind nach wie vor in der Regel nationale, geschlossene Systeme. Das gilt auch für Deutschland, in das europäische und andere ausländische Wettbewerber nicht ohne Weiteres eindringen können. Auch können nur die Studenten ins Ausland, die sich von Hause aus dies leisten können, oder die im Tauschverfahren im Ausland studieren. Die Europäisierung und vor allem die →*Globalisierung* von Wirtschaft und Gesellschaft stellt die Bildungssysteme aber wie manche bisher staatlich und monopolistisch organisierte Dienstleistungs- und Industriezweige (Telekommunikation, Energiewirtschaft) vor große Herausforderungen. Sie sind für den Bildungssektor besonders groß, weil die Kapitalmärkte weltweit so verflochten sind, Investitionen und Arbeitsplätze dort entstehen, wo erfolgreich gewirtschaftet werden kann und entsprechend ausgebildete Kräfte jetzt und auch in Zukunft gefunden werden können. Die Arbeitsmärkte werden entsprechend internationaler.

Darüber hinaus kann die politische und gesellschaftliche Stabilität in Europa nur erreicht werden, wenn die Menschen sich gegenseitig verstehen und das Zusammenleben von gemeinsamen Werten getragen wird. Das Bildungssystem der Vereinigten Staaten von Amerika hat in der Vergangenheit diesbezüglich Erstaunliches geleistet, nämlich Menschen verschiedenster Herkunft zu einer Gesellschaft geformt. In Europa wird es unter anderen Voraussetzungen Entsprechendes leisten müssen, wenn die →*Europäische Wirtschafts- und Währungsunion* Bestand haben, die politische Einigung weiter Gestalt annehmen und die europäische Wirtschaft global ihre Konkurrenzfähigkeit ausbauen soll.

Die Frage stellt sich, wie die Europäische Bildungspolitik auszusehen hat, um diesen Herausforderungen zu begegnen. Nach den Römischen Verträgen hatte die Europäische Gemeinschaft auf dem Gebiet der Bildungs- und Wissenschaftspolitik keine eigenen Kompetenzen. Die Europäische Kommission konnte lediglich dem Europäischen Rat allgemeine Grundsätze für eine gemeinsame Politik der Berufsausbildung vorschlagen und Richtlinien zur Anerkennung von Diplomen und sonstigen Befähigungsnachweisen erlassen.

Erst mit dem Vertrag von Maastricht änderte sich dies (Art. 126, 127). Die Europäische Gemeinschaft erhielt den Auftrag, die Entwicklung qualitativ hochstehender Bildung zu fördern, indem sie die Zusammenarbeit zwischen den Mitgliedstaaten und die Tätigkeit der Mitgliedstaaten unter strikter Beachtung der Verantwortung derselben für die Inhalte und Gestaltung des Bildungssystems unterstützt und ergänzt. Die Kommission hat seitdem vor allem die Förderung der Sprachen der Mitglieder, der Mobilität von Lernenden und Lehrenden, die Zusammenarbeit und den Informations- und Erfahrungsaustausch und in der beruflichen Bildung die Erleichterung von industriellen Wandlungsprozessen, Verbesserung der Erstausbildung und Weiterbildung sowie die Erleichterung der Aufnahme einer beruflichen Bildung zum Ziel. Der Vertrag von Amsterdam hat diesem Auftrag (Art. 149, 150) nichts hinzugefügt. Er betont lediglich in der Präambel die Entschlossenheit der Mitgliedstaaten, den Zugang zu Bildung und Weiterbildung offen zu halten und einen möglichst hohen Wissensstand ihrer Völker zu bewirken.

Die EU hat diesen Auftrag durch eine Fülle von Maßnahmenprogrammen (Erasmus, Sokrates, Leonardo etc.) wahrgenommen, die erhebliche Mittel und einen entsprechenden Verwaltungsapparat beanspruchen. Ordnungspolitisch hat sie aus ihrem Auftrag bisher wenig gemacht und ist von einem offenen, über die nationalen, politisch-administrativen Grenzen hinweg freizügigem europäischen Bildungsmarkt trotz Austauschprogrammen weit entfernt. Das gilt sowohl für die Studierenden wie für die Lehrer, Professoren und anderen Wissenschaftler, wenn sie in anderen Ländern der EU studieren bzw. tätig werden wollen.

So besteht für Schüler/ innen die Möglichkeit des Besuchs einer Schule im europäischen wie sonstigen Ausland lediglich im Rahmen des Schüleraustauschs, es sei denn, es handelt sich um Privatschulen, für die Schulgeld zu zahlen ist. Öffentliche Schulen haben keinen Anreiz, Schüler aus dem europäischen oder sonstigen Ausland aufzunehmen, da dies lediglich mehr Arbeit verursacht, aber keine zusätzlichen Mitteleinnahmen mit sich bringt. Ökonomisch ist das nichts anderes als Naturaltauschwirtschaft. Sie ist ineffizient und verhindert die Entstehung eines europäischen Bildungsmarktes, auf dem die Entstehung eines einheitlichen Marktes von den Anreizen getragen wird, dass Schüler oder Studierende mit der Wahl ihrer Schule oder Universität zugleich auch die Mittel zur Finanzierung der Kosten ihres Schul- oder Studienplatzes mitbringen. Immerhin beanspruchen diejenigen, die im Ausland studieren, keinen Schul- oder Studienplatz im Inland. Sie entlasten also die inländischen Schulen und Universitäten.

Vor allem entsteht auf diese Weise ein gesunder →*Wettbewerb* zwischen den Bildungssystemen und ihren Elementen, der insbesondere den jungen Menschen, aber auch der Wirtschaft und Gesellschaft, nicht zuletzt den Steuerzahlern zugute käme. Der Spezialisierungsgrad der Bildungseinrichtungen würde zunehmen, die Bildungs- und Ausbildungsproduktivitäten, also z. B. das, was ein Lehrer an Wissen pro Unterrichtsstunde vermitteln kann, ansteigen, besonders in den Fremdsprachen, die im jeweiligen Land schneller und leichter zu erlernen sind und zugleich mit einem größeren Verständnis für die Kultur des Landes verbunden werden können. Auch die Kosten eines Schul- und Studienplatzes wären aus den genannten Gründen rückläufig.

Außerdem würden Regulierungen abgebaut, die die Mobilität der Lehrer und Professoren behindern könnten. Weitere Effizienzgewinne könnten erzielt werden, weil z. B. Deutschlehrer dann in Großbritannien eingesetzt werden können und umgekehrt. Ungleichgewichte (Überschüsse, Defizite an Lehrkräften und Dozenten) und die zum Teil erheblichen Differenzen, die zwischen der Besoldung von Lehrern, Professoren und anderen Wissenschaftlern in den verschiedenen Ländern bestehen, würden tendenziell abgebaut. Wie sehr die nationalen Bildungsindustrien Europa geteilt haben, wird daran deutlich, dass die mittelalterliche Universität einen Lehrkörper besaß, der sich aus einer Vielzahl von Nationen zusammensetzte. Heute beträgt der Anteil ausländischer Professoren an deutschen Hochschulen nicht mehr als 3,5 Prozent (Gastprofessoren, die lediglich 1 bis 2 Semester bleiben, mit eingerechnet). Im Gegensatz dazu beschäftigt die deutsche Wirtschaft fast 10 Prozent ausländische Arbeitnehmer.

Statt nur auf Maßnahmengesetze und auf Koordinierung der europäischen Bildungspolitiken zu setzen, spricht vieles dafür, durch Abbau der Regulierungen und eine Umstellung der Finanzierung (→*Bildungsfinanzierung*) einen wettbewerblichen europäischen Bildungsmarkt zu schaffen und die Grundlagen für eine politische Union zu legen. Die Bologna-Erklärung der EU (1999), in der sich die Bildungsminister der Mitgliedsländer und europäische Hochschulen zur europäischen Zusammenarbeit bekennen, würde dann mit mehr Dynamik umgesetzt.

Literaturhinweise:
LITH, U. van (1999), Falsches Vertrauen in den Bildungsprotektionismus, in: *Handelsblatt* v. 5./ 6.1997, S. 47; VERBAND BILDUNG UND ERZIEHUNG (1999), *Bildung im globalen Dorf – neue Chancen für die Schule*, VBE-Dokumentationen, Bonn; PHILIPP, C. (1999), *Auf dem Wege zum europäischen Bildungsmarkt*, Lohmar, Köln.

Ulrich van Lith

EU: Erweiterung

Die Europäische Gemeinschaft der ursprünglich sechs Gründerstaaten – Belgien, Deutschland, Frankreich, Italien, Luxemburg und die Niederlande – ist bis 1995 in drei Erweiterungsrunden auf 15 Mitgliedstaaten ausgedehnt worden. In einem ersten Beitrittsschub wurden 1973 Großbritannien, Dänemark und Irland aufgenommen. In einer zweiten Welle, der so genannten Süderweiterung, wurden 1981 Griechenland und 1986 Spanien und Portugal Mitglieder der Gemeinschaft. Schließlich kamen mit der dritten Runde 1995 die EFTA-Staaten Schweden, Finnland und Österreich hinzu. Nach den fundamentalen Umbrüchen des internationalen Systems 1989/ 90 und dem Ende des Ost-West-Konflikts eröffnete sich für die bis dahin westeuropäisch ausgerichtete Europäische Union (EU) in den 1990er Jahren erstmals eine gesamteuropäische Perspektive, die in den Beitrittsgesuchen von 13 Ländern, darunter zehn Staaten Mittel- und Osteuropas, ihren Ausdruck fand. Hinzu kamen die schon 1990 hinterlegten Beitrittsgesuche der Mittelmeerinseln Zypern und Malta sowie die Türkei, die bereits 1987 einen Beitrittsantrag gestellt hatte. Die jüngsten Beitrittsgesuche stammen von Kroatien (2003) und Mazedonien (2004). Die Schweiz, Liechtenstein und Norwegen haben hingegen ihren Beitritt nicht weiter verfolgt und die Anträge ausgesetzt.

Angesichts der Fülle von Beitrittsanträgen sowie der erheblichen Unterschiede in der Struktur und Wirtschaftskraft der Beitrittsaspiranten zählte die Erweiterung der EU bzw. die hieraus erwachsende Debatte, welcher Staat zu welchem Zeitpunkt und unter welchen Bedingungen in die Union aufgenommen werden sollte, zu den wichtigsten Fragen europäischer Politik. Mit der Aufnahme der mittel- und osteuropäischen Staaten in die bisherige Gemeinschaft der 15 wird die Bevölkerung der EU um mehr als ein Viertel auf nahezu 500 Millionen Unionsbürger, das Bruttosozialprodukt zugleich aber nur um etwa 15 v. H. anwachsen. Auch die Heterogenität der Union wird deutlich zunehmen, liegt doch das dänische Pro-Kopf-Einkommen sechsmal so hoch wie das von Bulgarien und Rumänien. Verbunden mit dem Erweiterungsprozess der EU ist aber nicht nur die Hoffnung auf eine gesamteuropäische Perspektive und die „Neuordnung" des Kontinents, sondern auch die Sorge vor einer Überdehnung der bestehenden Union bzw. einer Überforderung der Beitrittskandidaten, die letztlich zu einer Überlastung der EU führen könnte.

Um die Beitrittskandidaten bei der Vorbereitung für die EU-Mitgliedschaft zu unterstützen, formulierte die EU im Jahre 1994 auf dem Europäischen Rat von Essen eine sog. Heranführungsstrategie. Im Juli 1997 legte die Europäische Kommission ihre Stellungnahme zu den Beitrittsanträgen der zehn mittel- und osteuropäischen Länder vor. In ihrem Gutachten empfahl sie zunächst die Aufnahme von Beitrittsverhandlungen mit sechs Staaten – neben Zypern noch Polen, Ungarn, die Tschechische Republik, Estland und Slowenien. Nach der Zustimmung des Europäischen Rats von Luxemburg 1998 zu diesen sechs Ländern – infolgedessen auch Luxemburg-Gruppe genannt – konnten im März 1998 erste Beitrittsverhandlungen aufgenommen werden. Nachdem die Staats- und Regierungschefs in Helsinki im Dezember 1999 feststellten, dass neben Malta fünf weitere Staaten Mittel- und Osteuropas – Bulgarien, Lettland, Litauen, Rumänien und die Slowakei – deutliche Fortschritte gemacht haben, konnten diese Länder im Februar 2000 zu den Staaten der Luxemburg-Gruppe aufschließen. Ferner wurde in Helsinki entschieden, die Türkei als beitrittswilliges Land anzuerkennen, ohne jedoch bereits Verhandlungen aufzunehmen.

Grundlage der Entscheidung der EU über die Aufnahme neuer Kandidaten sind die 1993 vom Europäischen Rat definierten sog. ‚Kopenhagener (Beitritts-) Kriterien': Aus *politischer Perspektive* wird vorausgesetzt, dass die Beitrittskandidaten über die institutionelle Stabilität als Garantie für eine demokratische und rechtsstaatliche Ordnung verfügen sowie die Wahrung der Menschenrechte und den Schutz von Minderheiten garantieren. Aus *wirtschaftlicher Sicht* werden das Bestehen einer funktionsfähigen *Marktwirtschaft* sowie die Fähigkeit vorausgesetzt, dem Wettbewerbsdruck und den Marktkräften innerhalb der Union standzuhalten. Darüber hinaus müssen die Beitrittskandidaten auch in der Lage sein, die aus der Mitgliedschaft erwachsenden Verpflichtungen in Form des ‚acquis communautaire', der sämtliche gültigen Verträge und Rechtsakte umfasst, zu übernehmen und sich die Ziele der politischen Union sowie der Wirtschafts- und Währungsunion zu Eigen zu machen. Rechtlich geregelt ist der Beitritt eines neuen Staates in Art. 49 des Vertrags über die Europäische Union. Der Rat entscheidet einstimmig nach Anhörung der Kommission und nach Zustimmung des Europäischen Parlaments über den Mitgliedsantrag. Die konkreten Aufnahmebedingungen, notwendige Übergangsfristen und die wegen des Beitritts erforderlichen Anpassungen der Gemeinschaftsverträge werden

Europäische Union, politisch

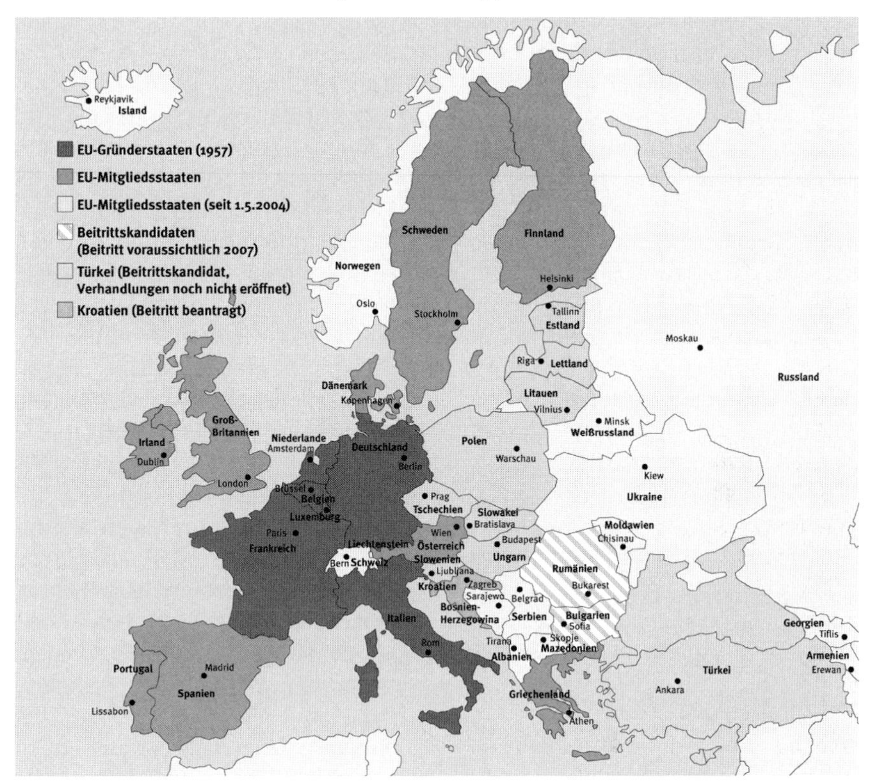

durch ein Abkommen zwischen den Mitgliedstaaten und dem beitrittswilligen Staat geregelt, das von allen Vertragsstaaten ratifiziert werden muss.

Im Verlauf des Jahres 2002 wurden die Verhandlungen über jedes der 31 Kapitel des ‚acquis communautaire' für zehn der insgesamt dreizehn Kandidatenländer – Bulgarien, Rumänien und die Türkei blieben außen vor – erfolgreich beendet. Vielfach wurden dabei Übergangsregelungen geschaffen, die den Beitrittskandidaten Spielraum einräumten, wenn es aus finanziellen Gründen nicht möglich war, alle EU-Regelungen sofort zu implementieren. Aber auch die Mitgliedstaaten, insbesondere die Grenzstaaten Deutschland und Österreich, profitieren von mehrjährigen Übergangsfristen, insbes. im Bereich der Freizügigkeit. Im Dezember 2002 konnte der Europäische Rat von Kopenhagen die Beitrittsverhandlungen mit diesen Ländern – knapp neun Jahre nach der Formulierung der ‚Kopenhagener Beitrittskriterien' – offiziell abschließen. Nach der Zustimmung der Mitgliedstaaten, der Bevölkerung der Beitrittsländer sowie des Europäischen Parlaments, konnten im April 2003 die Beitrittsverträge für die zehn neuen EU-Mitglieder in Athen unterzeichnet werden. Seit 1. Mai 2004 gehören diese der EU als neue Mitgliedstaaten an.

Für die Beitrittskandidaten Bulgarien und Rumänien wird das Jahr 2007 als frühestmöglicher Beitrittstermin diskutiert, während für die Türkei noch kein Datum genannt wird. Gleiches gilt für Albanien, Bosnien-Herzegowina, Kroatien, Mazedonien und Serbien-Montenegro, denen die EU bereits Perspektiven für eine Mitgliedschaft eröffnet hat.

Literaturhinweise:
LIPPERT, B. (Hrsg.) (2000), *Osterweiterung der Europäischen Union – die doppelte Reifeprüfung*, Bonn; WEIDENFELD, W. (Hrsg.) (2002), *Europa-Handbuch*, Gütersloh.

Jürgen Mittag
Wolfgang Wessels

EU: Finanzverfassung

Eine Finanzverfassung umfasst alle rechtlichen Regelungen, mit denen die Einnahmen- und Ausgabenkompetenz öffentlicher Aufgabenträger umrissen werden. Die Finanzverfassung der EU besteht also aus den Bestimmungen für die Zuführung von Finanzmitteln und aus den Vorschriften, wie und für welche Politikbereiche diese verwendet werden sollen bzw. dürfen.

Einnahmen und Ausgaben/ Aufgaben der EU

Eine Finanzverfassung kann untergliedert werden in den aktiven und den passiven Finanzausgleich (FA). Der aktive FA beinhaltet die Zuordnung und Verteilung von gemeinwirtschaftlichen Einnahmen. Unter dem passiven FA wird demgegenüber die Zuordnung und Verteilung von gemeinwirtschaftlichen Aufgaben sowie die Art deren Erfüllung verstanden. Da politische Aufgaben immer mit Ausgaben verbunden sind, können beide Begriffe (Aufgaben, Ausgaben) gleichberechtigt verwendet werden. Das Verhältnis zwischen eigenen Einnahmen und selbst zu entscheidenden Ausgaben spiegelt die finanzwirtschaftliche Autonomie eines Gemeinwesens wider. Für die EU ist die Zuordnung von Aufgaben und Finanzmitteln auf die Unionsebene immer zugleich ein Stück politische Integration.

Der ursprünglichen Integration von Wirtschaftssektoren durch den Abbau von Handelshemmnissen folgte eine schrittweise Verlagerung einzelner Politiken auf die EU-Ebene. Dadurch nahm der passive FA kontinuierlich zu (Art. 3 EGV). Dieser umfasst das Recht, zugewiesene Aufgaben inhaltlich zu gestalten (Entscheidungskompetenz), diese Aufgaben durchzuführen (Durchführungskompetenz) und hierfür Ausgaben zu tätigen (Finanzierungskompetenz). Wachsen die Aufgaben, müssen die Einnahmen ebenfalls steigen. Dies bedeutet eine Ausweitung des aktiven FA. Dieser Teil der Finanzverfassung verlangt dann eine Klärung, wie die Einnahmequellen gestaltet werden (Entscheidungskompetenz), ein Recht auf die Erhebung von Einnahmen (Erhebungskomeptenz) und das Recht, die so erzielten Erträge einzusetzen (Ertragskompetenz).

Als Finanzverfassung im engeren Sinne können die Artikel 268 bis 280 des Vertrages der EG (EGV) aufgefasst werden. Die ursprünglich für die einzelnen Teile der Europäischen Gemeinschaften getrennt aufgestellten Verwaltungshaushaltspläne wurden mit dem Fusionsvertrag zur EG 1965 durch einen einheitlichen Haushaltsplan abgelöst. 1970 wurden der Forschungs- und Investitionshaushaltsplan der EURATOM in den gemeinsamen Etat einbezogen. Heute existieren der EU-Haushaltsplan, der EGKS-Funktions-Haushaltsplan, der Europäische Entwicklungsfonds sowie der Plan über die Anleihe und Darlehenstätigkeit der EU, welcher die Europäische Investitionsbank sowie das Neue Gemeinschaftsinstrument umfasst.

Bei den Ausgaben wird zwischen obligatorischen (OA) und nicht-obligatorischen (NOA) Ausgaben unterschieden. OA ergeben sich aufgrund von Verpflichtungen des EU-Vertrags, den davon abgeleiteten Rechten, aus Abkommen und Übereinkommen sowie aus internationalen und privatrechtlichen Verträgen. Für ihre Festlegung ist der Europäische Rat als oberstes Organ der EU verantwortlich. Bei den NOA liegt die Entscheidungskompetenz beim Europäischen Parlament. Die EU-Kommission kann diese Mittel nach eigenem Ermessen einzelnen Projekten aus den Bereichen Strukturpolitik, Forschung und Technologie sowie Entwicklungshilfe zuordnen. Im Zusammenhang mit dem diskutierten Demokratiedefizit der EU ist die Zuordnung der Ausgaben für die Gemeinsame Agrarpolitik (GAP) als OA problematisch, da somit 45 Prozent der Ausgaben einer Kontrolle durch das Europäische Parlament entzogen werden.

Eine andere Strukturierung ergibt sich, wenn man die Ausgaben der EU als Angebot von öffentlichen Gütern der EU interpretiert. Dann sind die Politikbereiche und die Ausgabenkategorien auf der Gemeinschaftsebene identisch. Dies spiegelt sich in den Budgetplanungen wider. Die wichtigsten Positionen sind die Ausgaben für die GAP, die Strukturpolitik und die Kohäsionspolitik. Im Zuge der Osterweiterung kommen die Beihilfen im Rahmen der Heranführungsstrategie für die Beitrittskandidaten hinzu. Darüber hinaus setzt die EU finanzielle Mittel in den internen (Zusammenarbeit im Bereich Justiz und Inneres) sowie externen (gemeinsame Außen- und Sicherheitspolitik, GASP) Politikbereichen ein. Ferner muss auch die Verwaltung finanziert werden, die lediglich 5,1 Prozent der Ausgaben beansprucht.

Die Einnahmen der Europäischen Gemeinschaft (EWG/ EG) setzten sich bis 1971 aus zweckgebundenen Finanzbeiträgen der Mitgliedsländer sowie aus den Umlagen auf die Erzeugung von Kohle und Stahl zusammen. Auf der Grundlage des Artikels 201 des EWG-Vertrages wurde den Gemeinschaften 1970 die Kompetenz für eigene Einnahmen zugestanden und das Finanzierungssystem bis 1975 schrittweise auf diese Quellen umgestellt. Der beherrschende Begriff ist seitdem der der Eigenmittel. Dies sind fiskalische Einnahmen, die der Gemeinschaft zur Deckung ihrer

Ausgaben zur Verfügung stehen. Das gesamte Einnahmen- und damit auch das Ausgabenvolumen, darf aktuell 1,27 Prozent des Gemeinschafts-BSP nicht überschreiten. Das Eigenmittelsystem umfasst originäre Eigenmittel und Beiträge der EU-Mitglieder:

Originäre Eigenmittel:

- Agrarabschöpfungen und Agrarzölle sowie die Zucker- und Isoglukoseabgabe (Produktions- und Lagerabgabe im Rahmen der Gemeinsamen Marktordnung für Zucker);
- Die Zölle, die bei Anwendung des gemeinsamen Zolltarifs auf Einfuhren aus Drittstaaten erhoben werden.

Beiträge der EU-Mitgliedsländer:

- Die Mehrwertsteuer (MwSt)-Eigenmittel, die sich aus der Anwendung eines einheitlichen Satzes (1999: 1 Prozent) auf eine einheitliche bestimmte Bemessungsgrundlage ergeben (maximal 50 Prozent des BSP). Aufgrund politischer Forderungen gibt es für einige Länder Sonderregelungen (z. B. Großbritannien, Spanien);
- Die BSP-Einnahme, die 1988 als „zusätzliche" Einnahmequelle, d. h. zur Restfinanzierung des Gemeinschaftshaushaltes eingeführt wurde. Sie ergibt sich aus der Anwendung eines alljährlich im Zuge des Haushaltsverfahrens festgelegten Satzes auf die Summe der Bruttosozialprodukte aller Mitgliedstaaten.

Die wichtigsten Einnahmequellen für die EU sind die BSP- und die MwSt-Eigenmittel.

Aufgrund der Sonderregelungen für einzelne Länder, der Berücksichtigung unterschiedlicher Wirtschaftsstrukturen und Entwicklungsstände der Mitglieder, der Rückflüsse aus der GAP sowie der Struktur- und Kohäsionsfonds ergeben sich mittlerweile problematische Nettopositionen. Einige hochentwickelte und leistungsstarke Mitgliedstaaten wie Großbritannien, Frankreich und Italien befinden sich auf der Seite der Nettoempfänger (Wissenschaftlicher Beirat des Bundesministerium für Wirtschaft – BMWi 1998).

Als neue Einnahmeart und Mittel zur Stärkung der Ertragskompetenz taucht in der Diskussion immer wieder eine EU-Steuer auf. Kommission und Europäisches Parlament führen für diese Steuer als Argument ins Feld, dass mit ihr die Spürbarkeit und die Verantwortung der Europäischen Aufgaben erkennbarer würden. Neben einem Zuschlag auf die nationale Mehrwertsteuer werden als Steuerobjekte u. a. der Ausstoß an Kohlendioxid oder der Konsum bestimmter Güter bzw. Dienstleistungen (Tabak, Alkohol, Mineralöl, Telekommunikation) vorgeschlagen. Der Grund für die bisherige Ablehnung einer EU-Steuer dürfte in der Furcht vor einer „Tendenz zur offenen Transferunion" (Wissenschaftlicher Beirat beim BMWi 1998) zu suchen sein.

Haushalt und finanzielle Vorausschau

Die Entstehung des Haushalts als Entscheidungsprozess über die Einnahmen und Ausgaben der EU: Die Kommission unterbreitet dem Rat einen Haushaltvorentwurf (HVE). Der Europäische Rat und das Europäische Parlament bilden aufgrund der unterschiedlichen Ausgabekategorien (OA und NOA) zusammen die Haushaltsbehörde. Zwischen beiden findet eine regelmäßige Abstimmung statt. Aus dem HVE wird aufgrund der Vorschläge des Rates der Haushaltentwurf (HE), der zur ersten Lesung ins Parlament eingebracht wird. Hier können Änderungsvorschläge bei den OA und den NOA eingebracht werden. In der zweiten Lesung setzt der Rat in letzter Instanz die OA fest. Dem Parlament obliegt es, in einer abschließenden zweiten Lesung, die NOA festzulegen. Auf die OA hat das Parlament nur noch insofern Einfluss, als es den Haushalt in seiner Gesamtheit ablehnen kann. Nach der parlamentarischen Feststellung des HE nimmt der Präsident des Europäischen Parlaments den Entwurf an und der Haushalt ist nunmehr auszuführen. Die Kontrolle der Haushaltführung auf Ordnungsmäßigkeit obliegt internen Stellen und dem Europäischen Rechnungshof als externem Kontrolleur. Darüber hinaus erfolgt eine Kontrolle nach Gesichtspunkten der Effizienz auf der Grundlage der Bewertung einzelner Projekte. Den Abschluss des Budgetkreislaufs bildet die Entlastung der Kommission durch das Europäische Parlament. Diese Entlastung ist seit Jahren nicht (!) mehr erteilt worden. Dass dieses Recht dennoch ein mächtiges Instrument zur Schaffung stärkerer Transparenz der EU-Politik sein kann, zeigte der geschlossene Rücktritt der Kommission unter ihrem Präsidenten Jacques Santer 1999 als Folge der Verweigerung der Entlastung durch das Parlament, nachdem Unregelmäßigkeiten bei der Mittelverwendung festgestellt worden waren.

Ausblick

Die vorerst letzten Etappen in der Entwicklung der EU-Finanzverfassung bilden die Agenda 2000 (verabschiedet auf dem Berliner Ratsgipfel März 1999) sowie der vom Rat angenommene Vertrag von Nizza (Dezember 2000). Grundsätzlich müssen alle Mitglieder der EU ihren Beitrag zur Finanzierung der Gemeinschaftspolitik leisten. Die Beteiligung an den Einnahmen richtet sich nach dem Kriterium der wirtschaftlichen Leistungsfähigkeit. Die Anteile an den Ausgaben (Rückflüsse) hängen von dem wirtschaftlichen Entwicklungsstand (Strukturpolitik) und dem Anteil der *Agrarpolitik* am BSP ab. Daraus ergeben sich unterschiedliche Nettozahler- und Nettoempfängerpositionen. Während die Nettoempfänger eher den Status quo der Finanzverfassung verteidigen, drängen die Nettozahler auf Reformen. Trotz intensiver Willensbekundungen ist es mit der Agenda 2000 nicht gelungen, grundlegende Reformen durchzusetzen. Alle diskutierten Reformvorschläge des Eigenmittelsystems scheiterten am Widerstand der Nettoempfänger. Auch eine grundlegende Neuordnung der Ausgaben (Änderungen der Strukturförderung, Reform der GAP) fand keine Mehrheit. Wichtigste Begrenzung bleibt weiterhin die Fixierung der Ausgabenobergrenze von 1,27 Prozent des BSP der Gemeinschaft (in Preisen von 1999), die zur Zeit nicht ausgeschöpft wird, so dass für die →*EU-Erweiterung* und ihre Aufgaben finanzielle Spielräume bestehen. Bezüglich des Eigenmittelsystems wurde die Europäische Kommission beauftragt, vor der nächsten Verhandlungsrunde über den Finanzrahmen nach 2006 Vorschläge über die Verteilung der Lasten zu unterbreiten. Dann sollen auch die Ausgaben für die neuen EU-Mitglieder berücksichtigt werden. Aufgrund der Erweiterung der EU wird die Heterogenität der EU-Mitgliedsländer stark zunehmen. Dadurch können sich die Interessenlagen zwischen Nettoempfängern und Nettozahlern verschärfen. Ebenfalls können die neuen Mehrheitsverhältnisse dazu führen, dass die Reform der Finanzverfassung der EU erschwert wird.

Literaturhinweise:
Internet-Seiten der EU-INSTITUTIONEN, abzurufen unter www.europa.eu.int; INSTITUT FINANZEN UND STEUERN (1999), *Der Haushalt der Europäischen Union – eine Bestandsaufnahme*, IFSt-Schrift Nr. 372, Bonn; HASSE, R. H./ PENZOLD, A. (2000), Die deutsche Verhandlungsposition für die Agenda 2000 und ihre Umsetzung, in: Hasse, R. H./ Kunze, C. (Hrsg.), *Osterweiterung der EU. Reformbedürfnisse und Anpassungsschritte*, Leipzig, S. 137-149.

Alexander Schumann

EU: Geschichte

Der Grundstein für die EU wurde 1952 mit der Gründung der Europäischen Gemeinschaft für Kohle und Stahl (EGKS) gelegt. Das Besondere an dem in seiner Form klassischen völkerrechtlichen Vertrag zwischen sechs Mitgliedstaaten bestand in der Einrichtung gemeinsamer Organe (Hohe Behörde, später in Kommission umbenannt; Parlamentarische Versammlung, später: Europäisches Parlament; Ministerrat; Gerichtshof), die für die Gemeinschaft handeln konnten.

Nachdem im Rahmen der EGKS zunächst kriegswichtige Bereiche erfolgreich gemeinsam verwaltet wurden, war das nächste Ziel, eine Europäische Verteidigungsgemeinschaft (EVG) einschließlich europäischer Armee zu schaffen. Dieses Vorhaben scheiterte 1954 zusammen mit dem Versuch, die bisherigen Integrationsschritte in einer Europäischen Politischen Gemeinschaft (EPG) zu bündeln (→*Integration*). Indirekte Folge war die 1955 in Kraft getretene Erweiterung des Brüsseler Paktes (1948) zur Westeuropäischen Union (WEU). Diese außerhalb des gemeinschaftlichen Vertragswerks geschaffene Organisation ist mittlerweile fast komplett in den Rechtsbestand der EU überführt (Ausnahme: Beistandsklausel nach Art. 5 WEU-Vertrag; Parlamentarische Versammlung).

Der erste umfassende politische Integrationsversuch konnte nicht realisiert werden. So beschlossen die Gründerstaaten, den Weg der wirtschaftlichen Integration weiterzuverfolgen. Nach Kohle und Stahl (EGKS) wurden weitere Teilbereiche integriert (1958 Europäische Wirtschaftsgemeinschaft – EWG: Agrarwirtschaft und Zollwesen; 1958 EAG: Atomwirtschaft). Die Erwartung war, dass die in der engen wirtschaftlichen Zusammenarbeit gesammelten Erfahrungen eine Sogwirkung auch auf die sensibleren politischen Sachbereiche entwickeln würden.

Die schnelle Verwirklichung wichtiger Etappen der Römischen Verträge (wie EWG- und EAG-Vertrag auch genannt werden) führte zu einem erneuten Versuch, das über die Wirtschaftsintegration hinausgehende Ziel einer Europäischen Politischen Union (EPU) zu verfolgen (Fouchet-Pläne 1960/ 62). Aber auch dieses Mal gelang es nicht, ein politisches Dach über die bisherigen Integrationsschritte zu spannen.

Dafür wurden kleinere Fortschritte erzielt: 1971 System der Eigenmittel der EWG; seit 1975 Entscheidung des Europäischen Parlaments zusammen mit dem Rat über den EG-Haushalt; 1979 erste Direktwahl des Europäischen Parlaments (EP). Trotzdem stagnierte die supranational ausgerichtete Integration. In den siebziger Jahren scheiterten Reformpläne am wachsenden Gewicht der Mitgliedstaaten innerhalb der EWG und an dem durch die Entspannungspolitik Richtung Osteuropa abnehmenden Außendruck auf die Westintegration.

In dieser Situation konzentrierte sich die Dynamik der Integration auf Politikbereiche, die außerhalb des Rahmens der Römischen Verträge lagen und auf Methoden wie die klassisch intergouvernementale Regierungszusammenarbeit zurückgriffen: seit 1970 regelmäßige Abstimmung der außenpolitischen Positionen (Europäische Politische Zusammenarbeit, EPZ); 1972 Währungsschlange; 1979 Europäisches Währungssystem (EWS); 1974 regelmäßige Treffen der Staats- und Regierungschefs der EWG-Mitgliedstaaten (Europäischer Rat).

Diese „intergouvernementale Phase" der europäischen Einigung wurde mit der ersten Reform der Römischen Verträge durch die Einheitliche Europäische Akte (EEA) überwunden (1987). Wichtigste Elemente waren der „zweite Anlauf", einen Europäischen Binnenmarkt bis zum 31. Dezember 1992 zu verwirklichen sowie die Integration von EPZ und Europäischem Rat in das gemeinschaftliche Vertragswerk.

In den neunziger Jahren folgte eine Vertragsreform auf die nächste: Mit dem Maastrichter Vertrag (1992) wurde die *→Europäische Wirtschafts- und Währungsunion* (WWU) rechtlich im EG-Vertrag verankert und damit wichtige Elemente der *→Sozialen Marktwirtschaft in der EU*, wie z. B. die Einrichtung einer unabhängigen Zentralbank, auf europäischer Ebene festgeschrieben. Außerdem erhielt das Vertragswerk seine seitdem typische Tempelkonstruktion, indem die unterschiedlichen Integrationsqualitäten der drei Säulen (Europäische Gemeinschaft – EG, Gemeinsame Außen- und Sicherheitspolitik – GASP, Zusammenarbeit in den Bereichen Justiz und Innenpolitik – ZJI) mit dem „Vertrag über die Europäische Union" (EU) überwölbt wurden. Der EWG-Vertrag wurde zum „Vertrag über die Gründung einer Europäischen Gemeinschaft" (EG) weiterentwickelt, was das gewachsene Gewicht des Politischen in der EU zum Ausdruck bringen soll. Mit dem Amsterdamer Vertrag (1998) wurde u. a. der Raum der Sicherheit, der Freiheit und des Rechts als (innenpolitisches) Pendant zu (wirtschaftlichem) Binnenmarkt und (außenpolitischer) Gemeinsamer Außen- und Sicherheitspolitik (GASP) geschaffen. Der Vertrag von Nizza (2000) wiederum versuchte, das institutionelle Gefüge der damals 15 Mitgliedstaaten umfassenden und vor der größten Erweiterungsrunde in ihrer Geschichte stehenden EU anzupassen. Auf dem Gipfel von Nizza wurde von den Staats- und Regierungschefs die Charta der Grundrechte der EU (u. a. mit einem Kapitel „Solidarität") angenommen. Die ebenfalls verabschiedete Erklärung zur Zukunft der EU war Grundlage für die Einberufung eines Konventes zur Erarbeitung eines EU-Verfassungsvertrages, in dem die Inhalte, Strukturen und Verfahren der EU transparenter, demokratischer und effizienter gestaltet werden sollten.

Literaturhinweise:

GASTEYGER, C. (2001), *Europa von der Spaltung bis zur Einigung. Darstellung und Dokumentation*, Bundeszentrale für politische Bildung, Bonn; WEIDENFELD, W. (Hrsg.) (2002), *Europa-Handbuch*, aktualisierte Neuauflage, Gütersloh.

Melanie Piepenschneider

EU: Handelspolitik

Zollunionen wie die Europäische Union (EU) sind im Allgemeinen Zoll- und Handelsabkommen (GATT) und in der Welthandelsorganisation (WTO, →*Internationale Organisationen*) erlaubt worden, weil man annimmt, dass der Abbau der Handelsschranken zwischen den Teilnehmerländern ohne Erhöhung der Zollschranken gegenüber Drittstaaten das weltweite Niveau der Öffnung der nationalen Märkte erhöht. Gleichzeitig erwartet das GATT/ WTO, dass die Teilnehmerstaaten sich aktiv für weitere Liberalisierungen der Weltwirtschaft einsetzen.

Die Europäische Wirtschaftsgemeinschaft (EWG) formulierte 1958 als Grundsatz für ihre Handelspolitik (Art. 110 EWG-Vertrag): „Durch die Schaffung einer Zollunion beabsichtigen die Mitgliedstaaten, im gemeinsamen Interesse zur harmonischen Entwicklung des Welthandels, zur schrittweisen Beseitigung der Beschränkungen im internationalen Handelsverkehr und zum Abbau der Zollschranken beizutragen." Diese Zielsetzung ist unverändert in den EU-Vertrag von Maastricht/ Amsterdam als Artikel 131 übernommen und durch den Grundsatz verstärkt worden, dass die Gemeinschaft den Grundsatz „einer offenen Marktwirtschaft mit freiem →*Wettbewerb*" beachtet (Art. 4, 98, 105 EG-Vertrag).

Die Handelspolitik ist 1970 von den Mitgliedstaaten auf die Gemeinschaft übergegangen. Die Kommission unterbreitet dem Ministerrat Vorschläge für die Durchführung der gemeinsamen Handelspolitik, für die der Rat die Kommission ermächtigt (Art. 133 EG-Vertrag).

Die Handelspolitik der EU geht von der empirisch erhärteten Erkenntnis aus, dass Arbeitsteilung und offene Märkte die wirkungsvollsten Mittel zur Schaffung von →*Einkommen* und →*Beschäftigung* und damit zur Erhöhung des Lebensstandards sind. Durch Wettbewerb auf offenen

Märkten werden Produktivitätsgewinne erzielt, die anderenfalls nicht eintreten würden. Dieser Zusammenhang ist nicht immer leicht einsehbar, weil die mit dem Konkurrenzkampf verbundene „schöpferische Zerstörung", das heißt die Entwicklung zu anspruchsvolleren Produktionen und Tätigkeiten, Arbeitsplätze in den nicht mehr wettbewerbsfähigen Branchen kostet. Die richtige wirtschaftspolitische Antwort darauf besteht in einer breiten Förderung von Aus- und Fortbildungsmöglichkeiten und notfalls in der vorübergehenden Unterstützung der „Opfer" des Fortschritts (→*Arbeitslosigkeit*).

Als weltgrößter Exporteur von Waren und Dienstleistungen hat die EU ein offensichtliches Interesse am Zugang zu fremden Märkten. Zusätzlich setzt sich zunehmend die Erkenntnis durch, dass die Öffnung des eigenen Marktes höhere Wohlstands- und Beschäftigungsgewinne bringt als der Abbau von Handelsschranken seitens der Handelspartner. Für eigene wie für fremde Marktabschottungen (Protektionismus) gilt, dass sie den Wandel nicht verhindern, sondern unter hohen Kosten nur verzögern.

Die Regeln des Wettbewerbs auf offenen Märkten wurden in der EU besonders konsequent und erfolgreich mit dem Binnenmarktprogramm seit 1985 umgesetzt. Die Einführung der Freizügigkeit für Waren, Dienstleistungen, Personen und Kapital („vier Freiheiten") hat den innereuropäischen Handel angeregt und nachhaltig positive Auswirkungen auf Einkommen und Beschäftigung in allen EU-Mitgliedstaaten geschaffen. Den Verbrauchern und →*Unternehmen* steht ein vielfältigeres Produktangebot zu niedrigeren Preisen zur Verfügung, wodurch die Kaufkraft steigt. Die Kosten für das Reisen, den Warentransport, die Übertragung von Informationen und Nachrichten haben sich geradezu dramatisch verringert. Europäische und nicht-europäische Anbieter können ihre Waren heute in allen Ländern der EU zu einheitlichen rechtlichen Bedingungen vermarkten. Für Dienstleister gilt dies bis heute nur eingeschränkt, weshalb die Europäische Kommission zu Beginn des Jahres 2001 begonnen hat, ein Maßnahmenpaket zur Integration der europäischen Dienstleistungsmärkte umzusetzen.

Bis Ende 2002 sollen Hemmnisse im grenzüberschreitenden Dienstleistungsverkehr identifiziert und möglichst beseitigt werden, damit Dienstleister in der gesamten EU genauso tätig werden können wie in einem einzelnen Mitgliedstaat. Für die Nutzer von Dienstleistungen, gleichgültig ob es sich um Unternehmen oder Konsumenten handelt, bedeutet das wie im Warenbereich eine größere Zahl von Anbietern, die miteinander nicht nur im Preiswettbewerb stehen, sondern auch mit Qualität und Innovationen zum Vorteil der Nachfrager miteinander konkurrieren. Mit der konsequenten Verwirklichung der Dienstleistungsfreiheiten in Europa wird der Wandel von der Industrie- zur Dienstleistungs- und Wissensgesellschaft beschleunigt und damit ein großes Potenzial für Wirtschaftswachstum und Beschäftigung erschlossen. Wäre in der EU derselbe

Anteil der Beschäftigten im Dienstleistungssektor tätig wie heute in den USA, bedeutete dies 36 Millionen zusätzliche Arbeitsplätze in der EU.

Wenn auf dem europäischen Binnenmarkt die Prinzipien von Wettbewerb, Arbeitsteilung und ungehindertem Marktzugang vorteilhafte Wirkungen freisetzen, muss dies auch für den Weltmarkt gelten, der zu etwa einem Fünftel aus der EU besteht. Das heißt, je weiter die EU ihre Außengrenzen gegenüber dritten Ländern öffnet, desto größer werden die Gewinne für Einkommen und Beschäftigung. Diese Einsicht hat sich für die meisten Industriegüter in einer Offenheit des europäischen Marktes niedergeschlagen, die angesichts einer mittleren Zollbelastung von 4,2 Prozent im internationalen Vergleich als vorbildlich gelten kann.

Politisch motivierte Rücksicht auf Partikularinteressen veranlasst die EU allerdings zu hartnäckigen Ausnahmen im Widerspruch zur besseren Erkenntnis. Die europäische Einfuhr von Textilien und Bekleidung ist auf Betreiben weniger EU-Mitgliedstaaten von Mengenbeschränkungen und hohen Zöllen gekennzeichnet, was nicht nur den europäischen Käufern, sondern auch vielen Entwicklungsländern, die auf den Export dieser Produkte angewiesen sind, schadet. Diesen Entwicklungsländern wird die Möglichkeit genommen, im Rahmen der internationalen Arbeitsteilung Absatzchancen zu nutzen und so aus eigener Kraft ihre Entwicklung zu beschleunigen.

Ein weiteres Beispiel für mangelnde Konsequenz in der EU-Handelspolitik ist der 10-prozentige Zoll auf Personenautos, ein aus gesamtwirtschaftlicher Sicht nicht zu rechtfertigender Eingriff in den Marktablauf (USA: 2,5 Prozent). Auch die Importbeschränkung und Subventionierung des Steinkohlebergbaus (ca. 100 Euro je Tonne) ist ein Beispiel dafür, wie problematisch und teuer Protektionismus ist.

Die europäische Landwirtschaftspolitik wird zunehmend zum außen- (und binnen-) wirtschaftlichen Ärgernis. Die einseitige Ausrichtung der Politik auf den Schutz der im internationalen Vergleich unrentablen europäischen Produktion belastet Konsumenten und Steuerzahler in der EU. Gleichzeitig werden, wie im Textilsektor, viele Entwicklungsländer des Marktzugangs zu den kaufkräftigen europäischen Verbrauchern beraubt. →*Deregulierung* und Öffnung der landwirtschaftlichen Märkte werden in künftigen internationalen Verhandlungen unter dem Dach der Welthandelsorganisation ein schwieriges und heikles Thema sein. Die EU wird sich dabei an ihren eigenen Grundsätzen für marktwirtschaftliches Verhalten messen lassen müssen.

Literaturhinweise:
EUROPEAN COMMISSION (March 2001), *Single Market News*; WORLD TRADE ORGANIZATION (July 2000), *Trade Policy Reviews, European Union*, http://www.wto.org.

Detlef Böhle

EU: Handlungsmaximen

Die Wirtschaftspolitik der Europäischen Union (EU) umfasst – wie die Wirtschaftspolitik der Mitgliedstaaten

– das Setzen von Rechtsnormen für das Handeln der privaten und staatlichen Wirtschaftssubjekte (→*Ordnungspolitik*) und die staatliche Einflussnahme auf die Wirtschaftsabläufe (→*Prozesspolitik*). Die EU ist als „Mehrebenensystem" mit den Ebenen der Europäischen Gemeinschaft (EG), der Mitgliedstaaten, der Länder oder Provinzen und der Kreise und Kommunen verfasst. Es geht deshalb erstens darum, von Fall zu Fall die Ebene zu bestimmen, die für einen bestimmten Regelungsbereich (Politikbereich) oder für bestimmte Vorhaben sachgerecht ist. Zweitens muss die Form und Intensität des Zusammenwirkens zwischen der EU und den Mitgliedstaaten geklärt werden.

Hinsichtlich der ersten Frage hat der Maastricht-Vertrag von 1992 das sog. Subsidiaritätsprinzip im EG-Vertrag (EGV) verankert. Die Staats- und Regierungschefs reagierten damit unter anderem auf die von Kommissionspräsident Delors vor dem Europäischen Parlament (am 6. Juli 1988) geäußerte Erwartung, dass „in zehn Jahren ... 80 Prozent der Wirtschaftsgesetzgebung, vielleicht auch der steuerlichen und sozialen, gemeinschaftlichen Ursprungs sein (werden)." Nach dem Subsidiaritätsprinzip wird die Gemeinschaft in Bereichen, die nicht in ihre ausschließliche Zuständigkeit fallen, „nur tätig, sofern und soweit die Ziele der in Betracht gezogenen Maßnahmen auf der Ebene der Mitgliedstaaten nicht ausreichend erreicht werden können und daher wegen ihres Umfangs oder ihrer Wirkungen besser auf Gemeinschaftsebene erreicht werden können" (Art. 5 EGV-neu). M. a. W., Regelungen und Maßnahmen sollen vornehmlich dezentral, auf der Ebene der Mitgliedstaaten oder Regionen, getroffen werden; nur in den Fällen, in denen sich eine zentrale (europäische) Regelung anbietet, oder in denen die EU ausdrücklich allein zuständig ist, soll die Gemeinschaft tätig werden.

Diese Aufgabenverteilung ist prinzipiell sachgerecht. Allerdings ist die Zuordnung im Einzelfall nicht eindeutig und liegt letztlich im Ermessen der Gemeinschaftsorgane. Dabei ist abzuwägen zwischen dem Nutzen einheitlicher oder harmonisierter Rechtsvorschriften und Politiken im europäischen Binnenmarkt (Senkung von Transaktionskosten für →*Unternehmen* und Verbraucher), den ökonomischen Kosten, die sich aus einer gemeinschaftlichen Einigung auf zweit- oder drittbeste Lösungen ergeben, und den Vorteilen eines →*Wettbewerbs* zwischen unterschiedlichen nationalen Konzeptionen (Lerneffekte). Während einzelne Politiken ganz oder weitgehend „vergemeinschaftet", d. h. der nationalen Entscheidung entzogen sind (z. B. →*EU: Handelspolitik*, →*EU: Agrarpolitik*, →*Europäische Geld- und Währungspolitik*, Marktzugang für EU-Bürger, Unternehmen, freier Verkehr von Waren und Dienstleistungen) und andere gemeinschaftlichen Mindeststandards und Beschränkungen unterliegen (z. B. Mehrwert- und Verbrauchsteuern, Beihilfen, technische Normen, Verbraucherschutz, Umweltstandards), sind die Mitgliedstaaten in der Gestaltung wichtiger Standortbedingungen (→*Arbeitsmarktordnung*, direkte Steuern, Bildungssystem, Infrastrukturpolitik), ihrer Sozialsysteme (→*Renten-*, →*Kranken-*, Arbeitslosen*versicherung*, →*Soziale Grundsicherung*) und ihrer laufenden Finanzpolitik (Höhe und Struktur der →*Staatseinnahmen* und *-ausgaben*) unverändert weitgehend frei.

Was die zweite Frage, das Zusammenwirken zwischen der EU und den Mitgliedstaaten betrifft, so bedürfen bestimmte grundsätzliche Entscheidungen über den Rechtsrahmen (Änderungen des EU- bzw. EG-Vertrages) und über die Mitgliedschaft in der EU der Ratifikation durch alle nationalen Parlamente. Die konkrete Ausfüllung dieses rechtlichen Rahmens vollzieht sich auf sehr vielgestaltige Weise. Soweit es um die Setzung mittelfristig gültiger Rechtsnormen geht, verabschiedet der Ministerrat (Rat) auf Vorschlag der Kommission, bei unterschiedlich starker Einbeziehung des Europäischen Parlaments, einstimmig oder mit Mehrheit *Richtlinien, Verordnungen* und *Entscheidungen*. Dies gilt z. B. für die Realisierung der fünf Grundfreiheiten (freier Waren-, Dienstleistungs- und Kapitalverkehr, Freizügigkeit von Personen, Niederlassungsfreiheit für Unternehmen), den gesamten Bereich des Binnenmarktes (produkt- und marktbezogene Regulierungen), aber auch für den EG-Haushalt. Über *Einzelmaßnahmen*, *Empfehlungen* und *Stellungnahmen* entscheidet der Rat (z. B. Interventionspreise in der Agrarpolitik, handelspolitische Schutzmaßnahmen, konjunkturpolitische Empfehlungen), die Kommission (z. B. Wettbewerbs- und Beihilfenaufsicht, Einleitung von Vertragsverletzungsverfahren, Forschungssubventionen) oder – für den Bereich der Geldpolitik – die Europäische Zentralbank.

Der Rat ist Legislativ- und Exekutivorgan zugleich, wobei er sich die Aufgabe der Gesetzgebung mit dem Europäischen Parlament, die Aufgabe der Regierung und Verwaltung mit der Kommission teilt. Als Interessenvertretung der Mitgliedstaaten ist seine Arbeitsweise durch die Suche nach möglichst weitgehendem Konsens gekennzeichnet. Dies führt zu mitunter langen Verzögerungen im Entscheidungsprozess, zu Einigungen auf dem „kleinsten gemeinsamen Nenner" und zu Verknüpfungen unterschiedlicher Sachthemen in Verhandlungspaketen. Das „Gemeinschaftsinteresse" wird von der Kommission, dem Europäischen Parlament und dem Europäischen Gerichtshof verkörpert. Die Kommission verfügt über das Vorschlagsmonopol, d. h. der Rat kann nur auf der Grundlage eines Vorschlags der Kommission tätig werden; allerdings ist dieser Vorschlag in der Regel bereits mit den nationalen Behörden abgeklärt, um seine Erfolgsaussichten zu erhöhen (→*EU: Organe und Institutionen*).

Insgesamt stellt sich das Zusammenwirken der nationalen und europäischen politischen und administrativen Strukturen sowie die Verteilung der wirtschaftspolitischen Aufgaben und Kompetenzen im EU-System als höchst komplex und unübersichtlich dar; zugleich ist dieses System alles andere als festgefügt, sondern durch dynamischen Wandel geprägt.

Literaturhinweise:
KLEMMER, P. (Hrsg.) (1998), *Handbuch Europäische Wirtschaftspolitik*, München; WEIDENFELD, W./ WESSELS, W. (Hrsg.) (1998), *Europa von A-Z, Taschenbuch der europäischen Integration*, 7. Aufl., Bonn; DIES. (Hrsg.), *Jahrbuch der Europäischen Integration*, Bonn, laufende Jahrgänge.

Hans-Eckart Scharrer

EU: Industrie-, Forschungs- und Technologiepolitik

Die Europäische Union (EU) hat seit der „Einheitlichen Europäischen Akte" (1987) und dem Maastricht-Vertrag (1992) eine deutlich höhere Kompetenz für die Forschungs- und Technologiepolitik (FuTp) erhalten. In Art. 130 EGV war auch erstmals ein Zielsystem für die Industriepolitik auf EU-Ebene festgelegt worden, das dann im Amsterdam-Vertrag erweitert wurde. So heißt es in Art. 163 Abs. 1 EGV:

„Die Gemeinschaft hat zum Ziel, die wissenschaftlichen und technologischen Grundlagen der Industrie der Gemeinschaft zu stärken und die Entwicklung ihrer internationalen Wettbewerbsfähigkeit zu fördern sowie alle Forschungsmaßnahmen zu unterstützen, die aufgrund anderer Kapitel dieses Vertrags für erforderlich gehalten werden."

Um die internationale Wettbewerbsfähigkeit zu steigern, muss die Gemeinschaft industrielle Schwerpunkte setzen. Damit betreibt sie „Gestaltungspolitik" (W. A. Jöhr) im Bereich der Industriewirtschaft. Insofern lässt sich die FuTp der EU als am technischen Fortschritt orientierte oder auf die wirtschaftliche Modernisierung gerichtete →*Industriepolitik* verstehen. Um ihre Ziele zu erreichen, fördert die EU die Zusammenarbeit zwischen →*Unternehmen*, Forschungszentren und Hochschulen über die Ländergrenzen ihrer Mitgliedstaaten hinweg. Zusätzlich unterstützt sie den Transfer von Ergebnissen und die Mobilität der Forscher. Die Umsetzung dieser Politik erfolgt durch vier Maßnahmen:

- Am wichtigsten sind die *Indirekten Aktionen*; auf sie entfallen ca. 75 Prozent der finanziellen Mittel. Dabei handelt es sich um Forschungsaufträge, die von Unternehmen und Forschungseinrichtungen durchgeführt werden, wobei die EU max. 50 Prozent der Forschungskosten trägt (cost-shared-actions).
- Die *Direkten Aktionen* finden in Form der Eigenforschung in der Gemeinsamen Forschungsstelle (GFS) und im Gemeinschaftsunternehmen „Joint European Torus" ihren Niederschlag.
- Über →*Konzertierte Aktionen* versucht die EU, die Forschungs- und Entwicklungs (FuE)-Aktivitäten zu koordinieren; die finanzielle Förderung beinhaltet aber nur die Übernahme der Verwaltungskosten.
- Einen in den letzten Jahren immer wichtigeren Auftrag nehmen die *Horizontalen Aktionen* wahr. Sie regen den Austausch und die Zusammenführung von Forschern und Forschungsergebnissen an und liefern die Basis für einen effizien-

ten Einsatz der anderen Programmkategorien, vor allem der *Indirekten Aktionen*. Bei dieser Variante kann die Bezuschussung durch die EU bis zu 100 Prozent betragen.

Die Entwicklung der FuTp in der EU lässt sich in vier Phasen einteilen: Die erste Phase (1951-1973) beschäftigte sich hauptsächlich mit dem Aufbau der Gemeinschaftspolitiken und der sektoralen Forschung auf dem Gebiet der Kernkrafttechnologie. Mit der Erweiterung der Zuständigkeiten auf dem Gebiet der FuTp war die zweite Phase (1974-1980) befasst. Sie markierte eine Weichenstellung in Richtung einer aktiveren Rolle der Gemeinschaft. Merkmale der dritten Phase (1981-1987) waren die Entwicklung einer offensiven Industriepolitik und die Neuorientierung der FuTp. Die thematischen Schwerpunkte werden seither in sog. Forschungsrahmenprogrammen festgehalten. Zwischen 1987 und 2002 befanden wir uns in der vierten Phase, die mit dem Titel „Europa auf dem Weg zur Technologiegemeinschaft“ überschrieben war.

Kennzeichen sind dabei eine Konkretisierung und stärkere Akzentuierung der FuTp in den jeweiligen Rahmenprogrammen. Bereits das vierte Rahmenprogramm (1994-1998) basierte auf dieser neuen Ausrichtung. Den Schwerpunkt bildeten die Bereiche der Informations-, der Kommunikations- und der Industrietechnologien sowie die Energietechnik. Die Idee zum Aufbau einer globalen Informationsgesellschaft kam in der Errichtung von acht *Task Forces* (mit Spezialisten besetzte Arbeitseinheiten) zum Ausdruck. Sie dienen der Koordination und Bündelung der FuE-Aktivitäten in Europa bei wichtigen Zukunftsthemen, wie z. B. „Multimediale Lernprogramme“. Die *Task Forces* sollen Technologien zur Marktreife bringen. Diese Methode ist aber ordnungspolitisch umstritten; es stellt sich die Frage, wie ernst es die Kommission mit der Abgrenzung der „vorwettbewerblichen“ Forschung nimmt. Dieses *Task-Forces*-Modell wurde in der Zwischenzeit von der EU-Kommission wieder aufgegeben.

Mit dem fünften Rahmenprogramm (1998-2002) wurde ein neues Konzept eingeführt. Danach müssen sich die Forschungsanstrengungen auf die Bereiche beschränken, die für die Bürger einen hohen Stellenwert haben, vor allem →*Beschäftigung*, Lebensqualität und internationale technologische Wettbewerbsfähigkeit. Die Beschränkung auf eine begrenzte Anzahl von Themen, wie z. B. „Lebensqualität und Management lebender Ressourcen“ oder „Wettbewerbsorientiertes und nachhaltiges Wachstum“ steigert die Wirksamkeit der jeweiligen Maßnahmen. Eine weitere Neuerung betrifft die Kriterien, die zur Auswahl der Projekte herangezogen werden. So stehen soziale Erfordernisse und wirtschaftliche Entwicklung sowie wissenschaftliche und technologische Perspektiven im Mittelpunkt des Kriterienkatalogs.

Die EU-Kommission stellte im Januar 2000 fest, dass trotz der gemeinschaftlichen Rahmenprogramme von einer einheitlichen europäischen FuTp nicht die Rede sein kann. Sie kritisiert, dass die Forschungspolitik der einzelnen Mitgliedstaaten und der EU oft parallel laufen und somit beide Träger auf dem selben Gebiet tätig sind. Sie spricht dabei das Phänomen der Doppelforschung an und sieht darin eine Ressourcenverschwendung. Aus ordnungspolitischer Sicht ist die Doppelforschung aber nicht grundsätzlich abzulehnen. So setzt sich am Ende des Entwicklungsprozesses das reifere Konzept durch. Darüber hinaus ist die Zeitspanne der Entwicklung einer neuen Technologie deutlich geringer, da die jeweiligen Forscherteams den Anreiz haben, ihre Ergebnisse als erste zu präsentieren.

Mit dem sechsten Rahmenprogramm (2002-2006) beginnt die fünfte Phase. Sie trägt den Titel „Der Europäische Forschungsraum". Im Hinblick auf die Zielvorgabe der europäischen Staats- und Regierungschefs bei der Ratstagung in Lissabon (März 2000), die EU bis 2010 zum „wettbewerbsfähigsten und dynamischsten wissensbasierten Wirtschaftsraum der Welt umzugestalten, der fähig ist, dauerhaftes Wachstum, Vollbeschäftigung und einen größeren sozialen Zusammenhalt zu erzielen", strebt die EU einen größeren Beitrag zur Förderung wissenschaftlicher und technischer Spitzenleistungen sowohl in den EU-Ländern als auch in den europäischen Drittstaaten an. Dazu ist der Anteil der Ausgaben für Forschung und technische Entwicklung am BIP von 1,9 Prozent (2000) auf nahezu 3,0 Prozent zu steigern, wobei der Anteil des privaten Sektors an den FuE-Ausgaben von 56 Prozent auf zwei Drittel steigen soll. Zur Zielerreichung stellt die EU ein Budget von 16,27 Mrd. € zur Verfügung. Sie konzentriert ihre Aktivitäten auf diejenigen Forschungsgebiete, die den größten europäischen Mehrwert versprechen. Die EU sieht die Notwendigkeit, eine kritische Masse an Finanz- und Humanressourcen zu schaffen sowie komplementäre Fähigkeiten in verschiedenen Ländern zusammenzubringen, um somit die Forschungslandschaft in Europa effizienter zu strukturieren.

Wichtig ist ferner der Zusammenhang zwischen den Prioritäten und Interessen der EU und dem grenzüberschreitenden Charakter der Forschung. Durch Vereinfachung und Straffung der Durchführungsbestimmungen sollen auch kleine und mittlere Unternehmen (KMU) eine einfachere Zugangsmöglichkeit zu den Fördertöpfen der EU erhalten. Die KMU waren bisher durch die komplizierte und aufwändige Antragstellung weitestgehend ausgeschlossen. Zusätzlich stellt die EU für das neue Rahmenprogramm ihre Förderformen um. Fortan soll es drei große Instrumente geben: Exzellenznetze, integrierte Projekte und die Beteiligung der EU an Programmen, die auf der Grundlage von Art. 169 EGV gemeinsam mit anderen Staaten durchgeführt werden. Die zuletzt genannte Form unterscheidet sich von den beiden anderen dadurch, dass die Initiative und Forschungsrichtung nicht von der EU ausgehen. Ziel der Exzellenznetze ist die Stärkung der europäischen wissenschaftlichen und technologischen Spitzenleistungen. Eine dauerhafte Bündelung der in den verschiedenen europäischen Regionen vorhandenen Forschungskapazitäten soll dies gewährleisten. Die EU leistet hierbei einen finanziellen Zuschuss zur Integration mit weitgehender Flexibilität innerhalb des Netzes.

Vor allem bei den integrierten Projekten verlässt die EU endgültig den Bereich der Grundlagenforschung, denn dieses Instrument ist ausdrücklich so konzipiert, dass es in der Praxis zu greifbaren Auswirkungen kommt. Dabei kann es sich sogar um konkrete Produkte oder Verfahren handeln. Die integrierten Projekte sollen von öffentlichen/ privaten Partnerschaften umgesetzt werden. Das sechste Rahmenprogramm soll auch die internationale Zusammenarbeit vorantreiben, um den europäischen Integrationsprozess zu beschleunigen. Hierzu wurden bspw. die Mittel zur Förderung der grenzüberschreitenden Mobilität von Forschern erhöht. Ob die FuTp dieser Aufgabe gerecht werden kann, bleibt hingegen abzuwarten.

Literaturhinweise:
Beschluss Nr. 1513/ 2002/ EG des Europäischen Parlaments und des Rates vom 27. Juni 2002 über das Sechste Rahmenprogramm der Europäischen Gemeinschaft im Bereich der Forschung, technologischen Entwicklung und Demonstration als Beitrag zur Verwirklichung des Europäischen Forschungsraums und zur Innovation (2002-2006); BORRÁS, S. (2003), *The Innovation Policy of the European Union*, Cheltenham; EU-KOMMISDSION, KOM (2002) 499, *Mehr Forschung für Europa*, Brüssel, den 11. September 2002; EU-KOMMISSION, KOM (2002) 565, *Der Europäische Forschungsraum: Ein neuer Schwung*, Brüssel, den 16. Oktober 2002; STARBATTY, J./ VETTERLEIN, U. (1998), Forschungs- und Technologiepolitik, in: Klemmer, P. (Hrsg.), *Handbuch Europäische Wirtschaftspolitik*, München, S. 665-733; STRECKER, D. (2000), *Forschungs- und Technologiepolitik im europäischen Integrationsprozeß*, Frankfurt/ M.; SZETTELE, D. (2000), *Auswirkungen der Industriepolitik in der EU auf die internationale Wettbewerbsfähigkeit der europäischen Wirtschaft*, Freiburg i. Br.; VOGEL, C. (2000), *Deutschland im internationalen Technologiewettbewerb – Bedeutung der Forschungs- und Technologiepolitik für die technologische Wettbewerbsfähigkeit*, Berlin.

Andreas Schumm
Joachim Starbatty

EU: Organe und Institutionen

Auf dem Weg zu einer „immer engeren Union der Völker Europas" (Art. 1 Vertrag über die Europäische Union (EU-V)) treffen die Institutionen der Europäischen Union in einer wachsenden Anzahl von Politikfeldern verbindliche Entscheidungen. Ungeachtet des „einheitlichen institutionellen Rahmens" (Art. 3 EU-V) der Europäischen Union erfolgt die Vorbereitung, Herstellung, Durchführung und Kontrolle von Rechtsakten durch die europäischen Institutionen jedoch in Abhängigkeit vom Politikfeld und Vertragsartikel, wodurch unterschiedliche institutionelle Beteiligungsrechte und Mitwirkungsmöglichkeiten der Organe bedingt sind. Die Vertragstexte umfassen neben der vorwiegend ‚supranational' geprägten ersten Säule der Europäischen Gemeinschaften mit dem Binnenmarkt auch den ‚intergouvernemental' ausgestatteten zweiten Pfeiler der Gemeinsamen

Außen- und Sicherheitspolitik sowie den ebenfalls zwischenstaatlich geprägten dritten Pfeiler der Polizeilichen und Justiziellen Zusammenarbeit in Strafsachen. In der ersten Säule sind die zentralen Kompetenzen auf europäischer Ebene zwischen dem institutionellen Fünfeck – Europäische Kommission, Europäisches Parlament (EP), Rat der EU, Europäischer Gerichtshof (EuGH) sowie Europäischer Rat – verteilt. Daneben kommt auch dem Europäischen Rechnungshof (EuRH) sowie den beratenden Organen Ausschuss der Regionen (AdR) und Wirtschafts- und Sozialausschuss (WSA) eine maßgebliche Rolle im Institutionengefüge zu. Weitere wichtige Einrichtungen sind die Europäische Zentralbank (EZB), die Europäische Investitionsbank (EIB) und der Bürgerbeauftragte.

Die *Europäische Kommission* (Art. 213-219 EG-V) ist das Exekutiv- und Verwaltungsorgan der EU mit Sitz in Brüssel. Von 2005 an setzt sich nach den Bestimmungen des Vertrags von Nizza das Kollegium der Kommission aus einem Kommissar pro Mitgliedstaat zusammen. Sobald die EU 27 Staaten umfasst, wird ein Rotationssystem eingeführt. Ernannt werden der Kommissionspräsident und die Kommissare für fünf Jahre aufgrund eines mehrstufigen Verfahrens mit qualifizierter Mehrheit vom Rat und nach Zustimmung des Europäischen Parlaments. Den Verwaltungsunterbau der Kommission bilden ca. 16.000 Beamte in 23 Generaldirektionen und weiteren Ämtern. Die von den Weisungen der nationalen Regierungen unabhängige und als Kollegialorgan entscheidende Kommission spielt aufgrund ihres Initiativmonopols für Rechtsakte in der ersten Säule in der Phase der Entscheidungsvorbereitung die zentrale Rolle. Sie identifiziert als ‚Motor der Integration' Probleme, setzt die Agenda und formuliert Entscheidungsvorlagen. Darüber hinaus trifft sie als ‚Exekutive' im Rahmen ihrer Befugnisse verbindliche Durchführungsbeschlüsse, gewährleistet das ordnungsgemäße Funktionieren des Gemeinsamen Marktes, führt den Haushalt der Gemeinschaft aus und verhandelt internationale Abkommen. Als ‚Hüterin der Verträge' überwacht und kontrolliert die Kommission die Anwendung und Einhaltung des Gemeinschaftsrechts.

Der *Rat der Europäischen Union* (Art. 202-210 EG-V) ist das wichtigste rechtsetzende Organ der EU, der seine legislative und budgetäre Rolle aber zunehmend mit dem Europäischen Parlament teilt. Er konstituiert sich aus jeweils einem (Fach-) Minister pro Mitgliedstaat und tagt – dem Sachgebiet entsprechend – in variierender Zusammensetzung unter dem Vorsitz der halbjährlich rotierenden Präsidentschaft. Die Arbeit des in Brüssel ansässigen Rats wird vom Generalsekretariat sowie dem wöchentlich tagenden Ausschuss der Ständigen Vertreter (AStV) vorbereitet, der die Entscheidungsfindung der Minister vorbereitet. Die internen Abstimmungsverfahren des Rats variieren in Abhängigkeit vom Politikfeld. Grundsätzlich ist zwischen einstimmigen Entscheidungen und solchen mit einfacher und qualifizierter Mehrheit

Die Organe der Europäischen Union

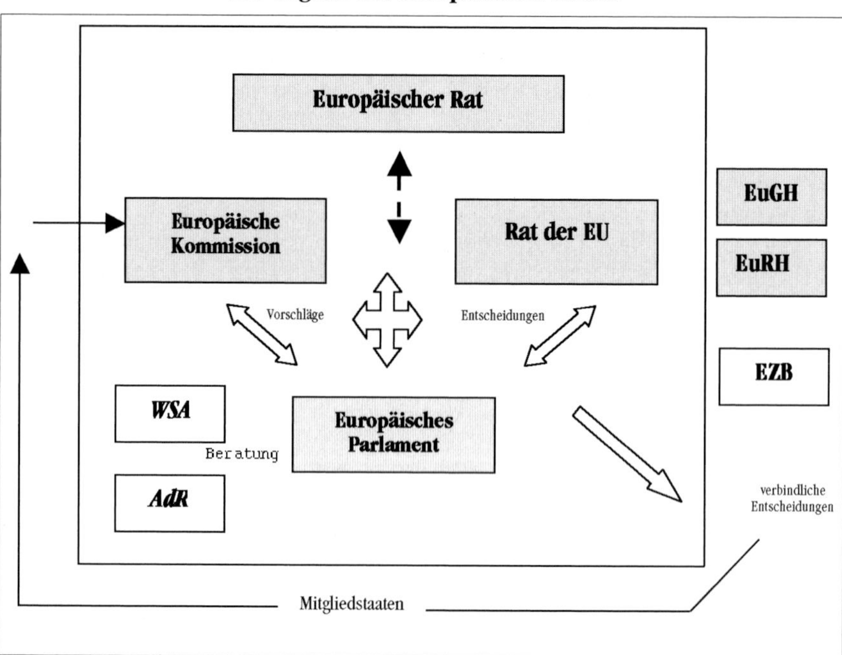

zu unterscheiden. Bei Abstimmungen mit qualifizierter Mehrheit werden die Stimmen im Ministerrat in Anlehnung an die Bevölkerungsstärke der Mitgliedstaaten gewichtet.

Der *Europäische Rat,* der sich aus den Staats- und Regierungschefs der Mitgliedstaaten sowie dem Präsidenten der Europäischen Kommission – jeweils unterstützt durch die Minister für auswärtige Angelegenheiten und einem weiteren Mitglied der Europäischen Kommission – zusammensetzt, nimmt im Institutionengefüge der Union eine Sonderrolle ein. Als ‚konstitutioneller Architekt' hat der Europäische Rat seit 1974 die konkrete Weiterentwicklung und Ausgestaltung der europäischen Vertragstexte wesentlich geprägt. Als ‚Leitliniengeber', insbesondere in der Wirtschaftspolitik und der Gemeinsamen Außen- und Sicherheitspolitik sowie als ‚oberste Appellationsinstanz' bei strittigen Fragen in den Gemeinschaftspolitiken dient der viermal jährlich tagende Europäische Rat – obwohl formal kein Organ der EG – als oberstes und letztendlich richtungsweisendes Gremium des gesamten Vertragswerks.

Das Europäische Parlament (Art. 189-201 EG-V) mit Sitz in Straßburg ist das einzige Organ der EU, dessen Mitglieder direkt von den Bürgern der Mitgliedstaaten gewählt werden. Das EP hat Kontrollrechte gegenüber Kommission und Rat, wirkt bei der Einsetzung der Europäischen Kommission mit, verfügt über Haushaltsbefugnisse und ist – erneut in Abhängigkeit vom Politikfeld – am Rechtssetzungsprozess der Gemeinschaft beteiligt. Über das größte Gestaltungspotenzial verfügen die – nach dem Vertrag von Nizza – bis zu 732 Parlamentarier beim Verfahren der Mitentscheidung, in dem es die Rolle einer Zweiten Kammer einnimmt. Die für eine Legislaturperiode von fünf Jahren bestellten und in Fraktionen organisierten EP-Parlamentarier spiegeln die Vielfalt der europäischen Parteienlandschaft wider. In der sechsten Wahlperiode des EP verteilen sich 2/3 aller Abgeordneten auf die christdemokratisch geprägte Europäische Volkspartei (EVP) und die Sozialdemokratische Partei Europas (SPE).

Der Europäische Gerichtshof (Art. 220-245 EG-V) in Luxemburg setzt sich aus einem Richter pro Mitgliedstaat zusammen. Ernannt werden die Richter einvernehmlich für sechs Jahre von den Regierungen der Mitgliedstaaten. Als letzte Instanz in allen Rechtsfragen der EG befasst sich der von acht Generalanwälten unterstützte EuGH mit den Klagen von Mitgliedstaaten oder EG-Organen, Streitfällen zwischen Regierungen der Mitgliedstaaten und EU-Einrichtungen sowie Konflikten innerhalb der EU. Die Gerichte der Mitgliedstaaten müssen Fälle, die EU-Recht betreffen, an den Europäischen Gerichtshof verweisen, der mit seinen Entscheidungen dann Präzedenzfälle für die Auslegung europäischen Rechts schafft und eine einheitliche Auslegung und Anwendung des Gemeinschaftsrechts gewährleistet.

Der *Europäische Rechnungshof* (Art. 246-248 EG-V) mit Sitz in Luxemburg wacht über die Recht- und Ordnungsmäßigkeit der Einnahmen und Ausgaben der Europäischen Union. Seine für sechs Jahre ernannten Mitglieder (ein Vertreter pro Mitgliedstaat) erstellen einen Jahresbericht und geben Sonderberichte und Stellungnahmen ab, mit denen sie das Finanzvolumen der EU überwachen und sich von der Wirtschaftlichkeit der Haushaltsführung der Organe überzeugen.

Mit dem *Ausschuss der Regionen* (Art. 263-265 EG-V) sowie dem *Wirtschafts- und Sozialausschuss* (Art. 257-262), die sich aus jeweils bis zu 350 Repräsentanten der regionalen und kommunalen Gebietskörperschaften bzw. aus bis zu 350 Vertretern wirtschaftlicher und sozialer Interessengruppen zusammensetzen, besitzt die Gemeinschaft zwei beratende Gremien, die in bestimmten Politikfeldern obligatorisch angehört werden müssen, deren Stellungnahmen aber keine verbindliche Wirkung für den Rechtssetzungsprozess entfalten. Beide Organe können auch Initiativstellungnahmen abgeben.

Literaturhinweise:
WEIDENFELD, W./ WESSELS, W. (Hrsg.) (2002), *Europa von A-Z, Taschenbuch der europäischen Integration*, Bonn, 8. Aufl., Bonn; WESSELS, W. (2003), Das politische System der Europäischen Union, in: Ismayr, W. (Hrsg.), *Die politischen Systeme Westeuropas*, 3. Aufl., Opladen, S. 779-818; HARTMANN, J. (2001), *Das politische System der Europäischen Union. Eine Einführung*, Frankfurt/ M.

Jürgen Mittag
Wolfgang Wessels

EU: Regional- und Strukturpolitik

Innerhalb der Europäischen Union bestehen erhebliche wirtschaftliche und soziale Unterschiede. So betrug z. B. das durchschnittliche Pro-Kopf-→*Einkommen* in der ärmsten Region der EU (Ipeiros in Griechenland) 1998 nur 42 Prozent des EU-Durchschnitts, während das Durchschnittseinkommen in der reichsten Region (Zentral-London) 243 Prozent des EU-Durchschnitts betrug (vgl. nachstehende Grafik). Auf der Ebene der Mitgliedstaaten sind die Einkommensunterschiede etwas weniger ausgeprägt, reichen aber dennoch von 66 Prozent in Griechenland bis zu 176 Prozent in Luxemburg. Große nationale und regionale Unterschiede bestehen auch bei der →*Arbeitslosigkeit*. Im Jahr 1999 reichte die Spannbreite der regionalen Arbeitslosenquoten von 2,1 Prozent auf den finnischen Aland-Inseln bis 28,7 Prozent in der italienischen Region Kalabrien. Die nationalen Arbeitslosenquoten reichten von 2,4 Prozent in Luxemburg bis zu 16,1 Prozent in Spanien. Die Reduzierung dieser Unterschiede ist der am häufigsten genannte Grund für die Existenz der europäischen Regional- und Strukturpolitik (RSP).

Die Grundstruktur der EU-RSP entstand in den späten 80er Jahren. Zu dieser Zeit forderten insbesondere die weniger wohlhabenden EU-Mitgliedstaaten eine Ergänzung des EU-Binnenmarktes durch die Stärkung der Wettbewerbsfähigkeit wirtschaftlich zurückliegender Gebiete der EU. Diese Stärkung erfolgt vor allem durch Investitionen in den Bereichen Infrastruktur und Humankapital sowie durch die Förderung privater Investitionen. Eine direkte Umverteilung von Haushaltsmitteln zwischen den Mitgliedstaaten nach dem Muster des deutschen Länderfinanzausgleichs war innerhalb der EU politisch nicht durchsetzbar. Aus diesem Grund wurden von Seiten der EU verschiedene Arten von ‚Problemregionen' definiert, deren Entwicklung durch die RSP gefördert wird. Nach einigen zwischenzeitlichen Änderungen sind diese sogenannten ‚Ziele' der RSP für die Jahre 2000 bis 2006 wie folgt definiert:

- Ziel 1: Regionen mit Entwicklungsrückstand (definiert als durchschnittliches Pro-Kopf-Einkommen von weniger als 75 Prozent des EU-Durchschnitts). In diesen Regionen leben etwa 22 Prozent der EU-Gesamtbevölkerung, v. a. in Griechenland, Portugal, Spanien, Italien und der ehemaligen DDR. Für dieses Ziel werden ca. 70 Prozent der RSP-Gesamtmittel verwendet.
- Ziel 2: Regionen, die besonders stark von wirtschaftlichen und sozialen Umstellungen betroffen sind (z. B. ‚veraltete' Industrieregionen und ländliche Regionen mit rückläufiger wirtschaftlicher Entwicklung). In diesen Gebieten leben ca. 18 Prozent der EU-Bevölkerung. Die Ziel 2-Regionen erhalten insgesamt ca. 12 Prozent der Gesamtmittel, pro Kopf also deutlich weniger als Ziel 1-Regionen.
- Ziel 3: Hilfe bei der Anpassung und Modernisierung der Ausbildungs-, Berufsbildungs-, und Beschäfti-

gungspolitiken und -systeme. Diese Unterstützung, insgesamt 12 Prozent der RSP-Gesamtmittel, kann überall gewährt werden, allerdings nur außerhalb der Ziel 1-Regionen. Die genaue regionale Verteilung der Mittel bleibt weitgehend den EU-Mitgliedstaaten überlassen.

Darüber hinaus werden im Rahmen der EU-RSP eine Reihe quantitativ weniger bedeutsamer Maßnahmen durchgeführt, z. B. die Förderung der grenzüberschreitenden Zusammenarbeit. Die Gesamtsumme der für den Zeitraum 2000 bis 2006 vorgesehen finanziellen Maßnahmen für die 15 derzeitigen Mitgliedstaaten beträgt ca. 213 Mrd. Euro (in Preisen von 1999).

Die EU-RSP hat seit Anfang der 90er Jahre zumindest in einigen der geförderten Regionen die wirtschaftliche Entwicklung wirksam unterstützt. So hat sich z. B. das Pro-Kopf-Einkommen Spaniens, Portugals und Irlands, gemessen am EU-Durchschnitt während der 90er Jahre, deutlich erhöht. Allerdings kann die RSP nur dann positiv wirken, wenn wirtschaftliche Rahmenbedingungen wie →*Preisniveaustabilität* und eine angemessene Steuerbelastung gegeben sind.

Kritisch ist jedoch anzumerken, dass die RSP-Mittel zu breit gestreut werden, was ihre Wirksamkeit reduziert. So ist z. B. die Förderung von

Vergleich des Wohlstandes innerhalb der Europäischen Union

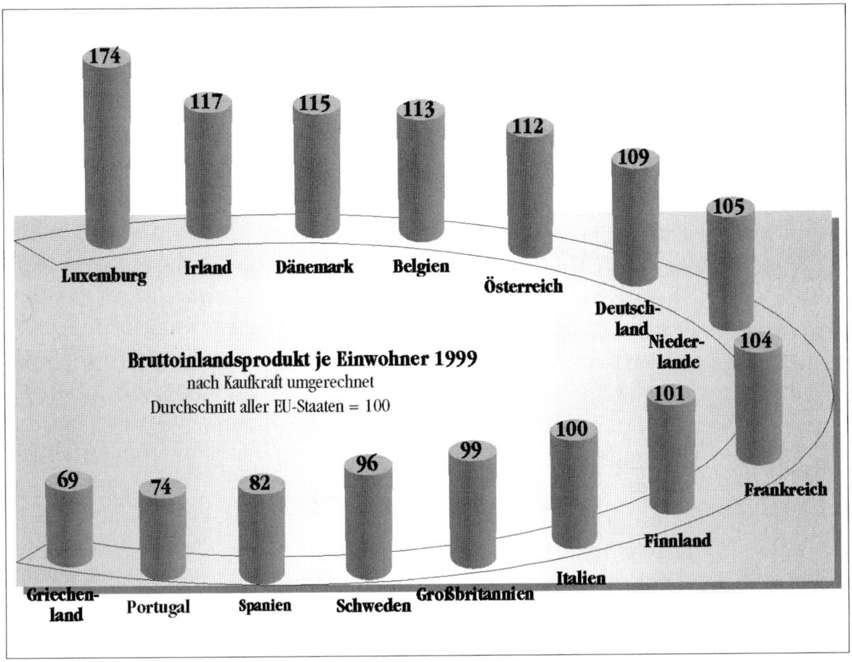

Bruttoinlandsprodukt je Einwohner 1999
nach Kaufkraft umgerechnet
Durchschnitt aller EU-Staaten = 100

Luxemburg 174
Irland 117
Dänemark 115
Belgien 113
Österreich 112
Deutschland 109
Niederlande 105
Frankreich 104
Finnland 101
Italien 100
Großbritannien 99
Schweden 96
Spanien 82
Portugal 74
Griechenland 69

Quelle: Eurostat

Humankapital in relativ wohlhabenden EU-Regionen durch Ziel 3 der EU-RSP ökonomisch kaum zu rechtfertigen. Vor dem Hintergrund des Subsidiaritätsprinzips sollte die EU-RSP generell nur eingesetzt werden, falls Mitgliedstaaten nicht allein in der Lage sind, ihre strukturellen wirtschaftlichen Probleme zu lösen. Aus politischer Sicht liegt es allerdings im Interesse der ‚reichen' Mitgliedstaaten, mit Hilfe von Instrumenten wie Ziel 3 ebenfalls in den Genuss von RSP-Fördermitteln zu kommen. Ein weiteres Problem der EU-RSP ist die teilweise unzureichende Koordinierung mit anderen Politikbereichen. So besteht beispielsweise die Gefahr, dass die Konzentration von nationalen und europäischen Fördermitteln für Forschung und Entwicklung auf die wirtschaftlich stärksten Regionen der EU die eingangs beschriebenen wirtschaftlichen Unterschiede innerhalb der EU zusätzlich verstärkt (→*EU: Industrie-, Forschungs- und Technologiepolitik*).

Abschließend ist festzustellen, dass die →*EU: Erweiterung* eine erhebliche Herausforderung für die RSP darstellt. Da das durchschnittliche Pro-Kopf-Einkommen der meisten Beitrittskandidaten deutlich unter dem derzeitigen EU-Durchschnitt liegt, wird die Osterweiterung voraussichtlich zu einer deutlichen Zunahme der Ziel 1-Regionen führen. Dies wiederum erfordert entweder eine deutliche Erhöhung der für die RSP eingeplanten Haushaltsmittel oder eine Reduzierung der Förderung in den derzeitigen Mitgliedstaaten.

Literaturhinweise:
EUROPÄISCHE KOMMISSION (2001), *Zweiter Bericht über den wirtschaftlichen und sozialen Zusammenhalt*, Brüssel; Darüber hinaus finden sich auf der Website der GENERALDIREKTION FÜR REGIONALPOLITIK der Europäischen Kommission eine Fülle von Dokumenten zur europäischen Regional- und Strukturpolitik (http://www.europa.eu.int/comm/dgs/regional_policy/index_de.htm); MAIER, G./TOEDTLING, F. (1996), *Regionalökonomik und Stadtökonomik Band 2 – Regionalentwicklung und Regionalpolitik*, Wien.

Reiner Martin

EU: Sozialpolitik

Die Europäische Gemeinschaft (EG) ist ursprünglich als Wirtschaftsgemeinschaft gegründet worden und verstand sich als ein Projekt, mit dem die politische →*Integration* Europas durch wirtschaftliche Mittel angestrebt werden sollte. Demgegenüber haben sozialpolitische Fragen, wie etwa nach einer europaweiten Angleichung der sozialen Sicherungssysteme, stets nur eine untergeordnete Rolle gespielt. Die übereinstimmende Absage an eine umfassende soziale Harmonisierung hat dazu geführt, dass die „soziale Dimension" der Gemeinschaft bislang nur in Einzelregelungen hervorgetreten ist. Das sozialpolitisch relevante Europäische Gemeinschaftsrecht stützt sich dabei vor allem auf die beiden bereits in den Gründungsverträgen zur Europäischen Wirtschaftsgemeinschaft (EWGV) von 1957 enthaltenen Prinzipien der Gleichbehandlung von Mann und Frau bei den Arbeitsentgelten (Art. 119 EWGV) sowie der

Herstellung der Voraussetzungen für Freizügigkeit der Arbeitnehmer im Bereich der sozialen Sicherheit (Art. 51 EWGV).

Auch hier sind also wieder vorrangig wirtschaftliche Gründe maßgeblich gewesen. Während die Entgeltgleichheit vor allem Wettbewerbsverzerrungen entgegenwirken sollte, bildete die soziale Absicherung von Wanderarbeitnehmern eine wesentliche Voraussetzung für den freien Austausch von Gütern, Arbeit, Dienstleistungen und Kapital im Sinne der angestrebten „vier Grundfreiheiten“. Beiden Grundsätzen ist zudem die Absicht gemein, einer möglichen Diskriminierung nach der Staatsangehörigkeit bzw. nach dem Geschlecht entgegenzuwirken. Insbesondere durch zahlreiche Urteile des Europäischen Gerichtshofs hat das Nichtdiskriminierungsprinzip inzwischen eine breite Rechtsauslegung mit hoher Praxisrelevanz erfahren, zumal sich auch einzelne Angehörige eines EU-Mitgliedstaates unmittelbar darauf berufen können.

Seit Inkrafttreten der Einheitlichen Europäischen Akte im Jahre 1987 ist auch das Arbeitsschutzrecht (Art. 118a, nun Art. 137 EG-Vertrag) zu einer dritten Säule gemeinschaftlicher →*Sozialpolitik* geworden. Zum Schutz von Sicherheit und Gesundheit der Arbeitnehmer können seitdem gemeinschaftsweite Mindestvorschriften für die Gestaltung von Arbeitsbedingungen erlassen werden. Dagegen hat die in Art. 136 EG-Vertrag postulierte Vorschrift über eine „Abstimmung der Sozialordnungen“ bislang nur wenige konkrete Auswirkungen gehabt. Sie drückt vielmehr die eher vage Erwartung aus, dass sich mit zunehmender wirtschaftlicher Integration auch die allgemeinen Lebens- und Arbeitsbedingungen innerhalb der Gemeinschaft einander annähern werden. Konkret dahingehend zu handeln, bleibt aber nach wie vor in einzelstaatlicher Kompetenz.

Erst mit der bevorstehenden Verwirklichung des Binnenmarktes zu Anfang der 90er Jahre kam die soziale Gemeinschaftsdimension erneut auf die Agenda, da die Staaten mit hohen Arbeits- und Sozialkosten eine Schwächung ihrer Wettbewerbsposition befürchteten. Nach der bereits 1989 verabschiedeten politischen Absichtserklärung über eine „Gemeinschaftscharta der sozialen Grundrechte der Arbeitnehmer“, erfuhr diese mit dem Inkrafttreten des „Vertrags über die Europäische Union“ (Maastrichter Vertrag) am 1. November 1993 und dem darin enthaltenen „Abkommen über die Sozialpolitik“ insofern eine rechtliche Aufwertung, wie nun in begrenztem Maße die Anwendung des Mehrheitsprinzips bei der arbeits- und sozialrechtlichen Gemeinschaftsgesetzgebung für 14 Unterzeichnerstaaten (ohne Großbritannien) zugelassen worden ist. Zugleich wurde damit im Sozialbereich ein Europa der „zwei Geschwindigkeiten“ geschaffen, indem etwaige Richtlinien nicht automatisch auch für Großbritannien galten. Auf diese Weise sollte sichergestellt werden, dass die schrittweise wirtschaftliche und soziale Konvergenz die ökonomisch weniger leistungsfähigen Staaten nicht überfordert und dass die fortgeschritteneren Staaten ihr höheres soziales Leistungsniveau nicht abzusenken brauchten.

Als weitere Neuerung wurde durch den „Sozialen Dialog" dem Subsidiaritätsprinzip entsprechend ein Anhörungs- und Vorschlagsrecht der →*Sozialpartner* gegenüber der Europäischen Kommission geschaffen. Einigen sich die Sozialpartner autonom auf gemeinschaftsübergreifende Regelungen, so werden diese in europäisches Recht umgesetzt. Dies ist aber mit wenigen Ausnahmen, wie zum Beispiel der Einrichtung europäischer Betriebsräte, bislang kaum der Fall gewesen (→*Betriebsverfassung*).

Erst mit dem Beitritt Großbritanniens zum Sozialabkommen wurde 1997 schließlich die Grundlage für eine einheitliche, alle Mitgliedstaaten umfassende europäische Sozialpolitik geschaffen. Wie das Sozialpolitische Aktionsprogramm der Europäischen Kommission 1998-2000 bereits angedeutet hat, wird der Schwerpunkt angesichts der gemeinschaftsweit hohen →*Arbeitslosigkeit* dabei auf der →*Beschäftigungspolitik* (und nicht auf der sozialen Sicherungspolitik) liegen. Eine Vereinheitlichung in Richtung auf eine konzeptionell umfassende Europäische Sozialpolitik ist schon aus Gründen unterschiedlicher historischer Entwicklung sowie politischer und kultureller Gegebenheiten wohl in absehbarer Zukunft wenig wahrscheinlich, zumal institutionell wichtige Bereiche, wie zum Beispiel soziale Sicherheit, Kündigungsschutz, Tarifautonomie und Mitbestimmung sowie die aktive Arbeitsmarktpolitik nach wie vor dem Prinzip der Einstimmigkeit und damit einzelstaatlicher Kompetenz unterworfen bleiben. Vermutlich wird es auch künftig in der Europäischen Sozialpolitik vorrangig darum gehen, einzelne Maßnahmen innerhalb der Sicherungsbereiche Alter, Krankheit, Pflege und Arbeitslosigkeit durch Harmonisierung so weit kompatibel zu machen, dass sie der weiteren marktwirtschaftlichen Integration nicht zuwider laufen. Der Primat der Ökonomie über die Sozialpolitik bliebe somit erhalten.

Literaturhinweise:
KOWALSKY, W. (1999), *Europäische Sozialpolitik. Ausgangsbedingungen, Antriebskräfte und Entwicklungspotentiale*, Opladen; SCHMÄHL, W./ RISCHE, H. (Hrsg.), (1997), *Europäische Sozialpolitik*, Baden-Baden; PLATZER, H.-W. (Hrsg.) (1997), *Sozialstaatliche Entwicklungen in Europa und die Sozialpolitik der Europäischen Union. Die soziale Dimension im EU-Reformprozeß*, Baden-Baden.

Hans Jürgen Rösner

EU: Umweltpolitik

Leistungswettbewerb auf den Gütermärkten ist ein wichtiges Prinzip der →*Sozialen Marktwirtschaft*. Im Zuge der politischen →*Integration* Europas folgt daraus, dass der Schutz des Leistungswettbewerbs nicht an den Grenzen der Mitgliedstaaten der EU endet, sondern auch für den Gemeinsamen Binnenmarkt gilt:

- Umweltrelevante Produktvorschriften der Mitgliedstaaten sollen nicht dazu führen, den Handel gewollt (Protektionismus) oder ungewollt

zu behindern. In der Praxis werden deshalb auf der Grundlage von Art. 96 EG-Vertrag harmonisierte Mindeststandards vereinbart.
- Im Umweltschutz gewähren Mitgliedstaaten der EU Unternehmen Beihilfen, die den →*Wettbewerb* auf dem EU-Binnenmarkt verzerren können. Gemäß Art. 87 des EG-Vertrages werden deshalb die nationalen Umweltschutzsubventionen der EU-Beihilfenkontrolle unterworfen.

Die EU begründet zahlreiche Verordnungen und Richtlinien damit, dass in allen Mitgliedstaaten ähnliche Umweltstandards für die Produktion von Gütern gelten sollen. Diese sollen verhindern, dass aufgrund unterschiedlicher Umweltkosten in den Mitgliedstaaten auch die Angebotspreise auf dem EU-Binnenmarkt divergieren. Dem ist entgegenzuhalten, dass es keinen Grund gibt, warum sich Kostenunterschiede bei allen übrigen Kostenfaktoren, nicht jedoch beim Faktor Umwelt niederschlagen sollen (→*Umweltorientiertes Management*). Außerdem können sich die Ausgangsbelastungen zwischen den Mitgliedstaaten unterscheiden, so dass in beispielsweise stärker belasteten Regionen strengere Produktionsstandards erforderlich wären. Schließlich ist Umweltschutz ein Gut, das aufgrund von Einkommensunterschieden in der EU in den Mitgliedstaaten unterschiedlich nachgefragt und mit wechselnden Prioritäten angeboten wird.

Diesen Vorteilen national verantworteter Herstellungsstandards wird die Gefahr des Unterbietungswettlaufs (Umweltdumping) entgegengestellt. Danach werden lasche nationale Umweltstandards gesetzt, um die Standortattraktivität für Kapital und mobile →*Unternehmen* zu erhöhen. Standortwettbewerb wird jedoch in Demokratien nicht einseitig zu Lasten des Umweltschutzes geführt, d. h. Wirtschaftswachstum und →*Beschäftigung* werden nicht einseitig dem Umweltschutz vorgezogen. Vielmehr sind Unternehmen auf Umweltinfrastruktureinrichtungen und bei der Personalauswahl auf gute Umweltqualitäten angewiesen. Zudem bedeutet Umweltverschmutzung Wohlfahrtseinbußen für die Bürger. Es werden folglich im politischen Prozess Vor- und Nachteile konkret abgewogen. Aus voneinander abweichenden Präferenzen, Kosten, →*Einkommen* etc. ergeben sich in den Mitgliedstaaten verschiedene Umweltqualitäten. Solange sich Kosten und Nutzen der Umweltpolitik auf die Mitgliedstaaten konzentrieren, kann ihnen in demokratisch verfassten politischen Ordnungen wie den Mitgliedstaaten der EU auch die Entscheidung überlassen bleiben, wie mit nationalen Umweltproblemen umzugehen ist.

Dieser Sachverhalt bedeutet nicht, dass in der EU keine allgemeinen Ordnungsregeln für die nationale Umweltpolitik gelten können, aber ihre Durchsetzung ist daran gebunden, dass die Mitgliedstaaten diese freiwillig übernehmen. So kann die im EU-Vertrag hervorgehobene allgemeine Gültigkeit des „Polluter-Pays-Principle“ (Verursacherprinzip) auf gemeinsame Präferenzen zurückgeführt werden; zugleich aber gibt dieser Grundsatz der nationalen Umweltpolitik weiterhin den Gestaltungsspielraum, um sinnvolle Lösungen für nationale Probleme zu finden. Dieses Verfahren ist aus Sicht einer Politik der Sozialen Marktwirtschaft aktiv zu begleiten, da sie selbst auf allgemeinen Ordnungsregeln und der Dezentralisierung politischer Kompetenzen und dem Prinzip der Subsidiarität beruht.

Dies gilt auch dann, wenn grenzüberschreitende Umweltprobleme vorliegen. In diesen Fällen ist im Unterschied zu nationalen Umweltproblemen, unabhängig vom Grad des politischen Integrationsprozesses, eine koordinierte →*Umweltpolitik* vorteilhaft. Bei grenzüberschreitenden Verschmutzungen, z. B. durch Luft- und Gewässeremissionen, konzentrieren sich die Kosten des Umweltschutzes auf den emittierenden Staat. Dieser hat zunächst kaum einen Anreiz, den außerhalb seiner Grenzen anfallenden Nutzen seiner Investitionen in den Umweltschutz zu berücksichtigen. Da umgekehrt die anderen Mitgliedstaaten von der verbesserten Umweltqualität profitieren können, ohne sich an den Kosten zu beteiligen, fällt Umweltschutz an der Emissionsquelle zu gering aus. Es ist somit ein Rahmen notwendig, der dieses Dilemma auflöst und die nationalen sowie gebietsexternen Vorteile (Kosten) von Umweltschutzinvestitionen in Rechnung stellt. Je größer dabei der Kreis betroffener Mitgliedstaaten ist (z. B. großräumliche Luftverschmutzung), desto eher ist eine EU-weite Koordination sinnvoll; ansonsten können sich die betroffenen Staaten untereinander abstimmen. Diese Verhandlungen können wiederum mit mehr Aussicht auf Erfolg geführt werden, wenn die ordnungspolitischen Weichen, die für die Lösung dieser Konflikte gelten sollen, beispielsweise im Sinne des Verursacherprinzips vereinheitlicht sind. Also kommt es auch hier darauf an, die einer Sozialen Marktwirtschaft entsprechenden Ordnungsregeln zum Schutz der Umwelt durchzusetzen.

Literaturhinweise
KARL, H. (1999), Die Europäische Union auf dem Weg zu einer „Umweltunion“?, in: Barz, W./ Hülster, A./ Krämer, K./ Lange, M. (Hrsg.), *Umwelt und Europa*, (= Vorträge und Studien des Zentrums für Umweltforschung der Westfälischen Wilhelms-Universität Münster, Heft 9), S. 49-69, Landsberg; DERS. (1998), Umweltpolitik, in:, Klemmer, V. P. (Hrsg.), *Handbuch der Europäischen Wirtschaftspolitik*, München, S. 1001-1151; WELPER, C. (1999), *Europäische Umweltpolitik*, Marburg.

Helmut Karl

EU: Verkehrspolitik

Bereits der Vertrag zur Gründung der Europäischen Wirtschaftsgemeinschaft aus dem Jahre 1957 enthält Aussagen über eine gemeinsame Verkehrspolitik: Artikel 3 in allgemeiner Form, Artikel 47-87 konkreter im Hinblick auf gemeinsame Regeln. Sie betreffen u. a. den grenzüberschreitenden Verkehr, die Zulassung von Verkehrsunternehmen zum Verkehr in einem Mitgliedstaat, in dem sie nicht ansässig sind, die Verkehrssicherheit, die Beseitigung von Diskriminierung. Betroffen davon sind die

Gemeinschaftsorgane sowie der grenzüberschreitende Verkehr zwischen den Mitgliedsländern. Die Vorgaben sind wenig konkret und wenig präzise und beschränken sich auf die Verkehrsträger Schiene, Straße und Binnenwasserstraße.

Ursache für die mangelnde Präzision waren erhebliche Auffassungsunterschiede über die konzeptionelle Gestaltung der →*Verkehrspolitik*. Während die damalige EG-Kommission und einige kleinere Mitgliedsländer einen wettbewerblichen Ordnungsrahmen forderten, orientierten sich vor allem Deutschland, Frankreich und Italien an der sog. „Besonderheitenlehre des Verkehrs". Danach ist die Verkehrswirtschaft ein Ausnahmebereich, für den marktwirtschaftlich-wettbewerbliche Prinzipien nicht gelten. Diese wettbewerbsfeindliche Grundeinstellung findet sich auch in Art. 75 Abs. 1 des EWG-Vertrages.

Trotz vieler Initiativen der Europäischen Kommission zugunsten einer Liberalisierung des Marktzugangs, eines schrittweisen Abbaus staatlicher Eingriffe in die Verkehrstarife sowie eines aufeinander abgestimmten Rahmens für den →*Wettbewerb* innerhalb und zwischen den Verkehrsträgern in Europa scheiterten jahrzehntelang nahezu alle Versuche, eine wettbewerblich strukturierte europäische Verkehrspolitik zu schaffen. Erst die Untätigkeitsklage des Europäischen Parlaments gegen die Verzögerungspolitik des Ministerrats beim Europäischen Gerichtshof (EuGH) und dessen Entscheidung vom 22. Mai 1985 für die Durchsetzung der Dienstleistungsfreiheit auch im Verkehr brachte eine verkehrspolitische Wende. Zwar verzichtete der EuGH auf eine klare ordnungspolitische Vorgabe. Überwiegend positive Erfahrungen mit bereits liberalisierten Verkehrsmärkten und massive wissenschaftliche Kritik an der Besonderheitenlehre veranlassten jedoch die Staats- und Regierungschefs noch im selben Jahr, die Schaffung eines freien europäischen Verkehrsmarktes ohne mengenmäßige Beschränkungen bis zum 1. Januar 1993 zu beschließen.

Von den nachfolgenden Liberalisierungsbestrebungen war zunächst vor allem der Straßengüterverkehr betroffen. Teils mit Unterstützung der Mitgliedstaaten, teils gegen ihren massiven Widerstand wurden die obligatorischen Margentarife abgeschafft und die freie Preisbildung im grenzüberschreitenden Verkehr durchgesetzt. An die Stelle mengenmäßig festgelegter Transportgenehmigungen trat die Gemeinschaftslizenz, die ohne Einschränkung zu Transporten innerhalb der Europäischen Union berechtigt und den sog. Kabotagevorbehalt beseitigt, der es Unternehmen untersagte, innerhalb eines anderen Mitgliedstaates Transporte durchzuführen.

Nach und nach erfasste die Liberalisierung auch die anderen Bereiche der Verkehrswirtschaft, wenn auch in unterschiedlicher Stärke: So ist im Luftverkehr nach der weitgehenden Tariffreigabe und der Öffnung des Marktzugangs zwischen den Mitgliedstaaten nun auch der Marktzugang innerhalb der Mitgliedstaaten frei. Gleichzeitig steht allen Unternehmen der Binnenschifffahrt nun der Zugang zu den nationalen Märkten offen. Im Schienenverkehr verlangt die EU zumindest die rechnerische Trennung zwischen dem Schienennetz und dem Fahrbetrieb und den diskriminierungsfreien Zugang zu den nationalen Netzen für alle Eisenbahnunternehmen, staatliche wie private.

Mit ihren neuen Aktivitäten strebt die EU-Kommission eine gerechtere Anlastung der verkehrsbedingten Kosten auf ihre jeweiligen Verursacher an, wobei sie vor allem die Kosten für die Nutzung der Verkehrswege (Wegekosten), die Umweltkosten und jene Kosten im Auge hat, die durch Verkehrsstaus entstehen. Weiterhin versucht sie, durch einheitliche technische Standards, international integrierte Kontrollsysteme etwa im Bereich der Flugsicherung und eine abgestimmte Planung der Verkehrswege transeuropäische Verkehrsnetze zu schaffen, die einen möglichst kostengünstigen und reibungslosen Verkehrsfluss in Europa ermöglichen. Schließlich bemüht sie sich, ihre Verkehrsbeziehungen mit Drittstaaten – vor allem im Hinblick auf die anstehende →*EU-Erweiterung* – zu liberalisieren und die Beitrittskandidaten an den gemeinsamen Verkehrsmarkt heranzuführen.

Trotz Hinwendung zu einer stärker marktwirtschaftlich-wettbewerblichen Orientierung steht die europäische Verkehrspolitik noch vor erheblichen ordnungspolitischen Aufgaben. So verfügen die Mitgliedstaaten einerseits im Rahmen des Subsidiaritätsprinzips über eine Vielzahl von Handlungsspielräumen, die es ihnen erlauben, den angestrebten Wettbewerb durch massive Markteingriffe zu unterlaufen. Andererseits findet dort, wo die Gemeinschaft über entsprechende Zuständigkeiten verfügt, keine adäquate Umsetzung des Gemeinschaftsrechtes statt. Noch immer ist daher der Öffentliche Personennahverkehr trotz der Forderung nach mehr Wettbewerb durch öffentliche Ausschreibungen ein extrem regulierter Bereich, zu dem private Anbieter kaum Zugang erhalten. Das generelle Verbot von wettbewerbsverfälschenden →*Subventionen* wird von einzelnen Mitgliedstaaten vor allem im Luftverkehr und bei den Seehäfen mit zahlreichen Ausnahmegenehmigungen oder auch durch Verstöße unterlaufen. Im Schienenverkehr konnte bislang nicht verhindert werden, dass in einer Vielzahl von Ländern nach wie vor massive staatliche Einflussnahme stattfindet und der Zugang zu den Schienennetzen für Dritte noch immer versperrt ist.

Literaturhinweise:
EWERS, H.-J./ STACKELBERG, F. v. (1998), Verkehrspolitik, in: Klemmer, P. (Hrsg.), *Handbuch der Europäischen Wirtschaftspolitik*, München, S. 1152-1192; HARTWIG, K.-H. (1999), Marktwirtschaftliche Optionen der Verkehrspolitik in Europa, in: Apolte, Th./ Caspers, R./ Welfens, P. J. J. (Hrsg.), *Standortwettbewerb, wirtschaftspolitische Rationalität und internationale Ordnungspolitik*, Baden-Baden, S. 89-112.

Karl-Hans Hartwig

EU: Wettbewerbspolitik

Ein wesentliches Ziel der wirtschaftlichen →*Integration* Europas ist gemäß Art. 2 EG-Vertrag die „Hebung der Lebenshaltung und Lebensqualität" der Menschen. Diesem Ziel dient die Errichtung eines „Gemeinsamen Markts" bzw. eines „Binnenmarkts". Mit den Mitteln der Wettbewerbspolitik soll dafür gesorgt werden, dass sich der Güter- und Leistungsaustausch zwischen Anbietern und Nachfragern auf dem Binnenmarkt unter den Bedingungen des Wettbewerbs vollzieht (→*Angebot und Nachfrage*). Dabei handelt es sich allerdings nicht bloß um ein politisches Programm der Gemeinschaft. Vielmehr findet die Wettbewerbspolitik Ausdruck in den rechtsverbindlichen Regelungen des EG-Vertrags.

Die Herstellung eines solchen durch →*Wettbewerb* gekennzeichneten Binnenmarkts in Europa setzt zweierlei voraus: Zum einen die Öffnung der nationalen Märkte durch die Beseitigung von staatlichen Beschränkungen des zwischenstaatlichen Handels; zum anderen den Schutz des Wettbewerbs vor Verzerrungen oder Beschränkungen, insbesondere durch die Marktteilnehmer selbst.

Das Konzept der *Öffnung nationaler Märkte* kommt darin zum Ausdruck, dass der Binnenmarkt ausdrücklich definiert ist als ein „Raum ohne Binnengrenzen, in dem der freie Verkehr von Waren, Personen, Dienstleistungen und Kapital" gewährleistet ist (Art. 14 Abs. 2 EG-Vertrag). Die Mitgliedstaaten müssen also grundsätzlich auf Beschränkungen des zwischenstaatlichen Wirtschaftsverkehrs – etwa durch Import- oder Exportverbote, durch Zölle auf Einfuhren oder Ausfuhren oder durch beliebige sonstige Vorschriften, welche den grenzüberschreitenden Wirtschaftsverkehr behindern können – verzichten. Sie dürfen vor allem Personen oder Wirtschaftsgüter aus anderen Mitgliedstaaten nicht diskriminieren. Rechtlich gesichert wird dies durch an die Mitgliedstaaten gerichtete Verbote, welche die Aufrechterhaltung bestehender bzw. die Einführung neuer Beschränkungen des zwischenstaatlichen Wirtschaftsverkehrs untersagen. Die Wirkung dieser Verbote besteht darin, dass die wirtschaftlichen Betätigungsmöglichkeiten von Unternehmern, Arbeitnehmern und Verbrauchern nicht mehr auf ihren jeweiligen Heimatstaat begrenzt sind, sondern sich auf die gesamte Gemeinschaft erstrecken. Die Diskriminierungs- und Beschränkungsverbote begründen für die Wirtschaftsteilnehmer entsprechende wirtschaftliche Freiheiten. Der EG-Vertrag differenziert insoweit zwischen einer Reihe spezieller Freiheiten, nämlich der Warenverkehrsfreiheit, der Freiheit des Dienstleistungsverkehrs, der Freizügigkeit für Arbeitnehmer, der Niederlassungsfreiheit für →*Unternehmer*, der Kapitalverkehrsfreiheit und der Zahlungsverkehrsfreiheit. Diese Freiheiten zusammengenommen decken alle wirtschaftlichen Vorgänge ab, die grenzüberschreitend denkbar sind.

Der *Errichtung eines Wettbewerbssystems* innerhalb des Binnenmarkts dienen die „Wettbewerbsregeln" der Gemeinschaft (Art. 81 und 82 EG-Vertrag sowie die Fusionskontrollverordnung). Der Wettbewerb ist ein Prozess des Rivalisierens der Anbieter und Nachfrager um die Gunst der jeweiligen Marktgegenseite im Hinblick auf den Erwerb oder die Veräußerung von Gütern oder Leistungen. Die Mittel (Wettbewerbsparameter), die zu diesem Zweck eingesetzt werden, sind vielfältig (Preis, Qualität, Quantität, Service, Innovation etc.). Wettbewerb entsteht in diesem Sinne immer dann, wenn die Marktteilnehmer in ihrer wirtschaftlichen Entscheidungsfreiheit bezüglich des Einsatzes der verschiedenen Wettbewerbsparameter frei sind, d. h. keinen Bindungen oder Einschränkungen unterliegen. Die Wettbewerbsregeln der Gemeinschaft richten sich daher gegen solche Bindungen oder Beschränkungen, welche die Unternehmen sich selbst oder anderen auferlegen können.

Für die Beschränkung des Wettbewerbs können die Unternehmen drei verschiedene Strategien einsetzen, die von den Wettbewerbsregeln jeweils gesondert erfasst werden: (1) Unternehmen können ihr Marktverhalten koordinieren, indem sie sich bezüglich des Einsatzes der Wettbewerbsparameter gegenseitig abstimmen (Beispiele: Preisabsprachen, Aufteilung des gemeinsamen Markts, Verzicht auf die Entwicklung innovativer Produkte). Solche Verhaltensabstimmungen sind gemäß Art. 81 EG-Vertrag grundsätzlich verboten. (2) Unternehmen, die eine marktbeherrschende Position innehaben, weil sie über einen sehr hohen Marktanteil verfügen (d. h. etwa als Anbieter einen sehr erheblichen Anteil der Nachfrage allein befriedigen), können andere Unternehmen gezielt in ihren Wettbewerbschancen behindern (Beispiele: Kampfpreisunterbietung – „Dumping" – zur Verdrängung von Wettbewerbern, Anwendung unterschiedlicher Preise beim Verkauf an Handelsunternehmen, Lieferverweigerung). Solche Praktiken sind gemäß Art. 82 EG-Vertrag als missbräuchliche Ausnutzung von Marktmacht verboten. (3) Unternehmen, die sich zu neuen wirtschaftlichen Einheiten zusammenschließen, können dadurch eine marktbeherrschende Stellung erlangen. Das ist grundsätzlich nach der Fusionskontrollverordnung der EG unzulässig.

Schließlich widmet sich der EG-Vertrag auch den Wettbewerbsverzerrungen im Gemeinsamen Markt, die von staatlichen Beihilfen ausgehen. Der Markterfolg der Unternehmen soll von ihren Leistungen abhängen und nicht davon, wer die höchsten →*Subventionen* erhält. Ein Subventionswettbewerb der Mitgliedstaaten wäre mit dem Gemeinsamen Markt unvereinbar. Daher übt die Gemeinschaft eine strenge Beihilfenaufsicht über die Mitgliedstaaten aus. Staatliche Beihilfen sind gemäß Art. 87 EG-Vertrag grundsätzlich verboten. Nur ausnahmsweise können sie unter bestimmten Voraussetzungen zulässig sein bzw. genehmigt werden.

Die Durchsetzung sowohl der wirtschaftlichen Freiheiten als auch der Wettbewerbsregeln obliegt primär den Behörden und Gerichten der Mitgliedstaaten. Es ist nämlich eine besondere Eigenart des Gemeinschaftsrechts, dass diese Regeln in den Mitgliedstaaten unmittelbar gelten, so dass auch die Bürger und Unternehmen selbst die Rechte, die sich für sie aus den Verboten von Beschränkungen des grenzüberschreitenden Wirtschaftsverkehrs bzw. von Beschränkungen des Wettbewerbs ergeben, vor den mitgliedstaatlichen Behörden und Gerichten geltend machen können. Die gemeinschaftsrechtlich gesicherte individuelle wirtschaftliche Handlungsfreiheit ist somit Grundlage und Ziel der Wettbewerbspolitik.

Literaturhinweise:
MESTMÄCKER, H.-J./ SCHWEITZER, H. (2004), *Europäisches Wettbewerbsrecht*, 2. Aufl., München; BUNTE, H.-J. (2003), *Kartellrecht*, München; COMMICHAU, G./ SCHWARTZ, H. (2002), *Grundzüge des Kartellrechts*, 2. Aufl., München; EMMERICH, V. (2001), *Kartellrecht*, 9. Aufl., München.

Peter Behrens

Europäische Geld- und Währungspolitik: Akteure

Die Verantwortung für die Geldpolitik in den Mitgliedstaaten der Europäischen Union, die den *Euro* eingeführt haben, obliegt dem *Eurosystem*. Es umfasst die Europäische Zentralbank (EZB) mit Sitz in Frankfurt/ M. und die nationalen *Zentralbanken* (NZBen) der Mitgliedstaaten, die den Euro als gemeinsame Währung eingeführt haben (Belgien, Deutschland, Finnland, Frankreich, Griechenland, Irland, Italien, Luxemburg, die Niederlande, Österreich, Portugal und Spanien). Das Eurosystem ist Bestandteil des *Europäischen Systems der Zentralbanken* (ESZB), welches auch die NZBen der Mitgliedstaaten einschließt, die den Euro nicht eingeführt haben (Dänemark, Großbritannien und Schweden).

Das Eurosystem wird vom EZB-Rat und dem Direktorium der EZB geleitet. Im *EZB-Rat* sind die Mitglieder des *Direktoriums* sowie die Präsidenten der NZBen, die zum Eurosystem gehören, vertreten. Er legt gemäß Art. 12 ESZB-Satzung die Geldpolitik der Gemeinschaft fest, einschließlich der Entscheidungen über Zwischenziele, Leitzinssätze und die Bereitstellung von Zentralbankgeld. Der EZB-Rat fällt seine Beschlüsse mit einfacher Stimmenmehrheit, wobei für den Fall der Stimmengleichheit die Stimme des Präsidenten entscheidet.

Das *Direktorium* besteht aus dem Präsidenten und dem Vizepräsidenten der EZB sowie vier weiteren Mitgliedern, die nach Anhörung des EZB-Rates sowie des Europäischen Parlamentes von den Staats- und Regierungschefs der Mitgliedstaaten, die den Euro eingeführt haben, ernannt werden. Das Direktorium führt die Entscheidungen des EZB-Rates aus und ist berechtigt, den NZBen hierfür Weisungen zu erteilen.

Das *ESZB* wird vom EZB-Rat, dem Direktorium und dem erweiterten Rat geführt, wobei sich der *erweiterte Rat* aus dem Präsidenten und dem Vizepräsidenten der EZB sowie den Präsidenten der NZBen aller Mitgliedstaaten der Europäischen Union zusammensetzt. Der erweiterte Rat stimmt die Geldpolitiken des Eurosystems und der NZBen der Mitgliedstaaten, die den Euro nicht eingeführt haben, ab.

Die Beschlussorgane sind gemäß Art. 7 ESZB-Satzung unabhängig. So dürfen bei der „Wahrnehmung der ihnen übertragenen Befugnisse, Aufgaben und Pflichten weder die EZB noch eine nationale Zentralbank noch ein Mitglied ihrer Beschlussorgane Weisungen von Organen oder Einrichtungen der Gemeinschaft, Regierungen der Mitgliedsstaaten oder anderen Stellen einholen oder entgegennehmen". Diese Unabhängigkeit betrifft vor allem die bei der Verfolgung der geldpolitischen *→Ziele und Aufgaben* zu treffende Wahl der geldpolitischen *→Strategien* und den Einsatz der geldpolitischen *→Instrumente* sowie die personelle Unabhängigkeit. Letztere soll durch die lange Amtszeit der Direktoren (acht Jahre) und Präsidenten der NZBen (mindestens fünf Jahre) sicher gestellt werden; darüber hinaus können die Direktoren nicht wiedergewählt werden. Mit dem Wunsch nach einer unabhängigen Geldpolitik wird auch den Erkenntnissen der Wissenschaft gefolgt, wonach das Ziel der *→Preisniveaustabilität* durch eine unabhängige Geldpolitik eher erreicht werden kann.

Um *→Preisniveaustabilität* zu gewährleisten, zielt die Politik des Eurosystems darauf ab, die im Euroraum von allen *Monetären Finanzinstituten* (MFI) insgesamt bereitgestellte Liquidität zu steuern; daher sind auch die anderen MFI geldpolitische Akteure im weiteren Sinn. Zu diesen zählen insbesondere die gebietsansässigen Kreditinstitute. Sie sind Unternehmen, deren Tätigkeit darin besteht, Einlagen oder andere rückzahlbare Gelder entgegenzunehmen und Kredite auf eigene Rechnung zu gewähren, wie z. B. Banken.

Literaturhinweise:
DIETRICH, D./ VOLLMER, U. (1999), Das geldpolitische Instrumentarium des Europäischen Zentralbanksystems, in: *Wirtschaftswissenschaftliches Studium* (WiSt), Nr. 11, S. 595-598; GÖRGENS, E./ RUCKRIEGEL, K./ SEITZ, F. (2001), *Europäische Geldpolitik: Theorie, Empirie, Praxis*, 2. vollkommen überarbeitete und stark erweiterte Aufl., Düsseldorf; EUROPEAN CENTRAL BANK (2001), *The Monetary Policy of the ECB*, Frankfurt/ M.

Diemo Dietrich

Europäische Geld- und Währungspolitik: Instrumente

Das Instrumentarium des ESZB (*→Akteure*) besteht gemäß Art. 18 und 19 ESZB-Satzung aus Offenmarktgeschäften, ständigen Fazilitäten sowie Mindestreserven. Wichtigstes Instrument sind folgende vier *Offenmarktgeschäfte*, durch die das Eurosystem Kredite an die Kreditinstitute vergibt: Mit Hilfe der *Hauptrefinanzierungsgeschäfte* deckt das Eurosystem den Großteil des Liquiditätsbedarfs des Finanzsektors; gleichzeitig möchte es mit den Konditionen (Zinssatz, Menge der Zuteilung) Signale über den angestrebten geldpolitischen Kurs setzen. Die *längerfristigen Refinanzierungsgeschäfte* dienen der Bereitstellung langfristiger Liquidität ohne Signalwirkung; die *Feinsteuerungsoperationen* setzt das Eurosystem zum Ausgleich unerwarteter Liquiditätsschwankungen und zur Zinsstabilisierung ein; ferner soll über die *strukturellen Operationen* die Verteilung der Liquidität innerhalb des Finanzsektors gesteuert werden.

Zur Liquiditätsversorgung des Finanzsektors im Rahmen von Offenmarktgeschäften vereinbart das Eurosystem mit den Kreditinstituten vor allem befristete Transaktionen in Form von Pensionsgeschäften oder Pfandgeschäften. Bei den *Pensionsgeschäften* kauft das Eurosystem Wertpapiere von Kreditinstituten auf und schließt mit diesen gleichzeitig eine Rückkaufsvereinbarung ab, in der sich die Kreditinstitute verpflichten, die Wertpapiere gegen Herausgabe von Zentralbankgeld zu einem späteren Zeitpunkt wieder zurückzukaufen. Bei *Pfandgeschäften* beleiht das Eurosystem Wertpapiere, die sich im Besitz von Kreditinstituten befinden; es findet im Gegensatz zu den Pensionsgeschäften keine Eigentumsübertragung statt. Weiterhin schließt das Eurosystem *definitive Geschäfte* ab, bei denen es Wertpapiere nicht zeitlich befristet, sondern endgültig kauft oder verkauft (*Outright Offenmarktgeschäfte*). Darüber hinaus führt das Eurosystem *Devisenswapgeschäfte* durch, bei denen es Euro gegen Fremdwährung kauft (oder verkauft) und gleichzeitig vereinbart, zu einem späteren, festen Zeitpunkt Euro wieder gegen Fremdwährung zu verkaufen (oder zu kaufen). Um Liquidität vom Markt zu absorbieren, kann das Eurosystem auch eigene Schuldverschreibungen emittieren und verzinsliche Einlagen mit fester Laufzeit von den Kreditinstituten hereinnehmen.

Alle *Offenmarktgeschäfte* werden im Zuge von Versteigerungsverfahren (*Tender*) mit den Kreditinstituten in Form von Mengentendern oder Zinstendern durchgeführt. Bei einem *Mengentender* müssen die Kreditinstitute ihren Bedarf an Zentralbankgeld als Gebote mitteilen, die sie zu dem vom *Eurosystem* geforderten Zins bereit sind zu geben. Übersteigt die Summe der Gebote aller Kreditinstitute den Betrag an Zentralbankgeld, den das Eurosystem bereitstellen will, so erfolgt die tatsächliche Zuteilung an die Kreditinstitute nach Maßgabe einer Quotierung. Beträgt bspw. die Summe der Gebote 800 Mrd. Euro und wünscht das Eurosystem lediglich 80 Mrd. Euro bereit zu stellen, so erhält jedes Kreditinstitut gerade ein Zehntel des von ihm abgegebenen Gebotes.

Bei einem *Zinstender* dagegen müssen die Kreditinstitute nicht nur die Höhe ihrer Gebote angeben, sondern auch den Zins, zu dem sie bereit sind, ihr Gebot gerade noch aufrecht zu halten. Die Zuteilung erfolgt dann nach Maßgabe der mit den Geboten abgegebenen Zinsen. Beträgt beispielsweise der Zuteilungsbetrag wieder 80 Mrd. Euro und haben die Bank A ein Gebot in Höhe von 30 Mrd. Euro zu fünf Prozent, die Bank B ein Gebot in Höhe von 50 Mrd. Euro zu vier Prozent und die Bank C ein Gebot in Höhe von 40 Mrd. Euro zu drei Prozent abgegeben, so erhalten als meistbietende Kreditinstitute die Bank A Zentralbankgeld in Höhe von 30 Mrd. Euro und die Bank B in Höhe von 50 Mrd. Euro; die Bank C erhält nichts. Erfolgt die Zuteilung zu einem einheitlichen Zins, so wird dies als *holländisches Verfahren* bezeichnet; erhalten die Kreditinstitute dagegen Zentralbankgeld zu dem von ihnen abgegebenen individuellen Zinssätzen, so erfolgt die Zuteilung nach dem *amerikanischen Verfahren*.

Neben den *Offenmarktgeschäften* bietet das Eurosystem auch sogenannte *ständige Fazilitäten* an, die Kreditinstitute auf eigenen Wunsch wahrnehmen können; sie dienen der sehr kurzfristigen Liquiditätsbereitstellung und -absorption. Liquidität wird bereitgestellt durch die *Spitzenrefinanzierungsfazilität*, durch die Kreditinstitute Zentralbankgeld in beliebiger Höhe zu einem vom Eurosystem festgelegten Zins erhalten und so kurzfristige Liquiditätsbedarfe decken können. Liquidität wird absorbiert durch die *Einlagefazilität*, in deren Rahmen die Kreditinstitute zu einem vom Eurosystem vorgegebenen Zins überschüssige Liquidität bei den NZBen anlegen können.

Schließlich verfügt das Eurosystem über ein Mindestreserveinstrument, mit dem es die im Euro-Währungsraum ansässigen Kreditinstitute verpflichtet, verzinsliche Mindestreserven in Höhe von z. Z. zwei Prozent ihrer Verbindlichkeiten bei den nationalen Zentralbanken zu hinterlegen. Ziel ist es, mit Hilfe dieses Instruments die Zinsen für Zentralbankgeld zu stabilisieren und den Bedarf an Zentralbankgeld zu erhöhen. Mindestreservepflichtige Verbindlichkeiten der Kreditinstitute sind grundsätzlich Einlagen, Schuldverschreibungen sowie ausgegebene Geldmarktpapiere mit Ausnahme von Verbindlichkeiten gegenüber anderen mindestreservepflichtigen Kreditinstituten.

Literaturhinweise:

DIETRICH, D./ VOLLMER, U. (1999), Das geldpolitische Instrumentarium des Europäischen Zentralbanksystems, in: *Wirtschaftswissenschaftliches Studium* (WiSt), Nr. 11, S. 595-598; GÖRGENS, E./ RUCKRIEGEL, K./ SEITZ, F. (2001), *Europäische Geldpolitik: Theorie, Empirie, Praxis*, 2. vollkommen überarbeitete und stark erweiterte Aufl., Düsseldorf; EUROPEAN CENTRAL BANK (2001), *The Monetary Policy of the ECB*, Frankfurt/ M.

Diemo Dietrich

Europäische Geld- und Währungspolitik: Strategien

Eine geldpolitische Strategie beschreibt das langfristige Verfahren, wie die geldpolitischen Entscheidungen über den Einsatz der geldpolitischen →*Instrumente* zu treffen sind, damit die geldpolitischen Ziele erreicht werden können. Die *geldpolitische Strategie* muss hierbei zwei zentrale Aufgaben erfüllen: Erstens strukturiert sie den geldpolitischen Entscheidungsprozess und stellt dem EZB-Rat (→*Akteure*) die Informationen zur Verfügung, die er für diesen Entscheidungsprozess benötigt. Zweitens dient eine Strategie als Mittel zur Verständigung und Kommunikation mit der Öffentlichkeit und trägt so zur Glaubwürdigkeit der Geldpolitik bei.

Das Eurosystem verfolgt bei der Durchführung der Geldpolitik eine *stabilitätsorientierte Strategie*, die vor allem folgenden Kriterien genügen soll: Hauptkriterium ist die Effektivität; es soll also nur diejenige Strategie verfolgt werden, die das geldpolitische Ziel am besten erreichen kann. Gleichzeitig soll die geldpolitische Strategie der Öffentlichkeit eine realistische Verpflichtung auf dieses Ziel signalisieren. Hierzu ist erforderlich, dass sie klar und verständlich formuliert und transparent der Öffentlichkeit zugänglich gemacht ist; die Öffentlichkeit muss hierbei in die Lage versetzt werden, die geldpolitischen Maßnahmen und die am geldpolitischen Ziel zu messenden Erfolge zu überprüfen.

Die *stabilitätsorientierte Strategie* des Eurosystems besteht konkret aus zwei Elementen. Dies ist zum einen die quantitative Festlegung des vorrangigen Ziels der *→Preisniveaustabilität* durch die Vorgabe eines Inflationsziels. Der EZB-Rat sieht dieses Ziel als erreicht an, wenn mittelfristig eine Inflationsrate nahe zwei Prozent beibehalten wird. Zum anderen wird die Strategie auf zwei Säulen zur Bewertung der Risiken für die Preisniveaustabilität gestützt. Die erste Säule besteht aus einer *wirtschaftlichen Analyse* zur Beurteilung der aktuellen wirtschaftlichen Entwicklungen und der damit verbundenen kurz- bis mittelfristigen Risiken für die Preisniveaustabilität. Als zweite Säule bezeichnet der EZB-Rat die *monetäre Analyse*, auf deren Grundlage mittel- bis langfristige Inflationstrends eingeschätzt werden. Wissenschaftlicher Hintergrund der zweiten Säule ist, dass Inflation langfristig ein monetäres Phänomen ist und aus einem im Vergleich zum realwirtschaftlichen *→Wachstum* zu starkem Geldmengenwachstum resultiert. Die monetäre Analyse soll die kurz- bis mittelfristigen Inflationsprojektionen aus der wirtschaftlichen Analyse aus einer längerfristigen Perspektive heraus überprüfen. Die EZB gibt hierfür einen Referenzwert für das Geldmengenwachstum an, der mit dem Ziel Preisniveaustabilität (*→Ziele und Aufgaben*) vereinbar ist. Hierbei wählte die EZB eine Geldmenge in einer vergleichsweise weiten Abgrenzung, die nicht nur den Bargeldumlauf und die traditionellen Einlagen bei den Kreditinstituten umfasst, sondern auch Geldmarktfondsanteile sowie von anderen monetären Finanzinstituten ausgegebene Schuldverschreibungen (sogenannte Geldmenge *M3*). Die EZB begründet die Wahl dieser Geldmenge mit deren vergleichsweise guten Eigenschaft als *Indikator* für die zukünftige Preisentwicklung und mit deren zuverlässigen Steuerbarkeit durch das Eurosystem.

Literaturhinweise:
DIETRICH, D./ VOLLMER, U. (1999), Das geldpolitische Instrumentarium des Europäischen Zentralbanksystems, in: *Wirtschaftswissenschaftliches Studium* (WiSt), Nr. 11, S. 595-598; GÖRGENS, E./ RUCKRIEGEL, K./ SEITZ, F. (2001), *Europäische Geldpolitik: Theorie, Empirie, Praxis*, 2. vollkommen überarbeitete und stark erweiterte Aufl., Düsseldorf; EUROPEAN CENTRAL BANK (2001), *The Monetary Policy of the ECB*, Frankfurt/ M.

Diemo Dietrich

Europäische Geld- und Währungspolitik: Ziele und Aufgaben

Das Eurosystem (*→Akteure*) verfolgt gemäß Art. 2 ESZB-Satzung das vorrangige Ziel, „die Preisstabilität zu gewährleisten". Hiermit soll das Eurosystem die Stabilität der Kaufkraft der gemeinsamen Währung (Euro) sicher stellen und eine Inflation verhindern.

Dieses Ziel sieht die EZB als erfüllt an, sofern der durchschnittliche jährliche Anstieg der Verbraucherpreise den Wert von zwei Prozent mittelfristig nicht übersteigt. Sinn dieser Vorgabe ist es, die Erwartungen der Haushalte und →*Unternehmen* zu stabilisieren. Allerdings sieht die EZB keine Verpflichtung, kurzfristige Abweichungen von diesem Ziel in jedem Fall und unverzüglich zu korrigieren.

In Art. 2 ESZB-Satzung heißt es weiter: „Soweit dies ohne Beeinträchtigung des Zieles der Preisstabilität möglich ist, unterstützt das ESZB die allgemeine Wirtschaftspolitik in der Gemeinschaft, um zur Verwirklichung der festgelegten Ziele der Gemeinschaft beizutragen“. Dazu zählen u. a. einstetiges Wirtschaftswachstum sowie ein hohes Beschäftigungsniveau. Wissenschaft und EZB sind sich jedoch einig, dass diese ergänzenden Ziele mittel- und langfristig am besten durch die Gewährleistung der Preisstabilität (→*Preisniveaustabilität*) erreicht werden können: Sie verbessert zum einen die Transparenz des Preissystems und somit die Effizienz der Verteilung von Ressourcen an den Ort des jeweils höchsten Ertrages (Allokationseffizienz). Geringe Inflationsrisiken führen des Weiteren zu einer Senkung des langfristigen Zinsniveaus und wirken stimulierend auf Investition und →*Beschäftigung*. Preisstabilität bedingt weiterhin, dass das Vermögen der Haushalte und Unternehmen nicht zur Absicherung gegen Inflationsrisiken eingesetzt, sondern produktiv genutzt wird. Sie vermeidet schließlich eine willkürliche Umverteilung von Vermögen und →*Einkommen*, wodurch der soziale Zusammenhalt innerhalb der Gemeinschaft gefördert wird.

Das Ziel der Preisniveaustabilität wird somit in Harmonie zum Ziel der Konjunkturstabilisierung und Beschäftigungsförderung gesehen. In dem Versuch, durch eine nicht am Ziel der Preisniveaustabilität orientierten Geldpolitik die →*Arbeitslosigkeit* kurzfristig zu senken, sieht die EZB ein sinnloses Bemühen, da eine derartige Politik zumindest mittelfristig die Voraussetzungen für ein stabiles Wirtschafts- und Beschäftigungswachstum gefährdet (→*Zielkonflikte in der Wirtschaftspolitik*). Auch sind die Möglichkeiten, mittels Geldpolitik die Arbeitslosigkeit zu senken und die →*Konjunktur* zu stabilisieren, selbst kurzfristig nur sehr begrenzt, da die Beobachtung von konjunkturellen Störungen nicht fehlerfrei und lediglich zeitlich verzögert möglich ist und die Geldpolitik ihrerseits nicht mit klar vorhersehbarer Verzögerung auf Beschäftigung und Konjunktur wirkt.

Zu den Aufgaben des *Eurosystems* gehören neben Festlegung und Durchführung der Geldpolitik in der Gemeinschaft gemäß Art. 3 ESZB-Satzung auch die Durchführung der Devisengeschäfte und die Verwaltung der offiziellen Währungsreserven der Mitgliedstaaten sowie die Förderung eines reibungslosen Zahlungsverkehrs. Schließlich nimmt die EZB gemäß Art. 4 ESZB-Satzung beratende Funktionen wahr, indem sie zu allen Vorschlägen für Rechtsakte der Gemeinschaft gehört werden muss und das Recht hat, Stellungnahmen gegenüber Organen und Einrichtungen der Gemeinschaft sowie gegenüber nationalen Behörden abzugeben, sofern ihr Zuständigkeitsbereich berührt ist.

Literaturhinweise:
DIETRICH, D./ VOLLMER, U. (1999), Das geldpolitische Instrumentarium des Europäischen Zentralbanksystems, in: *Wirtschaftswissenschaftliches Studium* (WiSt), Nr. 11, S. 595-598; GÖRGENS, E./ RUCKRIEGEL, K./ SEITZ, F. (2001), *Europäische Geldpolitik: Theorie, Empirie, Praxis*, 2. vollkommen überarbeitete und stark erweiterte Aufl., Düsseldorf; EUROPEAN CENTRAL BANK (2001), *The Monetary Policy of the ECB*, Frankfurt/ M.

Diemo Dietrich

Europäische Wirtschafts- und Währungsunion

Die Europäische Währungsunion (EWU) hat am 1. Januar 1999 begonnen, und die Ausgabe der Münzen und Banknoten am 1. Januar 2002 schließt einen Integrationsprozess ab, der im Dezember 1969 zum ersten Mal politisch beschlossen worden ist (→*Integration*).

Eine Währungsunion ist gegenüber einer Freihandelszone und einer Zollunion ein viel tiefer reichendes Integrationsziel, weil es in das Zentrum der geld- und währungspolitischen Souveränität der Nationalstaaten greift. Eine Währungsunion gibt es in zwei Ausformungen: mit irreversibel starren Wechselkursen zwischen den Teilnehmerländern oder mit einer einheitlichen Währung. Die EU hat sich für die zweite Variante entschieden, die weitreichendere politisch-psychologische Konsequenzen hat und eine viel endgültigere Integrationsform ist. In beiden Fällen bedeutet dieser Schritt, dass die nationale Geldpolitik vollständig durch eine zentralisierte, gemeinschaftliche Geldpolitik ersetzt wird. Die nationale Zentralbank wird durch eine Europäische Zentralbank (EZB) abgelöst, in der z. B. die →*Deutsche Bundesbank* z. Z. nur als eine von 12 Zentralbanken mitentscheiden kann. Darüber hinaus hat die deutsche Regierung endgültig ihre Kompetenz verloren, den Wechselkurs alleine zu verändern. Über den Wechselkurs des Euro wird von einem politischen Gremium auf der Gemeinschaftsebene entschieden.

Es hat sich eingebürgert, von der Europäischen Wirtschafts- und Währungsunion (EWWU) zu sprechen, als ob es sich um siamesische Zwillinge handele. Dies trifft nicht zu, da sie Regelungen für ganz andere Bereiche der Wirtschaft umfassen und sich nur einseitig bedingen. Eine Wirtschaftsunion ist ohne Währungsunion gut machbar, eine Währungsunion wird nie ohne Wirtschaftsunion funktionieren. Daraus folgt, dass eine Wirtschaftsunion einer Währungsunion vorangehen sollte. Eine Wirtschaftsunion ist dann erreicht, wenn im Integrationsgebiet zwischen den teilnehmenden Staaten binnenmarktähnliche Verhältnisse bestehen. Das heißt: Von den fünf konstitutiven Freiheiten einer EWWU müssen vier im Rahmen der Wirtschaftsunion und eine im Rahmen der Währungsunion hergestellt werden: Wirtschaftsunion: Freiheit des Handelsverkehrs, Freiheit des Dienstleistungsverkehrs, Freizügigkeit für Arbeitskräfte, Niederlassungsfreiheit für Unternehmen. Währungsunion: Freiheit des Zahlungs- und Kapitalverkehrs.

Bezogen auf die zu liberalisierenden Bereiche der Volkswirtschaften sind folgende Integrationserfordernisse zu erfüllen: Herstellung eines Binnenmarktes für Güter- und Dienstleistungen sowie für die Standortwahl der Unternehmen *und* für einen Arbeitsmarkt, der in seiner Anpassungsflexibilität der zunehmenden Wettbewerbsintensität auf den genannten Märkten entspricht. Auf der Währungsseite muss ein gemeinsamer Finanzmarkt geschaffen sowie die freie Konvertierbarkeit der Gemeinschaftswährung gegenüber Drittwährungen hergestellt werden. Schließlich verlangt die gemeinschaftliche Geld- und Währungspolitik, dass die Wirtschaftspolitiken der Teilnehmerländer koordiniert werden, wenn sie – wie im EG-V geregelt – prinzipiell in nationaler Verantwortung verbleiben und sie „als eine Angelegenheit von gemeinsamem Interesse" betrachtet werden. Anderenfalls wird eine Geld- und Währungspolitik gestört bis unmöglich (vgl. Abbildungen).

Diese Erfordernisse für eine EWWU zeigen, wie tiefgreifend dieses Integrationsziel ist und wie groß der politische Gehalt einer EWWU ist. Dieser Umstand begründet die Frage ob eine politische Union (vorab eingerichtet oder parallel zur EWWU geschaffen) notwendig ist, um die EWWU dauerhaft zu stabilisieren.

Die früheren Anläufe zu einer EWWU sind daran gescheitert, dass die wirtschafts- und währungspolitischen und die politischen Konsequenzen dieses Integrationsschrittes nicht akzeptiert worden sind. Hinzu kamen unüberbrückbare Auffassungsunterschiede darüber, wie die Geld- und Währungspolitik ausgestaltet werden soll: Geldwertstabilität als (alleiniges) Ziel, (Un-) Abhängigkeit für eine EZB, Konvertibilität am Anfang/ am Ende?

So scheiterte die Initiative von Den Haag (1./ 2. Dezember 1969) bereits 1971/72 (Willgerodt u. a., 1972). Die Einführung des Europäischen Währungssystems (EWS) im März 1979 hatte die EWU nicht als unmittelbares Ziel, es gelang aber dennoch nicht, von der ersten in eine zweite, institutionelle Stufe der Integration vorzustoßen. Die „Erfolge" des EWS beruhen auf einer Umkehr der Regeln und auf der positiven „Ankerrolle" der D-Mark und der Deutschen Bundesbank. Der dritte Anlauf, der 1988 offiziell eingeleitet wurde, führte zu den Regierungskonferenzen über die Europäische Währungsunion sowie über die Politische Union, die im Dezember 1991 in Maastricht zu einem Abschluss führten, der eine weitreichende Änderung des EG-Vertrages und den EU-Vertrag brachte. Die Währungsunion wurde durch die Ratifizierungen politisch beschlossen und auch vollzogen.

Warum hat dieser Anlauf zur EWWU geführt? Die wichtigste – häufig nicht genannte – Voraussetzung, die Existenz einer Wirtschaftsunion, war gegeben, weil sie vorab mit dem Programm „Binnenmarkt '92" 1987 begonnen und weitgehend realisiert worden ist. Zweitens, die deutsche →*Wiedervereinigung* und der Wille der Bundesregierung, ihre Westverankerung zu beweisen, führten zum Angebot, die „Ankerwährung D-Mark“ im Rahmen einer EWWU zugunsten einer Gemeinschaftswährung aufzugeben. Damit wurde den politischen Ambitionen anderer EG-Staaten entsprochen, die u. a. die EWWU anstrebten, um die Dominanz der D-Mark und der Deutschen Bundesbank aufzuheben. Drittens, die Integration wurde mit dem Übergang zur Konvertibilität der Währungen am 1. Juli 1990 eingeleitet. Viertens, es gelang, als alleinige Aufgabe der EZB die Schaffung und Erhaltung der Preisstabilität zu kodifizieren; ferner wurden die EZB und alle nationalen Zentralbanken unabhängig, also weisungsungebunden gegenüber politischen Institutionen (→*Europäische Geld- und Währungspolitik*). Fünftens, die Koordinierung der Wirtschaftspolitik wurde nachhaltig verbessert: Um sich für den Eintritt in die Währungsunion zu qualifizieren, muss jedes Land Konvergenzkriterien (Preisstabilität, Wechselkursstabilität, Zinssatzstabilität, Solidität der öffentlichen Finanzen – Budgetdefizit, Verschuldung –) erfüllen. Die besonders prekären und politischen Kriterien über die öffentlichen Finanzen wurden in einem Stabilitäts- und Wachstumspakt 1997 präzisiert und verschärft, und sie gelten für alle Teilnehmer auch in der Währungsunion. Sechstens, die Orientierung für die Wirtschaftspolitik wurde geklärt. Danach gilt nicht nur für die Geldpolitik die Preisstabilität als oberstes Ziel. Dies trifft auch zu für die Wechselkurspolitik und für die Wirtschaftspolitik. Darüber hinaus wird an mehreren Stellen im Vertrag von Maastricht hervorgehoben, dass die Wirtschaftspolitik im Einklang zu stehen habe „mit dem Grundsatz einer offenen →*Marktwirtschaft* mit freiem →*Wettbewerb*“ (Art. 4, 98, 105).

Was ist unvollständig? Neben der Kritik an vielen Einzelheiten ragen zwei Bereiche heraus, die Probleme aufwerfen (können). Bereits in Maastricht ist es nicht gelungen, nachhaltige Fortschritte auf dem Weg zur Politischen Union zu erreichen. Dies gelang auch nicht auf den Regierungskonferenzen in Amsterdam (1997) und in Nizza (2000). Die nächste Regierungskonferenz zur politischen Union ist bereits geplant; die Probleme werden jedoch durch die massive Erweiterung der EU eher größer als umgekehrt. Zweitens, die Wirtschaftsunion ist in ihrer Dimension zu eng konzipiert worden. Politisch wurde die ökonomische Interdependenz zwischen dem Bereich des Gütermarktes (Handels- und Dienstleistungsverkehr, Niederlassungsfreiheit für →*Unternehmen*) und dem Arbeitsmarkt übersehen. Die nationalen Arbeitsmärkte wurden aus der Systematik der marktwirtschaftlichen Integration ausgespart und können zu einem Stolperstein werden.

Die Skepsis der EWWU gegenüber hat viele Gründe – berechtigte und vermutete. Unumstritten ist, dass es sich um ein politisches Projekt handelt, das noch viel politischen Mut und Anpassungsbereitschaft fordern wird, wenn neben den wirtschaftlichen Zielen auch ihr politisches Ziel – Stabilisierung der europäischen

Europäische Wirtschafts- und Währungsunion (EWWU)
Teilgebiet: Europäische Währungsunion

Markt
Gemeinschaftliche(r)

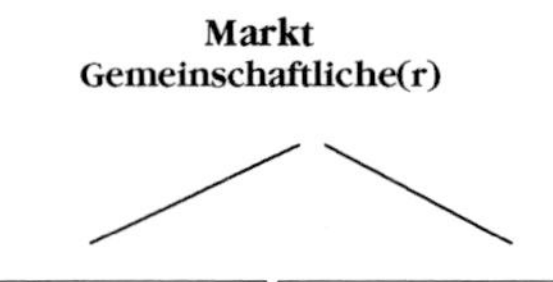

Politik
Währungs*politische* Konvergenz

Finanzmärkte	*Devisenmarkt*	*dezentral*	*zentral*
Funktionsfähige - Geldmärkte - Kapitalmärkte - Wettbewerb auf den Märkten	- gemeinschaftliches Wechselkurssystem - gemeinschaftliche Wechselkurspolitik - Freiheit des Zahlungs- und Kapitalverkehrs erga omnes=gegenüber allen (Konvertibilität)	Koordinierung der Geld- und Wechselkurspolitik	Vergemeinschaftung - der Währung - der Geldpolitik (Status der EZB) - des Wechselkurssystems - der Wechselkurspolitik

Europäische Wirtschafts- und Währungsunion (EWWU)
Teilgebiet: Europäische Wirtschaftsunion (EWU)

Markt
Gemeinsamer Binnenmarkt

Güter- und Dienstleistungsmarkt	*Arbeitsmarkt*
- Freiheit des Güter- und Dienstleistungsverkehrs - Niederlassungsfreiheit - Gemeinschaftliche Wettbewerbspolitik und Kontrolle staatlicher Beihilfen	- Freizügigkeit für Arbeitskräfte - Flexibilität der nationalen Arbeitsmärkte

Politik
Wirtschafts*politische* Konvergenz

zentral

Politische Union mit Gesetzgebungsbefugnis über die Ordnungs- und Ablaufpolitik (Wirtschaftsverfassung) der Gemeinschaft)

dezentral

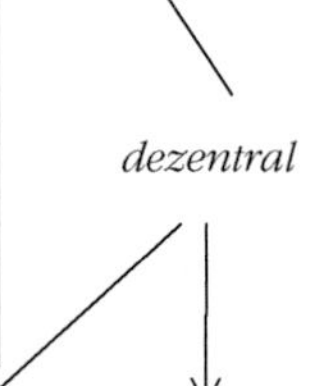

Rechtlich bindende Teil-Vergemeinschaftung der Wirtschaftspolitik und wirksame Ordnungspolitik für die Arbeitsmärkte durch Vereinbar./Verträge (z.B. Stabilitäts- und Wachstumspakt)	Koordinierung der Wirtschafts- und Arbeitsmarktpolitiken = faktisch Teil-Vergemeinschaftung durch Konvergenzkriterien und Konvergenzverfahren

Friedensordnung – erreicht werden soll.

Literaturhinweise:
WILLGERODT, H./ DOMSCH, A./ HASSE, R.H./ MERX, V. unter Mitwirkung von KELLENBENZ, P. (1972), *Wege und Irrwege zur europäischen Währungsunion*, Freiburg i.B.; UNGERER, H. (1997), *A Concise History of European Monetary Integration. From EPU to EMU*, Westport-London; BRUSSELS' INITIATIVE (1998), *Convergence-Coherence-Adjustment. The need for the convergence in the area of economic policy coherence in terms of mentalities of the EU Member States with a view to future cooperation and adjustment in the EMU*, Brüssel. Die Brussels' Initiative ist eine Gruppe europäischer Wirtschaftswissenschaftler, die die Wirtschafts- und Währungspolitik der EU analysieren und Stellungnahmen abgeben. Erhältlich: Konrad-Adenauer-Foundation, Ave. de l' Yser 11, B-1040 Brussels.

Rolf H. Hasse

Evangelische Sozialethik

1. Ethik nennt man die Lehre vom richtigen, menschlichen Handeln und Verhalten, die Besinnung auf Aufgaben menschlicher Verantwortung. Das Wort „sozial" – vom lateinischen „socialis" abgeleitet (socius heißt ursprünglich Bundesgenosse) – hat eine starke Begriffsverschiebung erfahren. Ursprünglich bedeutet „sozial", dass der Mensch ein soziales Wesen ist (animal social), und dass Menschen zusammenleben, vor allem im Haus („vita socialis", Augustin). Im Mittelalter (Thomas von Aquin) wird „sozial" gleichbedeutend mit „politisch". Mit dem Beginn der Neuzeit wird Sozialität (socialitas) der Grundbegriff einer rationalen, rein vernünftigen Naturrechtslehre (→*Liberalismus*).

Seit dem 18. und 19. Jahrhundert wird das Wort „sozial" umgeprägt – und zwar in zweifacher Hinsicht: (a) Einmal formuliert J.-J. Rousseau den Gedanken eines Gesellschaftsvertrags („contrat social" bzw. „pacte social"). Das Wort „sozial" wird damit vom Wort „politisch" unterschieden; anders gesagt: Leitend wird die Unterscheidung von Gesellschaft und Staat. Gesellschaft und Wirtschaft werden aus der Staatsaufsicht entlassen und zu selbstständigen Lebensbereichen. (b) Das Wort „sozial" wird insbesondere mit den sozialen Folgen und Problemen der Industrialisierung und dem frühen Kapitalismus verbunden. Neue Begriffsbildungen zeigen dies, wie die Benennung der Arbeiterfrage als „soziale Frage". Neue Wortzusammensetzungen entstehen gleichzeitig, wie soziale Bewegung, soziale Organisation, soziale Revolution, →*soziale Gerechtigkeit*, →*Sozialpolitik*, →*Sozialstaat*, Sozialrecht usw. Die Berufung auf das Soziale dient der Formulierung von Forderungen nach sozialem Ausgleich, nach Solidarität. Ungleichheit wird als „unsozial" bezeichnet.

Mit der Ausweitung des Wortes „sozial" erhält der Begriff eine doppelte Spannung, nämlich einmal das Spannungsverhältnis von Einzelnem und Gemeinschaft, von Individualismus und Kollektivismus, sodann die Unterscheidung von gemeinschaftlich im Sinne von zwischenmenschlich in einem Sprachgebrauch, der unter „sozial" soziale Einrichtungen, soziale Institutionen begreift. An der Unschärfe des Begriffs „sozial" hat auch die Sozialethik teil.

2. Die Sozialwissenschaften, insbesondere die Soziologie, sind Wissenschaften, die erst mit der Aufklärung und aufgrund der gesellschaftlichen Folgen der Industrialisierung entstanden sind. Die evangelische Sozialethik ist eine Folge der Soziologie, der empirischen Sozialwissenschaften. Erstmals benutzte 1867 der in Dorpat (heute Tartu in Estland) lehrende lutherische Theologe Alexander von Oettingen das Wort „Socialethik" im Titel eines Buches. Er bezieht sich auf die Moralstatistik, die soziale Gesetzmäßigkeit nachweist. Mit der Neubildung „Sozialethik" will er sich abgrenzen gegen eine bloß mechanistische Erklärung der gesellschaftlichen Vorgänge (Sozialphysik, sozialer Determinismus) wie gegen eine einseitige Beschränkung der Ethik nur auf individuelles und persönliches Handeln.

Dem Wort „Sozialethik" ist somit eine doppelte Aufgabe gestellt: Es geht einmal um die Verbindung wissenschaftlicher Beschreibung, Analyse gesellschaftlicher Vorgänge („deskriptiv" = beschreibend) mit Bewertungen, mit normativen Beurteilungen („präskriptiv" = vorschreibend). Man erörtert diese Fragestellung auch als erkenntnistheoretische Zuordnung von Sein und Sollen, Ist und Ziel. Zum anderen geht es in der Sozialethik um Betrachtung und Bewertung von sozialen Strukturen, Einrichtungen, Organisationen, die man zumeist „Ordnungen" oder „Institutionen" nennt. Solche Ordnungen und Institutionen sind z. B. Ehe und Familie, →*Eigentum*, Arbeit, Staat, Recht, Kultur, Organisation der Wissenschaft usw. Dabei zeichnen sich eine Reihe von Problemen ab, wie die folgenden: Gibt es „eigengesetzliche" Strukturen und Bedingungen in Wirtschaft, Politik und sozialer Ethik? Die Chiffre „Eigengesetzlichkeit", die viel diskutiert wurde, bezeichnet Grenzen und Voraussetzungen ethischen Handelns. Wie lassen sich Strukturen verändern, welchen Einfluss hat darauf das individuelle Handeln des Einzelnen? Wie ist Verantwortung in sozialen Institutionen möglich?

Dazu kam die Unterscheidung von Gemeinschaft, d. h. natürlichen Gegebenheiten, wie der biosozialen Ordnung von Ehe und Familie, und Gesellschaft, d. h. von Menschen geschaffenen Organisationen (wie →*Unternehmen*, Gewerkschaften, Verbänden). Die Folge der Weite und Unbestimmtheit des Wortes „Sozialethik" führt zu einer großen Bandbreite von sozialethischen Entwürfen und Konzeptionen. Hinter jeder Sozialethik steht ein gesellschaftliches Leitbild, eine Gesellschaftstheorie. Solche Leitbilder werden oft nicht ausdrücklich benannt. Sie sind mit Idealen und Utopien verwandt. Leitbilder können z. B. die klassenlose Gesellschaft, die kapitalistische →*Marktwirtschaft* des Liberalismus, eine verantwortliche Gesellschaft, eine ökologisch nachhaltig wirtschaftende Gesellschaft und die →*Soziale Marktwirtschaft* sein. Wissenschaftliche Aufgabe ist es, die weltanschaulichen Grundannahmen und Zielrichtungen jeder Sozialethik kritisch zu untersuchen und zu überprüfen. Sozialethik ist insofern eine leicht ideologisierbare Disziplin.

3. Die Grundlegung der Sozialethik ist innerhalb der Theologie umstritten. Die katholische Kirche beruft sich auf ein allgemein verbindliches Naturrecht und setzt deswegen eine Sozialphilosophie voraus. Evangelische Sozialethik bezieht sich auf die Bibel. Dabei ist eine Orientierung an unterschiedlichen Leitvorstellungen möglich: Die lutherische Tradition unterscheidet Gottes Regiment im weltlichen Reich von Gottes geistlichem Regiment über die Gemeinschaft der Gläubigen, über die Kirche. Das weltliche Regiment ist an der Vernunft zu messen. Reformierte oder eine gesellschaftsverändernde Sicht (z. B. der religiöse Sozialismus) berufen sich auf das Reich Gottes als gesellschaftsverändernde Kraft, das zur Schaffung einer Welt des Friedens, der Gerechtigkeit und zur Option für die Armen veranlasst. Evangelische Sozialethik vertritt darum verschiedene gesellschaftspolitische Zielvorstellungen und verwendet unterschiedliche Argumentationsverfahren (z. B. Berufung auf Gründe der Vernunft oder auf (Gehorsams-) Forderungen des Glaubens). Die gesellschaftliche Ausdifferenzierung und die Vielfältigkeit der Kulturen (Pluralismus) bildet sich auch in verschiedenen Positionen der Sozialethik ab.

Unumstritten ist freilich die Notwendigkeit, dass sich Theologie und Kirche an der öffentlichen Diskussion um gesellschaftliche, wirtschaftliche, politische Vorgänge und Ziele beteiligen. Man spricht von einem Öffentlichkeitsauftrag als Wahrnehmung des Gesellschaftsbezugs bzw. Weltbezugs.

Zudem gibt es inzwischen zahlreiche kirchliche Stellungnahmen und Erklärungen („Denkschriften") zu gesellschaftlichen Themen. Ferner wächst die Einsicht, dass die Sachkenntnis (Sachgemäßheit) als Voraussetzung programmatischer Forderungen zu gelten hat. Darum wird eine globale Gesellschaftstheorie („Sozialethik") zunehmend ausdifferenziert in Bereichsethiken (Wirtschaftsethik, Technikethik, Bioethik, Wissenschaftsethik, internationale Ethik, politische Ethik usw.). Dennoch bleibt es notwendig, eine integrierende Gesellschaftstheorie, eine Gesamtsicht gesellschaftlicher Notwendigkeit zu entwerfen.

Schließlich ist eine wichtige Grundfrage, wer überhaupt Träger und Adressat einer evangelischen Sozialethik sein soll: Sind es die Glaubenden, die Kirche? Ist evangelische Sozialethik also eine Ethik „kirchlicher" Verantwortung? Oder betrifft sie die Kultur insgesamt, will sie allgemein einsichtige und allgemein verbindliche Vorschläge einbringen? Evangelische Sozialethik hat damit stets eine eigene Standortbestimmung vorzunehmen und die Frage nach dem kirchlichen Selbstverständnis mitzubedenken.

Literaturhinweise:
HONECKER, M. (1995), *Grundriß der Sozialethik*, Berlin; KÖRTNER, U. H. J. (1999), *Evangelische Sozialethik*, Göttingen; HENGSBACH, F. (2001), *Die andern im Blick. Christliche Gesellschaftsethik in den Zeiten der Globalisierung*, Darmstadt.

Martin Honecker

Familienpolitik

Der nach bürgerlichem Recht geprägte Begriff „Familie“ versteht darunter Eltern, die mit ihren Kindern in einem Haushalt leben, wobei es nicht darauf ankommt, ob die Eltern verheiratet sind oder waren, unverheiratet oder allein erziehend sind. Die Ehe ist also nicht mehr Voraussetzung für das Bestehen einer Familie, sondern das alleine oder gemeinsam getragene Sorgerecht für ein oder mehrere Kinder. Dementsprechend werden unter Familienpolitik alle Schutz- und Fördermaßnahmen verstanden, die entweder direkt auf die Kinder selber oder indirekt auf ihre Eltern ausgerichtet sind.

Die gesetzlichen Schutzmaßnahmen beginnen beim Schutz des ungeborenen Lebens, beim Mutterschutz sowie dem Rechtsanspruch auf Erziehungsurlaub und Teilzeitbeschäftigung und setzen sich in der Kinder- und Jugendhilfe sowie in der Jugendschutz- und Arbeitsschutzgesetzgebung fort. Bei den Fördermaßnahmen ist zwischen Steuerentlastungen (Familiensplitting, Kinder- und Betreuungsfreibeträgen) und sozialen Transfers, wie zum Beispiel dem Kindergeld, dem Erziehungsgeld und Finanzhilfen zum Schutz des ungeborenen Lebens, zu unterscheiden. Seit Umbenennung des früheren Familien*lasten*ausgleichs in Familien*leistungs*ausgleich im Jahre 1996 kann zwischen der Gewährung von Kindergeld und der Beantragung eines Steuerfreibetrags gewählt werden.

Auch die Anerkennung von Kindererziehungs- und Kinderberücksichtigungszeiten bei der Berechnung von Altersrenten sowie Witwen- und Witwerrenten, ebenso wie die Kinderzulagen bei der mit der jüngsten Rentenreform eingeführten zusätzlichen kapitalgedeckten Altersvorsorge, stellen eine Förderung von Elternschaft dar. Ähnlich verhält es sich bei der kostenfreien Mitversicherung von Familienangehörigen in der gesetzlichen *→Krankenversicherung* sowie den Kinderzuschlägen beim Arbeitslosengeld und bei der Arbeitslosenhilfe (*→Arbeitslosigkeit: Soziale Sicherung*). Neben diesen rein materiellen Leistungen sind schließlich noch Hilfen zur Stärkung des Zusammenhalts und der Erziehungskraft von Familien durch Ehe-, Eltern- und Erziehungsberatung sowie bei der Familienplanung zu erwähnen.

Wie schon der neue Begriff des Familienleistungsausgleichs verdeutlicht, stellen Kinder nicht etwa eine Belastung der Gesellschaft dar, sondern Eltern erbringen eine für das gesellschaftliche Fortbestehen essenzielle Leistung, indem sie Geld und Arbeit für das Aufziehen von Kindern einsetzen. Die Förderung einer strukturell kinder- und familienfreundlichen Gesellschaft ist deshalb eine Gemeinschaftsaufgabe, die sowohl auf der staatlichen Ebene von Bund und Ländern als auch auf der kommunalen Ebene der Gemeinden zu leisten ist. Neben der Bereitstellung bezahlbaren und kindgerechten Wohnraums in einem kinderfreundlichen Wohnumfeld und mit einer familienbezogenen sozial-kulturellen Infrastruktur gehört dazu ein ausreichendes Angebot an familienunterstützenden und familienergänzenden Leistungen bei der Betreuung, Erziehung und Bildung von Kindern sowie gesundheitsfördernde Maßnahmen und Einrichtungen.

Die wohl wichtigste Aufgabe künftiger Familienpolitik dürfte aber darin bestehen, zum einen bessere Voraussetzungen für die Vereinbarkeit von Elternschaft und Erwerbstätigkeit, insbesondere für allein erziehende Mütter und Väter, zu schaffen und zum anderen, die Ausübung häuslicher Tätigkeiten im öffentlichen Ansehen aufzuwerten.

Literaturhinweise:

MÜLLER-HEINE, K. (1999), Ziele und Begründungen von Familienpolitik, in: *Arbeit und Sozialpolitik*, Heft 9-10; WINGEN, M. (1997), *Familienpolitik. Grundlagen und aktuelle Probleme*, Stuttgart; LAMPERT, H. (1996), *Priorität für die Familie. Plädoyer für eine rationale Familienpolitik*. Berlin.

Hans Jürgen Rösner

Finanzverfassung

Bei der Finanzverfassung handelt es sich um ein Regelwerk, das die Richtlinien für eine Koordination der öffentlichen Aktivitäten bereitstellt. Dies gilt hier mit Blick auf die in Deutschland gegebene föderale Ordnung gemäß Art. 20 GG. Diese begründet den Bundesstaat mit den *Gebietskörperschaften* – d. h. dem Bund, den Ländern und den Gemeinden. Darüber hinaus ist auf die Verbindung zur →*EU* zu verweisen (Art. 23 GG). Das Herzstück der Finanzverfassung bildet im GG der Abschnitt X: „Das Finanzwesen".

Die Entscheidung, ob eine bestimmte Aufgabe vom Staat wahrgenommen werden soll, setzt aus marktwirtschaftlicher Sicht zunächst eine Antwort auf die Frage voraus, ob und inwieweit hoheitliche Eingriffe in der Lage sind, maßgebliche Wohlfahrtsgewinne gegenüber dem ansonsten autonom handelnden privaten Sektor zu erzielen. Wird eine staatliche Intervention als vorteilhaft angesehen, ist sodann zu prüfen, ob die jeweilige Aufgabe auf der Ebene des Bundes, auf derjenigen der Länder oder derjenigen der Kommunen erfolgen soll. Denn die Erfüllung hoheitlicher Aufgaben zeichnet sich durch unterschiedliche Wirkungskräfte aus, welche eine lokale, regionale oder zentrale Zuordnung begünstigen. Schließlich ist der Umstand zu berücksichtigen, dass die Erfüllung hoheitlicher Aufgaben und Ausgaben (→*Staatsausgaben*) durch die Gebietskörperschaften mit einem entsprechenden Finanzbedarf einhergeht. Deswegen ist neben der föderalen Arbeitsteilung beim staatlichen Handeln auch die zugehörige Finanzierung (→*Staatseinnahmen*) zu regeln.

Die genannten beiden Entscheidungsbereiche sind mit jeweils drei Kompetenzen auszustatten:

Für die Seite der staatlichen Aufgabenerfüllung sind dies (1) die *Entscheidungskompetenz I*: Welche Gebietskörperschaft darf über die organisatorische Ausgestaltung der Aufgabenerfüllung bestimmen?, (2) die *Durchführungskompetenz*: Welche Gebietskörperschaft wird mit der Durchführung der Aufgabe betraut?,

(3) die *Ausgabenkompetenz*: Welche Gebietskörperschaft ist für die Ausgaben verantwortlich, welche im Rahmen der Aufgabenerfüllung anfallen?

Für die Seite der Finanzierung, die vor allem über Steuern und Schuldenaufnahme gedeckt wird, sind dies (4) die *Entscheidungskompetenz II*: Welche Gebietskörperschaft entscheidet über die Ausgestaltung der jeweiligen Einnahme?, (5) die *Verwaltungskompetenz*: Welche Gebietskörperschaft ist für die Erhebung der betreffenden Einnahme zuständig?, (6) die *Ertragskompetenz*: Welcher Gebietskörperschaft stehen diese Finanzmittel letztendlich zur Verfügung?

Mit Hilfe dieser sechs Kompetenzfelder ist zwar der Regelungsbereich strukturiert. Jedoch fehlt noch eine Benennung der jeweiligen *Ziele*, welche bei der Ausgestaltung der Aufgabenorganisation sowie bei der Mittelbeschaffung und bei der Mittelverwendung angestrebt werden: Grundsätzlich soll die Finanzverfassung gewährleisten, dass die hoheitliche Aufgabenerfüllung den Präferenzen der Bürger entspricht und die Wirtschaftlichkeit staatlichen Handelns erreicht wird. Darüber hinaus ist der Zusammenhalt des Gemeinwesens zu sichern. Eine erste Spezifizierung dieser allgemein gehaltenen Vorgaben erfolgt über das Anstreben eines gesamtwirtschaftlichen Gleichgewichts und den Ausgleich der unterschiedlichen Wirtschaftskraft zwischen den Gebietskörperschaften (Art. 104 a GG) oder durch die Annäherung an gleichwertige Lebensverhältnisse (Art. 72 sowie Art. 106 GG) im Staatsgebiet.

Vor diesem Hintergrund können im Zusammenspiel mit dem oben strukturierten Regelungsbereichen einige zentrale *Leitlinien* zur Ausgestaltung der Finanzverfassung abgeleitet werden: Erstens wird hinsichtlich der Zuweisung der Entscheidungskompetenz I eine hohe Eigenbestimmung und *→Eigenverantwortung* angestrebt. Um diese Maßgabe für das Verhältnis von „Markt“ und „Staat“ wie auch für die Beziehung der Gebietskörperschaften untereinander durchzusetzen, wird auf das *Subsidiaritätsprinzip* zurückgegriffen. Dieses sieht eine Zuweisung von Aufgaben an eine höhere Ebene (z. B. an den Bund) nur dann vor, wenn die untere Ebene (Länder oder Gemeinden) dazu nachweislich nicht in der Lage ist, aus eigener Kraft zu einem befriedigenden Ergebnis zu gelangen. Zweitens ist damit zugleich die Forderung eng verbunden, die Unabhängigkeit der Gebietskörperschaften durchzusetzen – das *Autonomieprinzip*. Ansonsten geraten die Stabilität der föderalen Struktur und die Transparenz über das hoheitliche Handeln in Gefahr. Demgemäß sieht die Finanzverfassung auch eine getrennte Haushaltsführung für die Gebietskörperschaften vor (Art. 109 GG). Drittens soll diejenige Ebene, welche mit der Organisation einer Aufgabe betraut wird, auch die Verantwortung über die dafür erforderlichen Finanzmittel erhalten.

Dabei wird zum einen unterstellt, dass der betreffende Entscheidungsträger am besten mit den finanziellen Anforderungen zur Bewältigung der jeweiligen Aufgabe vertraut ist. Zum anderen lassen sich hierüber einseitige Abhängigkeiten zwischen den Gebietskörperschaften vermeiden. Eine solche kausale Verknüpfung zwischen der Entscheidungskompetenz I sowie der Ausgabenkompetenz gründet auf dem *Konnexitätsprinzip*. Viertens sollte – vor allem zur Erzielung einer vorteilhaften Arbeitsteilung zwischen den Gebietskörperschaften – sowohl die Durchführungskompetenz als auch die Erhebungskompetenz bei derjenigen Ebene angesiedelt sein, bei welcher diesbezüglich die geringsten Kosten anfallen. Fünftens sollte bei der Finanzierung der Maßnahmen, zumal der private Sektor insbesondere in Form von Abgaben mit Zwangscharakter belastet wird, den Bedürfnissen des jeweiligen „Opferkreises" möglichst Rechnung getragen werden. Folglich ist die Entscheidungskompetenz II über eine bestimmte Einnahme derjenigen Gebietskörperschaft nach dem *Prinzip der fiskalischen Äquivalenz* zuzuweisen, welche den Repräsentanten der von dieser Maßnahme betroffenen Akteure darstellt. Sechstens hat die Finanzverfassung dafür zu sorgen, dass Gebietskörperschaften mit einer ungünstigen Finanzausstattung in die Lage versetzt werden, dennoch ihre Aufgaben zu erfüllen.

Diese aus dem Gedanken des *bündischen Prinzips* (Solidargemeinschaft) ableitbare Regel setzt vor allem entsprechende Gestaltungsvorgaben mit Blick auf die Ertragskompetenz voraus. In der Realität kann insbesondere aus dem letztgenannten Punkt ein Konfliktpotenzial zu den anderen Bestandteilen einer Finanzverfassung resultieren. Inwieweit dies auf die deutsche Finanzverfassung zutrifft, wird unter dem Stichwort →*Fiskalföderalismus* erläutert.

Literaturhinweise:
APOLTE, T. (1999), *Die ökonomische Konstitution des föderalen Systems*, Tübingen; BUNDESMINISTERIUM DER FINANZEN (Hrsg.) (2000), *Bund-Länder Finanzbeziehungen auf der Grundlage der geltenden Finanzverfassungsordnung*, Bonn; LAUFER, H./ MÜNCH, O. (1997), *Das föderative System der Bundesrepublik Deutschland*, 7. Aufl., Bonn.

Dietrich Dickertmann
Peter T. Baltes

Fiskalföderalismus

Gegenstand des Fiskalföderalismus ist die Bereitstellung sowie die Anwendung eines ökonomischen Konzepts, um eine →*Finanzverfassung* zu analysieren und zu gestalten. Mit Hilfe der zugehörigen Kompetenzen, Ziele und Konstruktionsprinzipien geht es um die theoretische Herleitung eines „optimalen" Staatsaufbaus. Ein solches Modell kann dann zur Beurteilung realer hoheitlicher Ordnungen herangezogen werden.

Der Fiskalföderalismus lässt sich durch zwei miteinander verbundene Teilbereiche strukturieren: Der erste Abschnitt beschäftigt sich mit der Verteilung staatlicher Aufgaben und Ausgaben zwischen den *Gebietskörperschaften* („passiver Finanzausgleich"). Der zweite Abschnitt untersucht die Ausgestaltung der dazugehörenden *Finanzierungsseite* auf der Grundlage hoheitlicher Abgaben – insbesondere von Steuern („aktiver Finanzausgleich"). In einem weiteren Strukturierungsschritt lässt sich zwischen einem *vertikalen* (Regelungen zwischen den unterschiedlichen Ebenen der Gebietskörperschaften →*Bund, Länder, Gemeinden*) sowie einem *horizontalen Finanzausgleich* (zwischen Gebietskörperschaften gleicher Ebene, z. B. zwischen den Ländern) unterscheiden.

Die *Zuweisung staatlicher Aufgaben* steht im Spannungsfeld zwischen solchen Kräften, die einerseits eine zentrale Lösung (über den Bund oder die →*EU*) begründen, und denjenigen Einflussfaktoren, welche andererseits eine dezentrale Erfüllung (über die Länder oder die Kommunen) begünstigen: So wird eine Leistung *zentral* durch den Bund dann erforderlich, wenn es sich um öffentliche Güter (z. B. „Verteidigung") handelt, deren Wirkungskreis sich auf das gesamte Staatsgebiet erstreckt. Des Weiteren lassen sich über eine zentrale Aufgabenerfüllung kostspielige Doppelstrukturen für die staatliche Verwaltung vermeiden, was wiederum die Einheitlichkeit sowie die Transparenz des hoheitlichen Handelns absichert. Darüber hinaus ermöglicht eine dezentral angelegte Aufgabenverteilung kaum den „Blick fürs Ganze"; dies gilt um so mehr für solche Fälle, in denen die dezentralen Ebenen kaum über die erforderlichen Eingriffs- und Finanzierungsinstrumente verfügen (so bei Fragen der Stabilisierungs- oder der Verteilungspolitik).

Eine Aufgabenerfüllung *dezentral* durch nachgeordnete Gebietskörperschaften besitzt demgegenüber Vorteile, wenn sich einzelne Regionen durch Bedarfsunterschiede und demzufolge durch abweichende Zielvorstellungen voneinander unterscheiden: Eine Leistungsbereitstellung vor Ort kann auf solche Unterschiede flexibel und treffsicher reagieren („Vermeidung von Fremdbestimmung"). Dies erleichtert die Nachvollziehbarkeit der getroffenen Entscheidungen durch den Bürger, der vor allem über einen lokal geprägten Informationsstand verfügt („Blick aufs Detail"). Dezentral angelegte Verwaltungsstrukturen senken zudem wechselseitig die Kosten (insbesondere jene der Kommunikation) für den einzelnen Bürger beim Umgang mit staatlichen Stellen. Schließlich eröffnet ein solches Konzept die Aussicht, das Verhältnis der Gebietskörperschaften untereinander auch über den *Wettbewerbsgedanken* zu definieren und zu gestalten (Wettbewerbsföderalismus). Vergleichbar mit dem Effizienzeffekt auf Märkten wird vermutet, dass Konkurrenzdruck die jeweiligen Hoheitsträger dazu anhält, ihr Angebot an öffentlichen Leistungen an den Wünschen der Bürger – unter Abwägung der Kosten und Nutzen von einzelnen Maßnahmen – auszurichten: Geschähe dies nicht, könnten die privaten Wirtschaftssubjekte bei unterstellter Mobilität im Einzelfall in andere Gebietskörperschaften abwandern („Abstimmung mit den Füßen").

Als Übergang von der theoretischen Betrachtung zum praktischen Vollzug sei angemerkt, dass die benannten Wirkungsgefüge zwar Orientierungen für die Ansiedlung von einzelnen staatlichen Aufgaben bei den verschiedenen Gebietskörperschaften vermitteln können. Tatsächlich wird jedoch von solchen Empfehlungen oftmals abgewichen – beispielsweise infolge historisch angelegter Entwicklungen bei der jeweiligen staatlichen Ebene sowie aufgrund der Notwendigkeit, sich auf eine noch überschaubare Zahl an föderalen Einheiten zu beschränken.

Gemäß Art. 30 GG scheint der Schwerpunkt für die Zuweisung von Entscheidungskompetenzen bei den Ländern zu liegen. Dem Bund werden als *ausschließliche Gesetzgebungsbereiche* insbesondere die „auswärtigen Angelegenheiten", die „Verteidigung" sowie das „Währungswesen" zugewiesen (Art. 71, 73 GG). In der Realität aber hat der Bund eine beherrschende Position gewonnen, da er über die *konkurrierende Gesetzgebung* einen umfassenden Aufgabenkatalog an sich gezogen hat – z. B. in den Bereichen des Rechtswesens oder der Fürsorge (Art. 72, 74 GG). Konsequenterweise bleiben den Ländern als originäre Tätigkeitsfelder vor allem die „Innere Sicherheit" sowie das Kultuswesen vorbehalten.

Als Instrument zur besseren Ausbalancierung dieser Schieflage wird den Ländern jedoch eine Mitwirkungsmöglichkeit bei einer Vielzahl von Bundesgesetzen über den Bundesrat eingeräumt. Die Durchführungskompetenz ist zu weiten Teilen den Ländern zugeordnet (Art. 83 GG) – auch im Bezug auf die meisten Bundesbelange, welche häufig in Form der *Bundesauftragsverwaltung* von den Ländern durchgeführt werden. Der Bund beschränkt sich auf eigene Behörden beispielsweise im Bereich der Bundesfinanzverwaltung (Art. 86 GG). Jenseits dessen gibt es Aufgabenfelder, bei denen sich regionale und nationale Interessen vermischen, was eine übergreifende Aufgabenerfüllung durch die Gebietskörperschaften nahe legt: So kooperieren Bund und Länder im Rahmen der *Gemeinschaftsaufgaben* (Mischfinanzierung), welche sich mit dem Hochschulbau, der Verbesserung der regionalen Wirtschaftsstruktur, der Agrarstruktur und des Küstenschutzes (Art. 91 a GG) sowie mit dem Zusammenwirken der Bildungsplanung und Forschung (Art. 91 b GG) befassen.

Die Ausgestaltung der *Finanzierungsseite* soll vor allem das Leistungsvermögen und die Lebensfähigkeit der betreffenden föderalen Gliederung gewährleisten. Hinzu treten politische Ziele wie das im Grundgesetz verankerte Streben nach gleichwertigen bzw. einheitlichen Lebensverhältnissen (Art. 72, 106 Abs. 3 GG). Schließlich ist bei der Anlage des Finanzierungssystems zu beachten, dass die Bereitstellung von öffentlichen Leistungen vielfach mit überregionalen Ausstrahlungseffekten einhergeht: Beispielsweise ist damit zu rechnen, dass die Bewohner eines Landkreises subventionierte kulturelle Einrichtungen einer Stadt als Oberzentrum nutzen – weil derartige Einrichtungen in ihrer eigenen Region insbesondere an Kostengründen scheitern. Für eine solche Mehrbelastung ist dann das Oberzentrum finanziell zu entschädigen. Ansonsten würde es Art und Umfang seiner Aufgabenerfüllung ohne Berücksichtigung dieser regionalen Leistungsgewährung festlegen, also die Nachfrage aus dem Umland kaum einplanen.

Zusammengenommen erfordern solche Leitlinien einen Balanceakt zwischen der Befähigung zum autonomen Handeln einzelner Gebietskörperschaften einerseits sowie der Berücksichtigung von föderalen Leistungs- und Wirkungszusammenhängen andererseits: Die Ziele, die Verbindung zwischen Bürger/ Steuerzahler und der Gebietskörperschaft (*Konnexitätsprinzip*) zu bewahren und gleichzeitig den →*Wettbewerb* zwischen den Gebietskörperschaften zu stärken, sind am ehesten zu verwirklichen, wenn die einzelnen Gebietskörperschaften mit der Ertragskompetenz über jeweils unabhängige Einnahmequellen auf der Grundlage des *Trennsystems* ausgestattet werden.

Jedoch bringt Letzteres mehrere gewichtige Nachteile mit sich: So besteht die Gefahr einer mehrfachen Belastung der Bürger und eines erheblichen Verwaltungsaufwands. Ebenso ist es zweifelhaft, ob damit eine angemessene Finanzausstattung der Gebietskörperschaften gewährleistet werden kann: Zum einen verfügen die dezentralen Einheiten aufgrund der regionalen Wohlfahrtsgefälle über unterschiedliche Einnahmenpotenziale. Zum anderen ist staatliches Handeln sowohl auf eine Verstetigung der Einnahmen als auch auf ein Mindestmaß an Flexibilität mit Blick auf die Ausgabenentwicklung angewiesen. Ansonsten würden – beispielsweise aufgrund der Konjunkturempfindlichkeit vieler Steuern – nachhaltige Finanzierungsrisiken entstehen. Unter diesen Aspekten ist die Verteilung der Steuern durch Zuweisung dem Trennsystem überlegen. Ein solches *Zuweisungssystem* bündelt zwar die Ertragskompetenz bei einer Gebietskörperschaft; an dem Steueraufkommen werden die übrigen Gebietskörperschaften dann beteiligt.

Der *Finanzausgleich* in Deutschland gemäß Art. 104 a ff. GG stellt ein *Mischsystem* dar, das sowohl Elemente des Trenn- als auch des Zuweisungssystems aufweist. So werden beispielgebend die Mineralölsteuer dem Bund, die Erbschaftsteuer den Ländern und die Gewerbesteuer den Gemeinden als originäre Einnahmequellen zugeordnet. Demgegenüber werden die aufkommensstarken Einkommen- und Umsatzsteuern als *Gemeinschaftssteuern* gehandhabt, deren Aufkommen unter den drei Gebietskörperschaften nach spezifischen Prozentsätzen verteilt werden. Zum Ausgleich der heterogenen Einnahmenstruktur der Länder und zur Anpassung ihres jeweiligen Finanzbedarfs werden die ländereigenen Einnahmen nach einem bestimmten Schlüssel zur horizontalen Umverteilung verwandt (Länderfinanzausgleich). Die dazugehörenden Maßnahmen stellen sicher, dass die finanzschwachen Länder auf ein Niveau von mindestens 95 Prozent des Länderdurchschnitts bei der *Finanzkraft* angehoben werden. Zusätzlich stellt der Bund noch *Bundesergänzungszuweisungen* bereit, welche den benachteiligten Ländern zur Sicherung „ihres allgemeinen Finanzbedarfs“ gewährt werden (Art. 107 Abs. 2 GG).

Die Regelungen des Länderfinanzausgleichs sind in der Vergangenheit nahezu durchgängig aufgrund ihrer nivellierenden Wirkung der Finanzkraft der Länder untereinander – und somit wegen der fehlenden Beachtung des Wettbewerbsgedankens – kritisiert worden. Zuletzt hat das Bundesverfassungsgericht in seiner Entscheidung vom 11. November 1999 das Verfahren zur Bestimmung der Finanzkraft sowie die Ausgestaltung der Bundesergänzungszuweisungen als verfassungswidrig gekennzeichnet. Für den hieraus resultierenden Reformbedarf, welcher über das *Maßstäbegesetz* abgearbeitet werden soll, wird dem Gesetzgeber eine Anpassungsfrist bis zum 31. Dezember 2002 eingeräumt. Ob jedoch die von der Bundesregierung mit den Ministerpräsidenten der Bundesländer Ende Juni 2001 getroffenen diesbezüglichen Vereinbarungen für den zukünftigen Finanzausgleich mit den Grundsätzen des Urteils in Übereinstimmung zu bringen sind, bleibt abzuwarten.

Literaturhinweise:
DICKERTMANN, D./ GELBHAAR, S. (1996), Finanzverfassung und Finanzausgleich I/ II, in: *Das Wirtschaftsstudium*, 4/1996, S. 385 ff., 5/1996, S. 486 ff.; PITLIK, H. (1997), *Politische Ökonomie des Föderalismus*, Frankfurt/ M.; SCHMIDT, T. (2001), *Finanzreformen in der Bundesrepublik Deutschland – Analyse der Veränderungen der Finanzverfassung von 1949 bis 1989*, Berlin.

Dietrich Dickertmann
Peter T. Baltes

Freiheitssicherung

Individuelle Freiheit *ist* nicht nur ein hoher Wert, sondern *hat* auch einen hohen Wert. Die Wertschätzung kommt darin zum Ausdruck, dass elementare persönliche Grund- oder Freiheitsrechte, wie das Recht auf freie Entfaltung der Persönlichkeit, die Glaubens-, Gewissens- und weltanschauliche Bekenntnisfreiheit, die Meinungs-, Presse-, Wissenschafts-, Lehr- und Vereinigungsfreiheit und schließlich die Rechte der Freizügigkeit, der freien Berufs- und Arbeitsplatzwahl im Grundrechtskatalog an hervorgehobener Stelle, am Anfang des Grundgesetzes, stehen. Wirtschaftlich interpretiert schließen diese Freiheitsrechte die Konsumentensouveränität, die Vertragsfreiheit, die Gewerbe-, Unternehmer- oder Berufsfreiheit und nicht zuletzt die Freiheit, persönliche Ziele im →*Wettbewerb* mit anderen zu realisieren, als materielle Grundbedingungen für die freie Entfaltung der Persönlichkeit und der menschlichen Würde ein. Es ist unbestritten, dass die Freiheitsrechte sich auf alle Lebensbereiche beziehen, und dass ihre verlässliche Sicherung den demokratischen Rechtsstaat voraussetzt. Die Frage, welche Wirtschaftsordnung zu dieser politischen Ordnung gehört, wird dagegen weniger einheitlich beantwortet. Verantwortlich dafür ist wahrscheinlich der Umstand, dass das Grundgesetz formal keine verbindlichen Vorgaben über die Wirtschaftsordnung enthält. Die These von der Neutralität des Grundgesetzes in Bezug auf die Wirtschaftsordnung ist jedoch als ordnungstheoretisches Missverständnis zu bewerten.

Die Vereinbarkeit einer sozialistischen Zentralplanwirtschaft mit dem

Grundgesetz ist eindeutig zu verneinen. Diese Wirtschaftsordnung führt systemimmanent (also zwingend) zur Konzentration von politischer und wirtschaftlicher Macht. Zentrale Planung bedeutet zudem nichts anderes als die Programmierung zukünftiger Verhaltensweisen, das im Wege von verbindlichen Auflagen und Vorgaben realisiert und kontrolliert werden soll. Dadurch werden elementare wirtschaftliche Rechte und Freiheiten zwangsläufig aufgehoben (→*Sozialismus/ Planwirtschaft*).

Aus der systemvergleichenden Perspektive ist daher die Schlussfolgerung unabweislich, dass lediglich eine – wie auch immer ausgestaltete – →*Marktwirtschaft* als grundgesetzkonforme Wirtschaftsordnung gelten kann. Losgelöst von spezifischen Ausgestaltungen bedeutet eine Marktwirtschaft im Kern die eigenverantwortliche Planung der Produktion, Verteilung und Verwendung der Güter einschließlich der Dienst- und Faktorleistungen und die Abstimmung der angebotenen und nachgefragten Gütermengen im Wege des Tausches über →*Märkte und Preise*. Dabei können die Wirtschaftssubjekte in ihren alltäglichen Entscheidungen ihre eigenen Ziele verfolgen und ihr jeweilig vorhandenes Wissen nutzen. In den aus diesen Freiheiten erwachsenden Anreizen ist das eigentliche Geheimnis für die Dynamik und Kreativität der Marktwirtschaft zu sehen.

Wirtschaftliche Freiheit *hat* deshalb auch einen volkswirtschaftlichen Wert. Er resultiert aus dem Bestreben nach eigenverantwortlicher Lebensgestaltung und der dafür besten Nutzung individueller Fähigkeiten und Kenntnisse. Die gesamtwirtschaftlichen Wirkungen dieses Bestrebens fallen nach Maßgabe der geltenden moralischen und rechtlichen Regeln an. Unbeschränkte Freiheit war und ist stets kontraproduktiv, weil die Entfaltung der Freiheit auf das Zusammenspiel mit der Freiheit der anderen Bürger angewiesen ist. Dieser Bedingungszusammenhang gilt natürlich auch für die Wirtschaft. Eine funktionsfähige und menschenwürdige Marktwirtschaft bedarf deshalb einer bewusst gesetzten Ordnung und einer marktkonformen Wirtschafts- und →*Sozialpolitik*. Die →*Soziale Marktwirtschaft* sucht dieser Einsicht gerecht zu werden, indem sie eine angemessene Synthese zwischen der Freiheit auf dem Markt und dem staatlich bewirkten sozialen Ausgleich anstrebt. Die Freiheit auf dem Markt wird durch die rechtliche Absicherung des Privateigentums, der Berufs-, Gewerbe-, Vertrags-, Vereinigungs-, Niederlassungs-, Außenhandels- und Wettbewerbsfreiheit gewährleistet, um nur die zentralen Stützpfeiler der wirtschaftlichen Freiheit zu nennen.

Von ausschlaggebender Bedeutung für die Funktionsfähigkeit der Märkte ist die Wettbewerbsfreiheit. Sie manifestiert sich auf der Anbieterseite der Märkte im freien Marktzutritt für potenzielle in- oder ausländische Anbieter und im freien Einsatz wettbewerblicher Instrumente, also vornehmlich in der freien Gestaltung der Preise, der Produkte und der sonstigen Marktkonditionen (Menge, Qualität)

(→*Offene Märkte: Markteintritt und Marktaustritt*). Die dadurch möglichen Marktanteils- und Gewinnvorsprünge sind für die Konkurrenten Anreiz und zugleich Notwendigkeit zur Reaktion, woraus nicht nur die Marktdynamik, sondern auch die Kontrolle wirtschaftlicher Macht resultieren. Auf der Nachfragerseite manifestiert sich die Wettbewerbsfreiheit in der breiten und freien Auswahl der Güter gemäß den individuellen Präferenzen. Dieser Zusammenhang zwischen Wettbewerb und Marktergebnissen gilt auch auf den Faktormärkten, z. B. auf den Arbeitsmärkten. Die kartellartigen und verbindlichen Vereinbarungen der Tarifparteien über Löhne und sonstige Arbeitsbedingungen beeinträchtigen oder verhindern nicht selten markt- und d. h. knappheitsbezogene Vereinbarungen zwischen Arbeitnehmern und Arbeitgebern, die wiederum zwar ungewollt, jedoch konsequenterweise in der →*Arbeitslosigkeit* ausmünden. Beschränkungen des Wettbewerbs, egal ob privaten, korporativen oder staatlichen Ursprungs, schließen stets auch Beschränkungen der Freiheit ein.

Das ambivalente Verhältnis zwischen Markt und Freiheit findet das Pendant im Verhältnis zwischen →*Sozialordnung* und Freiheit. Wie erwähnt, gehört der soziale Ausgleich zur Leitidee der Sozialen Marktwirtschaft. Diese Leitidee hat in der deutschen Wirtschaftsordnung in einer ausgebauten Arbeits- und Sozialordnung in Verbindung mit einer Vielzahl von sozialpolitischen Maßnahmen ihren Niederschlag gefunden, deren Einzelheiten an dieser Stelle nicht ausgebreitet werden können. Hier interessiert das prekäre Verhältnis zwischen individueller Freiheit und →*sozialer Gerechtigkeit*. Die geistigen Väter der Sozialen Marktwirtschaft erachteten eine Vereinbarkeit beider Ziele für möglich, wenn sozialpolitische Regelungen und Maßnahmen den Prinzipien der Subsidiarität und der Marktkonformität entsprechen. Es bedarf keines detaillierten Nachweises, dass die praktische →*Sozialpolitik* im Bereich der Gesundheits-, Sozialhilfe-, Wohnungs-, Arbeitsmarkt-, Bildungs- oder Kulturpolitik in der Bundesrepublik diesen Prinzipien nur unvollkommen genügt (→*Sozialstaat und Wohlfahrtsstaat*). An die Stelle der →*Eigenverantwortung* und damit auch der Freiheit ist vielfach eine sozialstaatliche Vollversorgung getreten, die jedoch angesichts der weltweiten Veränderungen und Herausforderungen an unübersehbare finanzielle *und* moralische Grenzen gestoßen ist.

Literaturhinweise:

HAYEK, F. A. v. (1971), *Die Verfassung der Freiheit*, Tübingen.

Helmut Leipold

Geldordnung

Die Geldordnung oder Geldverfassung umfasst die grundlegenden Regeln für die Organisation des Geldwesens eines Landes oder eines Währungsraumes (Europäische Währungsunion – EWU). Volkswirtschaften, in denen Geld als allgemeines Zahlungsmittel und als Wertaufbewahrungsmittel verwendet wird, zeichnen sich gegenüber solchen, in denen kein Geld beim Gütertausch eingeschaltet wird (Naturaltauschwirtschaften), durch eine höhere ökonomische Effizienz und damit eine höhere Wohlfahrt aus. Denn die Verwendung von Geld senkt die beim Gütertausch anfallenden Kosten (Transaktionskosten) und macht damit ein größeres Maß an Arbeitsteilung möglich, was bekanntlich zu mehr Wohlstand führt (Adam Smith).

Die ökonomischen Vorteile des Geldes können jedoch nur dann vollständig realisiert werden, wenn der Geldwert stabil bleibt. Inflation oder gar Hyperinflation bringen sie teilweise oder sogar ganz zum Verschwinden. Eine gute Geldordnung besteht daher aus Regelungen, die sicherstellen, dass der Geldumlauf in einer Volkswirtschaft oder einem Währungsraum so gesteuert wird, dass →*Preisniveaustabilität* gewährleistet ist. Denn ein zu schnelles (langsames) Wachstum der Geldmenge gegenüber dem Wachstum an Gütern und Dienstleistungen (Realwirtschaft) führt zur Inflation (Deflation). Die Gültigkeit dieses Zusammenhangs ist für die lange Frist durch viele Studien theoretisch und empirisch bestätigt worden.

In Metallwährungssystemen der Vergangenheit wurde die Kontrolle der umlaufenden Geldmenge durch die enge Bindung vor allem an so knappe Metalle wie Gold (Goldwährung) oder Silber zu erreichen versucht. In Papierwährungssystemen, wie sie heute existieren, besteht eine solche Bindung nicht mehr. Dies senkt zwar einerseits die Kosten der Geldschaffung und ermöglicht eine Steuerung der Geldmenge nach gesamtwirtschaftlichen Überlegungen, erhöht aber andererseits auch die Gefahr des Missbrauchs durch eine übermäßige Expansion des Geldumlaufs aus politischen Gründen, insbesondere wenn die Zentralbank an Weisungen der Regierung gebunden ist.

Dies wurde in Deutschland durch die Inanspruchnahme der Notenbank zur Kriegsfinanzierung und der nachfolgenden starken Geldentwertung sowohl nach dem Ersten als auch nach dem Zweiten Weltkrieg offenbar. Diese traumatische Erfahrung eines zweimaligen fast totalen Verlustes des gesamten Geldvermögens innerhalb einer Generation führte schließlich zu einer Ausgestaltung der Geldordnung der Bundesrepublik Deutschland, durch die eine Wiederholung verhindert werden sollte. Kernelemente sind: 1) Gesetzliche Verpflichtung der →*Deutschen Bundesbank*, ihre Geldpolitik vorrangig auf das Ziel Preisniveaustabilität auszurichten; 2) Unabhängigkeit von Weisungen der Bundesregierung und anderer Institutionen (u. a. auch des Deutschen Bundestages); 3) Eine Abberufung von Mitgliedern des obersten geldpolitischen Entscheidungsgremiums, des Zentralbankrates, während ihrer Amtszeit ist nicht möglich; 4) Strenge Begrenzung der Finanzierung öffentlicher Haushaltsdefizite durch die Deutsche Bundesbank.

Diese Geldordnung war der wichtigste Grund für die Tatsache, dass Deutschland eine der weltweit niedrigsten Inflationsraten in der Nachkriegszeit hatte. Sie hat sich in der Praxis nicht zuletzt auch deshalb bewährt, weil die Geldordnung und ihre Institutionen in der Öffentlichkeit eine starke Zustimmung genossen und über ihre Einhaltung stetig gewacht wurde, so dass von einem breiten Stabilitätskonsens in Deutschland gesprochen werden konnte.

Wegen des großen Erfolgs der deutschen Geldordnung kamen die Mütter und Väter des Maastrichter Vertrages überein, sie bei der Schaffung der →*Europäischen Währungsunion* als Modell zu nehmen. Alle zuvor erwähnten Kernelemente finden sich daher auch in der Geldordnung der EWU, z. T. sogar in eindeutigerer und strikterer Form als das z. B. bei der Zielformulierung und dem Verbot der Finanzierung öffentlicher Haushaltsdefizite für die Bundesbank der Fall ist. Darüber hinaus enthält die Europäische Geldordnung noch viele weitere institutionelle Charakteristika der deutschen Geldordnung, was z. B. an der weitgehend identischen Organisationsstruktur der Europäischen Zentralbank (EZB) deutlich wird (→*Europäische Geld- und Währungspolitik*). So ist das Direktorium, dem der EZB-Präsident, der Vizepräsident und vier weitere Mitglieder angehören, für die Umsetzung der geldpolitischen Beschlüsse zuständig, die vom Europäischen Zentralbankrat getroffen werden. In diesem obersten geldpolitischen Entscheidungsgremium sind neben den Mitgliedern des Direktoriums die Präsidenten der nationalen Zentralbanken der Mitgliedstaaten der EWU vertreten.

Ob aus der weitgehenden Übertragung der deutschen Geldordnung auf die europäische Ebene auch die gleiche Stabilitätsorientierung der EZB folgen wird, hängt von der politischen Akzeptanz des durch den Maastrichter Vertrag geschaffenen, für viele Länder neuen wirtschaftspolitischen Rahmens ab. Insbesondere müssen die vorrangige Verpflichtung der Geldpolitik auf das Ziel Preisniveaustabilität und die Unabhängigkeit der EZB respektiert, der Stabilitäts- und Wachstumspakt eingehalten und damit ein dauerhafter Stabilitätskonsens in Europa geschaffen werden.

Literaturhinweise:
DUWENDAG, D./ KETTERER, K. H./ KÖSTERS, W./ POHL, R./ SIMMERT, D. B. (1999), *Geldtheorie und Geldpolitik in Europa*, 5. Aufl., Berlin u. a.; GÖRGENS, E./ RUCKRIEGEL, K./ SEITZ, F. (2001), *Europäische Geldpolitik. Theorie, Empirie, Praxis*, 2. vollkommen überarbeitete und stark erweiterte Aufl., Düsseldorf; ISSING, O. (1996), *Einführung in die Geldpolitik*, 6. Aufl., München.

Wim Kösters

Gesellschaftliche Grundlagen von Wirtschaftsordnungen

Volkswirtschaften sind geordnete Systeme. Auch in →*Marktwirtschaften*, die per definitionem eine weitgehende Selbstregulierung über den Preismechanismus (→*Marktmechanismus*) als Grundlage besitzen, werden vielfältige Ordnungsprinzipien eingesetzt, die eine koordinierende und verhaltenskanalisierende Wirkung auf die Wirtschaftssubjekte (Nachfrager und Anbieter auf Märkten) entfalten.

Reale Ausgestaltungen von Wirtschaftssystemen erscheinen unter diesem Ordnungsaspekt als →*Wirtschaftsordnungen.* Zugleich sind Wirtschaftssysteme Teil- oder Subsysteme der Gesellschaft, die dem Bereich der Wirtschaft gegenüber ein übergeordnetes System darstellt. So wie die Gesellschaft als Ganzes ist auch das in sie eingebettete Wirtschaftssystem durch eine umfassende Komplexität von Strukturen und Funktionen gekennzeichnet.

Neben ihrem Ordnungscharakter weisen Wirtschaftssysteme einen *Ablauf-* oder *Prozess*charakter auf. Wirtschaftssysteme sind in ihren Strukturen und Funktionen maßgeblich durch Abhängigkeitsverhältnisse zu anderen Teilsystemen (Subsystemen) der Gesellschaft bestimmt. Dazu gehören die Beziehungen zum politischen System, zum sozialen System, zum rechtlichen System und zum kulturellen System. Allerdings ist keine einseitige Abhängigkeit der übrigen Subsysteme vom Wirtschaftssystem und auch keine einseitige Abhängigkeit des Wirtschaftssystems von den übrigen Subsystemen zu unterstellen, sondern es handelt sich um wechselseitige Abhängigkeiten. Der ordoliberale Theoretiker W. →*Eucken* hat für dieses Phänomen den Begriff von der „Interdependenz der Ordnungen" geprägt, mit dem er die gegenseitige Wechselwirkung der Wirtschaftsordnung mit allen anderen Lebensordnungen zum Ausdruck bringen wollte. Von der Gesamtordnung erwartete Eucken, sie sollte so sein, „dass sie den Menschen das Leben nach ethischen Prinzipien ermöglicht" (Eucken 1959, S. 132). Zugleich berücksichtigt seine Forderung nach einer „funktionsfähigen und menschenwürdigen Ordnung" (ebenda, S. 21) für die moderne Wirtschaft die gesellschaftliche Determiniertheit des wirtschaftlichen Subsystems. Die Wirtschaftsordnung wird hier nicht unter dem ausschließlichen Blickwinkel eines sachlich-effizienten Funktionsmechanismus betrachtet, sondern auch unter dem Aspekt ihrer Gestaltbarkeit durch und für den Menschen. Dabei fließen gesellschaftliche Wertvorstellungen sowohl in den Prozess einer bestimmten Wirtschaftsordnung ein als auch in ihre praktische Errichtung und Ausgestaltung. Als geeignete wirtschaftspolitische Instrumentarien erscheinen dabei →*Ordnungspolitik und Prozesspolitik.* Ordnungspolitik legt die Rahmenregeln für das Wirtschaftsgeschehen fest, während Prozesspolitik das Wirtschaftsgeschehen in direkter Weise beeinflusst. Spieltheoretisch ausgedrückt bedeutet dieser Sachverhalt, dass Ordnungspolitik die Spielregeln setzt, während Prozesspolitik die Spielzüge markiert.

Ob spezifische Wirtschaftsordnungen die Fähigkeit besitzen, sich als relativ stabile Systeme zu erhalten, hängt maßgeblich davon ab, in welcher Art und Weise und in welchem Umfang die Interdependenzen zu anderen Subsystemen der Gesellschaft stattfinden. Zugleich sind Interdependenzen ein Gradmesser dafür, dass Wirtschaftsordnungen nicht statisch-unveränderlich sind, sondern in ihrer jeweiligen Ausprägung einer permanenten Dynamik der Entwicklung unterliegen. Den damit verbundenen „Wandel der Ordnungen" zu erfassen, wird in der modernen Ordnungstheorie mit Hilfe von evolutorischen Ansätzen angestrebt, mit denen z. B. Pfadabhängigkeiten der Entwicklung analysiert werden können. In der „neuen Wirtschaftsgeschichte" wird der Wandel der Wirtschaftsordnung als Bestandteil eines generellen Wandels der institutionellen Rahmenbedingungen der Gesellschaft begriffen. Insbesondere die Analyse von Handlungsanreizen wird dabei zur Erklärung des Wandels der wirtschaftlichen Entwicklung und ihrer Ordnungsformen herangezogen. Auch in der Forschung über die Transformation von Wirtschaftsordnungen wird dem Umstand Rechnung getragen, dass Veränderungen der Wirtschaftsordnungen in der Regel von Umbrüchen in anderen gesellschaftlichen Subsystemen begleitet werden oder durch diese überhaupt erst möglich sind, wie es das Beispiel des Zusammenbruchs der politischen Systeme in der DDR und den mittel- und osteuropäischen Ländern nach 1989 belegt.

In der →*Institutionenökonomik* werden die gesellschaftlichen Grundlagen von Wirtschaftsordnungen prononciert herausgestellt. Das geschieht durch eine vertiefte Analyse von Institutionen mit der Zielstellung, deren Einfluss auf die Stabilität gesellschaftlicher Ordnungsformen offenzulegen. Indem institutionelle Arrangements menschliches Verhalten durch die Stabilisierung von Erwartungen regulieren, kanalisieren und koordinieren, wirken sie auch auf das Ordnungsgefüge der Wirtschaft zurück. Unter Institutionen sind somit nicht nur und auch nicht in erster Linie Organisationen mit sachlicher und personeller Struktur zu verstehen; zu den Institutionen gehören ganz wesentlich auch Regeln und Regelsysteme für menschliches Verhalten. Formelle Verhaltensregeln sind die Verfassung, die Gesetze, die Wirtschaftsordnung und Verträge. Informelle Verhaltensregeln sind durch die gemeinsame Kultur einschließlich der Sprache und Geschichte sowie der weltanschaulichen Grundorientierungen gegeben. Aber auch Traditionen, gesellschaftliche und individuelle Usancen und Moralvorstellungen sowie Normen zählen zu den Institutionen. Um Regeln und Regelsystemen im wirtschaftlichen Bereich einen verbindlichen Charakter zu verleihen, müssen sie durchsetzbar sein, d. h. mit Sanktionsgewalt ausgestattet werden. Hier zeigt sich deutlich die Wechselwirkung zwischen dem ökonomischen System und dem politischen System (Legislative und Exekutive) sowie dem rechtlichen System (Judikative). Aber auch die enge Verbindung zum vorherrschenden Moralkodex in einer Wirtschaftsgesellschaft wird sichtbar, der nicht direkt im Gesetz verankert sein muss, aber dennoch individuelles Verhalten steuert.

In den letzten Jahren ist eine Renaissance des Denkens in Wirtschaftsstilen zu beobachten. Der Begriff des Wirtschaftsstils, der von A. Spiethoff und W. Sombart eingeführt wurde, hebt von vornherein stärker als die Begriffe der Wirtschaftsordnung und des Wirtschaftssystems auf die gesellschaftliche Fundierung der Wirtschaftsgestaltung ab. Unter einem Wirtschaftsstil ist die tatsächliche Ausprägung eines Systems zu verstehen, die in der Regel so vielgestaltig ist, dass ein tieferes Verständnis nur durch ein interdisziplinäres Forschungsprogramm erreicht werden kann, an dem Ökonomen, Soziologen, Politik- und Kulturwissenschaftler sowie Historiker beteiligt sind. In diesem Zusammenhang bleibt erwähnenswert, dass das deutsche Ordnungskonzept der →*Sozialen Marktwirtschaft* von seinem Begründer A. →*Müller-Armack* als Konzept eines Wirtschaftsstiles entworfen wurde, das diese interdisziplinäre Breite aufweist, wenn neben den Basismerkmalen eines marktwirtschaftlichen Systems gleichberechtigt die Grundwerte der →*sozialen Gerechtigkeit* und des sozialen Ausgleichs verankert sind.

Literaturhinweise:
CASSEL, D. (Hrsg.) (1999), *Perspektiven der Systemforschung*, Berlin; EUCKEN, W. (1990/1952), *Grundsätze der Wirtschaftspolitik*, 6. durchges. Aufl., Tübingen; SCHEFOLD, B. (1994), *Wirtschaftsstile*, Band 1: Studien zum Verhältnis von Ökonomie und Kultur, Frankfurt/ M.

Friedrun Quaas

Gesetz gegen Wettbewerbsbeschränkungen (GWB)

Kartelle und Wettbewerbsbeschränkungen anderer Art spielen eine Rolle, seitdem es Märkte gibt. Zu umfassenderen gesetzgeberischen Maßnahmen kam es jedoch erst spät. Das erste deutsche Kartellgesetz, das diesen Namen verdient, ist das am 1. Januar 1958 in Kraft getretene Gesetz gegen Wettbewerbsbeschränkungen (GWB).

Zu den zentralen Bestimmungen dieses Gesetzes gehört das so genannte *Kartellverbot* des § 1 GWB. Das Verbot betrifft „*horizontale*" *Wettbewerbsbeschränkungen*, also solche zwischen →*Unternehmen* auf derselben Wirtschaftsstufe, die sich im →*Wettbewerb* miteinander befinden. Erfasst werden damit insbesondere die außerordentlich schädlichen Preis- und Gebietsabsprachen. Verstöße gegen dieses Verbot können mit Geldbußen in Millionenhöhe geahndet werden. Das Kartellverbot wird einerseits durch *Umgehungstatbestände*, insbesondere das *Empfehlungsverbot* (Preisempfehlungen), ergänzt und auf der anderen Seite durch *Ausnahmen* eingeschränkt. Die nach den Ausnahmeregeln legalisierten Kartelle unterliegen der Missbrauchsaufsicht durch die Kartellbehörden.

Verboten sind nach dem GWB auch bestimmte „*vertikale*" *Wettbewerbsbeschränkungen*, d. h. solche zwischen Unternehmen auf unterschiedlichen Wirtschaftsstufen, also z. B. zwischen Herstellern und Groß- oder Einzelhändlern. Der wichtigste Fall ist der einer Bindung des Händlers an vom Hersteller vorgegebene Wiederverkaufspreise (Preisbindung zweiter Hand). Ausgenommen sind von diesem Verbot grundsätzlich nur noch Verlagserzeugnisse (z. B. Bücher).

Das deutsche Kartellrecht richtet sich nicht gegen bestehende *markt-*

beherrschende Stellungen von Unternehmen in Form von Monopolen oder Oligopolen oder ihre Entstehung durch internes Wachstum, verbietet aber den *Missbrauch* solcher Stellungen. Das Verbot soll verhindern, dass machtbedingte und deshalb nicht wirksam vom Wettbewerb kontrollierte Verhaltensspielräume zulasten der Wettbewerber, der vor- oder nachgelagerten Wirtschaftsstufen oder der Verbraucher missbraucht werden. Seine Verletzung kann ebenfalls mit Geldbußen geahndet werden. In der Praxis hat das Verbot bis heute keine große Rolle gespielt. Der Grund hierfür liegt vor allem in der Schwierigkeit, einen Missbrauch nachzuweisen. Die Gerichte stellen zu Recht an diesen Nachweis hohe Anforderungen. Ergänzt wird das allgemeine Verbot des Missbrauchs von Marktmacht durch das *Diskriminierungsverbot*, das von erheblicher praktischer Bedeutung ist. Nach dieser Bestimmung ist es marktbeherrschenden und bestimmten anderen Unternehmen mit relativer Marktmacht verboten, andere Unternehmen unbillig zu behindern oder ohne sachliche Rechtfertigung unterschiedlich zu behandeln.

Die im GWB vorgesehene *Fusionskontrolle*, d. h. die Kontrolle der Zusammenschlüsse von Unternehmen, erlaubt zwar keine Maßnahmen zur Wiederherstellung funktionsfähigen Wettbewerbs auf Märkten, die durch internes Wachstum oder durch frühere Zusammenschlüsse konzentriert sind. Sie kann aber eine weitere Strukturverschlechterung durch Fusion verhindern. Fusionen sind zum Zweck der Kontrolle vor ihrem Vollzug beim Bundeskartellamt *anzumelden*, wenn sie bestimmte Voraussetzungen erfüllen. Dazu gehört insbesondere, dass die beteiligten Unternehmen insgesamt im letzten Geschäftsjahr weltweit Umsatzerlöse von mehr als 500 Millionen ¤ hatten.

Vom Bundeskartellamt sind Fusionen dann zu untersagen, wenn sie eine marktbeherrschende Stellung entweder begründen oder verstärken würden. Gelingt den beteiligten Unternehmen jedoch der Nachweis, dass die Fusion zugleich überwiegende Verbesserungen der Wettbewerbsbedingungen herbeiführen würde, so ist diese zulässig. Eine vom Bundeskartellamt untersagte Fusion kann vom Bundesminister für Wirtschaft und Arbeit *erlaubt* werden, wenn ihre wettbewerblichen Nachteile von gesamtwirtschaftlichen Vorteilen aufgewogen werden oder überragende Interessen der Allgemeinheit sie rechtfertigen. Der Minister hat diese Möglichkeit zu Recht bislang nur außerordentlich zurückhaltend genutzt (Ministererlaubnis).

Kartellbehörden im Sinne des Gesetzes sind das →*Bundeskartellamt*, die Landeskartellbehörden und, für bestimmte Aufgaben, der Bundesminister für Wirtschaft und Arbeit. Der *Bundesminister für Wirtschaft und Arbeit* ist im Wesentlichen für die Erteilung von Erlaubnissen bei vom Bundeskartellamt untersagten Zusammenschlüssen zuständig. Die Zuständigkeitsverteilung zwischen dem *Bundeskartellamt* und den *Landeskartellbehörden* regelt sich, soweit nicht bestimmte Aufgaben dem Bundeskartellamt vorbehalten sind (Fusionskontrolle) danach, ob die Wirkung einer Wettbewerbsbeschränkung über das Gebiet eines Bundeslandes hinausreicht. Reicht sie über die Bundesrepublik hinaus, besteht bei größeren Fusionen eine Zuständigkeit der Europäischen Kommission (→*EU: Wettbewerbspolitik*).

Das GWB wird in drei *Verfahrensarten* durchgesetzt, nämlich im Ordnungswidrigkeitenverfahren, im Verwaltungsverfahren und im Zivilverfahren. Ordnungswidrigkeiten- und Verwaltungsverfahren werden von den Kartellbehörden durchgeführt. In beiden Verfahrensarten stehen den Kartellbehörden umfassende Auskunfts- und Informationsrechte zu. Im Zivilverfahren können geschädigte Private ihre Ansprüche durchsetzen.

Literaturhinweise:
SCHMIDT, I. (2004), *Wettbewerbspolitik und Kartellrecht. Eine Einführung*, 8. Aufl., Stuttgart, New York.

Kurt Stockmann

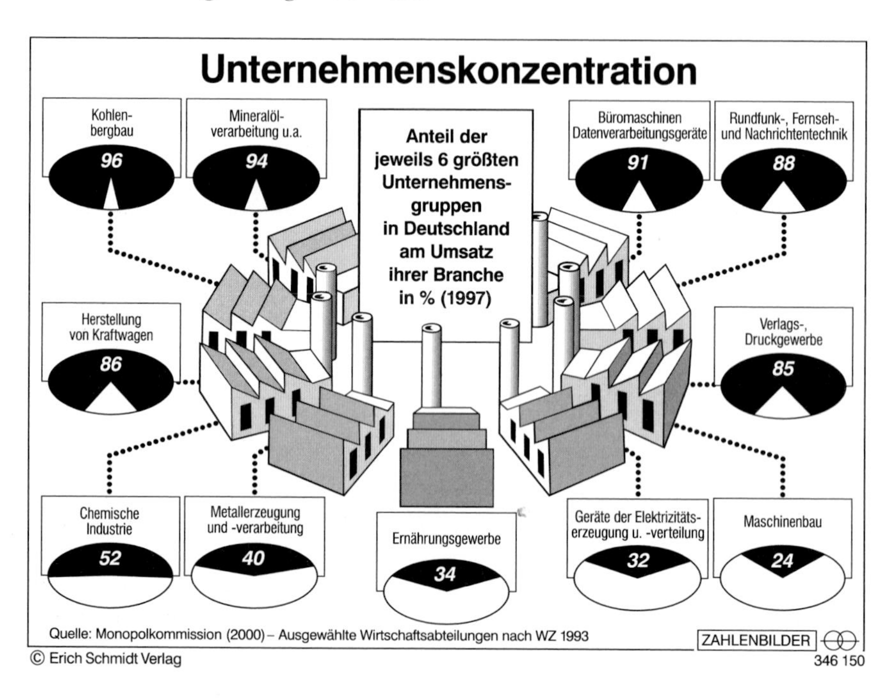

Gewinn

Der Begriff „Gewinn", den man im alltäglichen Sprachgebrauch synonym für Nutzen, Profit, Bereicherung etc. verwendet, ist in der Betriebswirtschaftslehre *nicht* eindeutig definiert. Vielmehr existieren eine Reihe von Gewinnbegriffen in Abhängigkeit von dem Zweck, der mit der Ermittlung des jeweiligen Gewinns verfolgt werden soll. Das →*Unternehmen* ermittelt den Gewinn in der betrieblichen Kostenrechnung, um zu überprüfen, ob es mit den hergestellten Produkten oder Dienstleistungen zu den angebotenen Preisen erfolgreich war. Der Gewinn in der Handelsbilanz ist in der Regel Grundlage für die variable Vergütung von Managern, die Auszahlung von Dividenden an die Aktionäre einer Aktiengesellschaft und die Höhe von Steuerzahlungen an den Fiskus. Der Gewinn wird auch berechnet, um Unternehmensbeteiligte und die interessierte Öffentlichkeit über die wirtschaftliche Lage des Unternehmens zu informieren. So leiten Gewerkschaftsvertreter Lohnforderungen teilweise in Abhängigkeit von der Gewinnsituation der Unternehmen ab, Arbeitnehmer ziehen Rückschlüsse auf die Sicherheit ihres Arbeitsplatzes und Banken berücksichtigen den Gewinn bei der Kreditvergabeentscheidung.

Es existieren aber für den Gewinn unterschiedliche Berechnungsmethoden. Während der Großteil der Unternehmen in Deutschland den Gewinn nach den Vorschriften des Handelsgesetzbuches (HGB) ermittelt, stellen viele große börsennotierte Konzerne schon seit Jahren ihren Konzernabschluss nach internationalen (International Financial Reporting Standards, IFRS) oder US-amerikanischen Rechnungslegungsvorschriften (US-Generally Accepted Accounting Principles, US-GAAP) auf. Ab dem Jahre 2005 ist der Großteil der börsennotierten Konzerne in Europa zur Aufstellung eines Konzernabschlusses nach IFRS gezwungen. Davon unberührt ist der Einzelabschluss, der weiterhin nach HGB aufzustellen ist. Schließlich sind für die Ermittlung des steuerrechtlichen Gewinns teilweise vom HGB abweichende Vorschriften des Steuerrechts zu beachten. Es existieren also viele verschiedene Gewinngrößen. Das Gegenstück des Gewinns ist der Verlust.

Als Gewinn kommen grundsätzlich alle (positiven) Saldogrößen der grundlegenden Rechengrößen des betrieblichen Rechnungswesens, d. h. von Einzahlungen/ Auszahlungen, Einnahmen/ Ausgaben, Erträgen/ Aufwendungen, Erlöse/ Kosten, in Betracht (→*Betriebliches Rechnungswesen: Grundbegriffe*). Im externen Rechnungswesen versteht man unter Gewinn den Überschuss der Erträge über die Aufwendungen. Der handelsrechtliche Jahresabschluss, den Kaufleute aufstellen müssen, umfasst neben der Bilanz, die das Vermögen des Unternehmens abbilden soll, auch eine sogenannte Gewinn- und Verlustrechnung, die die Erfolgsquellen aufzeigt. Im Gegensatz zur Bilanz, die eine zeitpunktbezogene Bestandsgrößenrechnung (Aufstellung zumeist zum 31.12. eines Jahres) darstellt, handelt es sich bei der Gewinn- und Verlustrechnung um eine zeitraumbezogene Stromgrößenrechnung (Auflistung aller Erträge und Aufwendungen vom 1.1. bis zum 31.12. eines Jahres).

Die detaillierte Ausgestaltung der Gewinn- und Verlustrechnung ist nur für Kapitalgesellschaften (z. B. Gesellschaft mit beschränkter Haftung – GmbH, Aktiengesellschaft – AG) gesetzlich geregelt. Einzelunternehmen und Personengesellschaften (z. B. Kommanditgesellschaft – KG, offene Handelsgesellschaft – OHG) haben lediglich die allgemeinen Grundsätze der Klarheit und Vollständigkeit zu beachten. In der Praxis orientieren sich viele →*Unternehmen* an den gesetzlichen Vorschriften für Kapitalgesellschaften. Die Gewinn- und Verlustrechnung des DaimlerChrysler-Konzerns in verkürzter Form sieht für das Geschäftsjahr 2003 z. B. wie folgt aus:

Gewinn- und Verlustrechnung des DaimlerChrysler-Konzerns für 2004 in Millionen Euro

Umsatzerlöse	142.059
Umsatzkosten	–114.567
Vertriebskosten und sonstige betriebliche Aufwendungen	–17.972
Forschungs- und Entwicklungskosten	–5.658
Sonstige betriebliche Erträge	858
Finanzergebnis	–1.077
Steueraufwand	–1.177
Konzern-Jahresüberschuss	**2.466**

Die Gewinn- und Verlustrechnung soll verdeutlichen, ob und inwieweit das Hauptziel privater Unternehmen, nämlich das Gewinnziel, erreicht wurde. In der betriebswirtschaftlichen Literatur wird die Auffassung vertreten, dass das oberste Ziel eines Unternehmens in einer marktwirtschaftlichen Ordnung darin besteht, den Gewinn zu maximieren. Es wird aber auch darauf hingewiesen, dass das Gewinnmaximierungsprinzip nicht uneingeschränkt, sondern unter Beachtung von Nebenbedingungen, wie z. B. Kundenzufriedenheit, soziale Verantwortung gegenüber den Mitarbeitern, Beachtung von Umweltschutzauflagen etc., verfolgt werden sollte.

Im Rahmen der Gewinn- und Verlustrechnung wird erneut deutlich, dass es keinen „wahren" Gewinn gibt. Um beispielsweise Hinweise auf die Ertragskraft des Unternehmens losgelöst von der aktuellen Besteuerung zu erhalten, mag es Sinn machen, auf den (Konzern-) Jahresüberschuss vor Steuern als Gewinngröße abzustellen. Um sich ein genaueres Bild über den Erfolg der eigentlichen Geschäftstätigkeit eines Unternehmens zu verschaffen, verwendet man in der Praxis häufig das Betriebsergebnis. Das Betriebsergebnis errechnet sich, indem der Jahresüberschuss bereinigt wird um nicht betrieblich verursachte, außerordentliche (z. B. Erträge aus der Veräußerung wesentlicher Beteiligungen), nicht regelmäßig auftretende, aperiodische (z. B. nachgezahlte Abgaben) sowie nicht mit dem eigentlichen Betriebszweck zusammenhängende (z. B. Spenden für gemeinnützige Zwecke) Posten. Weit verbreitet ist auch die Ermittlung des operativen Ergebnisses (engl. „earnings before interest and taxes", EBIT, genannt), also eines Gewinns vor Zins- und Steuerzahlungen. Häufig werden noch weitere Aufwendungen (Abschreibungen von Anlagevermögen und Firmenwert) addiert. Bei Unternehmensvergleichen wird dann auf das EBITDA („earnings before interest and taxes, depreciation and amortization") abgestellt.

Neben den Gewinnkonzepten des Handelsrechtes und der Kosten- und Leistungsrechnung werden auch theoretische Gewinnkonzeptionen diskutiert. Nach der Theorie des ökonomischen Gewinns liegt ein Gewinn erst dann vor, wenn der sogenannte Ertragswert des Unternehmens am Ende des Wirtschaftsjahres größer ist als der zu Beginn des Wirtschaftsjahres, vorausgesetzt das Unternehmen hat keine Dividendenausschüttung vorgenommen. Der Ertragswert eines Unternehmens errechnet sich als Barwert aller zukünftigen Zahlungsströme, d. h. die zukünftigen Zahlungsströme werden mit einem Zinssatz auf den Betrachtungszeitpunkt abgezinst. Nur was über die für die Sicherung des Unternehmensgesamtwertes nötigen Beträge hinaus erwirtschaftet wird, gilt als Gewinn.

Im Rahmen der bilanztheoretischen Gewinnkonzeptionen unterscheidet man insbesondere zwischen dem Gewinn der statischen Bilanztheorie und dem der dynamischen Bilanztheorie. Die statische Bilanztheorie definiert den Gewinn eines Wirtschaftsjahres als Vermögenszuwachs. Ziel der dynamischen Bilanztheorie ist es, bei einem zeitlichen Auseinanderfallen von Ein-/ Auszahlungen und Erträgen/ Aufwendungen dem Wirtschaftsjahr den richtigen Erfolg zuzuweisen. Der Gewinn errechnet sich danach als Differenz der dem Wirtschaftsjahr zuzurechnenden Erträge und Aufwendungen.

Um Aussagen treffen zu können, ob ein Unternehmen in einem abgelaufenen Wirtschaftsjahr rentabel gewirtschaftet hat, ist es sinnvoll, die in der Bilanz und Gewinn- und Verlustrechnung enthaltenen Daten aufzubereiten und in Beziehung zueinander zu setzen. Die Untersuchung von Jahresabschlüssen mit dem Ziel, ein Urteil über die wirtschaftliche Lage und Entwicklung eines Unternehmens zu fällen, wird als Bilanzanalyse bzw. treffender als Jahresabschlussanalyse bezeichnet. Im Rahmen dieser Analyse werden regelmäßig Kennzahlen gebildet, um relevante betriebswirtschaftliche Sachverhalte auch zwischen verschieden großen Unternehmen vergleichen zu können. Um die Gewinnsituation zu beurteilen, errechnet man i. d. R. auf der Grundlage von Bilanz und Gewinn- und Verlustrechnung die Kennzahlen Eigenkapitalrentabilität, Gesamtrentabilität und Umsatzrentabilität, wobei in der Praxis vorher z. T. umfangrei-

Beispiel: Zusätzlich zur Gewinn- und Verlustrechnung findet sich im so genannten Anhang des Konzernabschlusses von DaimlerChrysler die Information, dass 790 Millionen € an Fremdkapitalzinsen im Geschäftsjahr 2004 gezahlt worden sind. Unter Hinzuziehung der folgenden Konzernbilanz von DaimlerChrysler für das Geschäftsjahr 2004 in verkürzter Form können nun die o.g. Kennzahlen berechnet werden.

Bilanz des DaimlerChrysler-Konzerns für 2004 in Millionen €

Aktiva		**Passiva**	
Anlagevermögen	72.429	Eigenkapital	33.541
Umlaufvermögen	110.267	Rückstellungen	50.914
		Verbindlichkeiten	98.241
Summe	**182.696**	**Summe**	**182.696**

che Bereinigungen des Zahlenmaterials vorgenommen werden.

Literaturhinweise:
BUSSE VON COLBE, W./ PELLENS, B. (1998), *Lexikon des Rechnungswesens*, München, Wien; COENENBERG, A. G. (2003), *Jahresabschluss und Jahresabschlussanalyse*, Stuttgart; WÖHE, G. (2002), *Einführung in die Allgemeine Betriebswirtschaftslehre*, München; PELLENS, B./ FÜLBIER, R. U./ GASSEN, J. (2004), *Internationale Rechnungslegung*, Stuttgart.

Marc Richard

Globalisierung

Der Begriff Globalisierung erfährt derzeit als Modewort vielfältige Interpretationen. In der vorherrschenden Definition umschreibt Globalisierung das Phänomen der modernen internationalen Arbeitsteilung, wie sie sich seit den 70er Jahren herausgebildet hat. Sie ist durch vier unterschiedliche, gleichwohl miteinander verbundene Aspekte zu charakterisieren:

1. hohe Offenheitsgrade der Güter- und Dienstleistungsmärkte,
2. Internationalisierung der Produktion (Multinationale Unternehmen),
3. weltweite Verflechtung der Finanzmärkte,
4. zunehmende internationale Migration.

Die Zuwachsraten der internationalen Leistungs- und Kapitaltransaktionen lagen in den letzten drei Jahrzehnten regelmäßig über den Zuwachsraten der nationalen Sozialprodukte. Dadurch hat sich eine immer größere Bedeutung internationaler im Vergleich zu nationalen wirtschaftlichen Aktivitäten ergeben. Hinzu treten insbes. in den letzten Jahren vermehrt ökonomisch und politisch motivierte Wanderungen von Menschen in andere Staaten. Zusammen begründen diese Entwicklungen das Kernphänomen der Globalisierung. Als wesentliche Ursachen dieser Entwicklung können die folgenden Faktoren genannt werden:

1. Liberalisierung des Handels und des Kapitalverkehrs nach dem Zweiten Weltkrieg (durch das Allgemeine Zoll- und Handelsabkommen – GATT – WTO).
2. Die technologische Entwicklung. Durch sie sind die Informations- und Transportkosten über Jahrzehnte hinweg auf einen Bruchteil der Ausgangswerte gesunken. Gleichzeitig machten es präzisere Produktions- und Organisationsmethoden möglich, komplexe Produktionsprozesse und Dienstleistungen in immer stärkerem Maße aufzuteilen (Fragmentierung der Produktionsprozesse) und international zu diversifizieren.

Die Konsequenzen der Globalisierung sind beträchtlich und reichen weit über den ökonomischen Bereich hinaus. Die Auswirkungen für die Konsumenten bestehen vor allem in einer zunehmend differenzierten Verfügbarkeit international produzierter Güter und Dienstleistungen zu vergleichsweise geringen Preisen. Für die Produzenten bietet der globale Markt einerseits neue Absatzchancen, er setzt sie andererseits aber auch einer intensiven internationalen Konkurrenz aus. Das Zusammenwirken von neuen Chancen am Markt und die Herausforderungen des internationalen →*Wettbewerbs* werden als eine wichtige Triebfeder des internationalen Wirtschaftswachstums angesehen. Besonders weit hat die technologische Entwicklung in den Kommunikationstechniken und der Datenverarbeitung den Globalisierungsprozess der Finanzmärkte vorangetrieben. Derzeit wird das Volumen des weltweiten Devisenumsatzes auf etwa das 50fache des Handels mit Waren und Dienstleistungen geschätzt.

Die Globalisierung geht im realwirtschaftlichen wie im monetären Bereich mit einer Zunahme der internationalen Interdependenzen einher, die auch politisch relevant ist. So verringert sich für die nationale Wirtschaftspolitik insoweit der Handlungsspielraum, als Entscheidungen, die die Standortbedingungen und/ oder die makroökonomischen Daten verändern, rasch und fühlbar ökonomische Rückwirkungen wie Änderungen der Kapital- und Handelsströme und/ oder der Standortentscheidungen international operierender Unternehmen hervorrufen (→*Systemwettbewerb*). Die Beschränkung der Handlungsmöglichkeiten der nationalen Wirtschaftspolitik wird je nach Standpunkt als eine Gefahr für den Wohlfahrtsstaat (race to the bottom) oder als willkommenes Mittel gegen unsolide Wirtschaftspolitik (Eindämmung eines überbordenden →*Wohlfahrtsstaates*) interpretiert (→*Staatsverschuldung*). Gefahren für den Nationalstaat werden auch in den Unwägbarkeiten der weitgehend unregulierten internationalen Finanzmärkte (→*Spekulation*) und im zunehmenden Konkurrenzdruck aus dem Ausland (Billiglohnländer) gesehen.

Bei der Beurteilung dieser Sachverhalte ist zunächst zu beachten, dass die Globalisierung die Folge einer zunehmend offenen Weltwirtschaft ist. Diese erlaubt es, Güter und Leistungen über die Grenzen hinweg zu tauschen und die Leistungserstellung zu optimieren (internationale Allokation der Ressourcen), so dass alle Beteiligten daraus Vorteile ziehen können. Diese Vorteile werden von den meisten Fachleuten als so bedeutend angesehen, dass sie als wichtiger Beitrag zu der ökonomisch einzigartigen wirtschaftlichen Entwicklung seit dem Zweiten Weltkrieg gewertet werden (Wachstumswirkung der →*Außenwirtschaft*). Aus politischer Sicht schließlich ist der positive Beitrag offener ökonomischer Systeme zur Entwicklung und Stabilisierung offener (demokratisch legitimierter) Gesellschaftssysteme hervorzuheben.

Populäre Behauptungen, die Globalisierung sei verantwortlich für die sich öffnende Schere zwischen armen und reichen Staaten, halten indes einer genaueren Überprüfung nicht stand. Allerdings gilt, dass diejenigen Staaten, die sich der Globalisierung verweigern, auch an ihren Erfolgen nicht teilhaben und daher auf der weltweiten Einkommensskala zurückfallen. Globalisierung ist dann aber nicht das Problem, sondern die Lösung für diese Staaten.

Wenn die Globalisierung dennoch Irritationen und Ängste hervorbringt, liegt dies zum einen an der hohen Volatilität der internationalen Finanzmärkte, die auf Veränderungen ökonomischer und politischer Daten und deren Einschätzung (Erwartungsbildung) mit raschen und oft unerwartet heftigen Veränderungen der Kapitalströme (overshooting) reagieren. Reformen der Finanzmärkte (und des Internationalen Währungsfonds) zielen derzeit darauf ab, die Transparenz des Systems sowie die Verlässlichkeit der Daten und der Teilnehmer zu erhöhen, ohne die Vorteile des freien Kapitalverkehrs zu opfern. Zum anderen werden Irritationen auch durch die raschen und zum Teil einschneidenden strukturellen Veränderungen hervorgerufen, denen die modernen Volkswirtschaften zwar generell unterliegen, die durch die forcierte internationale Arbeitsteilung aber noch verstärkt werden. In die-

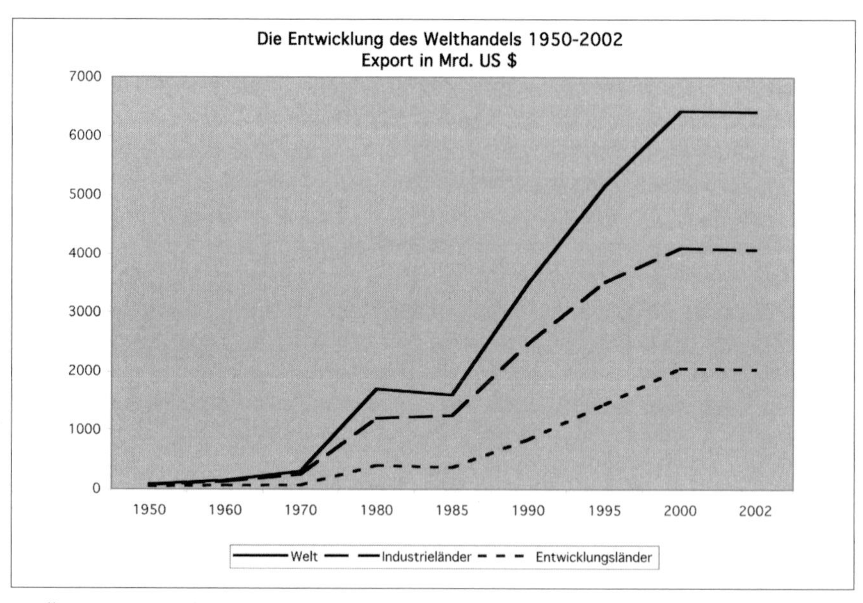

Quelle: IWF, Institut der deutschen Wirtschaft Köln; Stand 1999

Transnationalitätsindex 2000[1]

Industrieländer (Durchschnittswert: 22)

< 10	10-20	21-30	31-50	51-110
USA Griechenland Italien Japan	Großbritannien Deutschland Schweiz Spanien Österreich Norwegen Portugal Frankreich	Neuseeland Kanada	Irland Dänemark Schweden Niederlande	Belgien/ Luxemburg (75,8)

Entwicklungsländer (Durchschnittswert: 22)

< 10	10-20	21-30	31-50	51-110
Taiwan	Brasilien	Malaysia	Trinidad und Tobago	Hongkong (109,8)
Südkorea	Honduras	Chile	Singapur	Nigeria (62,8)
Türkei	Argentinien	Ecuador		
Indien	Costa Rica	Panama		
	Indonesien	Dom. Republik		
	Thailand			
	Venezuela			
	Mexiko			
	Ägypten			

[1] Die Indexwerte werden als Durchschnitt der folgenden Anteilswerte berechnet:
- Eingehende Direktinvestitionen (Ströme) zur Bruttokapitalbildung (1998-2000)
- Bestand an Direktinvestitionen (Inland) zum Bruttoinlandsprodukt (2000)
- Wertschöpfung ausländischer Tochtergesellschaften zum Bruttoinlandsprodukt (2000)
- Beschäftigung ausländischer Tochtergesellschaften zur Gesamtbeschäftigung (2000)

Quelle: UNCTAD, World Investment Report 2003

sem Zusammenhang sind auch die Konsequenzen der internationalen Migration von Bedeutung (→*Internationale Wanderungen*). Aus ökonomischer Sicht führt die Migration von Arbeitskräften tendenziell zu einer Angleichung der internationalen Lohnrelationen und lässt daher einen aus der globalen Sicht wünschenswerten Effekt erwarten. Gleichzeitig wirft sie aber innerhalb der nationalen Volkswirtschaften gesellschaftspolitische Fragen von erheblicher Brisanz auf (→*Integration*, Braindrain) und kann zu weiteren Belastungen der unteren Lohngruppen in den Hochlohnländern führen. Die marktwirtschaftliche Antwort auf diese Herausforderungen der Globalisierung liegt sowohl in einer verstärkten Anpassungsbereitschaft der einzelnen Menschen als auch in der Schaffung mobilitätsfreundlicher politischer Rahmenbedingungen (→*Internationale Organisationen*). Darüber hinaus sind die Schaffung qualifizierter Ausbildungs- und Erziehungssysteme und die Optimierung der Bedingungen für Forschung und Entwicklung zentrale Aufgaben der im globalen Innovationswettbewerb stehenden hoch entwickelten Volkswirtschaften.

Eine mögliche, jedoch umstrittene Alternative als Antwort auf die globalen Herausforderungen wird seit Anfang der 90er Jahre in der Schaffung regionaler Integrationsabkommen gesehen. Dies hat dazu geführt, dass die globale Weltwirtschaft inzwischen von einem engen Netz regionaler Wirtschaftszonen überlagert wird, die in einem gewissen Spannungsverhältnis zum Multilateralismus stehen.

Literaturhinweise:
BERG, H. (Hrsg.) (1999), *Globalisierung der Wirtschaft: Ursachen – Formen – Konsequenzen*, Schriften des Vereins für Socialpolitik, Band 263, Berlin; SIEBERT, H. (Hrsg.) (2003), *Global Governance: An Architecture for the World Economy*, Berlin u. a.; WORLD BANK (2002), *Globalization, Growth and Poverty: Building an Inclusive World Economy*, Washington, D. C.

Heinz Gert Preuße

Grundrechte, Grundgesetz und Soziale Marktwirtschaft

Das deutsche Grundgesetz lässt formal jede Wirtschaftsordnung zu, sofern sie das Grundgesetz, insbesondere die Grundrechte beachtet. Die Grundrechte der Handlungsfreiheit, Gleichheit vor dem Gesetz, Vereinigungsfreiheit, Freizügigkeit, Berufsfreiheit und des mit voller Verfügungsmacht verbundenen Privateigentums auch an Produktionsmitteln sind mit einer voll entwickelten und dauerhaften Zentralverwaltungswirtschaft unvereinbar (→*Sozialismus/ Planwirtschaft*). Denn in ihr müssen wirtschaftliche Aufgaben und Rechte nach dem Zentralplan differenziert zugeteilt werden. Die Vereinigung zu unabhängigen wirtschaftlichen Interessengruppen einschließlich freier Gewerkschaften muss ebenso unterdrückt werden wie die freie Wahl von Wohnort und Beruf, wenn die Planerfüllung nicht gefährdet werden soll. Dieses System ist also mit politischer Diktatur verbunden und kennt deswegen im Regelfall auch keine Meinungsfreiheit. Nur in einer →*Marktwirtschaft* können die freiheitsichernden Grundrechte gewährleistet sein. Deshalb ist das Grundgesetz nicht wirtschaftspolitisch neutral. Für die →*EU* ist mit verfassungsähnlicher Wirkung eine „offene Marktwirtschaft mit freiem Wettbewerb“ vorgeschrieben, so dass insoweit auch die formale Neutralität der Verfassung aufgehoben ist.

Das Grundgesetz schreibt zugleich einen sozialen Rechtsstaat (Art. 28 Abs. 1) vor, der (wegen Art. 20 Abs. 1) oft verkürzt als →*Sozialstaat* bezeichnet wird. Darunter können staatliche Korrekturen der Rechte und Daten, unter denen sich der Marktprozess vollzieht, sowie sozialpolitische Bindungen und Umverteilungen von →*Einkommen* und Vermögen verstanden werden. Das Grundgesetz enthält also die beiden Komponenten der →*Sozialen Marktwirtschaft*, nämlich des freien und wettbewerblichen Marktes und der sozialen Sicherung. Gegenüber Privilegien und Wettbewerbsbeschränkungen enthält der offene Markt schon für sich allein solidarische Elemente, indem Leistungsergebnisse in Form niedrigerer Preise, höherer Qualität der Güter und höherer Realentlohnung weitergegeben werden und Aufstiegschancen bestehen, die es in geschlossenen Systemen nicht gibt. Die →*Sozialpolitik* kann nicht, noch nicht oder nicht mehr Erwerbsfähige, im →*Wettbewerb* Unterlegene oder Beschäftigungslose gegen Not schützen, Eingliederung von Arbeitsfähigen fördern, Chancen durch das Bildungssystem öffnen und darauf dringen, dass bei staatlichen Maßnahmen die Wirkungen auf die Lebenslage der Beteiligten beachtet werden.

Der moderne Sozial- und Regulierungsstaat schützt aber zum Teil Privilegien, z. B. für Branchen (Landwirtschaft, Kohlenbergbau), Arbeitsplatz- und Wohnungsbesitzer, und gefährdet durch kurzlebige Maßnahmengesetze und nicht ordnungskonforme Interventionen Rechtsstaat und Marktwirtschaft. Soziale Grundrechte sind oft Ansprüche auf Ergebnisse und staatliche Leistungen, für die in einer Marktwirtschaft der Rechtsstaat nicht oder nur teilweise zuständig sein kann

(Vollbeschäftigung, Arbeit, Bildung, Wohnung und Einkommen). Soziale Sicherheit für die einen wird dabei durch größere Unsicherheit für andere (z. B. Abgabepflichtige) erkauft.

Literaturhinweise:
WILLGERODT, H. (1996), Soziale Marktwirtschaft – ein unbestimmter Begriff?, in: Immenga, U./ Möschel, W./ Reuter, D. (Hrsg.), *Festschrift für Ernst-Joachim Mestmäcker*, Baden-Baden, S.329-344; PAPIER, H.-J. (1999), Soziale Marktwirtschaft – ein Begriff ohne verfassungsrechtliche Relevanz?, in: Nörr, K. W./ Starbatty, J. (Hrsg.), *Soll und Haben, 50 Jahre Soziale Marktwirtschaft*, Stuttgart, S.95-114.

Hans Willgerodt

Industrie- und Handelskammern

Die Industrie- und Handelskammern – IHKn sind als Körperschaften des öffentlichen Rechts die offizielle Interessensvertretung der gewerblichen Wirtschaft Deutschlands gegenüber dem Staat. Die regionalen IHKn betreuen →*Unternehmen* aller Größen. Insgesamt 3 Millionen Unternehmen sind im Mitgliederverbund der IHKn in Deutschland zusammengefasst. Durch die Mitgliedschaft aller gewerblichen Unternehmen in den IHKn kann die gleichberechtigte Einflussnahme jedes Unternehmens garantiert werden. Eine Stimmengewichtung bei Mehrheitsentscheiden nach der Größe gibt es nicht; jedes Unternehmen hat das gleiche Stimmrecht. Durch diese gleichgewichtige Repräsentanz der Unternehmen wird ein Interessensausgleich zwischen Unternehmen und Branchen bewirkt.

Die Kammermitglieder (Unternehmen) wählen Vertreter in die Vollversammlung, die den Präsidenten, den Vizepräsidenten und den Hauptgeschäftsführer der Kammer wählt. Präsident einer Kammer kann daher immer nur ein Unternehmer sein. Da die meisten vertretenden Unternehmen dem Mittelstand angehören, sind die Bedürfnisse dieser Gruppe im besonderen Blickfeld der IHKn. Die obligatorische Mitgliedschaft in den regionalen IHKn ermöglicht eine von staatlichen Zuschüssen autarke Arbeitsweise und sichert die Objektivität und Vertrauenswürdigkeit der Sachberatung der Politik.

Die Aufgaben der IHK werden durch die IHK-Gesetze bestimmt. Besonderen Stellenwert nimmt die Anfertigung von Gutachten für Gerichte, Behörden und private Nachfrager auf ca. 200 Sachgebieten ein, die Voraussetzung für Gewerbe- und Berufszulassungen sind. Die IHKn fördern besonders das Bildungswesen, die Verbesserung und Leistungsfähigkeit des Aus- und Weiterbildungssystems in den Unternehmen. Die Beratung der Ausbildungsbetriebe, Betreuung von Lehrlingen sowie die Prüfungsabnahme durch mehr als 120.000 ehrenamtliche Prüfer verpflichten die IHKn zur nachhaltigen Stärkung des betrieblichen Ausbildungssektors. Ziel ist es, Wettbewerbsvorteile durch qualifiziertes Personal zu schaffen und langfristig Marktpositionen zu sichern und auszubauen. Ebenso im Bereich Umweltschutz gibt die IHK eigene Stellungnahmen ab, um zu Gunsten der gewerblichen Wirtschaft umweltpolitische Maßnahmen zu beeinflussen.

Insgesamt bieten die IHKn den Mitglieder-Unternehmen eine breite Palette von Informationen und Leistungen an, die eine Effizienzsteigerung der innerbetrieblichen Struktur sowie die Verbesserung der Marktposition ermöglichen sollen. Insgesamt 6.600 Experten sind in den Kammern für die fachspezifische Betreuung der Unternehmen zuständig. Neue Wirtschaftstrends sowie praktische Unternehmensmaßnahmen werden in monatlichen IHK-Veröffentlichungen den Unternehmen zur Kenntnis gebracht. Insgesamt 79 Zeitschriften mit einer Auflage von 2,5 Millionen Exemplaren werden von den IHKn veröffentlicht. Ein wichtiges Anliegen ist dabei die Kooperation von Unternehmen und Handelskammern. Dieses Ziel wird mit Hilfe von 250.000 ehrenamtlichen Mitarbeitern aus der Wirtschaft, die in den Kammerorganisationen und den Ausschüssen tätig sind, umgesetzt.

Ausgewählte Beispiele der Informationsdienstleistung durch die IHKn stellen die Existenzgründerbörse, das Firmeninformationssystem (FiS) zum Adressenaustausch zwischen Lieferanten und Herstellern, die internationale Kooperationsbörse sowie Börsen für Technologie und Recycling dar.

Die Dachorganisation der deutschen IHKn ist der Deutsche Industrie- und Handelskammertag – DIHK mit Sitz in Berlin mit 160 Mitarbeitern. Er vertritt die Interessen der einzelnen IHKn gegenüber der Bundesregierung, erstellt Pressemitteilungen und Stellungnahmen zu aktuellen Themen der Politik und Wirtschaft und fördert Auslandskontakte für interessierte Unternehmen. Die IHKn bestimmen die Richtlinien des DIHK und finanzieren seine Kosten.

Die zunehmende Kompetenz in der Wirtschafts- und Gesellschaftspolitik bei den Organen der →*Europäischen Union* erfordert nunmehr auf transnationaler Ebene eine Interessensvertretung der gewerblichen Wirtschaft gegenüber der europäischen Politik. Diese Position nimmt Eurochambres in Brüssel wahr, als Dachorganisation der über 800 europäischen Kammern, in denen zehn Millionen Unternehmen organisiert sind.

Literaturhinweise:
DIHT – DEUTSCHER INDUSTRIE- UND HANDELSKAMMERTAG (Hrsg.) (2000), *Industrie- und Handelskammern in der Bundesrepublik Deutschland: Aufgaben und Gesetz*, Bonn; DERS., *IHK – Das Leitbild der Marke*, Bonn; DERS. (1999), *Kammerrecht*, Bonn.

Dagmar Boving

Industriepolitik

Der Begriff Industriepolitik ist wissenschaftlich nicht eindeutig definiert und dadurch ständig einer kontroversen politischen und wissenschaftlichen Diskussion ausgesetzt. Eine Gemeinsamkeit aller Begriffsbestimmungen kann darin gesehen werden, dass Industriepolitik das Durchführen oder Unterlassen von staatlichen Eingriffen in die marktwirtschaftliche Allokation des industriellen Sektors bedeutet (→*Interventionismus*). In diesem Sinne ist Industriepolitik die Summe aller staatlichen Maßnahmen, die eine politisch gewünschte Gestaltung industrieller Strukturen zur Folge haben.

Industriepolitisch motivierte Eingriffe in den Marktprozess stellen selbst in →*Marktwirtschaften* ein wesentliches Handlungsfeld staatlicher Wirtschaftspolitik dar. Ist das Ziel einer Wirtschaftspolitik die Steigerung der gesamtwirtschaftlichen Wohlfahrt, dann ist es Aufgabe der Industriepolitik, den Beitrag des industriellen Sektors zur Gesamtwohlfahrt zu optimieren. Aus wissenschaftlicher Sicht ist die Abgrenzung des Begriffs auch deshalb schwierig, weil die Definition des industriellen Sektors nicht ohne Probleme möglich ist. Dies hängt insbes. mit zunehmenden Überlappungen der drei Wirtschaftssektoren Landwirtschaft, Industrie und Dienstleistung zusammen. Die verschiedenen Auffassungen bewegen sich daher zwischen einer auf den Industriebereich (sekundärer Sektor) bezogenen →*Strukturpolitik* und der Einbeziehung aller staatlichen Maßnahmen (einschließlich primärer und tertiärer Sektor), welche darauf abzielen, die sich aus dem Marktgeschehen ergebende Entwicklung industrieller Strukturen zu beeinflussen. In der Praxis existiert eine Vielzahl von Maßnahmen, die hierfür ergriffen werden können. Beispielhaft seien →*Subventionen*, Steuererleichterungen, staatliche Investitionen (Regierungsaufträge) , materielle oder immaterielle Hilfe bei Unternehmensgründungen und auch die Gewährung von Bürgschaften erwähnt. Diese Instrumente werden von Wirtschaftswissenschaftlern in aller Regel als prozesspolitische Maßnahmen bezeichnet, die die Ergebnisse des freien Wettbewerbs verzerren. Sie stehen daher oft im Mittelpunkt der Kritik liberaler Ökonomen.

Unabhängig von einer möglichen Ausrichtung auf einzelne Branchen kann die Industrie- oder Strukturpolitik im Wesentlichen mit dem Ziel der *Erhaltung*, der *Anpassung* oder der *Gestaltung* industrieller Strukturen erfolgen. Diese Ziele unterscheiden sich hinsichtlich ihres Charakters. So werden Strukturerhaltung und -anpassung als *passive* oder defensive, Strukturgestaltung dagegen als *aktive* oder offensive Politik bezeichnet. Zumindest implizit werden vor dem Hintergrund zunehmender Erwerbslosigkeit die entsprechenden politischen Maßnahmen jedoch meist mit dem Ziel der Sicherung bestehender oder Schaffung neuer Arbeitsplätze betrieben. Unmittelbar deutlich wird dies bei dem Bestreben, rückläufige oder schrumpfende Branchen, beispielsweise aufgrund einer besonderen regionalen Bedeutung oder Autarkiebestrebungen (Landwirtschaft, Kohlebergbau), zu erhalten. Hingegen soll die Politik der Strukturanpassung den notwendigen Wandel der Produktionsstruktur im Wirtschaftsprozess erleichtern (z. B. Privatisierung in den Bereichen Telekommunikation und Strom). Eine gestaltende Industriepolitik soll darüber hinaus gezielt Wachstumsbranchen identifizieren und verfügbare Ressourcen eben diesen Sektoren zuführen (Raumfahrt, Transrapid, Biotechnologie).

Dabei ist jedoch zwingend zu beachten, dass die Erhaltung einer Branche, so wünschenswert dies gerade aus regionaler Sicht auch manchmal sein mag, Ressourcen dauerhaft in schrumpfenden Branchen bindet, die für aus dem Markt heraus entstandene Wachstumsbranchen nicht zur Verfügung stehen. Wachstumsverluste und Beschäftigungseinbußen sind die unmittelbare, aber meist nicht erkannte Folge. Diese Kritik richtet sich auch gegen Anpassungshilfen. Ursprünglich als zeitweilige Maßnahmen konzipiert, ist ihnen oft ein dauerhafter Charakter eigen. So ist es nur sehr schwer möglich, einmal gewährte Hilfen gegen den Widerstand der Betroffenen wieder abzusetzen (Subvention von Theatern oder Orchestern; Landwirtschaft).

Bestrebungen zur gezielten Förderung einzelner sog. Wachstumsbranchen sehen sich mit dem evolutorischen Charakter des Wirtschaftsprozesses konfrontiert. Grundsätzlich sind konkrete Ergebnisse des wettbewerblichen Marktes das Resultat einer Vielzahl individueller Entscheidungen und gerade nicht staatlicher Planung aufgrund einer politisch motivierten Zielvorgabe. Darum ist eine zuverlässige mittel- oder gar langfristige Prognose konkreter Ergebnisse des Wettbewerbs nicht möglich. Eine Politik der Strukturgestaltung ist somit grundsätzlich auf Plausibilitätsüberlegungen angewiesen und damit dem Risiko von Fehleinschätzungen und in der Folge der Verschwendung knapper Ressourcen ausgesetzt. Darüber hinaus ist die gezielte Förderung einzelner Branchen mit der Diskriminierung nicht subventionierter Branchen und Unternehmen verbunden.

Industrie- und Strukturpolitik hat auch in einer Sozialen Marktwirtschaft dem evolutorischen Charakter wettbewerblicher Prozesse Rechnung zu tragen. Darum sollte sie sich darauf beschränken, wachstums- und beschäftigungsfördernde Rahmenbedingungen (Infrastruktur, Wettbewerbsordnung mit Rechtssicherheit, Eigentumsgarantie und Vertragsfreiheit) zu schaffen.

Wesentliches Merkmal einer Sozialen Marktwirtschaft ist neben anderen auch ein gewisses Maß an Solidarität. Es ist daher eine entscheidende Aufgabe, denjenigen zu helfen, die zeitweise oder dauerhaft noch nicht oder nicht mehr in der Lage sind, im Wettbewerb zu bestehen. Dies jedoch kann nicht Aufgabe der Industrie- oder Strukturpolitik sein, will die *→Soziale Marktwirtschaft* nicht die Grundlage einer Umverteilung zu Gunsten dieses Personenkreises gefährden. Die Hilfe für ökonomisch schwache Personen ist Aufgabe der *→Sozialpolitik* (Mindesteinkommen, staatliche Transfers in Form von Subjektförderung) und nicht einer Industriepolitik. Industriepolitik soll dementsprechend die Rahmenbedingungen schaffen, die eine optimale Allokation der Ressourcen über den Markt unter gleichen Bedingungen für alle Wirtschaftssubjekte gewährleisten, ohne dass der Staat prozesspolitisch eingreift.

Literaturhinweise:

BRÖSSE, U. (1999), *Industriepolitik*, 2. Aufl., München, Wien; EICHNER, S. (2002), *Wettbewerb, Industrieentwicklung und Industriepolitik*, Berlin; GÖRGENS, E./ THUY, P. (1997), Beschäftigungswirkungen industriepolitischer Maßnahmen in der Bundesrepublik Deutschland, in: Behrends, S. (Hrsg.), *Ordnungskonforme Wirtschaftspolitik in der Marktwirtschaft*, Berlin, S. 377-396; HAYEK, F. A. von (1968), *Der Wettbewerb als Entdeckungsverfahren*, Kiel; OBERENDER, P./ DAUMANN, F. (1995), *Industriepolitik*, München. BRÖSSE, U. (1999), *Industriepolitik*, 2. Aufl., München, Wien; EICHNER, S. (2002), *Wettbewerb, Industrieentwicklung und Industriepolitik*, Berlin; G

Peter Oberender
Stephan Ruckdäschel
Thomas Rudolf

Institutionenökonomik

Die Institutionenökonomik beschäftigt sich mit der Rolle von Institutionen als Beschränkungen menschlichen Handelns. Unter Institutionen werden Langfristverträge, Organisationen, formelle Regeln wie Gesetze und Verfassungsregeln, aber auch informelle, nicht-formgebundene Regeln wie Moral, Sitten und Gebräuche verstanden. Als Vorläufer der modernen „Neuen Institutionenökonomik" können der ältere amerikanische Institutionalismus, die deutsche Historische Schule und der Ordoliberalismus genannt werden. Innerhalb der Neuen Institutionenökonomik existieren verschiedene Forschungsgebiete, von denen die Prinzipal-Agent-Theorie, die Governance-Kosten-Theorie, die Property-Rights-Theorie einschließlich der Analyse des Rechts, die Public-Choice-Theorie und die Konstitutionenökonomik sowie die institutionenorientierte Wirtschaftsgeschichte die bedeutendsten sind. Auf diese Gebiete soll im Folgenden kurz eingegangen werden.

Moderne Wirtschaftssysteme beruhen auf einer mannigfaltigen Arbeitsteilung. Für nahezu jede Aufgabe gibt es einen Spezialisten, der die Kompetenz besitzt, schwierigste Probleme in einem eng abgesteckten Arbeitsfeld zu lösen. In anderen Arbeitsgebieten hat er in der Regel aber nur wenig oder gar kein Know-how. So sind an der Produktion von Gütern wie z. B. Autos sehr viele Spezialisten beteiligt. Diese müssen gut organisiert zusammenarbeiten, um Güter und Leistungen zu erstellen, die sich im →*Wettbewerb* behaupten können. Innerhalb solcher Zusammenarbeit gibt es Akteure, die die Verwirklichung von Projekten initiieren, und andere, die Auftragsarbeit leisten. Erstere werden innerhalb der Ökonomik als Prinzipale, letztere als Agenten bezeichnet. Ein grundlegendes Problem besteht nun darin, dass eine qualitativ hochwertige Leistungserstellung nur dann für einen Prinzipal überhaupt möglich ist, wenn der Agent auch gute Arbeit im Sinne des Prinzipals leistet.

Dies ist in der Realität ein gravierendes Problem, weil der Prinzipal den Agenten nicht perfekt überwachen kann. Zum einen kann er dies nicht, weil bereits das Informieren kostspielig ist. Man benötigt Zeit, die für andere Dinge nicht mehr zur Verfügung steht. Aber selbst, wenn der Prinzipal alles sehen könnte, was der Agent so treibt, könnte er die Tätigkeit doch nicht immer richtig beurteilen. Wenn wir z. B. eine Ingenieurin bei der Arbeit beobachten, wissen wir immer noch nicht, ob sie gut arbeitet oder nicht. Weil in der Realität Kosten des Informierens, des Verhandelns und des Überwachens – sogenannte Transaktionskosten – bestehen, hat der Agent einen Informationsvorsprung. Diesen kann er zum Nachteil des Prinzipals ausnutzen. Das ist z. B. der Fall, wenn Manager als Agenten den Aktionär-Prinzipalen vorgeben, sie bräuchten ein riesiges Budget sowie mehrere Sekretärinnen und Dienstwagen, obschon bei der Hälfte der Ausstattung kein Qualitätsverlust ihrer Arbeit einträte. Dies wiederum kann dazu führen, dass Projekte, die sowohl für den Prinzipal als auch für den Agenten grundsätzlich vorteilhaft sind, gar nicht durchgeführt werden, weil der Prinzipal das Risiko, ausgebeutet zu werden, nicht eingehen will. Vor diesem Hintergrund beschäftigt sich die *Prinzipal-Agent-Theorie* mit der Frage: Wie können Verträge so gestaltet werden, dass der Agent durch die Art der Vergütung oder andere Verfahren Anreize erhält, die von ihm übernommenen Aufgaben im Sinne des Prinzipals zu erfüllen?

Ein ähnliches Problem behandelt die *Governance-Kosten-Theorie.* Hier stehen vertragliche und organisatorische Lösungen zur Absicherung von Investitionsvorhaben im Mittelpunkt der Betrachtung. Werden bestimmte Investitionsprojekte in die Tat umgesetzt, ist es keine Seltenheit, dass ein Handelspartner sich spezialisieren muss. Das bedeutet, er trägt etwas zu dem Investitionsvorhaben bei, das für das spezielle Projekt von immens großer Bedeutung ist, dessen Wert für andere Verwendungen aber gering ausfällt. Im Extremfall rüstet jemand seinen gesamten Maschinenpark um, damit ausschließlich die Fertigung für ein bestimmtes Großprojekt pünktlich und zu vereinbarter Qualität erfolgen kann.

Eine solche Spezialisierung wird sicherlich nur dann vorgenommen, wenn es sich um ein sehr gewinnträchtiges Objekt handelt. Aber selbst dann besteht für den sich spezialisierenden Akteur die Gefahr, dass er von seinem Partner ausgebeutet wird. Der Partner weiß schließlich, dass die Spezialisierung zu einer Abhängigkeit geführt hat und wird versuchen, dies nach und nach durch geschicktes Verhandeln zu seinen Gunsten auszunutzen. Wenn allerdings der sich spezialisierende Handelspartner derartige Ausbeutungspraktiken erahnt, wird er Absicherungen dagegen verlangen oder im Extremfall eine Projektbeteiligung ablehnen. In diesem Fall würde eine Investition, von der grundsätzlich alle profitieren würden, gar nicht durchgeführt. Die Governance-Kosten-Theorie befasst sich vor diesem Hintergrund mit Möglichkeiten, durch geschickte Vertragsgestaltung oder organisatorische Veränderungen die angesprochenen Ausbeutungsgefahren der Spezialisierung zu entschärfen, damit Investitionen zum wechselseitigen Vorteil relativ gefahrlos durchgeführt werden können.

Doch nicht nur Verträge und Organisationen dienen der Absicherung produktiver Tauschgeschäfte, sondern auch die Regeln des Rechts. Erst durch die Existenz verlässlicher Regeln entstehen gesicherte Freiräume, innerhalb derer Individuen Verträge zum wechselseitigen Vorteil schließen können. Absolute Freiheit, ein Zustand der Anarchie also, bei dem jeder tun und lassen kann, was er will, ist ähnlich unproduktiv wie ein Zustand umfassender staatlicher Planung, der keine individuellen Freiräume zulässt. Fortschritt in Form neuer Produkte und Verfahren, die von den Nachfragern gewünscht werden, können nur dann entstehen, wenn das Recht dafür sorgt, dass Freiheit zum Wettbewerb unter fairen Bedingungen entsteht. „Fair" bedeutet hierbei, dass der Staat auf der einen Seite akzeptable Wettbewerbsregeln (Monopol- und Kartellrecht) schafft und zum anderen sicherstellt, dass die

Wettbewerber nur solche Instrumente einsetzen, die keine unerwünschten Effekte auf Dritte (sogenannte Externalitäten) abladen. Mit solchen Fragen, wie die Handlungs- oder Verfügungsrechte der Akteure gestaltet sein sollten, um Externalitäten wirksam und kostengünstig zu beseitigen oder zu verringern, beschäftigen sich die *Property-Rights-Theorie* und die *ökonomische Analyse des Rechts*.

Nicht nur auf Gütermärkten herrscht Wettbewerb, sondern auch im politischen Sektor. Analog hängt es auch hier von den institutionellen Bedingungen ab, ob der Wettbewerb zwischen Politikern und anderen Staatsdienern (den politischen Agenten) zu wünschenswerten Ergebnissen im Sinne der Bürger (der Prinzipale) führt. Es ist das Verdienst der *Public-Choice-Theorie* (Theorie öffentlicher Entscheidungsprozesse) herausgestellt zu haben, dass Politiker nicht per se als Diener des Volkes agieren, sondern erst durch demokratische Kontrolle und andere Mechanismen Anreize erhalten, den Willen des Volkes zu vertreten. Mit der Folgefrage, wie produktive (Verfassungs-) Beschränkungen von politischen Agenten ausgestaltet sein sollten, beschäftigt sich die *konstitutionelle Ökonomik* (constitutional economics).

Die *institutionenorientierte Wirtschaftsgeschichte* geht davon aus, dass es im Laufe der Geschichte Phasen unterschiedlicher institutioneller Bedingungen gab, die die Gewinnaussichten von Innovationen maßgeblich beeinflusst haben. Sind die gesellschaftlichen Institutionen so beschaffen, dass Innovationen und Investitionen für den experimentierenden Akteur lohnend erscheinen, steigt die Zahl technischer Neuerungen in der Gesellschaft. Genau umgekehrt verhält es sich, wenn die potenziellen Innovatoren aufgrund der Beschaffenheit der gesellschaftlichen Institutionen keine finanziellen Anreize haben, ihre Ideen in Innovationen umzuwandeln. Neben dieser These geht die institutionenorientierte Wirtschaftsgeschichte der Frage nach, wie sich unterschiedliche formelle und informelle Institutionen (geschriebenes Recht und ungeschriebene Regeln der Moral sowie Sitten und Gebräuche) an sich wandelnde Knappheitsbedingungen anpassen und wie der Wohlstand durch solchen Wandel verändert wird.

Obschon den angesprochenen Gebieten der Institutionenökonomik unterschiedliche Erkenntnisobjekte zugrunde liegen, ist ihnen gemein, dass sie davon ausgehen, dass das Handeln der Wirtschaftssubjekte maßgeblich durch deren institutionelle Umgebung beeinflusst wird. Institutionen reduzieren Transaktionskosten, schaffen eine gewisse Erwartungssicherheit und eröffnen den Wirtschaftsakteuren Möglichkeiten, vielfältige Tauschvorteile zu realisieren. Deshalb ist die Verbesserung des institutionellen Rahmens auf der Ebene des Marktes und in der Politik eine niemals endende Daueraufgabe von höchster Dringlichkeit.

Literaturhinweise:
ERLEI, M./ LESCHKE, M./ SAUERLAND, D. (1999), *Neue Institutionenökonomik*, Stuttgart; RICHTER, R./ FURUBOTN, E. (2003), *Neue Institutionenökonomik*, 3. Aufl., Tübingen.

Martin Leschke

Integration

Wirtschaftliche Integration wird definiert als die Öffnung nationaler Volkswirtschaften für eine grenzüberschreitende Zusammenarbeit mit anderen Ländern, zumeist in der Nachbarschaft. Die zwischenstaatliche Vereinbarung ist dadurch gekennzeichnet, dass der Handel zwischen den Staaten gestärkt wird (Handelsschaffung) und der Austausch von Gütern und Dienstleistungen mit Drittstaaten (Staaten, die an der Integration nicht teilnehmen) zugunsten des Austauschs zwischen den Teilnehmern umgelenkt wird (Handelsumlenkung). Integration von Volkswirtschaften wird auch daran deutlich, dass das Netz gegenseitiger Beziehungen im kurz- und langfristigen Kapitalverkehr engmaschig wird. Sofern die institutionellen und rechtlichen Voraussetzungen bestehen, wird Integration auch durch andauernde Wanderungsmöglichkeiten von Arbeitskräften und durch den Austausch von kommerziell geschütztem und wirtschaftlich verwendbarem Wissen geprägt.

Die →*Unternehmen* in den beteiligten Staaten werden als Folge des verschärften →*Wettbewerbs* und der veränderten Marktgröße ermuntert, den technischen Fortschritt zu beschleunigen, die Fähigkeiten des Managements zu verbessern und zusätzliche Kenntnis für die Belieferung weiterer Auslandsmärkte zu gewinnen. Kritiker von derartigen Zusammenschlüssen sehen indes die Gefahr, dass sich die beteiligten Staaten gegenüber dritten Staaten abschotten und die weltwirtschaftliche Arbeitsteilung behindern. Wenn dies eintritt, wird die Lenkungsfunktion der Weltmarktpreise für die Produktionsfaktoren behindert; für den Schutz von international nicht mehr wettbewerbsfähigen Erzeugnissen zahlen die Konsumenten Preise, die über denen auf den vergleichbaren internationalen Märkten liegen. Gefordert wird deshalb, dass regionale Wirtschaftsräume eine liberale Handelspolitik (Marktöffnung für Drittstaaten) und damit eine gleichzeitige Integration in die Weltwirtschaft betreiben.

Zwischen Integration und →*Sozialer Marktwirtschaft* gibt es einander ergänzende Beziehungen. Dem Wesen der Sozialen Marktwirtschaft entspricht es, wenn die Märkte geöffnet werden und der Wettbewerb die Funktionsfähigkeit von Preisen und Märkten stärkt (→*Offene Märkte: Markteintritt und Marktaustritt*). Integration kann – wie es auch in der Sozialen Marktwirtschaft gefordert wird – die Produktionsfaktoren in die beste Verwendung lenken, den Wohlstand erhöhen und Vollbeschäftigung sichern. Es dient der Fortentwicklung von Sozialen Marktwirtschaften, wenn Unternehmen durch die regionale Integration veranlasst werden, Innovationen im Zuge der Ausbreitung des technischen Fortschritts vorzunehmen. Die Soziale Marktwirtschaft verpflichtet Arbeitnehmer und Unternehmen, unrentable Arbeitsplätze und nicht mehr wettbewerbsfähige Produktionsstätten aufzugeben. Es gehört aber auch zur Sozialen Marktwirtschaft, solche Anpassungsprozesse dadurch zu unterstützen, dass die Arbeitnehmer und Unternehmen im Rahmen zeitlich und sachlich begrenzter Fördermaßnahmen befähigt werden, die Produktivität zu steigern und Leistungen auf den Märkten erfolgreich anzubieten (→*Strukturpolitik*).

Derartige Überlegungen haben ihren Niederschlag in den Regeln für wirtschaftliche Zusammenschlüsse in dem Allgemeinen Zoll- und Handelsabkommen (GATT) gefunden. Artikel XXIV des GATT gestattet die Bildung von Zollunionen oder Freihandelszonen, wenn dadurch die Zölle gegenüber Drittstaaten nicht höher sind als die Zölle der Mitgliedsländer vor der Einrichtung der Zollunion oder der Freihandelszone. Darüber hinaus ist es erforderlich, einen Zeitplan festzulegen, der den Ablauf der Maßnahmen und die Inhalte zur Zollsenkung regelt.

Seit der Verabschiedung des Marrakesh-Abkommens 1994 wird in Art. V GATT für den Austausch von Dienstleistungen innerhalb von Freihandelszonen oder von Zollunionen verlangt, dass gegenüber Drittstaaten Benachteiligungen unterbleiben und/ oder bestehende Hindernisse für den Marktzugang von Unternehmen in Drittstaaten aufgehoben werden. Jede Zollunion und jede Freihandelszone bedarf der Zustimmung durch die Welthandelsorganisation. Verletzen Zusammenschlüsse die Rechte von Drittstaaten, so besteht die Möglichkeit, im Rahmen eines Streitschlichtungsverfahrens in der Welthandelsorganisation (WTO) die Benachteiligungen zu beseitigen und ggf. Kompensationen für entstandene Verluste zu erzwingen.

Nach Angaben der WTO sind zwischen 1958 und 2003 143 Freihandelsabkommen/ Zollunionsvereinbarungen nach Art. 24 WTO genehmigt worden. Bei 37 dieser Vereinbarungen ist die Europäische Union (EU) Mitzeichner. 27 Abkommen für Dienstleistungen sind nach Art. V GATT genehmigt worden, darunter 14 mit Beteiligung der →*EU*.

Umfang, Form und Organisation der Integration werden unter anderem durch den ökonomischen Leistungsstand, durch die Ausstattung mit Produktionsfaktoren und durch die Bereitschaft zur Zusammenarbeit der Mitgliedstaaten geprägt. Präferenzräume oder Assoziationen sind dadurch gekennzeichnet, dass sich die Mitglieder gegenseitig Zollvergünstigungen gewähren. Ist Zollfreiheit zwischen den Mitgliedstaaten vereinbart, wird eine Freihandelszone gebildet. Werden gemeinsame Außenzölle gegenüber Drittstaaten festgesetzt, so spricht man von einer Zollunion. Können sich Produktionsfaktoren zwischen den Staaten frei bewegen, entsteht ein (gemeinsamer) Binnenmarkt. Verständigen sich die Mitgliedstaaten auf eine gemeinsame/ harmonisierte Wirtschaftspolitik, handelt es sich um eine Wirtschaftsgemeinschaft oder um eine Wirtschaftsunion. Eine gemeinsame Währung lässt eine Währungsunion entstehen. Entschließen sich die Mitgliedstaaten, die nationalstaatlichen Organe und Regelwerke in gemeinschaftlichen Einrichtungen und Rechtsvorschriften zu vereinigen, ist die wirtschaftliche und die politische Integration abgeschlossen.

Das Beispiel der EU zeigt, dass eine Integration auf marktwirtschaftlicher Grundlage den Integrationsprozess vertiefen und die Mitgliederzahl ausweiten kann. Der rasche Zusammenbruch einer regionalen Zusammenarbeit auf der Grundlage zentralistischer Planwirtschaften – wie im Fall des Rates für gegenseitige wirtschaftliche Zusammenarbeit (RGW) – demonstriert die Schwäche derartiger Wirtschaftssysteme und die Risiken nicht-marktwirtschaftlicher Integration. Denn diese Integrationen sind rein politische Integrationen, da in Planwirtschaften die Wirtschaft zentralistisch und politisch organisiert ist (→*Sozialismus/ Planwirtschaft*).

Literaturhinweise:
FRANKEL, J. A. (Hrsg.) (1998), *The Regionalization of the World Economy*, Chicago, London; INTERNATIONAL BANK FOR RECONSTRUCTION AND DEVELOPMENT (2000), *Trade Blocs*, Oxford u. a.; PANAGARIYA, A. (2000), Preferential Trade Liberalization: The Traditional Theory and New Developments, in: *Journal of Economic Literature*, Vol. 38, Juni, S. 287-331.

Karl Wolfgang Menck

Interessenverbände, Lobby

Interessenverbände gehören zum Erscheinungsbild heutiger Demokratien und sind aus der modernen Industriegesellschaft nicht mehr wegzudenken. In der Wandelhalle des Parlamentes, im britischen Unterhaus, der sog. Lobby, trafen sie sich einst mit Abgeordneten, um über gesetzliche Regelungen und staatliche Eingriffe zu verhandeln (Lobbying). Im 19. Jahrhundert wurde in den USA der Begriff Lobbying in den allgemeinen Sprachgebrauch aufgenommen, später wurde er auch in Europa verwendet.

Unter Interessenverbänden bzw. Lobbyisten versteht man freiwillige Zusammenschlüsse von Personen und Körperschaften, die mit dem Ziel der Beeinflussung legitimer Vertreter der Politik (insbesondere Legislative und Exekutive) gegründet wurden. Die auch als Pressure Groups bezeichneten Verbände wollen Einfluss auf den staatlichen Entscheidungsprozess nehmen, wobei ihre Sonderinteressen hierbei im Vordergrund stehen. Ihre Mitwirkung an der politischen Gestaltung politischer Willensbildung ist nicht über die Verfassung geregelt.

Das Erscheinungsbild der Interessenverbände ist vielfältig und lässt sich grob in die traditionell profitorientierten und die stark an Anzahl zunehmenden, nicht profitorientierten Interessengruppen unterteilen. Die Spanne reicht von den traditionellen Gewerkschaften und Arbeitgeber-, Branchen-, Berufs- und Bauernverbänden über Städteverbände und den Bund der Steuerzahler bis hin zu weltanschaulichen, sozial- oder umweltpolitisch orientierten Gruppierungen. In Brüssel gibt es über 6.000 unterschiedliche Interessenvertretungen. Zunehmend ist eine Professionalisierung des Lobbyismus zu beobachten, d. h. PR-Agenturen sowie Anwaltsfirmen und Beratungsunternehmen übernehmen den Lobbyismusauftrag und machen sich mit ihrem Know-how unentbehrlich für den politischen Entscheidungs- und Gesetzgebungsprozess.

Wie erklärt sich die Existenz der Interessengruppen? Die Neue Politische Ökonomik (NPÖ) sieht den Politiker als einen Unternehmer, der Wählerstimmen maximiert, die er durch das Angebot an bestimmten politischen

Zielsetzungen, z. B. Vergünstigungen wie Transferzahlungen (Sozialbeiträge und staatliche Zuschüsse, →*Subventionen* usw.) für bestimmte Wählergruppen gewinnt. Im Gegenzug erwartet er dafür eine politische Unterstützung (Wiederwahl). Je stärker die Politiker durch diskretionäre Handlungsspielräume in den (wirtschafts-) politischen Status quo eingreifen können, umso mehr können sie ihrer Klientel Wahlgeschenke anbieten und desto größer sind die Wirkungsmöglichkeiten von Interessengruppen. Solche Lobbyisten sind typisch in indirekten Demokratien. Da der einzelne Wähler allein kaum Einfluss auf politische Entscheidungen nehmen kann, ist eine kollektive Vertretung notwendig. Lobbies bewirken für ihre Mitglieder eine Interessenaggregation und -artikulation und eröffnen dabei Möglichkeiten der Partizipation, Kommunikation und Werteallokation. Interessengruppen sind umso stärker, je besser ihre Organisationskraft und je höher ihre Mitgliederzahl ist; eine zu große Mitgliederzahl kann aber auch hinderlich für die Schlagkraft und für die Durchsetzung von Sondervergünstigungen sein. Lobbyisten vertreten somit gemeinsame Interessen, wobei allerdings das Problem des „Trittbrettfahrens" auftaucht. So erhalten z. B. auch Nicht-Gewerkschaftsmitglieder Tariferhöhungen, ohne Beiträge an die Gewerkschaft zu leisten.

Wodurch wirken Interessengruppen? Interessengruppen bieten Politikern u. a. Finanzhilfen (Spenden), Informationen, Know-how, Politikberatung, Gutachtertätigkeiten, Aufsichtsratsposten sowie gut bezahlte Posten nach Beendigung der politischen Laufbahn an. Sie können Parteien personell „durchsetzen" und über die Medien Politiker unterstützen oder ihnen schaden. Auch verfügen sie über das Drohpotenzial, bei der nächsten Wahl eine →*Partei* oder einen Abgeordneten nicht mehr zu unterstützen, Unternehmensstandorte zu verlagern usw.

Wie ist die Existenz von Interessengruppen zu bewerten? In großen Gesellschaften ist eine direkte Demokratie schwierig. Über Wahlen werden Repräsentanten gewählt, die verfassungsmäßig politische Entscheidungen zu treffen haben. Durch Interessengruppen ist es nun möglich, den Wählerwillen zu organisieren und Informationen über die Zielvorstellungen der Bevölkerung zu erhalten. Die Existenz von Interessengruppen ist eine effiziente Möglichkeit, die Bedürfnisse der Bevölkerung den Repräsentanten darzulegen. Diesen Vorteilen stehen aber auch Nachteile gegenüber, da die Lobbyisten einen Bedeutungsverlust der Parlamente zugunsten der Exekutive bewirken können und im Kontakt mit der Ministerialbürokratie nur ihre eigenen Sonderinteressen vertreten. So ist es einerseits möglich, dass Minderheiten ausgebeutet werden, die im politischen Prozess nicht das notwendige Stimmengewicht organisieren können, um wahlwirksam ihre Interessen zu vertreten. Andererseits können aber auch Bevölkerungsmehrheiten, die nur schwer oder gar nicht zu organisieren sind, durch schlagkräftige Minderheiten ausgebeutet werden. Die Einflussnahme auf die Wirtschaftspolitik ist deshalb von wirtschaftlichem Interesse, weil hier Einkommensumverteilungen vorgenommen werden. Der Staat kann bestimmten Bevölkerungsgruppen Einkommensvorteile zukommen lassen, die stets zu Lasten der restlichen Bevölkerung gehen. Finanziell starke und gut organisierte Interessengruppen vermögen dann, den Staat zu manipulieren. Man spricht vom Umverteilungsstaat, von rent-seeking und Schacherdemokratie. Der hohe Anteil an Sozialausgaben sowie Subventionstatbeständen und die damit in Verbindung stehende Wachstumsschwäche sind Ausdruck eines zu starken Einflusses von Interessengruppen, die sich den Anpassungen, die ein →*Wettbewerb* erforderlich macht, durch Lobbying entziehen wollen.

Schon der Ordoliberale Walter →*Eucken* warnte vor zu starkem Einfluss der Interessengruppen und stellte in seinen staatspolitischen Grundsätzen der Wirtschaftspolitik das Prinzip der Begrenzung der Macht von Interessengruppen auf, da Lobbyisten durchaus in der Lage sein können, ihre Wünsche gegen die Mehrheit der Bevölkerung und auf deren Kosten durchzusetzen. Die mit geringerer Macht ausgestattete Mehrheit der Gesellschaft, das Gemeinwohl einer Gesellschaft, muss vor schädlichen Einflüssen durch Interessengruppen geschützt werden. Solange der Staat sich als Ordnungsinstanz verstand, war der Einfluss der Interessengruppen gering. Der Übergang zum „Sozialstaat" führte zu einer „Politisierung der Ökonomie" und diese zu einer „Ökonomisierung der Politik". „Der liberal-demokratische Staat, der angetreten war, Kraft der Stärke des Gesetzes das Gesetz der Stärke außer Kraft zu setzen, wird zunehmend gezwungen, die Stärke des Gesetzes in den Dienst des Gesetzes der Stärke zu stellen." (Kirsch, S. 108).

Wie kann sich die Gesellschaft vor dem schädlichen Einfluss der Lobbyisten schützen? Auf der einen Seite wird Transparenz der Lobbyistentätigkeit gefordert, wie es beispielsweise in den USA üblich ist, wo die Interessengruppen sich registrieren lassen müssen. Die „Öffentliche Liste über die Registrierung von Verbänden und deren Vertretern" (Lobbyliste) des Deutschen Bundestages enthält dagegen nur diejenigen Verbände, die sich dort gemeldet haben, um offiziellen Zugang zum Parlament, zur Regierung und zu deren Anhörungen zu bekommen.

Da der weite Handlungsspielraum der Politik die Ursache für erfolgreichen Lobbyismus ist, müsste ebendieser Handlungsspielraum begrenzt werden. Dies wäre etwa dadurch möglich, dass Gesetze, die bestimmte Bevölkerungsgruppen bevorzugen, nur eine begrenzte Gültigkeitsdauer haben („Sunset-Gesetzgebung"). Interessengruppen, die eine Subvention durchgesetzt haben, erhalten diese dann nur für eine gewisse Zeit. Danach müssen sie aufs Neue versuchen, ihre Sonderinteressen im politischen Prozess durchzusetzen, wobei zu hoffen wäre, dass diejenigen Gruppen, die durch die geltende Gesetzgebung benachteiligt werden, sich ebenfalls lobbyistisch betätigen. Hilfreich wäre eine verpflichtende Analyse der Verteilungswirkungen für alle Gesetzgebungsvorhaben, die nicht dem Prinzip der Universalität genügen. Dies würde die Transparenz erhöhen und konkurrierende Interessengruppen auf drohende Einkommensnachteile aufmerksam machen. Zu großer Einfluss der Interessengruppen in der heutigen Gesellschaft kann dazu führen, dass der Staat zu einer Umverteilungsagentur verkommt und seine Funktion als Ordnungsinstanz mehr und mehr verliert.

Literaturhinweise:
BILGERI, A. (2001), *Das Phänomen Lobbyismus*, Norderstedt; BLÜMLE, E.-B. (1995), Lobby, in: Görres-Gesellschaft (Hrsg.), *Staatslexikon*, 7. Aufl., Freiburg i. Br., Sp. 929-932; KIRSCH, G. (1988), Der redistributionspolitische Interventionismus: Von der Lenkung der Wirtschaft zur Zerstörung des Staates, in: Cassel, D. u. a. (Hrsg.), *Ordnungspolitik*, München, S. 107-133; LEIF, T./ SPETH, R. (Hrsg.) (2003), *Die Stille Macht: Lobbyismus in Deutschland*, Wiesbaden.

Werner Lachmann

Internationale Arbeitsorganisation

International Labour Organisation (ILO)

Die Internationale Arbeitsorganisation (IAO) wurde 1919 als dreigliedrige Organisation gegründet. Vertreter von Arbeitnehmern und Arbeitgebern arbeiten gleichberechtigt mit Regierungen zusammen. Ziel ist die Entwicklung gemeinsamer Maßnahmen zur Förderung der sozialen Gerechtigkeit und zur Verbesserung der Lebensbedingungen in aller Welt.

Dieses Ziel gründet sich auf die Feststellung in der Präambel der IAO-Verfassung, dass der Weltfrieden auf die Dauer nur auf *→sozialer Gerechtigkeit* aufgebaut werden kann. Dies ist die nach wie vor richtige und aktuelle Grundorientierung für alle Tätigkeiten der IAO. Die Erklärung von Philadelphia (1944 als Anhang zur Verfassung der IAO beschlossen) konkretisiert diese Grundorientierung. Sie verkündet das Recht aller Menschen, materiellen Wohlstand und geistige Entwicklung in Freiheit und Würde, in wirtschaftlicher Sicherheit und unter gleich günstigen Bedingungen zu erstreben. Ferner heißt es in der Erklärung: „Armut, wo immer sie besteht, gefährdet den Wohlstand aller."

Im Jahre 1946 wurde die IAO die erste Sonderorganisation der Vereinten Nationen. 1969 wurde ihr der Friedensnobelpreis verliehen. Der IAO gehören 177 Mitgliedstaaten an (Stand 2004). Ihr Sekretariat, das *Internationale Arbeitsamt* (IAA), hat seinen Hauptsitz in Genf.

Höchstes Exekutivorgan ist die jährlich für einige Wochen tagende *Internationale Arbeitskonferenz*. Der Verwaltungsrat arbeitet gemeinsam mit dem IAA im Wesentlichen dieser Konferenz zu. Daneben wirkt die IAO durch weitere Gremien wie Regionalkonferenzen, Industrieausschüsse und Sachverständigenausschüsse. Das Internationale Arbeitsamt wird von einem durch den Verwaltungsrat gewählten Generaldirektor geleitet.

Von Anfang an bestand die Hauptaufgabe der IAO darin, die Arbeits- und Lebensbedingungen durch die Ausarbeitung von Übereinkommen und Empfehlungen zu verbessern. Diese Aufgabe der Normensetzung steht weiterhin im Zentrum der Aktivitäten der IAO. Bis heute (Stand 2004) hat die Internationale Arbeitskonferenz insgesamt 378 internationale Arbeitsurkunden (184 Übereinkommen und 194 Empfehlungen) angenommen. Ferner wurden rund 6.000 Ratifikationen von Übereinkommen eingetragen.

Die Übereinkommen erfassen einen weiten Bereich sozialer Probleme, einschließlich zentraler Grundrechte (wie Vereinigungsfreiheit, Abschaffung der Zwangsarbeit und Beseitigung der Diskriminierung in Beschäftigung und Beruf), Mindestlöhne, Arbeitsverwaltung, Arbeitsbeziehungen, →*Beschäftigungspolitik*, Arbeitsbedingungen, soziale Sicherheit und →*Arbeitsschutz*. Die Übereinkommen und Empfehlungen bilden das *Internationale Arbeitsgesetzbuch* (International Labour Code). Die Bedeutung der darin enthaltenen Normen geht weit über die geregelten Gegenstände hinaus. Diese Normen setzen eine große Anzahl von Grundsätzen in die konkrete Praxis um, die in der Allgemeinen Erklärung der Menschenrechte und in den Internationalen Menschenrechtspakten der Vereinten Nationen zum Ausdruck gebracht werden. Sie stellen ferner einen Erfahrungsschatz dar, der Ländern aller Entwicklungsstufen zur Verfügung steht. Das Internationale Arbeitsgesetzbuch beeinflusst in hohem Maße die Entwicklung der Sozialgesetzgebung in der ganzen Welt.

Durch die Ratifikation eines Übereinkommens gehen die Mitgliedstaaten eine doppelte Verpflichtung ein: Zum einen wird die Anwendung der Bestimmungen des Übereinkommens für sie verbindlich; zum anderen unterwerfen sie sich in gewissem Umfang einer internationalen ‚Kontrolle'. Diese hat aber weniger den Charakter gerichtlicher Entscheidungen als den eines ständigen Dialogs, über den politischer Druck ausgeübt wird, wenn die Einhaltung der Vorschriften zu wünschen übrig lässt.

Seit 1964 konnte auf Grund der von den Überwachungsorganen der IAO unterbreiteten Bemerkungen in rund 2.000 Fällen die innerstaatliche Gesetzgebung und Praxis mit den Bestimmungen ratifizierter Übereinkommen in Einklang gebracht werden. Ferner hat die Organisation auf diesem Gebiet ihre Tätigkeiten zur Unterstützung von Mitgliedstaaten verstärkt; insbesondere durch eine immer häufigere Anwendung des Verfahrens der direkten Kontakte mit Regierungen, durch ihre Regionalberater für internationale Arbeitsnormen, durch die Veranstaltung von Seminaren und Lehrgängen sowie durch die Verbreitung von Informationen über Normen und Grundsätze der IAO.

Die Programme der so genannten technischen Zusammenarbeit konzentrieren sich heute auf folgende Hauptbereiche:

- Beschäftigung und Entwicklung: Definition nationaler Politik und Strategien; Arbeitskräfteplanung; besondere arbeitsintensive Programme für öffentliche Arbeiten; Linderung der Armut in ländlichen Gebieten; Technologiewahl und Entwicklung des Kleingewerbes;
- Ausbildung: Unterstützung bei der Ausarbeitung von Ausbildungspolitik und -systemen; Ausbildung von

Führungskräften und Unternehmensentwicklung; Berufsbildung in der Industrie, in ländlichen Gebieten und im Gewerbe sowie Ausarbeitung von Lehrmethodologien und -material. Der Berufsbildung Behinderter und der Ausbildung von Frauen und Jugendlichen, die keine Schule besuchten, wird besondere Aufmerksamkeit zuteil;
- Tätigkeiten nach Wirtschaftszweigen, insbesondere zugunsten der Entwicklung von Genossenschaften, und Programme für die Schifffahrtsindustrie;
- Arbeitsbedingungen und Arbeitsumwelt: Arbeitsschutz, Arbeits- und Lebensbedingungen;
- Arbeitsbeziehungen (einschließlich Arbeitsverwaltung), soziale Sicherheit, Arbeiterbildung und Unterstützung von Arbeitgeberverbänden;
- die Organisation hilft schwerpunktmäßig vielen Staaten bei der Beseitigung der Kinderarbeit.

Die Forschungstätigkeiten des IAA sollen zu neuen Erkenntnissen über Arbeitsprobleme führen und Lösungsmöglichkeiten aufzeigen. Derartige Forschungsarbeiten werden z. B. bei der Ausarbeitung von Berichten für die Internationale Arbeitskonferenz und für andere Tagungen geleistet.

Normsetzung, technische Zusammenarbeit, Forschung: Diese drei Arbeitsansätze der IAO stützen sich gegenseitig und sind interdependent. In aktiver Partnerschaft mit Regierungen, Arbeitgebern und Arbeitnehmern geht es um die Schaffung von sozialer Gerechtigkeit auf der ganzen Welt.

Literaturhinweise:
BUNDESMINISTERIUM FÜR ARBEIT UND SOZIALORDNUNG (1994), *Weltfriede durch Soziale Gerechtigkeit*, Bundesvereinigung der Deutschen Arbeitgeberverbände und Deutscher Gewerkschaftsbund, Baden-Baden; HONECKER, M. (Hrsg.) (2001), Evangelisches Soziallexikon Stichwort: *Internationale Arbeitsorganisation*, Stuttgart; INTERNATIONAL LABOUR OFFICE (2000), *World Labour Report 2000*, Genf.

Peter Clever

Internationale Organisationen

Die politischen Diskussionen über die Organisation der politischen Zusammenarbeit, der Währungssysteme sowie des internationalen Austausches von Gütern und Dienstleistungen reichen weit in die Zeit vor dem Zweiten Weltkrieg zurück. Bis zum Beginn des Ersten Weltkrieges regulierte sich die weltweite Wirtschaft weitgehend *ohne* völkerrechtliche Verträge und internationale Institutionen durch Freihandel und ein stabiles Währungssystem (sog. Goldstandard). Als dominierende politische und wirtschaftliche Macht dieser Zeit stellte Großbritannien den maßgeblichen Ordnungsfaktor dar (pax britannica). Diese Situation war vielfach eine Referenz für spätere Bemühungen das durch den Ersten Weltkrieg zusammengebrochene internationale Gefüge wieder herzustellen.

Nach dem Ersten Weltkrieg sollte der Völkerbund als System der Staaten die politische Stabilität wieder herstellen, was mangels einer starken politischen und wirtschaftlichen Ordnungsmacht, wie es Großbritannien vor dem Ersten Weltkrieg war, nicht gelang. Auch die USA waren für diese Aufgabe noch nicht bereit. Auch im Bereich des internationalen Handels gelang es nicht, eine verlässliche Ordnung aufzubauen und den entstandenen Protektionismus wirksam einzudämmen. Die Struktur der Weltwirtschaft ist durch den Ersten Weltkrieg nachhaltig gestört worden. Die 1929 einsetzende Weltwirtschaftskrise brachte die instabile internationale Währungs- und Handelsordnung endgültig zum Einbruch. Dieses Resultat ist kennzeichnend für die mangelnde politische Bereitschaft der Regierungen dieser Ära, die internationalen wirtschaftlichen und politischen Folgen einer strikt nationalstaatlichen, also nicht-kooperativen und aggressiven Wirtschaftspolitik zu berücksichtigen. Die wirtschaftlichen Wirkungen waren katastrophal: Währungszusammenbruch, Börsencrash, Produktionsrückgang, Halbierung des Welthandels, Preis- und Lohnabfall, hohe Arbeitslosenzahlen usw. Die wirtschaftliche Krise zog tiefgreifende politische Konsequenzen wie z. B. den Aufstieg des Nationalsozialismus nach sich.

Diese politische und wirtschaftliche Krise ist für die Ordnung der Weltwirtschaft nach dem Zweiten Weltkrieg immer die warnende Bezugsbasis gewesen. So wurde noch vor dem Ende des Zweiten Weltkrieg eine Vision einer neuen Internationalen Gemeinschaft entwickelt, die sich nicht wie bisher nur auf die politische Zusammenarbeit stützt. Eine zwingende Einbindung aller wichtigen Nationen in den Bereichen *Währung*, *Handel* und *Entwicklung* entsprach dem Ziel der zukünftigen Verminderung des kriegerischen Konfliktpotenzials weltweit und sollte deshalb die Basis für ein neues System, eine sogenannte *Friedensordnung* bilden. Die Gründung neuer Internationaler Organisationen stand zur Debatte. Die Konferenz von Bretton Woods (USA) 1944 besiegelte einen neuen Verbund der Währungen von 44 Staaten in einem Fixkurssystem (→*Währungsordnung und Wechselkurssysteme*) mit dem Dollar als Leitwährung und damit indirekt den USA als Ordnungsmacht. Zur Überwachung und Stabilisierung des Systems wurde dafür der Internationale Währungsfonds (IWF) und zur Förderung der wirtschaftlichen Entwicklung weltweit die Weltbank gegründet. Als Basis einer weltweiten politischen Zusammenarbeit wurde 1945 die Organisation der Vereinten Nationen (UNO) und später ihre einzelnen Unterorganisationen gegründet. Der Ausbau des weltweiten Handels ruhte auf dem 1947 unterzeichneten Allgemeinen Zoll- und Handelsabkommen (GATT), das in seinen Funktionen 1995 von der Welthandelsorganisation (WTO) abgelöst wurde (vgl. nachstehende Tabelle zum GATT).

Verschiedene Internationale Organisationen wurden in der Zwischenzeit gegründet und stellen heute wesentliche Akteure in der politischen Landschaft dar. Deshalb werden sie auch im wissenschaftlichen Bereich umfassend untersucht. Als eine internationale Organisation wird allgemein ein Zusammenschluss von mehreren Mitgliedern *über nationale Grenzen hinweg* verstanden; multinationale Unternehmen werden hierbei ausgeklammert. 1995 wurde ihre

Zahl auf 3.000 bis 4.000 geschätzt. Zu den Aufgaben zählen insbesondere die Koordination der Zusammenarbeit innerhalb der einzelnen Bereiche mit Hilfe eines meist vertraglich unterlegten Rechts- und Regelrahmens sowie die Schaffung einer Kommunikationsplattform zum regelmäßigen Dialog zwischen den Mitgliedern.

Eine weitergehende Differenzierung kann anhand vielfältiger Merkmale erfolgen. Insbesondere die *Trägerschaft* stellt ein wesentliches Unterscheidungsmerkmal für internationale Organisationen dar. Es kommen *staatliche* Träger (z. B. bei der WTO) und *nicht-staatliche* Träger (z. B. bei Amnesty International) in Betracht. Das Verhältnis von staatlichen Organisationen zu nicht-staatlichen Organisationen beträgt ca. 1 zu 10. Die staatlichen internationalen Organisationen sind von besonderem Interesse, da die Mitgliedschaft, aber auch die Nicht-Mitgliedschaft eines Nationalstaates erhebliche Auswirkungen auf seine Souveränität und damit auch auf die nationale Wirtschaftspolitik haben kann. Die zeitliche, sachliche, geographische und rechtliche *Reichweite* der Internationalen Organisation sowie die damit verbundene *Kompetenzstärke* bei den Mitgliedern sind hierfür ebenfalls ausschlaggebend. Wirtschaftspolitisch sind die Internationalen Organisationen im Bereich der Wirtschaft am bedeutendsten, insbesondere Bestimmungen zum Kapital- und Zahlungsverkehr sowie dem Handel sind relevant. *Geographisch* sind die verschiedensten Konstellationen möglich – von regionalen Zusammenschlüssen (z. B. *→EU*) über kontinentale bzw. multiregionale (z. B. Amerikanische Freihandelszone – NAFTA) bis hin zu kontinentübergreifenden, globalen Organisationen (z. B. *→Internationale Arbeitsorganisation* – ILO).

Die *rechtliche* Reichweite ist sehr fassettenreich. Die vertragliche Bindung an Beschlüsse von Gremien der Organisation, Abstimmungs- und Delegationsrechte in den Gremien, die Voraussetzungen für eine Mitgliedschaft in der Organisation, das Befolgen von Richtlinien und unzählige weitere Aspekte werden in jeder internationalen Organisation auf verschiedene Art und Weise vereinbart und durchgesetzt. Diese spezifische rechtliche Ausgestaltung entscheidet aber maßgeblich über ihre Kompetenzstärke und somit über den Einfluss auf die nationale Politik (also auch die Wirtschaftspolitik) der Mitgliedstaaten sowie über das Potenzial der Zielerreichung und der Fortführung der *→Integration* einer Organisation. Im Laufe der Zeit kamen zu den *formellen* Organisationen (vertraglich fixiert) auch *informelle* hinzu, wobei auch letztere einen wesentlichen Einfluss auf die Abläufe in der Weltpolitik und in den einzelnen Staaten haben (z. B. der Weltwirtschaftsgipfel). Internationale Organisationen leisten damit einen wesentlichen Beitrag zur *→Globalisierung*.

Grundsätzlich haben die Internationalen Organisationen im wirtschaftlichen Bereich eine Stabilisierung der Weltwirtschaft bewirkt und damit zusammen mit der politischen Annäherung die Grundvoraussetzung für eine zukünftig stetigere Entwicklung

Kurzdarstellung einiger Internationaler Organisationen

Internationaler Währungsfond (IWF)
- Gegründet 1944 in Bretton Woods (USA); Sitz: Washington, D.C. (USA); Mitglieder: 182.
- Ziel: Förderung der internationalen Zusammenarbeit auf dem Gebiet der Währungspolitik, insbes. die Stabilisierung der Wechselkurse.
- Instrumente: Überwachung und Beurteilung der Wechselkurspolitik der Mitglieder; Finanzhilfen (Kredite und Darlehen) zum Ausgleich von Zahlungsbilanzungleichgewichten, meist verbunden mit wirtschaftspolitischen Auflagen; Vermittlung von Fachkenntnissen in Bereichen der Geld- und Fiskalpolitik.
- Internet: www.imf.org

Weltbank (IBRD)
- Gegründet 1944 in Bretton Woods (USA); Sitz: Washington, D.C. (USA); Mitglieder: 184.
- Ziel: Entwicklungshilfe zur Bekämpfung von Armut und zur Schaffung eines nachhaltigen Wirtschaftswachstums in den armen und ärmsten Ländern der Welt, Unterstützung insbes. im Bereich der Bildung und Gesundheit.
- Instrumente: Finanzhilfen (Darlehen und Kredite); Analyse und Beratung; Vermittlung von Fachkenntnissen.
- Internet: www.worldbank.org

Organisation der Vereinten Nationen (UNO)
- Seit 1945 in Kraft; Sitz: New York; Mitglieder: 191.
- Ziel: Sicherung von Frieden und Sicherheit, Wahrung der Menschenrechte, friedliche Kooperation zwischen den Nationen, Schlichtung internationaler militärischer, wirtschaftlicher, sozialer, humanitärer und kultureller Konflikte.
- Instrumente: Die „Familie" der Vereinten Nationen umfasst 15 Unterorganisationen sowie diverse Programme und Ausschüsse mit jeweils eigenen Agendas und Budgets.
- Internet: www.un.org

Allgemeines Zoll- und Handelsabkommen (GATT)
bzw. Welthandelsorganisation (WTO)
- Multilateraler Vertrag, geschlossen 1948 in Genf (Schweiz); Sitz: Genf; Mitglieder: 142 (WTO).
- Ziel: Abbau von Handelshemmnissen und Zöllen, als Basis einer später nicht gegründeten Handelsorganisation unterzeichnet; nahm mit der Zeit den Charakter einer Internationalen Organisation an.
- Instrumente: offizielle Verhandlungsrunden zwischen allen Vertragsparteien; Anwendung vom Prinzip der *Meistbegünstigung* (Zollvorteile, die einem Mitgliedsland zugesprochen werden, gelten sofort und bedingungslos ebenso für alle anderen Mitglieder) und *Reziprozität* (gleichwertige Zugeständnisse für Vergünstigungen) unter den Vertragspartnern sowie das Verbot der Verschärfung alter und der Einführung neuer Handelshemmnisse; Möglichkeiten der Schlichtung von Konflikten, Überwachung und Analyse der nationalen Handelspolitik von Mitgliedern, Sonderstellung für Entwicklungsländer (sog. Enabling Clause).
- Resultat: Verhandlungsrunden führten zu einer Reduktion der Zölle weltweit und zum Verbot jeglicher mengenorientierter Handelshemmnisse; die letzte Verhandlungsrunde (Uruguay 1986-1994) resultierte in der Gründung der Wellthandelsorganisation (WTO) am 01. Januar 1995 als Nachfolge-Organisation.
- →*Welthandelsordnung*
- Internet: www.wto.org

Die Verhandlungs- und Zollsenkungsrunden des GATT

Verhandlungsrunde Ort / Bezeichnung	Jahr	Ø gewichtete Zollsenkung (%)	Wert des von Zollsenkungen erfassten Handels in Mrd. US-$	% des Welthandels	Ø Zollsätze von 19 Industrienationen (%)	Anteil der freien Importe an den Gesamtimporten (%)
Genf	1947	19	10	ca. 20		
Annecy	1949	2	k.A.	k.A.		
Torquay	1950/ 1951	3	k.A.	k.A.		
Genf	1955/ 1956	2	2,5	2,7		
Genf (Dillon Runde)	1961/ 1962	7	4,9	3,5		
Genf (Kennedy-Runde)	1964-1967	35	400	18,6	6,2 – 8,1	
Genf (Tokio-Runde)	1973-1979	34	148	9	2,3 – 7,9	20
Genf (Uruguay-Runde)	1986-1993	38	464	25	2,9 – 4	43
Doha	2001-2005	Themenbereiche: Marktzugang, Handel und Dienstleistungen, Anti-Dumping, Investitionen, Wettbewerb, Handelserleichterungen, E-Commerce, Sonderstellung der Entwicklungsländer i. w. S.				

Quellen: Hasse, R./ Koch, T. (1987), *Das GATT*, in: WiSU, Nr. 12, S. 608-610; Financial Times vom 16.12.93.

der Menschheit geschaffen. Der Prozess der weltweiten Annäherung war und ist immer von Rückschlägen begleitet, aber das neue System hat sich als relativ krisenfest und stabil erwiesen. Ohne Zweifel kann die heutige internationale Ordnung als ein historisch einmaliges Resultat der Bemühungen um eine freiheitlich und demokratisch orientierte Welt bezeichnet werden.

Literaturhinweise:
ANDERSEN, U./ WOYKE, W. (Hrsg.) (1995), *Handwörterbuch Internationale Organisationen*, 2. Aufl., Opladen; DEUTSCHE BUNDESBANK (1992), *Internationale Organisationen und Gremien im Bereich von Währung und Wirtschaft*, 4. Aufl., Frankfurt/ M.; PLOETZ, C. (Hrsg.) (2001), *Der große Ploetz. Daten Enzyklopädie der Weltgeschichte*, 32. neubearbeitete Aufl., Freiburg i. Br.

Marina Ignatjuk

Internationale Währungsordnung

Die Internationale Währungsordnung umfasst die Gesamtheit aller *Konventionen* und *Institutionen*, die das Ziel haben, eine reibungslose Abwicklung internationaler monetärer Transaktionen zu gewährleisten (→*Währungsordnung und Wechselkurssysteme*). Von der Ausgestaltung dieses *Ordnungsrahmens* gehen erhebliche Wirkungen auf die internationale Arbeitsteilung, das Einkommensniveau und die Beschäftigung der beteiligten Länder aus.

Gegenstand internationaler *Konventionen* ist zum einen ein Ordnungsrahmen für den freien Devisentausch (Währungskonvertibilität). Dieser bezieht sich vornehmlich auf die Art des Wechselkurssystems und der Währungsreserven. Grundsätzlich lassen sich drei unterschiedliche Wechselkurssysteme unterscheiden. Im *System flexibler Wechselkurse* bilden sich die Wechselkurse (Austauschverhältnis zweier Währungen) frei durch →*Angebot und Nachfrage* am Devisenmarkt. Staatliche Eingriffe (i. d. R. seitens der nationalen Zentralbanken) zur Veränderung dieses Austauschverhältnisses finden nicht statt.

In *Systemen fester Wechselkurse* sind die Austauschverhältnisse zwischen den Währungen mehrerer Länder durch vertragliche „Paritäten“ fixiert. Abweichungen vom vereinbarten Wechselkurs (bzw. einer vereinbarten Bandbreite, innerhalb derer sich der Wechselkurs frei bewegen kann) verpflichten die nationalen Zentralbanken zu Interventionen am Devisenmarkt, die den Wechselkurs in der entsprechenden Bandbreite halten. Die härteste Form der Wechselkursfixierung („hard peg“) stellen „Currency-Board-Systeme“ dar (Schaffung nationaler Währung ausschließlich durch Ankauf einer Reservewährung bei fester Bindung des Wechselkurses an diese Ankerwährung, vollständige Deckung der umlaufenden Geldmenge durch die Ankerwährungsreserve des Currency Board).

Als *Gesteuerte Wechselkurssysteme* werden Systemvarianten bezeichnet, die im Spektrum zwischen flexiblen und festen Wechselkurssystemen angesiedelt sind. Dazu zählen u. a. das „Kontrollierte Floaten“ (grundsätzlich flexible Wechselkurse bei fallweisen Devisenmarktinterventionen der Zentralbanken), „crawling pegs“ (schrittweise, z. B. monatlich, verschiebbare Paritäten) oder die „Stufenflexibilität“ (grundsätzlich feste Wechselkurse bei fallweisen Paritätsänderungen, z. B. System von Bretton Woods, Europäisches Währungssystem).

Insbesondere im Rahmen von Festkurssystemen besteht für Zentralbanken die Notwendigkeit, *Währungsreserven* in ihrem Portfolio zu halten, um gegebenenfalls ihrer Interventionspflicht in Form von Währungskäufen oder -verkäufen am Devisenmarkt nachkommen zu können. Zu den Währungsreserven gezählt werden die Goldbestände der Zentralbanken, ihr Bestand an Devisen sowie ihr Bestand an künstlich geschaffenen Währungen (z. B. Sonderziehungsrechte des Internationalen Währungsfonds, ECU). Voraussetzung sind internationale Konventionen, welche die Konvertibilität des Reservemediums (Umwandelbarkeit des Reservemediums in andere Währungen zu Marktbedingungen) garantieren.

Gegenstand internationaler Konventionen ist zum anderen die Schaffung eines Ordnungsrahmens für den freien internationalen *Zahlungs- und Kapitalverkehr*. Der ordnungstheoretischen Begründung der Vorteilhaftigkeit eines freien Kapitalverkehrs (Kapitalmobilität) können vor allem die politisch-ökonomischen Interessen einzelner Länder entgegenstehen. So sind Zahlungsbilanzprobleme oder Wechselkursziele häufig Anlass zu Kapitalverkehrskontrollen seitens der betreffenden Länder.

Kapitalverkehrskontrollen können als quantitative Beschränkungen oder als Steuern auf internationale Finanztransaktionen ausgestaltet sein. Zu ihnen gehören bspw. die Genehmigungspflicht für die Vergabe/ Aufnahme von Krediten im Ausland, die Beschränkung grenzüberschreitender Portfolioinvestitionen oder die Zinsausgleichssteuer auf Erträge aus Auslandsinvestitionen. Vor dem Hintergrund der nachteiligen Auswirkungen von Kapitalverkehrskontrollen auf wirtschaftliche *→Integration*, *→Wachstum* und Wohlstand zielen internationale Konventionen (z. B. IWF-Statut, EG-Vertrag) auf den Abbau von Kapitalverkehrskontrollen ab. Überwachung und Durchsetzung währungspolitischer Konventionen obliegt nationalen und supranationalen *Organisationen*.

Die währungspolitische Kompetenz auf nationaler Ebene liegt zumeist bei den jeweiligen *Zentralbanken*. Sie sind verpflichtet, die Geldwertstabilität (*→Preisniveaustabilität*) sowie die ordnungsmäßige Abwicklung des Zahlungsverkehrs zu gewährleisten. In Systemen fester Wechselkurse besteht zusätzlich eine Interventionspflicht. Als supranationale Organisation besteht die Aufgabe der *Bank für Internationalen Zahlungsausgleich (BIZ)* darin, die Zusammenarbeit der Zentralbanken zu fördern, neue Möglichkeiten für internationale Finanzgeschäfte zu schaffen und als Treuhänder oder Agent bei den ihr übertragenen Zahlungsgeschäften zu wirken. Die Mitgliedstaaten des *Internationalen Währungsfonds (IWF)* verpflichten sich zu einer engen Zusammenarbeit in Fragen der internationalen Währungspolitik und des Zahlungsverkehrs sowie zu gegenseitiger finanzieller Hilfe bei Zahlungsbilanzproblemen, um auf diese Weise zur Förderung von Welthandel und Wohlstand beizutragen. Die Institutionen der *Weltbankgruppe* verfolgen das gemeinsame Ziel, die wirtschaftliche Entwicklung in weniger entwickelten Mitgliedstaaten durch finanzielle Hilfen und Beratung zu fördern (*→Internationale Organisationen*).

Probleme für die Internationale Währungsordnung resultieren aus einer zunehmenden *→Globalisierung* von Finanz- und Gütermärkten wie auch von *→Unternehmen*. Volumen und (vermehrt spekulative) Volatilität von Kapitalströmen und davon bedingte Währungskrisen (z. B. Asienkrise 1997) erfordern eine Reform der bestehenden Weltwährungsordnung. Vorschläge richten sich dabei vor allem auf eine verstärkte Transparenz (Frühwarnindikatoren für Währungskrisen, Sicherheitsstandards im Rahmen der Bankenaufsicht) sowie auf den Kompetenzbereich supranationaler Währungsbehörden (z. B. IWF).

Literaturhinweise:
DEUTSCHE BUNDESBANK (1997), *Internationale Organisationen und Gremien im Bereich von Währung und Wirtschaft*, Sonderdrucke der Deutschen Bundesbank Nr. 3, Frankfurt/ M.; FRENKEL, M./ MENKHOFF, L. (2000), *Stabile Weltfinanzen? – Die Debatte um eine neue internationale Finanzarchitektur*, Berlin; WILLMS, M. (1995), *Internationale Währungspolitik*, 2. Aufl., München.

Carsten Eppendorfer

Internationale Wanderungen

1. Fakten

Die Geschichte der Menschheit ist auch eine Geschichte der Wanderungen. Seit es den ‚homo sapiens' gibt, finden wir auch den ‚homo migrans', denn bekanntlich steht am Anfang der Bibel die Geschichte einer Vertreibung, und das Neue Testament beginnt mit der Geschichte einer Flucht. In vielen weiteren Episoden zieht sich die Geschichte der Wanderung durch die Weltgeschichte, sei es in Form der Eroberung, der Zerstörung, der Unterdrückung, der Ausgrenzung und der Abschottung. Wanderungen sind nach Geburt und Tod der dritte Faktor, der Umfang und Entwicklung der Bevölkerung bestimmt (→*Demographische Entwicklung*).

1.1 Die vergessene historische Dimension

Die Geschichte der Menschheit kannte immer schon starke Wanderungsbewegungen. Erinnert sei an die Völkerwanderungen der Antike und des Mittelalters oder die interkontinentalen Auswanderungswellen aus Europa in die Neue Welt und in die fernen Kolonien. Die Wanderungsströme des 19. Jahrhunderts waren vor allem eine interkontinentale *permanente Aussiedelung* aus relativ reichen europäischen Ländern nach den relativ armen traditionellen Aufnahmeländern USA, Kanada, Australien und Neuseeland sowie Lateinamerika. Damals interessierten vor allem die Folgen der Emigration. Nach dem Zweiten Weltkrieg änderten die Wanderungsströme die Richtung. Dominierend wurde zunächst die Arbeitsmigration aus ärmeren Ländern des Südens nach reicheren Industriestaaten des Nordens, die in der Regel lediglich temporär geplant war – so etwa die Gastarbeiterprogramme in Europa oder das Bracero-Programm zwischen Mexiko und den USA. Bald erwies sich jedoch, dass nichts permanenter war als die temporär gedachte Migration. Die Gastarbeiter brachten früher oder später ihre Familien mit, die soziale Kontakte knüpften und politische Mitsprache suchten. Neben den ökonomischen Konsequenzen der Einwanderung traten damit die sozialen und (verteilungs-) politischen Folgen in den Vordergrund. Letztere wurden umso augenfälliger, je mehr gegen Ende des 20. Jahrhunderts Asylsuchende und (Gewalt-) Flüchtlinge die europäischen Migrationsstatistiken zu prägen begannen.

1.2 und die überschätzte aktuelle Dimension!

Weltweit leben heute gerade einmal 150 Millionen Menschen außerhalb ihres Heimatlandes. Das entspricht zwar etwa der Bevölkerung Russlands, das bezogen auf seine Einwohnerzahl auf Platz 6 der Weltrangliste steht. Wenn aber die Weltbevölkerung von insgesamt 6 Milliarden als Vergleichsmaßstab gewählt wird, schrumpft der Anteil der Ausländer auf 2-3 Prozent! 97 v. H. der Menschen leben in dem Land, dessen Staatsbürgerschaft sie besitzen. Natürlich ließe sich hier argumentieren, dass viele „Inländer" als „Ausländer" geboren wurden, im Laufe ihres Lebens die Staatsbürgerschaft gewechselt haben und somit aus den Ausländerstatistiken gefallen sind. Tatsächlich dürften die Wanderungszahlen demnach höher als bei den angegebenen 150 Millionen Menschen liegen.

Selbst innerhalb kulturell und sprachlich sehr ähnlichen „natürlichen" Lebensräumen bleibt die grenzüberschreitende, internationale Migration schwach – so auch innerhalb der Europäischen Union (→*EU*). Obwohl innerhalb der EU Freizügigkeit für alle Arbeitskräfte und ihre Angehörigen gilt, ist es kaum zu starken inner-EU-Wanderungsbewegungen gekommen. Nur in *Belgien* erreicht der Anteil der EU-Ausländer 5 v. H. der Wohnbevölkerung. In *Frankreich, Deutschland, Schweden* und *Irland* sind nur rund 2 v. H. der Wohnbevölkerung EU-Ausländer, in allen anderen EU-Ländern liegt der Anteil der EU-Ausländer an der Wohnbevölkerung bei rund 1 v. H.

Alles in allem bleibt der „homo migrans" auch im Zeitalter der →*Globalisierung* noch immer eine verschwindende Minderheit. Dabei darf aus einer eurozentrierten Sicht nicht vergessen werden, dass die Süd-Süd-Wanderungen in Afrika oder Asien noch immer quantitativ bedeutender sind als die Süd-Nord- oder Ost-West-Wanderungen. Dramatischer wurden sie vor allem dadurch, dass im vergangenen 20. Jahrhundert die von (europäischen) Kolonialisten und deren Nachfahren künstlich gezeichneten Staatsgrenzen dazu führten, dass in Afrika, Asien und Lateinamerika oft innerhalb desselben Kulturkreises starke Wanderungsbewegungen entstanden. Weltkriege und politische Reißbrettentscheidungen taten ein Übriges dafür, dass im 20. Jahrhundert nicht nur Menschen auf der Flucht waren, sondern in Europa ebenso wie in Afrika und Asien wohl weit mehr *Grenzen über Menschen* verschoben wurden als *Menschen über Grenzen* gewandert sind.

2. Ursachen

Wanderungsströme sind durch eine Kombination mehrerer verschiedener Ursachen gekennzeichnet. In der Regel sind ökonomische Faktoren nur ein notwendiges, längst aber nicht hinreichendes Migrationsmotiv.

2.1 Mikroökonomische Faktoren

Aus ökonomischer Sicht ist der *Wanderungsentscheid* das *Ergebnis eines individuellen Such- und Optimierungsprozesses.* Angenommen wird, dass Menschen Vor- und Nachteile des Wanderns bzw. des Verharrens rational abwägen und anstreben, mit ihrem Verhalten den persönlichen Nutzen (die Lebensqualität) zu maximieren. Folgerichtig sind Menschen dann bereit zu wandern, wenn die Migration im Vergleich zum Verbleiben einen höheren persönlichen *Nutzen* erwarten lässt.

Die Migrationsentscheidung ist aus der Sicht des Einzelnen also das wohlüberlegte Ergebnis eines Bewertungsprozesses. Einflüsse des persönlichen Lebenszyklus (Alter, Geschlecht, Gesundheit, Familienstand, Kinderzahl, Investitionen in das eigene Humankapital) prägen das individuelle Migrationsverhalten. Das Kalkül macht verständlich, weshalb jüngere, ledige Männer mit guter Gesundheit allgemein eine höhere Mobilitätsbereitschaft aufweisen als ältere Verheiratete mit Kindern.

Anstatt Migration als wohldurchdachtes Ergebnis eines individuellen Entscheides zu betrachten, kann die Auswanderung eines Einzelnen als strategisches Verhalten einer *Familie* oder *Kleingruppe* verstanden werden. Die Familie oder Gruppe beschließt im Sinne einer *Risikoverteilung*, einzelne ihrer Mitglieder ‚auf Wanderung zu schicken' (der Risikostreuungsstrategie innerhalb des Portfolios eines Kapitalanlegers zu vergleichen). Erfolgreiche Zuwanderer ziehen andere Familien- oder Gruppenmitglieder nach und erleichtern diesen den Einstieg im Zielland (‚Schneeballeffekt', der zu Netzwerkmigration führen kann). Weniger erfolgreiche wandern entweder zurück oder versuchen ihr ‚Glück' in einem anderen Zielland. Für die *Familie* oder die *Gruppe* ergibt sich aus diesem kollektiven Verhalten eine *Risikominderung* (‚einer kommt durch') und längerfristig eine *Kostensenkung* (‚schlechte' Zielländer können durch ‚erfolgversprechende' ersetzt werden).

2.2 Makroökonomische Faktoren

Aus einer gesamtwirtschaftlichen Sicht sind unterschiedliche Lebensbedingungen zwischen verschiedenen Weltregionen eine wesentliche Voraussetzung für das Auslösen von Wanderungsprozessen. Die Unterschiede können wirtschaftliche Gründe (unterschiedliche Pro-Kopf-Einkommen), aber auch politische Ursachen haben (z. B. Krieg, unterschiedliche Stabilität, mangelnde Rechtssicherheit, unzureichender Minderheitenschutz oder fehlende Freiheitsrechte u. a. m.). Ebenso kann Auswanderung eine Reaktion sein auf fehlende lokale Perspektiven eines Strukturwandels von der Agrar- zur Industriegesellschaft. Schließlich dürften ökologische Kollapse auch immer wieder zu sog. Umweltflüchtlingen führen.

3. Folgen

Die Effekte der Migration sind komplex und vielfältig. Vor allem die zeitliche Dimension und die Wechselwirkungen sind wichtig. Kurzfristige Niveaueffekte werden von langfristigen Wachstumseffekten überlagert. Zuwanderung verändert das verfügbare Arbeitsangebot und damit die relativen Knappheiten der Produktionsfaktoren.

3.1 Makroökonomische Folgen der Zuwanderung

Arbeitskräftewanderungen sind zunächst einmal positiv zu bewerten. Sie sind ein Ausgleichsverfahren. Zuwanderung erlaubt, einen Mangel auf dem Arbeitsmarkt zu beseitigen und Köpfe oder Hände, die im Inland fehlen, im Ausland zu suchen und zu finden. Damit ist Migration eine Art *Arbitragephänomen.* Sie trägt dazu bei, Preis- (= Lohn-) Unterschiede auf den Arbeitsmärkten auszugleichen. Messlatte aus der Sicht der Ökonomie ist das „Gesetz des einheitlichen Preises" als „Benchmark" für Effizienz. Diese Regel besagt, dass (handelbare) Güter überall in der Welt mehr oder weniger gleich viel kosten müssten und die reale Kaufkraft der Stundenlöhne für identische Arbeit weltweit ähnlich sein sollte. Zuwanderung ist also für das Gastland makroökonomisch positiv, weil sie zur Stabilität oder gar Senkung des Lohnniveaus beiträgt, zugleich aber →*Beschäftigung* und Nachfrage erhöht. Wie Freihandel auf Gütermärkten ist eine freie Wanderung der Produktionsfaktoren eine unabdingbare Notwendigkeit für das →*Wachstum* des Sozialproduktes.

Migration kann allerdings auch kritischer beurteilt werden. Wenn nämlich nicht nur überzählige Hände, sondern kluge Köpfe wandern, können die Folgen ganz anders sein. Dieses Phänomen wird als „Brain-drain" bezeichnet und konnte beispielsweise im Falle der Süd-Nord-Wanderung in Italien beobachtet werden. Migration ist dann nicht ein ausgleichendes Regulativ oder ein kurzfristiges Arbitragephänomen, sondern eine selbstverstärkende Ursache für ein beschleunigtes Auseinanderklaffen der wirtschaftlichen Entwicklung von faktorexportierenden armen und faktorimportierenden reichen Ländern. Sie vergrößert dann die *Wohlfahrtsdifferenzen* zwischen unterentwickelten (peripheren) Herkunfts- und industrialisierten Zielregionen.

3.2 Die Verteilungsproblematik

Das *Problem der Migration* liegt darin, dass Zuwanderung für die Volkswirtschaft zwar insgesamt positiv ist, dass aber nicht alle Einheimischen zu den Gewinnern gehören. Durch die Zuwanderung wird ein Strukturwandel ausgelöst, der langfristig zwar dringend notwendig ist und der erlaubt, die durchschnittliche Produktivität zu erhöhen. Kurzfristig kommt es aber zu Verdrängungseffekten für einzelne. Insbesondere verlieren jene Einheimischen, die im Produktionsprozess Aufgaben erfüllen, bei denen sie durch die Zuwandernden ersetzt werden. Werden beispielsweise wie im Falle der IT-Green Card im deutschen Arbeitsmarkt fehlende Informatiker(innen) im Ausland angeworben, werden in der Tendenz die Löhne jener einheimischen Spezialist(inn)en sinken, die mehr oder weniger denselben Job erfüllen. Hingegen profitieren komplementäre deutsche Produktionsfaktoren (z. B. arbeitgebende Firmen). Dank der zuwandernden IT-Spezialisten steigt deren eigene Arbeitsproduktivität.

Schließlich konkurrieren Einwanderer mit Einheimischen um:

- *Sozialleistungen*, die direkt über Beiträge oder indirekt über Steuergelder finanziert werden und um
- die *Nutzung öffentlicher Güter* (Rechtsrahmen, Justizwesen, innere und äußere Sicherheit), Infrastrukturanlagen (Verkehrs-, Telekommunikations- und Energienetze) und Dienstleistungen (Gesundheits-, Bildungswesen), die allen zur Verfügung stehen und die direkt über Abgaben und Gebühren oder indirekt über Steuern finanziert werden.

In welchem Ausmaß Einwanderer mit zur Finanzierung der von ihnen beanspruchten Sozial- und Fürsorgeleistungen sowie der von ihnen mitgenutzten öffentlichen Güter beitragen, hängt eng mit den Möglichkeiten zusammen, die den Zuwandernden auf dem Arbeitsmarkt sowohl konjunkturell als auch *einwanderungsrechtlich* offen stehen. Nicht zuletzt sind Aufenthaltsdauer und der Prozess der Integration bzw. der Assimilation wichtig. Zum Urteil über die Effekte der Zuwanderung tragen ebenso *Agglomerations- oder Ballungs*effekte sowie *Verdrängungs*effekte bei. Dabei geht es weniger um objektive gesamtwirtschaftliche Belastungen als weit stärker um subjektive individuelle Betroffenheiten.

Im Europa der Zukunft werden Arbeitskräfte knapper werden. Der Rückgang der Geburten in der letzten Dekade wird in den kommenden Jahren ein Nachwuchsproblem verursachen – gerade auch in jenen Bereichen des *→Sozialstaates*, in denen künftige Generationen alte Lasten abzutragen haben. Je stärker Westeuropa demographisch altert, weil immer mehr immer älteren Menschen immer weniger Junge gegenüberstehen, desto notwendiger wird der Zugriff auf ausländische Arbeitsmärkte werden (*→Demographische Entwicklung*). Dazu kommt, dass in einer hoch arbeitsteiligen „globalisierten" Welt eine nationale Abschottung der Arbeitsmärkte zunehmend zum Anachronismus wird (*→Globalisierung*). Sie ist wirtschaftlich teuer, bedarf eines kostspieligen Kontrollapparates und provoziert illegale (Umgehungs-) Geschäfte. Das eigentliche Migrationsproblem Europas des 21. Jahrhunderts dürfte somit nicht durch zu viel, sondern durch zu wenig Mobilität verursacht werden.

Literaturhinweise:
BADE, K. (2000), *Europa in Bewegung*, München; OECD (2001), *Trends in International Migration* (Sopemi 2000), Paris (OECD); STRAUBHAAR, T. (2001), *Migration im 21. Jahrhundert – Von der Bedrohung zur Rettung sozialer Marktwirtschaften?*, Tübingen.

Thomas Straubhaar

Interventionismus

Planwirtschaften des *administrativen →Sozialismus* sind durch einen systematischen und umfassenden Staatsinterventionismus im Dienste der Erfüllung der Volkswirtschaftspläne gekennzeichnet. Demgegenüber dient der Interventionismus (*→Interessenverbände, Lobby*) in *→Marktwirtschaften* dazu, die Struktur, den Ablauf und die Ergebnisse des Marktgeschehens im Hinblick auf Sonderinteressen unsystematisch (punktuell) zu korrigieren. Vor allem Verbände, →*Parteien* und staatliche Bürokratien sind im politischen Prozess der Demokratie treibende Kräfte des Interventionismus. →*Unternehmen*, Branchen, Regionen und Wählergruppen sind Nachfrager nach Einkommensvorteilen, wirtschaftlichen *Renten*, die im Rahmen einer marktwirtschaftlichen Wettbewerbsordnung nicht in der gewünschten Weise realisierbar sind. Die Parteien versprechen sich hiervon Vorteile auf dem Wählerstimmenmarkt, die Verbände bei der Anwerbung von Mitgliedern. Die staatlichen Bürokratien profitieren insofern, als sie mit wirtschaftspolitischen Eingriffen ihre Aufgaben und Befugnisse ausweiten, die notwendigen finanziellen Budgets verwalten und zur eigenen Existenzsicherung und Einkommensmehrung nutzen können. Die politische Durchsetzbarkeit punktueller Interventionen wird im politischen Geschehen vielfach dadurch erleichtert, dass der Nutzen den Adressaten gezielt zugute kommt, die Kosten hingegen breit gestreut anfallen, kaum spürbar und dadurch schwer zurechenbar sind.

Mit Interventionen wird eine Vielzahl zumeist nur ungenau definierter Ziele verfolgt. Die vage Formulierung erhöht den Entscheidungsspielraum der Handelnden. Er soll letztlich dazu genutzt werden, wirtschaftliche oder soziale Endergebnisse zu erreichen, von denen angenommen wird, dass sie im Prozess des marktwirtschaftlichen →*Wettbewerbs* nicht erreicht werden können: Die Erhaltung und Schaffung von Arbeitsplätzen in bestimmten Unternehmen, Branchen und Regionen, die Gestaltung von Wirtschaftsstrukturen im Hinblick auf bestimmte entwicklungs-, industrie-, sozial- oder integrationspolitische Ziele. Besonders im konjunkturellen Abschwung und in strukturellen Umbruchsituationen ist mit zunehmenden interventionistischen Neigungen zu rechnen. So können in den Transformationsgesellschaften Mittel- und Osteuropas starke Bestrebungen beobachtet werden, am gewohnten systematischen Interventionismus und der damit verbundenen Sicherung der wirtschaftlichen und sozialen Positionen so weit wie möglich festzuhalten.

Die Eingriffe erfolgen zwar punktuell, in ihrer Wirkung strahlen sie aber auf andere Bereiche aus. So ist es oftmals erforderlich, einer Intervention weitere folgen zu lassen, um unerwünschte Wirkungen der ersten zu korrigieren. In solchen *Interventionsketten* zieht jeder Eingriff weitere Interventionen nach sich. So breitet sich der Interventionismus ölfleckartig aus.

Als Ansatzpunkte für die Eingriffe kommen alle wettbewerbsrelevanten Aktionsparameter in Frage: Marktzugangs- und Marktaustrittsbedingungen (→*Offene Märkte*), gezielte Preisbelastungen und -entlastungen sowie Mengenregulierungen (Quotierungen) im Bereich der Faktor- und Produktmärkte, Produktions- und Qualitätsvorschriften, die unternehmerische Investitions- und Absatzpolitik. Die Maßnahmen können sektoral oder regional begrenzt sein, sich aber auch auf unternehmens- und produktspezifische Beschränkungen der Tauschfreiheit beziehen.

Zu den Folgen des Interventionismus gehören neben Verzerrungen und Verfälschungen der nationalen und internationalen Arbeitsteilung und des Wettbewerbs die Minderschätzung einer übergeordneten Idee wirtschaftspolitischen Handelns, etwa im Sinne der „Wirtschaftsverfassung des Wettbewerbs". Die staatlichen Interventionsressorts erhalten im Zusammenwirken mit Interessenverbänden und parteipolitischen Gruppierungen den Charakter von eigenständigen wirtschafts- und sozialpolitischen Machtkörpern. Der Staat verliert die Fähigkeit, sachgerecht zu handeln und sieht sich hartnäckigen Erpressungsversuchen seitens der Gruppierungen ausgesetzt, denen er bereits Sondervergünstigungen zugestanden hat. Der Interventionismus ist anfällig für Korruption, Subventionsmentalität und -kriminalität.

Um das zu vermeiden, sollten sich punktuelle staatliche Eingriffe in den Wirtschaftsprozess nur auf solche Fälle beschränken, in denen – wie bei bestimmten Umweltschädigungen (→*Umweltpolitik*, →*Umweltschutzziele*) oder plötzlichen Notlagen (Katastrophen) – negative externe Effekte vorliegen, die sich nicht, nicht hinreichend oder nicht schnell genug durch Einbeziehung (Internalisierung) in den marktwirtschaftlichen Rechnungszusammenhang beseitigen lassen.

Literaturhinweise:

RÖPKE, W. (1929), Staatsinterventionismus, in: *Handwörterbuch der Staatswissenschaften*, 4., gänzlich umgearbeitete Aufl., Jena, Ergänzungsband, S. 861-882;
SCHÜLLER, A. (1998), *Der wirtschaftspolitische Punktualismus: Triebkräfte, Ziele, Eingriffsformen und Wirkungen*, ORDO-Jahrbuch für die Ordnung von Wirtschaft und Gesellschaft, Band 49, S. 105-126.

Alfred Schüller
Thomas Welsch

Korruptionsfreiheit in den Ländern der EU, EU-Beitrittskandiaten u. a.

Rang		Rang		Rang		Rang	
1	Finnland	16	USA	28	Slowenien	47	Estland
2	Dänemark	18	Irland	29	Italien	51	Litauen
6	Schweden	20	Deutschland	31	Lettland	57	China
7	Kanada	21	Japan	34	Polen	59	Tschechien
8	Niederlande	22	Spanien	38	Ungarn	69	Slowakei
9	Luxemburg	23	Frankreich	42	Griechenland		
13	Großbritannien	24	Belgien	44	Bulgarien		
15	Österreich	25	Portugal	47	Rumänien		

Quelle: Transparency International 2001; Korruption nach Corruption Perceptions Index 2001

Kammerwesen

Allen Kammern liegt das Prinzip der Selbstverwaltung zugrunde. Unter Selbstverwaltung versteht man, dass die Zugehörigen einer Selbstverwaltungskörperschaft ihre Angelegenheiten selbstständig und eigenverantwortlich regeln. Ausgehend von den Stein-Hardenberg-Reformen zu Beginn des 19. Jahrhunderts ist die Selbstverwaltung ein wichtiges Organisationsprinzip demokratischer Staaten. Besondere Bedeutung hat die Selbstverwaltung für die sog. „Gebietskörperschaften"; das sind Gemeinden und Gemeindeverbände, denen das Selbstverwaltungsrecht in Art. 28 des Grundgesetzes verfassungsrechtlich garantiert ist. Auf diese Weise sollen die Bürger stärker an der öffentlichen Verwaltung beteiligt werden. Neben der kommunalen Selbstverwaltung gibt es die wirtschaftliche, die berufsständische und die soziale Selbstverwaltung. Die Träger der wirtschaftlichen Selbstverwaltung sind die →*Industrie- und Handelskammern*; berufsständische Kammern sind z. B. die Ärztekammern, die Rechtsanwaltskammern und Architektenkammern, während die Sozialversicherungsträger der sozialen Selbstverwaltung zugeordnet werden.

Für alle Kammern gelten folgende Organisationsprinzipien:

- Sie sind Körperschaften des öffentlichen Rechts, d. h. sie werden vom Staat aufgrund eines Gesetzes errichtet und mit der Wahrnehmung bestimmter Aufgaben betraut;
- das Gesetz legt fest, wer den Kammern als (Pflicht-) Mitglied zugehört (z. B. alle Kaufleute, alle Handwerker, alle Ärzte usw.);
- die Kammerzugehörigen bringen durch Beiträge die zur Aufgabenerfüllung erforderlichen Finanzmittel selbst auf und überwachen ihre sachgemäße und sparsame Verwendung;
- kennzeichnend für alle Selbstverwaltungskörperschaften sind die maßgeblichen Mitwirkungsrechte der gewählten Vertreter der Zugehörigen bei der Besetzung der Haupt- und Ehrenämter sowie bei der Festlegung des Haushalts und der Entscheidung grundsätzlicher Fragen.

Der Staat errichtet die Kammern, um sich deren Sachverstand zunutze zu machen und eine möglichst sachgerechte, ortsnahe und rationelle Aufgabenerledigung sicherzustellen und damit zugleich seine eigenen Verwaltungseinrichtungen zu entlasten. Damit sind die Kammern zugleich auch eine Ausprägung des Subsidiaritätsprinzips, welches besagt, dass grundsätzlich die kleinere Einheit (z. B. die Familie oder Gemeinde) ihre Angelegenheiten selbst erledigen sollte und erst dann von größeren Einheiten (z. B. Land oder Bund) unterstützt werden sollte, wenn die Aufgabenerledigung ein übergeordnetes Tätigwerden erfordert.

Hans Werner Hinz

Kapitalmärkte

Auf dem Kapitalmarkt treffen Anbieter und Nachfrager von Geldkapital zusammen. Volkswirtschaftlich besteht die Aufgabe des Kapitalmarkts darin, die individuellen Investitions- und Finanzierungspläne der Wirtschaftssubjekte zu koordinieren. Dabei sollen einerseits das Kapital in die produktivsten Verwendungsmöglichkeiten gelenkt, andererseits die Finanzierung von Realinvestitionen mit den günstigsten Finanzierungsmitteln erfolgen (Allokationsfunktion), um den gesamtgesellschaftlichen Wohlstand zu maximieren.

Dem Kapitalmarkt kommt – wie Kreditinstituten auch – eine Transformationsfunktion zu. Das Kapitalangebot aus vielen kleineren Quellen wird gesammelt. Die große Menge des zufließenden Kapitals erlaubt es, auch kurzfristiges Kapital langfristig auszuleihen; d. h. die Bindungsfristen von Kapitalgeber und -nehmer werden voneinander gelöst. Diese *Sammelfunktion* und *Fristentransformationsfunktion* nehmen auch die Kreditinstitute wahr. Ebenso werden Risiken gestreut („diversifiziert") und ausgeglichen sowie ungleiche Informationsstände der Marktteilnehmer eingeebnet. Diese Transformationsleistungen werden aber nur dann am Kapitalmarkt stattfinden, wenn sie dort günstiger erbracht werden als durch Finanzintermediäre, wie z. B. Banken. Daher spielen die Formen der Marktorganisation und die damit verbundenen Kosten – etwa für die Informationsbeschaffung und -verarbeitung sowie das Handeln von Finanzprodukten – eine bedeutende Rolle.

Häufig wird der Kapitalmarktbegriff für die längerfristigen Segmente der Geldanlage bzw. -beschaffung in Form von (vor allem) Aktien und Anleihen verwendet. Begrifflich können hiervon der (kürzerfristige) Geldmarkt sowie der sog. Kreditmarkt (für den Abschluss individuell ausgestalteter, nicht handelbarer Finanzverträge bei Banken, Versicherungen usw.) unterschieden werden.

Bei der Aktie handelt es sich um ein Papier, das einen Anteil an einer Unternehmung verbrieft. Das Geld, das diese durch die Ausgabe (Emission) am sog. Primärmarkt erhält, steht ihr zeitlich unbegrenzt zur Verfügung. Unabhängig davon können die Inhaber der Aktie diese z. B. an Börsen, also im sog. Sekundärmarkt, handeln, so dass sie ein relativ leicht liquidierbares Papier (d. h. in liquide Mittel verwandelbar) in den Händen halten. Ihr Erfolgsanspruch (Dividende) ist insofern variabel, als er sich nach dem von der jeweiligen Unternehmung erzielten und ausgeschütteten Gewinn richtet. Somit besteht die Chance auf hohe Ausschüttungen in für die Unternehmung wirtschaftlich günstigen Situationen. Andererseits läuft der Anleger (Investor) jedoch auch Gefahr – und dies macht die Aktie zum Risikopapier –, dass in schlechten Zeiten keine Dividende gezahlt wird und zudem der Aktienkurs sinken kann. Diesen Risiken steht wiederum die Möglichkeit zur Mitbeeinflussung der Geschicke der Gesellschaft gegenüber, die im Rahmen der jährlichen Hauptversammlung genutzt werden kann. Allerdings machen von dieser Option nur wenige Kleinaktionäre Gebrauch. Sie können ihr Stimmrecht z. B. an diejenigen Kreditinstitute delegieren, bei denen sie ihr Wertpapierdepot unterhalten.

Seit Mitte der 1990er Jahre hat die Finanzierung von Unternehmen über Aktienmärkte einen starken Aufschwung genommen. Waren noch 1996 unter 20 Börsengänge zu verzeichnen, so stieg die Zahl der Unternehmen, die erstmals Aktien ausgaben, 1999 auf 170 und lag 2000 bei 130 Unternehmen, wobei sich der Wertumfang der neuen Aktien bei über 5 bzw. 3,6 Mrd. Euro bewegte. Damit findet der in Deutschland bis vor wenigen Jahren noch unterentwickelte Markt für Aktienkapital (= Risikokapital) allmählich Anschluss an die internationale Entwicklung. Hervorgerufen wird diese Tendenz durch eine stärkere Bereitschaft privater Haushalte, sich auch in Aktien zu engagieren. Dieses wiederum wurde vor allem durch große, sehr öffentlichkeitswirksame Emissionen ehemaliger →*öffentlicher Unternehmen* (Telekom, Post) gefördert; hinzu kommen eine stärkere ökonomische Aufklärung breiter Bevölkerungsschichten und eine veränderte Risikoeinstellung der „Generation der Erben“. In der Vermögensanlage der Privaten nehmen Aktien mittlerweile einen Anteil von gut fünf Prozent für die direkte Anlage und zwei Prozent über Fonds ein (Ende 2002). Die Zahl der Aktionäre stieg von 3,2 Mio. 1988 auf bis zu 6,2 Mio. 2000, so dass zehn Prozent der Bevölkerung über 14 Jahren Aktionäre waren. Diese Rekordzahlen waren dann leicht rückläufig, da der deutsche Aktienmarkt zwischen 2000 und 2004 rd. die Hälfte seines Werts verlor.

Der Aktienhandel über die Börse spielt sich in verschiedenen Segmenten ab. Im amtlichen Handel werden die umsatzstärksten Aktien notiert; seine Entwicklung wird durch den DAX (Deutscher Aktienindex) abgebildet (sog. Preisbildungs- bzw. Signalfunktion der Börse). Für junge, technologieorientierte Unternehmen bestand dagegen das Segment des Neuen Marktes, das jedoch nach Kurseinbrüchen infolge vor allem krimineller Handlungen in einzelnen Gesellschaften geschlossen wurde. Seither wird – je nach Umfang der von den →*Unternehmern* veröffentlichen Informationen – zwischen *Prime* und *General Standard* unterschieden.

Während eine Unternehmung durch die Ausgabe von Aktien Beteiligungskapital (= Eigenkapital) erhält, kann sie sich durch die Emission von Anleihen (Obligationen, Schuldverschreibungen) Fremdkapital zuführen. Diese weisen grundsätzlich die gleichen Charakteristika wie Bankkredite auf, sind jedoch im Gegensatz zu diesen an der Börse handelbar. Sie verbriefen das Recht des Gläubigers auf Rückzahlung des von der Unternehmung bei der Emission aufgenommenen Kapitalbetrags sowie auf eine vom Gewinn der Gesellschaft unabhängige Verzinsung. Diese ist vor Ausschüttung einer eventuellen Dividende zu leisten, so dass der Risikograd der Anleihe gegenüber der Aktie aus Sicht des Investors geringer einzustufen ist. Im Übrigen wird das Kapital nur für einen begrenzten Zeitraum zur Verfügung gestellt. Der Inhaber der Anleihe hat keine Einwirkungsrechte auf die Unternehmensleitung, da er im Gegensatz zum Aktionär nicht „Miteigentümer“ wird.

Der Umlauf festverzinslicher Wertpapiere („Renten“) als gewichtigstes Segment des Anleihemarktes betrug im Jahr 2002 2,5 Bio. Euro. In der Vermögensanlage der Privaten nahmen diese Papiere einen Anteil von 11 Prozent ein (hinzu kommen Zertifikate von Fonds, also von Kapitalanlagegesellschaften, die ebenfalls teilweise in Renten investieren) – gegenüber 24 Prozent bzw. 26 Prozent der klassischen Anlagen in Versicherungen bzw. Bankeinlagen.

Durch den Abbau von Handlungsbeschränkungen und Steuern auf diese Anlageformen sowie als Folge der Fortschritte in der Informationstechnologie hat auch in Deutschland im Laufe der 1990er Jahre die Finanzierung und Geldanlage über Märkte stark an Bedeutung gewonnen. Noch immer besteht jedoch ein deutlicher Nachholbedarf gegenüber dem Entwicklungsstand des Kapitalmarktes in den USA, wo bereits seit Jahrzehnten große Teile der Altersvorsorge privat organisiert werden müssen und daher liquide und zugleich renditestarke, „verbriefte" Produkte wie Aktien und Anleihen stark nachgefragt werden. Wenn auch in Deutschland die Verbriefung („Securitization") zugenommen hat, so besteht hierzulande immer noch eher ein bank- als kapitalmarktorientiertes Finanzsystem.

Literaturhinweise:
SÜCHTING, J./ PAUL, S. (1998), *Bankmanagement*, 4. Aufl., Stuttgart; THIEßEN, F. u. a. (Hrsg.) (1999), *Enzyklopädisches Lexikon des Geld-, Bank- und Börsenwesens*, 2 Bde., 4. Aufl., Frankfurt/ M.; HAGEN, J. v./ STEIN, J. H. v. (Hrsg.) (2000), *Obst/ Hintner – Geld-, Bank- und Börsenwesen*, 40. Aufl., Stuttgart.

Stephan Paul

Katholische Soziallehre

1. Die Wirtschaftsordnung in den Sozialenzykliken

Die moderne Katholische Soziallehre entstand in der Auseinandersetzung der Kirche mit der „Sozialen Frage" und der zu ihrer Lösung miteinander konkurrierenden Wirtschaftsordnungstheorien des →*Liberalismus* und →*Sozialismus*. Während der Liberalismus den „Wohlstand der Nationen" (A. Smith) von der Freiheit auf allen Märkten erwartete, war der Sozialismus (K. Marx, F. Engels) von der Notwendigkeit des „Klassenkampfes" überzeugt, der in einem historischen Prozess über die „Diktatur des Proletariats" in die „klassenlose Gesellschaft" (Kommunismus) führen würde.

In der ersten Sozialenzyklika (Weltrundschreiben) „Rerum novarum" (1891) kritisierte Papst Leo XIII. scharf die damalige frühkapitalistische Klassengesellschaft (RN, Ziffern 1/2). Trotzdem wird die liberale Ordnungstheorie nicht grundsätzlich verworfen, wohl aber das Programm der „Sozialisten": Es sei weit entfernt, etwas zur Lösung „beizutragen" und schädige „die arbeitenden Klassen selbst" (RN, Ziffer 3). Gegen den Liberalismus fordert Leo XIII. eine das reine Marktprinzip relativierende „Lohngerechtigkeit", reklamiert die Koalitionsfreiheit (Gewerkschaftsfreiheit) der Arbeiter als „Naturrecht" und verlangt eine staatliche →*Sozialpolitik* zugunsten der Arbeiter. Er sah also die Möglichkeit, den Grundwert Freiheit und die mit ihm verbundene Institution des Marktes mit der Idee der →*sozialen Gerechtigkeit* so zu verbinden, dass zwischen beiden ein die Wirtschaftsordnung „tragendes", also die Spannung zwischen Freiheit und sozialem Ausgleich „aushaltendes" Gleichgewicht entstand.

Eben dies ist der Grundansatz der später von W. →*Eucken* und von A. →*Müller-Armack* konzipierten „Sozialen Marktwirtschaft“. Ausdrücklich beschäftigt sich damit vierzig Jahre später die zweite päpstliche Sozialenzyklika „Quadragesimo anno“ (1931). Trotz aller Kritik im Einzelnen sei die „kapitalistische Wirtschaftsweise als solche nicht zu verdammen“. Vielmehr komme es darauf an, ihr „die rechte Ordnung zu geben“ (QA, Ziffer 101). Weil eine „zügellose Konkurrenzfreiheit“ leicht „mit dem Überleben des Stärkeren, d. i. allzu oft des Gewalttätigeren und Gewissenloseren enden kann“ (QA, Ziffer 107), dürfe die Wettbewerbsfreiheit als solche „unmöglich regulatives Prinzip der Wirtschaft sein“. Sie sei allerdings „innerhalb der gehörigen Grenzen berechtigt und von zweifellosem Nutzen“, sofern sie eine „kraftvolle Zügelung und weise Lenkung“ durch die Gemeinwohlautorität erfährt (QA, Ziffer 88). Außerdem kritisiert der Papst die damals ungerechte Güterverteilung (QA, Ziffer 60) und empfiehlt die Annäherung des Lohnarbeitsverhältnisses an ein „Gesellschaftsverhältnis“, damit Arbeiter und Angestellte auf diese Weise „zu Mitbesitz oder Mitverwaltung oder zu irgendeiner Art Gewinnbeteiligung“ (QA, Ziffer 65) gelangen.

Den Schlussstein in den Aussagen der Katholischen Soziallehre zur Idee einer Sozialen Marktwirtschaft bildet die Enzyklika „Centesimus annus“ (1991) von Papst Johannes Paul II.: Obwohl sich der Papst dieser spezifisch deutschen Wortschöpfung nicht bedient, beschreibt er aber der Sache nach bis in die Einzelheiten die ordnungsethischen Grundlagen einer →*Sozialen Marktwirtschaft.* Mit den Worten „Freiheit“ und „soziale Gerechtigkeit“ werden die ethischen Grundwerte markiert, mit den Begriffen „→*Marktmechanismen*“ und „öffentliche Kontrolle“ die beiden grundlegenden Ordnungselemente. Mit „guten Arbeitsmöglichkeiten“ und einem „soliden System der beruflichen und sozialen Sicherheit“ wird der besondere Schutz der menschlichen Arbeit und der sozial Schwachen herausgestellt. Hinzu kommen die Elemente „stabile Währung“, „gesundes Wirtschaftswachstum“ und „Sicherheit der sozialen Beziehungen“. Im gleichen Zusammenhang wird eine rechtlich nicht geordnete, sozusagen wilde und wertfreie →*Marktwirtschaft* abgelehnt (vgl. CA, Ziffer 19, 40-42).

2. Sozialethische Grundlagen

Nach dem wichtigsten Satz der Katholischen Soziallehre muss stets die Person „Ursprung, Träger und Ziel“ aller gesellschaftlichen Prozesse sein. Insofern hat sie auch das Recht und die Pflicht, ihre wirtschaftlichen Angelegenheiten in Freiheit, Verantwortlichkeit und Solidarität zu regeln. Um das Ziel des Wirtschaftens, die optimale Güterversorgung aller unter Wahrung von Freiheit und sozialer Gerechtigkeit, zu erreichen, bedarf es zunächst der Institution des Marktes. Die Grundrechte der Produktions- und Konsumfreiheit, der freien Wahl des Berufs, des Arbeitsplatzes und des selbstverantwortlichen Umgangs mit →*Eigentum* in allen seinen Formen lassen sich nur durch eine marktwirtschaftliche Ordnung befriedigend lösen. Insofern ist der Markt als Institution wirtschaftlicher Selbstbestimmung die ordnungspolitische Konsequenz des Grundwertes Freiheit. Für eine christliche Anthropologie ist das Eintreten für eine marktwirtschaftliche Ordnung die notwendige Konsequenz ihrer Sicht des Menschen als freies, verantwortliches Subjekt.

Die Institution des Marktes genügt freilich nicht, um das Ziel des Wirtschaftens zu erreichen. Da längst nicht alle Menschen „marktfähig" sind, muss die Gemeinwohlautorität durch Institutionen des „sozialen Ausgleichs" dafür sorgen, dass alle Glieder der Gesellschaft mindestens mit jenen Gütern ausgestattet werden, die ihnen ein Leben in Würde ermöglichen. Durch dieses Kriterium unterscheidet sich eine Soziale Marktwirtschaft von der individualistischen, reinen Tauschwirtschaftstheorie des Paläo-Liberalismus *(→Liberalismus).*

3. Alte und neue Ziele

Die ursprüngliche Theorie der Sozialen Marktwirtschaft kennt drei wirtschaftsethische Ziele: Das erste und wichtigste ist eine *optimale Güterversorgung,* die nur über die Freiheit der Wirtschaftssubjekte als Grundlage ökonomischer Kreativität erreicht werden kann. Als zweites wirtschaftsethisches Ziel ist die Gewährleistung humaner Arbeitsverhältnisse zu nennen. Während in der Sicht des klassischen Liberalismus auch der Arbeitsmarkt ausschließlich dem Gesetz von *→Angebot und Nachfrage* unterliegt, forderte bereits Leo XIII. (Rerum novarum) eine öffentlich-rechtliche Rahmengesetzgebung mit dem Ziel eines *humanen Mindestschutzes der menschlichen Arbeit.* Das individuelle und kollektive Arbeitsrecht und eine entsprechende eigene Arbeitsgerichtsbarkeit dienen heute dieser Aufgabe. Als drittes Ziel ist die *Solidarität mit den Marktschwachen und Marktpassiven* zu nennen, wie sie im „System der sozialen Sicherheit" systematisch ausgebaut wurde.

Heute sind darüber hinaus als neue ethische Ziele einer Sozialen Marktwirtschaft die *ökologische Verträglichkeit* und die *weltwirtschaftliche Zumutbarkeit* aller wirtschaftlichen Prozesse zu postulieren. Die Ziele einer Sozialen Marktwirtschaft lassen sich nicht einfach über den *→Wettbewerb* erreichen, sondern nur über vom Staat gesetzte rechtliche Rahmenbedingungen, innerhalb derer sich das Marktgeschehen vollzieht.

4. Erneuerte Soziale Marktwirtschaft

Das christliche Menschenbild betont sowohl die Freiheit und Selbstverantwortlichkeit der Person als auch die gleiche Würde aller Menschen. Der mit dem Solidaritätsprinzip verbundene Gedanke der „sozialen Gerechtigkeit" im Sinne eines solidarischen Ausgleichs ist allerdings nur in dem Maße möglich, wie sich Freiheit, Selbstverantwortung und das damit immer auch verbundene Eigeninteresse entfalten können. Nur so kann eine Wirtschaft jene Produktivität hervorbringen, die Wohlstand und sozialen Ausgleich ermöglicht. Die Soziale Marktwirtschaft und der zu ihr gehörende →*Sozialstaat* haben inzwischen zu einer gewaltigen Umverteilung geführt, durch die ca. ein Drittel des Sozialproduktes verteilt wird. Dabei besteht allerdings die Gefahr, dass der innere Zusammenhang zwischen persönlicher Leistung und sozialer Effizienz der Sozialen Marktwirtschaft in Vergessenheit gerät. Es verbreitete sich allmählich eine „Vollkasko-Mentalität", die eine „Rundum-Versorgung" in allen Lebenslagen für selbstverständlich hält.

Angesichts zunehmender →*Globalisierung* der Wirtschaft bei gleichzeitiger Überalterung der Gesellschaft muss das Verhältnis von Aufwand und Ertrag neu „austariert" werden. Das subsidiäre Leistungsfundament unseres Sozialstaats ist zu schmal geworden, um den solidarischen Überbau im bisherigen Umfang auf Dauer zu sichern. Wir brauchen deshalb eine Kurskorrektur in Richtung auf mehr persönliche Selbsthilfe, gesellschaftlich organisierte Solidarität und ökonomische Selbstständigkeit. Insofern ist unter heutigen Bedingungen neu zu fragen: Welche Solidarleistungen sind um der Würde und der damit zusammenhängenden sozialen Rechte willen unverzichtbar? Welche bisherigen Sozialleistungen sind teilweise durch zumutbare Eigenleistungen zu ersetzen?

Die damit zusammenhängenden Probleme werden unter dem Begriff „Erneuerte Soziale Marktwirtschaft" diskutiert. Wer diese Diskussion im Namen einer falsch verstandenen „sozialen Gerechtigkeit" verhindern möchte, der bewirkt nur, dass am Ende alle ärmer werden. Eine Erneuerung der Sozialen Marktwirtschaft beinhaltet deshalb vor allem die Betonung des Subsidiaritätsprinzips, wonach jeder Einzelne nicht nur das Recht, sondern auch die Pflicht hat, all das selbst zu tun, was in seinen Kräften steht. Dies gilt für die Eingliederung in den Arbeitsmarkt, den Erwerb von Wissen und Bildung, die Fähigkeit zur Vermögensbildung und zur selbstverantwortlichen Vorsorge.

Literaturhinweise:
RAUSCHER, A. (1985), Katholische Soziallehre und liberale Wirtschaftsauffassung, in: Ders. (Hrsg.), *Selbstinteresse und Gemeinwohl*, Berlin, S. 279-318; ROOS, L. (1999), Ethische Grundlagen und Zukunft der Sozialen Marktwirtschaft, in: *In christlicher Verantwortung. 50 Jahre Bund Katholischer Unternehmer*, Frankfurt/ M., S. 69-91; DERS. (2001), Subsidiarität, Solidarität und Gemeinwohl als „Baugesetze der Gesellschaft", in: *Fortbildung des Arbeitsrechts nach den Grundsätzen der Subsidiarität, Solidarität und Gemeinwohl*, München; SCHÜLLER, A. (1997), Die Kirchen und die Wertgrundlagen der Sozialen Marktwirtschaft, in: *Soziale Marktwirtschaft: Anspruch und Wirklichkeit seit 50 Jahren*, Ordo, Jg. 48, Stuttgart, S. 227-255.

Lothar Roos

Keynesianismus

Der Keynesianismus beruht auf den Lehren von John Maynard Keynes (1883-1946) und baut diese im Rahmen des Postkeynesianismus bzw. der Neuen Keynesianischen Makroökonomik aus. Keynes' Hauptwerk „The General Theory of Employment, Interest and Money" (1936) ist unter dem Eindruck der Weltwirtschaftskrise zu verstehen. Die lang anhaltende, unfreiwillige →*Arbeitslosigkeit* rief

Zweifel an der bislang vorherrschenden, auf die Selbstregulierungs- und Selbstheilungskräfte des preisgelenkten Marktes vertrauenden Theorie der Klassik hervor (→*Liberalismus*). Keynes entwickelte ein nachfrageorientiertes Modell, das die Unterauslastung des Faktors Arbeit erklären und wirtschaftspolitische Maßnahmen für eine Reduzierung der Unterbeschäftigung anbieten konnte. Eine zu geringe gesamtwirtschaftliche Nachfrage bewirkt, dass die →*Unternehmen* auf den Gütermärkten nicht die gewünschte Menge verkaufen können. Aufgrund unterstellter Preisrigiditäten (mangelnde Beweglichkeit der Preise und Lohnsätze nach unten) würden die Anbieter auf diese Absatzschwierigkeiten mit einer Reduzierung der Ausbringungsmenge reagieren, die wiederum eine Verringerung der Nachfrage nach Arbeitskräften zur Folge hat. Die sinkende Nachfrage nach Arbeitsleistungen bedeutet eine Abnahme der Knappheit des Produktionsfaktors Arbeit und führt deshalb zu einer Absenkung der Löhne bzw. des verfügbaren →*Einkommens* der privaten Haushalte. Gesamtwirtschaftlich verringert sich das Volkseinkommen. Weil im keynesianischen Erklärungssystem der volkswirtschaftlichen Zusammenhänge der Konsum allein vom verfügbaren Einkommen abhängt (keynesianische Einkommensabhängigkeit des Konsums), entsteht nun eine Spirale kumulativer Abwärtsbewegungen: Aus einem reduzierten Volkseinkommen resultiert eine geringere Kaufkraft der privaten Haushalte, sodass der private Konsum schrumpft. Der Konsum ist ein Bestandteil der Gesamtnachfrage, demnach sinkt diese ebenfalls. Die Wirtschaftssubjekte fragen nun weniger Güter nach als die Unternehmen absetzen möchten. Für die geringere Produktion benötigen die Anbieter kleinere Mengen des Produktionsfaktors Arbeit und schränken deshalb ihre Nachfrage auf dem Arbeitsmarkt weiter ein. Der Preis der Arbeit, der Lohnsatz, fällt dadurch weiter. Daraus folgt wiederum ein verringertes verfügbares Einkommen, und die zweite Runde der Abwärtsspirale beginnt. Dieser Prozess endet erst, wenn ein allgemeines, temporäres Gleichgewicht bei geringerer Nachfrage und Arbeitslosigkeit erreicht ist.

Ein zweiter wesentlicher Bestandteil des keynesianischen Erklärungssystems liegt in der Annahme, dass die privaten Wirtschaftsaktivitäten und damit die →*Marktwirtschaft* inhärent zur Instabilität bzw. zu Ungleichgewichten neigt. Unsichere Zukunftserwartungen beeinflussen die Investitionsgüternachfrage und die Vermögenshaltung in Geld, die als Folge davon schwanken. Wellen von Optimismus und Pessimismus stören eine gleichmäßige, gleichgewichtige Entwicklung. Die Geldpolitik der Zentralbanken kann in Depressionen ihre positive Anreizwirkung auf die realwirtschaftliche Aktivität verlieren. Die Wirtschaftssubjekte horten dann alle zusätzlich durch Zinssenkungen und Geldmengenvermehrungen in die Volkswirtschaft gepumpte Liquidität, statt sie für Käufe von Investitions- oder Konsumgütern zu verwenden (Liquiditätsfalle). Dies führt zu

Störungen im volkswirtschaftlichen Kreislauf und löst wiederkehrende Ungleichgewichtslagen aus.

Die Bedeutung der Nachfrage, die Neigung zur Instabilität der Marktwirtschaft sowie die Unwirksamkeit der Geldpolitik im wirtschaftlichen Abschwung oder Tiefpunkt sind Gründe für das keynesianische Primat der antizyklischen Fiskalpolitik, d. h. der Stabilisierung der →*Konjunktur* durch staatliche Aktivitäten: In Phasen des Wirtschaftsabschwungs (Rezession) soll der Staat über Steuersenkungen die Einkommen und somit die Kaufkraft der privaten Wirtschaftssubjekte stärken sowie mit einer expansiven Fiskalpolitik und Verschuldung (zusätzliche öffentliche Investitionen, deficit spending) einen Nachfrageschub auslösen, der die gesamtwirtschaftliche Aktivität (wieder-) belebt und Arbeitnehmern und Unternehmen gleichermaßen zugute kommt. Im Aufschwung bzw. Boom besteht die Aufgabe des Staates umgekehrt darin, die Nachfrage durch eine restriktive Fiskalpolitik (Steuererhöhungen, deren Einnahmen nicht ausgegeben werden, Senkung der Ausgaben, Schaffung eines Budgetüberschusses) zu drosseln und den wirtschaftlichen Höhenflug zu bremsen.

Der Keynesianismus setzt damit an der einsichtigen Idee an, dass in einer Marktwirtschaft mit unterausgelasteten Arbeitskräften und Produktionskapazitäten eine Erhöhung der Nachfrage auch den Güterausstoß und die →*Beschäftigung* vermehrt. Erfahrungen während der Kriegs- und Nachkriegszeit bestätigen die Anschauung, dass der Staat in einer Marktwirtschaft befähigt ist und in Ausnahmesituationen sogar verpflichtet sein kann, durch seine Ausgaben für Konsum- und Investitionsgüterkäufe die periodisch verstärkt auftretende Arbeitslosigkeit zu mildern und der Vollbeschäftigung anzunähern. Auf dieser Lehrmeinung basiert das 1967 verabschiedete Stabilitäts- und Wachstumsgesetz, das jedoch schon Ende der 70er Jahre an Bedeutung eingebüßt hat, weil die Erklärungselemente und die wirtschaftspolitischen Instrumente ihre Wirkungsintensität verloren haben. Die Nachfrage-Politik des Keynesianismus wurde durch eine Angebots-Politik abgelöst, die der Geldpolitik, der Anti-Inflationspolitik und der Nicht-Staats-Aktivität ein größeres Erfolgspotenzial beimisst. Die beiden Auffassungen unterscheiden sich in vielen grundlegenden Annahmen und folglich in den wichtigsten wirtschaftspolitischen Instrumenten. Der Keynesianismus vertraut auf die vom Staat durchgeführte Fiskalpolitik, der →*Monetarismus* favorisiert die politische Steuerung der Geldmenge durch die Zentralnotenbank sowie die inhärenten Anreizkräfte des Marktes. Entsprechend werden die Vertreter der verschiedenen wirtschaftspolitischen Strategien der →*Konjunkturpolitik* Keynesianer bzw. Fiskalisten und Monetaristen genannt.

Die wissenschaftliche Diskussion um die Weiterentwicklung der keynesianischen Lehre konzentriert sich auf eine verbesserte mikroökonomische Fundierung der Annahmen und Wirkungszusammenhänge sowie auf die Begründung der Lohn- und Preisrigiditäten über vertragliche Bindungen.

Literaturhinweise:
BOMBACH, G. u. a.. (Hrsg.) (1981), *Der Keynesianismus I*, Nachdruck der 1. Aufl. von 1976, Berlin, New York, Heidelberg; JARCHOW, H.-J. (1994), Der Keynesianismus, in: Issing, O. (Hrsg.), *Geschichte der Nationalökonomie*, 3. Aufl., München, S. 193-213, (4. Aufl. erscheint demnächst); KOLB, G. (1997), *Geschichte der Volkswirtschaftslehre: dogmenhistorische Positionen des ökonomischen Denkens*, München, S. 142-153.

Adolf Wagner
Sabine Klinger

Konjunktur

Konjunktur ist eine wellenartige Bewegung, die eine gesamte Volkswirtschaft erfasst (so Gottfried Haberler 1937). Die statistisch beobachtbare Entwicklung der gesamtwirtschaftlichen Aktivität wird in der Regel sichtbar gemacht in den veränderten positiven/ negativen Veränderungen des Bruttosozialprodukts, des Bruttoinlandsprodukts (→*Wirtschaftskreislauf, Volkseinkommen, Sozialprodukt*) sowie des Auslastungsgrades der Produktionskapazitäten. Diese Indikatoren sind jedoch nicht die einzigen Größen, mit denen das wirtschaftliche →*Wachstum* und dessen zyklische Entwicklung erklärt werden. Die didaktisch und methodisch notwendige Trennung der Bestandteile (Wachstum/ Konjunktur) wird mit Hilfe mehrerer Verfahren angestrebt, die alle umstritten sind.

In der Geschichte der Wirtschaftstheorie spielten idealisierte Konjunkturzyklen konstanter Form und Länge eine bedeutende Rolle: Beispielsweise die Vier-Phasen-Einteilung in Rezession, Aufschwung, Hochkonjunktur und Abschwung sowie die Modellierung von drei Kitchinzyklen (3,5 bis 4 Jahre) als einem Juglarzyklus (7 bis 11 Jahre) und sechs Juglarzyklen als einem Kondratieffzyklus (50 bis 60 Jahre). Nunmehr konzentriert sich die Konjunkturforschung auf die Erkennung regelmäßig wiederkehrender Muster und zeitlicher sowie kausaler Verknüpfungen innerhalb und zwischen volkswirtschaftlichen Aggregaten. Besonders die Konstruktion und Nutzung von statistischen Indikatoren, die der Entwicklung der Referenzgröße Bruttoinlandsprodukt vor-, gleich- und nachlaufen (z. B. Auftragseingänge, Kapazitätsauslastung, Arbeitslosenzahlen) werden ausgewählt, um zu prüfen, ob ein regelmäßiger (sich wiederholender) Zusammenhang zwischen volkswirtschaftlichen Größen besteht. Wenn ja, dann kann der Zusammenhang zu einem theoretischen Konzept der Konjunktur verdichtet werden, das verwendet werden kann für empirische Diagnosen, Prognosen und (quantitative) Empfehlungen für eine zweckgerechte →*Konjunkturpolitik*.

Eine derartige statistische Übereinstimmung (Adäquation) setzt zwangsläufig an den Definitionen des Konjunkturbegriffs an: (1) Konjunktur ist das periodische Auf und Ab der Wachstumsraten des realen Bruttonationaleinkommens oder Bruttoinlandsprodukts. Eine solche zeitgemäße Abbildung der Haberler-Auslegung von der gesamtwirtschaftlichen Wellenbewegung wäre als Wachstumszyklus zu bezeichnen. (2) Konjunktur sind die mehr oder minder regelmäßigen Abweichungen von einer Gleichgewichtswachstumsrate, die mit dem statistischen Trend der Wachstumsraten gleichgesetzt wird (siehe die obige Komponententrennung in Wachstum und Konjunktur). (3) Konjunktur sind die geschätzten Differenzen zwischen der Wachstumsrate des geschätzten Produktionspotenzials und der Wachstumsrate der tatsächlichen Nachfrage (Bruttonationaleinkommen zuzüglich Importe). Ein Aufschwungjahr liegt vor, sofern die Potenzialwachstumsrate kleiner ausfällt als die Nachfragewachstumsrate. Von einem Abschwungjahr spricht man, wenn das Potenzialwachstum das Nachfragewachstum übersteigt. (4) Konjunktur sind die Schwankungen im Auslastungsgrad des geschätzten gesamtwirtschaftlichen Produktionspotenzials.

Seit Bestehen der Bundesrepublik zeichneten sich im Sinne von (1) Zyklen von vier bis fünf Jahren Dauer mit ein bis zwei Aufschwungjahren und drei Abschwungjahren ab, wobei es Ausnahmen von dieser Regel gibt.

Konjunkturtheorien zur Erklärung der empirisch ermittelten Schwankungen unterscheiden sich hinsichtlich ihres prinzipiellen Lehrgebäudes des (Neu-) →*Keynesianismus* (vgl. Multiplikator-Akzelerator-Modelle nach Paul A. Samuelson (*1915) oder John R. Hicks (1904-1989)). Dem stehen gegenüber die Theorien der (Neo-) Klassik (Real Business Cycle Theory). Eine alternative Kategorisierung untergliedert die konjunkturtheoretischen Modelle danach, ob sie nur den realen oder den realen und den monetären Sektor der Volkswirtschaft (mögliches Produktionsvolumen bei voller Auslastung) einbeziehen. Für die Beschränkung auf den realen Teil der Volkswirtschaft spielt wiederum eine Rolle, ob lediglich der Gütermarkt oder der Güter- und Arbeitsmarkt betrachtet werden.

Literaturhinweise:
BARRO, R. J./ GRILLI, V. (1996), *Makroökonomie – europäische Perspektive*, München, Wien, S. 8-16, 402-415; KROMPHARDT, J. (1993), *Wachstum und Konjunktur. Grundlagen der Erklärung und Steuerung des Wachstumsprozesses*, 3. Aufl., Göttingen; WAGNER, A. (1998), *Makroökonomik. Volkswirtschaftliche Strukturen II*, 2. Aufl., Stuttgart, S. 293-322.

Adolf Wagner
Sabine Klinger

Konjunkturpolitik

Konjunkturpolitik ist eine Art staatlicher Prozesspolitik, die im Rahmen einer bestimmten (in der Regel nationalen) Wirtschaftsordnung stattfindet (→*Ordnungspolitik-Prozesspolitik*). Sie setzt die Kenntnis einer empirisch gültigen Konjunkturtheorie (→*Konjunktur*) für ein bestimmtes Land und eine bestimmte Zeit voraus, um das Wirtschaftsgeschehen auf gesamtwirtschaftlicher Ebene kurz- und mittelfristig beeinflussen zu können. Das Hauptziel besteht in der Stabilisierung gesamtwirtschaftlicher Größen, deren übermäßige Schwankungen als Gefahr für die Wohlfahrt und/ oder den sozialen Frieden angesehen werden. Zu diesen geamtwirtschaftlichen Größen und damit auch Objekten gesamtwirtschaftlicher Ziele gehören

u. a. die Verstetigung des Wirtschafts-→*Wachstums*, die Vermeidung von Inflation und konjunkturbedingter →*Arbeitslosigkeit*. Diese und weitere Ziele sind von politischer Seite und somit exogen unter dem Schlagwort des gesamtwirtschaftlichen Gleichgewichts vorgegeben. Angesichts der Tatsache, dass die einzelnen Ziele in Konflikt zueinander stehen (Trade off), sie also nicht alle gleichzeitig verwirklicht werden können, spricht man von ihnen als von einem „magischen Vieleck".

Die unmittelbare wirtschaftspolitische Umsetzung bedarf demzufolge einer jeweiligen Zielgewichtung. Als Träger der Konjunkturpolitik kommen im Allgemeinen der Staat (→*Fiskalföderalismus*) und/ oder die Zentralnotenbank (→*Monetarismus*) in Frage. Das jeweilige fiskal- oder geldpolitische Instrumentarium orientiert sich dabei eventuell diskretionär (im freien Ermessen) an den aktuellen Gegebenheiten und kann je nach den Absichten der Träger der Wirtschaftspolitik und je nach den rechtlichen Gegebenheiten diskretionär eingesetzt werden oder es unterliegt einer vorwegbestimmten Regelbindung. Bei einer Regelbindung werden die konjunkturpolitischen Maßnahmebündel selbsttätig beim Eintreten bzw. der Wahrnehmung einer Störung zusammengestellt und dosiert eingesetzt. Dem Staat obliegt die Möglichkeit, durch die Konjunkturpolitik antizyklisch die gesamtwirtschaftliche Nachfrage mit Ausgabenprogrammen zu stabilisieren oder mit Hilfe eines geschickt konstruierten Steuersystems die Abgabenbelastung der Bürger in Abhängigkeit von der konjunkturellen Lage zu gestalten (Steuersenkung bei Nachfrage- und Konjunkturschwäche, Steuererhöhung bei boomender Konjunktur und Nachfrage).

Das konjunkturpolitische Instrumentarium der Zentralnotenbank bezieht sich auf die expansive oder kontraktive Steuerung der Geldmenge etwa durch die Anpassung der Leitzinsen, durch Offenmarktgeschäfte oder eine Mindestreservepflicht. Erneuter Aktualität erfreut sich ein modifiziertes konjunkturpolitisches Nichtstun (konjunkturneutraler Haushalt, „Laisser-faire", →*Liberalismus*).

Neben dem Glauben an den Selbstregulierungsmechanismus des Marktes – ggf. untermauert durch den Glauben an entsprechende Effizienz erhöhende Eingriffe (→*Interventionismus*) – rechtfertigt auch die Lag-Struktur wirtschaftspolitischer Maßnahmen (z. B. zwischen dem Erkennen eines Problems bis zur Entscheidung, etwas zu tun; zwischen dem Einsatz und der Wirkung der Maßnahme vergeht viel Zeit = time lags) eine solche Zurückhaltung gegenüber einer aktiven staatlichen Konjunkturpolitik. Das für eine effektive Konjunkturpolitik erforderliche Wissen um die kausalen und zeitlichen Wirkungszusammenhänge zwischen Instrumenten und Zielvariablen wird in makroökonometrischen Modellen erfasst, die es ermöglichen, geplante Maßnahmen anhand statischer und dynamischer Multiplikatoren simulativ zu beurteilen. Dies setzt aber voraus, dass diese Modelle wirklichkeitsnah sind und die Struktur sowie die Entwicklungsrichtung einer Volkswirtschaft sachgerecht abbilden. Der Arbeitsalltag eines Konjunkturpolitikers bringt den Wunschcharakter dieses Anspruchs ans Licht: Häufig muss man sich mit skizzenhaften Abbildern der Wirtschaftswelt begnügen und Entscheidungen auf der Grundlage hypothetischer Grobstrukturen fällen. Deshalb ist Bescheidenheit die echte Tugend der Konjunkturpolitik.

Literaturhinweise:
DÜRR, E. (1975), Stichwort Prozesspolitik, in: Ehrlicher, W. u. a. (Hrsg.), *Kompendium der Volkswirtschaftslehre*, Bd. 2, 4. Aufl., Göttingen, S. 95-177; MANKIW, N. G. (2001), *Grundzüge der Volkswirtschaftslehre*, 2. Aufl., Stuttgart, S. 773-801; WAGNER, A. (1994), *Volkswirtschaft für jedermann. Die marktwirtschaftliche Demokratie*, 2. Aufl., München, S. 113-121.

Adolf Wagner
Sabine Klinger

Konservatismus

Umgangssprachlich wird unter Konservatismus (oder Konservativismus) eine allgemein menschliche Haltung des Bewahrens verstanden (Traditionalismus), die manchmal zu einem starren Festhalten an Überholtem (reaktionäres Denken) führt. Von dieser Ebene bis zum Konservatismus als einer besonderen Strömung der Geistes- und Politikgeschichte zwischen →*Liberalismus* und →*Sozialismus* führt kein eindeutiger Weg. Die *geistige* Entwicklung des Konservatismus reicht von der Kritik der Aufklärung und des Rationalismus über den Sozialkonservatismus (G. Schmoller und der Verein für Socialpolitik 1872), die „konservative Revolution" und die Kritik an der Frankfurter Schule bis zur heutigen Kultur- und Gesellschaftskritik. Die *politische* Linie setzt bei der Auseinandersetzung mit der französischen Revolution an, führt über die Gründung der ersten konservativen Parteien (1832 in England), die Sozialgesetzgebung Bismarcks (1883 ff.) und den National-Konservatismus in der Weimarer Republik bis zu den christlich-demokratisch-konservativen Parteien der Bundesrepublik Deutschland (CDU und CSU).

In allen Phasen seiner geistigen und politischen Entwicklung hat der Konservatismus zeitgemäß seine eigenen, ausgleichenden und weiterführenden Akzente gesetzt. Gegen die Betonung der Gleichheit setzte er Freiheit, Verantwortung und Autorität; gegen den Rationalismus die ordnungsgebundene Vernunft; Evolution und Tradition gegen Revolution; Werte, Ethik und Moral gegen Indifferenz und Beliebigkeit; Nation und Staat gegen Anarchie und Chaos; Vertrauen in die Zukunft und Erfahrung gegen →*Konstruktivismus* und →*Interventionismus*. Vor allem aber ist der Konservatismus aller Schattierungen mit einer realistischen Auffassung vom Menschen verbunden und damit widerstandsfähig gegen extremistische anthropologische Utopien, die von einer Selbstüberschätzung des Menschen und seiner Möglichkeiten ausgehen.

Moderner Konservatismus als Position der Mitte ist darum nicht mehr denkbar ohne eine christliche oder humanistische Anthropologie (Lehre vom Menschen; →*Thielicke*) als

Grundlage für ein kritisches Geschichtsbewusstsein, eine personale Pflicht- und Verantwortungsethik, Familien- und Gemeinschaftsdenken, Naturliebe und Umweltverantwortung, gemeinwohlorientiertes Staatsethos und „Verfassungspatriotismus" (D. Sternberger). Hieraus ergibt sich der *geistige* Anspruch des modernen Konservatismus und seine Orientierungskraft für die Zukunft in einer Zeit des individualistischen Hedonismus (an persönlichem Lustgewinn orientiertes Leben), materialistischer Konsumorientierung und massenmedialer Beliebigkeit in Presse, Funk, Fernsehen und Film. Heute ist allenthalben eine fast schon beängstigende Orientierungslosigkeit festzustellen, in der auch Kirchen, Schulen und →*Parteien* als Sinnstifter kaum in Frage kommen, weil sie selbst auf der Suche nach Orientierungswissen und Bildung sind und keine Antworten auf die brennenden Fragen der Zeit haben. Autoritätsverlust bis hin zu Politik-, Parteien- und Staatsverdrossenheit ist die Folge.

Der *politische* Anspruch ergibt sich einerseits aus der zunehmend progressiven Ausrichtung des Konservatismus: Verantwortungsprinzipien wie Vorsorge (z. B. im Gesundheitswesen), Nachhaltigkeit (in der Ökologie), Gerechtigkeit (bei Sozialreformen und in der Tarifgestaltung) und Subsidiarität (z. B. in der föderalen Kompetenzzuordnung von den Gemeinden über die Länder und Staaten bis zur Europäischen Union) verbinden die bewahrende und die gestaltende Kraft des Konservatismus. Andererseits erfordert die aktuell erlebte Globalität politischer und wirtschaftlicher Zusammenhänge eine verlässliche Orientierung in der Komplexität der Lebensverhältnisse durch ein Denken in Interdependenzen (wechselseitige Abhängigkeiten; →*Eucken*) sowie die Sicherung des „→*Wettbewerbs* als Entdeckungsverfahren" ohne „Anmaßung von Wissen" (F. A. von →*Hayek*) als Motor gesellschaftlicher und wirtschaftlicher Entwicklung in einer globalen Welt. Ein solches Programm lässt sich heute nur noch parteiübergreifend bewältigen. Diese Erneuerung der Demokratie und der →*Sozialen Marktwirtschaft* aus dem Geiste des Konservatismus ist allerdings unabdingbar angesichts der großen Herausforderungen der Zukunft.

Literaturhinweise:
OTTMANN, H. (1995), Konservativismus, in: *Staatslexikon*, Band 3, S. 636-640 (mit weiterführender Literatur); KALTENBRUNNER, G.-K. (1974), *Die Herausforderung der Konservativen. Absage an Illusionen*, (mit weiterführender Literatur), Freiburg i. Br.; SCHRENCK-NOTZING, C. v. (Hrsg.) (1996), *Lexikon des Konservatismus*, (mit weiterführender Literatur), Graz, Stuttgart.

Klaus Weigelt

Konstruktivismus

I. Das Problem: Möglichkeiten und Grenzen politischen Handelns in modernen Gesellschaften

Der Begriff „Konstruktivismus" entstand in der Kapitalismus- →*Sozialismus*-Debatte der letzten beiden Jahrhunderte. In dieser erhoben die Vertreter liberaler Positionen gegen die gesellschaftsplanerischen Vorschläge vor allem sozialistischer Autoren den

Einwand, dass Gesellschaften weder als Ganzes noch in wichtigen Teilen planbar seien.

Als gesellschaftspolitisches Leitbild zeichnen sich die als konstruktivistisch bezeichneten Richtungen durch großes Vertrauen in staatliches Handeln aus, so bei der Bereitstellung wichtiger Güter und Dienstleistungen oder bei der Bewältigung komplexer sozialer Probleme. Wesentliche Instrumente des „Staates der Daseinsfürsorge" sind die bürokratische Anordnung, die staatliche Planung, die Ausübung von Zwang zwecks Durchsetzung der von der Politik vorgegebenen Ziele und die Befürwortung kollektivistischer Lösungen.

Gegen diese planende Vernunft wird seitens der Konstruktivismuskritiker ins Feld geführt, (1) dass die menschlichen Verstandeskräfte begrenzt wären und daher sozialplanerischen Bestrebungen enge Grenzen setzten, (2) dass wichtige gesellschaftliche Institutionen nicht bewusst geschaffen wurden, sondern ungeplant durch menschliche Interaktion entstanden seien und sich auch nicht mit planerischen Mitteln weiterentwickeln ließen, und (3) dass Versuche zur Umsetzung gesamtgesellschaftlicher Planungen nicht nur ihr propagiertes Ziel, die Erhöhung des allgemeinen Lebensstandards, verfehlten, sondern über zunehmende Einschränkungen der individuelle Freiheit oft genug auch bis zur Diktatur führten. Die Kritiker treten anders als die konstruktivistischen Denkrichtungen für Wettbewerb statt Planung, für Dezentralisierung statt Zentralisierung und für freiwillige Koordination statt zentrale Lenkung ein.

Zu den Konstruktivismuskritiker gehören die frühen Mitglieder der schottischen Schule der Moralphilosophie, angefangen von Adam Smith (1723-90) und David Hume (1711-76) bis hin zu neueren liberalen Autoren wie F. A. v. →*Hayek* (1899-1992), ferner die kontinentalen Neoliberalen und die zeitgenössischen angelsächsischen klassischen Liberalen. Ihnen allen ist gemeinsam, dass sie großes Vertrauen in freiheitliche Formen des menschlichen Zusammenlebens und in die spontanen Kräfte einer offenen Gesellschaft setzen.

In der Sache geht es in der Konstruktivismusdebatte nicht um eine ideologische Fragestellung, sondern um ein Grundlagenproblem der Wirtschafts- und Sozialwissenschaften. Lässt sich die menschliche Gesellschaft in ähnlicher Weise manipulieren und kontrollieren wie die physikalische Welt? M. a. W., kann der moderne technisch-naturwissenschaftliche Denkstil mit gleichen Erfolgsaussichten auch auf gesellschaftliche Probleme übertragen werden? Kann z. B. die „sichtbare Hand" des Staates den Wirtschaftsprozess so steuern, dass Konjunkturen und Krisen, der Schrecken aller Marktgesellschaften, bald der Vergangenheit angehören?

a) Der ältere Konstruktivismus

In der ökonomischen Doktrinentwicklung gehen die Meinungen darüber weit auseinander. Adam Smith und seine intellektuellen Nachfolger ziehen die Grenzen für erfolgreiches sozialtechnologisches Handeln sehr eng, auch wenn sie dem Staat als politischem Akteur eine Reihe wichtiger öffentlicher Aufgaben zuschreiben. Frühsozialisten wie August Comte (1798-1857) und Henri de Saint-Simon (1760-1825) hingegen postulieren als Aufgabe jeder sozialen Ordnung die Ausrichtung aller Gesellschaftsmitglieder auf ein „allgemeines Ziel", den „gesellschaftlichen Fortschrittsplan". Diesen legen jedoch nicht die Betroffenen selbst fest, sondern die Gelehrten, denen die Fähigkeit zugesprochen wird, die künftige Gesellschaftsentwicklung richtig vorauszusehen (Fehlbaum).

Karl Marx (1818-83) schließlich vertritt die Ansicht, dass aus dem unvermeidlichen Zusammenbruch des Kapitalismus historisch zwangsläufig ein „Reich der Freiheit" und damit eine Neue Gesellschaft resultiere. Das Scheitern dieser Prognose nach der sozialistischen Revolution in Russland (1917) hatte zur Folge, dass sich die Gründer der Sowjetunion für die zwangsweise Durchsetzung des kommunistischen Gesellschaftsideals entschieden. Diesem Beispiel folgten später Mao Tsetung, Pol Pot und viele andere Diktatoren in dem Sinne, dass sie die Liquidierung ganzer Klassen und sozialer Schichten mit dem Argument verteidigten, eine Neue Gesellschaft schaffen zu wollen (Courtois).

b) Der neuere Konstruktivismus

Ausgangspunkte des neueren Konstruktivismus sind die Auswirkungen des Ersten Weltkrieges (1914-18) und die Folgen der Weltwirtschaftskrise (1929-38). Beide Ereignisse wurden als Versagen der alten liberalen Ordnung, die sich im 19. Jh. über die westliche Welt erstreckte, interpretiert. An die Stelle der liberalen Sozialphilosophie traten der Sozial- oder Wohlfahrtsstaat und der Glaube an eine weitreichende nichtsozialistische Wirtschaftssteuerung. Die damaligen Gesellschaften sollten auf demokratischem Wege anhand der Kriterien sozialer Gleichheit und sozialer Gerechtigkeit umgestaltet werden. Das bedeutete z. B., dass Chancengleichheit mit Mitteln der Schul- und Bildungspolitik geschaffen, dass Einkommensunterschiede durch Progressivsteuern eingeebnet, dass gleiche medizinische Versorgung für alle durch Zwangsversicherungen gewährleistet, und dass die Abhängigkeit des Einzelnen von der Familie durch staatliche Sicherungs- und Versorgungssysteme abgelöst werden sollten.

II. Zur Kritik des Konstruktivismus

Beide Spielarten des Konstruktivismus werden häufig mit Wertargumenten kritisiert. Besonders den radikalen Entwürfen wird entgegengehalten, sie seien utopisch. Die neuere Konstruktivismuskritik hingegen schlägt einen anderen Weg ein. Sie bedient sich erkenntnistheoretischer und fachwissenschaftlicher Einwände. Ihr Anliegen ist es v. a., die Grenzen politischen Handelns in einer freien Gesellschaft deutlich zu machen

Die liberale Kritik am Konstruktivismus basiert auf der Sentenz „Wollen impliziert Können". Gesellschaftliche Ziele können dann nicht erreicht werden, wenn ihnen unrealistische Annahmen über menschliches Verhalten zugrunde liegen. Der sozialingenieurhaften Sicht sozialer Beziehungen wird seitens der Konstruktivismuskritiker das evolutionäre Verständnis sozialer Prozesse entgegengesetzt. Danach gehen die wichtigsten Institutionen menschlichen Zusammenlebens, so die Sprache, das Recht, die Kunst, die Wissenschaft, die Moral, die Sitten, die Arbeitsteilung oder die Märkte, nicht aus gezielten menschlichen Planungen hervor, sondern sie entstehen unbeabsichtigt und ungeplant infolge menschlicher Interaktionen.

Das Adam Smith'sche Theorem der „unsichtbaren Hand" bzw. die Idee der Selbststeuerung oder Selbstorganisation sozialer Gebilde verdeutlichen diese Weltsicht. Die genannten Institutionen lassen sich weder planerisch schaffen noch planerisch erfolgreich weiterentwickeln. Dort, wo – etwa in der Kunst, der Wissenschaft oder der Moral – eine politische Steuerung nach vorgefassten politischen Zielen versucht wird, entsteht intellektuelle Stagnation, und es werden soziale Scheinwelten aufgebaut.

a) Evolutionäre versus statische Sicht der Gesellschaft

Die älteren Entwürfe einer Neuen Gesellschaft sind in der Regel mit dem Versprechen einer zeitlos gültigen und dauerhaft gerechten Gesellschaftsordnung verknüpft. Sie sind mithin statischer Natur. Dagegen lassen sich aus der evolutionären Sicht sozialer Prozesse vier Argumente ableiten.

(1) Politische Versuche des totalen Umbaus einer bestehenden Gesellschaftsordnung begegnen *erstens* der Schwierigkeit, dass der jeweils existierende gesellschaftliche Zustand durch eine lange Reihe vorangegangener Ereignisse bestimmt ist. Sie schlagen sich in überkommenen Regeln, Verhaltensweisen und Einstellungen nieder, die den handelnden Subjekten nicht oder nur teilweise bekannt bzw. bewusst sind (Hayek). Dort, wo Regeln „entdeckt" werden, sind sie jedoch nicht den naturwissenschaftlichen Gesetzeskonstanten vergleichbar. Dies wird u. a. daraus ersichtlich, dass es im sozialen Bereich bis heute keine den Naturgesetzen entsprechenden „gesellschaftlichen Gesetze" gibt. Wo sie aufzustellen versucht wurden, scheiterten sie. M. a. W., die Sozialwissenschaften verfügen nicht (oder noch nicht?) über ein gut überprüftes erfahrungswissenschaftliches Wissen, das es erlaubt, Fortschritte zu erzielen, wie sie das moderne technische Wissen nahezu tagtäglich hervorbringt.

(2) Die „Wirtschaft" oder die „Gesellschaft" ist *zweitens* ein höchst komplexes Gebilde, das vom Standpunkt einer lenkenden Instanz nicht (oder zumindest nicht befriedigend) überschaubar ist. Ein entscheidendes Großexperiment war der Versuch, zuerst in der Sowjetunion und dann in vielen anderen Ländern, die überkommenen Verfahren der Koordination individueller Wirtschaftspläne über Märkte durch zentrale Planung zu ersetzen. Erwartet wurde ein funktionsfähiges und dem vermeintlichen „Chaos der Märkte" auf breiter Front überlegenes Wirtschaften.

Dieses Experiment scheiterte jedoch u. a. an der Unmöglichkeit, die hochkomplexen In- und Outputströme zwischen Unternehmen auch nur halbwegs befriedigend durch zentrale Anweisungen zu koordinieren. Im Alltag mussten Produktionsprozesse ständig unterbrochen werden, weil „kein Material da war". Es ist deswegen nicht verwunderlich, dass dort, wo die gesamtwirtschaftliche Planung auch heute noch zwangsweise aufrechterhalten wird (Kuba, Nordkorea), der Lebensstandard großer Teile der Bevölkerung auf oder unter dem Subsistenzniveau liegt.

(3) Soziale Großexperimente, wie die Planung einer Neuen Gesellschaft, sind *drittens* mit dem Problem konfrontiert, dass die Kontrolle der Erfolge auf dem Wege zur Neuen Gesellschaft zum Politikum wird. Im Vergleich zu schrittweisen und begrenzten Reformen, die es in offenen Gesellschaften möglich machen, aus Fehlern zu lernen (Popper), stellt das Programm, eine völlig neue Gesellschaft zu errichten, ein Vorgehen dar, bei dem das Aufdecken von Fehlern ungemein schwierig und gleichzeitig für Kritiker riskant ist.

Alle menschlichen Institutionen sind mit Mängeln behaftet. Treten diese etwa in Form von Planungsversagen oder der typischen „Mangelwirtschaft" auf dann, stellt sich die Frage nach den Gründen. Da revolutionäre Umwälzungen bestehender Gesellschaftsordnungen politisch nur mit dem Argument vermittelbar sind, dass sie in eine bessere Welt führen, muss jedes Systemversagen durch „Feinde" – seien es Klassenfeinde, Abweichler, Dissidenten oder ausländische Agenten – zu erklären versucht werden. Der Vorwurf, das Neue System habe immanente Konstruktionsfehler, setzt daher denjenigen, der es vorbringt, dem Verdacht aus, ein „Staatsfeind" zu sein.

Auf diese Weise wird das wichtigste Verfahren im Dienste des menschlichen Fortschritts, der Prozess von *trial and error*, (die Methode Neues zu versuchen und laufend Irrtümer zu eliminieren), außer Kraft gesetzt. Dass am Ende einer solchen Politik Zusammenbrüche stehen, wie 1989-91 in den sozialistischen Ländern, ist kaum verwunderlich.

(4) Die Hoffnung auf das erfolgreiche Planen und Erreichen einer besseren Welt durch das Wirken von Sozialingenieuren wird *viertens* in der Regel mit der Vorstellung verbunden, dass es aufgeklärte Eliten, eine Avantgarde des Proletariats, eine unfehlbare Partei oder einen vom Volk geliebten Führer gibt, der den richtigen Weg in die Zukunft weist. Keine Erwartung der älteren Gesellschaftsplaner ist so gründlich durch die Erfahrung widerlegt worden wie diese. Die neuere Geschichte der Diktaturen in Ost und Süd zeigt eindrucksvoll, dass die regierenden Autokraten und ihre Anhängerschaft die persönliche Bereicherung als ersten Zweck ihrer Herrschaft verfolgen. Das Versprechen eines höheren Lebensstandards für die breite Bevölkerung ist allenfalls relevant, wenn es um die Sicherung der jeweiligen Machtpositionen geht.

b) Interventionismus und Konstruktivismus

Angesichts des Zusammenbruchs fast aller sozialistischen Gemeinwesen in den letzten beiden Jahrzehnten wird der Anspruch auf Schaffung einer völlig Neuen Gesellschaft heute kaum mehr vertreten. Es wird weitgehend akzeptiert, dass es sich hier um eine utopische Vorstellung handelt oder – im vorliegenden Zusammenhang ausgedrückt –, dass das nötige Wissen und die erforderlichen Mittel für die Verwirklichung einer sozialistisch durchgeplanten Wirtschaft und Gesellschaft nicht existieren.

Damit rückt die Frage in den Vordergrund, ob Gleiches auch für die wohlfahrtsstaatlichen Nachfolgemodelle des Sozialismus gilt. Für sie ist typisch, dass für zentrale Bestandteile des menschlichen Lebens Regulierungen geschaffen werden, denen sich der Einzelne, wenn überhaupt, nur mit hohen Kosten entziehen kann. Die dabei geschaffenen staatlichen Monopole zur Absicherung des Alters, der Gesundheit, der Erziehung oder der Vermittlung des Zugangs zum Arbeitsmarkt, gefährden nicht nur die individuelle Freiheit, sondern erweisen sich unter dem Gesichtspunkt der Konstruktivismuskritik als Lösungen, die im Endeffekt nicht lebensfähig sind, und die die ihnen aufgetragenen Aufgaben nicht bewältigen.

Ein Beispiel ist die konstruktivistisch-kollektivistische Lösung, der die Alterssicherung in den meisten Wohlfahrtsstaaten unterworfen ist. Hier erweisen sich in kurzen Zeitspannen „Jahrhundertgesetze" immer wieder als revisionsbedürftig. Ein sachlicher Grund für das ständige Scheitern der sog. Reformen ist die große Zahl unbekannter, d. h. nicht prognostizierbarer Variabler, die alle vorangegangenen Schätzungen schnell zu Makulatur werden lassen.

Ähnliches gilt für das Gesundheitswesen oder die staatliche Vermittlung von Arbeitslosen oder die Versuche, Krisen und Konjunkturen nach Keynes'schen Rezepten weitgehend auszuschalten. Selbst das weniger schwer überschaubare staatliche Schulwesen, das trotz mancher Liberalisierungsschritte weiterhin von staatlichen Vorgaben abhängig bleibt, ist kaum in der Lage, auch nur annähernd die Leistungen hervorzubringen, die andernorts in weniger regulierten und stärker dem Wettbewerb ausgesetzten Schulsystemen Standard sind.

Aus Sicht der Konstruktivismuskritik aber liegt der Hauptmangel konstruktivistischer Lösungen darin, dass sie – im Gegensatz zu liberalen Ansätzen – das Ausprobieren von Alternativen, das Experimentieren mit neuen Lösungen und das Lernen aus der Erfahrung ungemein erschweren, wenn nicht sogar ganz verhindern. Änderungen können allenfalls auf dem mühsamen Wege über die Politik erstritten werden, mit der Folge, dass die im politischen Prozess erzielten Kompromisse und nicht die Sache selbst dominieren. Die Kritiker des konstruktivistischen Denkansatzes plädieren deswegen für einen Rückzug des Staates aus zahlreichen Tätigkeiten, die dieser in den letzten acht Jahrzehnten an sich gezogen hat.

Literaturhinweise:
COURTOIS, S. u. a. (1998), *Das Schwarzbuch des Kommunismus*, München, Zü-

rich; FEHLBAUM, R.-P. (1970), *Saint-Simon und die Saint-Simonisten. Vom Laissez-Faire zur Wirtschaftsplanung*, Basel, Tübingen; HAYEK, F. A. v. (1970), *Die Irrtümer des Konstruktivismus und die Grundlagen legitimer Kritik gesellschaftlicher Gebilde*, München, Salzburg; DERS. (1971), *Die Verfassung der Freiheit*, Tübingen; POPPER, K. R. (1992), *Die offene Gesellschaft und ihre Feinde*, 2 Bde. 7. Aufl., Tübingen; WATRIN, C. (1979), Vom Wirtschaftsdenken der Klassiker zu den neoliberalen Ordnungsvorstellungen, in: Linder, W./ Heibling, H./ Bütler, H., *Liberalismus – nach wie vor*, Buchverlag der Neuen Zürcher Zeitung, S. 81-102; YERGIN, D./ STANISLAW, J. (1999), *Staat oder Markt. Die Schlüsselfrage unseres Jahrhunderts*, Frankfurt/ M.

Christian Watrin

Konzentration

Die →*Soziale Marktwirtschaft*, eine in Deutschland von der überwältigenden Mehrheit akzeptierte Form des Zusammenlebens, kann nur funktionieren, wenn *wirtschaftliche* und *politische Macht* nicht übermäßig *konzentriert* und dadurch unkontrolliert sind. Nur so können die für die Gesellschaft wichtigen Entscheidungen in Politik und Wirtschaft im Wesentlichen *dezentral* getroffen und umgesetzt werden.

Im Vordergrund dieser Fragestellung steht unter Markt- und Wettbewerbsgesichtspunkten die *Unternehmenskonzentration*, die davon abhängt, wie viele →*Unternehmen* auf einem Markt tätig sind. Die Unternehmenskonzentration kann wettbewerblich oder allgemeiner an den Zielen der Sozialen Marktwirtschaft gemessen positiv oder negativ zu bewerten sein: *Positiv* ist sie dann zu bewerten, wenn erst durch die Konzentration ein auf Dauer wettbewerbsfähiges Unternehmen entsteht, das Gewinne erzielt und Arbeitsplätze sichert. *Negativ* ist sie zu bewerten, wenn es auf der Verkäufer- oder Käuferseite überhaupt nur ein Unternehmen gibt. In solchen Monopolsituationen kann der →*Wettbewerb* nicht wirken und die von ihm erwarteten Ergebnisse erzielen. Aus diesem Grunde sehen alle modernen Kartellrechte Regeln vor, die eine unangemessene wettbewerbsbeschränkende Unternehmenskonzentration verhindern sollen. Wie auch die anderen modernen Kartellrechte, richtet sich das deutsche Recht nicht gegen das interne Wachstum von Unternehmen. Diese Art der Konzentration und Marktbedeutung beruht regelmäßig auf der überlegenen Leistungsfähigkeit des Unternehmens, das dafür nicht bestraft werden darf. Ist auf diese Weise bereits eine übermäßige Unternehmenskonzentration entstanden, so gilt nur das Verbot, die dadurch erlangte Marktposition zu missbrauchen. Der Staat ersetzt die hier nicht wirksame Kontrolle der Unternehmen durch den Wettbewerb durch eine staatliche Kontrolle, die naturgemäß nur ein Notbehelf sein kann (Missbrauchsaufsicht).

Besser ist es, von vornherein das Entstehen jeder übermäßigen Unternehmenskonzentration zu verhindern, die nicht auf internem Wachstum und überlegener Leistungsfähigkeit beruht. Diesem Ziel dient in modernen Kartellgesetzen die *Fusionskontrolle*. Das gilt auch für das deutsche und das in Deutschland geltende europäische Recht. Nach dem →*Gesetz gegen Wettbewerbsbeschränkungen* (GWB) sind Unternehmenszusammenschlüsse, die bestimmte Voraussetzungen erfüllen, vor ihrem Vollzug beim →*Bundeskartellamt* zur Kontrolle *anzumelden*. Vorausgesetzt wird vor allem, dass die beteiligten Unternehmen insgesamt im letzten Geschäftsjahr weltweit Umsatzerlöse von mehr als 500 Millionen € hatten und mindestens ein beteiligtes Unternehmen im Inland Umsatzerlöse von mehr als 25 Millionen € erzielte. Nach dem GWB sind solche Zusammenschlüsse grundsätzlich dann zu *untersagen*, wenn sie eine marktbeherrschende Stellung entweder begründen oder verstärken, also zu einer wettbewerblich übermäßigen Konzentration führen würden. Ein Unternehmen ist nach dem GWB dann *marktbeherrschend*, wenn es auf dem maßgeblichen Markt keinen Wettbewerber gibt, das Unternehmen dort keinem wesentlichen Wettbewerb ausgesetzt ist oder aber im Verhältnis zu seinen Wettbewerbern eine *überragende Marktstellung* hat.

Zur regelmäßigen Begutachtung der Entwicklung der Unternehmenskonzentration und der Anwendung der Fusionskontrolle hat das Gesetz eine aus fünf sachkundigen Mitgliedern bestehende, unabhängige *Monopolkommission* eingerichtet. Die Kommission legt alle zwei Jahre ein Hauptgutachten vor, neben dem sie auch Sondergutachten zu Einzelfällen und -problemen erstellt.

Die Unternehmenskonzentration – und das gilt entsprechend auch für die Vermögenskonzentration – ist in einer Sozialen Marktwirtschaft nicht nur „wirtschaftlich" im engeren Sinne von Bedeutung. Beide Formen wirtschaftlicher Konzentration können zugleich politischen Einfluss begründen. Deutlich wird dies etwa auf der Ebene der Gemeinde, in der sich ein großes Unternehmen niederlässt. Der für totalitäre und andere demokratieferne Staatsformen typischen Konzentration politischer Macht beugt die deutsche Verfassung nicht nur durch die klassische Gewaltenteilung zwischen Legislative, Exekutive und Judikative vor, sondern darüber hinaus auch durch die Dezentralisierung der Macht auf der Ebene des Bundes, der Länder, der Gemeinden und, auf der anderen Seite, Europas, wo mittlerweile bedeutende Kompetenzen liegen (→*Bund, Länder, Gemeinden*). Die auch in anderen föderalen Demokratien wirksamen Verfahren zur Dezentralisierung von politischer Macht werden in einer Sozialen Marktwirtschaft durch die Verhinderung übermäßiger Konzentrationen von Macht im wirtschaftlichen Sinne, die in demokratisch nicht legitimierte politische Macht umschlagen könnten, wirksam unterstützt.

Literaturhinweise:
SCHMIDT, I. (2004), *Wettbewerbspolitik und Kartellrecht. Eine Einführung*, 8. Aufl., Stuttgart, New York, 6. Kapitel, Abschnitt V.

Kurt Stockmann

Konzertierte Aktion, Bündnis für Arbeit

„Bündnisse" mit Interessengruppen hat die rot-grüne Bundesregierung zu einem „Kernbestandteil“ ihrer „konsensualen Wirtschaftspolitik“ erklärt. Schon von 1967 bis 1977 gab es eine staatlich organisierte „Konzertierte Aktion“ mit Vertretern der Regierung, der Gewerkschaften und der Arbeitgeber. 1977 ist gesetzlich eine noch heute existierende „Konzertierte Aktion im Gesundheitswesen“ (KAiG) geschaffen worden. Welche Ziele werden mit der Gründung solcher Institutionen verfolgt? Wie sind die Erfolgsaussichten einzuschätzen? Mit welchen nachteiligen Folgen ist zu rechnen?

Konzertierte Aktionen und Bündnisse sind Informations- und Verhandlungssysteme, bei denen Regierungsvertreter und Vertreter organisierter Interessen strittige Fragen in einem gesamtwirtschaftlich erwünschten Sinne zu beantworten bemüht sind. Die 1967 gegründete Konzertierte Aktion sollte Orientierungsgrößen für gesamtwirtschaftlich vertretbare Lohnerhöhungen festlegen und auf diese Weise Inflationsgefahren und steigende →*Arbeitslosigkeit* verhindern. Die beteiligten Vertreter von Arbeitgeberverbänden und Gewerkschaften waren an die nur Empfehlungscharakter tragenden Beschlüsse nicht gebunden. Die KAiG soll den steilen Anstieg der Ausgaben der Gesetzlichen →*Krankenversicherung* bremsen und auf diese Weise Beitragserhöhungen (steigende Lohnzusatzkosten) verhindern. Teilnehmer aus allen Bereichen der Krankenversorgung sollen sich zu sparsamem Mitteleinsatz verpflichten. Im 1998 ins Leben gerufenen Bündnis für Arbeit, Ausbildung und Wettbewerbsfähigkeit geht es vor allem um eine wirksame Bekämpfung der hohen Arbeitslosigkeit durch Vereinbarungen zwischen den Tarifvertragsparteien und der Bundesregierung. Politische Entscheidungen sollen im Konsens mit Gewerkschaften und Verbänden getroffen werden (Korporatismus).

Institutionen dieser Art haben sich in der Praxis bisher nur anfangs als erfolgreich erwiesen. Eine zentrale Rolle haben dabei zurückhaltende Lohnforderungen der Gewerkschaften gespielt, nach 1967 erzwungen durch eine sich abschwächende →*Konjunktur*, 2000 veranlasst durch die lohnpolitisch maßgeblich mitverursachte hohe Dauerarbeitslosigkeit, vor allem bei beruflich schlecht Qualifizierten (Mindestlohnarbeitslosigkeit). In der KAiG fruchteten nach übermäßigen Ausgabensteigerungen zunächst die Kostendämpfungsappelle. Dann setzte sich die Ausgabendynamik wieder voll durch.

Die Ursachen des Scheiterns von Konzertierten Aktionen und Bündnissen aller Art liegen auf der Hand. Anfangs dominiert das Bestreben aller Beteiligten, ein Zeichen guten Willens zu setzen und für das Erreichen der erklärten Ziele einzutreten. Auch bei den Mitgliedern der vertretenen Körperschaften lässt sich zunächst Verständnis wecken und ein Verzicht auf Forderungen durchsetzen. Von Drohungen staatlicher Organe mit gesetzlichen Zwangsmaßnahmen können (wie bei der KAiG) ebenfalls disziplinierende Wirkungen ausgehen. Einig sind sich alle Korporationen stets, mehr staatliche Mittel zu fordern. Um Bündnisse als Erfolg hinstellen zu können, gehen Regierungen auf solche Wünsche oft ein (z. B. Beschäftigungsprogramm für jugendliche Arbeitslose).

Regelmäßig beginnt jedoch der Konsens zwischen den beteiligten Verbänden bald zu bröckeln. Die Unzufriedenheit mit der selbst auferlegten Bescheidenheit wächst. Mitglieder revoltieren. Verbandsgeschäftsführer und Gewerkschaftsvorsitzende müssen um ihre Wiederwahl fürchten. Die am Bündnistisch Sitzenden haben keine Möglichkeiten, gemachte Zusagen in ihren Organisationen durchzusetzen. Verstöße einzelner Gruppen gegen gemeinsame Beschlüsse versprechen Vorteile, solange sich nicht viele andere Verbände anschließen: So verschafft etwa eine einzelne kleine Gewerkschaft, die im Alleingang Lohnleitlinien nicht einhält, ihren Mitgliedern finanzielle Vorteile, weil nachteilige Folgen in Gestalt steigender Inflationsraten (sinkender Reallöhne) nicht eintreten. Ist der Damm bescheidener Lohnforderungen erst einmal gebrochen, werden andere Gewerkschaften nachziehen. Sanktionen gegen Verstöße gibt es nicht. Konzertierte Aktionen und Bündnisse bewirken Fehlanreize: Wer gegen Beschlüsse verstößt, hat Vorteile; wer sich daran hält, hat das Nachsehen. Die Haltbarkeit von Bündnissen ist daher fraglich.

Gegen das Bündnis für Arbeit, das als Instrument konsensualer Wirtschaftspolitik gelobt wird, bestehen überdies verfassungsrechtliche Bedenken. Die Bundesregierung darf die ihr auf Zeit übertragene politische Macht nicht mit demokratisch nicht legitimierten Interessenverbänden teilen. Fragwürdig ist ferner, dass nur wenige Privilegierte zu den Konsensgesprächen eingeladen und große Bevölkerungsgruppen, etwa die rund 25 Millionen Rentner und Arbeitslosen, ausgeschlossen werden. Dadurch entsteht die Gefahr, dass sich die am Bündnistisch Sitzenden zu Lasten der nicht vertretenen Bevölkerung einigen. Zu bemängeln ist weiterhin, dass alle an Bündnissen Beteiligten wegen ihrer Wiederwahlinteressen einen all zu kurzen Zeithorizont haben. Erfolge müssen kurzfristig nachweisbar sein. Nachhaltige, langfristige Vorteile geraten aus dem Blickfeld. Zudem ist nicht vorhersehbar, zu welchen Beschlüssen die Konsenssuche in Bündnissen führt. Ein hohes Maß an demotivierender Unsicherheit für Investoren ist die Folge. Ein klarer und verlässlicher politischer Kurs lässt sich auf diese Weise nicht steuern. Schließlich wird das Parlament entmachtet: Von ihm wird erwartet, dass es beschließt, was zuvor in Bündnissen festgelegt worden ist.

Die KAiG hat die in sie gesetzten Erwartungen nicht erfüllt. Die gegensätzlichen Interessen der Beteiligten haben sich in Verhandlungen nicht ausgleichen lassen. Ständig neue ausgabensenkende staatliche Interventionen waren die Folge. Um das Bündnis für Arbeit ist es trotz weiter steigender Arbeitslosigkeit ganz still geworden. Was als Meilenstein rot-grüner Politik gepriesen worden ist, hat sich offensichtlich nun auch in den Augen des Bundeskanzlers als

Fehlschlag erwiesen. Um so wichtiger ist es, dass die Massenarbeitslosigkeit mit geeigneten Maßnahmen kausal bekämpft wird: durch eine zurückhaltende Lohnpolitik, durch Öffnung der Flächentarifverträge (Zulassung betrieblicher Vereinbarungen über Löhne und Arbeitszeit), durch Sozialreformen und durch Beseitigung der zahlreichen beschäftigungsmindernden gesetzlichen Regulierungen und Verkrustungen auf den Arbeitsmärkten.

Literaturhinweise:
ENGELHARD, P./ FEHL, U./ GEUE, H. (1998), Konzertierte Aktionen, Runde Tische, Aktionsbündnisse: Machtbeteiligung und Machtkontrolle organisierter Interessen durch korporatistische Politikbeteiligung?, in: Cassel, D. (Hrsg.), *50 Jahre Soziale Marktwirtschaft*, Stuttgart, S. 741-768; KÜLP, B. u. a. (1984), *Sektorale Wirtschaftspolitik*, Berlin u. a., S. 118-130; HAMM, W. (2000), Fallstricke konsensualer Wirtschaftspolitik, in: *Volkswirtschaftliche Korrespondenz der Adolf-Weber-Stiftung*, 39, Nr. 2.

Walter Hamm

Krankenversicherung und Krankheitsvorsorge

Um die Absicherung des Krankheitsrisikos sicherzustellen, sind in der Bundesrepublik Deutschland große Teile der Bevölkerung in der gesetzlichen Krankenversicherung (GKV) pflichtversichert. Versicherungspflichtig sind Arbeiter und Angestellte, wenn ihr Monatsverdienst die Versicherungspflichtgrenze (2004: 3.862,50 Euro) nicht übersteigt. Weiterhin unterliegen der Versicherungspflicht Landwirte und ihre mithelfenden Familienangehörigen, Künstler und Publizisten, Arbeitslose, Behinderte, Rentner, Studenten und Personen in berufspraktischer Ausbildung. Für Personen, die in der GKV nicht versicherungspflichtig sind, bestehen Möglichkeiten der freiwilligen Mitgliedschaft. Zusammen mit den beitragsfrei mitversicherten Familienangehörigen sind etwa 90 v. H. der Bevölkerung im Krankheitsfall über die GKV abgesichert. Rund 9 v. H. der Bevölkerung sind Mitglieder einer privaten Krankenversicherung (PKV).

Die GKV gliedert sich in Ortskrankenkassen, Betriebskrankenkassen, Innungskrankenkassen, Knappschaftskassen, landwirtschaftliche Krankenkassen und Ersatzkassen. Zwischen diesen Kassenarten haben die Versicherten Wahlmöglichkeiten. Die Finanzierung der Kassen erfolgt durch Beiträge, die für jede einzelne Krankenkasse so festgelegt sind, dass die Beitragseinnahmen die laufenden Ausgaben decken. Der Beitrag wird als Prozentsatz des Arbeitseinkommens (bzw. der Rente, des Arbeitslosengelds usw.) bis zur Höhe der Beitragsbemessungsgrenze (2004: 3.487,50 Euro) erhoben. Der durchschnittliche Beitragssatz lag im Jahr 2003 bei 14,4 v. H. Die Beiträge werden je zur Hälfte vom Arbeitnehmer und vom Arbeitgeber aufgebracht. Für Rentner der gesetzlichen Rentenversicherung übernimmt die Rentenversicherung die Hälfte des Beitrags, Betriebsrenten werden dagegen mit dem vollen Beitragssatz belastet; für die Bezieher von Arbeitslosengeld bezahlt die Arbeitslosenversicherung die Beiträge. Da sich die Beiträge in der GKV nicht wie die Prämien in der PKV am individuellen Krankheitsrisiko (abhängig von Alter, Geschlecht, Vorerkrankungen usw.) des einzelnen Versicherten, sondern an seinem →*Einkommen* orientieren, der Anspruch auf Sachleistungen jedoch für alle Versicherten einer Krankenkasse gleich ist und da nicht erwerbstätige Familienmitglieder der Versicherten beitragsfrei mitversichert sind, sorgt die GKV für einen Ausgleich finanzieller Lasten zwischen den Versicherten im Sinne des Solidaritätsprinzips. Dadurch ermöglicht sie die Risikoabsicherung von gesellschaftlichen Gruppen, die sich in der PKV nicht adäquat versichern könnten, wie z. B. Personen mit geringem Einkommen, kinderreiche Familien und ältere Menschen.

Die Leistungen der GKV umfassen Maßnahmen zur Krankheitsvorsorge, zur Behandlung von Krankheiten und zur Absicherung des Einkommensausfalls bei länger andauernden Erkrankungen. Der Krankheitsvorsorge dienen z. B. Untersuchungen zur Früherkennung von Krankheiten wie Krebs-, Herz-, Kreislauf- und Nierenerkrankungen, Kuren und die Förderung der Zahnprophylaxe vor allem bei Kindern und Jugendlichen. Die Leistungen zur Behandlung von Erkrankungen umfassen die Behandlung durch niedergelassene Ärzte und Zahnärzte, Krankenhausbehandlung und die Versorgung mit Arznei-, Verbands-, Heil- und Hilfsmitteln. Der Sicherung des Einkommens bei Krankheit dient die Verpflichtung des Arbeitgebers, bei unverschuldeter krankheitsbedingter Arbeitsunfähigkeit und bei bewilligten Kuren das Bruttoarbeitsentgelt bis zur Dauer von sechs Wochen in voller Höhe weiterzuzahlen. An diese Lohnfortzahlung schließt sich ab der siebten Krankheitswoche als Leistung der GKV die Zahlung von Krankengeld an. Das Krankengeld beträgt 70 v. H. des regelmäßigen Arbeitsentgelts bis zur Beitragsbemessungsgrenze. In der PKV sind die Leistungen nicht vom Gesetzgeber festgelegt, sondern zwischen dem Versicherer und dem Versicherten vertraglich vereinbart.

In den zurückliegenden Jahrzehnten führten u. a. der Einsatz neuer medizinisch-technischer Geräte, neuer Arzneimittel und die Zunahme der Zahl älterer Menschen in der Gesellschaft zu einem starken Anstieg der Leistungsausgaben der GKV und in der Folge zu steigenden Beitragsbelastungen der Versicherten und der Arbeitgeber. Um dieser Entwicklung entgegenzuwirken, wurden verschiedene Reformen im Gesundheitswesen durchgeführt. Sie führten u. a. zum Ausschluss bestimmter Leistungen aus dem Leistungskatalog (Beispiele: Bagatellarzneimittel, Brillengestelle, Sterbegeld), zur Einführung von Zuzahlungen der Versicherten (z. B. bei Arzneimitteln, Krankenhausaufenthalten, Kuren, Fahrtkosten und Zahnersatz) und zur sog. Budgetierung, d. h. der Einführung von Obergrenzen für die Finanzierung der von Krankenhäusern und niedergelassenen Ärzten erbrachten bzw. veranlassten Leistungen. Durch das Ende 2003 verabschiedete Gesetz zur Modernisierung der GKV, das zum 1. Januar 2004 in Kraft trat, wurden neue Zuzahlungen eingeführt und bestehende Selbstbeteiligungen – jeweils in beachtlicher Höhe – angehoben. Neu eingeführt wurde z. B. eine Praxisgebühr bei Arzt- und Zahnarztbesuchen in Höhe von 10 Euro pro Quartal. Für verordnete Arzneimittel, Verbands- und Hilfsmittel müssen die Versicherten 10 v. H. des Preises, jedoch höchstens 10 Euro und mindestens 5 Euro bezahlen. Ebenfalls erhöht wurden die Zuzahlungen bei der Versorgung mit Heilmitteln (Krankengymnastik, Massagen u. Ä.) und bei Krankenhausaufenthalten. Zahnersatz und die Zahlung von Krankengeld werden ab 2005 bzw. 2006 aus dem Leistungskatalog der GKV herausgenommen und sind dann gegen einen zusätzlichen Beitrag gesondert zu versichern; an der Finanzierung dieser Absicherung sind die Arbeitgeber damit nicht mehr beteiligt.

Literaturhinweise:
LAMPERT, H./ ALTHAMMER, J. (2004), *Lehrbuch der Sozialpolitik*, 7. Aufl., Berlin u. a.; LAMPERT, H./ BOSSERT, A. (2004), *Die Wirtschafts- und Sozialordnung der Bundesrepublik Deutschland im Rahmen der EU*, 15. Aufl., München, Wien.

Albrecht Bossert

Kreditwirtschaft, Struktur und Aufsicht

Im Rahmen ihrer Liquiditätsausgleichsfunktion tragen Kreditinstitute dazu bei, Friktionen im Geldstrom einer Volkswirtschaft zu überbrücken. So können sich Kapitalanbieter und -nachfrager an unterschiedlichen Orten befinden, ihre Präferenzen im Hinblick auf den betreffenden Betrag, die Laufzeit und das Risiko der Anlage bzw. Aufnahme mögen auseinanderfallen. Kreditinstitute können ihre Existenz dann begründen, wenn sie Nachfrager und Anbieter von Kapital auf indirekte Weise als Finanzintermediär (Zwischenhändler in Geld) zu niedrigeren Kosten zusammenführen als dies bei einem Direktkontakt der Fall wäre. Im Rahmen ihres „klassischen" Einlagen- und Kreditgeschäfts (Commercial Banking) bieten sie sich daher an, Beträge durch den Raum zu transportieren sowie im Hinblick auf Laufzeit, Volumen und Risiko zu transformieren. Für die Überschuss- und die Defiziteinheiten einer Volkswirtschaft können sich dadurch die Kosten für die Suche nach Vertragspartnern sowie die Anbahnung, den Abschluss, die Durchführung und die Kontrolle von Verträgen verringern.

Charakteristisch für die deutsche Volkswirtschaft ist das *Universalbanksystem*. Im Gegensatz zu der in den USA bis 1999 vom Staat vorgeschriebenen Spezialisierung auf bestimmte Geschäftsarten (Trennbankensystem) unterliegen *Banken* hierzulande keinerlei Begrenzungen mit Blick auf die von ihnen angebotenen Produkte. Unabhängig davon lassen sich anhand der gewählten Rechtsform aber mehrere Sektoren der Kreditwirtschaft unterscheiden. Als Aktiengesellschaft treten vor allem die vier mit Filialsystemen überregional operierenden Großbanken (Deutsche Bank, Bayerische Hypo- und Vereinsbank, Dresdner Bank, Commerzbank) sowie einige regional tätige private Banken auf. Die Großbanken haben ihr Auslandsgeschäft in den letzten Jahrzehnten deutlich ausgebaut und zählen mittlerweile weltweit zu den führenden Instituten in den Bereichen des gehobenen und standardisierten Privatkundengeschäfts (hier durch die gesetzlichen Neuregelungen der privaten Altersvorsorge zunehmend in Konkurrenz zu den Versicherungen), der Finanzierung großer Industrie- und Handelskonzerne sowie des Mittelstands.

In öffentlich-rechtlicher Trägerschaft befinden sich dagegen die *Sparkassen*, deren Geschäftsbetrieb durch (einzelne oder mehrere) Städte bzw. Kreise sichergestellt wird. Da hieraus auch eine geographische Beschränkung der Geschäftsgebiete folgt, bestehen darüber hinaus Landesbanken, die im Eigentum einzelner oder mehrerer Bundesländer sowie der regionalen Sparkassenverbände stehen. Dem Subsidiaritätsprinzip folgend, sollen sie diejenigen Geschäfte betreiben, für die den einzelnen Sparkassen die erforderliche Größenordnung bzw. das Know-how fehlen (z. B. Auslandsgeschäft). Das Spitzeninstitut der Organisation ist die DGZ-Deka Bank, zuständig insbesondere für Zahlungsverkehrsaufgaben und Wertpapierfinanzierungen. Nimmt man die in gleicher Rechtsform betriebenen Spezialinstitute wie Versicherungen, Kapitalanlagegesellschaften und Bausparkassen hinzu, dann wird ein öffentlich-rechtlicher Verbund sichtbar, der im Aufbau den Großbanken mit ihren Zentralen in Frankfurt/ M. und den über Deutschland verteilten Niederlassungen ähnelt, im Gegensatz zu diesen aber dezentral aufgebaut, aus selbstständigen Unternehmen zusammengesetzt ist. Die Institute dieses Sektors verfolgen im Unterschied zu den privaten Banken ausdrücklich nicht das Ziel der Gewinnmaximierung. Dem in den Gesetzen auf Ebene der Länder niedergelegten „öffentlichen Auftrag" entsprechend, sollen sie sich am „Gemeinwohl" orientieren, indem sie die kreditwirtschaftliche Versorgung vor allem wirtschaftlich schwächerer Bevölkerungskreise sowie des Mittelstands sicherstellen, eine regionalpolitische Ausgleichsfunktion wahrnehmen und den →*Wettbewerb* in der Kreditwirtschaft stärken. Allerdings ist die Notwendigkeit dieser Einflussnahme der öffentlichen Hand aus ordnungspolitischer Sicht derzeit stark umstritten, so müssen Landesbanken und Sparkassen aufgrund europäischer Vorgaben ab 2005 auf die Gewährträgerhaftung durch Land bzw. Kommune verzichten.

Als dritter großer Sektor sind die in der Form von Genossenschaften organisierten *Volks- und Raiffeisenbanken* zu nennen. Als Pendant zur Gemeinwohlorientierung richten sich Genossenschaften, die als Selbsthilfeeinrichtungen entstanden, bei denen nur Mitglieder der Genossenschaft auch Kunden sein konnten, am „Förderauftrag" aus. Dieser bedeutet heute faktisch eine primäre Orientierung an der Ausschüttung von Geschäftsüberschüssen auf die Genossenschaftsanteile. Zu den Zielgruppen gehören traditionell vor allem die Privatkunden des sog. Mengengeschäfts sowie Firmenkunden aus Handel, Handwerk, Kleingewerbe und Landwirtschaft. Ebenso wie die öffentlich-rechtlichen Institute bildet dieser Sektor einen Verbund aus den Primärgenossenschaften und einem Spitzeninstitut (DZ Bank); allerdings ist die den Landesbanken vergleichbare mittlere Stufe der Zentralbanken infolge von Strukturkrisen der Organisation auf nur noch ein Institut (WGZ Bank) geschrumpft. Darüber hinaus bestehen genossenschaftliche Versicherungs-, Bauspar- und Fondsunternehmen, und es ergeben sich Ähnlichkeiten dadurch, dass die Kreditgenossenschaften in räumlich stark beschränkten Geschäftsgebieten tätig sind.

Neben diesen drei großen Sektoren der Kreditwirtschaft sind mehrere kleinere, zumeist auf bestimmte Geschäftsarten spezialisierte Gruppen zu nennen. Hierzu zählen die traditionsreichen Privatbankiers, die sich vor allem für das Vermögensmanagement im gehobenen Privatkundensegment und die anspruchsvolle Unternehmensfinanzierung anbieten, die Hypothekenbanken und Bausparkassen mit dem Geschäftsschwerpunkt der Immobilienfinanzierung, Auslandsbanken oder auch Bankgründungen von Industrie- und Handelsunternehmen (z. B. VW-Bank, Quelle-Bank).

Bedingt vor allem durch den technischen Fortschritt sowie die internationale Vernetzung (→*Globalisierung*) hat sich der Wettbewerbsdruck auch in der deutschen Kreditwirtschaft verstärkt. So wird das traditionelle Commercial Banking zunehmend vom Investment Banking bedroht, das sich rund um das Wertpapiergeschäft dreht – sei es bei der Geldanlage der Privathaushalte (z. B. in Form von Aktien anstelle von Spareinlagen), sei es bei der Unternehmensfinanzierung (etwa Ersatz von klassischen Bankkrediten durch Anleihen, →*Kapitalmärkte*). Dieser Trend zu verbrieften Finanzierungen (Securitization) hat neben der Technisierung (Vertrieb von Bankleistungen über das Internet) wesentlich zur Konzentrationswelle in der deutschen Kreditwirtschaft beigetragen, in deren Folge die Zahl der selbstständigen Institute von über 8.000 (1970) über gut 5.000 (1980) und 4.500 (1990) auf rund 2.300 (2003) gesunken ist. 2002 und 2003 waren die schwärzesten Jahre in der deutschen Bankengeschichte nach 1945: Die vor allem infolge von zusammentreffender Konjunktur- und Börsenkrise einbrechenden Ergebnisse zogen den Abbau von über 50.000 Mitarbeitern nach sich.

Der Handlungsspielraum der Kreditwirtschaft wird ebenso wie der der Versicherungswirtschaft wesentlich stärker als in anderen Branchen durch staatlich gesetzte Regeln eingeschränkt. Die Begründung für diese Regulierung wird aus einer besonderen Vertrauensempfindlichkeit des Bankwesens abgeleitet. Gerade ökonomisch weniger aufgeklärte Sparer kleinerer Beträge – so das Argument – würden schon von vagen Gerüchten über wirtschaftliche Schwierigkeiten eines Kreditinstituts dazu veranlasst, ihre Einlagen abzuziehen. Es könnte sich dann ein Windhundrennen um den vordersten Platz am Bankschalter entwickeln (Run), der die Liquidität der betroffenen Bank auszehrt. Daher wäre das Institut gezwungen, Gelder von anderen Banken abzurufen, was nach und nach die gesamte Kreditwirtschaft in Schwierigkeiten bringen könnte (Domino-Effekt). Im Endergebnis droht eine Systemkrise, die dazu führen könnte, dass einerseits die Altersvorsorge breiter Bevölkerungskreise verloren geht und andererseits die Kreditversorgung der Wirtschaft ins Stocken gerät.

Da sich solche alptraumhaften Systemkrisen letztlich nicht vollständig ausschließen lassen, sieht der Staat eine Berechtigung für den Eingriff in das marktwirtschaftliche Geschehen (*→Interventionismus*). Im *Gesetz über das Kreditwesen* schreibt er den Banken insbesondere vor, in Abhängigkeit von den von ihnen eingegangenen Risiken (z. B. des Kreditnehmerausfalls, der Wechselkurs-, Aktienkurs- oder Zinsänderungen) Mittel zum Verlustausgleich in Form von Eigenkapital zu unterhalten. Die Beachtung dieser und anderer Regeln zum Umgang mit Risiken wird von der Bundesanstalt für Finanzdienstleistungsaufsicht (*→Aufsichtsämter*) in Kooperation mit der *→Deutschen Bundesbank* als „Bank der Banken" überwacht. Derzeit befindet sich die Bankenregulierung in einem epochalen Umbruch. Nach den Vorstellungen des Basler Ausschusses für Bankenaufsicht, einem Gremium der Bankkontrolleure aus den wichtigsten Industriestaaten, sollen die Kreditinstitute künftig die von ihnen selbst entwickelten Risikomanagement- und Rating-Systeme zur Berechnung der notwendigen Eigenkapitalbeträge heranziehen dürfen. Diese würden dann die bislang starren, nicht auf die individuelle Risikosituation der einzelnen Bank abzielenden Vorgaben der Bankenaufsicht ersetzen. Allerdings behält sich diese die eingehende regelmäßige Kontrolle der Systeme vor Ort vor („qualitative Aufsicht"). Außerdem schreibt Basel II eine ausführlichere Publizität der Banken vor.

Literaturhinweise:
SÜCHTING, J./ PAUL, S. (1998), *Bankmanagement*, 4. Aufl., Stuttgart; THIEßEN, F. u. a. (Hrsg.) (1999), *Enzyklopädisches Lexikon des Geld-, Bank- und Börsenwesens*, 2 Bde., 4. Aufl., Frankfurt/ M.; HAGEN, J. v./ STEIN, J. H. v. (Hrsg.) (2000), *Obst/ Hintner – Geld-, Bank- und Börsenwesen*, 40. Aufl., Stuttgart.

Stephan Paul

Leistungsprinzip

Jede Gesellschaft ist darauf angewiesen, dass ihre Mitglieder zu Leistungen für sich selbst und für andere motiviert werden. Leistungen für andere werden außerhalb kleiner Gemeinschaften durch öffentliche Anerkennung, meist aber durch eine Gegenleistung vergolten. Das gilt unabhängig von der Wirtschaftsordnung.

In *→Marktwirtschaften* bewerten zahllose Nachfrager im *→Wettbewerb* den ihnen entstehenden Nutzen aus Leistungen miteinander konkurrierender Anbieter, indem sie als Gegenleistung einen Betrag anbieten, den sie im Regelfall deswegen zahlen können, weil sie ihrerseits eine anderen dienende Leistung am Markt verkauft haben. Diesem Austausch müssen beide Marktpartner zustimmen und sind insoweit gleichberechtigt.

In hierarchischen Systemen (Behörden, Schulen, →*Unternehmen*) bewerten demgegenüber Übergeordnete, die nicht Empfänger der Leistung sein müssen, Leistungen derjenigen, die ihrem Urteil unterworfen sind. Dabei kann ein Willkürspielraum bestehen, der durch Regeln und Kontrollen oder die Möglichkeit, auf Märkte auszuweichen, eingeengt wird. Wenn in freiheitlichen Systemen Beurteilte auf andere Beurteiler und Märkte ausweichen können, werden sie insoweit vor Willkür in der Leistungsbewertung geschützt. In Zentralverwaltungswirtschaften, also ohne freie Märkte, fehlt dieser Ausweg (→*Sozialismus*). Es kann zwar noch der sozialistische Grundsatz gelten: „Jeder nach seinen Fähigkeiten, jedem nach seiner Leistung." Wirtschaftliche Leistung wird aber nur noch sehr unvollkommen daran gemessen und danach entlohnt, in welchem Umfang politisch festgelegte Pläne erfüllt werden. Sie sind wenig anpassungsfähig und bewerten Leistungen vorwiegend nach technischen Maßstäben.

Vollkommen ist das Leistungsprinzip nicht: Märkte sind oft unvollkommen, der Wert insbesondere immaterieller Leistungen wird nicht selten erst zu spät erkannt oder sie bleiben unbelohnt, die Bewertungsmaßstäbe ändern sich zusammen mit Zielen und Werturteilen. Mancher sieht im Leistungswettbewerb eine Quelle der „Selbstausbeutung" (Vernachlässigung von Besinnung und Muße) und der Vergiftung zwischenmenschlicher Beziehungen, insbesondere gegenüber Wettbewerbern. Dem Streben nach Gewinnmaximierung und Verlustvermeidung werden soziale Bewertungsfehler unterstellt. Ein Gesamturteil hängt jedoch nicht zuletzt von der Einkommensverwendung ab. Nur eigenes →*Einkommen* und Vermögen erlaubt Freigiebigkeit, kann aber auch aus Wettbewerbsbeschränkungen, Behinderungen anderer und Privilegien hervorgehen.

Der Leistungswettbewerb führt zu besseren und billigeren Produkten und lässt damit Ergebnisse des individuellen Leistungsstrebens anderen zugute kommen. Nur aus hinreichendem Leistungseinkommen und Vermögen können Sozialleistungen für Leistungsunfähige finanziert werden. Solange der Abgabendruck die Leistungsantriebe nicht übermäßig schwächt und Leistung anerkannt bleibt, kann die Einkommensverteilung korrigiert und können Steuern nach der Leistungsfähigkeit erhoben werden.

Literaturhinweise:
WILLGERODT, H. (1973), Das Leistungsprinzip – Kriterium der Gerechtigkeit und Bedingung des Fortschritts?, in: Rauscher, A. (Hrsg.), *Kapitalismuskritik im Widerstreit*, Köln, S. 89-115; GEHLEN, A. u. a. (1974), *Sinn und Unsinn des Leistungsprinzips*, München; KAMMER DER EKD FÜR SOZIALE ORDNUNG (1978), *Sozialethische Überlegungen zur Frage des Leistungsprinzips und der Wettbewerbsgesellschaft*, Gütersloh.

Hans Willgerodt

Liberalismus

Der politische und wirtschaftliche Begriff des Liberalismus (lat. liberalis = dem Freien geziemend) entstand in der Zeit der Aufklärung und fand u. a. im 19. Jh. starke Verbreitung. Liberale Ansätze streben nach freiheitlichen, auf die Individualität des einzelnen Menschen ausgerichtete Ordnungen zur Bewältigung der gesellschaftlichen und wirtschaftlichen Arbeitsteilung. Dem Staat kommt v. a. die Aufgabe zu, die Freiheitsrechte der Menschen zu schützen. Die oft übliche, formale Unterscheidung zwischen dem politischen und dem wirtschaftlichen Liberalismus geht von der scharfen Abgrenzung dieser beiden Sphären aus und verkennt die gemeinsamen Elemente.

Zu den antiken geistigen Vordenkern des politischen und wirtschaftlichen Liberalismus zählt Aristoteles (384-322 v. Chr.). Er versteht das Individuum als ein zoon politikon, ein gesellschaftliches Wesen, eingebunden in einen Staat, der durch das Ideal der individuellen Freiheit und Gleichheit geprägt ist, und unter der Herrschaft eines durch die Menschen selbst gegebenen Gesetzes steht.

Die früh-liberale Bewegung setzt im 16. Jh. mit der Aufklärung und der Renaissance als „Freiheitsforderung gegenüber dem Staat" (Alfred →*Müller-Armack*) ein. John Locke (1632-1704) postuliert einen Gesellschaftsvertrag als konstitutionelle Herrschaft zum Schutze des Privateigentums (→*Eigentum*). Bürgerliche Gesetze (die Herrschaft des Rechts bzw. die „rule of law") und das spontane Verhalten der Individuen sollen das menschliche Handeln in situationsgerechte Formen lenken. Zu den frühen Vertretern einer spontanen, evolutionären Ordnung zählt David Hume (1711-1776). Diese Ära findet ihren Höhepunkt in Adam Smith (1723-1790) mit seinem Hauptwerk „Wohlstand der Nationen" sowie Jeremy Bentham (1748-1832) mit der Formel: „Das größte Glück der größten Zahl" (von Menschen), was zum klassischen politischen Liberalismus des späten 18. und des 19. Jh. überleitet.

Der deutsche Liberalismus gründet sich auf die Beiträge von E. Kant, J. G. Fichte und A. von Humboldt. Der französische Liberalismus – repräsentiert durch die Idee einer Dreiteilung der Gewalten in Gesetzgebung, Regierung und Rechtswesen – wird durch F. M. Voltaire, J.-J. Rousseau und Ch. de Montesquieu (1689-1755) vertreten. Der klassische Liberalismus (Hochliberalismus) beginnt mit der Menschenrechtserklärung in Frankreich (1789) und führt im 19. Jh. zur Realisierung liberaler Verfassungen, charakterisiert durch immer stärkere Volksrechte und liberale wirtschaftliche Ordnungen, insbesondere für den internationalen Handel.

Im späten 19. Jh. führen der Mitgliederschwund der liberalen Parteien, reaktionäre Strömungen und Arbeiterbewegungen zu einer Verdrängung des Liberalismus. Enttäuschungen über die Auswirkungen des wirtschaftspolitischen „Laisser-faire" und die Illusion einer sich natürlicherweise selbst erzeugenden Wirtschaftsordnung führen zur Ablösung des wirtschaftlichen Liberalismus während und nach dem Ersten Weltkrieg. Die Zurückhaltung der Politik gegenüber der Wirtschaft wurde nicht nur aufgegeben, sondern wechselte zu einer Politik der Interventionen und des handelspolitischen Protektionismus.

Auf dieser Basis des →*Interventionismus* entwickelten vor allem Ludwig von Mises und Max Weber die geistigen Grundlagen des Neoliberalismus. Er umfasst eine breite Ideen- und Wertskala für eine freiheitliche staatliche und wirtschaftliche Ordnung als Grundlage der →*Sozialen Marktwirtschaft*. Hieran anknüpfend entsteht die ordoliberale Freiburger Schule mit Walter →*Eucken*, Wilhelm →*Röpke*, Alfred →*Müller-Armack*, Franz →*Böhm*, Alexander →*Rüstow*, Ludwig →*Erhard* u. a., die letztendlich die Soziale Marktwirtschaft als moderne →*Wirtschaftsordnung* in Deutschland einführen. In Abgrenzung zum klassischen Liberalismus führte die Ordoliberale Schule auch den Begriff des Paläo-Liberalismus (=Alt-Liberalismus) ein, der einen konsequenten Liberalismus mit minimalen Staatseingriffen und ohne soziale Komponente kennzeichnen soll (wie zur Blütezeit des Kapitalismus im 19. Jahrhundert angestrebt).

Friedrich August von →*Hayek* entwirft die Idee einer spontanen, evolutionären Ordnung und, kongenial (geistig ebenbürtig) mit Karl R. Popper, das Konzept einer „Großen" oder „Offenen" Gesellschaft mit einer freiheitlichen demokratischen Verfassung. Auch die Idee des Gesellschaftsvertrages erfährt durch John Rawls, Robert Nozick und James McGill Buchanan eine Renaissance. Eine starke neoliberale Ausstrahlung entfaltet die Chicago Schule, welcher u. a. Milton Friedman angehört.

Literaturhinweise:

REDHEAD, B./ STARBATTY, J. (Hrsg.) (1988), *Politische Denker. Von Plato bis Popper*, Bonn; HASSE, R. H./ MOLSBERGER, J./ WATRIN, C. (Hrsg.) (1994), *Ordnung in Freiheit: Festgabe für Hans Willgerodt*, Stuttgart, Jena, New York; HAYEK, F. A. von (1991), *Die Verfassung der Freiheit*, 3. Aufl., Tübingen.

Ralph G. Anderegg

Märkte und Preise

Auf einem Markt treffen →*Angebot und Nachfrage* zusammen. Dabei werden Tauschgeschäfte vereinbart. Auf den Gütermärkten tauschen die Verbraucher (als Nachfrager) mit den Unternehmen (als Anbieter) Geld gegen Konsumgüter ein. Auf den Faktormärkten erwerben die →*Unternehmen* (als Nachfrager) die Produktionsfaktoren Arbeit, Boden und Realkapital, um damit Konsumgüter erstellen zu können. Spezielle Märkte gibt es darüber hinaus z. B. für Kredite (Angebot von Geld gegen Zinszahlungen der Kreditnachfrager), für Devisen (Angebot einer nationalen Währung im Tausch gegen eine andere Währung) oder für Wertpapiere (etwa durch An- und Verkauf von Aktien).

Kennzeichen der meisten Märkte ist, dass sich Angebot und Nachfrage im Zeitablauf immer wieder verändern. Die Nachfrage nach einem Konsumgut kann zunehmen, wenn das →*Einkommen* der Haushalte steigt oder sich andere Konsumgüter verteuern. Das Angebot eines Gutes kann sich erhöhen, weil sich die Produktionsfaktoren verbilligen und dadurch weitere Unternehmen die Produktion aufnehmen. Solche Veränderungen führen dazu, dass die Tendenz zum Ausgleich von Angebot und Nachfrage auf den Märkten zwar ständig vorhanden ist, ein tatsächliches Marktgleichgewicht aber nur selten erreicht wird. Dabei herrscht bei Anbietern und Nachfragern meistens Unsicherheit über die genauen Marktbedingungen. Daher findet auf den Märkten ein dauernder Such- und Entdeckungsprozess statt, um bestmögliche Geschäftsabschlüsse zu erreichen. In diesen Marktprozessen wirkt sich die Risikobereitschaft und Dynamik innovativer Unternehmen besonders positiv aus. Sie bieten neue Produkte an und eröffnen so auch neue Märkte.

Der Anbieter eines neuen Gutes ist zunächst alleiniger Anbieter auf dem Markt. Es liegt ein *Monopol* vor. Wegen fehlender direkter Konkurrenz hat der Monopolist die Möglichkeit, relativ hohe Preise von den Nachfragern zu verlangen. Er kann sein Marktangebot so gestalten, dass er einen (maximalen) Monopolgewinn erzielt. Dies ändert sich, sobald weitere Unternehmen die Produktion aufgenommen haben. Eine kleine Gruppe von Anbietern bildet ein *Oligopol*. Auf einem solchen Markt kann es zu einem besonders intensiven →*Wettbewerb* kommen. Jede Aktion eines Anbieters (z. B. eine Preissenkung) wirkt sich auf den Markterfolg der wenigen Konkurrenten so stark aus, dass mit deren sofortigen Reaktionen (nachziehende Preissenkung oder sonstige Angebotsverbesserung) zu rechnen ist. Wenn hingegen sehr viele Anbieter auf einem Markt agieren, sind die Entscheidungen des einzelnen Unternehmens von den anderen kaum zu bemerken. Hier liegt ein *Polypol* vor. Der einzelne Wettbewerber ist nur einer unter vielen und kann den Preis selbst nicht beeinflussen. Er passt sich mit seiner Produktion an den Marktpreis an, wie er sich im anonymen Zusammenspiel von Gesamtangebot und Gesamtnachfrage ergibt.

Die Marktentwicklung hängt zudem davon ab, wie schwer oder leicht es neuen Anbietern fällt, auf einen bestehenden Markt zu kommen (→*Offene Märkte: Markteintritt und Marktaustritt*). Der Markteintritt kann z. B. behindert werden, weil die etablierten Unternehmen exklusiv über die benötigten Produktionsfaktoren (z. B. hochqualifizierte Arbeitnehmer) verfügen oder eine enge Kundenbindung aufgebaut haben. Wenn allerdings der Markteintritt problemlos möglich ist, kann selbst ein Monopolist keine überhöhten Preise verlangen. Er muss stets damit rechnen, dass ihn neue Unternehmen (Newcomer) mit niedrigeren Preisen verdrängen. Der Wettbewerb geht auf solchen Märkten von *potenziellen Konkurrenten* aus, die auf ihre Chance zum Markteintritt regelrecht warten. So bleiben die marktwirtschaftlichen Anreiz- und Lenkungswirkungen auf alle Fälle erhalten. Außerdem wird der Monopolist auch dadurch kontrolliert, dass die Nachfrager zu den Anbietern anderer Güter wechseln könnten, die ihre Bedürfnisse auf ähnlich gute Weise befriedigen (so genannte Substitutionsgüter). Für solche Entscheidungen spielt z. B. eine Rolle, in welchem Verhältnis die Preise der verschiedenen Produkte stehen. Allerdings sehen die Verbraucher unterschiedliche Produkte nicht immer als austauschbar an, so dass dieser Marktprozess nur teilweise wirksam wird. Auch kann der Konsument von inländischen auf ausländische Güter wechseln, wenn offene Handelsgrenzen existieren.

Zudem werden auf den Märkten nicht nur die Preise für die Güter bestimmt. Außer vom Preis hängt der Erfolg der Unternehmen auch von anderen Merkmalen des Angebots ab. Dies sind vor allem die Qualität der Güter, die Absatz- und Vertriebsorganisation der Produkte, der Service sowie oft auch die Werbung. Daher müssen die Anbieter danach streben, durch eine günstige Kombination der Merkmale die Nachfrage bestmöglich zu befriedigen.

Normalerweise nimmt auf Märkten das Angebot zu, wenn der Marktpreis steigt. Dies gilt aber nicht für Güter, deren Angebot nicht vermehrbar ist (z. B. Gemälde verstorbener Künstler). In solchen Fällen pendelt sich der Preis auf einer Höhe ein, bei dem die Nachfrage dem Angebot gerade entspricht (markträumender Preis). Dies hat den Vorteil, dass diejenigen das knappe Gut erhalten, für die der Vorteil der Bedürfnisbefriedigung unter Berücksichtigung des Einkommens am größten ist.

Literaturhinweise:
BARTLING, H./ LUZIUS, F. (2002), *Grundzüge der Volkswirtschaftslehre*, 14. Aufl., München; FEHL, U./ OBERENDER, P. (2002), *Grundlagen der Mikroökonomie*, 8. Aufl., München; WIED-NEBBELING, S. (1997), *Markt- und Preistheorie*, 3. Aufl., Berlin u. a.

Hans Peter Seitel

Marktmechanismus

Der Begriff „Mechanismus", besonders als „Marktmechanismus", wird im ökonomischen Sprachgebrauch vor allem in der Theorie sehr häufig verwendet. Sein unreflektierter Gebrauch leistet allerdings Irrtümern über die zugrunde liegenden Prozesse Vorschub. Die Verbindung mit „Mechanismus" rückt die Marktprozesse in die Nähe von mechanischen Abläufen, die durch festgelegte Zusammenhänge von Ursache und Wirkung vorgezeichnet sind. Diese mechanistische und materialistische Sicht wird der Ökonomie als Wissenschaft und Praxis von entschiedenen Gegnern einer marktwirtschaftlichen Ordnung (*→Sozialismus*) und von jenen Kritikern vorgehalten, die ethische Grundlagen und Ziele des Wirtschaftens einfordern (*→Katholische Soziallehre, →Evangelische Sozialethik*). Als (wirtschafts-) politischer Kampfbegriff werden diese Vorwürfe vielfach in dem Schlagwort „Neoliberalismus" zusammengefasst (*→Liberalismus, →Soziale Marktwirtschaft*).

Die Ökonomen tragen allerdings selbst zu dieser verzerrten Sicht bei, wenn sie die Grundlagen wirtschaftlicher Bewegungs- und Entscheidungsprozesse nicht ausreichend darlegen. Insbesondere deren Über-Mathematisierung dürfte dazu beigetragen haben, den Blick auf die Vielfalt wirtschaftlicher Ursachen-Wirkungs-

Ketten und auf die handelnden Akteure zu verstellen.

Um angesichts der ungeheuren Komplexität wirtschaftlicher Prozesse einen ökonomischen Ursache-Wirkungs-Zusammenhang isoliert herauszuarbeiten, hat ihn die Wirtschaftstheorie zu Analysezwecken von allen anderen (real existierenden) Einflussfaktoren befreit, indem sie diese als unverändert annimmt und somit aus der Betrachtung ausklammert (von diesen Faktoren abstrahiert). An theoretischen Modellen mit einem derartig hohen Abstraktionsgrad ist in einer Funktion darstellbar, wie sich eine ökonomische Größe (z. B. die Nachfrage) ändert, wenn man eine andere (z. B. den Preis) variiert (→*Angebot und Nachfrage*). Funktionen dieser Art werden gerade in der Wirtschaftstheorie viel verwendet, oft allerdings ohne die Bedingungen ihres Zustandekommens explizit zu nennen.

Besonders deutlich wird dies bei dem „homo oeconomicus", einem virtuellen wirtschaftlichen Akteur. Er handelt nur in ökonomischen Kategorien, und seine Ziele sind festgelegt (z. B. Nutzenmaximierung als Konsument, Gewinnmaximierung als Produzent). Derartige Annahmen erlauben in bestimmten Modellsituationen eindeutige Lösungen (Aussagen, Ergebnisse). Diese Vorgehensweise ist gewissermaßen das Pendant zu Laborversuchen in anderen wissenschaftlichen Disziplinen und hilft, grundlegende Zusammenhänge zu verdeutlichen. Nur in diesen theoretischen Modellen kann man von einem Mechanismus sprechen, nicht aber bei der Betrachtung realer Personen in der realen (Wirtschafts-) Welt.

Das reale Leben in einer Gesellschaft und das Verhalten realer Menschen in der Wirtschaft wird von derartigen Modellen nur zu einem Teil erfasst. Auch wird nicht ausreichend einsichtig, dass Modelle unter der Annahme bestimmten Verhaltens zu Lösungen führen, die zwar als Regel gelten können, bei der Annahme anderen Verhaltens sich aber andere Lösungen ergeben, die als Ausnahme von der Regel angesehen werden.

So besagt die Regel, dass ein Gut weniger nachgefragt wird, wenn sein Preis steigt (regelmäßige Wirkung). In Anbetracht dieser Reaktion der Mehrzahl der Nachfrager kann sich aber jemand genau umgekehrt entscheiden und bei steigendem Preis mehr nachfragen, gerade weil nur noch wenige dieses Gut erwerben können (Snob-Effekt). Diese Reaktion ist die bewusste Ausnahme, die das Regel-Verhalten der „normalen" Nachfrager zur Voraussetzung hat.

Eine rationale Entscheidung kann sogar vorliegen, wenn alle Nachfrager trotz Preiserhöhung mehr von einem Gut erwerben wollen. Das ist dann sinnvoll, wenn alle Nachfrager von der Erwartung ausgehen, dass der Preis noch weiter steigt. In einer solchen Marktsituation besteht die rationale Regel-Entscheidung darin, von einem Produkt mehr nachzufragen, um dessen erwartete weitere Preiserhöhungen zu vermeiden, falls auf dieses Gut nicht verzichtet werden soll.

Es wird ersichtlich, dass ökonomische Theorie Verhaltenstheorie ist.

Die Einflussfaktoren auf das Verhalten von Wirtschaftssubjekten gegenüber ökonomischen Sachverhalten sind vielfältig, z. B. die Marktsituation, deren Wahrnehmung durch den Entscheidungsträger und dessen Informationsstand, die Ziele und Interessenlagen des Handelnden u. a. m. Je nach Ausprägung dieser Faktoren wird die Entscheidung ausfallen.

Die Handelnden sind immer Personen, die für sich oder andere agieren (Eltern für ihre Kinder, →*Unternehmer, Manager* für ihre →*Unternehmen* bzw. für deren Eigentümer, Gewerkschaften für Arbeitnehmer, Politiker und Staatsbedienstete für die Bürger). Dabei ist die Interessenlage eines Einzelnen eindeutig, der für sich als Konsument oder Einzelunternehmer entscheidet. Bei Personen, die stellvertretend für andere handeln, ist die Feststellung der vorrangigen Interessenlage schwieriger, die die Entscheidungen bestimmen (z. B. die von dem Handelnden vermuteten Interessen der vertretenen Gruppe bzw. Institution oder auch dessen Eigeninteresse (→*Institutionenökonomik*).

Alle Wirtschaftssubjekte, auch Unternehmen und Institutionen, handeln durch Personen. Das Menschenbild (→*Soziale Marktwirtschaft: Menschenbild*), auf dem die ökonomische Theorie ihre Verhaltensannahmen gründet, ist der mündige Bürger, der rational im Sinne seiner ökonomischen Interessen handelt. Dabei werden ihm Grenzen durch geschriebene und ungeschriebene (Rechts-) Regeln und sittlich-ethische Normen gesetzt.

Selbst wenn die Akteure am Markt jeweils neu entscheiden, zeigt sich doch eine große Verlässlichkeit, wie sich die Marktteilnehmer unter Normalbedingungen verhalten. Die Erfahrungen menschlichen Verhaltens über Jahrhunderte erlauben der Theorie Grundaussagen über Reaktionsmuster und schaffen damit eine Basis, die zuverlässige Regel-Aussagen und Prognosen ermöglicht. Ökonomische Befunde und Instrumente werden auch fruchtbar in anderen sozialwissenschaftlichen Disziplinen angewandt, z. B. in der Politikwissenschaft und der empirischen Sozialforschung.

Dadurch wird aber kein Mechanismus im eigentlichen Sinne beschrieben, da eine Vielzahl unterschiedlicher Personen auf der Grundlage wechselnder Situationen jeweils neu entscheidet. Das sollte man beachten, um Missverständnisse und Fehlinterpretationen bei dem Begriff „Marktmechanismus" zu vermeiden.

Hermann Schneider

Marktwirtschaft

„Der Mensch steht im Mittelpunkt des Wirtschaftens". Damit ist gemeint, dass die Wirtschaft dem Menschen dienen soll und nicht umgekehrt. Woher wissen wir, ob die Wirtschaft dem Menschen dient? Betrachten wir den Menschen in seiner Rolle als Konsument. Er hat gearbeitet und ist dafür entlohnt worden. Nun will er seinen persönlichen Bedarf decken. Wenn er lange suchen und warten muss, um dann doch leer auszugehen oder um bloß etwas Minderwertiges kaufen zu können, dann dient die Wirtschaft nicht dem Menschen. Minderwertige Waren und lange Schlangen waren der wirtschaftliche Alltag im real existierenden →*Sozialismus*. Hier stoßen wir auf das Paradoxon, dass diese Wirtschafts- und Gesellschaftsordnung bewusst auf die Bedürfnisse der Menschen hin geformt werden sollte und dass die Wirklichkeit das Gegenteil bewirkte.

In der Marktwirtschaft signalisieren bewegliche Preise Konsumenten und Produzenten die Knappheit der Güter. Verschiebt sich die Nachfrage zwischen Gütern, so verändert sich ihr relativer Preis (Tauschwert): Das stärker nachgefragte Gut wird teurer – gemessen in Einheiten der nun weniger nachgefragten Güter – und umgekehrt. Damit erhalten die Produzenten Informationen über die Kaufabsichten der Konsumenten. Die Veränderung der relativen Preise macht es für die Produzenten einerseits lohnend (steigende →*Gewinn*aussichten), nun das stärker nachgefragte Gut vermehrt zu produzieren, während andererseits die Produktion der anderen Güter zurückgeht; die Produzenten dort werden die Produktion umstellen, d. h. produktiver zu arbeiten versuchen, oder in die Bereiche abwandern, in denen die Gewinnaussichten höher sind. Die zentrale Voraussetzung dafür ist Privateigentum, das wir als Verfügungsrechte privater Akteure über Güter und Dienstleistungen charakterisieren können. Das bedeutet, dass diese Akteure auch die Konsequenzen ihrer Entscheidungen selbst zu tragen haben, also haften – positiv in Form von Gewinnen, negativ in Form von Verlusten – bis hin zum Konkurs. Eine funktionierende Marktwirtschaft ohne Konkurse gibt es nicht.

Da sich in einer Marktwirtschaft die Produktionsstruktur selbsttätig – über Preise als Informationssignale und Gewinnaussichten als Anreize – auf die Wünsche der Konsumenten („Konsumentensouveränität") einstellt, stoßen wir auf das Paradoxon, dass diese Ordnung nicht bewusst auf die Erfüllung der Bedürfnisse der Menschen hin geformt wurde, dass sie aber genau das bewirkt. Adam Smith (1721-1790), der Theoretiker der Marktwirtschaft, sieht den einzelnen Produzenten in einer Marktwirtschaft von einer „unsichtbaren Hand" („invisible hand") geleitet, in aller Regel (im englischen Original heißt es „frequently") einem Zweck (bessere Güterversorgung) zu dienen, der ursprünglich nicht in seiner Absicht lag.

Es lässt sich auch zeigen, dass die Marktwirtschaft die wirtschaftliche und gesellschaftliche Wohlfahrt fördert, weil der →*Wettbewerb* die Akteure zu besseren Lösungen drängt, teilweise auch zwingt, um sich im Konkurrenzkampf zu behaupten, und dass sich so die überlegenen Produkte und Produktionsverfahren herauskristallisieren und verbreitet werden: „Der Wettbewerb als Entdeckungsverfahren" (F. A. v. →*Hayek*). Marktwirtschaft und Wettbewerb sind zugleich ein Instrument zur Machtkontrolle; sie sichern damit individuelle Freiheit (Franz →*Böhm*).

Die Marktwirtschaft erzieht sogar zu guter Moral – im wirtschaftlichen Kontext. Der Austausch von Gütern und Dienstleistungen auf dem Markt und die Möglichkeit der Abwanderung zwingen die Produzenten zur Ehrlichkeit: Übereinstimmung von Leistungsversprechen und -erfüllung. Kann der Käufer dem Leistungsversprechen vertrauen, so wird er dem Produzenten die Treue halten, anderenfalls wird er abwandern. Dies zwingt den Verkäufer zu Zuverlässigkeit und Liefertreue. Es lässt sich mit Hilfe von Computerexperimenten sogar Folgendes zeigen: Eine „ehrliche" Verhaltensweise (Übereinstimmung von Leistungsversprechen und -erfüllung), solange der Tauschpartner auch ehrlich ist, setzt sich auch in einer betrügerischen Population durch. Wenn Betrüger mit Betrügern handeln und jeder betrogen werden kann, weiß niemand, wo schließlich der Nettovorteil sein wird. Daher ist es selbst für Betrüger rational, den Tausch mit ehrlichen Partnern zu suchen und auf Betrug zu verzichten; dann entfallen nämlich für sie die hohen Informations- und Transaktionskosten. Das Paradoxe ist also, dass in Marktwirtschaften Moral entsteht oder gestärkt wird, indem man den Einzelnen seinen eigenen Interessen folgen lässt, während sie oft unter die Räder gerät, wenn man den Einzelnen von seinen Interessen abbringen und ihn dahin erziehen will, unmittelbar für das allgemeine Wohl tätig zu sein.

Die These, dass in der Marktwirtschaft die Akteure zu verantwortungsbewusstem Handeln erzogen werden, gilt freilich nur bei einem Kontinuum wechselseitiger Aktionen. Der Verkäufer will die Erwartungen des Käufers erfüllen und umgekehrt, weil er den Fortgang der Handelsbeziehungen sichern will. Ist der Verkäufer dagegen nicht darauf angewiesen, dass er den Käufer zufrieden stellt, weil er nur einmal (z. B. Verkauf eines gebrauchten PKW) oder letztmalig einen Abschluss macht, dann freilich muss der Käufer in Rechnung stellen, dass er übervorteilt werden kann.

Auch vollzieht sich die Erziehung zu Verlässlichkeit und guter (Geschäfts-) Moral bloß oder hauptsächlich in einem Umfeld, das durch rechtsstaatliche Prinzipien geregelt ist: „Herrschaft des Rechts" („rule of law") und „Regierungen unter der Herrschaft des Rechts" („government under the law"). Ansonsten muss mit dem Krebsübel „Korruption" gerechnet werden. Die Korruption richtet sich gegen Produzenten und Konsumenten und bereichert diejenigen, die sanktionslos gegen Gesetze verstoßen dürfen. Die Schaffung rechtsstaatlicher Bedingungen wiederum ist Konsequenz freiheitlicher Ordnungspolitik – „die höchste kulturelle Leistung, die ein Volk erbringen kann" (Franz →*Böhm*).

Literaturhinweise:
EUCKEN, W. (1940/ 1989), *Grundlagen der Natioanlökonomie*, 9. Aufl., Berlin; HAYEK, F. A. von (1969), Der Wettbewerb als Entdeckungsverfahren, in: *Freiburger Studien*, Gesammelte Aufsätze von F. A. von Hayek, Tübingen; SMITH, A. (1776/ 1999), *An Inquiry into the Nature and Causes of the Wealth of Nations*. Letzte deutsche Ausgabe und Übersetzung: Der Wohlstand der Nationen: Eine Untersuchung seiner Natur und Ursachen, 8. Aufl., München.

Joachim Starbatty

Medienpolitik

Der Begriff der Medienpolitik bezeichnet sämtliche staatlichen Aktivitäten, die direkt oder indirekt auf die Ausgestaltung des gesellschaftlichen Kommunikations- bzw. Mediensystems gerichtet sind. In Abgrenzung zu den Medien für Individualkommunikation, wie insbesondere dem Telefon, konzentriert sich die *Medienpolitik* hauptsächlich auf das Gebiet der *Massenmedien*. Diese werden traditionell in drei Bereiche unterteilt: 1. *Presse* (insbesondere Zeitungen und Zeitschriften), 2. *Rundfunk* (Hörfunk und Fernsehen) sowie 3. (Kino-) *Film*. Die deutsche Medienpolitik steht in engem Zusammenhang mit der allgemeinen staatlichen Ordnung. Sie ist entscheidend geprägt worden durch mehrere Grundsatzurteile des Bundesverfassungsgerichts zur Interpretation der in Art. 5 des Grundgesetzes verankerten Meinungsfreiheit und der darin genannten Pressefreiheit sowie der Freiheit der Berichterstattung durch Rundfunk und Film.

Oberstes *Ziel* der Medienpolitik ist die Garantie freier Meinungsbildung. Hierzu sind nach Ansicht des Gerichts ausgestaltende gesetzgeberische *Maßnahmen* erforderlich, da der Prozess der Meinungsbildung wesentlich durch die in den Massenmedien transportierten und dargestellten Meinungen beeinflusst wird. Ohne eine ausgestaltende Gesetzgebung, so die Argumentation, bestehe die Gefahr der freiheitsbeschränkenden Meinungsbeeinflussung bzw. -manipulation der Konsumenten durch die Medienanbieter. Aufgrund der suggestiven Kraft bewegter Bilder in Verbindung mit deren nahezu universeller Empfangbarkeit wird diese Gefahr insbesondere im *Fernsehbereich* als hoch eingeschätzt. Entsprechend konzentriert sich die Medienpolitik vor allem auf diesen Bereich. Im Vordergrund steht dabei die Gewährleistung der gleichgewichtigen Darstellung des gesamtgesellschaftlichen Meinungsspektrums. Neben speziellen, publizistisch-inhaltlich motivierten Regelungen (Jugend- und Persönlichkeitsschutz, Gegendarstellungsrecht, journalistische Sorgfaltspflicht usw.) schafft die Medienpolitik hierfür im Rundfunk einen ganz speziellen Ordnungsrahmen.

Im Gegensatz zur weitgehend marktwirtschaftlich organisierten Presse- und Filmwirtschaft ist der Bereich der Fernseh- und Hörfunkveranstaltung durch eine sog. *duale Rundfunkordnung* gekennzeichnet. Gesetzliches Kernstück dieser Ordnung sind die Bestimmungen des von den Bundesländern geschlossenen Rundfunkstaatsvertrages (RfStV). Innerhalb der dualen Rundfunkordnung stehen sich sowohl privatwirtschaftlich als auch öffentlich-rechtlich organisierte Anbieter gegenüber. Dabei finanzieren sich die *privaten* Anbieter vorwiegend durch Werbeeinnahmen oder direkte Abonnementgebühren (Pay-TV). Mit dieser Finanzierungsart verbindet das Bundesverfassungsgericht negative Auswirkungen auf das ausgestrahlte Programm. Die privaten Anbieter würden dementsprechend kein breit gefächertes Programm anbieten, sondern lediglich massenattraktive Angebote mit hohen Einschaltquoten ausstrahlen.

Im Gegensatz zu den privaten Veranstaltern erzielen die *öffentlich-rechtlichen* Anstalten den weitaus größten Teil ihrer Einnahmen durch die *Rundfunkgebühr*. Diese steht allein ihnen zu, und sie sind unabhängig von der tatsächlichen Nutzung des Angebots von jedem Rundfunkteilnehmer zu entrichten. Dadurch soll ein frei von wirtschaftlichen Zwängen ausgerichtetes Angebot ermöglicht werden, welches auch Minderheiteninteressen berücksichtigt. Die Höhe der Rundfunkgebühr richtet sich nach den Bedarfsanmeldungen der öffentlich-rechtlichen Anstalten. Diese werden von einem Sachverständigengremium, der KEF (Kommission zur Ermittlung des Finanzbedarfs), auf ihre Plausibilität geprüft und von den Bundesländern im Rahmen des RfStV genehmigt. Darüber hinaus ist der öffentlich-rechtliche Rundfunk mit einer umfassenden *Bestands- und Entwicklungsgarantie* ausgestattet. Anders als seine privatwirtschaftlichen Konkurrenten kann er nicht im Wettbewerbsprozess untergehen.

Als Gegenleistung für das Gebührenprivileg obliegt dem öffentlich-rechtlichen Rundfunk die Aufgabe, die *Grundversorgung* der Bevölkerung mit Hörfunk und Fernsehen sicherzustellen. Dabei handelt es sich nicht um eine Mindestversorgung, sondern sie umfasst den gesamten klassischen Rundfunkauftrag und schließt gleichermaßen bildende, kulturelle und unterhaltende Elemente mit ein. Aufgrund der grundgesetzlich garantierten Staatsfreiheit des Rundfunks sind die öffentlich-rechtlichen Anstalten frei, den Inhalt des Grundversorgungsauftrages selbst zu bestimmen. Um innerhalb des gesendeten Programms auch tatsächlich ein breites Meinungsspektrum sicherzustellen, sind die öffentlich-rechtlichen Anstalten in sich plural organisiert. Hierfür verfügt jede Anstalt über einen *Rundfunkrat* (ZDF: Fernsehrat). Dieser setzt sich aus Vertretern der gesellschaftlich relevanten Gruppen (Parteien, Verbände, Kirchen usw.) zusammen und bestimmt u. a. die Richtlinien der Programmpolitik.

Über die Einhaltung der inhaltlichen Bestimmungen des RfStV bei den privaten Veranstaltern wachen die von den Bundesländern gegründeten und ebenfalls binnenplural organisierten *Landesmedienanstalten*. Gleichzeitig lizenzieren sie die privaten Anbieter. Dieses beinhaltet die Auswahl aus den verschiedenen Bewerbern um eine Sendelizenz und die Vergabe der knappen Funk- bzw. Kabelübermittlungsfrequenzen. Weiterhin existiert für den privaten Rundfunk zur Verhinderung übermäßiger Meinungsmacht eine *rundfunkspezifische Konzentrationskontrolle*. Im Gegensatz zum allgemeinen Wettbewerbsrecht (→*Konzentration*) wird nicht allein das externe Unternehmenswachstum durch Fusionen und Firmenübernahmen überwacht, sondern auch das interne Wachstum auf maximal 30 Prozent Zuschauermarktanteil begrenzt.

Zukünftig wird die bisherige Ausgestaltung der deutschen Medienpolitik insbesondere durch die fortschreitende Entwicklung internet-basierter, interaktiver *neuer Medien* in Frage gestellt. Zum einen ist zu bezweifeln, ob die neuen Dienste noch Massenmedien im traditionellen Sinne darstellen und über ein vergleichbares meinungsbildendes Potenzial verfügen. Zum anderen stößt eine nationale Medienpolitik durch den internationalen Charakter digitaler Kommunikationsmedien verstärkt an kompetenzrechtliche Grenzen (→*Globalisierung*).

Literaturhinweise:
EICKHOF, N./ NEVER, H. (2000), *Rundfunkfreiheit ohne traditionellen Anstaltsschutz?*, Hamburger Jahrbuch für Wirtschafts- und Gesellschaftspolitik, 45, S. 293-315; HEINRICH, J. (1999), *Medienökonomie*, Band 2: Hörfunk und Fernsehen, Opladen; NEVER, H. (2001), *Meinungsfreiheit, Wettbewerb und Marktversagen im Rundfunk*, Dissertation, Universität Potsdam.

Norbert Eickhof
Henning Never

Mitbestimmung

Mitbestimmung ist die Mitwirkung der Arbeitnehmer an den Entscheidungen ihres →*Unternehmens*. In den verschiedenen Unternehmensformen und -größen haben die Beschäftigten unterschiedliche Mitwirkungsrechte. Am weitest gehenden ist die Mitbestimmung im Bergbau und in der eisen- und stahlerzeugenden Industrie (Montan-Mitbestimmung): Hier sind die Aufsichtsräte durch Arbeitgeber- und Arbeitnehmervertreter gleichgewichtig (paritätisch) besetzt; außerdem ist die Bestimmung des Arbeitsdirektors von der Zustimmung der Mehrheit der Arbeitnehmervertreter im Aufsichtsrat abhängig.

Für andere Großunternehmen mit eigener Rechtspersönlichkeit (Kapitalgesellschaften wie Aktiengesellschaft, Kommanditgesellschaft auf Aktien, GmbH, Versicherungsverein auf Gegenseitigkeit und Genossenschaft) gilt bei mindestens 2.000 Arbeitnehmern ebenfalls die gleichgewichtige Vertretung von Arbeitnehmern und Arbeitgebern in den Aufsichtsgremien; allerdings hat hier die Arbeitgeberseite im Falle eines Patts die entscheidende konfliktauflösende Stimme. Außerdem sind die leitenden Angestellten auf der Arbeitnehmerbank vertreten. Für mittlere Unternehmen mit 500 bis 2.000 Arbeitnehmern gilt die Ein-Drittel-Beteiligung der Arbeitnehmervertreter.

Keiner Unternehmensmitbestimmung durch die Arbeitnehmer unterliegen Personengesellschaften (Einzelfirma, Offene Handelsgesellschaft, Kommanditgesellschaft). Gleiches gilt für Unternehmen der öffentlichen Hand, wo spezialgesetzliche Regelungen für die Vertretung der Arbeitnehmer im Verwaltungsrat Anwendung finden.

Die Unternehmensmitbestimmung bezieht sich auf alle Entscheidungen, die im Aufsichtsrat eines Unternehmens zu treffen sind. Sie ist von der Mitwirkung des Betriebsrates nach dem Betriebsverfassungsgesetz zu unterscheiden, die neben die Unternehmensmitbestimmung tritt. Der Umfang der Mitwirkungsmöglichkeit der Arbeitnehmer hängt von der Rechtsform des Unternehmens ab. Am ausgeprägtesten ist sie bei der

Aktiengesellschaft, wo der Aufsichtsrat die Kontrollbefugnisse gegenüber der Unternehmensleitung ausübt: Die Bestellung des Vorstands obliegt dem Aufsichtsrat und nicht der Hauptversammlung der Anteilseigner. Dadurch ist ein ständiger Einfluss auf die Unternehmensleitung garantiert, die ihrerseits ausschließlich dem Aufsichtsrat verantwortlich ist. Bei der GmbH wird in Betrieben der mitbestimmungspflichtigen Größenordnung die Geschäftsführung zwar ebenfalls vom Aufsichtsrat bestellt, der seinerseits aber auch den Gesellschaftern – also den Anteilseignern – verantwortlich ist. Auf diese Weise ist bei der GmbH der Einfluss der mitbestimmenden Gremien beschränkt.

Das deutsche Mitbestimmungsrecht ist im internationalen Vergleich sehr weitgehend. Entstehungsgeschichtlich stellte die Mitbestimmung – vor allem die Montan-Mitbestimmung – eine Alternative zu der nach dem Zweiten Weltkrieg intensiv diskutierten Vergesellschaftung dar. Kapital und Arbeit sollten institutionell verzahnt und zur Kooperation gezwungen werden. Tatsächlich hat sich in Deutschland eine Kultur des partnerschaftlichen Miteinanders von Arbeitgebern und Arbeitnehmern herausgebildet. Interessengegensätze werden seit vielen Jahren ganz überwiegend in einem Klima des sozialen Friedens ausgetragen: Arbeitskämpfe sind seltener, kürzer und in der Regel weniger unversöhnlich als in vergleichbaren Industriestaaten. Das trägt dazu bei, die Arbeitnehmer an der Wohlstandsentwicklung teilhaben zu lassen. Das Konzept der →*Sozialen Marktwirtschaft* hat entscheidend zur frühen Akzeptanz des Wirtschaftssystems beigetragen. Inzwischen verwischen sich allerdings die traditionellen Grenzen zwischen Kapital und Arbeit zunehmend: Immer mehr Arbeitnehmer sind zugleich Teilhaber ihres Betriebes oder Aktionäre anderer Unternehmen.

Angesichts einer zunehmenden Internationalisierung der Wirtschaft (→*Globalisierung*) wird immer wieder der Vorwurf erhoben, das deutsche Mitbestimmungsrecht erweise sich als Standortnachteil; es kompliziere Entscheidungsprozesse und vermindere die Rentabilität. Andererseits stärkt die Mitbestimmung die Identifikation der Beschäftigten mit den Unternehmenszielen. Deshalb zielt die Kritik meist weniger auf die Grundidee als vielmehr auf bestimmte Ausprägungen der Mitbestimmung.

Literaturhinweise:
WLOTZKE, O./ WIßMANN, H./ KOBERSKI, W. (2002), *Mitbestimmungsgesetz*, 3. Aufl., München; BERTELSMANN-STIFTUNG/ HANS-BÖCKLER-STIFTUNG (1999), *Mitbestimmung in Deutschland, Tradition und Effizienz*, Frankfurt/ M.; NIEDENHOFF, H.-U. (2000), *Mitbestimmung in der Bundesrepublik Deutschland*, 12. Aufl., Köln.

Gernot Fritz

Mittelstandspolitik

Mittelstandspolitik ist die besondere Wirtschaftspolitik für den selbstständigen Mittelstand, der in Deutschland 96 Prozent aller Unternehmenseinheiten ausmacht. Der Mittelstand stellt eine heterogene Gruppe dar; er setzt sich zusammen aus Handwerk, Einzelhandel, den freien Berufen, dem Dienstleistungsgewerbe sowie Klein- und Mittelbetrieben der Verarbeitenden Wirtschaft bis zu einer Betriebsgröße von 500 Mitarbeitern.

Jede →*Marktwirtschaft* ist um so stärker, je besser ihr →*Wettbewerb* funktioniert. Dieser aber hängt von der Zahl und der Wettbewerbsfähigkeit der mittelständischen Unternehmen ab. Die Politik wird jedoch weitgehend von →*öffentlichen Unternehmen* oder von großen Kapitalgesellschaften dominiert, mit der Folge, dass sich viele generelle Gesetze mittelstandsfeindlich auswirken:

- Absolut gleiche Bürokratieanforderungen an die Unternehmen wirken sich relativ um so belastender aus, je kleiner die Betriebe sind.
- Missbräuchliche Nutzung einer marktbeherrschenden Position wirkt sich oft mittelstandsdiskriminierend aus (z. B. Zuliefererdiskriminierung).
- Von allen wirtschaftlichen Führungspersönlichkeiten haften nur Unternehmer (nicht Manager) persönlich und mit ihrem gesamten Privatvermögen für Verluste ihres Unternehmens.
- Managergehälter gelten als Kosten des Unternehmens, Unternehmerlohn muss als Gewinn versteuert werden.
- Nur Personalunternehmen unterliegen pro Generation einmal der Erbschaftssteuer.
- Internationale Konzerne können Gewinne weltweit verlagern, mittelständische Unternehmen bleiben i. d. R. national für den Fiskus erreichbar und tragen deshalb mehr als zwei Drittel der öffentlichen Finanzlast.

Marktwirtschaft ist nur gerecht, wenn Chancengleichheit gegeben ist. Mittelstandspolitik soll deshalb die Chancengleichheit der kleinen und mittleren Personalunternehmen sichern. Dazu dienen

- Mittelstandsförderungsgesetze, welche z. B. in der öffentlichen Auftragsvergabe mittelstandsgerechte Auftragsvolumina fordern,
- Privatisierung öffentlicher Leistungsbereiche, um auf diesem Feld Wettbewerbsgleichheit zu erzielen,
- Kartell- und Monopolkontrolle (→*GWB*), um unfaire Praktiken marktbeherrschender Konzerne zu verhindern,
- öffentliche Existenzgründungskredite, weil jungen und Kleinunternehmern ohne Eigenmittel der Kapitalmarkt verschlossen bleibt,
- verstärkte →*Deregulierung*, um die Belastung des Mittelstandes mit Bürokratie und Verwaltung zu mindern.

Die Mittelstandspolitik leidet darunter, dass sie politisch keine so starke Lobby hat wie die Gewerkschaften oder die Großunternehmen; aufgrund der Mitbestimmung besteht eine Koalition aus Arbeitgeber und Gewerkschaft gegenüber dem Staat als Träger der Wirtschaftspolitik. Zudem hat die Eigenständigkeit der mittelständischen Unternehmer zur Zersplitterung der mittelständischen Interessenvertretungen geführt. Da die mittelständischen Unternehmen aber 80 Prozent der Arbeitnehmer der

Wirtschaft beschäftigen, könnten sie theoretisch allein politische Mehrheiten mobilisieren und eine mittelstandsorientierte Wirtschaftspolitik durchsetzen. Noch fehlt aber das Bewusstsein, dass sich die Interessen des Mittelstandes eher mit den Zielen der →*Sozialen Marktwirtschaft* vereinbaren lassen. Die von mächtigen Lobbygruppen erstrittenen Sonderregelungen wenden sich oft gegen die Interessen des Mittelstandes. Mittelstandspolitik bleibt darum die ständige Forderung nach Gerechtigkeit, Chancengleichheit und Gleichwertigkeit an die Politik in einer Sozialen Marktwirtschaft.

Literaturhinweise:

HAMER, E. (1987), *Das mittelständische Unternehmen*, Stuttgart; DERS. (2001), *Was ist ein Unternehmer?*, München; DERS. (1996), *Mittelstand und Sozialpolitik*, Schriftenreihe des Mittelstandsinstitutes Niedersachen, Regensburg.

Eberhard Hamer

Monetarismus

Der Monetarismus entstand in den 50er, 60er und 70er Jahren des 20. Jahrhunderts als Reaktion auf den sogenannten →*Keynesianismus*. Die Hauptvertreter des Monetarismus sind bzw. waren der Nobelpreisträger Milton Friedman (Chicago) sowie die Ökonomen Harry G. Johnson, Karl Brunner und Allan H. Meltzer.

Der Monetarismus besteht aus den folgenden *zehn Kernaussagen*:

1. Inflation entsteht nur, wenn die Geldpolitik zu expansiv ist.
2. Ob die Geldpolitik expansiv oder kontraktiv bzw. inflationär oder deflationär ist, kann man am besten an der Entwicklung der *Geldmenge* (Noten, Münzen und kurzfristige Guthaben bei den Banken) ablesen. Demgegenüber ist der Zins – vor allem langfristig – ein schlechter Indikator, weil er nicht nur die Geldpolitik, sondern auch Inflations- und Ertragserwartungen, die staatliche Haushaltspolitik und andere Einflüsse widerspiegelt. Zum Beispiel sank der Zins in der Weltwirtschaftskrise auf nahe null, obwohl die Geldpolitik – gemessen an der Geldmenge – extrem kontraktiv war.
3. Die Zentralbank kann die Geldmenge sehr genau steuern.
4. Damit die Geldpolitik nicht das *Wirtschaftswachstum* und die →*Beschäftigung* destabilisiert, sollte die Geldmenge mit einer stetigen und vorangekündigten Rate wachsen.
5. Damit die Geldpolitik nicht das *Preisniveau* destabilisiert, sollte das Wachstum der Geldmenge – also des Geld*angebots* der Zentralbank und der Geschäftsbanken – der langfristigen Zuwachsrate der (realen) Geld*nachfrage* – also dem →*Wachstum* des wirtschaftlichen Produktionspotenzials – entsprechen.
6. Veränderungen der Geldmengenexpansion wirken sich nur dann auf das Wirtschaftswachstum und die Beschäftigung aus, wenn diese Veränderungen von den Marktteilnehmern nicht erwartet worden sind. Selbst in diesem Fall treten aber nur vorüberge-

hende Wirkungen auf. Wenn sich – nach etwa zwei Jahren – das Preisniveau dauerhaft anpasst, kehrt das Wirtschaftswachstum auf seinen langfristigen Pfad zurück.

7. Änderungen der Geldmengenexpansionsrate sind meist zu einem großen Teil erwartet, weil die Marktteilnehmer das normale Verhaltensmuster der Zentralbank aus der Vergangenheit kennen.
8. Wie die Preise, so passen sich auch die *Löhne* an die Geldpolitik an. Deshalb ist es selbst mit einer unerwarteten Geldmengenexpansion nicht möglich, die →*Arbeitslosigkeit* dauerhaft zu senken. Die strukturellen Ursachen der Arbeitslosigkeit können durch eine inflationäre Geldpolitik nicht beseitigt werden.
9. Wenn die Geldmengenexpansionsrate nach einem Anstieg später – teilweise unerwartet – auf den inflationsfreien Pfad zurückkehrt, sinkt *vorübergehend* das Wirtschaftswachstum und es entsteht *vorübergehend* Stabilisierungsarbeitslosigkeit. Insofern kann die Geldpolitik die Arbeitslosigkeit *im* längerfristigen *Durchschnitt* nicht verringern. Sie kann sie nur anders über die Zeit verteilen.
10. Eine unstete Geldpolitik und ein instabiles Preisniveau verunsichern die Marktteilnehmer. Sie beeinträchtigen die gesamtwirtschaftliche Produktivität und vermindern das Volkseinkommen.

Literaturhinweise:
FRIEDMAN, M. (1973), Die Gegenrevolution in der Geldtheorie, in: Kalmbach, P. (Hrsg.), *Der neue Monetarismus*, München, S. 47-69; BRUNNER, K. (1973), Die monetaristische Revolution der Geldtheorie, in: Kalmbach, P. (Hrsg.), *Der neue Monetarismus*, München, S. 70-103; JOHNSON, H. G. (1973), Die keynesianische Revolution und die monetaristische Gegenrevolution, in: Kalmbach, P. (Hrsg.), *Der neue Monetarismus*, München, S. 196-216.

Roland Vaubel

Nachhaltigkeit

Der Begriff hat seinen Ursprung in der Forstwirtschaft und wurde im 18./ 19. Jahrhundert im deutschsprachigen Raum entwickelt. Er bedeutete, dass nicht mehr Holz geschlagen werden solle als nachwachse. Im angelsächsischen Raum waren John Locke (1632-1704) und John Stuart Mill (1806-1873) Vorreiter der Nachhaltigkeitsdebatte. Locke mahnte an, bei der Nutzung der Ressourcen zukünftige Generationen zu berücksichtigen; Mill plädierte ähnlich für eine Mäßigung der Bedürfnisse der gegenwärtigen Generation.

Das heutige Verständnis wurde durch den Perspektivbericht der Weltkommission für Umwelt und Entwicklung der Vereinten Nationen „Unsere gemeinsame Zukunft" aus dem Jahre 1987 (Brundtland-Report) entscheidend geprägt. Nachhaltigkeit ist ein dreipoliges Konzept. Neben ökologischen sind gleichermaßen soziale und ökonomische Aspekte zu berücksichtigen: Sie bedingen sich gegenseitig, d. h., sie sind nicht austauschbar und isoliert zu betrachten. Die ökonomische Wirtschaftlichkeit ist die notwendige Grundlage für soziale und ökologische Nachhaltigkeit;

sie ermöglicht erst die dauerhafte Finanzierung sozialer und ökologischer Ziele. Andererseits wird durch eine Wirtschaftsweise, die soziale und ökologische Ziele zu wenig beachtet, die dauerhafte Bedürfniswahrnehmung schon der gegenwärtigen, noch stärker aber zukünftiger Generationen gefährdet.

Eine Entwicklung ist danach nachhaltig, die den Bedürfnissen der heutigen Generation entspricht, sowie die Möglichkeiten künftiger Generationen nicht gefährdet, ihre eigenen Bedürfnisse zu befriedigen und ihren Lebensstil zu wählen.

Nachhaltigkeit ist heute ein weltweit anerkanntes Leitbild. Diese breite Zustimmung für einen Interessenausgleich zwischen heutiger und zukünftigen Generationen, Einzel- und Gemeinwohl, Nord und Süd trifft aber auf Schwierigkeiten, wenn konkrete Handlungsempfehlungen formuliert werden (→*Ressourcenschutz*, →*Umweltschutzziele*) – auf nationaler und noch stärker auf internationaler Ebene. Die Einbettung von Umwelt- und Sozialklauseln in die Weltwirtschaftsordnung ist kontrovers und bisher nur teilweise gelungen. Die Umsetzung von Umweltzielen (z. B. Verringerung des CO_2-Ausstoßes) trifft auf mannigfaltige Hemmnisse. Dennoch sind – zwar langsam – wachsende Einsicht und konkrete Verbesserungen festzustellen. Nicht nur in der Politik, sondern verstärkt auch in Unternehmen ist ein Interesse zu entdecken, in dem sich verändernden wirtschaftlichen Umfeld für eine nachhaltige Wirtschaftsweise einzutreten. Wenn die Präferenzen der Politik und der Konsumenten sich deutlich für Nachhaltigkeit der wirtschaftlichen, sozialen und ökologischen Umwelt entwickeln, wird nachhaltiges Wirtschaften ein Wettbewerbsfaktor. Da in einer Marktwirtschaft die Unternehmen bestrebt sein müssen, die Nachfragepräferenzen mit ihren Investitionsentscheidungen bestmöglich zu erfüllen, verlangt die langfristige Realisierung von Nachhaltigkeit eine dauerhafte Veränderung der Präferenzen von Politikern, Bürgern und Wirtschaftssubjekten. Nachhaltigkeit kann deshalb in einer Demokratie, einem Rechtsstaat und einer Marktwirtschaft nicht einfach verordnet werden. Dennoch ist es eine politische und wirtschaftspolitische Aufgabe, die Verhaltensweisen in diese Richtung zu bewegen – mit Mitteln, die konform sind mit Demokratie und Marktwirtschaft. Dies kostet auch Zeit, aber Ungeduld kann ein falscher Ratgeber sein.

Literaturhinweise:
HAUFF, V. (Hrsg.) (1987), *Brundtland Report: World Commission on Environment and Development: „Unsere gemeinsame Zukunft"*, Greven; HAMPICKE, U. (1997), Aufgeklärtes Eigeninteresse und Natur – Normative Begründung des Konzepts Nachhaltigkeit, in: Held, M. (Hrsg.), *Normative Grundfragen der Ökonomik*, Frankfurt/ M., S. 128-149; SENTI, R. (2000), *WTO. System und Funktionsweise der Welthandelsordnung*, Zürich, S. 294 ff., S. 696 ff.

Rolf H. Hasse

New Economy

Der Begriff „New Economy" („Neue Ökonomie") ist nicht eindeutig definiert. Zuweilen wird er auch mit Begriffen wie Internet Economy, Network Economy, Digital Economy, E-Commerce oder Information Economy assoziiert. Gemeinsame Bestandteile aller Bezeichnungen sind neue Technologien, vor allem Informations- und Kommunikationstechnologien (IT), sowie neues Wissen und Humankapital. Vereinfachend wird die New Economy zuweilen auch als der IT-Sektor einer Volkswirtschaft beschrieben.

Was ist neu an der New Economy? Relevant erscheinen folgende Elemente:

(1) IT als neue Technologie,
(2) Information als zunehmend wichtiges Produkt,
(3) erhöhte Produktions- und Wachstumssteigerungen aufgrund von (1) und (2).

In Bezug auf die IT kann festgestellt werden, dass sie zu ständig enger werdenden nationalen und internationalen Vernetzungen (Netzwerken) zwischen Menschen und Unternehmungen führt, innerhalb derer immer größere Datenmengen zu sinkenden Telekommunikationskosten bewegt werden. Hier entstehen Netzwerkeffekte, die dadurch charakterisiert sind, dass durch eine steigende Anzahl der am Netz Beteiligten der Nutzen jedes bereits Vernetzten erhöht wird. Was die Information als Produkt innerhalb der New Economy anbetrifft, so besteht das Neue wohl darin, dass durch die IT ein schnellerer und kostensparender Zugang zu ihr möglich ist, was die Produktion und Nutzung von Informationen stimuliert. Positiv daran ist, dass auch die Informationsverarbeitung im Allgemeinen verbessert wird. All dies – so wird vielfach gesagt – wirkt in einer Volkswirtschaft in der Weise, dass die Transparenz steigt und die Unsicherheiten abnehmen.

Produktivitäts- und Wachstumssteigerungen als Folge von IT sowie der Information als Produkt ergießen sich mehr oder weniger über alle Sektoren einer Volkswirtschaft. Deshalb wird die IT auch als Querschnittstechnologie bezeichnet. Wegen ihrer produktivitäts- und wachstumssteigernden Effekte wirkt diese Technologie national wie international wohlstandsfördernd.

Zu betonen ist, dass in der New Economy die ökonomischen Gesetzmäßigkeiten, wie wir sie aus der „Old Economy" kennen, keineswegs außer Kraft gesetzt werden. Vor allem die USA haben jedoch gezeigt, dass in der New Economy der Wachstumstrend steiler und die Wachstumsschwankungen geringer ausfallen können als in der Old Economy. Zudem sind gleichzeitig die Inflationsraten offensichtlich niedriger. Auch ist feststellbar, dass die Flexibilität der Anpassung der Wirtschaft an konjunkturelle Schwankungen und an den strukturellen Wandel größer ist und damit die Auslastung der Produktionskapazitäten einer Volkswirtschaft im Zeitablauf gleichmäßiger sein kann. Dies wirkt glättend auf den Konjunkturverlauf. Damit verringert sich auch die Notwendigkeit, geld- und fiskalpolitische Instrumente zur kurzfristigen →*Intervention* in den Wirtschaftsablauf einzusetzen. Mit zunehmender Ausbreitung der

Mechanismen der New Economy wird eine Volkswirtschaft ohne Zweifel wettbewerbsfähiger. Die Begriffe New Economy und →*Globalisierung* haben viel gemein: Sie charakterisieren die Entwicklung moderner Volkswirtschaften hin zu dem, was wir →*Systemwettbewerb* nennen.

Literaturhinweise:
FREYTAG, A. (2000), Was ist wirklich neu an der New Economy?, in: *Zeitschrift für Wirtschaftspolitik*, Jg. 49, Heft 3, S. 303-312; HÜTHER, M. (2000), Neue Ökonomie: Abschied vom Konjunkturzyklus? – Befunde und Thesen, in: Volkswirtschaftliche Abteilung der DGZ DekaBank (Hrsg.), *Konjunktur, Zinsen, Währungen*, Frankfurt/ M., S. 8-13; STEHR, N. (2000), Informationstechnologien, Wissen und der Arbeitsmarkt, in: *Frankfurter Allgemeine Zeitung* vom 30.10.2000, S. 33.

Wolf Schäfer

Offene Märkte: Markteintritt und Marktaustritt

Wettbewerb ist in der Konzeption der →*Sozialen Marktwirtschaft* das vorrangige Verfahren, wirtschaftlichen und gesellschaftlichen Fortschritt zu erreichen und zu sichern. Durch →*Wettbewerb* wird zum einen eine gute Versorgung mit Gütern und Dienstleistungen über Märkte angestrebt (ökonomische Funktion). Zum anderen ermöglicht Wettbewerb allen Beteiligten größtmögliche Handlungs- und Wahlfreiheiten am Marktgeschehen (gesellschaftspolitische Funktion). Eine Wettbewerbsordnung, mit deren Hilfe sich diese Ziele verwirklichen lassen, entsteht jedoch nicht von selbst, sie muss geschaffen und geschützt werden. Dies wird zu erreichen versucht durch institutionelle Rahmenbedingungen („Spielregeln"), die dafür sorgen, dass Marktprozesse, wo immer möglich, sich als Wettbewerbsprozesse abspielen können. Von besonderer Bedeutung sind in diesem Zusammenhang eine Reihe von Voraussetzungen oder Prinzipien. Neben einem funktionsfähigen Preissystem und der währungspolitischen Stabilität (→*Preisniveaustabilität*), der Gewährleistung und dem Schutz des Privateigentums (→*Eigentum*) an den Produktionsmitteln, der Vertragsfreiheit und dem Haftungsprinzip (→*Eigenverantwortung*) gelten *offene Märkte* als die wesentlichen (konstituierenden) Bedingungen für eine funktionierende Wettbewerbsordnung.

Die Offenheit eines Marktes bedeutet dabei immer zweierlei: Zum einen die Möglichkeit des ungehinderten *Markteintritts* (no barriers to entry); zum anderen aber auch der freie *Marktaustritt* (no barriers to exit). Jeder mögliche Teilnehmer soll in der Lage sein, jederzeit auf dem Markt, sei es durch räumliche Erweiterung, produktmäßige Diversifikation oder Neugründung, als neuer Wettbewerber (Newcomer) aufzutreten. Jedes etablierte →*Unternehmen* soll aber auch die Möglichkeit haben, sich ungehindert aus dem Markt, sei es aus persönlichen oder marktbezogenen Gründen, wieder zurückziehen zu können. Mit anderen Worten: Eine funktionierende Wettbewerbsordnung soll bewirken, dass es *keine Eintrittsbarrieren* und *keine Austrittsbarrieren* für potenzielle oder tatsächliche Marktteilnehmer gibt.

Dies ist deshalb von Bedeutung, da Marktschranken jeglicher Art die effizienzsteigernde Wirkung sowohl der potenziellen Newcomer verhindern als auch dem Leistungsansporn entgegenwirken, der aus der latenten Gefahr erwächst, aus dem Markt verdrängt zu werden. Freier Markteintritt und -austritt hingegen üben einen erwünschten Wettbewerbsdruck auf Preise und Kosten und damit auf die →*Gewinne* der Unternehmen aus. Dies wiederum zwingt die Anbieter zu einem ökonomisch rationalen Verhalten, welches auf die beste Verwendung der volkswirtschaftlichen Ressourcen (optimale Faktorallokation), auf schnelle Anpassung von Produkten und Produktionskapazität auch an außenwirtschaftliche Daten (Anpassungsflexibilität) sowie auf die Innovation von Verfahren, Produkten, Finanzierungstechniken, Absatzmethoden und Marketingkonzepten (technischer Fortschritt) zielt. Letztlich wird das eigentliche Ziel des gesamten Produktions- und Wettbewerbsprozesses besser erfüllt: Die optimale Versorgung des Endnachfragers, also des Konsumenten.

Der Erfolg des Wettbewerbs wird jedoch in der Realität häufig durch Marktbarrieren behindert. Von besonderer Bedeutung sind hierbei die *Markteintrittsbarrieren.* Allgemein werden darunter solche Faktoren verstanden, die den Markteintritt eines Newcomers erschweren oder ausschließen und damit einen Mangel an Wettbewerbsdruck und die Aufrechterhaltung von vorhandenen Ineffizienzen ermöglichen. Unterschieden wird hierbei zwischen *strukturellen* und *strategischen* Barrieren. Als Beispiele struktureller Eintrittsbarrieren seien Faktoren erwähnt wie Nachteile in der Betriebsgröße, Nachteile in der Produktdifferenzierung, absolute Kostennachteile, Entwicklungskosten, Irreversibilitäten oder ungünstige Marktphasen, in denen z. B. die Nachfrage nicht mehr wächst. In Bezug auf strategische Erschwerung des Markteintritts sind Überkapazitäten, Preisunterbietung, Produktdifferenzierung oder vertikale Integration wesentliche Einflussgrößen. Alle Faktoren erschweren den Preiswettbewerb für einen Newcomer.

Nicht weniger bedeutsam für das Funktionieren des Wettbewerbs sind die *Marktaustrittsbarrieren.* Sie haben zur Folge, dass auf stagnierenden oder schrumpfenden Märkten, die durch einen langfristigen Rückgang der Nachfrage gekennzeichnet sind, der betriebswirtschaftlich notwendige Abbau von überschüssigen Kapazitäten nur verzögert stattfindet. Damit wird die zügige Anpassung des Angebots an eine rückläufige Nachfrage verhindert. Ungleichgewichte zwischen →*Angebot und Nachfrage* bleiben bestehen. Ressourcen bleiben dort gebunden, wo sie zur Marktversorgung nicht mehr nötig sind. Als Beispiele für *strukturelle* Austrittsbarrieren seien genannt irreversible Kosten im Falle dauerhafter, spezifischer Produktionsanlagen (sunk costs), Vertragsstrafen bei Produktionseinstellung, aber auch fehlende Möglichkeiten der Veräußerung oder Umwidmung der Produktionsanlagen zur Herstellung anderer Güter. *Strategische* Austrittsbarrieren sind z. B. unternehmerische Imagepflege, anderweitige Vermarktungsmöglichkeiten der Produkte oder der Zugang zu den Finanzmärkten.

Neben den Marktbarrieren, die sich aus den direkten Entscheidungen der Wirtschaftssubjekte ergeben, sind letztlich *institutionelle Marktbarrieren* zu berücksichtigen, die auf staatlichen Gesetzen, behördlichen Entscheidungen oder auf historischen Gegebenheiten beruhen. Institutionelle Marktbarrieren *struktureller* Art sind z. B., bezogen auf den Markteintritt, die gesetzgeberische Gestaltung des Handels- und Gesellschaftsrechts, des Patent- und Lizenzsystems sowie die Fusionskontrolle, bezogen auf den Marktaustritt sozialpolitische Vorschriften wie etwa Sozialpläne bei Insolvenzen (Zahlungsschwierigkeiten und Konkursen). Beispiele für *strategisch* ausgerichtete institutionelle Marktbarrieren sind Regulierungen, Fusionsverbote und Handelshemmnisse (Markteintritt) sowie →*Subventionen* oder eine moral-suasion-Politik der Beeinflussung durch Gewerkschaften, Politiker, staatliche Institutionen z. B. im Fall drohender Entlassungen von Arbeitnehmern (→*Interessenverbände, Lobby*).

Im Gegensatz zu den Marktbarrieren, die sich aus Entscheidungen der privaten Wirtschaftssubjekte ergeben, lassen sich institutionelle Marktbarrieren als Instrument zur Gestaltung der →*Ordnungspolitik* und damit auch der Sozialen Marktwirtschaft einsetzen. Institutionelle Marktbarrieren können von den politischen Entscheidungsträgern, z. B. mit sozialpolitischer Begründung, errichtet oder wieder abgeschafft werden. Dies fordert die Ökonomie heraus zu beurteilen, ob in einem bestimmten Bereich in der Praxis institutionelle Marktbarrieren zweckmäßig sind oder nicht.

Literaturhinweise:
BAIN, J. S. (1956), *Barriers to New Competition*, Cambridge, Mass.; KRUSE, J. (1988), *Irreversibilitäten und natürliche Markteintrittsbarrieren*, Jahrbücher für Nationalökonomie und Statistik, 204, S. 508-517; TUCHTFELDT, E./ FRITZ-AßMUS, D. (1992), *Über den Marktaustritt: Gründe und Hemmungen*, ORDO – Jahrbuch für die Ordnung von Wirtschaft und Gesellschaft, 43, S. 237-253.

Dieter Fritz-Aßmus

Öffentliche Unternehmen

Der Staat bedient sich zur Erbringung seiner Leistungen neben der öffentlichen Verwaltung (mit Ämtern und Behörden) einer fassettenreichen Vielfalt ausgegliederter betriebsähnlicher Organisationen bis hin zu wirtschaftlichen →*Unternehmen*, wie sie für den privaten Sektor kennzeichnend sind. Sie alle sind als öffentliche Unternehmen zu bezeichnen, sofern die öffentliche Hand deren Inhaber oder Träger ist. Im Wesentlichen lassen sich vier Grundmotive für die Einrichtung derartiger öffentlicher Unternehmen aufzeigen:

(1) Von der öffentlichen Verwaltung ist eine Nachfrage an Leistungen zu decken, welche grundsätzlich auch am Markt erworben werden könnten. Sie werden aber aus politischen Erwägungen oder aus Kostengründen im Wege der staatlichen Eigenerzeugung be-

reitgestellt. Je nach der Art der organisatorischen Gestaltung werden diese Leistungen in reinen oder verselbstständigten *Verwaltungs-* und *Regiebetrieben* produziert. Erstere verfügen über keine eigene Verwaltung und gehen mit ihren Einnahmen und Ausgaben in den allgemeinen Haushalt ein (Beispiele: verwaltungsinterne Druckereien, Werkstätten oder Gärtnereien). Bei Regiebetrieben werden ab einer bestimmten Betriebsgröße die mit einer Verwaltung verbundenen Flexibilitätsmängel dadurch vermieden, dass sie organisatorisch verselbstständigt werden, das Betriebsvermögen aus dem öffentlichen Haushalt ausgegliedert wird sowie ein *→betriebliches Rechnungswesen* und eine eigenverantwortliche Betriebsführung eingerichtet werden. Dennoch bleiben diese Betriebe rechtlich unselbstständig; sie rechnen ihre Leistungen für andere Verwaltungseinheiten vornehmlich zu kostendeckenden Verrechnungspreisen ab und erscheinen nur mit der jährlichen Gewinnabführung beziehungsweise Verlustabdeckung im allgemeinen Haushalt des Trägers. Typische Beispiele für diese Form der öffentlichen Unternehmen sind kommunale Verkehrsbetriebe und Energieversorger.

(2) Darüber hinaus werden Güter und Leistungen bereitgestellt, die dem Bereich der allgemeinen Daseinsvorsorge zugeordnet werden. Im wesentlichen handelt es sich hierbei um Versorgungs- und Entsorgungsgüter mit leitungsgebundener Transportinfrastruktur (Beispiele: Bahnverkehr, Abwasserentsorgung). Die hohen fixen Kosten und dadurch die langfristig sinkenden Durchschnittskosten beeinträchtigen eine privatwirtschaftliche Bereitstellung. Eine privatwirtschaftliche Versorgung im Bereich der Güter mit einem hohen Grad an Öffentlichkeit (öffentliche Güter) kann aber auch gestört sein, weil eine ausreichende individuelle, freiwillige Zahlungsbereitschaft der Nutzer dafür nicht gegeben ist (Beispiel: Straßenreinigung, Feuerversicherung). Der Gesetzgeber reagiert auf diese unvollkommenen Marktbedingungen dadurch, dass der Verwaltung die Kompetenz zur Vergabe eines Anschluss- und Benutzungszwangs oder eine Versicherungspflicht eingeräumt wird.

Außer von den bereits erwähnten rechtlich unselbstständigen Eigenbetrieben werden derartige Leistungen typischerweise von *rechtlich und organisatorisch-wirtschaftlich selbstständigen Unternehmen* erbracht, die zum Teil dem Bereich der *→Parafiski* zuzuordnen sind. Mitgliedschaftlich verwaltete Einrichtungen, wie die *→Kammern* und Innungen, sind als Körperschaften des öffentlichen Rechts konstituiert. Um bestimmte gemeinnützige Zwecke, die über den tagespolitischen Horizont hinaus reichen, zu realisieren, können *öffentlich-rechtliche Stiftungen* mit zweckgebundenem

Vermögen eingerichtet werden (Beispiele: Stiftung Warentest, Bundesstiftung Umwelt).

(3) Ferner kann eine politisch motivierte Leistungserstellung maßgeblich sein: Dabei handelt es sich um Bereiche, in denen zwar eine Marktversorgung prinzipiell gewährleistet oder zumindest möglich ist, das vorliegende Marktergebnis aber in Art und Umfang aufgrund politischer Zielsetzungen korrigiert werden soll. Diese öffentlich erstellten Güter werden *meritorische Güter* genannt. Sofern es sich dabei um kundenorientierte Einrichtungen handelt, werden diese oft als *Anstalten des öffentlichen Rechts* geführt (Beispiele: Sparkassen und Landesbanken, öffentliche Radio- und Fernsehsender).

(4) Schließlich kann für öffentliche Unternehmen eine erwerbswirtschaftliche Betätigung erwogen werden, indem die Erzeugung von Gütern und Dienstleistungen zu kostendeckenden Preisen oder mit einer limitierten Gewinnerzielung angestrebt wird. Diese Zielsetzungen können oder sollten den öffentlichen Zweck der Produktion ausdrücken. Für diese Zielsetzung kommen grundsätzlich die gleichen Rechts- und Organisationsformen wie bei privaten Unternehmen in Frage. Mit einer derartigen erwerbswirtschaftlichen Ausrichtung gehen eine bessere Anpassungsfähigkeit an Marktentwicklungen sowie eine größere Produktivität und Rentabilität einher. Dem steht der Nachteil geringerer staatlicher Einflussmöglichkeiten und Kontrolle gegenüber. In dem Maße, wie dadurch der öffentliche Auftrag zu Gunsten einer Renditeorientierung (ohne Gewinnlimitierung) zurückgedrängt wird, lässt sich daraus die Forderung nach der →*Privatisierung* öffentlicher Unternehmen im Sinne eines „schlanken" Staates begründen.

Generell sollte gelten, die aus dem öffentlichen Haushalt mehr oder weniger ausgegliederte unternehmerische Betätigung der öffentlichen Hände (vom Bund, von den Ländern und den Gemeinden sowie auch von der →*EU*) einer erhöhten Darlegungs- und Berichtspflicht zu unterwerfen, um dem jeweils zuständigen politischen Entscheidungsträger eine ausreichende Transparenz über diesbezügliche Aktivitäten und Wirkungszusammenhänge zu verschaffen. Nur so kann einmal eine zielbezogene Politikgestaltung effizient in die Tat umgesetzt werden. Ferner kann nur so vermieden werden, dass öffentliche Unternehmen unakzeptable Verluste verursachen und mit ihren nicht kostendeckenden Preisen den Markt privater Anbieter massiv stören.

Literaturhinweise:
BUNDESMINISTERIUM DER FINANZEN (Hrsg.) (2000), *Beteiligungsbericht 2000*, Bonn; KILIAN, M. (1993), *Nebenhaushalte des Bundes*, Berlin; TIEPELMANN, K./ BEEK, G. van der (Hrsg.) (1997), *Politik der Parafiski*, Hamburg.

Dietrich Dickertmann
Viktor Wilpert Piel

Ordnungspolitik – Prozesspolitik

Wirtschaftspolitik bezeichnet alle Maßnahmen des Staates, die er zur Ordnung und Steuerung der Wirtschaft nach seinen Zielen einsetzt. Unterschieden werden zwei Bereiche staatlicher Wirtschaftspolitik: Ordnungspolitik und Prozesspolitik. Durch Ordnungspolitik wird die gewünschte →*Wirtschaftsordnung* gestaltet. Hierfür sind die institutionellen Rahmenbedingungen für das individuelle, einzelwirtschaftliche Handeln so zu gestalten, dass ein gesamtwirtschaftlich integrierter Prozess zustande kommt und die wirtschaftlichen Ziele der Gesellschaft bestmöglich verwirklicht werden. Durch Prozesspolitik werden die wirtschaftlichen Prozesse selbst und seine Ergebnisse beeinflusst und gesteuert.

Die Existenz einer Wirtschaftsordnung ist Voraussetzung dafür, dass stark spezialisiertes, arbeitsteiliges Wirtschaften dauerhaft funktionieren kann. Dabei bestehen erhebliche ordnungspolitische Gestaltungsspielräume, die in den vergangenen Jahrzehnten in der Praxis – mit unterschiedlichen wirtschaftlichen Erfolgen – auch genutzt wurden (z. B. sozialistische Zentralplanwirtschaft in der Sowjetunion und DDR (→*Sozialismus*), wettbewerbliche →*Marktwirtschaft* in den USA, →*Soziale Marktwirtschaft* in der BRD). In dezentralen, wettbewerblichen Marktwirtschaften gilt der Primat der Ordnungspolitik: Die Wirtschaftsordnung soll so gestaltet werden, dass möglichst wenig prozesspolitische Maßnahmen nötig werden, um gesellschaftlich befriedigende wirtschaftliche Ergebnisse zu erhalten. Prozesspolitische Eingriffe in das Marktgeschehen (→*Interventionismus*) sollten nur dann stattfinden, wenn die marktliche Selbststeuerung nicht oder nicht hinreichend funktioniert, der →*Wettbewerb* zwischen Anbietern und Nachfragern also nicht die gesellschaftlich gewünschten Ergebnisse hat. Im Konzept der Sozialen Marktwirtschaft ist Prozesspolitik zur Korrektur der Marktergebnisse dann erforderlich, wenn diese nicht mit den sozialpolitischen Zielen der Gesellschaft übereinstimmen (z. B. Einkommensumverteilung zugunsten benachteiligter Personengruppen, Eingriffe in die Preisbildung bei Gesundheitsgütern, →*Sozialpolitik*).

Aufgabe der Ordnungspolitik ist es, ein dauerhaftes System von – überwiegend rechtlich verankerten – Regeln zu schaffen, anzuwenden und im Wirtschaftsleben durchzusetzen, also im Wesentlichen einen funktionsfähigen Rechtsrahmen zu setzen. Gestaltungsbereiche der Ordnungspolitik sind die gewünschten Formen der Planung und Koordination des Wirtschaftsprozesses, die Eigentumsverfassung, Haushalts- und Unternehmensverfassung, Markt- und →*Finanzverfassung*, →*Geldordnung* sowie die immer wichtigere →*Außenwirtschafts*verfassung. In der Sozialen Marktwirtschaft ist zudem die Sozialverfassung sehr bedeutsam. Hauptträger der Ordnungspolitik ist die Legislative. Weil ordnungspolitische Aktivitäten die Qualität des Wirtschaftssystems verändern, sollten die einzelnen Maßnahmen langfristig angelegt sein, um als sichere Planungsgrundlage zu dienen. Häufige und kurzfristige Wechsel dieser für die Akteure in der Wirtschaft wichtigen Ausgangsbedingungen erschweren die Planung und verunsichern Investoren.

Prozesspolitik hingegen greift in die Wirtschaftsprozesse ein, die innerhalb der etablierten Wirtschaftsordnung ablaufen. Ansatzpunkte prozesspolitischer Maßnahmen können einzelne Güter- oder Faktormärkte sein, aber auch Branchen (z. B. Bergbau, Landwirtschaft) oder die gesamte Volkswirtschaft (z. B. Preisniveau, →*Beschäftigung*, Einkommensverteilung). Hauptträger der Prozesspolitik ist die Exekutive (Regierungen, Behörden, Zentralbanken, Kartellämter etc.), die Prozesse oder Prozessergebnisse kurz- bis mittelfristig durch Marktpreisfixierungen, Steuersatzänderungen, Zinsvariationen oder Transferzahlungen zu beeinflussen sucht. Häufig resultieren allerdings aus diesen Prozessinterventionen Fehlallokationen und unerwünschte Prozessergebnisse, die dann neue Interventionen hervorrufen (Interventionsspiralen).

Beispiele konkreter ordnungspolitischer Maßnahmen sind die Schaffung einer autonomen, von politischen Entscheidungen weitgehend unabhängigen Zentralbank, die Einführung von →*Arbeitsschutz*gesetzen, die Aufhebung eines Ladenschlussgesetzes oder die gesetzliche Verankerung einer ökologischen Steuerreform. Die Variation der Abschreibungsmöglichkeiten für Investitionen, die Genehmigung eines verkaufsoffenen Sonntags, die Veränderung von Hebesätzen der Gewerbesteuer oder ein vorübergehendes Fahrverbot bei Smog sind hingegen Beispiele für prozesspolitische Maßnahmen.

In der praktischen Wirtschaftspolitik sind Ordnungs- und Prozesspolitik nicht immer exakt voneinander zu trennen, weil wirtschafts- oder sozialpolitische Ziele sowohl durch das Setzen von Rahmenbedingungen als auch durch direkte Prozesseingriffe erreichbar sein können. Zu beachten bleibt jedoch, dass zunehmende Prozessaktivitäten des Staates häufig einhergehen mit einem Anstieg der Staatsquote und der bürokratischen Regulierung von wirtschaftlichen Entscheidungen und Handlungen. Hierdurch werden einzelwirtschaftliche Entscheidungsspielräume eingeschränkt, Innovationspotenziale begrenzt und die für funktionierende Marktwirtschaften typische Anpassungsflexibilität reduziert (→*Wirtschaftsordnung und Staatsverwaltung*; →*Interventionismus*).

Literaturhinweise:
BERG, H./ CASSEL, D./ HARTWIG, K.-H. (2003), Theorie der Wirtschaftspolitik, in: Bender, D. u. a., *Vahlens Kompendium der Wirtschaftstheorie und Wirtschaftspolitik*, München, S. 171-295; THIEME, H. J. (1994), *Soziale Marktwirtschaft. Ordnungskonzeption und wirtschaftspolitische Gestaltung*, 2. Aufl., München.

Hans Jörg Thieme

Ordnungspolitische Ausnahmebereiche und Ausnahmeregelungen

In einer marktwirtschaftlichen Ordnung ist es eine der Hauptaufgaben des Staates, die allgemeinen Spielregeln für die Marktteilnehmer festzulegen. Innerhalb dieses Ordnungsrahmens plant jedes Wirtschaftssubjekt selbstständig, jeder Marktteilnehmer wirtschaftet also nach eigenen Plänen. Die dezentrale Koordination der Einzelpläne erfolgt über den Markt-Preis-Mechanismus, und die Steuerung der Marktteilnehmer erledigt der Wettbewerbsprozess (→*Marktmechanismus*). Allerdings findet man in allen marktwirtschaftlichen Systemen zahlreiche Wirtschaftsbereiche mit mehr oder weniger starken Abweichungen von diesen ordnungspolitischen Grundsätzen. Derartige *ordnungspolitische Ausnahmebereiche* gibt es nach wie vor auch in der →*Sozialen Marktwirtschaft* der Bundesrepublik Deutschland.

Ein bezeichnendes Beispiel stellt die Landwirtschaft dar. Jährlich werden von den EU-Landwirtschaftsministern Interventionspreise für die europäischen Agrarmärkte festgesetzt. Darüber hinaus existieren für einige Agrarprodukte staatlich fixierte Produktionskontingente bzw. -quoten (→*Agrarpolitik*). Deutsche Landwirte dürfen ferner in bestimmten Fällen Kartelle schließen sowie Preise und Geschäftsbedingungen vertikal (mit Zulieferern und/ oder Abnehmern) binden, obwohl dies in der Bundesrepublik grundsätzlich verboten ist. Weitere Ausnahmebereiche stellen netzgebundene Wirtschaftssektoren wie die öffentliche Energieversorgung, die Wasserversorgung, der Schienenverkehr, die Post und die Telekommunikation dar. In der Regel setzt hier der Markteintritt als Netzbetreiber oder Dienstleister eine behördliche Genehmigung voraus. Ähnliches gilt in den meisten der vorgenannten Bereiche auch für die Preisgestaltung der Unternehmen. Weitere Sonderregelungen aus anderen Wirtschaftsbereichen, angefangen bei den Arzneimitteln bis hin zu den freien Berufen, ließen sich anfügen.

Alle erwähnten *Ausnahmeregelungen* sind durch Markt- und Wettbewerbswidrigkeit gekennzeichnet. Zum einen wird der Markt-Preis-Mechanismus ganz oder teilweise durch staatliche Interventionen ersetzt. In diesem Fall spricht man von *staatlicher Regulierung* (→*Interventionismus*). Konkret wird hierunter die direkte Kontrolle der ökonomischen Aktivitäten von erwerbswirtschaftlich tätigen Unternehmen in einzelnen Wirtschaftsbereichen durch staatliche Institutionen oder deren Beauftragte verstanden. Hierzu zählen vor allem staatliche Reglementierungen des Markteintritts (→*Offene Märkte*), der Preise, der Produktions- und Absatzmengen, der Investitionen und Kapazitäten sowie der Qualitäten und Konditionen.

Von der staatlichen Regulierung sind die *kartellrechtlichen Branchenfreistellungen* bzw. *wettbewerbspolitischen Bereichsausnahmen* zu unterscheiden. Durch sie werden einzelne Wirtschaftsbereiche total oder partiell von den generellen Regelungen des →*Gesetzes gegen Wettbewerbsbeschränkungen* (GWB) freigestellt. Die partiellen Freistellungen beziehen sich auf folgende Regelungen bzw. Verbote des GWB: das Kartellverbot, das Verbot der Preisbindung, das Empfehlungsverbot und/ oder die Anwendung der Missbrauchsaufsicht über Ausschließlichkeitsbindungen von Abnehmern bestimmten Produzenten gegenüber. Zu den hierdurch privilegierten Wirtschaftsbereichen gehören derzeit die Wasserversorgung, die Landwirtschaft, die Kredit- und Versicherungswirtschaft, Urheberrechtsgesellschaften sowie der Sport. Gewährt der Staat also mit einer Freistellung eine sektorale Sondererlaubnis zugunsten einer privaten Beschränkung des Wettbewerbs, die in den übrigen Sektoren verboten ist, so ist mit einer Regulierung in bestimmten Wirtschaftsbereichen eine unmittelbare, staatliche Wettbewerbsbeschränkung verbunden.

Offiziell werden ordnungspolitische Ausnahmeregelungen mit sogenannten *Branchenbesonderheiten* begründet. Dabei wird auf Besonderheiten der jeweiligen Unternehmen, Produktionsprozesse, Güter oder Absatzbedingungen verwiesen. Bei kritischer Überprüfung zeigt sich jedoch, dass die genannten Besonderheiten in den allermeisten Fällen keine hinreichende Begründung für staatliche Regulierung und kartellrechtliche Branchenfreistellungen bieten.

Als fundierter erweist sich die *volkswirtschaftliche Analyse*. Ordnungspolitische Ausnahmeregelungen sind nur dann gerechtfertigt, wenn echte Funktionsstörungen des Markt-Wettbewerbs-Prozesses in Form von Markt- oder Wettbewerbsversagen auftreten. Marktversagen liegt vor, wenn die Koordinationsleistung des Marktes ausbleibt, z. B. weil die Interessenten bestimmter Güter (öffentliche Güter) nicht bereit sind, einen Preis zu zahlen, sodass der Produzent seine Kosten nicht ersetzt bekommt (*→Staatsausgaben; →Öffentliche Unternehmen*). Wettbewerbsversagen ist vor allem dann zu diagnostizieren, wenn der Wettbewerbsprozess zur Verschlechterung der Marktergebnisse führt (z. B. bei natürlichen Monopolen oder bei ruinöser Konkurrenz). Im Einzelnen zeigt die volkswirtschaftliche Analyse, dass der größte Teil der Anfang der 90er Jahre in Deutschland vorhandenen staatlichen Regulierungen (u. a. in den Bereichen Telekommunikation, Bundespost, Bundesbahn, leitungsgebundene Energieversorgung) und nahezu alle kartellrechtlichen Branchenfreistellungen ungerechtfertigt waren.

Zur Beantwortung der Frage, warum volkswirtschaftlich ungerechtfertigte Ausnahmeregelungen eingeführt und aufrechterhalten werden, ist die *Neue Politische Ökonomik* heranzuziehen. Wenn man von einem „Markt" für Ausnahmeregelungen ausgeht, auf dem Politiker als Anbieter und Unternehmer mit ihren Beschäftigten als Nachfrager agieren, dann erhält man Erklärungen, warum Ausnahmeregelungen existieren. Im Einzelnen hängen sie ab von Einflussgrößen wie dem Typus der Unternehmer (innovative, immobile), Kosten- und Angebotsverhältnissen, Marktformen (viele, wenige Marktteilnehmer), Marktphasen (wachsende, gesättigte Märkte) sowie Behördenstrukturen (*→Interessenverbände, Lobby*). Auf der anderen Seite kann die Theorie aber auch erklären, warum seit Mitte der 90er Jahre ein Großteil der volkswirtschaftlich verfehlten Regulierungen und Branchenfreistellungen in Deutschland abgebaut worden sind.

Im Einzelnen zeigt sich, dass für eine politische Akzeptanz der →*Deregulierung* von ungerechtfertigten Ausnahmeregelungen das Auftreten volkswirtschaftlicher Verluste nicht ausreicht. Hinzutreten müssen weitere auslösende Faktoren wie etwa die europäische →*Integration*, die →*Globalisierung* und/ oder bestimmte technologische Neuerungen. Dem längst noch nicht abgeschlossenen Deregulierungsprozess stehen aber auch gesamtwirtschaftlich nachvollziehbare Forderungen nach neuen Regulierungsbehörden (Re-Regulierung) gegenüber, mit deren Hilfe die Marktöffnungen in bestimmten Netzindustrien (Telekommunikation, Post, Eisenbahn, Energieversorgung) forciert und eine Wettbewerbsförderung auf den nachgelagerten Märkten mittels diskriminierungsfreier Netznutzungspreise sowie -konditionen erreicht werden sollen. Die Entwicklung der ordnungspolitischen Ausnahmeregelungen erfolgt also keineswegs in einheitlicher Richtung.

Literaturhinweise:
EICKHOF, N. (1985), *Wettbewerbspolitische Ausnahmebereiche und staatliche Regulierung*, Jahrbuch für Sozialwissenschaft, 36, S. 63-79; DERS. (1993), *Zur Legitimation ordnungspolitischer Ausnahmeregelungen*, Ordo, 44, S. 202-222; DERS. (1997), *Staatliche Regulierung und kartellrechtliche Branchenfreistellungen*, Wirtschaftswissenschaftliches Studium, 26, S. 562-567.

Norbert Eickhof

Parafiski

Die Produktion marktfähiger Waren und Dienstleistungen zur privaten Nutzung/ zum privaten Konsum – wie Frühstücksbrötchen und Taxifahrten – ist vergleichsweise eindeutig dem Kompetenzbereich privater →*Unternehmen* zuzuordnen. Die Güter werden *private Güter* genannt, weil für sie ein Markt existiert, auf dem die Nachfrager bereit sind, mindestens einen kostendeckenden Preis zu bezahlen. Dies ist der Fall, weil die Käufer in der Lage sind, den Nutzen/ den Konsum ausschließlich alleine wahrzunehmen (Ausschlussprinzip). Dem steht ein Leistungsbereich gegenüber, auf dem Güter angeboten werden, die einen öffentlichen Nutzen stiften und bei denen der Ausschluss anderer gar nicht oder nur teilweise möglich ist. Dies gilt bspw. für die Landesverteidigung oder für die Straßenbeleuchtung.

Bei diesen *öffentlichen Gütern* versagt der Markt, weil der Nutzer/ Konsument nicht freiwillig bereit ist, einen mindestens kostendeckenden Preis für seinen Nutzen zu bezahlen. Derartige Leistungen von allgemeinem Interesse werden zwar von den Bürgern gewünscht und als wichtig erachtet. Eine Beteiligung an der Finanzierung der Produktion erweist sich aber als problematisch. Die Individuen sehen kaum eine Veranlassung, freiwillig einen Beitrag für die Leistungen zu bezahlen, wenn sie davon ausgehen können, dass sie ohnehin produziert werden und sie von der Nutzung/ dem Konsum nicht ausgeschlossen werden können. Die

Abstimmung über Art und Umfang solcher primär öffentlichen Ausgaben erfolgt daher in einem politischen Prozess außerhalb des Marktes; die Finanzierung der Produktion geschieht in der Regel über den öffentlichen Haushalt als Fiskus auf der Basis von Zwangsabgaben (Steuern, →*Staatseinnahmen*).

Jenseits originär öffentlicher Aufgaben werden zahlreiche, abgegrenzte Aufgaben von öffentlichem Interesse dauerhaft von selbstständigen Institutionen und Haushalten erfüllt. Sie stehen neben den Haushalten der Gebietskörperschaften von →*Bund, Ländern* und *Gemeinden* und werden daher als Parafiski bezeichnet. Es handelt sich dabei um quasi-staatliche, institutionell verselbstständigte Einrichtungen (mit finanzieller Autonomie und organisatorischer Selbstverwaltung), welche gruppenbezogene Aufgaben wahrnehmen und damit in einem *„Dritten Sektor“* zwischen den Gebietskörperschaften als Vertretung territorial-gesellschaftlicher Interessen einerseits und dem Markt als Koordinationsmechanismus für privatwirtschaftliche Einzelinteressen andererseits stehen. Dementsprechend werden die Parafiski auch als *Intermediäre Finanzgewalten* bezeichnet.

Typische Parafiski im engeren Sinne sind die (gesetzlichen) Arbeitslosen-, →*Kranken-, Pflege-, Renten-* und *Unfallversicherung* (Sozialfiski) sowie die berufständischen Vertretungen von Handel, Handwerk, Industrie und Landwirtschaft (Ständefiski). Aber auch die Kirchen nebst staatlich anerkannten Religionsgemeinschaften werden hinzugezählt. Zur Finanzierung ihrer Leistungen können diese Einrichtungen auf staatlicherseits gewährte Rechte wie Pflichtmitgliedschaften (Sozialversicherung, →*Kammern*) oder auf Steuerzuschlagsverfahren zur Erhebung der Beiträge (Kirchen) zurückgreifen. Derartige Ausstattungszugeständnisse werden mit einem überragenden gesamtgesellschaftlichen Nutzen (Gemeinwohl) begründet, welcher aus der Tätigkeit derartiger Organisationen resultiert. Darüber hinaus lassen sich schließlich auch internationale Institutionen wie Entwicklungs(hilfe)banken und unter Umständen sogar die Europäische Union als Parafiski identifizieren, da sie staatlich übertragene Aufgaben autonom auf der Grundlage eigener Finanzausstattungen und Haushalte wahrnehmen.

Neben diesen Parafiski werden in einer weiter gefassten Definition auch sogenannte Hilfsfiski und Gruppenfiski zu den parafiskalischen Einrichtungen gezählt. Sie werden wie folgt von den oben benannten Parafiski abgegrenzt:

Hilfsfiski gehören zum staatlichen Sektor und nehmen Aufgaben im öffentlichen Interesse wahr. Sie verfügen über eigene Haushalte und eine organisatorische Selbstverwaltung, obwohl sie vielfach Finanzierungsmittel aus anderen öffentlichen Haushalten erhalten (Alimentation). Als sogenannte Sondervermögen (bspw. Bundeseisenbahnvermögen, →*Erblastentilgungsfonds*, ERP-Sondervermögen, Fonds „Deutsche Einheit“, Lastenausgleichfonds) und staatliche Stiftungen (Forschungsstiftungen,

Kulturstiftungen) dienen sie unmittelbar öffentlichen Belangen; sie sind daher als funktionale Budgetauslagerungen (Nebenhaushalte) zu betrachten. Bei den →*öffentlichen Unternehmen* (bspw. früher Post und Bahn) sowie öffentlichen Anstalten (bspw. dem öffentlich-rechtlichen Rundfunk und Fernsehen) ist die Tendenz zu beobachten, dass die hilfsfiskalischen Merkmale, insbesondere die politisch festgelegten Leistungen und Preise sowie die staatliche Finanzierung, zunehmend verdrängt werden. Ursprünglich staatlich finanzierte Auftragsleistungen werden als im →*Wettbewerb* zu erbringende Geschäfte separiert. Auf diese Weise werden die Voraussetzungen für eine zunächst rechtliche und schrittweise dann auch materielle →*Privatisierung* öffentlicher Unternehmen geschaffen (Beispiele: Deutsche Telekom AG, Deutsche Post AG, Deutsche Bahn AG).

Bei den *Gruppenfiski* handelt es sich ebenfalls um einzelverbandliche Einrichtungen, die primär gruppenbezogene Zwecke verfolgen, die zugleich auch in hohem Maße dem Gemeinwohl dienen. Zu dieser Gruppe gehören Institutionen der Freien Wohlfahrtspflege, gemeinnützige Vereine und Verbände, welche teilweise marktfähige Leistungen (Krankenpflege, Schulausbildung) und teilweise kollektive Leistungen (→*Interessenverbände* wie Gewerkschaften, Arbeitgeberverbände und politische →*Parteien*) von gesellschaftlichem Rang erbringen oder auch soziale Aufgaben (bspw. Altenbetreuung, Obdachlosenhilfe) wahrnehmen. Derartige Einrichtungen werden durch steuerliche Vergünstigungen und öffentliche Zuschüsse gefördert.

Wegen der Vielfältigkeit dieser Einrichtungen und ihrer unterschiedlichen institutionellen Ausformung ist die Abgrenzung der Parafiski oftmals nicht trennscharf zu vollziehen. Zudem fehlt es an einer zentralen statistischen Erfassung vieler parafiskalischer Institutionen. Dadurch ist die Messung und Bewertung der Staatstätigkeit insgesamt erschwert. Dieser Tatbestand beeinträchtigt folglich einen internationalen Vergleich diesbezüglicher Ausgaben. Mit der Verlagerung staatlicher Aufgaben in parafiskalische Einrichtungen wird (un-) bewusst die Transparenz der finanzwirtschaftlichen Wirkungen verringert; noch gravierender ist, dass die demokratische Kontrolle über öffentliche Aufgaben, Einnahmen und Ausgaben gemindert wird. Dies kann im Einzelfall durchaus von gesamtwirtschaftlicher Bedeutung sein, wenn bspw. die häufigen Verlagerungen im Sektor der gesetzlichen Renten- und Krankenversicherung vorgenommen und damit diese großen Finanzierungs- und Leistungsströme verändert werden.

Jenseits dessen können derartige Einrichtungen des „Dritten Sektors" aber als ein ständiges Infragestellen staatlicher Zuständigkeiten gedeutet werden: Sie belegen nicht nur die generelle Geltung des Subsidiaritätsprinzips (→*Fiskalföderalismus*), sondern sind grundsätzlich auch als eine wettbewerbspolitische Herausforderung der jeweiligen Träger interpretierbar. Die Dynamik der politischen, rechtlichen, funktionalen und wirtschaftlichen Prozesse begründet in Abständen eine Überprüfung einzelner Zuordnungen – gegebenenfalls mit einer anschließenden Neupositionierung der fraglichen Einrichtungen, um den jeweiligen marktlichen wie den öffentlichen Anforderungen adäquat gerecht werden zu können.

Literaturhinweise:
BURMEISTER, K. (1997), *Außerbudgetäre Aktivitäten des Bundes – Eine Analyse der Nebenhaushalte des Bundes unter besonderer Berücksichtigung der finanzhistorischen Entwicklung*, Frankfurt/ M.; GELBHAAR, S. (1998), Ökonomik der Parafiski – Stand und Perspektiven, in: *Wirtschaftswissenschaftliches Studium*, H. 11/ 1998, S. 570 ff.; TIEPELMANN, K./ BEEK, G. van der (Hrsg.) (1992), *Theorie der Parafiski*, Berlin, New York.

Dietrich Dickertmann
Viktor Wilpert Piel

Parteien

In einer pluralistischen Gesellschaft gibt es eine Vielzahl von Gruppen, Institutionen, →*Interessenverbänden*, die Einfluss auf die staatliche Wirtschaftspolitik nehmen. Dabei kommt den politischen Parteien eine herausgehobene Bedeutung zu. Moderne Demokratien werden deshalb auch als „Parteienstaaten" bezeichnet. Parteien sind organisierte Zusammenschlüsse von Menschen gleicher politischer, sozialer, wirtschaftlicher und weltanschaulicher Willensrichtung, die im staatlichen Leben Einfluss anstreben. Im Grundgesetz der Bundesrepublik Deutschland (Art. 21) sind sie sogar verfassungsmäßig anerkannt. Sie sollen „bei der politischen Willensbildung des Volkes" mitwirken. Sie sind in den „Rang einer verfassungsrechtlichen Institution" gehoben (Bundesverfassungsgericht 2,1 /73). Eine pluralistische Gesellschaft bringt auch ein pluralistisches Parteiensystem hervor, das einen politischen →*Wettbewerb* zwischen den Parteien einschließt.

Letztes Ziel einer Partei ist es, die Mehrheit im Parlament zu erringen, um dort politische Macht auszuüben. Sie verficht ihre Ziele in den Parlamenten und anderen öffentlichen Körperschaften. Umfassende Realisierungschancen haben die Parteien für ihre Vorstellungen nur dann, wenn sie die Regierung stellen oder zumindest an ihr beteiligt sind. Die Regierung kann Wirtschaftspolitik an entscheidender Stelle durch Gesetze, Verordnungen, Programme und direkte Einflussnahme auf andere Akteure gestalten. Sie kann entscheidend dazu beitragen, Freiheitsräume zu erhalten und zu öffnen, die eine funktionierende Wirtschaft braucht. Nicht zu unterschätzen ist der Einfluss der Regierung und der sie tragenden Parteien auf die Verwaltung, die öffentlich rechtlichen Medien und den öffentlichen Sektor der Wirtschaft durch eine gezielte Personalpolitik.

Die Parteien in der Minderheitsposition stellen die Opposition im Parlament. Sie sind in aller Regel auf die Kontrolle und die Kritik des Regierungshandelns beschränkt. In der Wirtschaftspolitik kommt ihr aber eine herausragende Bedeutung zu, weil wirtschaftliche Ereignisse die Lebensgrundlage jedes einzelnen Bürgers betreffen. Wirtschaftliches Handeln beinhaltet häufig auch einen Zielkonflikt. Ein Ziel – z. B. der Abbau der →*Arbeitslosigkeit* – kann einem anderen – z. B. Sicherung der →*Preisniveaustabilität* – entgegen stehen. Schließlich ist wirtschaftspolitisches Handeln fast immer mit einer Umverteilung von Finanzmitteln, Rechtspositionen und Statuseigenschaften verbunden. Es ist vor allem Aufgabe der Opposition, auf diese Zielkonflikte im wirtschaftspolitischen Handeln hinzuweisen, Sachverhalte aufzuklären und gemeinwohlschädliche Positionen der Regierung zu kritisieren (→*Zielkonflikte in der Wirtschaftspolitik*).

Die Parteien wirken allerdings nicht nur parlamentarisch. Gleich wichtig ist ihr Wirken im vor- und außerparlamentarischen Raum. Sie bieten dort den Bürgern die Möglichkeit der Partizipation an der politischen Willensbildung. „Sie schließen die Wähler zu politisch aktionsfähigen Gruppen zusammen und erscheinen so als Sprachrohr, dessen sich das mündig gewordene Volk bedient, um sich zu artikulieren ... Ohne ihre Zwischenschaltung würde das Volk heute ... nicht in der Lage sein, einen politischen Einfluss auf das staatliche Geschehen auszuüben und so sich in der politischen Sphäre zu verwirklichen." (D. Hesselberger, S. 176). Die Parteien sind vielfältig bestrebt, die öffentliche Meinung zu beeinflussen, neue Anhänger zu gewinnen, ihre Wählerschaft zu mobilisieren und über geeignete Kandidaten in Wahlkämpfen ihre Positionen darzustellen und durchzusetzen.

Parteien sollen daher die Wirklichkeit nicht nur gestalten, sondern auch umfassend interpretieren. Sie sind zwar vielfältiger Einflussnahme von außen ausgesetzt und sie vertreten auch durchaus Einzelinteressen. Für eine Gestaltung der Gesamtgesellschaft ist allerdings mehr erforderlich als eine Vertretung einzelner Interessen. Sie genügt auch nicht, um eine Mehrheitsposition in der Öffentlichkeit und in den Parlamenten zu erringen. Deshalb müssen die Parteien gemeinwohlorientierte Gesamtvorstellungen für Gesellschaft und Wirtschaft erarbeiten, aber auch Instrumente entwickeln, um diese Gesellschaftsentwürfe zu verwirklichen. Insofern unterscheiden sich Parteien grundlegend von Wirtschaftsverbänden, →*Unternehmen* oder Gewerkschaften.

Im Konkurrenzkampf der Parteien wurden und werden unterschiedliche Entwürfe entwickelt und vorgestellt. Im heutigen Parteienspektrum sind es vor allem liberale, sozialistische und konservative. Die Programmatik einer Partei ist allerdings nicht allein in Parteiprogrammen niedergelegt, vielmehr auch im praktischen Handeln und in einzelnen Stellungnahmen.

Die Geschichte der Bundesrepublik Deutschland zeigt, dass eine Konvergenz der wirtschaftspolitischen Vorstellungen der Parteien stattgefunden hat. Die programmatische Distanz (Polarisierung) der Parteien hat im Laufe der Jahre abgenommen, was z. B. die Bildung von Koalitionen heute erleichtert. Mit Ausnahme der PDS berufen sich heute alle im Bundestag vertretenen Parteien auf marktwirtschaftliche Konzepte.

Nachdem die CDU nach dem Zweiten Weltkrieg zunächst ein Wirtschaftskonzept mit vielfältigen sozialistischen Elementen (Ahlener Programm, 1947) vertrat, setzte sich schon frühzeitig unter dem Einfluss von Ludwig →*Erhard* (Düsseldorfer Leitsätze, 1949) und dem beispiellosen Erfolg seiner Wirtschaftspolitik das Konzept der Sozialen Marktwirtschaft durch, dem auch die FDP bald folgte. Die SPD passte sich in Reaktion auf ihre Niederlagen bei den Bundestagswahlen in den 50er und 60er Jahren an das erfolgreiche Konzept der Unionsparteien an, ohne jedoch offiziell den Begriff →*Soziale Marktwirtschaft* zu übernehmen. Sie beschloss im Jahre 1959 das Godesberger Programm mit einer Abkehr von sozialistischen Wirtschaftsvorstellungen. Auch bei Bündnis 90/ Die Grünen gibt es heute durchaus Ansätze, sich dem Leitbild der Sozialen Marktwirtschaft anzuschließen. Diese Beispiele zeigen, dass sich die wirtschaftspolitischen Konzeptionen der Parteien ändern können und auch müssen, weil sie jeweils auf neue wirtschaftliche, aber auch politische Herausforderungen eine Antwort finden müssen.

Die Konvergenz der wirtschaftspolitischen Leitbilder bedeutet nicht, dass alle Parteien dieselbe Wirtschaftspolitik vertreten und betreiben. Vielmehr firmieren unter dem Namen Soziale Marktwirtschaft eine Reihe unterschiedlicher wirtschaftspolitischer Konzepte, z. B. nachfrageorientierte oder angebotsorientierte Politikprogramme, oder z. B. der →*Monetarismus.* Auch gibt es sehr unterschiedliche Vorstellungen über die Rolle des Staates in der Wirtschaft, über den Umfang der notwendigen Bürokratie und ihrer Kosten, die Bedeutung der Großindustrie und des Mittelstandes für Wirtschaft und Gesellschaft, über den Umfang des Ausbaues des →*Sozial- und Wohlfahrtsstaates.* In der jeweiligen Antwort auf diese Fragen und deren Ausgestaltung in der konkreten Politik findet die Konvergenz wirtschaftspolitischer Vorstellungen schnell ihre Grenze.

Literaturhinweise:
MEIER, C. (1999), *Die parlamentarische Demokratie*, München, Wien; HESSELBERGER, D. (1988), *Das Grundgesetz*, Neuwied; STOLTENBERG, G. (1999), *Das Konzept der Sozialen Marktwirtschaft*, Sankt Augustin.

Horst-Dieter Westerhoff

Patentwesen

Die grundlegenden Überlegungen zum *Patentwesen* entstanden in Verbindung mit der Industrialisierung sowie der Einführung der Gewerbefreiheit im ausgehenden 18. und im 19. Jahrhundert. Der Kerngedanke bei der Entwicklung des gewerblichen Rechtsschutzes war, einerseits einen rechtlich garantierten Schutz vor Nachahmung oder Missbräuchen zu bieten (*Schutzfunktion*), andererseits Anreize für technische Entwicklungen und die Entstehung neuen Wissens zu schaffen (*Informationsfunktion*). Konkret: Der Erfinder als Schöpfer neuer Technologie soll belohnt werden durch das ausschließliche, jedoch zeitlich begrenzte Recht, den Gegenstand des Patents zu gebrauchen, gewerblich herzustellen, anzubieten oder durch Lizenzen zu verwerten. Gleichzeitig wird damit die vollständige und für jedermann zugängliche Offenlegung des neuen Wissens gewährleistet in der Erwartung, es unbehindert in den volkswirtschaftlich vorteilhaften Prozess der Forschung und Entwicklung einfließen zu lassen. Ein *Patent* ist folglich das dem Erfinder (oder dessen Rechtsnachfolger) von Seiten des Staates zugestandene ausschließliche, zeitlich begrenzte Monopol für die wirtschaftliche Nutzung einer Erfindung mit der Bedingung, sie offen zu legen und die technische Neuerung allgemein zugänglich zu machen.

Zuständig für die Erteilung von Patenten ist in Deutschland das *Deutsche Patent- und Markenamt* mit Sitz in München, eine dem Bundesministerium der Justiz nachgeordnete Bundesoberbehörde. Für die Erteilung und Verwaltung europäischer Patente ist seit 1978 das ebenfalls in München ansässige *Europäische Patentamt* verantwortlich. Grundlagen für patentrechtliche Entscheidungen sind Gesetze und Verträge: Das erste einheitliche deutsche Patentgesetz wurde 1877 geschaffen, die heute gültige Fassung ist seit 1981 in Kraft. Geregelt sind hierbei insbesondere die Aufgaben des Patentamtes, auf Antrag die materielle Schutzfähigkeit einer technischen Erfindung zu prüfen, gegen Gebühr das Patent zu erteilen (Schutzdauer bis zu 20 Jahren) und die Patentschrift mit der damit verbundenen Offenlegung der Neuerungen zu veröffentlichen.

Als patentfähig gelten nur technische Erfindungen, die objektiv neu und gewerblich anwendbar sind, wie z. B. ein Produkt, eine Vorrichtung, ein Verfahren, eine Verwendung oder eine Organisationsform. Nicht patentfähig sind hingegen Entdeckungen, wissenschaftliche Theorien und mathematische Methoden, ästhetische Formschöpfungen, Pläne, Regeln oder die Wiedergabe von Informationen. Auch Pflanzensorten und Tierarten sind zumindest nach deutschem und europäischem Recht von der Patentvergabe ausgeschlossen. Rechtlich und ethisch sehr umstritten ist die Handhabung gentechnologisch veränderter Tiere, für die in einigen Ländern (z. B. in den USA) Patente vergeben werden.

Das *Patentwesen* gilt, wenn auch nicht uneingeschränkt, als eine wichtige Voraussetzung für die Entwicklung des technischen Fortschritts und den wirtschaftlichen Erfolg eines Landes. Wegen seines auf der Schutz- und Informationsfunktion beruhenden *innovationsfördernden Charakters* ist es z. B. wesentlicher Bestandteil der mittelbaren staatlichen Technologiepolitik. Patente, so die Begründung, erhöhen die Transparenz über das Wissen, fördern die Kreativität, vermeiden Doppel- und Fehlentwicklungen und offenbaren technische Lücken gegenüber Konkurrenten, anderen Branchen und anderen Ländern. Durch die zeitlich begrenzte Verleihung von ausschließlichen Verfügungsrechten werden entscheidende individuelle und unternehmerische Anreize geschaffen, sich mit wettbewerbsverbessernden Erfindungen und Innovationen zu befassen.

So sehr jedoch diese Anstoßwirkungen aus innovations- und technologiepolitischer Sicht gewürdigt werden, so werden vor allem im Bereich der Wettbewerbstheorie und -politik die *einschränkenden Wirkungen* beachtet und erforscht. Hier wird weniger auf die Verzögerung bei der Verbreitung von Wissen, sondern vor allem auf die Verzögerung des Diffusionsprozesses im Innovationsbereich durch die Errichtung von Markteintrittsbarrieren hingewiesen (*→offene Märkte*). Das Patentwesen beeinträchtige bewusst den *→Wettbewerb* und fördere tendenziell monopolistische Marktstrukturen, indem potenzielle Wettbewerber, insbesondere kleine und mittlere Unternehmen, von der neuen Technologie ausgeschlossen werden. Außerdem bestehe die Gefahr, dass durch strategische Patentierung eigener Neuerungen und durch Aufkauf fremder Patente ein Unternehmen Märkte dauerhaft zu beherrschen sucht. Auf solchen Märkten ist eine Verlangsamung des technischen Fortschritts mit volkswirtschaftlichen Nachteilen zu erkennen.

Der *Wirtschaftspolitik* steht die Aufgabe zu, bei der Gestaltung des Patentwesens einen offensichtlichen *Zielkonflikt* zu lösen: Zum einen muss das Erzeugen neuen Wissens stimuliert und gleichzeitig nicht legitimierte Imitationen verhindert werden; zum anderen ist es ihre Aufgabe, den Wettbewerb und die Verbreitung des neuen Wissens durch die Anregung frühzeitiger Imitation neuer Produkte und Verfahren zu stimulieren. Ein in diesem Sinne optimales Patentwesen hat demzufolge hinreichende Anreize für innovative Aktivitäten zu bieten und gleichzeitig die Freiräume für imitative Verwendungen der patentierten Technologie im Interesse des Wettbewerbs und der technischen Entwicklung zu gewähren.

Literaturhinweise:
OPPENLÄNDER, K. H. (Hrsg.) (1984), *Patentwesen, technischer Fortschritt und Wettbewerb*. Berlin u. a.; FAUST, K. (1999), *Das Patentsystem auf dem Prüfstand*, Ifo-Schnelldienst, 27, S. 3-10; DEUTSCHES PATENT- UND MARKENAMT (www.dpma.de).

Dieter Fritz-Aßmus

Pflegeversicherung

Die gesetzliche Pflegeversicherung besteht als – neben *→Renten-*, *→Kranken-*, *→Unfall-* und Arbeitslosenversicherung – seit 1995 fünfte Säule des Sozialversicherungssystems. Geschaffen wurde die Pflegeversicherung wegen der zunehmenden Zahl pflegebedürftiger Personen, die in engem Zusammenhang mit dem steigenden Anteil älterer Menschen in der Bevölkerung steht, und der unzureichenden Absicherung des Risikos der Pflegebedürftigkeit, die zu einer wachsenden Belastung der Sozialhilfe (*→Soziale Grundsicherung*) mit Ausgaben für Pflegefälle geführt hatte.

Das Pflegeversicherungsgesetz verpflichtet die gesamte Bevölkerung, sich gegen das Risiko der Pflegebedürftigkeit abzusichern. Alle Mitglieder der gesetzlichen Krankenversicherung (GKV) sind in der gesetzlichen Pflegeversicherung versicherungspflichtig. Nicht erwerbstätige Ehegatten und Kinder sind beitragsfrei mitversichert. Der Teil der Bevölkerung, der nicht in der GKV versichert ist (dies sind vor allem Selbstständige, Beamte und Arbeitnehmer mit einem →*Einkommen* oberhalb der Versicherungspflichtgrenze der GKV), ist zum Nachweis einer nach Art und Umfang gleichwertigen privaten Absicherung des Pflegerisikos verpflichtet.

Für die Durchführung der gesetzlichen Pflegeversicherung zuständig sind die Pflegekassen, die unter dem Dach der gesetzlichen Krankenkassen geführt werden, aber finanziell von der GKV unabhängig sind. Finanziert wird die gesetzliche Pflegeversicherung durch Beiträge, die einkommensabhängig erhoben werden. Seit dem 1. Juli 1996 liegt der Beitrag bei 1,7 Prozent des Einkommens bis zu der für die GKV geltenden Beitragsbemessungsgrenze (2004: 3.487,50 Euro). Wie in der GKV bezahlt die Arbeitslosenversicherung für die Bezieher von Arbeitslosengeld die Beiträge. Die Arbeitnehmerbeiträge werden i. d. R. zur Hälfte vom Arbeitgeber aufgebracht. Um eine Belastung der Arbeitgeber mit zusätzlichen Lohnnebenkosten zu vermeiden, wurden die Arbeitgeber bei Einführung der Pflegeversicherung durch die gleichzeitige Abschaffung eines Feiertags, des Buß- und Bettags, entlastet. Eine Ausnahme bildet dabei jedoch der Freistaat Sachsen, der diesen Feiertag beibehielt. In Sachsen liegt der Arbeitgeberanteil zur Pflegeversicherung derzeit bei 0,35 Prozent, der Arbeitnehmeranteil beträgt 1,35 Prozent.

Für die Leistungen der gesetzlichen Pflegeversicherung gelten folgende Grundsätze: Maßnahmen der Prävention und Rehabilitation zur Vermeidung von Pflegebedürftigkeit haben Vorrang vor Pflegeleistungen. Ist Pflegebedürftigkeit eingetreten, hat Pflege in der häuslichen Umgebung (ambulante Pflege) Vorrang vor der Unterbringung im Pflegeheim (stationäre Pflege). Pflegebedürftige haben grundsätzlich ein Wahlrecht zwischen ambulanter und stationärer Pflege und bei stationärer Unterbringung freie Wahl unter den zugelassenen Einrichtungen. Ist aber stationäre Pflege nicht erforderlich, haben die Pflegebedürftigen nur Anspruch auf die bei häuslicher Pflege zustehenden Leistungen. Weiterhin gehört zu den Grundsätzen der Pflegeversicherung, dass die Pflegebedürftigen im zumutbaren Umfang zu den Kosten der Pflege beitragen müssen (z. B. durch Übernahme der Kosten für Unterkunft und Verpflegung bei stationärer Pflege). Die Leistungen der gesetzlichen Pflegeversicherung richten sich nach dem Grad der Pflegebedürftigkeit. Dieser wird vom medizinischen Dienst der Krankenversicherungen festgestellt. Dabei werden die Pflegebedürftigen einer von drei Pflegestufen zugeordnet. Bei ambulanter Pflege werden je nach Pflegestufe eine Pflegegeld con 205/ 410/ 665 Euro monatlich oder Pflegesachleistungen (Grundpflege und hauswirtschaftliche Versorgung) von bis zu 384/ 921/ 1.432 Euro monatlich oder eine Kombination aus diesen Leistungen sowie eine Urlaubsvertretung bis zu vier Wochen im Wert von bis zu 1.432 Euro pro Jahr bezahlt. Für häusliche Pflegekräfte übernimmt die Pflegeversicherung außerdem auf Antrag Beiträge zur Rentenversicherung. Die Höhe dieser Beiträge hängt ebenfalls vom Grad der Pflegestufe ab. Bei stationärer Pflege werden je nach Pflegestufe Pflegesachleistungen bis zu 1.023/ 1.279/ 1.432 Euro monatlich, in Härtefällen bis 1.688 Euro, bezahlt.

Durch die Einführung der Pflegeversicherung hat sich die Abhängigkeit Pflegebedürftiger von der Inanspruchnahme von Sozialhilfe erheblich verringert. Der Umfang des Angebots an Pflegeleistungen wurde – nicht zuletzt durch eine kräftige Zunahme der Zahl ambulanter Pflegedienste – wesentlich ausgeweitet. Soll der erreichte Leistungsstand gehalten werden, ist aufgrund der absehbaren →*demographischen Entwicklung* damit zu rechnen, dass die Beitragssätze zur Pflegeversicherung in Zukunft steigen werden.

Literaturhinweise:
LAMPERT, H./ ALTHAMMER, J. (2004), *Lehrbuch der Sozialpolitik*, 7. Aufl., Berlin u. a.; LAMPERT, H./ BOSSERT, A. (2004), *Die Wirtschafts- und Sozialordnung der Bundesrepublik Deutschland im Rahmen der EU*, 15. Aufl., München, Wien.

Albrecht Bossert

Politikberatung

Die Soziale Marktwirtschaft ist kein festumrissener utopischer Gesellschaftsentwurf. Sie ist ein offenes und immer wieder neu auszugestaltendes Konzept. Dieser Vorteil bedeutet jedoch zugleich eine Gefahr: Bei der politischen Umsetzung drohen Einseitigkeiten und damit letztlich eine Erosion des Konzepts (→*Soziale Marktwirtschaft: Politische Umsetzung, Erosion und Handlungsbedarf*).

Im Spannungsfeld der tragenden Prinzipien ist ständiges Austarieren erforderlich – die Soziale Marktwirtschaft ist eine wirtschaftspolitische Daueraufgabe. Damit entsteht die Frage, welche Möglichkeiten es für eine wissenschaftliche Politikberatung gibt, mit der die Rationalität der Wirtschaftspolitik befördert werden kann. Um diese Frage zu beantworten benötigt man ein Verständnis der Politikberatung selbst, eine Vorstellung über den politischen Prozess und schließlich eine Steuerungstheorie, mit der die Möglichkeiten und Grenzen der politischen Steuerung von Marktwirtschaften deutlich werden. In allen drei Bereichen muss eine verkürzte mechanistische Sichtweise vermieden werden: Politikempfehlungen folgen nicht ‚automatisch' aus wissenschaftlichen Erkenntnissen, Politik ist keine mechanische Umsetzung, und wirtschaftliche Wirkungszusammenhänge sind nicht in einem ‚Maschinenmodell' darstellbar (→*Marktmechanismus*).

Möglichkeiten und Grenzen objektiver Politikberatung

Wenn die Ökonomik politikberatend tätig werden will, benötigt sie Werturteile. Ohne Wertungen können aus wissenschaftlichen Erklärungen keine Empfehlungen abgeleitet werden. Denn die Erklärungen vermitteln zwar Kenntnisse, wie wirtschaftpolitische Instrumente auf bestimmte Ziele wirken. Aus ihnen kann aber niemals ohne Weiteres geschlossen werden, welche Ziele angestrebt werden sollen. Das Ziel der Wertfreiheit der wissenschaftlichen Politikberatung bezieht sich also auf die Objektivität der Erklärungen und nicht auf die Abwesenheit jedes Werturteils.

Doch welche Werturteile soll die beratende Ökonomik wählen? Eine häufig gewählte Antwort ist die instrumentalistische. Dabei kommen die Wertungen und politischen Ziele ‚von außen' und die Wissenschaft sucht lediglich nach geeigneten (wirksamen und kostengünstigen) Instrumenten. Bei dieser auf den ersten Blick so eleganten Lösung darf allerdings nicht übersehen werden, dass die ‚mechanische' Suche nach Mitteln keineswegs die Wertfreiheit der Empfehlungen sichert. Denn was Ziel und was Mittel ist, steht nicht von vornherein fest. Das heißt, dass Instrumente auch einen Eigenwert (Zielcharakter) haben, umgekehrt Ziele auch als Mittel im Hinblick auf übergeordnete Ziele erscheinen können. Schließlich können Mittel Nebenwirkungen auf andere, nicht angestrebte Ziele haben (→*Wirtschaftspolitik: Zielkonflikte*). Es ist nicht ohne Wertung anzugeben, ob ein Ziel höherrangig ist (Zielhierarchie) oder in welchem Verhältnis die beabsichtigte Zielerreichung und unbeabsichtigte Nebenwirkungen auf andere Ziele stehen.

Somit ist klar, dass in wissenschaftlichen Empfehlungen Wertungen an verschiedenen Stellen enthalten sein müssen, auch wenn die grundsätzlichen Ziele extern vorgegeben sind. In jedem Fall muss sich eine seriöse Politikberatung darum bemühen, die verwendeten Werturteile offenzulegen.

Die Notwendigkeit zusätzlicher Wertungen erklärt einerseits, warum die wirtschaftspolitischen Empfehlungen verschiedener Experten teilweise stark voneinander abweichen. Sie bedeutet andererseits, dass sich die Wissenschaft keineswegs damit begnügen muss, Zielsetzungen ‚von außen' für bare Münze zu nehmen. Es ist auch möglich, eine Zielsetzung mit Hinweis auf andere Wertungen zu verwerfen. In diesem Zusammenhang spielt es eine wichtige Rolle, was ‚von außen' genau bedeutet: Spiegelt eine Zielsetzung wirklich die Vorstellungen aller Wirtschaftssubjekte wider oder entstammt sie einem politischen Prozess, in dem spezifische Interessen überrepräsentiert sind?

Politikerberatung und Politikberatung
Mit der Frage, woher die Wertungen und Ziele der Wirtschaftspolitik stammen können, kommen wir zur Zielgruppe der Politikberatung. Dabei muss korrekterweise unterschieden werden zwischen der Politikberatung als Bürgerberatung für alle Adressaten der Wirtschaftspolitik und der Politikberatung als Politikerberatung. Diese Unterscheidung wird häufig verwischt, und es wird für ausreichend gehalten, die politischen Entscheidungsträger aufzuklären. Diese Position setzt stillschweigend voraus, dass Politiker ausschließlich im Interesse der Bürger handeln. Die Vor-

stellung vom Politiker (oder von einer Politikerin) ist dabei die eines „wohlmeinenden Diktators", der die guten Ratschläge der Politikberater mechanisch in gute Politik umsetzt und über die dazu erforderliche Machtfülle verfügt.

Den politischen Prozess derart als ‚Politikmechanismus' zu sehen, ist verfehlt. Denn glücklicherweise sind Politiker in der Demokratie keine Diktatoren, was umgekehrt bedeutet, dass sie bei der Umsetzung von Empfehlungen regelmäßig auf Widerstände stoßen. Selbst wenn durch eine wirtschaftspolitische Maßnahme eigentlich alle bessergestellt werden, so kann die Umsetzung durch Interessengruppen vereitelt werden, die sich auf der Verliererseite sehen.

Politiker sind auch nicht völlig taub für den Protest von Partikularinteressen. Denn die politische Zustimmung gut organisierter Interessengruppen ist kurzfristig häufig wichtiger für Politiker als die Befriedigung des unorganisierten Allgemeininteresses. Das bedeutet, dass Politiker auch nicht unbegrenzt wohlmeinend oder gemeinwohlorientiert handeln.

In der ökonomischen Theorie der Politik (Public Choice) wurde dieses Eigeninteresse der Politiker besonders betont. Mit diesem Ansatz droht allerdings auch ein neuer mechanistischer Irrtum. Stellt man sich die politisch Handelnden als strikt eigennutzorientiert vor und modelliert den politischen Wettbewerb wie einen Marktmechanismus, dann ist das politische Handeln vollständig determiniert. Die Politik ist eindeutig bestimmt durch die Politikerinteressen und die politischen Widerstände. Wenn Politik aber derart determiniert ist, so ist der Versuch, sie durch Aufklärung über bessere Politik zu verändern, sinnlos: Politikerberatung ist unmöglich (sog. determinacy paradox).

Gegen diese Unmöglichkeit spricht allein schon die empirische Beobachtung, dass es sehr wohl umfassende wirtschaftspolitische Reformen gegeben hat, bei denen den Empfehlungen von wissenschaftlichen Beratern gefolgt wurde. Theoretisch spricht gegen die Unmöglichkeit der Politikerberatung das Ausmaß von Informationen, das in dem Modell unterstellt wird. Letztlich muss der Politiker genauso vollständig informiert sein wie im Modell des wohlmeinenden Diktators. Dieser Informationsstand betrifft die Wirkung politischer Maßnahmen, die politischen Widerstände und – was keineswegs selbstverständlich ist – die eigenen Interessen. Bei diesen persönlichen Interessen nimmt das Modell außerdem an, sie seien unwandelbar stabil. Es wird damit ausgeschlossen, dass sich die Präferenzen verändern und sich beispielsweise der Opportunist als Staatsmann oder als leidenschaftlicher Reformer entdeckt. Dass die politischen Widerstände ebenfalls als stabil angenommen werden, liegt wiederum daran, dass Politikberatung nur als Politikerberatung aufgefasst wird. Durch Bürgerberatung mögen sich diese Restriktionen jedoch verändern.

Zusammenfassen lässt sich also sagen, dass Politikerberatung zwar möglich, aber nicht ausreichend ist.

Politikberatung – als Bürgerberatung – ist ein wichtiger Auftrag an die Wissenschaft. Nur auf diesem Wege können die politischen Widerstände gegen eine rationale Wirtschaftspolitik abgebaut werden, die im Modell des wohlmeinenden Diktators übersehen, im pessimistischen Modell der Politikerberatung dagegen verabsolutiert werden.

Möglichkeiten und Grenzen der politischen Steuerung
Viele der bisher geschilderten Irrtümer beruhen letztlich auf einer mechanistischen Sichtweise des Steuerungsgegenstandes, also der Wirtschaft. Bei der Wertfreiheit von Empfehlungen war ein Problem die Abwägung von beabsichtigten Wirkungen und unbeabsichtigten Nebenwirkungen. Die erforderliche Bewertung von Nebenfolgen wird genau dann nicht berücksichtigt, wenn von einer völligen Steuerbarkeit der Wirtschaft ausgegangen wird. Nebenwirkungen werden dann ausgeblendet. Bei der Frage der Politikerberatung ist klar, dass z. B. der wohlmeinende Diktator in gleicher Weise von der Beherrschbarkeit wirtschaftlicher Zusammenhänge ausgehen muss. Nur unter dieser Annahme ist seine ‚gut gemeinte' Wirtschaftspolitik auch in der Umsetzung erfolgreich oder ‚gut gemacht'.

Die zugrunde liegende Vorstellung von wirtschaftlichen Wirkungszusammenhängen ist jeweils ein Maschinenmodell. Wenn die Funktionsweise der ‚Wirtschaftsmaschine' bekannt ist, so die Vorstellung, verfügt man auch über die Kenntnis der Stellschrauben für die Wirtschaftspolitik. Gegen eine solche Sichtweise spricht ganz grundlegend, dass die einzelnen Elemente eines Wirtschaftssystems eben keine immer gleich funktionierenden Rädchen einer Maschinerie sind, sondern lernfähige und kreative Akteure, die sich einem politischen Steuerungsversuch entziehen können. Das bedeutet, dass die identische politische Maßnahme durchaus unterschiedliche Wirkungen haben kann. Wenn aber die Wirkung nicht mit völliger Sicherheit und präzise angegeben werden kann, sondern nur ein Bereich möglicher Wirkungen bekannt ist, so muss der Steuerungsanspruch heruntergeschraubt werden. Genau dies ist mit dem Vorrang der →*Ordnungspolitik* im Konzept der Sozialen Marktwirtschaft verbunden.

Literaturhinweise:
STREIT, M. (2000), *Theorie der Wirtschaftspolitik*, 5. Aufl., Düsseldorf; WEGNER, G. (1996), *Wirtschaftspolitik zwischen Selbst- und Fremdsteuerung – ein neuer Ansatz*, Baden-Baden; OKRUCH, S. (2002), Das Elend der theoretischen Wirtschaftspolitik – gibt es einen ‚evolutorischen' Ausweg?, in: Ötsch, W./ Panther, S. (Hrsg.), *Ökonomik und Sozialwissenschaft*, Marburg, S. 301-325; DERS. (2004), Evolutorische Wirtschaftspolitik: Von der Positiven zur Normativen Theorie, in: Herrmann-Pillath, C./ Lehmann-Waffenschmidt, M. (Hrsg.), *Handbuch der Evolutorischen Ökonomik*, Heidelberg.

Stefan Okruch

Preisniveaustabilität

Wenn man im Zusammenhang mit wirtschaftspolitischen Zielen – wie etwa bei der Europäischen Zentralbank – die Formulierung „Preisstabilität" findet, dann ist eigentlich die „Stabilität des Preis*niveaus*" gemeint, wie es zum Beispiel im deutschen Stabilitäts- und Wachstumsgesetz von 1967 exakter formuliert ist. Es geht nämlich nicht um Preisstabilität im Sinne von fehlender Flexibilität oder Reagibilität der Einzelpreise, sondern darum, Preis(niveau)steigerungen auf breiter Front zu vermeiden. Ziel ist es somit, den Gesamtwert eines Warenkorbes konstant zu halten, nicht hingegen jeden Einzelpreis der zahlreichen in diesem Korb enthaltenen Waren und Dienstleistungen. Denn es ist gerade Ausdruck des freien Spiels der Marktkräfte, dass einzelne Preise im Zeitablauf steigen, andere sinken und dritte konstant bleiben – nur in der gewichteten Summe sollen diese Veränderungen sich zu einem stabilen Preisniveau addieren. Vielfach spricht man in diesem Zusammenhang auch von der Geldwertstabilität.

Die besondere Bedeutung, die man diesem Ziel gerade in Deutschland beimisst, ist durch die historischen Erfahrungen zu erklären. Zwei schwere Inflationen nach dem Ersten und dem Zweiten Weltkrieg sowie die damit verbundenen Währungsreformen haben insbesondere die älteren Menschen gegenüber der Inflation sensibilisiert. Vor diesem Hintergrund zählte bei Walter →*Eucken* eine auf Geldwertstabilität gerichtete Währungspolitik zu den konstituierenden Prinzipien der von ihm und seinem ordoliberalen Freiburger Kreis entworfenen Wettbewerbs- und Gesellschaftsordnung. Die Geldwertstabilität nimmt dabei sogar den ersten Rang ein: „Alle Bemühungen, eine Wettbewerbsordnung zu verwirklichen, sind umsonst, solange eine gewisse Stabilität des Geldwertes nicht gesichert ist. Die Währungspolitik besitzt daher für die Wettbewerbsordnung ein Primat" (Eucken, 1955, S. 256). Auch für Ludwig →*Erhard* war klar: „Die ... soziale Marktwirtschaft [ist] ohne eine konsequente Politik der Preisstabilität nicht denkbar" (Erhard, 1964, S. 15). In seiner Regierungserklärung vom 18. Oktober 1963 hieß es: „Das Bemühen um ein stabiles Preisniveau steht an der Spitze der wirtschaftlichen Rangordnung". Aus heutiger Sicht machen die in der modernen Theorie und Empirie ausführlich diskutierten (ökonomischen) Kosten der Inflation die zuvor angeführten Aussagen erst recht verständlich. Dabei ergeben sich negative Konsequenzen von Inflation sowohl bei →*Wachstum* und →*Beschäftigung* als auch bei der Verteilung von →*Einkommen* und Vermögen.

In einer →*Marktwirtschaft* übernehmen die (relativen) Preise eine Steuerungs- und Signalfunktion. Kommt es zur Inflation, so ist für die →*Unternehmer* nicht mehr eindeutig sichtbar, welche Güter wirklich knapp sind und in welchen Bereichen neue Investitionen zu tätigen sind. Die Inflation täuscht vielmehr Knappheiten vor und die Produktionsfaktoren Arbeit und Kapital werden in falsche Verwendungen gelenkt. Es kommt letztlich zu einer Störung der Allokationsfunktion der Preise und zu einem verminderten Wachstum.

Die häufig geäußerte Ansicht, Inflation begünstige die Beschäftigung und das Wachstum, gilt allenfalls kurzfristig. Die scheinbare Wahlmöglichkeit vor dem theoretischen Hintergrund der Phillips-Kurve gipfelte in dem Ausspruch des ehemaligen Bundeskanzlers Helmut Schmidt, „lieber 5 Prozent Inflation als 5 Prozent Arbeitslosigkeit" zu akzeptieren. Mittel- und längerfristig lassen sich jedoch positive Beschäftigungseffekte nicht durch Inflation erkaufen. Die Arbeitnehmer werden sich nicht auf Dauer täuschen lassen und (der erwarteten Inflation) entsprechend höhere Löhne fordern, die kurzfristige positive Beschäftigungseffekte wieder zunichte machen. Neuere empirische Untersuchungen kommen sogar zu dem Ergebnis, dass die oben erläuterten negativen Wachstumseffekte die *→Arbeitslosigkeit* eher erhöhen, was sich dann in einer positiv geneigten Phillips-Kurve niederschlagen würde. (*→Zielkonflikte in der Wirtschaftspolitik*).

Betrachtet man im nächsten Schritt eine offene Volkswirtschaft mit einem System fester Wechselkurse gegenüber den Handelspartnern, dann führt (höhere Inlands-) Inflation in diesem Rahmen zu einer Minderung der internationalen Preiswettbewerbsfähigkeit der inländischen Anbieter. Die heimischen Exporte werden sinken, während die Importe zunehmen. Der damit verbundene Nachfragerückgang wirkt wiederum negativ auf die inländische Beschäftigungssituation.

Ferner können mit der Inflation verschiedene negative Umverteilungseffekte verbunden sein. In der Theorie spricht man zum einen von der sogenannten Lohn-lag- und der Transfer-lag-Hypothese (von engl. „lag" = Rückstand). Wenn die Lohneinkommen der Unselbstständigen oder staatliche Transferleistungen wie etwa Renten, Sozialhilfe, Wohngeld oder Kindergeld langsamer steigen als das Preisniveau, dann kommt es zu einer Verschlechterung der Realposition dieser Personengruppen. Zum anderen nimmt im Rahmen der Theorie der Vermögensverteilung die Gläubiger-Schuldner-Hypothese an, dass Inflation die Gläubiger zu Verlierern macht, weil die nominal fixierten Forderungen an Wert verlieren, während die Schuldner zu Inflationsgewinnern werden. Dies ist auch der Grund dafür, dass man dem Staat – in den vergangenen Jahrzehnten bei uns typischerweise Kreditnehmer – häufig ein erhebliches Interesse an Inflation zuschreibt. Auf europäischer Ebene versucht man, mit den fiskalischen Kriterien im Vertrag von Maastricht dieses Inflationsinteresse einzudämmen.

Drittens werden häufig das Finanzvermögen und das Sachvermögen unterschiedlich durch die Inflation getroffen. Die Gefahr eines Substanzverlustes beim Finanzvermögen in Zeiten der Geldentwertung führt daher häufig zu einer „Flucht in die Sachwerte" (Betongold), die am ehesten einen Inflationsschutz bieten. Inflation behindert somit die Ersparnisbildung und führt durch allokative Verzerrungen (Fehlleitungen) gesamtwirtschaftlich zu einer Unterversorgung mit Produktivkapital.

Abschließend sei noch auf negative Inflationswirkungen hingewiesen, die sich aus dem Steuersystem ergeben können. Werden zum Beispiel höhere Einkommen mit einer prozentual höheren Steuer belastet (Progression), so führt Inflation zu einer Einkommensumverteilung zugunsten des Staates und zulasten der privaten Wirtschaftssubjekte. Auch hieraus können negative Wachstumseffekte resultieren.

Unter Verteilungsgesichtspunkten erscheint Inflation somit als höchst unsozial und eine konsequente stabilitätsorientierte Wirtschaftspolitik als beste →*Sozialpolitik*. Gerade wenn es – wie in der aktuellen Diskussion – darum geht, Ansprüche an den Staat und an soziale Sicherungssysteme zurückzudrängen und statt dessen Selbstverantwortung und Privatinitiative in den Vordergrund zu rücken, kommt der Preisniveaustabilität eine bedeutende Rolle zu. Nur wenn die Geldwertstabilität gewahrt wird, hat der Einzelne eine Chance, für Alter und schlechte Zeiten vorzusorgen.

Preisniveaustabilität liegt – wie eingangs erläutert – streng genommen dann vor, wenn die Inflationsrate null Prozent beträgt. Im Mittelpunkt der qualitativen Operationalisierung (praktischer Umgang mit) der Preisniveaustabilität steht folglich die Suche nach einem Maßstab, mit dessen Hilfe Inflation erfasst werden kann. Dabei geht es um die Festlegung eines Warenkorbes (Güterbündel), dessen Verteuerung es zu messen gilt. Je nach der Zusammensetzung dieser Warenkörbe unterscheidet man verschieden weit abgegrenzte Indizes wie etwa den Deflator des Bruttoinlandsprodukts, den Preisindex für die Lebenshaltung privater Haushalte, den Index der Einfuhrpreise, den Index der Ausfuhrpreise usw. Da den einzelnen Konsumenten (und Wähler) in erster Linie die Preisentwicklung derjenigen Güter interessiert, die er typischerweise kauft, spielt der Preisindex für die Lebenshaltung privater Haushalte für die Inflationsmessung eine herausragende Rolle.

Im Rahmen der Europäischen Währungsunion wird die Preisniveaustabilität in der Euro-Zone mit Hilfe des Verbraucherpreisindex (VPI-EWU) überwacht, der sich wiederum als gewogenes Mittel der harmonisierten Verbraucherpreisindizes der Mitgliedstaaten ergibt. Die „Harmonisierung" bezieht sich dabei in erster Linie auf Verfahren und Methoden der Berechnung und nicht so sehr auf die nationalen Verbrauchsgewohnheiten.

Die quantitative Operationalisierung (Verfahrensweise) ihres primären Ziels Preisstabilität hat die Europäische Zentralbank mit einer Inflationsrate (VPI-EWU) von unter 2 Prozent vorgenommen. Dieser Grenzwert wird insbesondere mit methodischen (Mess-) Problemen begründet. Verändern sich zum Beispiel die Verbrauchsgewohnheiten, ohne dass der Warenkorb (unmittelbar) angepasst wird, so verringert sich die aktuelle Aussagekraft des Preisindexes. Ein weiteres Problem ergibt sich aus Qualitätsveränderungen. Verbessert sich die Qualität eines Gutes und steigt zugleich dessen Preis im gleichen Verhältnis, so liegt keine Inflation vor. Diese Effekte können aber nur in

Ausnahmefällen zutreffend berücksichtigt werden, so dass die Inflation möglicherweise überzeichnet wird.

Insbesondere angesichts der zuvor erläuterten Kosten der Inflation ist es begrüßenswert, dass sich in den letzten Jahren – auch international – ein zunehmender Konsens herausgebildet hat, die Sicherung der Preisniveaustabilität als Kernaufgabe der Geld- und Währungspolitik zu akzeptieren. Empirische Studien haben ergeben, dass eine positive Beziehung zwischen der Unabhängigkeit der Notenbank von Weisungen der Politik und der Geldwertstabilität besteht. Autonome Notenbanken weisen demnach im Durchschnitt niedrigere Inflationsraten auf als abhängige, ohne gleichzeitig mit niedrigeren Wachstumsraten zu „bezahlen". Beim Stabilitätserfolg der →*Deutschen Bundesbank* handelt es sich somit keineswegs um einen historischen Einzel- oder Ausnahmefall. Auf der anderen Seite stellt die Unabhängigkeit der Notenbank lediglich eine notwendige Bedingung für Preisniveaustabilität dar. Man darf sie nicht als hinreichende Bedingung im Sinne einer Erfolgsgarantie interpretieren.

Literaturhinweise:
BUCHWALD, W. (1998), *Die Harmonisierung der Verbraucherpreisindizes in Europa*, List Forum, Bd. 24, S. 1-12; ERHARD, L. (1964), *Wohlstand für Alle*, 8. Aufl., Düsseldorf; EUCKEN, W. (1955), *Grundsätze der Wirtschaftspolitik*, Tübingen; ISSING, O. (1999), *Stabiles Geld – Fundament der Sozialen Marktwirtschaft*, Reden und Aufsätze der Universität Ulm, Heft 2, Ulm.

Heinz-Dieter Smeets

Privatisierung

Das vom Staat übernommene Aufgabenspektrum stellt keine Konstante dar. Vielmehr kommen im Zeitablauf neue Tätigkeitsfelder hinzu (Fall der Ausweitung der Staatstätigkeit), während andere Aufgaben als erledigt zu betrachten sind oder aber an den Markt abgegeben werden können. So ist bspw. im Bereich der Post- und der Telekommunikation eine Übertragung von Leistungen, welche zuvor über den öffentlichen Haushalt oder über →*öffentliche Unternehmen* bereitgestellt wurden, auf private Akteure mit Wohlfahrtsgewinnen für die Gesellschaft verbunden. Eine solche Überführung von zuvor hoheitlich wahrgenommenen Aufgaben in den privaten Sektor wird als Privatisierung bezeichnet (Fall der Verringerung der Staatstätigkeit; dazu gehört auch die →*Deregulierung*).

Für derartige Auslagerungsprozesse können verschiedene Gründe ursächlich sein: Erstens waren von der öffentlichen Hand in der Vergangenheit staatliche Unternehmen zur Beschaffung von zusätzlichen Einnahmen gegründet worden. Festzustellen ist jedoch, dass ein staatliches Unternehmen häufig nur unterdurchschnittliche Leistungen hervorbringt. Derartige Einrichtungen sind aufgrund ihrer jeweiligen Sonderstellung vom Wettbewerbsdruck befreit und müssen somit weder die Flexibilität noch die Kundenorientierung privater Unternehmen entwickeln. Folglich geht mit der Privatisierung die Erwartung auf nachhaltige Effizienzgewinne einher.

Zweitens führt der technische Fortschritt dazu, dass für bestimmte Aufgaben nicht mehr die Kennzeichnung der staatlichen Leistung als „öffentliches Gut“ zutrifft oder die Rechtfertigung für ein „natürliches (staatliches) Monopol“ anzuführen ist. Beispielsweise haben sich durch Kosteneinsparungen im Bereich des satellitengestützten Fernsehens die Gewinnmöglichkeiten von werbefinanzierten Kanälen derart erhöht, dass private Unternehmen nun zu öffentlich-rechtlichen Sendern in Konkurrenz treten können.

Drittens ist darauf hinzuweisen, dass das Konzept des „öffentlichen Gutes“ eine Verständigung zwischen den jeweiligen Betrachtern darüber erfordert, ob bei einer bestimmten Leistung der Charakter eines öffentlichen oder derjenige eines privaten Gutes überwiegt. So ist es strittig, ob Bankleistungen über kommunale Sparkassen verfügbar gehalten werden müssen oder eine entsprechende Versorgung über private Kreditinstitute als hinreichend zu betrachten ist. Dementsprechend unterscheiden sich auch die Regierungsprogramme von Parteien dahingehend, welche Aktivitäten (noch) zum Kernbereich des hoheitlichen Auftrags zu zählen sind. Diese Sachlage begründet nach einem Regierungswechsel unter Umständen bemerkenswerte Privatisierungsaktivitäten (→*Parafiski*).

Der private Sektor ist an der Übernahme derartiger Leistungen dann interessiert, wenn daraus Zuwächse beim →*Einkommen*/ Vermögen resultieren. Solche entstehen zum einen – bei Fortführung der Aktivitäten – aus den oben benannten Effizienzgewinnen. Zum anderen können die mit dem Transfer (der Privatisierung) verbundenen Produktionsfaktoren nun gewinnbringenderen Verwendungsmöglichkeiten zugeführt werden; als Beispiel ist an die Umwidmung ehemaliger Militärareale für zivile Zwecke (Konversion) zu denken.

Die zur Privatisierung einsetzbaren Übertragungsstrategien zeichnen sich durch vielfältige Gestaltungsmöglichkeiten in Abhängigkeit vom Einzelfall aus: Meistens erfolgt eine Übertragung gegen Entgelt, welches dann im öffentlichen Haushalt als einmalige Einnahme (→*Staatseinnahmen*) verbucht wird. Im Allgemeinen eignet sich zur Ermittlung des Verkaufspreises – soweit eine hinreichende Marktgängigkeit für das einzelne Privatisierungsobjekt vorausgesetzt werden kann – eine Versteigerung. Dadurch können die tatsächlichen Knappheitsverhältnisse auf der Nachfragerseite am besten ermittelt werden.

Bei den mit einer Privatisierung verbundenen Wirkungen sind die folgenden drei Konstellationen zu unterscheiden: Erstens ist es denkbar, dass die zur Disposition stehende staatliche Aktivität bislang defizitär ausgefallen ist und dieser Sachstand auch nach einem Übertrag in den privaten Sektor erhalten bleibt. Demnach würde sich dafür zunächst kein privater Käufer finden. Wenn aber einer endgültigen Übertragung öffentliche Interessen entgegenstehen, so kann es aus staatlicher Sicht zweckdienlich sein, die anfallenden Verluste mittels einer Privatisierung zu minimieren: Die angestrebte Leistung wird erreicht, indem das Verkaufsangebot mit einem entsprechenden Subventionsbetrag „versüßt" wird (→*Subventionen*). Für die öffentliche Hand ist dieses Vorgehen dann zu erwägen, wenn der Zuschuss geringer ist als derjenige Verlust, welcher hinzunehmen ist, wenn die Aktivität im staatlichen Verfügungsbereich dauerhaft verbleibt. Zweitens besteht die Möglichkeit, dass sich aufgrund der benannten Effizienzgewinne oder der Gestaltungsmöglichkeiten des privaten Sektors aus einer verlustbringenden Tätigkeit ein profitables Geschäftsfeld entwickeln lässt. Drittens können bislang gewinnbringende staatliche Aktivitäten durch die Privatisierung eine zusätzliche Ertragssteigerung erfahren.

In den beiden zuletzt genannten Fällen lohnt sich folglich eine uneingeschränkte Privatisierung. Bei alledem wird unterstellt, dass die Versorgung der Bürger mit Gütern und Dienstleistungen nach der Menge und der Qualität prinzipiell nicht in Mitleidenschaft gezogen wird. Ansonsten ist die angestrebte privatwirtschaftliche Aufgabenerfüllung entsprechend zu überwachen und zu steuern. Dies erfordert dann neue staatliche Regulierungsverfahren, deren Auswirkungen mit dem erreichten Privatisierungsgrad zu vergleichen sind (Beispiel: Einrichtung der Regulierungsbehörde für den Telekombereich).

Insgesamt eröffnet eine erfolgreiche Privatisierung – aufgrund der erzielten Erlöse sowie zukünftig eingesparter Finanzmittel bei den laufenden Aufgaben – einerseits die Möglichkeit, die staatlichen Aktivitäten zu verringern. Diese Budgetverkürzung könnte dann in Form von Steuererleichterungen an den privaten Sektor weitergegeben werden. Der Staat wird „schlanker", was sich an einer Rückführung der Staatsquote (Anteil der Staatsausgaben am Bruttoinlandsprodukt) ablesen lässt. Der Staat wird transparenter; zudem sinkt das Risiko der staatlichen Haushaltsführung. Deshalb ist der Kapitalmarkt gegebenenfalls bereit, diese Sachlage mit einer Verbesserung der Finanzierungsbedingungen bei der staatlichen Verschuldung zu honorieren. Andererseits erhöhen die zusätzlichen bzw. freigewordenen Mittel den Handlungsspielraum des Staates, andere Aktivitäten zu finanzieren. In diesem Falle änderte sich „lediglich" die Struktur des Haushalts – die Staatsquote bliebe demgegenüber unverändert.

Literaturhinweise:
AUFDERHEIDE, D. (Hrsg.) (1970), *Deregulierung und Privatisierung*, Stuttgart; EDELING, T. u. a. (Hrsg.) (2001), *Öffentliche Unternehmen – Entstaatlichung und Privatisierung*, Leverkusen; GUSY, C. (Hrsg.) (1998), *Privatisierung von Staatsaufgaben/ Kriterien – Grenzen – Folgen*, Baden-Baden.

Dietrich Dickertmann
Peter T. Baltes

Produktion und Angebot

Um in einer Volkswirtschaft den Bedarf an knappen Gütern decken zu können, müssen Güter produziert werden. Diese Güterproduktion umfasst alle ökonomischen Aktivitäten von der Urerzeugung (z. B. Bergbau) über die Be- und Verarbeitung von Stoffen (z. B. in der Automobilindustrie) bis hin zur Verteilung der Güter (z. B. durch Transport und Handel). Damit die Güter hergestellt werden können (als Output), müssen bestimmte Mittel (als Input) eingesetzt werden. Diese Mittel sind die Produktionsfaktoren.

Es lassen sich drei Gruppen von Produktionsfaktoren unterscheiden: Arbeit, Boden und Kapital. Unter *Arbeit* versteht man jede Art menschlicher Tätigkeit, die zur Befriedigung der Bedürfnisse anderer verrichtet wird und außerdem der →*Einkommen*serzielung dient. Dazu zählen sowohl die Leistungen der Arbeitnehmer als auch die Unternehmertätigkeit. *Boden* ist der Oberbegriff für alle Hilfsmittel, die die Natur zur Verfügung stellt (natürliche Ressourcen). Dazu gehören zum einen die Flächen, auf denen z. B. Industrieanlagen erstellt oder die für Land- und Forstwirtschaft genutzt werden. Zum anderen sind alle Bodenschätze, Gewässer und die Vegetation zum Faktor Boden zu zählen. Der Produktionsfaktor *Kapital* besteht aus allen bereits früher produzierten – aber noch nicht verbrauchten – Gütern, mit denen die →*Unternehmen* zukünftige Konsumgüter herstellen können. Dies sind z. B. Fabrikgebäude, Maschinen und Werkzeuge. Daneben werden auch die Lagerbestände an hergestellten Gütern zum Kapital gezählt. Nicht zum Produktionsfaktor Kapital gehört hingegen das Geld (oder das „Geldkapital“).

Wenn von Kapital als Produktionsfaktor gesprochen wird, ist immer das „Realkapital“ gemeint. Die Bildung von Realkapital dient dem Zweck, die künftige Güterproduktion erhöhen zu können. Wie viel Kapital zur Verfügung steht, hängt davon ab, in welchem Umfang zunächst auf Konsum verzichtet – also gespart wird –, um mit dem verfügbaren Geldkapital Produktionsfaktoren zu kaufen und Realkapital z. B. in Form von Fabriken aufzubauen. Außerdem ist zu berücksichtigen, dass im Produktionsprozess ständig ein Teil des Realkapitals verschlissen wird (so genannte Abschreibungen), so dass es immer wieder erneuert werden muss. Neben der Menge an Kapital kommt es zudem auf dessen Qualität an. Positiv macht sich dabei der technische Fortschritt bemerkbar, durch den die Qualität des Faktors Kapital verbessert wird. So lässt sich im Laufe der Zeit bei unveränderter Kapitalmenge (als Input) durch technischen Fortschritt eine höhere Güterproduktion (als Output) erreichen.

Die Güterproduktion ist ein Prozess, bei dem die drei Produktionsfaktoren miteinander kombiniert werden. Dazu dient das *technisch-organisatorische Wissen*. Dies sind Kenntnisse über vorteilhafte Möglichkeiten der Produktion und Organisation. Ein hoher Stand des technisch-organisatorischen Wissens begünstigt den Produktionsprozess. Außerdem ist es vorteilhaft, wenn vorhandenes Wissen sowie neue wissenschaftliche Erkenntnisse rasch und gezielt genutzt werden können (Beitrag der *Information* zum Produktionsprozess).

Die gesamtwirtschaftliche Produktionsfunktion umschreibt, welcher Zusammenhang zwischen dem Einsatz der Produktionsfaktoren (als Input) und der Höhe der Güterproduktion (als Output) besteht. Aus ihr lässt sich die Produktivität in einer Volkswirtschaft als Quotient von erzieltem Output an Gütern (im Zähler) und dafür benötigtem Input (im Nenner) berechnen. Außer dieser Gesamtproduktivität können die Teilproduktivitäten für die einzelnen Faktoren ermittelt werden. So ist z. B. die Arbeitsproduktivität das Verhältnis zwischen der Güterproduktion und dem Einsatz an Arbeitskraft. Günstig auf die Produktivität wirkt sich meist die Arbeitsteilung aus. Darunter ist die Spezialisierung der Produktionsfaktoren auf bestimmte Tätigkeiten und Gütergruppen zu verstehen. Sie erlaubt, dass Arbeitnehmer und Unternehmen nicht alle benötigten Güter selbst herstellen müssen, sondern sich auf jene Arbeits- und Produktionsbereiche konzentrieren können, in denen sie besonders leistungsfähig sind.

Wie hoch das Angebot der einzelnen Produktionsfaktoren in einer Volkswirtschaft ist, hängt von einer Vielzahl an Einflussgrößen ab. Der Faktor Boden ist naturbedingt begrenzt und lässt sich z. B. als Abbauboden für Rohstoffe sowie als Standort nur begrenzt ausdehnen. Das gesamtwirtschaftliche Arbeitsangebot wird von der Gesamtzahl der Erwerbstätigen und den Arbeitszeiten bestimmt, wobei sich der Einzelne bei der Festlegung seines Arbeitsangebots u. a. an der Höhe des erzielbaren Lohnes orientiert. Realkapital wird in den Unternehmen selbst erstellt oder von spezialisierten Kapitalgüterproduzenten – also von anderen Unternehmen – erworben. Um Kapitalgüter schaffen, d. h. investieren zu können, müssen die Unternehmen Geldkapital einsetzen. Da ihnen dabei Zinskosten durch die Aufnahme von Krediten (oder den Verzicht auf eine eigene Geldanlage) entstehen, wird die Bildung von Realkapital von der jeweiligen Zinshöhe und der Bereitschaft der Haushalte zum Sparen beeinflusst.

Literaturhinweise:

BARTLING, H./ LUZIUS, F. (2002), *Grundzüge der Volkswirtschaftslehre*, 14. Aufl., München; FEHL, U./ OBERENDER, P. (2002), *Grundlagen der Mikroökonomie*, 8. Aufl., München; WOLL, A. (2003), *Allgemeine Volkswirtschaftslehre*, 14. Aufl., München.

Hans Peter Seitel

Public Private Partnership

Public Private Partnership (PPP) ist eine spezielle Form der Steuerung und Erfüllung öffentlicher Aufgaben durch eine Kooperation von öffentlicher Hand und privaten Investoren. PPP steht seit vielen Jahren im Blickpunkt der Diskussion, die vor dem Hintergrund der erkannten Notwendigkeit einer neuen Ausgestaltung öffentlicher Aufgabenerfüllung geführt wird.

In Deutschland ist die Diskussion noch relativ jung, gewinnt aber aufgrund der Knappheit finanzieller Mittel der öffentlichen Hand zunehmend an Bedeutung. Das Herkunftsland von öffentlich-privaten Kooperationen sind die USA, wo bereits seit den 40er Jahren des letzten Jahrhunderts solche Formen der Zusammenarbeit existieren. Seit den 70er Jahren sind sie dort ein wesentlicher Bestandteil der staatlichen Aufgabenerfüllung. In dieser Zeit kam es in den USA zu einer Häufung von Problemen, die der traditionell strukturierte öffentliche Sektor nicht mehr bewältigen konnte. Im Zuge der wirtschaftlichen Stagnation bei gleichzeitiger Inflation (Stagflation) zog sich der Bund aus seinen Aufgaben zurück, womit die Probleme der Kommunen immer größer wurden. Nach einem dramatischen Einbruch kam es zu einem Reformschub, der die scharfe Abgrenzung der Aufgaben zwischen Staat und Privatwirtschaft beendete und zu einer verstärkten Zusammenarbeit von öffentlicher Hand und privaten Investoren führte.

Die Literatur zu PPP ist vielfältig. Eine eindeutige Definition des Begriffes existiert jedoch nicht. Die Liste der möglichen Anwendungsfelder ist lang. PPPs sind möglich bei der Stadtentwicklung, im Verkehrsbereich, im Wohnungsbau, bei Kultureinrichtungen, im Bildungsbereich, aber durchaus auch bei der Bereitstellung innerer und äußerer Sicherheit. Neben der Vielzahl möglicher Projekte kann auch der Projektumfang sehr stark variieren. Etwa die Vielfalt der Möglichkeiten in den Bereichen Bildung und Verkehr darzustellen, scheitert bspw. schon an deren Umfang.

Trotz der Heterogenität des Begriffs sind PPPs abzugrenzen von dem Begriff der →*Privatisierung*. Wie „Public Private Partnership" schon andeutet, ist diese Form der Kooperation zwischen der hoheitlichen Aufgabenerfüllung des Staates (eigene Durchführung einer Aufgabe durch den Staat) und einer materiellen Privatisierung anzusiedeln (formale wie tatsächliche Übertragung öffentlicher Eigentumsrechte und Aufgabenerfüllung an private Investoren). Der Begriff würde an Deutlichkeit verlieren, wenn man jede mögliche Zusammenarbeit zwischen Staat und →*Unternehmen* damit umschreibt. PPPs mit Privatisierung gleichzusetzen würde u. U. auch dazu führen, dass positive Effekte der PPPs unentdeckt bleiben, da Privatisierung zu einem Reizwort in der aktuellen ordnungspolitischen Diskussion wurde.

Eine Begriffsabgrenzung von PPP sollte daher nicht möglichst weit sein, sondern möglichst eng und somit präzise und zweckmäßig. Das spezifische Handlungsfeld ist aufgrund der Vielzahl von Anwendungsmöglichkeiten kein geeignetes Abgrenzungskriterium. Vielmehr ist es von großer Bedeutung, die Voraussetzungen für PPPs darzulegen. Kooperationen basieren in erster Linie auf Freiwilligkeit. Daher sind die Zielkomplementarität und die Möglichkeit, Synergie-Effekte zu erzielen, entscheidende Kriterien zur Abgrenzung. Eine Partnerschaft ist daher dann möglich, wenn beide Seiten Ziele erreichen, die sie alleine nicht erreichen könnten.

Definiert man PPPs auf dieser Basis im engen Sinne, gilt Folgendes: PPP ist eine Form der Interaktion zwischen Akteuren der öffentlichen Hand und privaten Investoren mit dem Fokus auf der Verfolgung komplementärer Ziele und der Realisierung von Synergie-Potenzialen bei der Zusammenarbeit. Die Partnerschaft ist prozessorientiert, wobei die Identität und Verantwortung für das eigene Handeln intakt bleiben. Das Partnerschaftsverhältnis ist dabei vertraglich fixiert.

Sowohl für die öffentliche Hand wie für den Investor sind viele Chancen durch PPPs erkennbar, was insbesondere durch die Realisierung von Synergie-Effekten erklärbar ist. Es gibt eine Reihe von Varianten der gegenseitigen Vorteilsnahme. Für die öffentliche Hand sind dies bspw. die Übertragung des operativen Risikos der Erstellung öffentlicher Leistungen an Privatinvestoren und die Möglichkeit der Kosteneinsparung durch eine effizientere private Bereitstellung der betreffenden Leistungen durch diese privaten Akteure. Im Mittelpunkt des Interesses des privaten Investors steht v. a. die Gewinnerzielungsaussicht. Es können aber durchaus auch andere, immaterielle Motive existieren, wie eine öffentliche Imagewerbung für ein Unternehmen. Allgemein ausgedrückt kann man von einer Win-Win-Situation der Partner sprechen.

Es wäre jedoch fahrlässig, aufgrund der Chancen von öffentlich-privaten Partnerschaften, PPPs als Allheilmittel zur Bekämpfung drängender Finanzierungsprobleme des Staates anzusehen. Dafür sind die Risiken einer solchen Zusammenarbeit zu hoch. Neben dem Problem der asymmetrischen Informationsverteilung zwischen den Partnern, herrscht auch Unsicherheit über die Qualität und Leistungsfähigkeit des privaten Investors. Dies ist aufgrund des Langfristcharakters vieler Verträge besonders zu berücksichtigen. Darüber hinaus liegt aufgrund eventuell unterschiedlicher Motive die Gefahr von Moral hazard-Verhalten vor. Bei finanziellen Verlusten der beiden Vertragspartner besteht auch die Gefahr diese zu Lasten Dritter (der Bürger) in Form höherer Gebühren abzuwälzen (Rent seeking). Hieraus ergibt sich auch die Frage nach der demokratischen Legitimität, da Kontrollmechanismen weitgehend fehlen.

Es existieren demnach wesentliche Anforderungen, die an PPPs gestellt werden müssen. Neben einer Komplementarität der Ziele müssen Moral hazard-Verhalten und die Ausbeutung Dritter verhindert werden. Dafür bedarf es vertraglicher Kontroll- und Durchsetzungsmechanismen. PPPs sollten auch nicht einfach kopiert werden, sondern immer individuelle Bedürfnisse des jeweiligen Projekts berücksichtigen. Für einen Erfolg von PPPs ist daher ein streng markt- und erfolgsorientiertes Denken notwendig, das in einer klaren Prozessstruktur und angemessenen Projektorganisation erkennbar ist. Zugrundeliegende Machtstrukturen, projektimmanente Anreize und Probleme müssen bekannt sein, damit die „Spielregeln" der Partnerschaft in einem Vertrag entsprechend formuliert werden können.

Literaturhinweise:

BUDÄUS, D./ EICHORN, P. (1997), *Public Private Partnership – Neue Formen öffentlicher Aufgabenerfüllung*, Baden-Baden; BROOKS, H./ LIEBMAN, L./ SCHELLING, C. (1984), *Public Private Partnership –*

New Opportunities for Meeting Social Needs, Cambridge; HOFTMANN, B. (2001), *Public Private Partnership als Instrument der kooperativen und sektorübergreifenden Leistungsbereitstellung*, Hamburg.

Peter Oberender
Thomas Rudolf

Rentenversicherung
(sonstige Leistungen)

Die ‚sonstigen Leistungen' der Rentenversicherung sind keineswegs nachrangig. Vielmehr nimmt mit ihnen die gesetzliche Rentenversicherung weitere zentrale Aufgaben im Rahmen des Systems der sozialen Sicherung wahr (→*Altersrente*). Im Einzelnen werden unter den sonstigen Leistungen der gesetzlichen Rentenversicherung die Maßnahmen zur Erhaltung und Wiederherstellung der Erwerbsfähigkeit und Renten wegen Erwerbsminderung oder Hinterbliebenenrenten zusammengefasst.

Maßnahmen zur *Erhaltung und Wiederherstellung der Erwerbsfähigkeit (Rehabilitation)* (§§ 9-32 Sozialgesetzbuch-SGB VI) haben Vorrang vor Rentenleistungen. Umgekehrt werden Renten erst dann ausgezahlt, wenn eine erfolgreiche Rehabilitation nicht oder erst zu einem späteren Zeitpunkt möglich ist. Rehabilitationsleistungen umfassen medizinische und berufsfördernde Maßnahmen, wobei die Rentenversicherungsträger ein umfangreiches Netz spezialisierter Einrichtungen aufgebaut haben. Voraussetzung für die Inanspruchnahme der Rehabilitationsleistungen ist, neben der Gefährdung oder Verringerung der Erwerbsfähigkeit, eine 15-jährige Mitgliedschaft in der Versicherung. Während der Rehabilitationsmaßnahme erhält der Versicherte ein Übergangsgeld in Höhe von 80 Prozent des zuletzt erzielten Bruttoarbeitsentgeltes.

Sonstige Rentenleistungen (§§ 33-105 SGB VI), d. h. solche Renten, die nicht als Altersrente auf Grund eigener Beitragszahlungen geleistet werden, können sehr unterschiedliche Anspruchsgrundlagen haben. Der eigenen Altersrente am nächsten stehen die Hinterbliebenenrenten, die an die Witwe/ den Witwer sowie an Waisen ausgezahlt werden. Entscheidend ist hier, dass dem/ der Verstorbenen zum Zeitpunkt des Todes eine Versichertenrente zustand, aus der sich dann Ansprüche der Angehörigen ableiten. Im Gegensatz dazu werden Renten wegen verminderter Erwerbsfähigkeit als Ersatz oder Ergänzung ausgefallenen Arbeitseinkommens an den Versicherten selbst geleistet. Die bisherigen Berufsunfähigkeitsrenten, deren Gewährung die Vermittelbarkeit auf einen Arbeitsplatz im erlernten Beruf zur Voraussetzung hatte, wurden durch das Rentenreformgesetz 1999 abgeschafft. Betroffen davon sind besonders jene Erwerbstätigen, die ein hohes Risiko der Berufsunfähigkeit tragen (z. B. Bäcker, Pflegepersonal) und dieses nun zu Risikotarifen privat versichern müssten.

Literaturhinweise:

BUNDESMINISTERIUM FÜR ARBEIT UND SOZIALORDNUNG (Hrsg.) (2000), *Übersicht über das Sozialrecht*, 6. Aufl., Bonn; LAMPERT, H./ ALTHAMMER, J. (2004), *Lehrbuch der Sozialpolitik*, 7. Aufl., Berlin

u. a.; VERBAND DER RENTENVERSICHERUNGSTRÄGER (1999), *Rentenversicherung in Zeitreihen. Eine Information ihrer Rentenversicherung*, Frankfurt/ M.

Werner Schönig

Ressourcenschutz

Ist die Nachfrage nach einem Produkt höher als das Angebot, so löst der Markt dieses Problem kurzfristig, indem er den Preis steigen lässt; das wiederum lockt zusätzliches Angebot an, und der Preis sinkt langfristig wieder. Für Umweltgüter gilt dies jedoch nicht: Einerseits ist das Angebot nicht vermehrbar, andererseits funktioniert der Preismechanismus für Umweltgüter nicht – was die Notwendigkeit einer *Politik zum Schutz der natürlichen Ressourcen* legitimiert.

Warum aber haben wir überhaupt ein Umweltproblem? Die Antwort – aus der Perspektive der Umwelt – liegt in den *Nutzungskonkurrenzen* der Umwelt, in ihren Funktionen als Konsumgut, Rohstofflieferant und Schadstoffaufnahmemedium. Die Nutzung von Umweltgütern ist immer mit Transformationen in Produktions- und Konsumprozessen verbunden, die unvermeidlich zu unerwünschten Kuppelprodukten in Form von Emissionen/ Abfällen und in der Folge dann auch zu Immissionen und Umweltbelastungen führen – unvermeidlicherweise, weil es trotz des individuellen Interesses an maximaler Transformationseffizienz niemals gelingen kann, Inputs vollständig in Outputs zu verwandeln. Umweltnutzung ist also ein *Allokationsproblem* der natürlichen Ressource Umwelt hinsichtlich ihrer verschiedenen in Konflikt stehenden Funktionen. Demgemäß ist Umweltnutzung aber auch ein ökonomisches Problem, denn Umwelt ist heute zu einer *knappen Ressource* geworden und knappe Ressourcen haben einen Wert, sind also dementsprechend auch effizient zu bewirtschaften.

Warum aber führt die Knappheitseigenschaft – aus ökonomischer Perspektive – nun gerade bei der Umwelt zu Problemen, warum kann also der Markt die Umweltprobleme nicht selbst lösen? Weil die Umweltgüter ganz bestimmte ökonomische Eigenschaften aufweisen: Sie sind herrenlos, da *keine Eigentumsrechte* existieren; sie haben *keinen Preis* und Nutzung zum Nulltarif führt immer zu Übernutzung, und sie werden *gesellschaftlich ungeregelt* genutzt, gewissermaßen nach dem Recht des Stärkeren. Wer ist nun der Überlegene im Kampf um Umweltnutzungen – die Wirtschaft? So einfach ist das wohl nicht: Der Mensch ist durch eine *Vielfalt von Rollen* ausgezeichnet, also gibt es Konflikte zwischen Menschen in verschiedenen Rollen (Autofahrer vs. Naturfreund), damit aber auch innerhalb eines Individuums selbst. Und das heißt: Um Umweltprobleme zu erklären, braucht man als Buhmänner keine kapitalistischen Bösewichte; Umweltemissionen entstehen *ungewollt als Nebenprodukt einer legitimen, weil gesellschaftlich gewünschten Aktivität.* Warum ist das nicht nur unangenehm, sondern ein Problem?

Dazu sagen die Ökonomen: Die marktwirtschaftliche Koordination der Einzelpläne beruht darauf, dass *alle* ökonomisch bedeutsamen *Konsequenzen* in Preisen bewertet werden, denn Preise signalisieren Knappheit. Preise steuern so die knappen Güter dorthin, wo der höchste Nutzen erzielt wird, und das bedeutet ein Höchstmaß an Bedürfnisbefriedigung für alle insgesamt. Wenn nun teilweise keine Preise vorhanden sind (oder fälschlicherweise Preise von null angesetzt werden), führt dies nicht zur maximalen Wohlfahrt. Wer für ein Produkt keinen Preis erzielen kann, produziert es nicht und umgekehrt: Wer bei anderen Schäden verursacht, ohne dafür aufkommen zu müssen, vermindert seine Aktivitäten (in Menge und/oder Zusammensetzung) nicht. Also: Wenn positive oder negative Konsequenzen von Aktivitäten nur unvollkommen dem Verursacher zugerechnet werden, wird kein Optimum an Produktion und Konsum erreicht – bei *negativen Konsequenzen* der Produktion gibt es dann offensichtlich *zu viele Aktivitäten.*

Genau dies gilt für Umweltgüter: Derartige negative externe Effekte können nicht zugerechnet und angelastet werden, weil für die Nutzung der Umwelt kein Preis existiert, und es existieren keine Preise, weil Umweltgüter niemandem gehören. Selbst wenn ein Emittent mit einem hohen Umweltbewusstsein freiwillig seine Emissionen reduzieren möchte: Er ist nur eine von sehr vielen Emissionsquellen und der Effekt wäre sehr klein – rationalerweise verhalten sich alle so, und die Umweltqualität verbessert sich nicht. Das Gleiche gilt auch, wenn einzelne Geschädigte Verursachern Geldzahlungen anbieten würden, damit die Emissionen vermindert würden – andere, die nicht zahlen, könnten vom Konsum der verbesserten Umweltqualität nicht ausgeschlossen werden. Deshalb ist es für alle rational zu warten und gegebenenfalls „schwarz zu fahren“, und genau deshalb passiert nichts.

Es gibt also kein „automatisches“ von Individuum und Markt ausgehendes Verfahren zur Korrektur der sich verschlechternden Umweltqualität: In einer Welt egoistischer Menschen hat die Umwelt keine Chance – stimmt das? Muss dann nicht auch das ökonomische Regelungsprinzip, die →*Marktwirtschaft*, in Frage gestellt werden? *Sind Umweltprobleme ein Phänomen des Marktversagens?*

Ja und Nein: Der Markt kann nur dann optimale oder befriedigende Ergebnisse erzielen, wenn er die richtigen Informations-Inputs bekommt. Offensichtlich wird aber im Fall des Nulltarifs der Umweltnutzung Überfluss dieses Gutes signalisiert, also ist Umweltverschmutzung die Folge. Zur Verhinderung dieser Konsequenz sind *institutionelle Vorkehrungen nötig*, denn der Markt kann diese Informationen aufgrund der besonderen Charakteristika der Umweltgüter nicht liefern. Hier sind also *der Staat und die Politik gefordert.* Diese haben aber nicht reagiert über eine lange Zeit, ein klassischer Fall von *Politikversagen.* Nicht die Abschaffung der Marktwirtschaft, sondern ihre Fütterung mit den gesamtwirtschaftlich richtigen Informationen und Daten muss die Dewise heißen, und genau hieraus leitet sich die *Berechtigung und Aufgabe der Umweltpolitik* ab. Da nur der Staat und von ihm berechtigte Institutionen in der Lage sind, Normen (in Bezug auf anzustrebende Umweltqualität) festzulegen, muss *Umweltpolitik genuine Staatsaufgabe* sein (auf der Rechtsgrundlage von Art. 2 GG „Recht auf freie Entfaltung der Persönlichkeit und Recht auf Leben und körperliche Unversehrtheit" sowie dem →*Sozialstaats*prinzip).

Ökonomisch interpretiert lautet der *politische Auftrag*: Beseitigung des Nulltarifs der Umweltgüter, der zu falscher Ressourcenverwendung führt; Anlastung der negativen externen Effekte beim Verursacher (Internalisierung). Grundsätzlich ist das auch unbestritten – *Meinungsverschiedenheiten* bestehen wegen des *Anspruchsniveaus* der umweltpolitischen Ziele (→*Zielkonflikte mit der Umweltpolitik*), der geeigneten *Träger* der Politik und des umweltpolitischen *Instrumentariums* (→*Umweltpolitik: Träger/ Instrumente*). Bezüglich des Letzteren betonen Ökonomen zu Recht das Kriterium der *Systemkonformität* mit der Marktwirtschaft: Wir brauchen eine marktwirtschaftliche Umweltpolitik, die die richtigen Anreize setzt, →*Umweltbelastungen* und -schäden zu vermeiden und nach umweltverträglichen Verfahren und Produkten zu suchen. Wenn dies rational und effizient geschieht, ist →*Soziale Marktwirtschaft* auch *Ökologische Marktwirtschaft*.

Literaturhinweise:

ENDRES, A. (2000), *Umweltökonomie*, 2. Aufl., Stuttgart; FEESS, E. (1998), *Umweltökonomie und Umweltpolitik*, 2. Aufl., München; SIEBERT, H. (Hrsg.) (1996), *Elemente einer rationalen Umweltpolitik. Expertisen zur umweltpolitischen Neuorientierung*, Tübingen.

Klaus W. Zimmermann

Sachverständigenrat

Der Sachverständigenrat zur Begutachtung der gesamtwirtschaftlichen Entwicklung wurde im Jahre 1963 durch Gesetz ins Leben gerufen. Er hat die Aufgabe, regelmäßige Berichte über die gesamtwirtschaftliche Lage und die absehbare Entwicklung in Deutschland anzufertigen und dadurch zur Erleichterung der Urteilsbildung bei den wirtschaftspolitisch verantwortlichen Instanzen und der Öffentlichkeit beizutragen. Dies geschieht im Rahmen von Jahresgutachten oder Sondergutachten. In den Jahresgutachten wird untersucht, wie die gesamtwirtschaftlichen Ziele im Rahmen der marktwirtschaftlichen Ordnung erfüllt werden können. Auf gesamtwirtschaftlicher Ebene sind dies die Ziele →*Preisniveaustabilität*, hoher Beschäftigungsstand und →*außenwirtschaftliches Gleichgewicht* bei angemessenem →*Wachstum*. Darüber hinaus ist es Aufgabe des Sachverständigenrates, Fehlentwicklungen und Möglichkeiten zu deren Vermeidung oder Beseitigung aufzuzeigen, ohne jedoch Empfehlungen für bestimmte Maßnahmen auszusprechen (Empfehlungsverbot). Der Rat ist nur durch seinen gesetzlich begründeten Auftrag gebunden und in seiner Tätigkeit unabhängig von Weisungen der Regierung. Damit unterscheidet er sich wesentlich von

Beratergremien in anderen Ländern (der *Council of Economic Advisors* in den USA arbeitet der Regierung zu). Stellt der Sachverständigenrat Fehlentwicklungen auf einzelnen Gebieten fest oder wird er von der Bundesregierung dazu beauftragt, so kann oder muss er ein zusätzliches Gutachten erstellen (Sondergutachten).

In den frühen Jahren des Rates standen konjunkturelle Fragestellungen im Vordergrund. Beeinflusst durch den →*Keynesianismus* ging es zunächst darum, wie die gesamtwirtschaftlichen Ziele am besten erreicht werden können. Als sich dieser Politikansatz aber als nicht geeignet erwies, drängende gesamtwirtschaftliche Probleme wie das hoher →*Arbeitslosigkeit* zu lösen, rückten Fragen der →*Ordnungspolitik* in den Vordergrund. So hat der Sachverständigenrat im Jahresgutachten 1996 in einer umfangreichen Analyse Schwachstellen in wichtigen Bereichen des Systems der sozialen Sicherung (gesetzliche →*Krankenversicherung*, gesetzliche →*Rentenversicherung* und Arbeitslosenversicherung) aufgezeigt, Reformperspektiven herausgearbeitet und damit die politische Diskussion auf diesen Gebieten angeregt. In dem Jahresgutachten 2000 wurden die aktuellen Reformen im Bereich Alterssicherung einer kritischen Analyse unterzogen und vor dem Hintergrund anstehender Reformen im Gesundheitswesen Reformlinien aufgezeigt. Im Jahresgutachten 2003 sprach sich der Sachverständigenrat für den Übergang von der synthetischen zur dualen Einkommensteuer und eine Senkung der Steuersätze aus. Wie ein roter Faden ziehen sich zudem Forderungen nach einer Reformen des Arbeitsmarktes durch die Gutachten.

Der Sachverständigenrat besteht aus fünf Mitgliedern („*Fünf Weise*"), die auf Vorschlag der Bundesregierung vom Bundespräsidenten für fünf Jahre berufen werden. Jedes Jahr endet die Amtszeit eines Ratsmitgliedes, Wiederberufungen sind zulässig. Um die Unabhängigkeit des Gremiums zu wahren, dürfen die Ratsmitglieder nicht der Regierung oder einem Wirtschaftsverband beziehungsweise einer Organisation der Arbeitnehmer oder Arbeitgeber angehören. Den Gewerkschaften und den Arbeitgebern wird bei der Besetzung je einer Stelle aber ein informelles Vorschlagsrecht eingeräumt, nicht zuletzt um die Akzeptanz des Jahresgutachtens auch bei den Interessengruppen sicherzustellen. Gelingt es dem Rat nicht, bei einer Fragestellung eine einheitliche Linie zu finden, haben einzelne Mitglieder die Möglichkeit, innerhalb der Gutachten ihre abweichende Meinung (Minderheitenvoten) zum Ausdruck zu bringen.

Literaturhinweise:

HOLZHEU, F. (1989), *Grundsatzprobleme wirtschaftspolitischer Beratung am Beispiel 25 Jahre Sachverständigenrat zur Begutachtung der gesamtwirtschaftlichen Entwicklung*, Wirtschaftswissenschaftliches Studium (WiSt), Heft 5, S. 230-237; SCHLECHT, O./ SUNTUM, U. van (Hrsg.) (1995), *30 Jahre Sachverständigenrat zur Begutachtung der gesamtwirtschaftlichen Entwicklung*, Krefeld; SCHNEIDER, H. K. (1994), Der Sachverständigenrat zur Begutachtung der gesamtwirtschaftlichen Entwicklung 1982-1992, in: Hasse, R. H./ Molsberger, J./ Watrin, C. (Hrsg.), Ordnung in Freiheit, Stuttgart, Jena, New

York, S. 169-181; INTERNET: http://www.sachverstaendigenrat.org (Aktuelles, Gutachten, Service, Organisation, Gesetzestext).

Martin Wolburg

Schattenwirtschaft

Eine Volkswirtschaft lässt sich in zwei Bereiche aufteilen: Die offizielle (reguläre) Wirtschaft und die Schattenwirtschaft (inoffizielle, irreguläre Wirtschaft). Die Schattenwirtschaft umfasst alle wirtschaftlichen Aktivitäten, die eine Wertschöpfung darstellen, aber nicht in der Volkswirtschaftlichen Gesamtrechnung (VGR) – also auch nicht im offiziell ausgewiesenen Sozialprodukt – erfasst werden (→*Wirtschaftskreislauf*). Die tatsächliche Wertschöpfung in einer Volkswirtschaft wird durch die Schattenwirtschaft mithin zu niedrig ausgewiesen. Die nicht erfasste Wertschöpfung der Schattenwirtschaft kann man wiederum in *zwei Bereiche* aufteilen: in eine Wertschöpfung, die nach den Kriterien der VGR gar nicht erfasst werden soll, und in eine Wertschöpfung, die zwar erfasst werden müsste, aber aus verschiedenen Gründen (z. B. Verheimlichung) nicht erfasst wird. Der erste Bereich kennzeichnet die sog. *Selbstversorgungswirtschaft*, beim zweiten Bereich handelt es sich um die sog. *Untergrundwirtschaft*. Selbstversorgungsaktivitäten sind z. B. Nachbarschaftshilfe, Haus- und Gartenarbeit, freiwillige unentgeltliche Mitarbeit in privaten Hilfsorganisationen (wie Feuerwehr und Unfallhilfe), persönliche soziale Dienste u. Ä. Bei den Aktivitäten im Untergrundbereich handelt es sich u. a. um Schwarzarbeit, Schmuggel, Verlagerung von →*Einkommen* in Steueroasen u. Ä. Aus dieser Aufzählung wird bereits deutlich, dass Selbstversorgungsaktivitäten überwiegend legal, Untergrundaktivitäten dagegen überwiegend illegal sind.

Die Schattenwirtschaft ist in den letzten Jahrzehnten in Deutschland und in fast allen Industriestaaten der Welt stark gewachsen. Schätzungen gehen davon aus, dass sie in Deutschland zwischen 15 und 20 v. H. des offiziell ausgewiesenen Sozialprodukts ausmacht. Was sind die Gründe dafür, dass es eine wachsende Schattenwirtschaft gibt? Wenn man Schattenwirtschaft als „Ausweichwirtschaft“ begreift, wird die Erklärung einleuchtend: Wirtschaftsbürger weichen von der offiziellen in die Schattenwirtschaft aus, weil sich dies für sie offenbar lohnt. Denn sie entgehen damit den Steuern, Sozialabgaben, administrativen Belastungen und staatlichen Regulierungen der offiziellen Wirtschaft und wechseln in den weitgehend abgabe- und regulierungsfreien Schattensektor. Daraus folgt, dass die Schattenwirtschaft im Allgemeinen um so mehr blüht und gedeiht, je höher die Abgabebelastungen und Regulierungen in der regulären Wirtschaft sind. Eine wachsende Schattenwirtschaft, so kann man allgemein sagen, signalisiert, dass das Vertrauensverhältnis zwischen Bürger und Staat gestört ist.

Will der Staat mithin die Schattenwirtschaft eindämmen, so ist es weniger sinnvoll, dies durch allzu strenge Verbote, Kontrollen und Bestrafungen von Schattenaktivitäten zu versuchen. Vielmehr sollte der Staat die Ursachen des Ausweichens in die Schattenwirtschaft – nämlich die zu hohen Kosten (auch Zeitkosten) legalen Wirtschaftens, bedingt durch zu hohe Abgaben und zu strikte Regulierungen – beseitigen. Letzten Endes bedeutet dies, dass der Staat seine Ansprüche an die Bürger zurücknimmt. Dies würde dann dazu führen, dass die Wirtschaftsbürger einen Anreiz haben, ihre schattenwirtschaftlichen Aktivitäten – wenigstens zum Teil – freiwillig in den offiziellen Bereich zurückzuverlagern. Schrumpft auf diese Weise die Schattenwirtschaft, so stärkt dies die Funktionsfähigkeit der →*Sozialen Marktwirtschaft*.

Literaturhinweise:
NIESSEN, H.-J. (1986), Schattenwirtschaft – Gefahr oder Chance für die soziale Marktwirtschaft?, in: Weigelt, K. (Hrsg.), *Vorträge und Beiträge der Politischen Akademie der Konrad-Adenauer-Stiftung e. V.*, Heft 2, Alfter-Oedekoven; SCHÄFER, W. (Hrsg.) (1984), *Schattenökonomie*, Göttingen; SCHNEIDER, F./ OSTERKAMP, R. (2000), Schattenwirtschaft in Europa, in: Ifo – Institut für Wirtschaftsforschung (Hrsg.), *Ifo-Schnelldienst*, Bd. 53, Heft 30, S. 17-26.

Wolf Schäfer

Solidaritätszuschlag

Dem Bund wurde mit der Finanzreform von 1955 das Recht eingeräumt, eine Ergänzungsabgabe zur Einkommen- und Körperschaftsteuer zu erheben (Art. 106 I Nr. 6 GG). Er kann sie als prozentualen Zuschlag zur Steuerschuld einführen, wenn es zur Deckung eines zusätzlichen Finanzbedarfs erforderlich ist. Dieser Zuschlag ist zwar aus verfassungsrechtlicher Sicht der Höhe nach begrenzt, nicht aber hinsichtlich der Erhebungsdauer. Seine Einführung bedarf nicht der Zustimmung des Bundesrates, weil es sich hier um eine Bundessteuer handelt (→*Staatseinnahmen*).

Der Bund hat bislang zweimal von dieser Möglichkeit Gebrauch gemacht. Eine Ergänzungsabgabe wurde erstmalig für das Kalenderjahr bzw. den Veranlagungszeitraum 1968 erhoben, um voraussehbare Deckungslücken des Bundeshaushaltes zu schließen. Der Steuersatz betrug 3 v. H. der zu zahlenden Einkommen- bzw. Körperschaftsteuer. Dieser Zuschlag lief für die Einkommensteuer mit dem Jahre 1974 aus, für die Körperschaftsteuer erst Ende 1976. Der Bund nutzt mit dem Solidaritätszuschlag zum zweiten Male das Instrument der Ergänzungsabgabe. Seine Erhebung wird mit den besonderen Belastungen des Bundeshaushalts durch die Deutsche Einigung gerechtfertigt (→*Aufbau Ost*).

Der Solidaritätszuschlag wurde zuerst befristet für den Zeitraum vom 1. Juli 1991 bis zum 30. Juni 1992 eingeführt. Er betrug 7,5 v. H. der zu zahlenden Einkommen- oder Körperschaftsteuer. Die tatsächliche Belastung belief sich indes nur auf 3,75 v. H. der Jahressteuerschuld, da er jeweils nur für ein Halbjahr eines Veranlagungszeitraumes (= Kalenderjahr) erhoben wurde. Entsprechend den gesetzlichen Bestimmungen des Föderalen Konsolidierungsprogramms (Solidarpakt) von 1993 wurde der Solidaritätszuschlag ab 1995 erneut eingeführt, jetzt aber zeitlich unbegrenzt. Der Zuschlag belief sich zunächst wiederum auf 7,5 v. H., seit 1998 nur noch auf 5,5 v. H. der Einkommen- bzw. Körperschaftsteuerschuld. Er wird von einkommensteuerpflichtigen Personen indes nur erhoben, wenn die jährlich zu zahlende Einkommensteuer über 972 € bzw. für gemeinsam veranlagte Ehepaare mehr als 1.944 € beträgt.

Das Aufkommen aus dem Solidaritätszuschlag beläuft sich zur Zeit auf knapp 11 Mrd. € und ist damit etwa doppelt so hoch, wie zu seiner erstmaligen Einführung 1991:

Das Aufkommen stagniert indes zur Zeit, u. a. wegen der geringen wirtschaftlichen Dynamik und den tariflichen Entlastungen bei der Einkommens- und Körperschaftsteuer.

Kassenmäßiges Aufkommen des Solidaritätszuschlages 1991 bis 2004

Jahr	1991	1992	1993	1994	1995	1996	1997
	5,4	6,7	0,1	0,8	13,4	13,3	13,2
Jahr	1998	1999	2000	2001	2002	2003	2004
Mrd. €	10,5	11,3	11,8	11,1	10,4	10,4*	10,9*

* Schätzung.
Quelle: Nach Angaben des Bundesministeriums der Finanzen.

Der Solidaritätszuschlag ist von erheblich größerer fiskalischer Bedeutung als die Ergänzungsabgabe von 1968. Zum Vergleich: Das Aufkommen der Ergänzungsabgabe belief sich im Durchschnitt der Jahre 1968 bis 1976 auf 1,1 v. H., das des Solidaritätszuschlags seit 1995 dagegen auf jahresdurchschnittlich 6,2 v. H. der Steuereinnahmen des Bundes.

Dem Solidaritätszuschlag kommt aber nicht nur fiskalische, sondern auch verteilungspolitische Bedeutung zu (→*Verteilung*). Vor seiner Einführung bestand eine verteilungspolitische Schieflage zu Lasten der unteren und mittleren Einkommen, weil die Defizite der Renten- und Arbeitslosenversicherung in Ostdeutschland nicht von der Allgemeinheit der Steuerzahler, sondern von dem kleineren Kreis der westdeutschen Beitragszahler finanziert wurden. Der Solidaritätszuschlag ermöglichte als Ausgleich eine stärkere Beteiligung der höheren sowie der nicht sozialversicherungspflichtigen Einkommen (Beamte, Selbstständige) an den übrigen Finanzierungslasten. Auf diese Weise leisten aber auch die Ostdeutschen selbst einen *zusätzlichen* finanziellen Beitrag zum Aufbau Ost. Ein Umstand, der häufig übersehen wird.

Nach mehr als zehn Jahren Deutscher Einigung stellt sich die Frage, wie lange der Solidaritätszuschlag noch gerechtfertigt werden kann. Der Solidarpakt II sieht ab 2005 vor, dass die ostdeutschen Länder zwar weiterhin Ergänzungszuweisungen des Bundes – insbesondere zum Abbau infrastruktureller Versorgungslücken – erhalten. Diese werden aber abgeschmolzen, und zwar beginnend mit 10,5 Mrd. € 2005 über 8,7 Mrd. € 2010 auf zuletzt 2,1 Mrd. € in 2019. Ein durchgreifender, angleichungsbedingter Abbau allgemeiner Real- (Staatsverbrauch) und Sozialtransfers (z. B. Wohngeld, Arbeitslosengeld und -hilfe, Renten) ist dagegen auf mittlere Sicht nicht zu erwarten. Mit rückläufigen Transfers ist allenfalls auf Grund der arbeitsmarktpolitischen Maßnahmen (u. a. Rückführung von ABM, Änderungen im Leistungsrecht) zu rechnen. Die ostdeutschen Steuereinnahmen und Sozialbeiträge dürften gleichwohl auf absehbare Zeit nicht ausreichen, um die Ansprüche an die öffentlichen Haushalte und das soziale Sicherungssystem zu finanzieren. Dieser Umstand allein rechtfertigt aber nicht ohne Weiteres die Beibehaltung des Solidaritätszuschlages

Literaturhinweise:
HEILEMANN, U. u. a. (1994), *Konsolidierungs- und Wachstumserfordernisse. Zu den Fiskalperspektiven und -optionen der Bundesrepublik in den neunziger Jahren*. Untersuchungen des Rheinisch-Westfälischen Instituts für Wirtschaftsforschung (RWI), Heft 13, Essen.

Ullrich Heilemann
Hermann Rappen

Sozialbudget

Begriff und Gliederung: Das Sozialbudget ist ein Bericht der Bundesregierung, in dem in bestimmten Zeiträumen (in der Regel einmal pro Legislaturperiode) die erbrachten sozialen Leistungen und deren Finanzierung dargestellt werden. Häufig dient dieser Begriff auch als Umschreibung der Summe aller Sozialleistungen einer Periode. Das Sozialbudget untergliedert die erbrachten Leistungen nach Institutionen und Funktionen, ihre Finanzierung nach Arten und Quellen.

Institutionen sind soziale Einrichtungen, Teilgebiete der Gebietskörperschaften (→*Bund, Länder, Gemeinden*) oder auch abstrakte Institutionen, die soziale Leistungen verwalten. In institutioneller Hinsicht untergliedert sich das Sozialbudget in die Allgemeinen Systeme (→*Renten-*, →*Pflege-*, →*Kranken-*, Arbeitslosen- und →*Unfallversicherung*, Arbeitsförderung, Kinder- und Erziehungsgeld), die Sondersysteme (Alterssicherung für Landwirte, Versorgungswerke), die Leistungssysteme des öffentlichen Dienstes, Arbeitgeberleistungen, Entschädigungen und soziale Hilfen und Dienste. Diese Leistungsarten werden zu den direkten Leistungen zusammengefasst. Hinzu kommen als indirekte Leistungen steuerliche Maßnahmen wie das Ehegattensplitting und der Familienleistungsausgleich (Kindergeld oder Kinderfreibeträge).

Funktionen sind soziale Tatbestände (Risiken oder Bedürfnisse), deren Eintritt Ansprüche auf soziale Leistungen auslöst. Hier unterscheidet das Sozialbudget zwischen den Funktionsgruppen Ehe und Familie, Gesundheit, →*Beschäftigung*, Alter und Hinterbliebene sowie sonstige Funktionen (Wohnen, Vermögensbildung, Folgen politischer Ereignisse und allgemeine Lebenshilfen).

Die *Finanzierungsarten* umfassen die Sozialbeiträge der Versicherten und der Arbeitgeber, Zuweisungen aus öffentlichen Mitteln und sonstige Einnahmen, wie bspw. Kapitalerträge und Verrechnungen der Institutionen untereinander.

Entwicklung und Probleme: Die Sozialleistungen haben sich seit Bestehen der Bundesrepublik sehr dynamisch entwickelt. Die Sozialleistungen stiegen absolut von 32,6 Mrd. Euro (1960) auf 663,7 Mrd. Euro (2001) an; die Sozialleistungen pro Kopf der Bevölkerung erhöhten sich im gleichen Zeitraum von 588 Euro auf 8.138 Euro. Damit erhöhten sich die Sozialleistungen auch stärker als die wirtschaftliche Leistungsfähigkeit Deutschlands im gleichen Zeitraum. Die Sozialleistungsquote, also der Anteil der Sozialleistungen am Bruttoinlandsprodukt, stieg infolge dessen von 21,1 %. (1960) auf 31,9 % (2000). Die stärksten Zuwächse der Sozialleistungsquote waren in den Jahren 1965 (22,5 %) bis 1975 (31,6 %) und im Zuge der deutschen Wiedervereinigung zwischen 1990 (27,8 %) und 1996 (32,1 %) zu verzeichnen. In den Jahren 1975 bis 1989 war die Sozialleistungsquote hingegen leicht rückläufig. Die wesentlichen Ausgabenbereiche sind nach institutioneller Gliederung die Rentenversicherung, auf die ein Anteil von 32,2 % aller Sozialausgaben entfällt, die Krankenversicherung (19,6 %), die Arbeitsförderung (9,3 %), die Arbeitgeberleistungen (7,9 %) und die Leistungen des öffentlichen Dienstes (7,3 %).

Das wesentliche *Problem* der Sozialberichterstattung besteht darin, dass das Sozialbudget die sozialen Leistungen und die Belastung der privaten Wirtschaftssubjekte nur ungenau erfasst. Das Sozialbudget enthält zum einen nur jenen Teil sozialer Leistungen, die mit Transferzahlungen oder Steuermindereinnahmen verbunden sind; damit bleiben alle ordnungspolitischen Maßnahmen staatlicher Sozialpolitik außer Ansatz (z. B. Kündigungsschutzregeln, Mitbestimmungsrechte, allgemeine Regulierungen im sozialen Mietrecht). Weiterhin ist die Abgrenzung der im Sozialbudget erfassten Leistungen eher kasuistisch (also orientiert an Einzelfällen): So enthält das Sozialbudget Leistungen, die nach der gängigen steuerjuristischen Lehre keine Sozialleistungsnormen sind, wie etwa die Kinderfreibeträge oder auch das Ehegattensplitting, während andererseits eindeutig sozialpolitische Leistungen wie die Leistungen nach dem Bundesausbildungsförderungsgesetz nicht enthalten sind. Darüber hinaus differenziert das Sozialbudget die Leistungen nicht nach ihrer Zielrichtung als Versicherungsleistung oder Umverteilungsmaßnahme. Schließlich weist das Sozialbudget nur die sozialen Leistungen der laufenden Periode aus. Eine Vielzahl der sozialpolitischen Maßnahmen beinhaltet jedoch eine intertemporale Kaufkraftumschichtung, d. h. es entstehen heute Ansprüche auf Leistungen, die erst in Zukunft fällig werden. Um einen umfassenden Eindruck der Leistungs- und Finanzierungsströme staatlicher →*Sozialpolitik* zu erhalten, wäre eine intertemporale Berechnung entsprechend des *generational accounting* (= Lastenübertragung zwischen den Generationen) nötig.

Literaturhinweise:

LAMPERT, H./ ALTHAMMER, J. (2004), *Lehrbuch der Sozialpolitik*, 7. Aufl., Berlin u. a.; BUNDESMINISTERIUM FÜR GESUNDHEIT UND SOZIALE SICHERUNG (Hrsg.), *Sozialbudget 2001*, Berlin.

Jörg Althammer

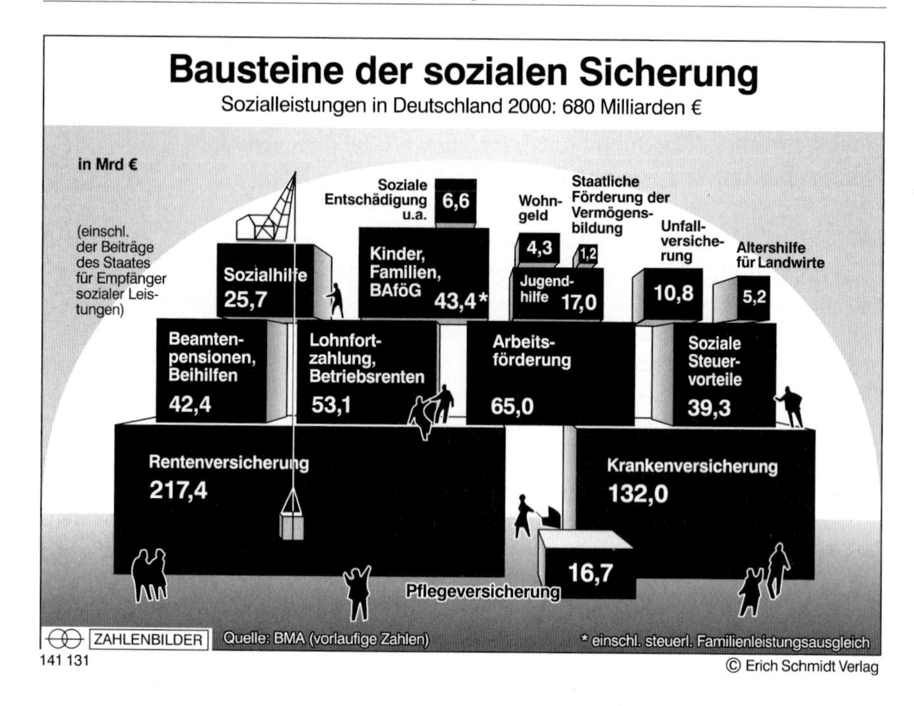

Soziale Gerechtigkeit
(sozialer Ausgleich)

Gerechtigkeit stellt neben Freiheit einen der höchsten Grundwerte in sozial verantwortlichen und demokratischen Gesellschaftssystemen dar. Wie alle Grundwerte ist soziale Gerechtigkeit eine übergeordnete gesellschaftliche Zielvorstellung. Der Wert der sozialen Gerechtigkeit wirkt prägend auf das menschliche Zusammenleben und erzeugt Verhaltensorientierungen. Im Konzept der →*Sozialen Marktwirtschaft* wird die Rolle von Grundwerten unter doppeltem Aspekt betrachtet. Erstens wird ihre Verankerung in einer gemeinsamen kulturellen Basis der Gesellschaft hervorgehoben, von der auch die Wirtschaft als Teil (Subsystem) der Gesellschaft erfasst wird (→*gesellschaftliche Grundlagen von Wirtschaftsordnungen*). Zweitens haben Grundwerte eine Funktion bei der Gestaltung der Ordnung der Wirtschaft. Darauf haben neben Alfred →*Müller-Armack* insbesondere die Vertreter des Wirtschafts- und Sozialhumanismus hingewiesen, zu denen vor allem Alexander →*Rüstow* und Wilhelm →*Röpke* zu zählen sind. Von diesen Begründern der Sozialen Marktwirtschaft wurde die Forderung nach sozialer Gerechtigkeit unter dem Aspekt einer weit gestreuten Eigentumsbildung und einer angemessenen Vitalsituation der Bürger vorgetragen, die die wirklichen Lebensumstände der Menschen in das Blickfeld rückt. Die besondere Bedeutung des Wertes der sozialen Gerechtigkeit beruht auf der Anerkennung eines spezifischen →*Menschenbildes*. Dieses begreift den Menschen zum einen in der Tradition von *Aristoteles* als gesellschaftliches Wesen (zoon politikon) und versteht ihn zum anderen in Anerkennung des Prinzips der ökonomischen Rationalität als nutzenmaximierendes, sein Eigeninteresse rational verfolgendes wirtschaftendes Individuum.

Der Wert der sozialen Gerechtigkeit entspricht den Prinzipien der Humanität und der Gemeinwohlorientierung, denen zufolge alle Mitglieder der Gesellschaft am Wohlstand der Gesellschaft teilhaben sowie an seiner Entstehung, Mehrung und Erhaltung mitwirken sollen. Die Verwirklichung des Wertes der sozialen Gerechtigkeit gemäß der Konzeption der Sozialen Marktwirtschaft orientiert sich nicht an einem einseitigen Gerechtigkeitsbegriff, sondern ist darauf ausgerichtet, ein ausgeglichenes Verhältnis zwischen den Wirkungen der verschiedenen Arten von Gerechtigkeit zu erhalten. Dabei sollen gesamtgesellschaftlich nicht gewünschte Wirkungen möglichst begrenzt werden.

Wenn soziale Gerechtigkeit als umfassender, allgemeiner Wert fest verankert ist, muss die Vielfalt der Indikatoren für Gerechtigkeit einbezogen werden. Nicht ein Neben- oder Gegeneinander der verschiedenen Kriterien, sondern ihre wechselseitigen Durchdringungen werden in der modernen Ethik betont. Angewandt auf den Bereich der Wirtschaft, wird damit an die von *Aristoteles* und *Thomas von Aquin* entworfene *Dreigliedrigkeit des Gerechtigkeitskonzepts* angeknüpft. Neben der übergeordneten, auf das Gemeinwohl orientierten allgemeinen Gerechtigkeit (iustitia legalis) sind hier die Kommutativ- oder Tauschgerechtigkeit (iustitia commutativa) und die Verteilungsgerechtigkeit (iustitia distributiva) zu nennen.

Beachtenswert ist, dass die verschiedenen Gerechtigkeitsbegriffe in der theoretischen Interpretation nicht isoliert bleiben, sondern in wechselseitigen Bezug zueinander gebracht werden. In der Wirtschaftsethik werden zusammengehörende Gerechtigkeitsbegriffe paarweise gegenübergestellt (vgl. Abb.). Diese Begriffspaare überschneiden sich inhaltlich teilweise.

Eines der grundlegenden wirtschaftspolitischen Postulate in sozial verantwortlichen Marktwirtschaften ist das Ziel einer gerechten Einkommens- und →*Vermögenspolitik*.

Innerhalb marktwirtschaftlicher Koordination ist Tauschgerechtigkeit eine dem Leistungsprinzip entsprechende Gerechtigkeitsnorm der →*Verteilung*. Unter der Bedingung, dass auf den Märkten äquivalente Werte gegeneinander getauscht werden, wird keiner der Tauschpartner übervorteilt und marktwirtschaftliche Koordination wird auf diese Weise sachlich gerecht vermittelt. Ein stimulierender Effekt der Leistungsgerechtigkeit besteht darin, dass Anreize für individuelles Leistungsverhalten geschaffen und erhalten werden.

Korrelative Gerechtigkeitstypen

Begriff	Korrelativbegriff
• Leistungsgerechtigkeit	• Bedarfsgerechtigkeit
• Chancengerechtigkeit	• Ergebnisgerechtigkeit
• reziprozitive Gerechtigkeit	• kommutative Gerechtigkeit
• Tauschgerechtigkeit	• ausgleichende Gerechtigkeit
• Marktgerechtigkeit	• Politikgerechtigkeit

Um denjenigen Gesellschaftsmitgliedern, die infolge ihrer Lebensumstände nicht zu den Leistungsfähigen gezählt werden können, durch eine entsprechende Umverteilung von materiellen Mitteln, Anrechten und Chancen ein durch gesellschaftlichen Konsens bestimmtes ausreichendes Lebensniveau zu ermöglichen, wird Leistungsgerechtigkeit durch Bedarfsgerechtigkeit ergänzt. Neben der Berücksichtigung der Bedarfsgerechtigkeit wird sozialer Ausgleich auch dadurch notwendig, dass sich auf Märkten nicht in jedem Fall Tauschgerechtigkeit herstellen lässt, nämlich dann nicht, wenn Preise keine wirklichen Knappheitsindikatoren darstellen oder wenn Chancengleichheit als eine der Voraussetzungen für die Anwendung des Leistungsprinzips nicht gegeben ist.

Leistungsgerechtigkeit („Option für die Starken") ist durch Ausgleichsgerechtigkeit („Option für die Schwachen") zu ergänzen, weil ökonomischer Fortschritt und Wirtschaftswachstum sich nicht dauerhaft unter der Bedingung drastischer sozialer Ungleichgewichtssituationen realisieren lassen. Vielmehr ist zu erwarten, dass durch sozialen Ausgleich ökonomische Potenzen freigesetzt werden. Vor diesem Hintergrund soll der mit sozialer Gerechtigkeit angestrebte soziale Zusammenhalt einerseits große soziale Gegensätze vermeiden und andererseits den sozialen Frieden (*→soziale Irenik*) im Interesse der wirtschaftlichen Prosperität schützen.

Sozialer Ausgleich wird im Wesentlichen durch staatliche Umverteilungspolitik erreicht. Die dafür notwendigen Mittel werden aus den *→Staatseinnahmen* finanziert, die wiederum zum großen Teil aus denjenigen Steuern bestehen, die die Leistungsträger der Gesellschaft zu tragen haben. Indem die Solidarität der Starken mit den Schwachen vom Staat auf diese Weise erzwungen wird, ist Sorge zu tragen, dass soziale Ausgleichspolitik differenziert, maßvoll und effizient zu gestalten ist, um nicht kontraproduktiv zu wirken.

Ein Konfliktpotenzial bildet die Forderung nach sozialer Gerechtigkeit immer dann, wenn Gerechtigkeitsvorstellungen infolge des theoretisch weitgehend ungelösten ethischen Wertbegründungsproblems heterogen, uneinheitlich und vielschichtig bleiben und keinen die gesamte Gesellschaft durchdringenden Konsens zu erzeugen vermögen.

Literaturhinweise:
FÖSTE, W./ JANSSEN, P. (1999), *Die Konsensfähigkeit der Sozialen Marktwirtschaft*, Frankfurt/ M., New York; HÖFFE, O. (1995), *Die Nikomachische Ethik*, Berlin; VOGT, M. (1999), Soziale Interaktion und Gerechtigkeit, in: *Handbuch der Wirtschaftsethik*, Gütersloh, Bd. 1, S. 284-309.

Friedrun Quaas

Soziale Grundsicherung

Die soziale Grundsicherung gilt als letztes Auffangnetz des Systems sozialer Sicherheit. Das generelle Ziel der Grundsicherung ist es, alle Mitglieder der Gesellschaft vor Armut und Not zu schützen und die Führung eines Lebens zu ermöglichen, das der Würde des Menschen entspricht. Dabei soll der Leistungsempfänger soweit wie möglich befähigt werden, unabhängig von der Hilfe zu leben. Das System der sozialen Grundsicherung ist in den verschiedenen Büchern des Sozialgesetzbuches (SGB) zusammengefasst und umfasst die Grundsicherung für Arbeitsuchende (SGB II), die Sozialhilfe (SGB XII) und das Asylbewerberleistungsgesetz. Alle Leistungen der sozialen Grundsicherung sind Fürsorgeleistungen, d. h. die Vergabe der Leistungen setzt Bedürftigkeit voraus, und es besteht lediglich ein Rechtsanspruch auf diese Leistungen dem Grunde nach. Art und Höhe der Leistungen orientieren sich am Einzelfall. Die Finanzierung erfolgt über allgemeine Steuermittel des Staates.

Anspruch auf *Grundsicherungsleistungen für Arbeitsuchende* haben erwerbsfähige Hilfsbedürftige sowie Personen, die mit Anspruchsberechtigten in einer Bedarfsgemeinschaft leben. Als erwerbsfähig gelten Personen zwischen dem 15. und 65. Lebensjahr, die nicht wegen Krankheit oder Behinderung außer Stande sind, unter den üblichen Bedingungen des allgemeinen Arbeitsmarktes mindestens drei Stunden täglich erwerbstätig zu sein. Primäres Ziel der Grundsicherung für Arbeitsuchende ist es, den Arbeitslosen wieder in das Arbeitsleben einzugliedern; der Leistungsempfänger ist verpflichtet, hierbei aktiv mitzuwirken. Als Leistungen sieht das SGB II Dienstleistungen zur Eingliederung in Arbeit und Geldleistungen zur Sicherung des Lebensunterhalts vor. Hilfeleistungen zur Eingliederung in das Erwerbsleben sind neben den allgemeinen Leistungen zur Arbeitsförderung gem. SGB III Hilfen zur Betreuung minderjähriger oder pflegebedürftiger Angehöriger sowie Schuldner-, Sucht- und psychosoziale Beratung. Als Geldleistungen erhalten erwerbsfähige Hilfsbedürftige Regelleistungen in Höhe von 345 € in West- und 331 € in Ostdeutschland. Hinzu kommen die Aufwendungen für angemessene Unterkunft und Heizung sowie Mehrbedarfszuschläge für Alleinerziehende und Behinderte. Die Regelleistung wird entsprechend der gesetzlichen Altersrente angepasst, d. h. sie ist dynamisiert. Hilfeempfänger, die zuvor Arbeitslosengeld bezogen haben, erhalten einen auf zwei Jahre befristeten Zuschlag zur Regelleistung in Höhe von max. 160 € (320 € bei Partnern) zuzüglich 60 € je Kind. Dieser Zuschlag wird nach Ablauf des ersten Jahres um 50 % gekürzt. Dadurch soll dem Erwerbslosen ein Anreiz gegeben werden, sich selbstständig um ein neues Beschäftigungsverhältnis zu bemühen. Dieser monetäre Anreiz wird durch bestimmte Freibeträge verstärkt, die von der Einkommensanrechnung ausgenommen sind.

Nicht erwerbsfähige Personen, die mit Anspruchsberechtigten in einem Haushalt leben, haben Anspruch auf Sozialgeld. Das Sozialgeld beträgt bis zur Vollendung des 14. Lebensjahrs 60 % und im 16. Lebensjahr 80 % der Regelleistung.

Hilfebedürftige, die nicht erwerbsfähig sind, oder denen eine Erwerbstätigkeit nicht zugemutet werden kann, haben Anspruch auf *Sozialhilfe* nach dem zwölften Buch des Sozialgesetzbuchs (SGB XII). Die Aufnahme einer Erwerbstätigkeit gilt generell als unzumutbar, sofern ein Kind unter drei Jahren zu betreuen ist oder die Pflege eines Angehörigen gefährdet wäre. Die Sozialhilfe umfasst insgesamt sieben Leistungsarten; zu den wichtigsten zählen die Hilfe zum Lebensunterhalt, die Grundsicherung im Alter und bei Erwerbsminderung, die Eingliederungshilfe für behinderte Menschen und die Hilfe zur Pflege. Die Leistungen werden nach Regelsätzen bemessen, die durch Rechtsverordnung der Bundesländer festgelegt werden. Derzeit (Stand: 01. Juli 2003) beträgt der Eckregelsatz pro Person zwischen 297 € (Baden-Württemberg und Hessen) und 282 € (Thüringen, Sachsen und Mecklenburg-Vorpommern). Die Regelsätze werden alle fünf Jahre entsprechend den empirisch festgestellten Verbrauchsgewohnheiten der unteren Einkommensgruppen angepasst (Statistik-Modell). Neben dem Regelsatz übernimmt die Sozialhilfe auch die Kosten für Unterkunft und Heizung. Für bestimmte Personengruppen wie Alleinerziehende, Ältere, werdende Mütter und Behinderte sind pauschalierte Mehrbedarfszuschläge zwischen 17 und 36 Prozent des Eckregelsatzes vorgesehen; in begründeten Fällen können höhere Mehrbedarfszuschläge gewährt werden. Bevor Sozialhilfeleistungen vergeben werden, hat der Leistungsempfänger sein gesamtes Einkommen und Vermögen einzusetzen. Dies gilt auch für Unterhaltsansprüche gegenüber Dritten, die grundsätzlich auf die Träger der Sozialhilfe übergehen. Eine Ausnahme gilt für Personen, die Anspruch auf Leistungen der Grundsicherung im Alter und bei Erwerbsunfähigkeit haben, also für über 65-jährige und voll Erwerbsgeminderte. Für diese Personengruppen bleiben Unterhaltsansprüche gegenüber Eltern und Kindern unberücksichtigt, sofern deren jährliches Gesamteinkommen 100.000 € nicht überschreitet. Durch diese äußerst großzügige Einkommensgrenze soll verhindert werden, dass ein bestehender Sozialhilfeanspruch aus Angst vor einem Regress der Sozialhilfeträger auf nahe Angehörige nicht geltend gemacht wird (sog. „verdeckte“ bzw. „verschämte“ →*Armut*).

Eine Sonderstellung im System der sozialen Grundsicherung nehmen die *sozialen Leistungen für ausländische Flüchtlinge* ein. Seit 01. November 1993 erhalten Asylbewerber keine Sozialhilfeleistungen mehr, sondern Leistungen nach dem Asylbewerberleistungsgesetz. Im Vergleich zu den Sozialhilfeleistungen sind die Leistungen an Asylbewerber deutlich eingeschränkt und sollen während der ersten drei Jahre grundsätzlich als Sachleistungen vergeben werden. Die Grundleistungen decken für die Dauer des Asylverfahrens den notwendigen Bedarf an Ernährung, Unterkunft, Kleidung und Gesundheitspflege. Der Geldwert der Grundleistung beträgt für den Haushaltsvorstand 184 €, für Haushaltsangehörige bis zur Vollendung des siebten Lebensjahres 112 € und für Haushaltsangehörige ab dem achten Lebensjahr 158 €. Diese Sätze gelten unverändert seit Einführung des Asylbewerberleistungsgesetzes.

Durch die Einführung der Grundsicherung für Arbeitsuchende und die Neufassung der Sozialhilfe im SGB XII hat das System der sozialen Mindestsicherung eine Struktur erhalten, die der differenzierten Problemlage der Hilfeempfänger angemessener ist als das bisherige Bundessozialhilfegesetz. Erwerbsfähige Hilfebedürftige erhalten mit dem Arbeitslosengeld II eine Fürsorgeleistung, die konsequent nach dem Grundsatz des Förderns und Forderns ausgestaltet ist. Das SGB II verbindet monetäre Anreize zur Arbeitsaufnahme mit erheblichen Sanktionen im Fall der Nichtannahme angebotener Arbeit. Nicht Erwerbsfähige und ein eng abgegrenzter Kreis von Personen, denen die Aufnahme einer Erwerbstätigkeit nicht zugemutet werden kann, erhalten Hilfeleistungen nach dem neu gefassten Sozialhilfegesetz. Damit ist die Sozialhilfe nur noch in bestimmten, im Gesetz vorgesehenen Notfällen für Hilfeleistungen zuständig und weitgehend von den Kosten der Arbeitslosigkeit entlastet.

Literaturhinweise:

LAMPERT, H./ ALTHAMMER, J. (2004), *Lehrbuch der Sozialpolitik*, 7. Aufl., Berlin u. a.; RIBHEGGE, H. (2004), *Sozialpolitik*, München.

Jörg Althammer

Soziale Marktwirtschaft in der EU

Am 1. Januar 2002 wurde der Euro in der Form von Banknoten und Münzen in 12 Mitgliedsländern der EU eingeführt. Das ist ein historisches Ereignis. Zum ersten Mal seit 1.500 Jahren haben die gleichen Münzen vom Mittelmeer bis zur Ostsee Geltung.

Die Entwicklung hin zur „Europäischen Währung“ ist innerhalb Europas schrittweise vor sich gegangen. Nach dem Abschluss der „Römischen Verträge“ (1957) wurde zunächst die Zollunion mit einem gemeinsamen Zolltarif geschaffen, danach der Binnenmarkt, geprägt durch die Abschaffung der Grenzkontrollen zwischen den Mitgliedsländern. Jetzt entsteht ein gemeinsamer „Europäischer Heimatmarkt“ mit einer gemeinsamen Währung und einer Europäischen Zentralbank. Das ist wohl die stärkste Form der wirtschaftlichen →*Integration* souveräner Staaten, welche die Wirtschaftsgeschichte kennt (→*Europäische Wirtschafts- und Währungsunion*).

Gleichzeitig erleben wir einen beschleunigten Prozess der →*Globalisierung* und befinden uns auf dem Weg in die Wissensgesellschaft, die durch neue Formen der Kommunikation und Information möglich wird.

In dieser Situation stehen die Europäer vor der Aufgabe, gemeinsame Grundsätze der Wirtschaftspolitik für diese 12 Mitgliedsländer der Währungsunion zu formulieren. Die diesbezüglichen Traditionen sind sehr unterschiedlich. Einerseits gibt es das französische System, das starke Elemente einer zentralistischen Staatswirtschaft aufweist. Daneben besteht die anglo-amerikanische Variante einer freien →*Marktwirtschaft*, die in dem England von Margarete Thatcher fast lupenrein verwirklicht wurde. Schließlich gibt es die deutsche Tradition der „Sozialen Marktwirtschaft" von Ludwig →*Erhard*, die auf dem ordnungspolitischen Modell von Walter →*Eucken* und Alfred →*Müller-Armack* aufbaut. Die Verbreitung dieser Ideen wird dadurch erschwert, dass ihre Werke in anderen Sprachen kaum veröffentlicht und bekannt sind.

Das Europäische Parlament hat sich frühzeitig bemüht, sachkundigen Rat einzuholen. Dem diente die Gründung der „Brüsseler Initiative" (1994). Sie ist eine Vereinigung von Professoren, Wirtschaftsleuten und Politikern, die sich zum Ziel gesetzt haben, eine geeignete Wirtschaftspolitik für die Europäische Union zu entwerfen. Sie hat im Oktober 2000 ihre grundlegenden Ideen in einer „Prager Erklärung" zur →*Sozialen Marktwirtschaft* niedergelegt. Dazu kam eine Initiative von deutschen und polnischen Bischöfen, die in der „Külzer Erklärung" gefordert haben, den Begriff der Sozialen Marktwirtschaft als Leitbild der Wirtschaftspolitik im Unionsvertrag zu verankern.

Im Europäischen Parlament wird alljährlich über die „wirtschaftspolitischen Leitlinien" beraten, die auf Vorschlag der Kommission und des Rates nach Stellungnahme des Europäischen Parlamentes im Juni verabschiedet werden (→*EU: Organe und Institutionen*). Aus diesem Anlass wurde 2001 der Wogau-Bericht vorgelegt, der fordert, die Soziale Marktwirtschaft zur Leitlinie der Wirtschaftspolitik der Europäischen Union zu machen. Als Prinzipien der Sozialen Marktwirtschaft werden Freiheit und Demokratie, →*Wettbewerb*, Geldwertstabilität, Subsidiarität, Privateigentum und Solidarität definiert.

In seinem Buch „Captalisme contre Capitalisme" beschreibt Michel Albert die Wirtschaftsordnung der Bundesrepublik Deutschland, die allgemein mit dem Begriff der „Sozialen Marktwirtschaft" in Verbindung gebracht wird, als „rheinischen Kapitalismus". Das ist ein klares Missverständnis. Zentrales Steuerungsinstrument einer Marktwirtschaft ist nicht das Kapital, sondern der Markt. Dazu gehören eindeutige soziale, ökologische und wettbewerbliche Rahmenbedingungen.

Verbreitet ist auch die Meinung, Markt und Wettbewerb seien in sich schlecht. Darum müsse das Soziale als Reparaturwagen hinter dem Markt herfahren, um die Opfer dieses „bösen" Wettbewerbs aufzusammeln. Die

Diskussion, die im Europäischen Parlament geführt wird, soll zur Erkenntnis führen, dass der Markt, wenn er sich im Rahmen von klaren Regeln abspielt, selbst soziale Ergebnisse hervorzubringen imstande ist.

Ein herausragendes Prinzip der Sozialen Marktwirtschaft ist der Wettbewerb. In den Europäischen Institutionen in Brüssel findet eine Diskussion darüber statt, in welchem Verhältnis der Wettbewerb auf freien und offenen Märkten zu dem Prinzip der Daseinsvorsorge durch den Staat, die Gemeinde beziehungsweise freie Wohlfahrtsverbände steht. Der Markt sollte danach eine Chance erhalten, wenn er die Versorgung der Bürger ebenso gut oder besser bewirken kann als die genannten anderen Formen der Daseinsvorsorge.

Wettbewerb auf freien und offenen Märkten war auch die Grundlage der Wirtschaftsordnung von Ludwig →*Erhard*. Allerdings blieben in seiner Zeit als Wirtschaftsminister und Bundeskanzler die Monopole im Bereich der Telekommunikation, der Energieversorgung und des Verkehrs in Deutschland bestehen. Ludwig Erhard hat jedoch die Grundregeln des Wettbewerbs in den entsprechenden Artikeln des Vertrages von Rom verankert. Sie waren seine Bedingung für die Zustimmung zu diesem Vertrag.

Inzwischen ist festzustellen, dass die Ideen von Ludwig Erhard aus der Europäischen Union nach Deutschland reimportiert werden. Die Aufhebung des Monopols im Bereich der Telekommunikation ist auf Grund der Regeln der Europäischen Union erfolgt. Dabei gibt es eine große Gefahr: die Ersetzung der öffentlichen durch private Monopole. Dies würde bedeuten, dass der Staat zwar einmalige Gewinne durch den Verkauf seiner Unternehmen hätte, ohne aber für die Bürger die Vorteile des Wettbewerbes zu erreichen.

Die Bedeutung der Preisstabilität war während der Vorbereitung des Vertrages von Maastricht besonders umstritten. Bei den Grünen, den Sozialisten und den Sozialdemokraten herrschte die Meinung vor, die Zentralbank müsste gleichberechtigt neben dem Ziel der Preisstabilität auch die Ziele →*Wachstum* und →*Beschäftigung* fördern. Dem gegenüber waren die Mitglieder der Volkspartei und die Liberalen mehrheitlich der Meinung, die Preisstabilität sollte das primäre Ziel sein. Nur insoweit als keine Gefährdung der Preisstabilität damit verbunden ist, könne die Zentralbank auch die genannten weiteren Ziele verfolgen.

Für diese starke Betonung der →*Preisniveaustabilität* gibt es zwei Gründe: Erstens trifft die Inflation in erster Linie diejenigen, die von kleinen, festen →*Einkommen* leben müssen. Sie verfügen über keine Möglichkeiten, sich der Wirkung der Inflation zu entziehen. Geldentwertung wirkt hier wie eine kalte Enteignung. Daher ist eine Politik der Preisstabilität der erste Schritt zu einer erfolgreichen →*Sozialpolitik*. Zweitens lenkt die Inflation Investitionen in die falsche Richtung. Die Steuerungssignale des Marktes werden verfälscht. Darum ist Preisstabilität eine der Grundbedingungen für eine funktionierende Marktwirtschaft.

Das Prinzip der Subsidiarität, das mittlerweile auch im EU-Vertrag verankert ist, muss neben der institutionellen Anwendung auch für die Wirtschaftspolitik gelten. In der Wirtschaft kennt man dieses Prinzip, da in den vergangenen Jahrzehnten fast alle großen Unternehmen dezentralisiert wurden und die internen Strukturen in überschaubare Verantwortungsbereiche aufgegliedert haben. Im Bereich der Wirtschaftspolitik muss die Anwendung dieses Prinzips dazu führen, dass Zuständigkeiten und Verantwortlichkeiten den verschiedenen Ebenen der Politik klar zugeordnet werden. Dabei wird es notwendig sein, die Gemeinschaft vom Kopf auf die Füße zu stellen. Aufgrund der Zufälligkeiten ihrer historischen Entwicklung hat sich die Europäische Gemeinschaft in einigen Bereichen zu sehr in Richtung Zentralismus entwickelt, während andererseits die gemeinsame Handlungsfähigkeit unzureichend ist.

Durch die Errichtung gemeinsamer Grenzen nach außen und die Öffnung der Grenzen im Innern, den Abbau von Handelshemmnissen zwischen den Mitgliedsländern der Europäischen Union und die Einführung einer gemeinsamen Währung wurde der Wettbewerb der Unternehmen zugunsten der Verbraucher verstärkt und die Wettbewerbsfähigkeit nach außen verbessert. Es handelt sich aber nicht nur um einen Wettbewerb zwischen Unternehmen. Gleichzeitig entsteht auch ein Wettbewerb der Mitgliedsländer und ihrer Regionen um die Frage, wer seinen Bürgern die Leistungen des Staates besser und zu günstigeren Bedingungen anbietet (→*Systemwettbewerb*).

Literaturhinweise:
ALBERT, M. (1992), *Kapitalismus contra Kapitalismus*, Frankfurt/ M.; WOGAU, K. v. (1999), *Soziale Marktwirtschaft – Modell für Europa.*

Karl von Wogau

Soziale Marktwirtschaft: Einführung

Der Begriff der Sozialen Marktwirtschaft bezieht sich im engeren Sinne auf das wirtschaftspolitische Konzept, das der westdeutschen Wirtschaftspolitik seit 1948 zugrunde liegt. Im weiteren Sinne bezeichnet der Begriff der Sozialen Marktwirtschaft formell und materiell die bundesdeutsche →*Wirtschaftsordnung*. Formell wurde die Soziale Marktwirtschaft im Zuge der deutsch-deutschen →*Wiedervereinigung* mit dem Staatsvertrag über die Währungs-, Wirtschafts- und Sozialunion zwischen der BRD und der DDR vom 8. Mai 1990 als gemeinsame Wirtschaftsordnung beider Vertragspartner festgeschrieben. Danach ist die Wirtschaftsordnung der Sozialen Marktwirtschaft materiell durch die charakteristischen Merkmale „Privateigentum, Leistungswettbewerb, freie Preisbildung und grundsätzlich volle Freizügigkeit von Arbeit, Kapital und Dienstleistungen" (Art. 1, Abs. 3 des Staatsvertrags) bestimmt. Die dieser Wirtschaftsordnung entsprechende →*Sozialordnung* wird geprägt „durch eine der Sozialen Marktwirtschaft entsprechende Arbeitsmarktordnung und ein auf den Prinzipien der Leistungsgerechtigkeit und des sozialen Ausgleichs beruhendes umfassendes System der sozialen Sicherung" (ebd., Absatz 4).

Die damit vorgenommene gesetzliche Festlegung (Legaldefinition) einer sozial verfassten →*Marktwirtschaft* als gesellschaftspolitisches Grundmodell bleibt an den Auffassungen von Alfred →*Müller-Armack* orientiert. Dieser hat mit seiner Schrift „Wirtschaftslenkung und Marktwirtschaft" aus dem Jahre 1946 nicht nur den Begriff „Soziale Marktwirtschaft" in die öffentliche Diskussion eingebracht, sondern zugleich wesentlich zur Begründung des entsprechenden theoretischen Konzepts beigetragen, indem er die Idee der Sozialen Marktwirtschaft in Abgrenzung zur nationalsozialistischen Lenkungswirtschaft und zu jeder anderen bekannten →*Ausprägung von Marktwirtschaften* darstellte. Neben *Müller-Armack* gehören zu den Wegbereitern der Sozialen Marktwirtschaft vor allem die Vertreter der Freiburger Schule, hier insbesondere Walter →*Eucken*, Leonhard →*Miksch* und Franz →*Böhm* sowie Wilhelm →*Röpke* und Alexander →*Rüstow* als Repräsentanten des sogenannten Wirtschafts- und Sozialhumanismus. Wichtige gedankliche Vorarbeiten zur Gestaltung der deutschen Nachkriegsordnung wurden im Rahmen des geistig-intellektuellen Widerstandes gegen das nationalsozialistische System durch die Freiburger Kreise (Erwin von →*Beckerath*, Constantin von →*Dietze*) und den Kreisauer Kreis geleistet, in denen sich Menschen der unterschiedlichsten Weltanschauung, Herkunft und Bildung zum Dialog zusammenfanden. Ludwig →*Erhard*, der mit der von ihm maßgeblich beeinflussten Wirtschafts- und Währungsreform von 1948 die wirtschaftspolitisch-pragmatische Umsetzung des Konzeptes einer sozial gestalteten Marktwirtschaft in Angriff nahm und dann als Wirtschaftsminister und später als Bundeskanzler fortsetzte, gilt als der große Praktiker und vor allem in der Öffentlichkeit auch als der eigentliche Vater der Sozialen Marktwirtschaft.

Müller-Armack hat das wirtschaftspolitische Konzept der Sozialen Marktwirtschaft als einen offenen Stilgedanken, nicht als eine geschlossene Theorie konzipiert. Damit ist zum einen sichergestellt, dass notwendige Anpassungen des Konzeptes an sich ändernde gesellschaftliche Bedingungen prinzipiell möglich sind. Zweitens wird deutlich, dass die Dynamik des Wirtschaftsstils der Sozialen Marktwirtschaft Offenheit gegenüber dem gesellschaftlichen Wandel geradezu erfordert. Konzeptionelle Anpassungen und Variationen haben dabei in einer Weise zu erfolgen, durch die der Grundgedanke des Konzeptes selbst nicht verletzt oder ausgehöhlt wird. Diesen Grundgedanken des Konzeptes der Sozialen Marktwirtschaft hat *Müller-Armack* in einer abstrakt-verallgemeinernden Kurzformel ausgedrückt, deren Inhalt unter Berücksichtigung der jeweilig vorliegenden gesellschaftlichen Bedingungen bei der politischen Umsetzung konkretisiert werden muss (→*Soziale Marktwirtschaft: Politische*

Umsetzung ...). Nach der Bestimmung von *Müller-Armack* liegt der „Sinn der Sozialen Marktwirtschaft" darin, „das Prinzip der Freiheit des Marktes mit dem des sozialen Ausgleichs zu verbinden". Anhand dieser Formel kann ermessen werden, in welchem Grade theoretische Weiterentwicklungen und Ergebnisse praktischer Politik noch mit dem ursprünglichen Konzept der Sozialen Marktwirtschaft verträglich sind. Als Bezugsrahmen dient die Idealvorstellung einer durch →*soziale Gerechtigkeit* ergänzten Freiheit des Menschen. Zu den theoriehistorischen Quellen der Sozialen Marktwirtschaft gehören daher sowohl gesellschaftlich orientierte Theorien des →*Liberalismus* mit ihrer Grundidee der Freiheit als auch ethisch ausgerichtete Sozialphilosophien, die ein Grundverständnis sozialer Gerechtigkeit vermitteln.

Freiheit und Gerechtigkeit als gesellschaftliche Grundwerte bilden im Verständnis der Sozialen Marktwirtschaft zwei Seiten eines Verhältnisses, dessen Spannung aufrechtzuerhalten und auszuhalten ist. Dabei kann es einerseits grundsätzlich nicht darum gehen, eine Seite zu Lasten der anderen permanent zu überdehnen. Soziale Marktwirtschaft kann zweitens nicht als ein bloßer Kompromiss zwischen Freiheit und sozialer Gerechtigkeit verstanden werden, bei dem jeweils der eine dem anderen untergeordnet wird. Beide Werte stehen vielmehr in einem sich ergänzenden Verhältnis zueinander. Das oft unterstellte Widerspruchsverhältnis zwischen Freiheit und Gerechtigkeit wird damit auf eine spezifische Weise behoben, die *Müller-Armack* auch als dialektisch bezeichnet hat.

Auf der Basis der breiten Anerkennung der Grundwerte, zu denen neben Freiheit und Gerechtigkeit unter anderen auch Sicherheit und Menschenwürde gehören, geht vom Konzept der Sozialen Marktwirtschaft eine die verschiedenen Weltanschauungen verbindende Integrationskraft im Sinne der friedensstiftenden →*sozialen Irenik* aus. Damit erweist sich das Konzept der Sozialen Marktwirtschaft auch als potenziell geeignet für eine internationale Wirtschaftsordnung, beispielsweise als →*Soziale Marktwirtschaft in der Europäischen Union.*

Betrachtet man die Ergebnisse der Praxis der Sozialen Marktwirtschaft in der Bundesrepublik Deutschland im Zeitablauf, lassen sich einzelne Phasen unterscheiden, die durch den Grad der Übereinstimmung mit dem theoretischen Leitbild charakterisiert sind. Bereits *Müller-Armack* sprach von einer zweiten Phase der Sozialen Marktwirtschaft, als er 1960 im Zuge einer kritischen Überprüfung des bislang Erreichten den Vorschlag der Ergänzung der Sozialen Marktwirtschaft durch das Leitbild einer neuen Gesellschaftspolitik machte, die der Anerkennung der →*gesellschaftlichen Grundlagen von Wirtschaftsordnungen* im Allgemeinen und der Sozialen Marktwirtschaft im Besonderen Rechnung tragen sollte.

Aktuell hat sich in der Literatur die folgende Periodisierung durchgesetzt.

Die erste Phase (1948-1966) war nach der Überwindung von Anfangsschwierigkeiten geprägt durch eine zunächst überaus erfolgreiche Realisierung der Prinzipien und Stilelemente der Sozialen Marktwirtschaft. Als Indikator für den Erfolg gilt das sogenannte Wirtschaftswunder der 50er Jahre mit seiner grundlegenden technologischen Modernisierung des Produktionsapparates und dem raschen Ansteigen des Lebensstandards der westdeutschen Bevölkerung. Begünstigend für diese Entwicklung wirkten die amerikanische Unterstützung durch die Marshall-Plan-Hilfe, das Vorhandensein eines zur Auslastung der Produktionskapazitäten vorhandenen großen Arbeitskräftepotenzials, die Abwesenheit größerer konjunktureller Rückschläge und eine innenpolitisch stabile Situation. Ab 1957 setzte ein allmählicher „Stilverfall" ein, der sich in zunehmenden Schwierigkeiten beim wirtschaftlichen →*Wachstum*, in →*Zielkonflikten in der Wirtschaftspolitik*, in Verteilungskämpfen und in einer allmählichen Verhärtung des sozialen Klimas äußerte.

Die zweite Phase (1967-1978) der Wirtschaftspolitik der Sozialen Marktwirtschaft war dominiert durch eine vom →*Keynesianismus* geprägte Politik der Globalsteuerung und des →*Interventionismus*. Damit einher ging eine zunehmende Einschränkung marktwirtschaftlicher Funktionen und eine Verletzung von Marktprinzipien, die im ordnungspolitischen Grundsatz der Freiheit und im Kriterium der Marktkonformität wirtschaftspolitischer Maßnahmen des Staates zum Ausdruck kommen.

Die dritte Phase (1979-1989/ 90) wurde durch das Scheitern der Politik der Globalsteuerung eingeleitet. Zwar setzte nach dem Regierungswechsel 1982 eine Umorientierung der Wirtschaftspolitik zur Belebung marktwirtschaftlicher Elemente ein, insgesamt ist diese Phase allerdings durch Stagnation in der →*Ordnungspolitik* und einen damit entstehenden Reformstau charakterisiert.

Die vierte Phase (seit 1990) wurde durch die Wiedervereinigung der beiden deutschen Staaten eingeleitet. Die für notwendig erachteten wirtschafts- und ordnungspolitischen Reformvorstellungen werden zunehmend ergänzt durch Forderungen nach einem Umbau des →*Sozialstaats* bzw. nach einer veränderten →*Sozialpolitik*. Erklärtes Ziel ist es hierbei, die für als gestört erachtete Balance zwischen der ökonomischen und der sozialen Dimension wiederherzustellen.

In der aktuellen theoretischen Diskussion zum Thema dominieren diejenigen Positionen, die zum einen eine Rückbesinnung auf die Wurzeln und zum anderen eine Erneuerung der Sozialen Marktwirtschaft fordern.

Literaturhinweise:
MÜLLER-ARMACK, A. (1976), *Wirtschaftsordnung und Wirtschaftspolitik. Studien zur Sozialen Marktwirtschaft und zur Europäischen Integration*, Bern, Stuttgart; QUAAS, F. (2000), *Soziale Marktwirtschaft. Wirklichkeit und Verfremdung eines Konzepts*, Bern, Stuttgart, Wien; TUCHTFELDT, E. (1995), Soziale Marktwirtschaft als ordnungspolitisches Konzept, in: Quaas, F./ Straubhaar, T. (Hrsg.), *Perspektiven der Sozialen Marktwirtschaft*, Bern, Stuttgart, Wien, S. 29-46.

Friedrun Quaas

Soziale Marktwirtschaft: Menschenbild

An der Auffassung vom Menschen scheiden sich bis heute nicht nur die Geister, sondern auch Wege und Irrwege in der Politik. Das Menschenbild ist der Maßstab für jede weitere Ausdehnung von Humanität auf dem Planeten Erde und für die Bewertung schlimmster Formen der Menschenverachtung, wie sie einige Ideologien über das 20. Jahrhundert gebracht haben. Der *Kommunismus* unterteilte Menschen und Gesellschaft in Klassen, die wertend abgegrenzt wurden. Diesem Prinzip opferten die Sowjetunion (seit 1917) und ihre Satellitenstaaten (einschließlich der DDR von 1949 bis 1989) Millionen von Menschenleben und Familienschicksale. Der *Nationalsozialismus* stellte die *Rasse* über den Menschen und verfolgte mit diesem Wahn ganze Völker, insbesondere das jüdische, bis zur physischen Vernichtung. Die nationalsozialistische Ideologie verachtete auch den Menschen des eigenen Volkes („Du bist nichts, dein Volk ist alles") mit der Folge der Zerstörung großer Teile der Existenzgrundlagen auch des deutschen Volkes im Zweiten Weltkrieg. Beide Ideologien hatten ihre eigenen Definitionen für „lebensunwertes Leben" und zogen daraus die „Berechtigung" zu dessen Vernichtung. Beide verursachten die größten Fluchtbewegungen und Vertreibungsverbrechen der Menschheitsgeschichte, die zugleich die verheerendsten kulturellen Verluste in Europa zur Folge hatten.

Die Völkergemeinschaft hat auf diese epochalen Katastrophen mit der Allgemeinen Erklärung der Menschenrechte (1948) eine Antwort zu geben versucht, und seit es das Internationale Kriegsverbrechertribunal in Den Haag als Antwort auf die Kriegs- und Vertreibungsverbrechen am Balkan gibt, sind Verletzungen der Menschenrechte auch mit weltweiter strafrechtlicher Verfolgung bedroht. Das ist ein bedeutsamer Schritt des Völkerrechts und ein hoffnungsvolles Zeichen für mehr Solidarität zwischen den Völkern zum Schutz der elementaren Menschenrechte, auch in Unrechtsregimen und Diktaturen.

Das deutsche Volk hat sich nach dem Zweiten Weltkrieg „in Verantwortung vor Gott" eine neue staatliche, politische und gesellschaftliche Ordnung im Grundgesetz gegeben und in dessen Artikel 1 feierlich erklärt: „Die Würde des Menschen ist unantastbar." Aus der ideologischen Selbstüberhebung des Menschen über den Menschen mit allen ihren schrecklichen Folgen während der Nazizeit wurde die Erkenntnis verfassungsmäßig verankert, dass jeder Mensch – unabhängig von Rasse, Religion, Geschlecht und auch der behinderte Mensch – in seiner Würde jeder Verfügungsmacht entzogen ist, weil ein Verstoß gegen diesen Grundsatz in die Inhumanität führen muss. Es gibt aus dieser Perspektive kein lebensunwertes Leben. Der Mensch steht also unter dem Schutz der staatlichen Ordnung. Seine Grundrechte in den Artikeln 1 bis 20 Grundgesetz (GG) sind nach Art. 79 Abs. 3 nicht veränderbar.

Die Unabhängigkeitserklärung der Vereinigten Staaten von 1776 hatte auf der Grundlage des Naturrechts bereits betont, dass Würde und Rechte den Menschen „by their creator" gegeben sind, also mit der von Gott geschaffenen menschlichen Natur. Diese Auffassung stützt sich auf den Schöpfungsbericht der Bibel in Gen. 1,27. Dort steht: „Gott schuf den Menschen nach seinem Bilde, nach dem Bilde Gottes schuf er ihn; als Mann und Frau schuf er sie." Ob man nun der biblischen Linie der Gottesebenbildlichkeit des Menschen folgt oder ein humanistisches Menschenbild (Naturrecht) vertritt: Auf jeden Fall heißt Menschenwürde, „daß der Mensch mehr ist, als er von sich weiß." (Ernst Benda). Und daraus folgen Grenzen, die auch nicht dadurch entfallen, dass die Vollkommenheit der Menschenwürde einer Unvollkommenheit des irdischen menschlichen Zustandes entgegensteht. Dieses Spannungsverhältnis ist für den Menschen nicht überwindbar, es muss ausgehalten werden. Das gilt heute insbesondere für die wissenschaftliche Forschung und ihre Anwendung auf den Menschen in der Bio- und Gentechnologie sowie an den existenziellen Grenzen des Menschen am Beginn und Ende seines Lebens.

Es gehört weiter zur Achtung der Menschenwürde, dass der Mensch so akzeptiert wird, wie er ist. Nur auf dieser Grundlage ist er frei und kann auch für sein Handeln zur Verantwortung gezogen werden. Wer den Menschen aus seiner Unvollkommenheit heraus führen und nach außer ihm liegenden Zielen verändern oder gar seinen Lebenssinn bestimmen will, nimmt ihm die natürliche Gabe von Freiheit und Verantwortung, wirft ihn in Abhängigkeit und Unmündigkeit und beraubt ihn seiner tiefsten Lebensmotivationen. Wer hingegen den Menschen so akzeptiert, wie er ist, stellt fest, dass kein Mensch dem anderen gleicht. Ungleichheit ist eine menschliche Konstante. Sie bereichert das menschliche Leben; nur Ideologen stören sich daran. Zwei Beispiele können das belegen:

Menschen haben verschiedene Gaben und Fähigkeiten und sie verfügen über diese auch in ungleicher Ausstattung. So kommt es, dass sie bei gleicher oder vergleichbarer Anstrengung zu ungleichen Ergebnissen gelangen. Das gilt für den Bildungs- und Ausbildungsprozess ebenso wie für die Wirtschaft und das Arbeitsleben. *Vertreter einer kollektivistischen oder sozialistischen Auffassung vom Menschen* sehen in diesem Befund einen ethischen Auftrag, für mehr Gleichheit zu sorgen. Das ist ein legitimes politisches Anliegen, so lange anerkannt wird, dass es keine völlige Gleichheit geben kann und die Grenze gewahrt wird, jenseits der das Bemühen um Gleichheit in Zwang und Verletzung der Menschenwürde umschlägt.

Menschen haben verschiedene Interessen, Vorstellungen und Meinungen. Diese Tatsache hat zur Folge, dass sie unterschiedliche Ziele mit voneinander abweichenden Mitteln anstreben und vor allem auch den Sinn ihres Lebens sehr unterschiedlich interpretieren. Gleiche oder vergleichbare Lebenssituationen werden deswegen oft ungleich, unterschiedliche Situationen hingegen oft gleich beurteilt, nimmt man die subjektive Zufriedenheit, Hoffnung oder Glück zum Maßstab. *Vertreter einer individualistischen, utilitaristischen (auf den reinen Nutzen ausgerichteten) oder gar hedonistischen (dem persönlichen Lustgewinn gewidmeten) Auffassung vom Menschen* leiten aus dieser Sachlage oft den Anspruch auf das persönliche Lebensglück ab. Das ist legitim, so lange in ausreichendem Maße auch eine Verpflichtung zur sozialen Verantwortung dem Nächsten gegenüber wahrgenommen wird. Sonst kann ungezügelte Freiheit für andere zu Zwang und der Verletzung ihrer Menschenwürde führen.

Diese Beispiele zeigen zum einen, dass einseitige Auffassungen vom Menschen Probleme zur Folge haben, wenn nicht sogar in gefährliche Situationen führen können. Deswegen ist *ein gleichermaßen personal wie sozial ausgerichtetes Menschenbild, wie es der christlichen und auch der säkularisiert-humanistischen Tradition entspricht,* der beste Weg, um verantwortlich Politik zu gestalten und neue Irrwege zu vermeiden.

Zum anderen aber machen diese Beispiele auch die Grenzen jeder Politik eines sozialen Ausgleichs deutlich: Wie soll →*soziale Gerechtigkeit* als gesellschaftspolitisches Ziel unter Wahrung der grundgesetzlich verankerten Menschenwürde *einvernehmlich* interpretiert werden? Als Königsweg zur Lösung dieser Frage wird oft der „Sachzwang", also eine Antwort angeboten, die sich aus der Sachlage als sachgerecht ergibt. Man spricht von Mechanismen (Preismechanismus), Automatismen (Arbeitsplatzabbau), Zwangsläufigkeiten (die sich z. B. aus der →*Globalisierung* ergeben) etc., denen man nur zu folgen brauche oder folgen müsse, ohne sich der Notwendigkeit einer ethischen und in ihrer Konsequenz auch politischen Entscheidung zu stellen.

Der angesprochene „Sachzwang" ist ein Irrweg oder bestenfalls ein Propagandatrick im politischen Tageskampf. Eigengesetzlichkeiten gibt es nur in der Natur: Ihren Gesetzen müssen wir folgen, wenn wir nicht scheitern wollen. Eigengesetzlichkeiten in Wirtschaft, Gesellschaft und Politik wirken niemals nur auf der objektiven Seite als Sachgesetz, „sondern ebenso auf der subjektiven Seite als Leidenschaft und als Willensrichtung" (Helmut →*Thielicke*). Daraus folgt, dass Gerechtigkeit in einer Gesellschaft als ein der Menschenwürde und dem verfassungsmäßigen Menschenbild entsprechendes Ziel realistisch nur als Ergebnis des komplizierten Zusammenwirkens der Menschen in ständig zu verbessernden Strukturen (→*Ordnungspolitik*) gedacht werden kann. Sie ist nur sehr bedingt, d. h. indirekt als Ergebnis menschlichen Entwurfs gestaltbar. Die den Prozess menschlichen Handelns entscheidend beeinflussenden Faktoren sind die Rechtsordnung, die politische Ordnung und die Wirtschafts- und Gesellschaftsordnung (→*Soziale Marktwirtschaft*), die damit zugleich das Menschenbild gestalten und schützen. Gleichzeitig wird sichtbar, wie wichtig es ist, dass diese Teilordnungen der Gesellschaft einander entsprechen und ergänzen (Interdependenz der Ordnungen).

Literaturhinweise:
THIELICKE, H. (1976), *Mensch sein – Mensch werden, Entwurf einer christlichen Anthropologie*, München, Zürich; GRESHAKE, G./ VOSSENKUHL, W. (1995), Mensch, in: *Staatslexikon*, Bd. 3, Sp. 1094-1104, Sonderausgabe der 7., völlig neu bearbeiteten Aufl., Freiburg i. Br. u. a.

Klaus Weigelt

Soziale Marktwirtschaft: Ökonomische Grundlagen und Funktionsweise

Mit der deutschen Wirtschaftsordnung ist der Begriff der Sozialen Marktwirtschaft eng verknüpft. Die gern als „Wirtschaftswunder" bezeichnete ökonomische Entwicklung Deutschlands in den Jahren nach dem Zweiten Weltkrieg hat dem damit bezeichneten Konzept zu internationalem Ansehen verholfen. Viele Entwicklungsländer und auch die osteuropäischen Staaten orientieren sich an diesem Modell, dessen Attraktivität wohl auch zur Überwindung der Teilung Deutschlands im Jahre 1989 beigetragen hat.

Da die Anpassungsfähigkeit an veränderte Bedingungen eine wichtige Eigenschaft der Sozialen Marktwirtschaft ist, kann es eine feste Definition ihrer politischen Ausgestaltung nicht geben. Die „Väter" der Sozialen Marktwirtschaft haben eine allzu detaillierte Festlegung wohlweislich vermieden, als sie diese Wirtschaftsordnung formten. Die maßgebliche Zielvorstellung bestand dabei vor allem darin, „das Prinzip der Freiheit auf dem Markte mit dem des sozialen Ausgleichs zu verbinden" (Alfred →*Müller-Armack*), um einen „Wohlstand für Alle" (Ludwig →*Erhard*) zu schaffen und zu sichern. Müller-Armack betonte deshalb, dass die Soziale Marktwirtschaft als „offenes System" konzipiert sei.

Die Grundzusammenhänge der Sozialen Marktwirtschaft können als allgemeines Baumuster einer →*Wirtschaftsordnung* gekennzeichnet werden (siehe dazu auch die folgende Übersicht). Zwei Überlegungen charakterisieren die *Ausgangstatbestände:*

- Zentrum ökonomischer Erwägungen sind die Menschen und deren *individuelle Bedürfnisse*, die so unterschiedlich sind, wie deren Träger selbst. Soweit es sich dabei um materielle Bedürfnisse handelt, wird zu deren Befriedigung auf eine – zumindest in kurzfristiger Betrachtung – gegebene Ausstattung mit Ressourcen zurückgegriffen. Der Ressourcenbegriff umschließt neben den Gütern, das sind Waren und Dienstleistungen, insbesondere die Produktionsfaktoren, nämlich Arbeit, Kapital und Boden. Die Verfügbarkeit des Produktionsfaktors Arbeit wird insbesondere durch die Zahl der erwerbsfähigen Personen und deren Fähigkeiten (Humankapital) sowie durch deren Mobilität bestimmt. Gemeinhin kann davon ausgegangen werden, dass diese Fähigkeiten unter den Menschen unterschiedlich verteilt sind. Unter Kapital werden vor allem die Produktionsanlagen (produzierte Produktionsmittel) verstanden. Deren Leistungsfähigkeit zur Herstellung von Gütern richtet sich maßgeblich nach dem jeweils verfügbaren und realisierten Stand der Technik. Schließlich sind mit dem Faktor Boden neben den land- und erwerbswirtschaftlichen Nutzflächen natürliche Ressourcen wie Bodenschätze, Luft und Umwelt (Naturvermögen) angesprochen.

- Weil und soweit die verfügbaren Ressourcen nicht ausreichen, um alle Bedürfnisse gleichermaßen zu befriedigen, herrscht insoweit Konkurrenz um die Verwendung der gegebenen Ressourcen. Gemessen an den Verwendungsmöglichkeiten sind die zugehörigen Mittel also knapp (*relative Ressourcenknappheit*). Folglich bedeutet der Einsatz einer Ressource zur Befriedigung eines Bedürfnisses den Verzicht auf die Möglichkeit zur Befriedigung anderer Bedürfnisse mit eben diesen Mitteln (Opportunitätskosten). Mithin entsteht das Problem, die so knappen Ressourcen dem Ort ihrer jeweils zweckmäßigsten Verwendung zuzuführen (Allokationsproblem). Dem ökonomischen Prinzip folgend ist dieser Ort identifizierbar: Er liegt genau in derjenigen Verwendungsmöglichkeit, bei der durch Einsatz der betrachteten Ressource eine höchstmögliche Bedürfnisbefriedigung bewirkt wird. Demgemäß fordert dieses Prinzip, dass zur Befriedigung eines gegebenen Bedürfnisses nicht mehr Ressourcen eingesetzt werden als unbedingt nötig. Mit anderen Worten: Knappe Ressourcen dürfen nicht verschwendet werden, um den gesamtwirtschaftlichen Nutzen so groß wie möglich werden zu lassen (→*Ressourcenschutz*).

Zur Lösung der so gekennzeichneten Problemstellung gibt es alternative Koordinationsverfahren, die zugleich Gegenstand ökonomischer Gestaltung sind. Als konkrete Ausgestaltung eines solchen *Koordinationsmechanismus* ist die →*Marktwirtschaft* zu kennzeichnen. Deren entscheidendes Merkmal ist der prinzipielle Vorrang dezentraler Allokation: Die Entscheidung darüber, wo welche Ressourcen wie eingesetzt werden, erfolgt durch das Zusammentreffen und freiwillige Realisieren individueller Tauschabsichten. Überall, wo dies stattfindet, wirkt ein *Markt*.

Der Markt als Koordinationsordnung sichert einen für alle Beteiligten vorteilhaften Ausgleich der individuellen Wirtschaftspläne. Die Wirtschaftssubjekte treten demnach als Anbieter und Nachfrager knapper Ressourcen auf den jeweiligen Teilmärkten auf. Angesprochen sind damit die Faktor-, Güter-, Geld- und Devisenmärkte. Dort befinden sie sich im →*Wettbewerb* untereinander und versuchen, ihre jeweiligen Pläne mit denjenigen der anderen Marktseite in Übereinstimmung zu bringen. Dieser gesamtwirtschaftliche Koordinationsprozess vollzieht sich über die Bildung von Preisen, die sich als Ergebnis von →*Angebot und Nachfrage* am Markt bilden (→*Marktmechanismus*).

Als Ausdruck freier Marktprozesse spiegeln Preise einerseits die Oppor-

Übersicht: Grundstrukturen der Sozialen Marktwirtschaft

Ausgangstatbestände

- Individuelle Bedürfnisse
- Relative Ressourcenknappheit

Wirtschaftsordnung

- Private Eigentumsrechte (Art. 14 I GG)
- Individuelle Dispositionsfreiheit (Art. 2 I GG) bezüglich:
  - Konsum und Investition,
  - Berufsausübung,
  - Arbeitsplatzwahl und
  - Wahl der Ausbildungsstätte (Art. 12 I GG)
- Vertragsfreiheit
- Handels- und Gewerbefreiheit

Koordinationsverfahren

- Zusammentreffen dezentraler Wirtschaftspläne auf dem Markt
- Gesamtwirtschaftliche Abstimmung durch Preisbildung und Wettbewerb
  - Allokation der Ressourcen
  - Anreiz zur Leistungsentfaltung
  - Antrieb zur Innovation
  - Distribution der Einkommen
- Marktimmanente Korrektur individ. Fehlentscheidungen

Sozialordnung

- Sozialstaatsgebot für Bund und Länder (Art. 20 I und 28 I GG)
- Soziale Grundwerte, insbesondere:
  - Schutz der Menschenwürde (Art. 1 GG)
  - Schutz von Ehe und Familie (Art. 6 GG)
  - Sozialbindung des Privateigentums (Art. 14 II GG)
- Konkretisierung in Gesetzen des Verwaltungs-, Wirtschafts- und Arbeitsrechts

Antriebsfeder

- Eigennutzstreben
- Wettbewerb: Gewinn/ Verlust

Konstitutiver Rechtsstaat

- Individualprinzip
- Subsidiaritätsprinzip
- Leistungsprinzip

Zielvorstellungen

- auf individueller Ebene
  - Existenzsicherung
  - Freiheit durch Wohlstand
- auf gesellschaftlicher Ebene
  - Sozialer Frieden
  - Soziale Absicherung

Subsidiärer Leistungsstaat

- Sozialprinzip
- Solidaritätsprinzip
- Bedarfsprinzip

Ordnungspolitische Korrektur

- Gestaltung der Wirtschafts- und Sozialverfassung, insbes. durch:
  - Wettbewerbsrecht
  - Geld- und Währungsordnung
  - Finanzverfassung
  - Arbeits- und Sozialordnung
  - Umweltgesetzgebung
  - Außenwirtschaftsordnung
- Anpassung des institutionellen Rahmens durch Privatisierung und Deregulierung

Wirkungsmängel

- Marktversagen:
  - Störung des Wettbewerbs
  - Mängel in der Güterversorgung
  - bei öffentlichen Gütern,
  - bei externen Effekten und
  - bei natürlichen Monopolen
  - Unterbewertung der Umwelt
- Staatsversagen durch systematische Fehlanreize
  - bei der Ressourcenallokation
  - bei der Leistungsorientierung

Prozesspolitische Korrektur

- Einnahmewirksame Steuerung, z. B. durch:
  - Abgaben (insbes. Steuern)
  - Steuervergünstigungen
  - Zölle
- Ausgabenwirksame Steuerung, z. B. durch:
  - Transfers und Subventionen
  - Bürgschaften
  - Schuldenpolitik
  - Beschäftigungsprogramme

Soziale Marktwirtschaft

tunitätskosten der Produktion und damit den Knappheitsgrad der jeweiligen Güter wider. Andererseits sind die Preise Ausdruck der individuellen Zahlungsbereitschaft und verdeutlichen damit die nachfragerseitige Wertschätzung der produzierten Güter. Durch diese Eigenschaften erfüllen Preise ihre Funktionen auf dem Markt:

- Das Preissystem signalisiert den Marktteilnehmern, welche Güter in welcher Menge und Qualität produziert werden sollen. Aus den Preisen ergibt sich auch, auf welche Weise und an welchem Ort die Produktion bestmöglich erfolgt. Im Zusammenhang mit der →*Globalisierung* von Handelsbeziehungen bewirkt der Preismechanismus zudem eine regionale Lenkung der Ressourcen und trägt so zu einem internationalen Standortwettbewerb bei. Die dadurch bewirkte Allokation der Ressourcen entspricht insoweit dem ökonomischen Prinzip.
- Die Entlohnung der Produktionsfaktoren nach ihrem jeweiligen Beitrag zur Güterversorgung wirkt sich leistungsstimulierend aus. So schafft der Lohn als Preis der Arbeit einen *Anreiz zur individuellen Leistungsentfaltung*. In vergleichbarer Weise fördert ein zu erwartender →*Gewinn* als Risikoprämie auf eingesetztes Kapital die Bereitschaft, entsprechende Risiken zu übernehmen. In dynamischer Hinsicht resultiert aus dem Preiswettbewerb auch ein *Antrieb zu technischem Fortschritt*, um Güter günstiger zu produzieren (Prozessinnovation) und Produkte bei gegebenen Preisen zu verbessern oder neue Produkte zu entwickeln (Produktinnovation).
- Im Ergebnis sorgen Nachfragepräferenzen und Preissignale dafür, dass das erwirtschaftete Sozialprodukt nach Maßgabe der individuellen Beiträge zu seiner Entstehung unter den Wirtschaftssubjekten aufgeteilt wird. Dies bezeichnet die marktmäßige *Verteilung* (Distribution) *der Einkommen*.

Auch bei der Erfüllung ihrer Koordinationsfunktion können Preise freilich nicht das Auftreten individueller Fehlentscheidungen verhindern, welche die Wirtschaftssubjekte auf der Grundlage stets eng begrenzter Informationen treffen. Investitionsentscheidungen beispielsweise bauen auf einem Kalkül zu erwartender Gewinne auf, welches sich im Zeitverlauf durchaus als falsch erweisen kann – mit der Folge von Verlusten. Bestimmend ist dabei, dass derartige Fehlentscheidungen unter Wettbewerbsbedingungen letztlich nicht dauerhaft sein werden. Es kommt folglich zu einer Änderung der Erwartungen, Korrekturen der Entscheidungen, also zu Anpassungen an den Markt oder zu einem Ausscheiden aus dem Markt. Dieser Lernprozess durch Ausprobieren und Fehlererkenntnis (trial and error) wird daher als *marktimmanentes Korrekturverfahren* für individuelle Fehlentscheidungen bezeichnet.

Die damit gekennzeichnete Informations- und Koordinationsrolle des Marktes steht unter den konstitutiven Bedingungen einer *Wirtschaftsord-*

nung: Marktliche Tauschaktivitäten zwischen den Individuen setzen voraus, dass die zu tauschenden Ressourcen sich in deren unmittelbarer Verfügungsgewalt befinden. Damit ist die wichtigste konstitutive Bedingung der Sozialen Marktwirtschaft genannt, das Vorhandensein *privater Eigentumsrechte* (*→Eigentum*).

Zur Sicherstellung dieser Voraussetzung einigen sich die Wirtschaftssubjekte in einem Staat auf Gesetze zur Formulierung ihrer Eigentumsrechte und schaffen in diesem Rahmen ein Ordnungssystem zum Schutz des Privateigentums und zur Durchsetzung der freien individuellen Verfügung darüber. Dies sichert insbesondere die *individuelle Dispositionsfreiheit* über den Einsatz der privaten Ressourcen zur Einkommensverwendung (*Konsum*) einerseits sowie zur Einkommenserzielung andererseits. Damit ist der Einsatz von Ressourcen zu Produktionszwecken (*Investition*) ebenso wie der Einsatz der eigenen Arbeitskraft (*Berufs- und Arbeitsplatzwahl*) und die dazu notwendige Ausbildung (*Ausbildungsplatzwahl*) angesprochen. Zur institutionellen Absicherung des Austauschs von Ressourcen dienen die Rechtsgrundsätze der *Vertragsfreiheit* und der *Handels- und Gewerbefreiheit*. Allerdings sind der individuellen Handlungsfreiheit dort Grenzen gesetzt, wo deren Ausübung die Freiheit Dritter unfair einschränkt.

Antriebsfeder für eine Beteiligung am Produktionsprozess ist das *Eigennutzstreben* der Wirtschaftssubjekte. Als Anbieter von Waren und Diensten oder als Investoren sind die Marktteilnehmer durch den *Wettbewerb* zu einem wirtschaftlichen Einsatz der Produktionsfaktoren gezwungen – dies gilt ebenso für gewinnorientierte wie auch für leistungsorientierte *→Unternehmen*. Als Verbraucher setzen die Individuen ihre erwirtschafteten Einkommen und Gewinne nutzenmaximierend ein, wodurch auch die Verwendung der erwirtschafteten Güter nach dem ökonomischen Prinzip erfolgt. Ein insoweit wirkender Einfluss der „unsichtbaren Hand“ (Adam Smith, Wohlstand der Nationen) lässt die wirtschaftlichen Aktivitäten der privaten Individuen mit dem gesamtgesellschaftlichen Erfordernis einer effizienten Verwendung der knappen Ressourcen harmonieren. Das so bezeichnete Eigennutzprinzip ist allerdings nicht mit bloßem Egoismus gleichzusetzen. Es entspricht dem Streben nach gesellschaftlicher Anerkennung, der „Sympathie“ (Adam Smith, Theorie der ethischen Gefühle). Daraus ergibt sich eine (partielle) Übereinstimmung gesellschaftlicher und privater Nutzenfunktionen (*→Liberalismus*). Diese Sachlage begründet beispielsweise das vielfältige gemeinnützige Engagement von Bürgern in Vereinen und Ehrenämtern.

Der Markt stellt damit eine Kongruenz zwischen den wirtschaftlichen *Zielvorstellungen* auf gesellschaftlicher und auf individueller Ebene her. Dem gesamtwirtschaftlichen *Effizienzpostulat* steht also das Streben privater Marktteilnehmer nach *Sicherung der eigenen Existenz* sowie nach Erlangung *wirtschaftlicher Frei-*

heit gegenüber. Ausdruck dieser Freiheit ist dabei nicht zuletzt das Maß, in dem private Individuen über knappe Ressourcen verfügen können, mithin der jeweils persönlich realisierte *Wohlstand*. Der Bereich einzelwirtschaftlicher Zielvorstellungen schließt darüber hinaus ein mehr oder weniger ausgeprägtes Interesse der Individuen an sozialer und wirtschaftlicher Sicherheit ein. Dieses Bedürfnis kann eine politische Nachfrage nach staatlicher Umverteilung (Redistribution) in zweifacher Hinsicht begründen:

- Wenn und soweit die aus dem Marktergebnis resultierende Verteilung wirtschaftlichen Wohlstands (die sogenannte „primäre Einkommensverteilung") mehrheitlich als unausgewogen oder als ungerecht empfunden wird, begründet dies bei den Privaten unter Umständen die Befürchtung, dass vergleichsweise arme Individuen in Reaktion darauf eine gewaltsame Umverteilung (durch Raub oder Diebstahl) vornehmen könnten. Jenseits der individuellen Bedrohung für die Betroffenen würde eine damit verbundene Gefährdung der Eigentumsordnung auch das Fundament der Marktwirtschaft erschüttern. Sofern die gesellschaftliche Ordnung nicht deshalb durch weitergehende staatliche Repression erzwungen werden soll, ist die Absicherung des *sozialen Friedens* durch eine Institutionalisierung von Maßnahmen staatlicher Umverteilung naheliegend (Schutzmotiv).
- Ein solches Interesse an staatlicher Umverteilung kann auch auf persönlicher Ebene wirksam werden: Zwar existieren Anreize zu freiwilliger Umverteilung von Einkommen und Vermögen innerhalb gesellschaftlicher Kerngruppen, wie bspw. im Bereich der Familie oder mit Blick auf die private Spendentätigkeit. Diese Regeln und Verhaltensweisen können jedoch als unzureichend empfunden werden, weil die private Solidarität mit zunehmender Größe und Anonymisierung gesellschaftlicher Strukturen überfordert wird. Zudem sind bestimmte existenzbedrohende Risiken nur begrenzt marktfähig; sie können folglich nicht in privaten Arrangements abgesichert werden (Versicherungsmotiv). Insoweit werden also der Staat oder parafiskalische Gebilde (→*Parafiski*) mit einer ergänzenden (und zwangsweisen) Umverteilung beauftragt. Die besonders in Deutschland ausgeprägte Vorliebe für *soziale Absicherung* ist historisch bereits im 19. Jh. angelegt und wurde nicht zuletzt auch durch wirtschaftliche Notlagen infolge der Weltkriege geprägt. Eine derartige „Versorgungsmentalität" ist mittlerweile als gesellschaftlicher Wert in Deutschland stärker ausgeprägt, als das in vielen anderen Ländern der Fall ist.

Eine damit begründete →*Sozialordnung* ist verfassungsmäßig für Bund und Länder garantiert (*Sozialstaatsgebot*). Sie findet ihren allgemeinen Ausdruck in *Sozialen Grundwerten* wie dem Schutz der Menschenwürde, dem Schutz von Ehe und Familie und der Sozialbindung des Eigentums. Diese Grundwerte konkretisieren sich in darauf aufbauende Gesetze des Verwaltungs-, Wirtschafts- und Arbeitsrechts. Sie schlagen sich – bezogen auf die öffentlichen Haushalte – auf der Einnahmeseite in einer umverteilungsorientierten Gestaltung des *Abgabensystems* nieder (*→Staatseinnahmen*) und sind auf der Ausgabenseite durch ein komplexes Miteinander von Sach- und Geldleistungen geprägt (*→Staatsausgaben*). Eine besondere Rolle spielen in diesem Zusammenhang Übertragungen (Transfers) an Personen mit eingeschränkter Erwerbsfähigkeit, welche durch Leistungen der Sozialversicherungen in Fällen von *→Arbeitslosigkeit*, Krankheit und Invalidität ergänzt werden. Auch wirtschaftspolitisch begründete Leistungen an Unternehmen (*→Subventionen* und *Steuervergünstigungen*) werden durch den Staat als Mittel sozialer Umverteilung eingesetzt – sie sind aber in ihrem konzeptionellen Ansatz und in ihrem Ausmaß umstritten.

Damit sind die tragenden ökonomischen Säulen des Konzepts der Sozialen Marktwirtschaft benannt, wie sie sich auch im Begriff der Sozialen Marktwirtschaft selbst widerspiegeln:

- Auf der einen Seite steht die Wirtschaftsordnung mit der Intention, den marktlichen Aktivitäten der privaten Wirtschaftssubjekte Regeln für marktliche Tauschhandlungen vorzugeben und wirksam durchzusetzen. Der insoweit gekennzeichnete *konstitutive Rechtsstaat* betont die Eigenverantwortlichkeit seiner Bürger (*Individualprinzip, →Eigenverantwortung*), die nach Maßgabe ihrer individuellen Beiträge zum Sozialprodukt an diesem teilhaben (*→Leistungsprinzip*). Diese Eigenständigkeit des Individuums vor Eingriffen des Staates zu schützen, gebietet der Grundsatz der *Subsidiarität*: Was der Einzelne alleine oder in privaten Lebenskreisen eigenverantwortlich zu leisten vermag, gehört nicht in die Aufgabenzuständigkeit übergeordneter staatlicher Institutionen.
- Aus dem Subsidiaritätsprinzip leitet sich anders gewendet aber auch das Gebot zur gemeinschaftlichen Aufgabenbewältigung für solche Lebensbereiche ab, in denen der Einzelne oder die privaten Lebenskreise überfordert sind (*Solidaritätsprinzip*). Die damit angesprochenen *subsidiären* Gemeinschaftsaufgaben kennzeichnen den *Leistungsstaat* und beziehen sich im Rahmen der Sozialordnung insbes. auf eine gesamtgesellschaftliche Vor- und Fürsorge (*Sozialprinzip, →soziale Gerechtigkeit*). Anders als im leistungsorientierten Markt richten sich die Maßnahmen des *→Sozialstaats* an der (Hilfs-) Bedürftigkeit seiner Glieder aus (*Bedarfsprinzip*). Weitere Aufgaben des Staates kommen in den Zielvorgaben des Stabilitätsgesetzes zum Ausdruck. Danach hat sich der Staat einer Orientierung seiner wirtschaftspolitischen Aktivitäten zur Sicherung eines hohen Beschäftigungsstandes (*→Beschäftigung*), eines stabilen Preisniveaus (*→Preisniveaustabilität*), eines *→außenwirtschaftlichen Gleichgewichts* sowie eines stetigen und angemessenen Wirtschaftswachstums

(→*Wachstum*) verschrieben. Allerdings besteht bei der Verfolgung dieser Ziele eine Konkurrenzsituation, welche als „magisches Viereck" apostrophiert wird. Unter Berücksichtigung der Aufgabe des Umweltschutzes unter Nachhaltigkeitskriterien (→*Ressourcenschutz*) als weiteres Ziel in diesem Rahmen wird zuweilen auch von einem „magischen Fünfeck" gesprochen.

Sowohl der Marktprozess als auch das System der staatlichen Leistungen weisen allerdings gelegentlich *Wirkungsmängel* auf, die ergänzende Korrekturen begründen können. Hinsichtlich der Marktprozesse ist dabei von zentraler Bedeutung, dass Preise trotz ihrer Koordinationsfunktion mitunter nicht das Auftreten individueller Fehlentscheidungen verhindern können. Dies beruht zum einen auf *begrenzten Informationen* und zum anderen auf dem Umstand, dass Informationen über Gütereigenschaften zwischen den privaten Wirtschaftssubjekten zumeist asymmetrisch verteilt sind. Dies führt unter bestimmten Voraussetzungen zwangsläufig zu unwirtschaftlichen Marktergebnissen (Marktversagen). Mit Blick auf den Marktprozess sind darüber hinaus zwei weitere Ansatzpunkte für effizienzorientierte Staatsinterventionen zu nennen:

- Erstens können marktliche Versorgungs- und Produktionsergebnisse suboptimal sein, wenn einzelne Unternehmen eine marktbeherrschende Machtposition erreichen und diese Stellung missbräuchlich im Sinne einer dauerhaften *Störung des Wettbewerbs* ausnutzen. Gelegentlich ist die Erstellung bestimmter Güter mit derart hohen Anfangsinvestitionen verbunden, dass ein einziger Produzent einen Wirtschaftsraum kostengünstiger mit der betreffenden Ressource versorgen kann als eine Vielzahl von Anbietern dazu in der Lage wäre. In solchen gelegentlichen Fällen werden monopolartige Marktformen gleichsam wirtschaftlich erzwungen (natürliche Monopole). Unter bestimmten Voraussetzungen können deshalb ordnungspolitische Maßnahmen zur Absicherung eines funktionsfähigen Wettbewerbs erforderlich sein.
- Zweitens ist ein Auftreten von *Mängeln in der Güterversorgung* denkbar, wenn für bestimmte Waren oder Dienste kein Markt entsteht. Dies kann beispielsweise dann der Fall sein, wenn die betreffenden Ressourcen stets nur von einer Gruppe von Wirtschaftssubjekten gemeinsam genutzt werden können und es nicht möglich oder zweckmäßig ist, einzelne Gruppenmitglieder von der Nutzung solcher Güter auszuschließen – selbst dann nicht, wenn diese nicht bereit sind, für die Nutzung solcher *„öffentlichen" Güter* ein Entgelt zu entrichten (Trittbrettfahrer). In vergleichbarem Zusammenhang kann das Ergebnis einer dezentralen Koordinierung individueller Wirtschaftspläne suboptimal sein, wenn die gesamtwirtschaftlichen Kosten, die bei der Produktion oder beim Konsum der betreffenden Güter entstehen, nicht verursachergerecht zugeordnet wer-

den können oder wenn eine entsprechende Zurechnung prohibitiv hohe Kosten verursacht (Fall der *externen Effekte* – Umwelt). Dabei ist auch zu berücksichtigen, dass im Marktprozess bestimmte Anliegen unberücksichtigt bleiben; dies gilt beispielsweise, weil die Angehörigen künftiger Generationen nicht in der Lage sind, ihre Interessen wirksam zu artikulieren und durchzusetzen. Dies kann etwa zu einer systematischen *Unterbewertung natürlicher Ressourcen* führen, was den Staat zu Maßnahmen zugunsten einer dauerhaft-umweltgerechten Wirtschaftsentwicklung veranlassen mag (→*Umweltmanagement*).

Auch im Bereich der Aktivitäten des Leistungsstaates können *systematische Fehlanreize* wirksam werden:

- Maßnahmen, mit denen die öffentliche Hand beispielsweise durch Mindest- oder Höchstpreise das Gefüge der relativen Preise und damit die relativen Knappheitssignale verändert, beeinträchtigen die Informations- und Allokationsfunktion der Preise. Zugehörige Umverteilungswirkungen werden also mit gesamtgesellschaftlichen Wirtschaftlichkeitseinbußen erkauft.
- Maßnahmen, welche das relative Preisgefüge demgegenüber unverändert lassen und statt dessen als reine Sach- oder Realtransfers gewährt werden, können die durch den Markt bewirkten Leistungsanreize verringern. Umverteilungsmaßnahmen wirken sich insoweit leistungshemmend aus. Vor allem aber lenkt das Umverteilungssystem produktive Kräfte auf die Optimierung der jeweils eigenen Verteilungsposition, sei es durch transfermaximierende Privatpersonen, sei es durch subventionsmaximierende Unternehmen (sogenanntes Rent-seeking). Auch mit solchen Umverteilungsmaßnahmen ist also ein gesamtwirtschaftlicher Wohlfahrtsverlust verbunden.

Die politische Opportunität und die Veränderungen der wirtschaftlichen Bedingungen haben also zur Folge, dass die Soziale Marktwirtschaft einem *ständigen Anpassungsprozess* unterliegt. Jenseits der systemimmanenten Korrekturfunktion müssen sich deshalb auch die Regelungs- und Sicherheitssysteme selbst veränderten Anforderungen anpassen. Deswegen gibt es nicht die eine oder eine neue, sondern nur eine aktuell jeweils gewählte Ausprägung der Sozialen Marktwirtschaft, welche stets einem dynamischen Entwicklungsprozess unterliegt. Dieser Prozess kann zusammenfassend dem Idealtypus zweier Politikbereiche zugewiesen werden:

- Auf der einen Seite ist der konstitutive Staat im Rahmen der *Ordnungspolitik* bestrebt, die wesentlichen Gestaltungselemente der Wirtschafts- und Sozialverfassung zu schaffen und abzusichern. Zugehörige Maßnahmen konkretisieren sich insbesondere in den Bereichen des Wettbewerbsrechts-, der Geld- und Währungsordnung, der Finanzverfassung, der Arbeits- und Sozialordnung sowie der Umweltpolitik und der Außenwirtschaftsordnung. Mit Blick auf die

Einbindung der nationalen Marktwirtschaft in die →*Europäische Wirtschafts- und Währungsunion* aber auch vor dem Hintergrund globaler Handels- und Produktionsverflechtungen geht es dabei immer mehr um eine Anpassung des institutionellen Rahmens durch Maßnahmen der →*Privatisierung* und →*Deregulierung*, damit die Wirtschaftsverfassung den laufenden Herausforderungen auf der nationalen wie auf der internationalen Ebene weiterhin gerecht werden kann.

- Auf der anderen Seite befasst sich der Leistungsstaat im Rahmen der *Prozesspolitik* neben der Stabilitäts- und Wachstumspolitik beispielsweise auch mit der Weiterentwicklung der sozialen Sicherungssysteme. Diese werden zum einen durch den wettbewerbsbedingten Strukturwandel und damit einhergehende Phänomene – insbes. einer vergleichsweise hohen Arbeitslosigkeit – zunehmend in Anspruch genommen. Zum anderen müssen die Leistungen vor dem Hintergrund einer insofern ungünstigen demographischen Entwicklung finanzierbar gehalten werden.

Schließlich gilt es, die unvermeidlichen Widersprüche zwischen der dem Wettbewerb verpflichteten Ordnungspolitik und der gegenwärtig vornehmlich auf Umverteilung ausgerichteten Prozesspolitik zum Ausgleich zu bringen (→*Ordnungspolitik – Prozesspolitik*). Demgemäß sind einerseits die Ansprüche an den Leistungsstaat einigermaßen zu befriedigen und müssen andererseits die Leistungsanreize erhalten bleiben, welche überhaupt erst Umverteilungsspielräume, also den zu verteilenden „Kuchen" schaffen. Dabei bleibt stets zu beachten, dass erst der Markt durch seine effiziente Allokation die maßgeblichen Gestaltungsvoraussetzungen für die soziale Komponente in der Sozialen Marktwirtschaft begründet. „Wirtschaftswunder" wie ehedem sind zwar in einem solchen Entwicklungsstadium der Wirtschaftsverfassung nicht mehr zu erwarten. Aber der „Wohlstand für Alle" ist nach wie vor realisierbar.

Zusammenfassend lassen sich die Grundstrukturen der Sozialen Marktwirtschaft gemäß der oben eingebrachten Übersicht wie folgt umreißen:

- Wirtschaften ist als der Umgang der Wirtschaftssubjekte mit knappen Gütern zur Befriedigung von Bedürfnissen zu kennzeichnen.
- Für einen ökonomisch-rationalen Austausch der Güter ist ein Koordinationssystem erforderlich: die Wirtschaftsordnung.
- Die Soziale Marktwirtschaft ist ein ordnungspolitisches Programm, das auf der Grundlage der Wettbewerbswirtschaft die freie Initiative mit einem durch die marktwirtschaftliche Leistung gesicherten sozialen Fortschritt verbindet.
- Zur Erfüllung dieses Auftrags muss diese Ordnung verschiedene konstitutive Bedingungen erfüllen. Als Bauelemente sind zu nennen: Private Eigentumsrechte, Produktionsfreiheit, Handlungsfreiheit, Gewerbefreiheit, freie Berufswahl, freie Arbeitsplatzwahl und Konsumfreiheit.

- Sind diese Bedingungen erfüllt, so treffen sich die Interessen von Anbietern und Nachfragern auf dem Markt unter Wettbewerbsbedingungen. Der sich dabei bildende Preis erfüllt verschiedene Funktionen – die Ausgleichs- und die Signalfunktion sowie die Lenkungs- und die Anreizfunktion.
- Das marktwirtschaftliche Ordnungssystem funktioniert jedoch nicht immer und in allen Fällen reibungslos. Verschiedene Störfaktoren – von außen kommend oder systemimmanent – erfordern ebenso wie die Berücksichtigung des gesellschaftlichen Wunsches nach sozialem Ausgleich korrigierende Maßnahmen, um die Zielsetzung des Konzeptes zu verwirklichen und zu sichern.
- Die staatlichen Maßnahmen können ordnungspolitisch oder prozesspolitisch angelegt sein. Die Vielzahl der einsetzbaren Instrumente und der institutionellen Regelungen sind in jedem Fall daraufhin zu prüfen, ob sie systemkonform ausgestaltet sind. Auch bei der Verwirklichung sozialer Ziele muss eine effiziente Ziel-Mittel-Relation gewahrt sein, damit es nicht zur Ressourcenverschwendung kommt. Dies kann nur durch ein Verhältnis von Solidarität und Subsidiarität gewährleistet werden, das die Anreize zur Eigeninitiative und Eigenverantwortung nicht zerstört sowie die soziale Verantwortung weder missachtet noch überdehnt.
- Die politische Opportunität und die Veränderungen der wirtschaftlichen Bedingungen haben zur Folge, dass die Soziale Marktwirtschaft ständigen Anpassungsprozessen unterliegt. So müssen auch die Regelungs- und Sicherheitssysteme den veränderten Anforderungen angepasst werden. Es gibt folglich nicht die eine, sondern nur eine jeweilige Ausprägung der Sozialen Marktwirtschaft, die sich im Rahmen der genannten Prinzipien in einem dynamischen Entwicklungsprozess befindet.

Literaturhinweise:

BUNDESZENTRALE FÜR POLITISCHE BILDUNG (Hrsg.) (1997), *Soziale Marktwirtschaft*, Bonn; CASSEL, D. (Hrsg.) (1998), *50 Jahre Soziale Marktwirtschaft – Ordnungstheoretische Grundlagen, Realisierungsprobleme und Zukunftsperspektiven einer wirtschaftlichen Konzeption*, Stuttgart; ERHARD, L. (1957), *Wohlstand für Alle*, Düsseldorf; EUCKEN, W. (1965), *Die Grundlagen der Nationalökonomie*, 8. Aufl., Berlin u. a.; GERKEN, L. (Hrsg.) (2000), *Walter Eucken und sein Werk – Rückblick auf den Vordenker der sozialen Marktwirtschaft*, Tübingen; KLEIN, W. u. a. (Hrsg.) (1994), *Die Soziale Marktwirtschaft – Ein Modell für Europa*, Berlin; KORFF, W. (Hrsg.) (1999), *Handbuch der Wirtschaftsethik*, Bd. 1-4, Gütersloh; LACHMANN, W./ HAUPT, R./ FARMER, K. (Hrsg.) (1996), *Erneuerung der Sozialen Marktwirtschaft – Chancen und Risiken*, Münster; LUDWIG-ERHARD-STIFTUNG (Hrsg.) (1997), *Soziale Marktwirtschaft als historische Weichenstellung – Bewertung und Ausblicke*, Eine Festschrift zum Hundertsten Geburtstag von Ludwig Erhard, Düsseldorf; MÜLLER-ARMACK, A. (1947), *Wirtschaftslenkung und Marktwirtschaft*, Hamburg (Faksimile-Ausgabe, Düsseldorf 1999); MÜLLER-ARMACK, A. (1956), Soziale Marktwirtschaft, in: *Handwörterbuch der Sozialwissenschaften*, Bd. 9, Stuttgart u. a., S. 390 ff.; MÜLLER-ARMACK, A. (1976), *Wirtschaftsordnung und Wirt-*

schaftspolitik – Studien und Konzepte zur Sozialen Marktwirtschaft und zur Europäischen Integration, 2. Aufl., Bern, Stuttgart; MÜLLER-ARMACK, A. (1981), *Genealogie der Sozialen Marktwirtschaft – Frühschriften und weiterführende Konzepte,* Bern u. a.; NÖRR, K. W./ STARBATTY, J. (Hrsg.) (1999), *Soll und Haben – 50 Jahre Soziale Marktwirtschaft,* Stuttgart; QUAAS, F. (2000), *Soziale Marktwirtschaft – Wirklichkeit und Verfremdung eines Konzepts,* Bern u. a.; QUAAS, F./ STRAUBHAAR, T. (1995), *Perspektiven der Sozialen Marktwirtschaft,* Bern u. a.; RODENSTOCK, R. (2001), *Chancen für alle – Die Neue Soziale Marktwirtschaft,* Köln; RAUHUT, S. (2000), *Soziale Marktwirtschaft und parlamentarische Demokratie – Eine institutionen-ökonomische Analyse der politischen Realisierungsbedingungen der Konzeption der Sozialen Marktwirtschaft,* Berlin; SCHEFOLD, B. / SCHLECHT, O. / WATRIN, C. (Hrsg.) (1999), *Alfred Müller-Armacks „Wirtschaftslenkung und Marktwirtschaft" – Vademecum zu einem Klassiker der Ordnungspolitik,* Düsseldorf; SMITH, A. (1990), *Der Wohlstand der Nationen – Eine Untersuchung seiner Natur und seiner Ursachen,* 5. Aufl., München; SMITH, A. (1994), *Theorie der ethischen Gefühle,* 4. Aufl., Hamburg; STÜTZEL, W./ WATRIN, C./ WILLGERODT, H./ HOHMANN, K. (Hrsg.) (1981), *Grundtexte der Sozialen Marktwirtschaft – Zeugnisse aus zweihundert Jahren ordnungspolitischer Diskussion,* Stuttgart, New York; TUCHTFELDT, E. (1987), *Bausteine zur Theorie der Wirtschaftspolitik,* 2. Aufl., Bern, Stuttgart.

Dietrich Dickertmann
Viktor Wilpert Piel

Soziale Marktwirtschaft: Politische Umsetzung, Erosion und Handlungsbedarf

Mit der Währungs- und Wirtschaftsreform am 20. Juni 1948 fiel in Westdeutschland der Startschuss für die Soziale Marktwirtschaft. Damit entstand eine Gesellschafts- und Wirtschaftsordnung, die schon nach kurzer Zeit weltweit als „Wirtschaftswunder" bestaunt wurde. Es war Ludwig →*Erhard*, der die Wirtschaftsreform – überraschend, eigenmächtig und gegen vielfältige Widerstände aus allen gesellschaftlichen Bereichen – mit der Währungsreform verband und damit auch die neue Währung, die Deutsche Mark, zum Erfolg führte.

Die erste Bewährungsprobe für die Soziale Marktwirtschaft kam einige Zeit nach der Wirtschaftsreform. Die Gewerkschaften riefen am 12. November 1948 zu einem 24-stündigen Generalstreik auf, dem in der Bizone fast zehn Millionen Arbeitnehmer folgten – eine enorme Streikbeteiligung. Der Protest richtete sich nicht nur gegen Preiserhöhungen, sondern gegen Erhards Politik insgesamt. Die SPD-Fraktion im Wirtschaftsrat forderte zeitgleich die Abberufung von Erhard. „Das ist das praktische Resultat Ihrer Politik, dass Sie die Menschen zur Verzweiflung treiben, durch das, was Sie Freiheit nennen", so *Erwin Schoettle* zur Begründung des SPD-Antrags. Generalstreik und Antrag waren jedoch nicht erfolgreich. Ein Grund: Wie von Erhard in Aussicht gestellt, stabilisierte sich die Preisentwicklung ab Ende 1948.

Mit dem Grundgesetz erhielt die Bundesrepublik 1949 einen verfassungsrechtlichen Rahmen, der keine konkrete Wirtschaftsordnung festschrieb. Die Artikel des Grundgesetzes normierten jedoch eine demokratische und marktwirtschaftliche Ordnung: Vertrags- und Koalitionsfreiheit, die Garantie des Privateigentums, ein föderaler Staatsaufbau, soziale Sicherung, Arbeitnehmerpartizipation, das Bundesbankgesetz, Wettbewerbsgesetze, die schrittweise Liberalisierung des Außenhandels und volle Währungskonvertibilität konnten in der Folgezeit erreicht werden.

Mit der Wahl des ersten Deutschen Bundestages am 14. August 1949, der Wahl Konrad Adenauers zum ersten Bundeskanzler und der Ernennung Erhards zum Bundesminister für Wirtschaft, war die politische Entscheidung über die Wirtschafts- und Sozialordnung der Bundesrepublik Deutschland gefallen. Die Soziale Marktwirtschaft hatte bei der ersten Bundestagswahl 1949 nur knapp die Nase vorn. Die SPD forderte im Wahlkampf die staatliche Planung und Lenkung der Produktion (→*Sozialismus/ Planwirtschaft*). Groß- und Grundstoffindustrie, Kredit- und Geldinstitute sowie Versicherungen sollten sozialisiert werden. Teile der CDU liebäugelten, wie im Ahlener Programm von 1947, mit der Sozialisierung zumindest von Teilbereichen der Wirtschaft (Grundstoffindustrien). Die FDP stemmte sich von Anfang an diesen Tendenzen entgegen und unterstützte Erhards wirtschaftspolitisches Konzept in der entscheidenden Phase 1948, als dieser Direktor der Verwaltung für Wirtschaft des Vereinigten Wirtschaftsgebietes in Frankfurt/ M. gewesen ist und die Währungsreform mit der Freigabe der Preise gestaltete.

Mit Beginn der fünfziger Jahre sorgte vor allem der Arbeitsmarkt für Probleme. Die Zahl der Arbeitslosen war im Verlauf des Jahres 1949 von 800.000 auf 1,5 Millionen im Januar 1950 angestiegen. Viele gaben erneut der Sozialen Marktwirtschaft die Schuld an dieser Entwicklung. Auch die Alliierten kritisierten die scheinbare Untätigkeit der deutschen Regierung und forderten die prinzipielle Änderung der Wirtschaftspolitik in Richtung einer Vollbeschäftigungspolitik nach John Maynard Keynes (→*Keynesianismus*). Das stand im Widerspruch zu Erhards Überzeugungen. Er beurteilte die wirtschaftliche Lage als eine Folge des Mangels an Investitionskapital und sprach sich für Maßnahmen aus, die Kapitalbildung und private Investitionstätigkeit fördern und auf lange Sicht Arbeitsplätze schaffen würden.

In den Anfangsjahren befand sich die Soziale Marktwirtschaft in einer kritischen Phase. Adenauer war nicht sicher, ob der eingeschlagene wirtschaftspolitische Weg seines Wirtschaftsministers weiter verfolgt werden sollte. Um sich ein Urteil zu bilden, gab der Bundeskanzler Anfang 1950 ein wissenschaftliches Gutachten in Auftrag, das auf Basis einer Gesamtanalyse zu einer unabhängigen Bewertung der deutschen Wirtschaftspolitik gelangen sollte. Er betraute Wilhelm →*Röpke* mit dieser Aufgabe; Röpkes weltanschauliche Grundorientierung sagte Adenauer zu, der internationale Ruf des Gelehrten war über jeden Zweifel erhaben. In seiner Arbeit „Ist die deutsche Wirtschaftspolitik richtig?“ zeigte Röpke, dass es keine Alternative zu Erhards eingeschlagenem Weg gäbe.

Das Gutachten von Röpke stärkte Erhard und verhinderte einen Kurswechsel in Richtung staatlicher Planung und Lenkung.

1951 standen Erhard und seine Soziale Marktwirtschaft erneut unter Beschuss. Infolge des Korea-Krieges forderten die Alliierten staatliche Bewirtschaftungs- und Lenkungsmaßnahmen sowie Preis- und Devisenkontrollen. Erhard widerstand der „planwirtschaftlichen Versuchung" und immensem innenpolitischem Druck mit geringfügigen Zugeständnissen. Auch diesmal hielt er konsequent und beharrlich an seiner Weichenstellung fest. Die rasche wirtschaftliche Erholung im Verlauf der fünfziger Jahre bestätigte Erhards Politik, der wirtschaftliche Erfolg war für alle sicht- und spürbar.

Kennzeichnend für die Wirtschaftsentwicklung in Westdeutschland bis Mitte der sechziger Jahre waren hohe Wachstumsraten und stabile Preise. Die →*Arbeitslosigkeit* wurde in stetigen Schritten abgebaut, zum Ende der fünfziger Jahre herrschte Vollbeschäftigung; es mussten sogar Arbeitskräfte im Ausland angeworben werden. „Made in Germany" wurde zum weltweit anerkannten Qualitätsmerkmal. Erhard verwarf den aufkommenden Begriff des „Wirtschaftswunders": Die Entwicklung stelle kein Wunder dar, sondern sei „nur die Konsequenz der ehrlichen Anstrengung eines ganzen Volkes, das nach freiheitlichen Prinzipien die Möglichkeit eingeräumt erhalten hat, menschliche Initiative, menschliche Freiheit, menschliche Energien wieder anwenden zu dürfen".

Die Soziale Marktwirtschaft entfesselte die dynamischen Kräfte der Menschen, weil sie die freie Entfaltung des Einzelnen und den Leistungswettbewerb mit individueller Verantwortung und staatlicher Rahmenordnung verband; der soziale Ausgleich sicherte Bedürftigen ein menschenwürdiges Leben (→*Soziale Gerechtigkeit*). Das Soziale wurde nie als eine Form der teilweisen Realisierung von Zielen verstanden, wie sie vom →*Sozialismus* gefordert und versprochen wurden. Das Soziale wurde als ein notwendiges Regulativ angesehen, um Auswüchse und Fehlentwicklungen ungezügelter Marktkräfte zu verhindern. Dies sollte innerhalb der marktwirtschaftlichen Ordnung und zu ihrer Verbesserung erfolgen.

Neben dem sichtbaren Erfolg als Wirtschaftsminister war es vor allem der Respekt vor der fachlichen Kompetenz des „Dicken mit der Zigarre", die seine Popularität begründeten. So verwundert es kaum, dass von ihm neue Impulse nach dem Ende der Amtszeit Adenauers erwartet wurden. Mit Mut, Zuversicht und Optimismus – so meinte man – könne Erhard die Stagnation beenden, in die das politische Leben der Bundesrepublik zu fallen drohte. Am 16. Oktober 1963 wählte ihn der Deutsche Bundestag mit großer Mehrheit zum Bundeskanzler.

Die erste wirtschaftliche Flaute 1966/ 67 – wobei Flaute bedeutet, dass das Wirtschaftswachstum 1966 „nur" knapp zwei Prozent betrug, weniger stark als in den erfolgsverwöhnten Vorjahren –, führte in den sechziger Jahren zu allgemeinem Pessimismus. Die Forderungen nach mehr staatlichem Engagement und überzogene Lohnforderungen unterliefen die maßvoll-zurückhaltende Politik Erhards. Seine Appelle, die Wirtschaftskraft nicht zu überfordern, liefen ins Leere. Das Gefühl für den Ausgleich zwischen Notwendigem und Wünschenswertem schwand. Die Bürger stellten Erhards Vorstellungen mehr und mehr in Frage. Als er während der Beratungen für den Bundeshaushalt 1967 nachdrücklich dafür eintrat, ein drohendes Haushaltsdefizit in Höhe von rund fünf Milliarden Euro nicht durch höhere →*Staatsverschuldung*, sondern durch Steuererhöhungen zu finanzieren, kam es zum Bruch seiner Koalitionsregierung. Seinem Sturz kam Erhard zuvor: Am 30. November 1966 trat er als Bundeskanzler zurück.

Dies war die Stunde der Sozialdemokraten und insbesondere Karl →*Schillers*. Bereits Ende der fünfziger Jahre hatte sich die SPD mit dem Godesberger Programm ebenfalls für eine marktwirtschaftliche Ordnung ausgesprochen. Gleichwohl kam es zum Paradigmenwechsel (Änderung der Leitlinie) in der Wirtschaftspolitik. Das marktwirtschaftliche Ordnungskonzept wurde mit der keynesianischen (nach John Maynard Keynes) Globalsteuerung kombiniert. Durch Steuerung der Nachfrage wollte der Staat das Wirtschaftswachstum anregen. Eine →*„Konzertierte Aktion"*, an der sich Staat, Unternehmensverbände, Gewerkschaften und →*Deutsche Bundesbank* beteiligten, sollte für konjunkturelle Stabilität sorgen. Mit dem neuen Leitbild einer „aufgeklärten Marktwirtschaft" schaffte es Schiller zunächst, die wirtschaftliche Schwäche zu überwinden. Der Wirtschaftszyklus schien beherrschbar geworden, es wurde an die „Machbarkeit" der wirtschaftlichen Entwicklung geglaubt (→*Konstruktivismus*). Diese Politik stellte zu hohe Ansprüche an die Entscheidungskräfte der Politik. Das Konzept wurde zu einseitig ausgelegt (expansive Maßnahmen bei Rezession, kein rechtzeitiges Bremsen bei zu starker Expansion der Wirtschaft). Dadurch entstanden eine Ausweitung des Staatssektors und eine Ausdehnung kollektiver wirtschaftspolitischer Verantwortung.

Die „Neue Wirtschaftspolitik" erwies sich gerade in der sehr schwierigen Phase nach der Ölkrise und des Zusammenbruchs des Währungssystems von Bretton Woods 1973 (→*Währungsordnung und Wechselkurssysteme*) als ein wirtschaftspolitischer Irrweg. Die wirtschaftliche Leistungsfähigkeit wurde zusätzlich durch sehr hohe Lohnforderungen eingeschränkt. Die Ertragslage der →*Unternehmen* verschlechterte sich dramatisch. Darüber hinaus führten außenwirtschaftliche Probleme zu währungspolitischen Turbulenzen. Die ungestüme Reformpolitik der sozialliberalen Regierung verstärkte den Trend in Richtung →*Sozialstaat*. Man missachtete die Regel, nur das ausgeben zu können, was zuvor auch erwirtschaftet wurde. Die staatlichen Haushalte häuften Schulden an. Die Staatsquote (Anteil der Staatsausgaben am Bruttoinlandsprodukt) von 30 Prozent in den sechziger Jahren stieg auf über 50 Prozent am Ende der siebziger Jahre. Nichts zeigt deutlicher, wie sehr die Grundsätze der Sozialen →*Marktwirtschaft* seinerzeit aufgegeben wurden: 50 Prozent Staatsquote, das ist halb Marktwirtschaft und halb Staatslenkung.

Mit der Dauer und den zunehmenden Probleme dieser „neuen" Wirtschaftspolitik wuchs das Bewusstsein, dass eine Änderung, eine „Wende" notwendig sei, bei der die Grundlagen der Sozialen Marktwirtschaft wieder zum Kompass der Wirtschaftspolitik werden. Über die politische Auseinandersetzung über die Wege zur Haushaltskonsolidierung und zur Reduzierung des Staatsanteils kam es – neben außen- und sicherheitspolitischen Streitpunkten – schließlich im Oktober 1982 zum Regierungswechsel und zur Rückbesinnung auf eine mehr marktwirtschaftlich orientierte Politik. Der Abbau staatlicher Verschuldung, massive steuerliche Entlastungen, erste →*Deregulierungen* und →*Privatisierungen* schufen neue wirtschaftliche Dynamik. Es gelang zunächst, wirtschaftspolitisches Vertrauen und innere Stabilität zurückzugewinnen: Staatsquote, Budgetdefizit, Neuverschuldung und Inflation konnten reduziert werden, die Wirtschaft wuchs.

Das wirtschaftspolitische Konzept dieser Zeit lautete „angebotsorientierte Steuerung". Deregulierung, Entbürokratisierung, Liberalisierung und Weltmarktorientierung waren die Maximen der neuen Politik. Genau besehen erfüllte diese Politik nicht den Anspruch der Sozialen Marktwirtschaft im Sinne Erhards, nach dessen Forderung die Politik nicht allein oder vorrangig der Wirtschaft dienen und die Wirtschaft als Selbstzweck behandeln darf. Wirtschaft soll dem Verbraucher dienen. Eine blühende Wirtschaft ist nur sinnvoll, wenn sie „Wohlstand für alle" schafft. Dafür muss eine in sich stimmige Rahmenordnung sorgen, die eine funktionsfähige Wettbewerbswirtschaft und die Entwicklung sozialer Verhältnisse ermöglicht. Die wirtschaftliche Erholung der achtziger Jahre, die Konsolidierung der Staatsfinanzen sowie die Steuerreform schufen stabile Bedingungen für die Binnenwirtschaft und die Außenwirtschaft. Dieses Fundament wurde zur ökonomischen Basis der Deutschen →*Wiedervereinigung*, weil es in der Folgezeit die großen West-Ost-Transfers ermöglichte (→*Erblastentilgungsfonds*).

Das Bemühen, die Soziale Marktwirtschaft dauerhaft zu revitalisieren, ließ in den neunziger Jahren nach. Die neuen Herausforderungen der deutschen Einheit und die hohen finanziellen Belastungen bei der Eingliederung Ostdeutschlands in die Wirtschafts- und Gesellschaftsordnung spielten dabei eine wesentliche Rolle (→*Wiedervereinigung: Währungs-, Wirtschafts- und Sozialunion*). Das Vordringen moderner Technologien, die Entwicklung zur Dienstleistungsgesellschaft, die →*Globalisierung* und die Europäisierung der Märkte deckten die Schwächen des „Standortes D" unnachgiebig auf. Dies schlug sich in hoher Arbeitslosigkeit, steigender Staatsverschuldung und der Expansion der Sozialversicherungen nieder. Zudem konnte die Regierung die Bevölkerung nicht von der Notwendigkeit umfassender Reformen überzeugen; auch darauf ist die Wahlniederlage der Regierung von Helmut Kohl, einer Koalition aus CDU/ CSU und FDP, vom September 1998 zurückzuführen.

Nach 16 Jahren wurde die christlich-liberale Koalition im November 1998 durch eine rot-grüne Bundesregierung abgelöst. Seitdem ist unklar, welche wirtschaftspolitische Linie verfolgt wird. Mehr Markt und mehr *→Eigenverantwortung* oder mehr Staat, mehr *→„soziale Gerechtigkeit“*: Zwischen diesen beiden Polen entspinnt sich eine immer schärfer werdende Auseinandersetzung. Die bisherigen Versuche, den Gegensatz von Markt und Staat, von Eigenverantwortung und bürokratischer Betreuung neu auszutarieren, verleihen der Wirtschaftspolitik einen experimentellen Charakter. Marktwirtschaftlich orientierten Reformvorschlägen folgen – bedingt durch Proteste aus den eigenen Reihen, vom politischen Gegner oder von Interessenverbänden – Korrekturen in die entgegengesetzte Richtung. Die fehlende klare Linie beunruhigt und verunsichert wirtschaftliche Akteure im In- und Ausland und verhindert, dass Investitionsentscheidungen zügig umgesetzt werden. Eindeutiges Indiz für eine bislang wenig erfolgversprechende Wirtschaftspolitik ist die nach wie vor hohe Arbeitslosigkeit.

Reformdruck und notwendige Erneuerung der Sozialen Marktwirtschaft bleiben also auf der Tagesordnung. Die Revitalisierung ist nicht nur nötig, weil Fehlentwicklungen der Vergangenheit ausgemerzt werden müssen. Vor allem erfordern die gravierenden und schnellen Veränderungen von Wirtschaft und Gesellschaft durch Globalisierung, technologische Revolution und *→demographische Entwicklung* Anpassungen des marktwirtschaftlichen Ordnungsrahmens an vielen Stellen. Flexibilität, Innovation und Anpassungsfähigkeit müssen gestärkt und Freiräume für Kreativität und Leistungsbereitschaft geschaffen werden. Globalisierung und Informationsgesellschaft bedeuten nicht, dass die Soziale Marktwirtschaft weltweit einem ungebändigten Kapitalismus weichen, sondern dass sie offensiv den neuen Bedingungen angepasst werden muss. Notwendig ist ein neues Leitbild von Eigenverantwortung und Selbstständigkeit:

- Wichtig ist vor allem, den Staat auf seine Aufgaben zu konzentrieren.
- Zur Revitalisierung der Sozialen Marktwirtschaft gehört ein einfaches und transparentes Steuersystem mit niedrigen Steuersätzen, die deutliche Rückführung der Staatsquote und die Ausgestaltung der föderalen Ordnung als „Wettbewerbsföderalismus“ (*→Fiskalföderalismus*).
- Unverzichtbar ist eine arbeitsplatzfördernde *→Beschäftigungs-* und Lohn*politik:* Nur wer Einkommen erwirtschaftet, ist in der Lage, sein Leben eigenständig zu gestalten. Zugleich entfallen durch dauerhaften Abbau der *→Arbeitslosigkeit* staatliche Ausgaben, was wiederum die Haushaltskonsolidierung erleichtert.

- Durch Reformen der Tarifpolitik müssen die betriebliche Autonomie im Rahmen der Flächentarifverträge gestärkt, lohnpolitische Vernunft in Verbindung mit moderner Mitarbeiterbeteiligung durchgesetzt sowie insgesamt mehr flexible Elemente eingeführt werden (*→Arbeitsmarktordnung*).
- In der sozialen Sicherheit – insbesondere im Bereich Rente und Gesundheit – muss daran gegangen werden, das Verhältnis zwischen Solidarität und Subsidiarität neu auszubalancieren sowie für Jung und Alt gerecht und verlässlich zu gestalten. Mehr Eigenverantwortung bedeutet zum einen, dass die demographische Entwicklung in die Rentenberechnung einfließt. Zum anderen ist den gegenwärtig jungen Menschen klar vor Augen zu führen, dass sie für ihre Alters- und Gesundheitssicherung mehr in Eigenregie vorsorgen müssen als ihre Eltern und Großeltern (*→Sozialordnung; →Sozialstaat/ Wohlfahrtsstaat*).
- Die neu gewonnene Wettbewerbsfähigkeit der deutschen Wirtschaft muss angesichts der zunehmenden Internationalisierung entsprechend abgesichert werden. Dazu muss eine europäische und internationale Wettbewerbspolitik – zum Beispiel im Rahmen der Welthandelsorganisation WTO – vereinbart und für alle am Weltmarkt operierenden Unternehmen verbindlich festgelegt werden.

Die Soziale Marktwirtschaft wurde als freiheitliche Alternative zur Planwirtschaft einerseits und als soziale Alternative zur reinen Marktwirtschaft andererseits entwickelt. Sie hat maßgeblich zu Wohlstand, sozialer Befriedung und politischer Stabilität beigetragen. Die Grundelemente der Sozialen Marktwirtschaft bleiben auch künftig gültig. Die konkrete Ausformung muss den neuen Herausforderungen angepasst werden. Nur so kann nachhaltig Wachstums- und Beschäftigungsdynamik entstehen, die Volkwirtschaft sozialverträglich modernisiert und für den globalen Wettbewerb gerüstet werden.

Literaturhinweise:
SCHLECHT, O. (1997), „Wohlstand für alle“ durch Wirtschafts- und Sozialpolitik, in: Ludwig-Erhard-Stiftung (Hrsg.), *Soziale Marktwirtschaft als historische Weichenstellung. Bewertungen und Ausblicke.* Eine Festschrift zum hundertsten Geburtstag von Ludwig Erhard, Düsseldorf, S. 229-257; DERS. (1999), Ordnungspolitische Leitsätze – heute so notwendig wie vor 50 Jahren, in: Ludwig-Erhard-Stiftung (Hrsg.), *Die deutsche Wirtschaftsordnung 50 Jahre nach dem Leitsätzegesetz*, Symposion 41, Krefeld, S. 9-14; DERS. (2000), Ist die deutsche Wirtschaftspolitik richtig?, in: Ludwig-Erhard-Stiftung (Hrsg.), *Ist die deutsche Wirtschaftspolitik richtig?* Zum 100. Geburtstag von Wilhelm Röpke, Symposion 43, Krefeld, S. 7-15.

Christian Otto Schlecht (†)

Soziale Marktwirtschaft: Soziale Irenik

Die Idee der sozialen Irenik geht zurück auf Alfred *→Müller-Armack*. Im Allgemeinen ist mit Irenik die Lehre vom Frieden gemeint, wobei der Begriff am griechischen Wort *eirene* (Frieden) bzw. an dem Namen der griechischen Friedensgöttin *Eirene,* Tochter des Zeus, angelehnt ist.

Im speziellen Bezug ist der Begriff der sozialen Irenik von Müller-Armack in doppelter Bedeutung benutzt worden. Erstens zeigte er damit die Möglichkeit einer die Weltanschauungen verbindenden Sozialidee auf, zweitens ist der Begriff der sozialen Irenik direkt verbunden mit der gesellschaftlichen Dimension des Charakters der →*Wirtschaftsordnung* der →*Sozialen Marktwirtschaft.*

Im Mittelpunkt der zuerst genannten Bezugsebene steht die Frage, wie in unterschiedlichen sozialtheoretischen Ansätzen auch im Falle vorhandener Gegensätzlichkeiten die Gestaltung der →*Sozialordnung* als eine gemeinschaftliche Aufgabe begriffen werden kann. Exemplarisch hat Müller-Armack diese Idee auf die geistige Situation der westeuropäischen Welt nach dem Zweiten Weltkrieg angewendet, wenn er im Katholizismus (→*Katholische Soziallehre*), Protestantismus (→*Evangelische Sozialethik*), →*Sozialismus* und →*Liberalismus* die führenden weltanschaulichen Positionen sah und zugleich prognostizierte, dass wohl keine von ihnen in absehbarer Zeit verdrängt werden könne, aber auch keine die alleinige Herrschaft erlangen würde.

Die Idee der sozialen Irenik gibt eine Empfehlung für den Umgang mit dieser Tatsache des unvermeidlichen Nebeneinanders unterschiedlicher weltanschaulicher Positionen. Dabei geht es nicht um eine Verwischung vorhandener Gegensätze, sondern um ihre Vermittlung oder Versöhnung unter der Bedingung, dass diese „das Faktum der Gespaltenheit als gegeben nimmt, aber ihm gegenüber die Bemühung um eine gemeinsame Einheit nicht preisgibt“ (Müller-Armack 1950, S. 563).

In diesem Zusammenhang hat Müller-Armack jeden Versuch, andere als die eigenen weltanschaulichen Positionen einfach wegdiskutieren zu wollen, als „falsche Irenik“ bezeichnet. Nur bei Anerkennung der gleichberechtigten Koexistenz verschiedener geistiger Standorte und weltanschaulicher Positionen sei Irenik als Lösungsweg erfolgversprechend anwendbar. Dabei stehe jede Gruppe von Weltanschauungen vor der Aufgabe, ihre eigene Isolierung zu überwinden, indem sie das Anliegen und den Standpunkt anderer in das eigene Denken einbeziehe. Müller-Armack war also weder der Auffassung, dass die jeweils spezifischen Positionen vollständig aufgegeben werden müssten, noch dass im irenischen Prozess der Versöhnung der Positionen alle Antagonismen (Gegensätze) überwunden werden könnten.

Wenn allerdings der Versuch, das übergreifend Gemeinsame in an sich trennenden Weltanschauungen zu finden, nicht als Utopie scheitern soll, so ist zu beachten, dass dieses Gemeinsame kaum in einer konkreten Sozialordnung, sondern am ehesten in einer abstrakten sittlichen Idee des Sozialen zu finden ist. Eine solche abstrakt-allgemeine Idee des Sozialen könnte ein hohes Maß an Zustimmungsfähigkeit dadurch erlangen, dass sie Wertvorstellungen umfasst, die konsensfähig sind.

In Demokratien liegen derartige Werte insbesondere mit der Anerkennung von Freiheit und *→sozialer Gerechtigkeit* als Grundwerte vor. Genau diese beiden Werte sind es auch, die die Basis im Konzept der Sozialen Marktwirtschaft bilden. Marktwirtschaftliche Effizienz und sozialen Ausgleich so miteinander zu verbinden, dass in der Wirtschafts- und Gesellschaftspolitik beide Wertorientierungen in ausreichender Qualität und Quantität berücksichtigt werden, verlangt zum einen, in vielfacher Perspektive denken zu können und zum anderen auch in der Lage zu sein, die vorhandenen Alternativen gegeneinander abzuwägen. Müller-Armack selbst hat genau dies getan, als er sein Konzept der Sozialen Marktwirtschaft in Abgrenzung zu anderen wirtschafts- und gesellschaftstheoretischen Ansätzen und Praktiken entwickelte. Insofern ist dieses Konzept selbst ein Beispiel für eine sozial-irenische Herangehensweise. Es ist sowohl eine eigenständige weltanschauungsübergreifende Sozialidee als auch ein integrativer, offener Stilgedanke zur Humanisierung der Gesellschaft durch soziale Strukturen, die auf Ausgleich und irenische Vermittlung von Konflikten ausgerichtet sind.

Zugleich wird die Soziale Marktwirtschaft als Gesellschaftskonzeption dadurch ein besonders prägnantes Beispiel für einen realitätsbezogenen wissenschaftlichen Ansatz, der sich dadurch auszeichnet, dass ökonomische Theorie auf die gesellschaftlichen Notwendigkeiten und Forderungen bezogen und angewandt wird. Das entsprechende Instrument ist *→Ordnungspolitik,* mit deren Hilfe die Freiheit des Marktes so kanalisiert werden kann, dass soziale Kooperationsgewinne, also Gewinne für alle Beteiligten, entstehen. Die angeblich unversöhnlichen Werte der Freiheit und der Gerechtigkeit können also potenziell auf eine spezifische Weise ausgesöhnt werden, ohne dass es dabei um einen Kompromiss gehen müsste, bei dem der eine gewinnt, was der andere verliert, sondern bei der es zu gesellschaftlichen Win-Win-Situationen kommen kann.

Müller-Armack hatte diesbezüglich insbesondere die Sozialgestaltung der Einkommensbildung sowie Infrastruktur- und Umweltinvestitionen für wichtig erachtet, um den Wohlstand breitester Schichten der Bevölkerung zu gewährleisten. Auch das Ringen um eine sozial verträgliche Gestaltung der *→Betriebsverfassung (→Mitbestimmung)* galt ihm als Beispiel für irenisches Vorgehen in der Wirtschaft.

Unter dem ethischen Blickwinkel des Strebens nach sozialer Friedfertigkeit hat Müller-Armack die Soziale Marktwirtschaft eine „irenische Formel" genannt, „die versucht, die Ideale der Gerechtigkeit, der Freiheit und des wirtschaftlichen Wachstums in ein vernünftiges Gleichgewicht zu bringen" (Müller-Armack 1969, S. 131). Zugleich erscheint sie als der Versuch, dem Gemeinwohl dienende Ziele des öffentlichen Lebens auf der Basis einer stabilen Ordnung zu erreichen und auftretende *→Zielkonflikte in der Wirtschaftspolitik* auf friedlichem Wege zu lösen.

Literaturhinweise:
MÜLLER-ARMACK, A. (1950), Soziale Irenik, Wiederabdruck in: Ders., *Religion und Wirtschaft. Geistesgeschichtliche Hintergründe unserer europäischen Lebensform*, 3. Aufl., 1981, Bern, Stuttgart, S. 559-578; DERS. (1969), Der Moralist und der Ökonom. Zur Frage der Humanisierung der Wirtschaft, in: Ders., *Genealogie der Sozialen Marktwirtschaft. Frühschriften und weiterführende Konzepte*, 2. erw. Aufl., 1981, Bern, Stuttgart, S. 123-140; DERS. (1973), Der humane Gehalt der Sozialen Marktwirtschaft, ebd., S. 167-175.

Friedrun Quaas

Sozialismus/Planwirtschaft

„Sozialismus" ist ein Sammelbegriff für Ideen und politische Strömungen, die vor allem seit Beginn des 19. Jahrhunderts soziale Gleichheit und Gerechtigkeit mit dem Ziel verfolgen, die Ausbeutung des Menschen durch andere Menschen zu überwinden. Hierzu wird gefordert, das Privateigentum an den Produktionsmitteln rechtlich oder faktisch in Gemein- oder Volkseigentum zu überführen (→*Eigentum*). Die Vertreter des *utopischen Sozialismus,* Etienne Cabet (1788-1856) und François Noël Babeuf (1760-1797), sprachen sich im Interesse eines radikalen Egalitarismus für die staatsdirigistische Organisation aller Lebensbereiche aus. Henri Saint-Simon (1760-1825) und seine Schüler (die *Saint-Simonisten*) verfolgten die Idee, den sozialen Fortschritt planmäßig zu lenken – als Weg der Selbsterlösung der Menschheit zur Gerechtigkeit. Charles Fourier (1772-1837), Philippe Buchez (1796-1866), Louis Blanc (1811-1882) und andere sahen in der Errichtung genossenschaftlicher Produktions- und Lebensgemeinschaften die Grundlage einer sozialistischen Gesellschaftsform.

Der von Karl Marx (1818-1883) und Friedrich Engels (1820-1895) begründete *wissenschaftliche Sozialismus* baut vor allem auf Ideen der utopischen Sozialisten, der Saint-Simonisten und deren Weiterentwicklung zum historischen Materialismus sowie der Klassenkampfidee von Babeuf auf. Hieraus hat sich das Konzept des *administrativen Sozialismus* als staatssozialistische *Planwirtschaft* entwickelt. Die bekannteste Ausprägung ist die Zentralverwaltungswirtschaft sowjetischen Typs. Das Gemein- oder Volkseigentum wird durch staatliche Organisationen zentral verwaltet, durch das auf Wladimir I. Lenin zurückgehende Prinzip des „Demokratischen Zentralismus" institutionell gesichert und im Rahmen eines Volkswirtschaftsplans im Hinblick auf politisch vorgegebene Ziele genutzt (→*Interventionismus*). Die zentralverwaltungswirtschaftliche Planung und Lenkung des Wirtschaftsgeschehens erfolgt mit Hilfe von Aufkommens- und Verwendungsbilanzen. Hierbei wird versucht, die materielle und finanzielle Seite des mehrstufigen Planungsprozesses mit dem Ziel aufeinander abzustimmen, die Einheit von zentraler Planung und betrieblicher Planerfüllung zu sichern.

Die Lenkungsorganisation des administrativen Sozialismus führt durch das unvermeidliche Nebeneinander von Mengen-, Finanz- und Preisplanung mit ihren divergierenden Verteilungsinteressen und unterschiedlichen Konzepten der Knappheitsmessung zu unlösbaren Informations- und Motivationsproblemen: Das für die Planung und Lenkung des volkswirtschaftlichen Prozesses notwendige Wissen ist auf alle Menschen verteilt, die auf den verschiedenen Ebenen der Staatsbürokratie und des Betriebsgeschehens beteiligt und zur Planerfüllung aufgerufen sind. Allenfalls ein kleiner Teil dieses Wissens ist zentralisierbar, also der staatlichen Planungshoheit zugänglich.

Hierdurch entsteht ein Interessenkonflikt, ein *Prinzipal-Agent-Problem* (*→Institutionenökonomik*); die Interessen des *Prinzipals* (Planungsbehörde) und des *Agenten* (Betriebe) sind konträr. Um es zu lösen, wird versucht, die Betriebe durch Prämienanreize zu motivieren, ihren Informationsvorsprung in den Dienst der Planerfüllung zu stellen. Die Betriebe haben jedoch schon im Prozess der Planerstellung ein Interesse daran, ihre Leistungsfähigkeit verzerrt darzustellen, um leicht erfüllbare, prämienmaximierende („weiche") Pläne zu erhalten. Ebenso werden sie versuchen, mit „bewährten" Methoden zu produzieren und Innovationen zu vermeiden, weil neue Produktionsverfahren mit Umstellungsrisiken und der Gefahr verbunden sind, das betriebliche Plan- und Prämienziel zu verfehlen. Der Interessenkonflikt ist nicht lösbar. Das Ergebnis ist eine strukturelle Vorherrschaft „weicher" Betriebspläne und -budgets, eine vergleichsweise geringe Arbeitsproduktivität bei hoher versteckter *→Arbeitslosigkeit*.

Ein weiteres unlösbares Problem des administrativen Sozialismus besteht in einer Wirtschaftsstruktur, die aus dem Anspruch der politischen Herrschergruppe entsteht, allein legitimiert und in der Lage zu sein, die ‚wahren Bedürfnisse' der Menschen in allen Belangen des Lebens zu kennen und sie auf der Grundlage des staatlichen Verfügungsmonopols über die Produktionsmittel zu befriedigen. Diese Einschränkung der Konsumentensouveränität ist Teil einer umfassenden Entrechtung der Menschen, etwa im Hinblick auf politische und kulturell-religiöse Freiheiten, die Vertrags-, Gewerbe- und Reisefreiheit.

Der *demokratische Sozialismus* knüpft an Karl Liebknechts (1871-1919) Idee von der „Einheit von Sozialismus und Demokratie" an und verfolgt – im Widerspruch zu den antidemokratischen Strömungen des Sozialismus – einen *→Dritten Weg* zwischen Kapitalismus und administrativem Sozialismus, und zwar mit den Mitteln der parlamentarischen Demokratie. Kennzeichnend hierfür ist z. B. das Godesberger Grundsatzprogramm der SPD von 1959. Es gibt Anhänger des demokratischen Sozialismus, die mit ihren Vorschlägen Ziele verfolgen, „die auf eine totale Änderung unserer freiheitlichen Gesellschafts- und Wirtschaftsordnung hinauslaufen"; andere Anhänger sind weit von diesen Absichten entfernt, „besitzen aber kein haltbares oder gar langfristig stabiles Ordnungskonzept und verwickeln sich in unlösbare Widersprüche. Solche Unklarheiten werden mit pragmatischer Geschäftigkeit übertüncht, können aber leicht zu Krisen werden, die nicht nur die sozialistischen Parteien, sondern auch die von ihnen regierten Länder erfassen“ (Hans Willgerodt).

Literaturhinweise:
GUTMANN, G. (1999), In der Wirtschaftsordnung der DDR angelegte Blockaden und Effizienzhindernisse für die Prozesse der Modernisierung, des Strukturwandels und des Wirtschaftswachstums, in: Kuhrt, E./ Buck, H. F./ Holzweißig, G. (Hrsg.), *Die Endzeit der DDR-Wirtschaft – Analysen zur Wirtschafts-, Sozial- und Umweltpolitik*, Opladen, S. 1-60; HENSEL, K. P. (1992), *Grundformen der Wirtschaftsordnung. Marktwirtschaft, Zentralverwaltungswirtschaft*, 4. Aufl., Münster, Hamburg; WILLGERODT, H. (1985), Thesen zum „demokratischen Sozialismus“, in: Rauscher, A. (Hrsg.), *Selbstinteresse und Gemeinwohl. Beiträge zur Ordnung der Wirtschaftsgesellschaft*, Berlin, S. 229-277.

Alfred Schüller
Thomas Welsch

Sozialkapital

Funktionierende Märkte entstehen nicht von selbst. Eine Marktwirtschaft ist keine Naturerscheinung, sondern ein Kulturprodukt. Damit ist zweierlei gemeint: Zuerst benötigt eine Marktwirtschaft einen rechtlichen Rahmen, eine Wirtschaftsverfassung mit Institutionen und Rechtsregeln (formelle Institutionen/ Bindungen). Zusätzlich setzt eine marktwirtschaftliche Ordnung aber auch nicht-rechtliche Bindungen voraus, Verhaltensweisen zwischen den einzelnen Personen, die auf Vertrauen aufbauen und verlässlich eingehalten werden (informelle Institutionen/ Bindungen). Man stelle sich eine Situation vor, in der Vertrags- und Vertrauensbrüche allgegenwärtig sind und die Normen der Wirtschaftsverfassung und des zwischenmenschlichen Verhaltens ständig nur mit hohen Aufwendungen von finanziellen Mitteln und Nerven (Transaktionskosten) durchgesetzt werden müssen. Ohne ‚schwache‘ Bindungen wären die ‚starken‘ Bindungen des Rechts schnell überfordert.

Im Konzept der Sozialen Marktwirtschaft wird die Notwendigkeit formeller und informeller Bindungen von jeher unterstrichen. Die ordnungsökonomische Einsicht, dass Marktwirtschaften nicht im institutionellen Vakuum untersucht werden können, umfasst beides: So wird betont, dass die Wirtschaftsordnung eine „rechtsschöpferische Leistung“ (Franz →*Böhm*) und durch →*Ordnungspolitik* zu gestalten ist. Darüber hinaus wird die Bedeutung von „geschichtlichen Bindungskräften“ (Alfred →*Müller-Armack*) hervorgehoben. Diese wirken nur informell aufgrund der gegenseitigen Akzeptanz zwischen den Personen, sie sind aber gleichwohl für eine Marktwirtschaft unerlässlich. Das Konzept der Sozialen Marktwirtschaft betrachtet damit jene →*gesellschaftlichen Grundlagen von Wirtschaftsordnungen*, die durch die „Soziologieblindheit“ (Wilhelm →*Röpke*) der Ökonomie bisweilen übersehen werden (→*Marktmechanismus*, →*Soziale Marktwirtschaft: Menschenbild*). Es darf in diesem Zusammenhang nicht vergessen werden, dass die ‚Väter‘ der Sozialen Marktwirtschaft ihre Neufassung des →*Liberalismus* als „soziologischen Neoliberalismus“ bezeichnet haben.

In neuerer Zeit wurde der institutionelle Rahmen von Marktwirtschaften von der *→Institutionenökonomik* untersucht. Diese betrachtet vor allem die formellen Institutionen des Rechts. Die Berücksichtigung informeller Institutionen geschieht neuerdings mit einem Begriff, der ursprünglich aus der Soziologie (und Politikwissenschaft) stammt: Sozialkapital.

Mit dem Begriff Sozialkapital wird aus ökonomischer Sicht nahegelegt, dass es sich dabei um einen Produktionsfaktor (*→Produktion und Angebot*) handelt, der für eine Wertschöpfung erforderlich ist. Es sind Investitionen in dieses Kapital notwendig, um einen langfristig nutzbaren Kapitalstock aufzubauen, und Re-Investitionen, um die ständige Entwertung des Kapitalstocks auszugleichen. Bei dieser allgemeinen Beschreibung bleibt aber fraglich, 1.) wie und woraus der Kapitalstock gebildet wird, und 2.) welches die Wertschöpfung ist.

Die erste Frage kann man auf zwei Arten beantworten: Man kann erstens mit dem Begriff Sozialkapital die Lücke füllen zwischen isoliertem Individuum und Gesellschaft, zwischen Wirtschaftssubjekt und Gesamtwirtschaft. In diesem Fall wird der Wert von Beziehungsnetzwerken betont. Diese halten eine Gesellschaft als „sozialer Kitt" zusammen. Nur in solchen Netzwerken kann in Sozialkapital investiert werden. Neben dieser strukturellen Betrachtungsweise kann auch gefragt werden, woraus Sozialkapital besteht. Aus diesem Blickwinkel wird Vertrauen betont. Entscheidend ist dabei, dass Vertrauen zwar in sozialen Netzwerken entsteht, aber nicht auf dessen Mitglieder beschränkt ist. Sozialkapital ist generalisiertes Vertrauen, also die allgemein geteilte Erwartung, in Kooperationsbeziehungen nicht ausgebeutet zu werden.

Damit ist auch eine Antwort auf die zweite Frage möglich: Sozialkapital ermöglicht die Realisation jener Kooperationsgewinne, die in einer Marktwirtschaft angestrebt werden. Generalisiertes Vertrauen ermöglicht anonyme Marktbeziehungen, Arbeitsteilung und Tauschbeziehungen auch zwischen Fremden – ohne jedes Mal die Gesetzbücher zu studieren oder fingerdicke Vertragswerke aufzusetzen. Allerdings ist die Wirkung von Sozialkapital nicht auf die Wirtschaftsordnung beschränkt. Im Zusammenhang mit der Beschreibung des Sozialkapitals durch soziale Netzwerke wird die Bedeutung von freiwilligen Vereinigungen zur Verfolgung gemeinsamer Zwecke aller Art hervorgehoben. Solche freiwilligen Assoziationen und das dort gebildete Sozialkapital werden als Voraussetzung einer funktionsfähigen demokratischen Staatsordnung angesehen (Zivilgesellschaft).

Aufgrund seiner Bedeutung für eine funktionsfähige wirtschaftliche und politische Ordnung spielt Sozialkapital eine wichtige Rolle in der Entwicklungs- und Transformationsökonomik sowie in der Politik *→internationaler Organisationen*, namentlich der Weltbank. Betrachten wir deshalb abschließend, welche wirtschaftspolitischen Schlüsse aus der aktuellen

Diskussion über das Sozialkapital gezogen werden können: Für die Wirtschaftspolitik in einer marktwirtschaftlichen Ordnung ist die Einsicht zentral, dass die Politik Wohlstand nicht direkt produzieren kann. Wirtschaftspolitik kann lediglich die Voraussetzungen für Wohlstand schaffen – eben den institutionellen Rahmen setzen. Die Untersuchung des Sozialkapitals macht aber deutlich, dass auch bestimmte Voraussetzungen nicht direkt staatlich hergestellt werden können. Dies steht in einem gewissen Gegensatz zum Optimismus mancher ‚Väter' der Sozialen Marktwirtschaft, die davon ausgegangen sind, dass der erforderliche „soziale Kitt" durch Gesellschaftspolitik unmittelbar mit geschaffen werden könnte.

Literaturhinweise:
DASGUPTA, P./ SERAGELDIN, I. (Hrsg.) (1999), *Social Capital: A Multifaceted Perspective,* Washington, D. C.; PUTNAM, R. D. (Hrsg.) (2001), *Gesellschaft und Gemeinsinn: Sozialkapital im internationalen Vergleich,* Gütersloh; Ders. (1993), *Making Democracy Work,* Princeton; COLEMAN, J. (1991 ff.), *Grundlagen der Sozialtheorie,* Bd. 1-3, München.

Stefan Okruch

Sozialordnung

Der Begriff Sozialordnung (SO) im weiteren Sinn ist ein Synonym für die Gesellschaftsordnung und meint die Gesamtheit der für den Aufbau der Gesellschaft und für die Beziehungen zwischen den Gesellschaftsmitgliedern und gesellschaftlichen Gruppen geltenden Regeln und zuständigen Institutionen. Im engeren Sinn versteht man unter SO die Gesamtheit der Institutionen und Normen zur Regelung der sozialen Stellung von Individuen und Gruppen in der Gesellschaft – soweit sie wirtschaftlich bedingt ist (z. B. durch →*Einkommen,* Vermögen, Beruf) – sowie zur Regelung der wirtschaftlich begründeten sozialen Beziehungen zwischen Gesellschaftsmitgliedern (z. B. der Arbeitgeber-Arbeitnehmerbeziehungen). In diesem Sinne ist die SO eine Teilordnung der Gesellschaftsordnung. →*Wirtschaftsordnung* und SO sind interdependent. Als Teilordnungen der Gesellschaftsordnung sind sie auf derselben Ebene angesiedelt, d. h., dass wirtschaftlichen und sozialen Grundzielen gleicher Rang zuerkannt werden sollte.

Die soziale Qualität einer Gesellschaft hängt vor allem von der Wirtschaftsordnung ab, weil die wirtschaftlichen Verhältnisse die soziale Stellung von Individuen und Gruppen nachhaltig prägen. Sozialer Status, soziale Stellung und soziale Sicherheit von Einzelnen und Gruppen hängen u. a. von der Einkommens- und Vermögensverteilung, von der Gleichheit bzw. Ungleichheit der Startchancen und den Möglichkeiten der individuellen Entfaltung in der Wirtschaft ab.

Der jeder Wirtschaftsordnung innewohnende spezifische soziale Grundgehalt kann – gemessen an gesellschaftlichen Normvorstellungen über soziale Ziele (→*Sozialpolitik*) mehr oder minder hoch sein. Beispielsweise war der soziale Grundgehalt in den Industriegesellschaften des 19. Jahrhunderts sehr gering. Die

Existenz der Arbeitnehmer und ihrer Familien war permanent bedroht, weil es keine Sicherung des Lebensunterhalts im Falle der Krankheit, der Arbeitslosigkeit, der Invalidität und des Alters gab. Übermäßig lange Arbeitszeiten und technisch unzulängliche Arbeitsbedingungen gefährdeten die Gesundheit. Die Wohnverhältnisse waren katastrophal. Die →*Soziale Marktwirtschaft* der Bundesrepublik weist demgegenüber einen hohen sozialen Grundgehalt auf.

Folgende Faktoren bestimmen nach den in sozialstaatlich geprägten Gesellschaften vorherrschenden Wertvorstellungen (→*Sozialstaat und Wohlfahrtsstaat*) das Ausmaß des sozialen Grundgehalts einer Wirtschaftsordnung: (1.) ihre Eignung, die wirtschaftliche Entwicklung zu fördern und das entstehende Einkommen (→*Verteilung*) und Vermögen (→*Vermögenspolitik*) leistungsgerecht zu verteilen („Wohlstand für alle"); (2.) ihre Eignung, →*Arbeitslosigkeit* zu vermeiden; (3.) ihre Möglichkeiten, Mittel für den Lebensunterhalt arbeitsunfähiger oder leistungsschwacher Gesellschaftsmitglieder freizusetzen; (4.) ihre Fähigkeit, Kaufkraftstabilität zu gewährleisten, weil Kaufkraftentwertungen die Bezieher niedriger Einkommen am härtesten treffen und die Sachwertbesitzer begünstigen (→*Preisniveaustabilität*); (5.) ihre Fähigkeit, persönliche Abhängigkeiten zu beschränken und menschliche Grundrechte zu gewährleisten; (6.) ihre Fähigkeit, durch Koalitionsfreiheit wirtschaftliche und soziale Gruppeninteressen geltend zu machen und einen Ausgleich der Interessen vor allem zwischen Arbeitgebern und Arbeitnehmern (→*Sozialpartnerschaft,* →*Mitbestimmung*), zwischen Konsumenten und Produzenten, zwischen Individuum und Gesellschaft herbeizuführen.

Der in einer Wirtschaftsordnung auffindbare soziale Grundgehalt hängt davon ab, wieweit in der Entwicklung einer Gesellschaft soziale Normen gegenüber wirtschaftlichen durchgesetzt werden konnten. Nach aller Erfahrung bringt die Wirtschaft aus sich heraus soziale Normen nur in geringem Umfang hervor, nämlich in dem Maße, in dem die Funktionsfähigkeit der Wirtschaft an die Erfüllung sozialer Normen gebunden ist. Denn wirtschaftlich bedingte soziale Beziehungen werden durch den Grundsatz beherrscht, mit gegebenen Mitteln einen maximalen Ertrag bzw. einen bestimmten Ertrag mit minimalem Aufwand zu erreichen. Daher muss eine Gesellschaft eine SO entwickeln und durchsetzen, die ihren nicht-wirtschaftlichen Bedürfnissen entspricht, vor allem den Zielen →*soziale Gerechtigkeit,* soziale Sicherheit und sozialer Friede.

Die Gesamtordnung wird wirtschaftlich und sozial um so höheren Ansprüchen genügen, je mehr es gelingt, die Sektoren der Wirtschaftsordnung, z. B. die Geld-, die Arbeitsmarkt-, die Wettbewerbs- und die Betriebsordnung gleichzeitig auf die Erreichung wirtschaftlicher *und* sozialer Ziele auszurichten und die Elemente der SO so auszugestalten, dass bei eindeutigem Eigengewicht sozialer Ziele Konflikte mit wirtschaftspolitischen Zielen minimiert werden.

Für die optimale Abstimmung und die gleichzeitige möglichst weitgehende Erreichung wirtschaftlicher und sozialer Ziele ist entscheidend, welche Prinzipien für die Gestaltung der Wirtschaftsordnung und der SO befolgt werden. Relevante Prinzipien sind: Selbstverantwortung, Subsidiarität, Solidarität, soziale Selbstverwaltung und das in den Artikeln 20 und 28 des Grundgesetzes verankerte Sozialstaatsprinzip.

Das Prinzip der *Selbstverantwortung* (→*Eigenverantwortung*) verlangt, dass durch Sozialpolitik persönliche Freiheit und Selbstverantwortung möglichst wenig beschnitten werden. Das *Subsidiaritätsprinzip* erfordert, dass kein Sozialgebilde Aufgaben an sich ziehen soll, die der Einzelne oder kleinere Sozialgebilde aus eigener Kraft und Verantwortung mindestens gleich gut lösen können, räumt also der Selbsthilfe Vorrang vor der Fremdhilfe ein; andererseits verlangt es auch, dass die größeren Gebilde den kleineren Hilfe angedeihen lassen, damit die kleineren ihre Aufgaben erfüllen können. Das *Solidaritätsprinzip* beruht auf der wechselseitigen Verbundenheit und einer sich daraus ergebenden ethisch begründeten gegenseitigen Verantwortlichkeit zwischen den Mitgliedern sozialer Gruppen (Familie, Gemeinde, Versichertengemeinschaft) und besagt, dass die Übereinstimmungen in den Lebenslagen und die Interessenkonvergenz Grundlage wechselseitiger Hilfe sein sollen.

Aus den Grundwerten Solidarität, Subsidiarität und Selbstverantwortung folgt zwingend, dass das Prinzip *sozialer Selbstverwaltung* für die SO, speziell für den Bereich der sozialen Sicherung, wesentliche Bedeutung hat. Soziale Selbstverwaltung bedeutet die selbstverantwortliche, dezentralisierte Erfüllung gesetzlicher Zielvorgaben entsprechend dem Subsidiaritätsprinzip durch Solidargemeinschaften. Das *Sozialstaatsprinzip* berechtigt den Staat zu sozial gestaltender, leistender und gewährender Tätigkeit und verpflichtet ihn, die materiellen Voraussetzungen für die Inanspruchnahme menschlicher Grundrechte, insbes. für die Entfaltung der Persönlichkeit, zu schaffen.

Im Rahmen des Systems Sozialer Sicherung werden das Fürsorge-, das Versorgungs- und das Versicherungsprinzip angewendet. Im Falle des *Fürsorgeprinzips* werden bei Eintritt eines Schadensfalles bei Bedürftigkeit der Betroffenen öffentliche Leistungen ohne vorherige Beitragsleistung in einer Art und einer Höhe gewährt, die den Besonderheiten der Lage des Betroffenen entsprechen. In der Bundesrepublik wird das in der Sozialhilfe (→*Soziale Grundsicherung*) angewendete Fürsorgeprinzip wegen der Unbestimmtheit der Leistungen, wegen der Notwendigkeit der Bedürftigkeitsprüfung und wegen des Fremdhilfecharakters der Leistungen überwiegend als ein unzulängliches Prinzip angesehen.

Bei Anwendung des *Versorgungsprinzips* entstehen Leistungsansprüche aufgrund von Leistungen für den Staat (Dienstleistungen als Beamte, Wehrdienst). Auf die nach Art und Höhe normierten Versorgungsleistungen besteht ein Rechtsanspruch. Sie werden aus Steuereinnahmen finanziert. Als Instrument zur Absicherung von „Normalrisiken" ist dieses Prinzip umstritten, weil es entgegen den Prinzipien der Subsidiarität und der Selbstverantwortung auch diejenigen von Beiträgen zur Finanzierung der sozialen Sicherung freistellt, die fähig sind, eigene Beiträge zu leisten.

Das *Versicherungsprinzip* beruht auf der Einsicht und der Erfahrung, dass der im Einzelfall nicht vorhersehbare Risikoeintritt und der nicht vorher bestimmbare Bedarf an Mitteln für eine größere Gesamtheit von – durch gleichartige Risiken betroffenen – Personen zu kalkulierbaren Größen werden. Die Leistungen beruhen auf einem Rechtsanspruch, sind nach Art und Höhe normiert und werden auch weitgehend für nicht erwerbstätige Familienmitglieder erbracht. Sie werden durch Beiträge finanziert, die jedoch – im Gegensatz zur Privatversicherung – nicht nach individuellen Risikowahrscheinlichkeiten kalkuliert, sondern entsprechend dem Solidaritätsprinzip an der Zahlungsfähigkeit der Versicherten orientiert sind.

Literaturhinweise:
LAMPERT, H./ ALTHAMMER, J. (2004), *Lehrbuch der Sozialpolitik*, 7. Aufl., Berlin u. a.; LAMPERT, H./ BOSSERT, A. (2004), *Die Wirtschafts- und Sozialordnung der Bundesrepublik Deutschland im Rahmen der Europäischen Union*, 14. Aufl., München, Wien; BLÜM, N./ ZACHER, H. (Hrsg.) (1989), *40 Jahre Sozialstaat Bundesrepublik Deutschland*, Baden-Baden.

Heinz Lampert

Sozialpartner

Gewerkschaften und Arbeitgeberverbände werden in Deutschland häufig als „Sozialpartner" bezeichnet. Damit soll zum einen die Überwindung früheren Klassenkampfdenkens verdeutlicht werden, zum anderen sind sie als Tarifvertragsparteien nach dem Grundgesetz dazu verpflichtet, im Rahmen von Koalitionsfreiheit und Tarifautonomie „zur Wahrung und Förderung der Arbeits- und Wirtschaftsbedingungen" beizutragen (Art. 9 Abs. 3 GG). Die Sozialpartner erfüllen damit wichtige Aufgaben für das Funktionieren der →*Sozialen Marktwirtschaft*.

Auf der Unternehmensebene sollen gemäß § 3 des Betriebsverfassungsgesetzes Betriebsräte und Unternehmensleitung als Betriebspartner vertrauensvoll zum Wohl der Arbeitnehmer und des Betriebs zusammenarbeiten. Zur Wahrung der Arbeitnehmerinteressen sind abgestufte Informations- und Anhörungsrechte sowie weitergehende Mitbestimmungsrechte vorgesehen (→*Betriebsverfassung*).

Auf der Verbandsebene verhandeln Gewerkschaften und Arbeitgeberverbände als Tarifpartner über die Gestaltung der allgemeinen Arbeits- und Entlohnungsbedingungen. Im Rahmen der Tarifautonomie soll so die strukturelle Unterlegenheit des einzelnen Arbeitnehmers gegenüber dem Arbeitgeber durch kollektiv vereinbarte Tarifverträge ausgeglichen werden.

Auf der gesamtwirtschaftlichen Ebene wirken die Sozialpartner über die in den Sozialwahlen gewählten

Vertreter der Arbeitgeber- und der Arbeitnehmerseite an der Selbstverwaltung der Sozialversicherungen, der →*Bundesagentur für Arbeit* sowie in der Arbeits- und Sozialgerichtsbarkeit mit. Auf der supranationalen Ebene innerhalb der Europäischen Union bestehen gemeinsame Anhörungs- und Vorschlagsrechte im „Sozialen Dialog" mit der Europäischen Kommission. Des Weiteren sind die Sozialpartner an der →*Internationalen Arbeitsorganisation (ILO)* und ihren Empfehlungen beteiligt.

Umstritten ist dagegen, wie weit die Sozialpartner, zum Beispiel im Rahmen einer →*„Konzertierten Aktion"* oder in einem „Bündnis für Arbeit", in die Formulierung und Durchsetzung regierungspolitischer Maßnahmen einbezogen werden sollen. Prinzipiell wäre es zwar wünschenswert, wenn die Sozialpartner ihre wirtschafts- und sozialpolitische Sachkenntnis einbringen könnten, doch darf dies nicht dazu führen, dass die jeweilige Verantwortlichkeit verwischt wird. Vielmehr soll die Tarifautonomie den Staat entlasten und einer Politisierung von Arbeitskonflikten entgegenwirken.

Literaturhinweise:

MÜLLER-ARMACK, A. (1962), Das gesellschaftspolitische Leitbild der Sozialen Marktwirtschaft. Neuabdruck in: Ders., *Wirtschaftsordnung und Wirtschaftspolitik. Studien und Konzepte zur Sozialen Marktwirtschaft und zur Europäischen Integration*, Bern, Stuttgart; SANMANN, H. (1988), Artikel Sozialpartner, in: *Handwörterbuch der Wirtschaftswissenschaft* (HdWW), ungekürzte Studienausgabe, Bd. 7, Stuttgart, Tübingen, Göttingen; RÖSNER, H. J. (1990), *Grundlagen der marktwirtschaftlichen Orientierung in der Bundesrepublik Deutschland und ihre Bedeutung für Sozialpartnerschaft und Gemeinwohlbindung*, Berlin.

Hans Jürgen Rösner

Sozialpartnerschaft

Die Kennzeichnung der Arbeitsbeziehungen als ein Verhältnis „sozialer Partnerschaft" wird erstmals 1947 im Zusammenhang mit den gemeinsamen Wiederaufbauanstrengungen von Gewerkschaftern und Arbeitgebern gebraucht. Dieser sozialpartnerschaftliche Interessenausgleich hat seitdem nicht nur dazu geführt, dass in Deutschland Arbeitskämpfe vergleichsweise selten geblieben sind, sondern ebenso in erheblichem Maße dazu beigetragen, dass der wirtschaftliche und soziale Fortschritt für breite Bevölkerungsschichten spürbar geworden ist.

Sozialpartnerschaft ist damit ein konstitutiver Eckpfeiler der →*Sozialen Marktwirtschaft*, die nach den Absichten ihrer geistigen Väter eine „Friedenslehre" sein soll, um die wesentlichen gesellschaftlichen Gestaltungskräfte dazu zu bringen, ihre Interessenkonflikte in allgemein konsensfähiger Weise zu lösen. Allerdings besteht dabei durchaus die Gefahr, dass einzelne Interessengruppen, wie zum Beispiel die Tarifvertragsparteien, ihre Konflikte dadurch zu entschärfen versuchen, dass sie sich zu Lasten Dritter einigen (→*Sozialpartner*). Eine richtig verstandene Sozialpartnerschaft will deshalb nicht nur hervorheben, dass es neben divergierenden auch gemeinsame Interessen gibt, sondern ebenso an die gesellschaftliche Verantwortung erinnern. Diese Rückbindung an das Gemeinwohl ist notwendig, damit die Befriedung der Arbeitsbeziehungen ökonomische mit sozialer Effizienz verbindet und so ein insgesamt höherer Grad an gesellschaftlicher Wohlfahrt erreicht wird. Sozialpartnerschaft stellt den Versuch dar, die Forderungen →*evangelischer Sozialethik* mit wirtschaftsliberalen Ordnungsvorstellungen in Einklang zu bringen.

Literaturhinweise:

MÜLLER-ARMACK, A. (1962), Das gesellschaftspolitische Leitbild der Sozialen Marktwirtschaft, Neuabdruck in: Ders., *Wirtschaftsordnung und Wirtschaftspolitik. Studien und Konzepte zur Sozialen Marktwirtschaft und zur Europäischen Integration*, Bern, Stuttgart; SANMANN, H. (1988), Artikel Sozialpartner, in: *Handwörterbuch der Wirtschaftswissenschaft* (HdWW), ungekürzte Studienausgabe, Bd. 7, Stuttgart, Tübingen, Göttingen; RÖSNER, H. J. (1990), *Grundlagen der marktwirtschaftlichen Orientierung in der Bundesrepublik Deutschland und ihre Bedeutung für Sozialpartnerschaft und Gemeinwohlbindung*, Berlin.

Hans Jürgen Rösner

Sozialpolitik

Unter Sozialpolitik versteht man sowohl einen Bereich politischer Aktivität (praktizierte Sozialpolitik) als auch die wissenschaftliche Bearbeitung der praktizierten internationalen, staatlichen und betrieblichen Sozialpolitik (Sozialpolitiklehre). Staatliche Sozialpolitik ist jenes politische Handeln, das durch den Einsatz geeigneter Mittel die wirtschaftliche und/ oder gesellschaftliche Stellung (= Lebenslage) von Personengruppen verbessern will, die absolut oder relativ, d. h. im Vergleich zu anderen, als schwach angesehen werden, z. B., weil sie kein für ein menschenwürdiges Leben ausreichendes →*Einkommen* erwirtschaften können. Die Notwendigkeit, Sozialpolitik zu betreiben, besteht in jeder entwickelten, arbeitsteilig organisierten Gesellschaft unabhängig von der →*Wirtschaftsordnung* dieser Gesellschaft.

Ohne Sozialpolitik träten folgende Probleme auf: 1. Die Existenz Erwerbsunfähiger oder Erwerbsbehinderter (Kinder, alte Menschen, Kranke, Behinderte, Arbeitslose) wäre nicht gesichert. 2. Wegen der z. T. großen Unterschiede in den angeborenen und erworbenen Fähigkeiten und in den Chancen der wirtschaftlichen Verwertung der Arbeitskraft der Menschen würden große Einkommens- und Vermögensunterschiede entstehen, die als (partiell) ausgleichsbedürftig angesehen werden. 3. Das Streben der Betriebsleitungen nach maximaler Wirtschaftlichkeit würde die Gesundheit und andere elementare Interessen der Arbeitskräfte (z. B. an ausreichenden Regenerationszeiten und menschenwürdiger Behandlung im Betrieb) gefährden. 4. Die mit der wirtschaftlichen Entwicklung verbundenen strukturellen Wandlungen verursachen Anpassungslasten (Entwertung und Freisetzung von Humankapital, Konkurse), die aus Gründen →*sozialer Gerechtigkeit* nicht den unmittelbar Betroffenen und ihren Familien aufgebürdet werden dürfen, sondern solidarisch getragen werden müssen. 5. In einigen Sektoren, vor allem auf den Arbeitsmärkten (*→Arbeitsmarktordnung*), Agrarmärkten (*→Agrarpolitik*) und Versicherungsmärkten, erfüllen Märkte die von ihnen erwarteten Funktionen nur unzulänglich und bewirken aufgrund von Marktversagen eine ungerechte Behandlung (z. B. in Form ausbeuterisch niedriger Löhne auf Arbeitsmärkten ohne Gewerkschaften) oder eine Benachteiligung von Wirtschaftssubjekten (z. B. bieten Privatversicherungen keinen Schutz gegen *→Arbeitslosigkeit*, Inflation und gravierende medizinische Risiken, häufig auch nur einen nach Art und Höhe unzureichenden Schutz).

Bereiche der Sozialpolitik sind 1. die Arbeitnehmerschutzpolitik. Sie besteht aus dem Arbeitszeitschutz, der ein Kinderarbeitsverbot, den Jugendlichen-, den Mütter- und den Schwerbeschädigtenschutz umfasst, aus dem Unfall- und Gefahrenschutz sowie aus dem Kündigungsschutz (*→Arbeitsschutz*). 2. Das System Sozialer Sicherung, das mit der *→Renten-*, *→Kranken-*, *→Pflege-*, *→Unfall-* und Arbeitslosen*versicherung* die Mehrzahl der Bürger gegen die wirtschaftlichen Folgen vorübergehender oder dauernder Erwerbsunfähigkeit im Alter, bei Erwerbsminderung, Witwen-, Witwer- und Waisenschaft, Krankheit, Pflegebedürftigkeit und Arbeitslosigkeit absichert und mit der *→Soziale Grundsicherung* auch Personen vor Not bewahrt, die keine Ansprüche gegen die Sozialversicherung erworben haben. 3. Die Betriebs- und Unternehmensverfassungspolitik. Sie räumt den Arbeitnehmern Informations-, Einspruchs-, Mitberatungs- und Mitbestimmungsrechte in Bezug auf die Gestaltung von Arbeitsplatz, Arbeitsablauf, Arbeitszeit, Entlohnungsformen, Einstellung und Kündigung ein (*→Betriebsverfassung*, *→Mitbestimmung*). 4. Die *→Arbeitsmarktpolitik*, die zum einen mit Hilfe der Arbeitsverwaltung (*→Bundesagentur für Arbeit*) die Qualität der Arbeitsmärkte verbessert und zum andern durch die Veränderung der Arbeitsmarktform mit Hilfe der Koalitionsfreiheit und der Tarifautonomie zu einem wirtschaftlich und sozial akzeptablen Lohnfindungsprozess beiträgt (*→Arbeitsrecht*, *→Arbeitskampf*, *→Sozialpartnerschaft*). 5. Die *→Wohnungspolitik*. Sie will allen Bürgern Wohnraum zugänglich machen, der quantitativen und qualitativen Mindestanforderungen entspricht. 6. Die *→Familienpolitik*, die den Familien durch ökonomische Entlastungen und die Schaffung familienfreundlicher Rahmenbedingungen die Erfüllung ihrer Aufgaben erleichtert. 7. Die *→Bildungspolitik*, die das Ziel verfolgt, ungleiche materielle Startbedingungen auszugleichen und das Ziel, eine ausreichende Humankapitalbildung zu sichern. 8. Die *→Vermögenspolitik*, durch die insbes. die Vermögensbildung in breiten Schichten gefördert und ein Gegengewicht gegen die Konzentration der Vermögensbildung geschaffen werden soll. 9. Die *→Mittelstandspolitik*. Sie soll zur Aufrechterhaltung einer möglichst großen Zahl selbstständiger Existenzen beitragen. 10. Jugend- und Altenhilfepolitik. Durch sie sollen diese spezifischen, im Vergleich zu den Erwerbstätigen wirtschaftlich schwächeren Gruppen geschützt und die Durchsetzung ihrer altersbedingten Bedürfnisse gesichert werden.

Träger der staatlichen Sozialpolitik sind der Bund, die Länder, die Kreise und die Gemeinden, die sog. →*Parafiski* (Rentenversicherungsträger, Krankenkassen usw.), die Verbände der freien Wohlfahrtspflege (z. B. Caritas, Diakonisches Hilfswerk der Evangelischen Kirche, Rotes Kreuz) sowie die Gewerkschaften und die Arbeitgeberverbände.

Die Sozialpolitik der Bundesrepublik ist auf drei Finalziele ausgerichtet (→*Sozialstaat*): 1. Sicherung und Erhöhung der materialen Freiheit durch Absicherung individueller Erwerbschancen, ein System Sozialer Sicherheit und eine Politik der Armutsbekämpfung. 2. Durchsetzung sozialer Gerechtigkeit (Start- und Verteilungsgerechtigkeit). 3. Sicherung des sozialen Friedens.

Diesen Finalzielen sind als Instrumentalziele vorgelagert (in Klammern die Bereiche der Sozialpolitik, in denen diese Ziele verfolgt werden): 1. Schutz und Wiederherstellung der Gesundheit (Arbeitnehmerschutz, Krankenversicherung). 2. Herstellung, Sicherung und Verbesserung der Berufs- und Erwerbsfähigkeit als Grundlage selbstverantwortlicher Existenzsicherung (Bildungs- und Arbeitsmarktpolitik, Arbeitnehmerschutz). 3. Auf dem Gleichbehandlungsgrundsatz und der sozialen Gerechtigkeit beruhende Gewährleistung der Menschenwürde und die Voraussetzungen freier Persönlichkeitsentfaltung (Arbeitnehmerschutz, Betriebsverfassungs- und Unternehmensverfassungs-, Wohnungs-, Jugend-, Altenpolitik). 4. Soziale Sicherheit durch Schaffung der persönlichen und arbeitsmarktmäßigen Voraussetzungen für den Erwerb von Einkommen (Arbeitsmarkt-, Bildungspolitik) und ein System interpersoneller und intertemporaler Einkommensumverteilung (→*Verteilung*) bei Erwerbsunfähigkeit (System sozialer Sicherung, Sozialhilfe). Maximalziel sozialer Sicherung ist die Sicherung des Lebensstandards, Minimalziel die Sicherung eines menschenwürdigen Existenzminimums. 5. Ausgleich von Einkommens- und Vermögensunterschieden und unterschiedlichen Lasten durch eine Umverteilungspolitik (System sozialer Sicherung, Bildungs-, Familien-, Vermögens-, Wohnungspolitik). Bei der Verfolgung der Ziele der Sozialpolitik sollen bestimmte Ordnungsprinzipien eingehalten werden (→*Sozialordnung*).

Literaturhinweise:
LAMPERT, H./ ALTHAMMER, J. (2004), *Lehrbuch der Sozialpolitik*, 7. Aufl., Berlin u. a.; FRERICH, J./ FREY, M. (1993), *Handbuch der Geschichte der Sozialpolitik in Deutschland*, 3 Bände, München, Wien; BUNDESMINISTERIUM FÜR GESUNDHEIT UND SOZIALE SICHERHEIT (Hrsg.) (2003), *Übersicht über das Sozialrecht*, Bonn (in der jeweils neuesten Version abrufbar aus dem Internet unter http://www.bmgs.bund.de); BUNDESMINISTERIUM FÜR WIRTSCHAFT UND ARBEIT (Hrsg.) (2003), *Übersicht über das Arbeitsrecht*, Bonn (in der jeweils neuesten Version abrufbar aus dem Internet unter http://www.bmwa.bund.de).

Heinz Lampert

Sozialpolitik, internationale

In vielen Ländern wird gegenwärtig nach einem neuen Paradigma für die Gestaltung der sozialen Sicherungssysteme gesucht. Weltwirtschaftlich ist es die zunehmende Internationalisierung des Standortwettbewerbs, die zu einer veränderten Arbeitsteilung und wachsenden regionalen Verflechtung von Wirtschafts- und Sozialräumen geführt hat. Aus dem konkurrierenden Aufeinandertreffen unterschiedlicher sozialpolitischer Leitvorstellungen und entsprechend differenzierter Arbeits-, Sozial- und Umweltstandards resultiert ein verschärfter institutioneller Wettbewerb und Anpassungsdruck (→*Systemwettbewerb*). Aber auch auf nationalstaatlicher Ebene sind durch die verfestigte Massenarbeitslosigkeit und demographische Veränderungen neue Herausforderungen entstanden, die insgesamt ein konzeptionelles Umdenken in der bisherigen Abgrenzung zwischen privater und öffentlicher Risikovorsorge erzwingen.

Die internationale Sozialpolitik befasst sich in diesem Zusammenhang mit der Frage nach den grundsätzlichen Gestaltungsoptionen zur sozialen Sicherung, die sie sowohl durch den empirischen Vergleich praktizierter Sozialpolitik als auch auf dem Wege der Erschließung neuer theoretischer Konzeptionen zu beantworten versucht. Gesamtziel ist es dabei, für die einzelnen Bereiche der Risikovorsorge Lösungen zu entwickeln, die sozialpolitische Orientierungen begründen und dann im Rahmen einer unmittelbaren oder angepassten Übernahme von im Ausland erprobten, erfolgreichen Lösungen (Best-Practice-Verfahren) weltweit Anwendung finden könnten.

Ob aus dieser wissenschaftlichen und politischen Kooperation internationale Vereinbarungen über verbindliche soziale Mindeststandards oder sogar ein konsensfähiges „Weltsozialmodell" resultieren werden, ist angesichts der beträchtlichen nationalen Entwicklungsunterschiede, der länderspezifischen Probleme sowie nicht zuletzt der historischen und kulturellen Hintergründe eher zweifelhaft (und möglicherweise nicht einmal wünschenswert). Wohl aber sind daraus qualitative Verbesserungen hinsichtlich der sozialpolitischen Effektivität, Effizienz und Transparenz zu erwarten. Wenn und soweit es der internationalen Sozialpolitik gelingt, konzeptionelle Bausteine für eine allgemein anwendbare Theorie der sozialen Risikovorsorge zu entwickeln, könnten diese weltweit sowohl für den Aufbau als auch für die Reform und Transformation nationaler sozialer Sicherungssysteme eingesetzt werden und auf diese Weise zur internationalen Harmonisierung und Integration beitragen.

Literaturhinweise:

RÖSNER, H. J. (1999), Soziale Sicherung im konzeptionellen Wandel – ein Rückblick auf grundlegende Gestaltungsprinzipien, in: Hauser, R. (Hrsg.), *Alternative Konzeptionen der sozialen Sicherung*, Schriften des Vereins für Socialpolitik, Bd. 265, Berlin, S. 11-83.

Hans Jürgen Rösner

Sozialstaat und Wohlfahrtsstaat

Nach herrschender juristischer Meinung beinhaltet die Sozialstaatsklausel des Grundgesetzes (GG) die Ermächtigung und den Auftrag an den Gesetzgeber und die Verwaltung für eine sozialordnungsgestaltende Tätigkeit, die auf die Ziele sozialer Gerechtigkeit und sozialer Sicherheit im Staat der freiheitlich demokratischen Ordnung bezogen ist (Stern 1987, Sp. 3272 f.). Als Sozialstaat gilt ein Staat, der (1.) Hilfe gegen Not und Armut leistet und ein der Menschenwürde entsprechendes Existenzminimum sichert; (2.) auf rechtliche *und* tatsächliche Gleichheit durch den Abbau von Wohlstandsdifferenzen und Abhängigkeitsverhältnissen zielt; (3.) soziale Sicherheit gegenüber den Risiken des Unfalls, der Krankheit, der vorzeitigen Erwerbsunfähigkeit, der *→Arbeitslosigkeit*, des Alters, der Pflegebedürftigkeit und des Verlustes des Ernährers gewährleistet; (4.) den Wohlstand mehrt und für eine als gerecht beurteilbare *→Verteilung* dieses Wohlstandes sorgt (Zacher 1989, S. 29).

Das GG fordert, dass die Bundesrepublik ein „demokratischer und sozialer Bundesstaat" (Art. 20) zu sein hat und verlangt, dass „die verfassungsmäßige Ordnung in den Ländern ... den Grundsätzen des republikanischen, demokratischen und sozialen Rechtsstaates entsprechen" muss (Art. 28). Die sozialstaatliche Zentralnorm des GG lässt sich mit Hilfe anderer Grundgesetzartikel präzisieren, die entweder sozialstaatliche *Zielgröße* oder/ und *Begrenzung* für sozialstaatliche Aktivitäten sind.

Da bestimmte Grundrechte für spezielle Gesellschaftsgruppen, z. B. einkommensschwache Bürger, nicht durch die bloße rechtliche Gewährleistung wirksam werden, sondern nur bei Erfüllung zusätzlicher Bedingungen, besteht eine wichtige Aufgabe des Sozialstaates darin, im Rahmen der verfassungsmäßigen Ordnung *und* des wirtschaftlich Möglichen für möglichst alle Gesellschaftsmitglieder über die formale Grundrechtsgewährleistung hinaus in einem politisch zu bestimmenden Mindestumfang die materiellen Voraussetzungen für die Wahrnehmung des Grundrechtes auf persönliche Freiheit (Art. 2 II), auf freie Entfaltung der Persönlichkeit (Art. 2 I), auf Gleichheit vor dem Gesetz (Art. 3) und auf Freiheit der Berufswahl (Art. 12) zu schaffen und die Voraussetzungen für ein menschenwürdiges Dasein für alle zu sichern. Aus diesem Postulat ergibt sich u. a. die Aufgabe, wirtschaftlich leistungsschwache Gesellschaftsmitglieder mit einem Mindesteinkommen zur Sicherung ihrer Existenz und eines Mindestspielraumes zur freien Entfaltung der Persönlichkeit auszustatten. Auch Art. 6, der die Ehe und die Familie unter den besonderen Schutz der staatlichen Ordnung stellt, gebietet sozialstaatliche Maßnahmen zur Stärkung der Fähigkeit der Familien, ihre für die Gesellschaft grundlegenden Aufgaben zu erfüllen (*→Familienpolitik*).

Begrenzungen sozialstaatlicher Aktivität ergeben sich aus bestimmten Grundrechten, weil durch sozialpolitische Aktivitäten bestimmter Qualität und festgelegten Umfanges, z. B. durch eine extensive staatliche oder staatssozialistische bevormundende →*Sozialpolitik*, die persönliche Freiheit, die Selbstverantwortung und die Menschenwürde beeinträchtigt werden können. Aus diesen Gründen und wegen der Notwendigkeit der Berücksichtigung weiterer Normen einer pluralistischen, verbändestaatlichen Mehrparteiendemokratie sind als Prinzipien sozialstaatlicher Politik auch das Prinzip der *Subsidiarität* und das der *Pluralität* zu beachten. Letzteres verlangt im Sinne eines weltanschaulichen und politischen Pluralismus als Träger sozialstaatlicher Einrichtungen (Kindergärten, Schulen, Krankenhäuser, Altenheime, Beratungs- und Betreuungseinrichtungen) freie Träger.

Staaten, die sozialstaatliche Funktionen überdehnen, werden als Wohlfahrtsstaaten bezeichnet. Die Grenzen vom Sozial- zum Wohlfahrtsstaat werden überschritten, wenn dem Einzelnen die Sorge um die Existenz- und Zukunftssicherung weitgehend abgenommen wird, d. h. wenn das Subsidiaritätsprinzip so sehr missachtet und das Solidaritätsprinzip so sehr überdehnt wird, dass sich Anspruchs- und Besitzstandsdenken verbreiten, gesellschaftliche Grundwerte wie persönliche Freiheit, Leistungsgerechtigkeit (→*Leistungsprinzip*), Bereitschaft zur Selbsthilfe und Selbstverantwortung verletzt und die nationale und internationale Leistungsfähigkeit der Volkswirtschaft durch eine Steuer- und Sozialabgabenüberlastung der Unternehmen und der Bürger sowie durch eine aufgrund der Zahlung übermäßiger (Erhaltungs-) →*Subventionen* erstarrte Produktionsstruktur nachhaltig gefährdet werden.

Trotz unterschiedlicher Auffassungen im politischen und wissenschaftlichen Raum, wo und wann die Grenzen zum Wohlfahrtsstaat überschritten werden, besteht überwiegend Übereinstimmung, dass folgende Bereiche der Sozialpolitik und der →*Sozialordnung* sozialstaatlicher Ausgestaltung bedürfen: (1.) die Sozialversicherung und die →*Soziale Grundsicherung*; (2.) die Arbeitswelt durch die Arbeitnehmerschutz-, die →*Betriebsverfassungs*-, die →*Arbeitsmarktordnungs*-, die Arbeitsmarktprozess- und die Vollbeschäftigungs*politik*; (3.) das Wirtschaftsleben durch eine →*Ordnungspolitik* des Wettbewerbs und eine Schutzpolitik für die wirtschaftlich Schwächeren (z. B. Verbraucherschutz- , Mieterschutz-, Mutterschutzpolitik); (4.) der Bereich der Bildung durch eine auf Chancengleichheit gerichtete Politik (→*Bildungspolitik*); (5.) die Lebensbedingungen der Familien und der wirtschaftlich schwächeren Haushalte durch Familien- und →*Wohnungspolitik* sowie durch eine Politik (sorgfältig dosierter) Einkommens- und Vermögensumverteilung; (6.) die Umwelt durch eine →*Umweltschutzpolitik*.

Literaturhinweise:
LAMPERT, H. (1997), *Krise und Reform des Sozialstaates*, Frankfurt/ M.; LAMPERT, H./ ALTHAMMER, J. (2004), *Lehrbuch der Sozialpolitik*, 7. Aufl., Berlin u. a.; STERN, K. (1987), Sozialstaat, in: Herzog, R. (Hrsg.), *Evangelisches Staatsle-*

xikon, 3. Aufl., Stuttgart, Sp. 3269 ff.; ZACHER, H. (1989), Vierzig Jahre Sozialstaat – Schwerpunkte der rechtlichen Ordnung, in: Blüm, N./ Zacher, H. (Hrsg.), *Vierzig Jahre Sozialstaat Bundesrepublik Deutschland*, Baden-Baden, S. 19 ff.

Heinz Lampert

Spekulation

Spekulation versucht, Preisschwankungen für ein Gut zwischen zwei verschiedenen *Zeitpunkten* gewinnbringend zu nutzen. Kennzeichen der Spekulation ist die Unsicherheit, ob die Preise sich tatsächlich in die erwartete Richtung bewegen. Zur Spekulation eignen sich besonders Güter, deren Preis stark schwankt, z. B. Aktien, Devisen, derivative Finanzinstrumente und Güter, die standardisiert an Waren- oder Warenterminbörsen gehandelt werden (Getreide, Edelmetalle, Rohstoffe etc.).

Von der Spekulation zu unterscheiden ist die *Arbitrage*, die unterschiedliche Preise für ein Gut an zwei verschiedenen *Orten* nutzt. Im Einzelfall können allerdings Spekulationen und Arbitrage zusammentreffen. Der mittelalterliche Fernhändler, der den Preisunterschied für ein Gut zwischen zwei Orten nutzte, spekulierte auch darauf, dass dieser Preisunterschied nach dem oftmals langwierigen Transport des Gutes vom Ort mit dem niedrigen Preis zum Ort mit dem höheren Preis immer noch bestand.

Ebenfalls keine Spekulation ist die *Anlage*, z. B. in Aktien. Der langfristige Aktienanleger spekuliert nicht auf die kurzfristigen Schwankungen des Börsenkurses, sondern partizipiert am Gewinnwachstum der börsennotierten →*Unternehmen*. Die Wertentwicklung eines breit gestreuten Depots von Standardaktien ist langfristig – trotz der kurzfristig starken Kursausschläge – sehr stetig.

Eine Kassaspekulation ist der gegenwärtige Kauf eines Gutes in der Hoffnung auf zukünftig steigende Preise („à la hausse"). Tritt die Preissteigerung ein, besteht der Gewinn des Spekulanten im Unterschied zwischen Kauf- und Verkaufspreis abzüglich der Finanzierungskosten (Zinsen) für den entsprechenden Zeitraum. Steigt der Preis hingegen nicht oder nicht genug , um die Zinsen zu tragen, so erleidet der Spekulant einen Spekulationsverlust.

Eine Spekulation auf fallende Preise („à la baisse") ist z. B. mit Leerverkäufen möglich: Der Spekulant verkauft eine Ware, die er nicht besitzt, in der Hoffnung, dass ihr Preis bis zur Lieferung unter den vereinbarten Preis sinkt und er sie mit einem Spekulationsgewinn zum vereinbarten zukünftigen Termin einkaufen und seine Verpflichtung erfüllen kann. Dies ist eine Form der Terminspekulation. Hierzu zählen auch Optionen, bei denen einer der Vertragspartner das Recht hat, sich bei Fälligkeit der Option für oder gegen eine Ausübung des Geschäftes zu entscheiden, gegen Zahlung eines Entgeltes, das zuvor vereinbart worden ist.

Spekulation wird oft kritisch beurteilt. Spekulationsgewinne gelten als „arbeitsloses Einkommen", der Spekulant als Spieler, der seinen Gewinn aus dem Verlust anderer zieht. Auch wird behauptet, die Spekulation sei die Ursache von Preisschwankungen.

Spekulation hat jedoch wichtige gesamtwirtschaftliche Funktionen, z. B. die zeitliche Glättung der Preisentwicklung der Waren, mit denen spekuliert wird. Langfristig wird nur derjenige Spekulant Gewinn erzielen, der bei niedrigen Preisen kauft (und durch diese Nachfrage tendenziell die Preise steigert) und bei hohen Preisen verkauft (und durch dieses Angebot tendenziell preissenkend wirkt). Wer hingegen trotz bereits hoher Preise in Erwartung weiterer Preissteigerungen noch kauft und damit die Hausse anheizt oder trotz niedriger Preise weiter verkauft und damit die Baisse verschärft, wird im Durchschnitt keinen Spekulationsgewinn erzielen und muss aus dem Markt ausscheiden. Wirtschaftlich erfolgreiche Spekulation dämpft im Regelfall Preisschwankungen und ist nicht deren Ursache.

Bei Fehlen freier Preisbildung – z. B. bei festen Wechselkursen (→*Währungsordnung und Wechselkurssysteme*), die durch Interventionen der Notenbank (Kauf/ Verkauf von ausländischer Währung, um die eigene Währung zu verkaufen/ kaufen) am Devisenmarkt verteidigt werden – kann Spekulation allerdings destabilisierend wirken. Hier können die Spekulanten einen Gewinn erzielen, wenn sie eine überbewertete Währung verkaufen und eine unterbewertete Währung kaufen (→*Internationale Währungsordnung*). Sobald die Notenbanken dem Marktdruck nachgeben und die Wechselkurse anpassen, verbuchen die Spekulanten einen Gewinn in Höhe der Wechselkursanpassung. Die Destabilisierung ist eher der marktwidrigen Wechselkursfixierung als der Spekulation anzurechnen, die ja eine Anpassung der Wechselkurse hin zum Gleichgewichtskurs erzwingt.

Kurzfristig können (in der Wirtschaftsgeschichte immer wieder auftretende) spekulative Blasen ein starkes Überschießen des Preises über den langfristigen Durchschnitt bewirken. Typisch für Blasen ist die Hysterie unerfahrener „Amateurspekulanten“, die wirtschaftliche Kriterien für den Wert eines Gutes ignorieren, aber auch das verstärkte Bemühen institutioneller Investoren zur Prognose und Ausnutzung kurzfristiger Kursschwankungen. Nach dem Platzen der Blase kommt es oft zu ebenso überzogenen Preisstürzen bis sich wieder „normale“ Preishöhen und -schwankungen einstellen. Ursache der Blasen ist nicht die Spekulation an sich, sondern letztlich die mangelnde ökonomische Kenntnis und Vorsicht der Amateurspekulanten in Verbindung mit massenpsychologischen, z. T. bewusst ausgenutzten Ansteckungs- und Mitläufereffekten.

Literaturhinweise:
MAENNIG, W./ WILFLING, B. (1998), *Außenwirtschaft: Theorie und Politik*, München, S. 329 ff.

Franz-Josef Leven

Staatsausgaben

In der →*Sozialen Marktwirtschaft* werden dem Staat einzelne Aufgaben zugewiesen, die im öffentlichen Interesse liegen, weil sie vom Markt nicht in zufriedenstellender Weise bereitgestellt werden. Mit derartigen Leistungen greift die öffentliche Hand auf verschiedene Art und Weise in das wirtschaftliche Geschehen ein: Das gilt zum einen für Interventionen zur Beeinflussung des privaten Angebots und der privaten Nachfrage in Form von Gesetzen und Verordnungen, welche nicht unmittelbar budgetwirksam werden. Das betrifft zum anderen die Erhebung von Steuern und Abgaben sowie die Verausgabung der öffentlichen Mittel, womit beträchtliche Budgetwirkungen verursacht werden.

Mit Blick auf die marktwirtschaftliche Ordnung können zunächst Ausgaben benannt werden, welche zur Erhaltung und Sicherung der staatlichen Existenz und zum Schutz der freien Entfaltung marktwirtschaftlicher Kräfte bestimmt sind. Derartige Ausgaben betreffen einen Großteil der staatlichen Ausgabentätigkeit, wie bspw. Ausgaben zum Schutz der inneren und äußeren Sicherheit oder zur Bewahrung des Rechtssystems.

Hinsichtlich ihrer Ansatzstellen im volkswirtschaftlichen Produktions- und Verteilungsprozess können die öffentlichen Ausgaben weiterführend in staatliche *Verwaltungsleistungen* (Personal- und Sachausgaben) und *Geldleistungen* (Transferzahlungen) gegliedert werden: Verwaltungsleistungen beinhalten Entgelte für die Inanspruchnahme von Leistungen der Faktor- und Gütermärkte (Besoldung bzw. Bezahlung von Beamten, Angestellten und Arbeitern des öffentlichen Dienstes, (Real-) Ausgaben für den laufenden Bedarf und für Investitionszwecke). Die von der öffentlichen Hand insofern nachgefragten Ressourcen stehen dem privaten Sektor nicht mehr zur Verfügung. Bei den Geldleistungen (Transfers an private Haushalte, →*Subventionen* an private Unternehmen) ist eine unmittelbare Gegenleistung – von der Einhaltung bestimmter Empfangs- oder Verwendungsauflagen abgesehen – nicht gegeben. Bei derartigen Zahlungen kommt es zu einer Umleitung von Kaufkraft ohne eine unmittelbare Inanspruchnahme von Ressourcen (z. B. Sozialleistungen als Transfers an private Haushalte, die den Zweck verfolgen, deren individuelle Einkommenslage zu verbessern; Zuschüsse an Unternehmen zur Verbesserung des Umweltschutzes).

Diese Einteilung öffentlicher Ausgaben begründet eine wirkungsbezogene Analyse der Staatsausgaben hinsichtlich der gesamtwirtschaftlichen Ziele: Zu prüfen ist, wie sich eine Änderung des *Ausgabenvolumens* zum einen oder eine Änderung der *Ausgabenstruktur* zum anderen auf das Preisniveau, auf die →*Beschäftigung*, auf die Wirtschaftsstruktur und auf das Wirtschaftswachstum sowie auf die außenwirtschaftlichen Beziehungen und auf die Einkommensverteilung auswirken.

Im Mittelpunkt diesbezüglicher Analysen stehen die Wirkungen der Staatsausgaben auf die Nachfrage. Dabei wird unterstellt, dass die staatlichen Ausgaben für den Kauf von Gütern unmittelbar und vollständig auf dem Markt nachfragewirksam werden, während Transferzahlungen von den Empfängern der Leistungen nur teilweise und mittelbar in Marktnachfrage umgesetzt werden, weil der andere Teil mitunter gespart wird. Dieser Sachverhalt ist für die Beschreibung sogenannter *Multiplikator- und Akzeleratoreffekte* von Bedeutung: Da aus zusätzlicher Nachfrage bei den Anbietern der Güter ein →*Einkommen* entsteht (Primärwirkung), werden Teile davon wiederum nachfragewirksam, weil diese Personen ihr Einkommen ebenfalls teilweise ausgeben (Multiplikatorwirkung). Mit der daraus entstehenden erneuten Einkommensbildung (Sekundärwirkung) schließt sich der Kreis. Der durch die Staatsausgaben ausgelöste Nachfrageimpuls entspricht in der Regel nicht exakt dem Ausgabenbetrag, sondern kann von diesem nach oben (z. B. bei Zinssubventionen als Anreiz für Investitionen) oder nach unten (z. B. bei Personalausgaben mit anteiligem Sparen) abweichen. Jenseits dessen können staatliche Ausgaben auch angebotsorientiert ausgelegt sein, wenn bspw. an Bildungsausgaben oder Mittelzuweisungen zur Forschungsförderung gedacht wird.

Zudem können die Staatsausgaben mit Blick auf die gesamtwirtschaftliche Produktivitätssteigerung auch nach *investiven* und *konsumtiven öffentlichen Ausgaben* gruppiert werden. Ersteren wird häufig ein höherwertigerer volkswirtschaftlicher Rang zugewiesen. Anzumerken ist jedoch, dass Investitionen aufgrund ihrer Nutzung bestimmte konsumtive Ausgaben als Folgekosten nach sich ziehen. Deshalb müssen mit einem zunehmendem Kapitalstock der öffentlichen Hand auch zwangsläufig die Konsumausgaben steigen. Auch ist darauf hinzuweisen, dass Differenzierungen zwischen investiven und konsumtiven öffentlichen Ausgaben bedeutsame Rückwirkungen auf die Begrenzung der zulässigen Höhe der Netto-Neuverschuldung als Teil der öffentlichen Einnahmen haben (→*Staatsverschuldung*). Nach Art. 115 GG darf diese im Regelfall den Betrag der Investitionen nicht überschreiten.

Die in den vergangenen Jahrzehnten stark gestiegenen öffentlichen Ausgaben führten zu einer Erhöhung der *Staatsquote* als Anteil der Staatsausgaben am Bruttoinlandsprodukt. Da der Anstieg der Staatsausgaben zu einer Erhöhung der Steuer- und Sozialabgaben sowie darüber hinaus zu einer Erhöhung der Staatsverschuldung geführt hat, sind gravierende politische und wirtschaftliche Probleme entstanden. Zum einen büßt die öffentliche Finanzwirtschaft an Glaubwürdigkeit bezüglich der Wahrung des marktwirtschaftlichen Systems ein. Dies gründet auf der Vorstellung, dass den Kräften des Marktes ein Vorrang vor staatlichen Interventionen einzuräumen ist (→*Interventionismus*). Zum anderen wird auf gesamtwirtschaftlicher Ebene das Wachstums- und Beschäftigungspotenzial der Privatwirtschaft durch eine hohe Steuer- und Abgabenbelastung beeinträchtig.

Literaturhinweise:

DICKERTMANN, D. (1991), *Die Systematisierung öffentlicher Ausgaben nach administrativen und volkswirtschaftlichen Merkmalen I/II*, in: Das Wirtschaftsstudium, 2/1991, S. 121 ff., 3/1991, S. 190 ff.; STERN, V./ WERNER, G. (1998), *Durch Einsparungen die Lasten mindern – Notwendigkeit und Möglichkeiten zur Begrenzung der Staatsausgaben*, hrsg. vom Karl-Bräuer-Institut des Bundes der Steuerzahler, Heft 89, Wiesbaden; WISSENSCHAFTLICHER BEIRAT BEIM BUNDESMINISTERIUM DER FINANZEN (1994), *Perspektiven staatlicher Ausgabenpolitik*, Schriftenreihe des Bundesministeriums der Finanzen, Heft 51, Bonn.

Dietrich Dickertmann
Annemarie Leiendecker

Staatseinnahmen

Für die aktive Wahrnehmung ihrer öffentlichen Aufgaben sind die Gebietskörperschaften auf *laufende* öffentliche Einnahmen angewiesen. Diese erfüllen also in erster Linie eine *Finanzierungsfunktion*.

Die wichtigste Einnahmequelle der öffentlichen Haushalte sind die Steuern. Sie werden zur Finanzierung übergreifender Staatsaufgaben verwendet. Sie werden insbesondere für solche Leistungen eingesetzt (öffentliche Güter), bei denen eine individuelle Zurechnung und Abgeltung der Inanspruchnahme durch den einzelnen Bürger nicht möglich (Beispiel: innere und äußere Sicherheit) oder aufgrund einer politischen Entscheidung nicht erwünscht ist (Beispiel: Schule, Studium = meritorische Güter). Steuern sind folglich Pflichtabgaben der Bürger, ohne dafür einen Anspruch auf eine spezifische unmittelbare Gegenleistung des Staates zu erwerben.

Dementsprechend kann die Besteuerung auch an Merkmale anknüpfen, die sich vornehmlich auf die Leistungsfähigkeit der Steuerpflichtigen beziehen (*Leistungsfähigkeitsprinzip*). Ansatzstellen für eine Besteuerung finden sich innerhalb des →*Wirtschaftskreislaufs*. So erfolgt ein Steuerzugriff bspw. bei der Gewerbe- und der Körperschaftsteuer dort, wo die Produktionsfaktoren (Arbeit, Boden, Kapital) zur Erstellung von Gütern eingesetzt werden. Soweit daraus personell zurechenbare Einkommen (Löhne, Gehälter, Zinsen) entstehen, unterliegen diese der Besteuerung etwa in Form der Lohn- und Einkommensteuer sowie der Kapitalertragsteuer und der Zinsabschlagsteuer.

Neben der Entstehung von Einkommen wird auch dessen konsumtive Verwendung durch eine allgemeine Verbrauchssteuer (Mehrwertsteuer) sowie durch eine Vielzahl spezieller Verbrauchssteuern (Mineralöl-, Strom-, Sekt-, Tabaksteuer) zur Finanzierung der öffentlichen Haushalte belastet. Dies sind Steuern auf sog. Stromgrößen, die laufend neu entstehen.

Eine direkte Besteuerung des privaten Vermögens als Bestandsgröße (wenn von der Grundsteuer abgesehen wird) erfolgt mittlerweile in Deutschland nicht mehr. Der steuerliche Zugriff beschränkt sich auf Vermögensübertragungen (Schenkungen, Erbschaften) sowie auf den Grunderwerb. Von abnehmender Bedeutung ist die Besteuerung von Einfuhren ausländischer Produkte durch Zölle, weil diese international schrittweise gesenkt werden. Zolleinnahmen gehören vor diesem Hintergrund zu den direkten Einnahmen der Europäischen Union (→*EU: Finanzverfassung*).

Verteilung der Steuern und Abgaben[1] in Deutschland

Jahr	Von den Steuereinnahmen entfielen auf			
	Bund	Länder	Gemeinden	Rest [2]
		in %		
West				
1965	55,3	30,7	12,4	1,6
1975	49,2	34,0	13,8	3,0
1985	47,2	35,3	14,1	3,4
D				
1991	48,0	34,4	12,8	4,8
1995	45,0	38,1	11,6	5,3
2000	42,9	40,3	12,2	4,6

[1] Zahlen für Westdeutschland basieren auf dem alten VGR-System, ab 1991 wird für Gesamtdeutschland das neue ESVG 1995 zugrunde gelegt.
[2] Rest: LAG, EU-Anteil, Zölle
Quelle: BMF, StBA Institut der deutschen Wirtschaft Köln

Die Verteilung des Steueraufkommens zwischen den Gebietskörperschaften hängt von der Zuordnung der Rechte ab, die Steuern in Form und Höhe zu bestimmen (Erhebungskompetenz), sowie dem Recht, die Erträge für den eigenen Haushalt zu verwenden (Ertragskompetenz) Diese Kompetenzen sind in der Bundesrepublik äußerst kompliziert gestaltet (→*Fiskalföderalismus*).

Neben den Steuern werden *Entgeltabgaben* in Zusammenhang mit der – freiwilligen oder angeordneten – Inanspruchnahme besonderer staatlicher Leistungen erhoben. Handelt es sich dabei um eine individuelle Inanspruchnahme mit persönlich zurechenbarem, unmittelbarem Vorteil, so erfolgt die Bezahlung in Form von *Gebühren*. Derartige Gebühren fallen für die Benutzung öffentlicher Einrichtungen (Beispiel: Autobahn- oder Studiengebühren), die Inanspruchnahme von Verwaltungsleistungen (Beispiel: Justiz- oder Standesamtsgebühren) sowie für die Übertragung/ Verleihung bestimmter Nutzungsrechte (Beispiel: Konzessionsabgaben oder Förderzins) an.

Je nach Zielsetzung des staatlichen Leistungsträgers kann die Bemessung der Gebührenhöhe dabei entweder an der politisch erwünschten Nachfrage, an den Kosten der Leistungserstellung oder aber preisähnlich an der Zahlungsbereitschaft des Nachfragers ausgerichtet sein. Hierbei folgt die Bestimmung der Abgabenhöhe in zunehmendem Maße dem Prinzip, einen marktähnlichen Preis bzw. einen Preis zu nehmen, der dem Nutzen des Nachfragers entspricht (*Äquivalenzprinzip*).

Die Finanzierung öffentlicher Leistungen, deren Nutzen sich einer Gruppe zurechnen lässt, wird über *Beiträge* auf deren Nutzer oder Veranlasser umgelegt. Für die Zahlungspflicht wird nicht notwendigerweise eine Inanspruchnahme der Leistung vorausgesetzt; es reicht aus, dass einem abgegrenzten Personenkreis die Möglichkeit eingeräumt wurde, einen Vorteil wahrnehmen zu können. Auch hierbei können politische Motive für die Höhe der Beitragsbemessung ausschlaggebend sein, wenn bspw. Kindergartenbeiträge nach der Zahl der Kinder einer Familie oder dem Einkommen der Eltern gestaffelt werden. Sofern sich mit einer derartigen politisch gewollten Einnahmegestaltung nicht die anfallenden Kosten decken lassen, ist dies Kennzeichen der *Bedarfsorientierung* der öffentlichen Leistungserbringung und des damit in Zusammenhang stehenden öffentlichen Interesses (Realtransfer). Dieser Zielsetzung steht die private, erwerbswirtschaftliche Orientierung privater Unternehmen gegenüber, die auf Kostendeckung und Gewinnerzielung ausgerichtet ist, was hier einer zusätzlichen Besteuerung gleichzusetzen wäre.

Die öffentlichen Hände betätigen sich in begrenztem Umfang auch erwerbswirtschaftlich, namentlich in Form *→öffentlicher Unternehmen* und staatlicher Beteiligungen. Sie erzielen daraus *Erwerbseinkünfte* in Form von Gewinnen und sonstigen Vermögenserträgen. Dazu zählen beispielgebend auch die Gewinnablieferungen aus der Beteiligung der *→Deutschen Bundesbank* an der Europäischen Zentralbank, wenngleich diese ihre Aufgaben grundsätzlich jenseits einer Gewinnerzielung wahrnimmt. Darüber hinaus erzielt der Fiskus mit der Privatisierung öffentlicher Vermögenswerte oder dem Verkauf von Lizenzen (UMTS) einmalige *Veräußerungserlöse.*

Verbleibende Lücken zwischen den Einnahmen einerseits und den Ausgaben andererseits werden durch die staatliche Kreditaufnahme geschlossen. Dies geschieht bei einem vorübergehenden Zahlungsengpass in Form von *Kassen(verstärkungs)krediten* und bei einem darüber hinaus reichenden länger anhaltenden Defizit in Form von *Deckungskrediten.* Bei Letzteren kann die *→Staatsverschuldung* neben dem fiskalischen Zweck auch weiteren Funktionen dienen: Sie ermöglicht bspw. die Finanzierung zusätzlicher, stabilisierender *→Staatsausgaben* zum Ausgleich eines gesamtwirtschaftlichen Nachfragemangels in wirtschaftlichen Schwächephasen (Rezession). Durch eine Verschuldung ist aber auch ein Ausgleich zwischen der heutigen und zukünftigen Generationen möglich, wenn Investitionen damit finanziert werden. Die Nutzenabgabe der Investitionen fallen später an, wenn die Schulden verzinst und zurückgezahlt werden, d. h. die zukünftige Generation erntet die Früchte und trägt über den Schuldendienst auch die Last der Investition.

Die Finanzierung mit Hilfe der Schuldenaufnahme ist aber dann problematisch, wenn den Nutzen die gegenwärtige Generation erhält (konsumtive Ausgaben wurden finanziert), die Rückzahlung aber von einer späteren Generation geleistet werden muss. Auch kann eine sehr hohe Verschuldung den Bewegungsspielraum eines Budgets massiv einengen, wenn große Teile der Steuereinnahmen für Zinszahlungen und Tilgungen eingesetzt werden müssen.

Jenseits der Finanzierungsfunktion können die öffentlichen Einnahmen auch als ein Instrument zur Steuerung der staatlichen Aufgabenerfüllung eingesetzt werden (*Lenkungsfunktion*). Dabei kann unter Umständen die Erzielung von Einnahmen von zweitrangiger Bedeutung sein. In solchen Fällen werden einzelwirtschaftliche und gesamtwirtschaftliche Folgewirkungen, welche mit der Erhebung von Einnahmen einhergehen, für die Erreichung von Interventionsabsichten gezielt genutzt (Beispiel: Ökosteuer zur Minderung des Energieverbrauchs bei gleichzeitiger Zweckbindung des Mittelaufkommens für die →*Rentenversicherung*). Lenkungssteuern könnten theoretisch für den gesamten Zielkatalog des Staates eingesetzt werden. Aufgrund der vielfältigen und sich überkreuzenden Wirkungen würde aber nicht nur die Übersicht verloren gehen, sondern auch die →*Marktwirtschaft* negativ gestört. Deshalb sind Lenkungssteuern sehr umstritten

Von genereller Bedeutung ist die Höhe und die Struktur der Abgabenbelastung (Abgaben-/ Steuerquoten) der Bürger. Sie bestimmt die Höhe der verbleibenden Einkommen und →*Gewinne* und damit auch die Dispositionsspielräume. Das gilt auch dann, wenn der jeweiligen Belastung die zugehörigen öffentlichen Ausgaben als „fiktive Gegenleistung" gegenübergestellt werden. In einer Marktwirtschaft gilt der Primat der privaten Entscheidungen, so dass hierin eine indirekte Begrenzung der staatlichen Abgabenlast zu sehen ist, auf die geachtet werden muss.

Literaturhinweise:
BUNDESMINISTERIUM DER FINANZEN (Hrsg.) (2001), *Steuern von A-Z*, Ausgabe 2001, Berlin; DICKERTMANN, D./ GELBHAAR, S. (1994), Das System der öffentlichen Einnahmen, in: *Steuer und Studium*, Heft 5/ 1994, S. 214 ff.; STALDER, I. (1997), *Staatsverschuldung in der Demokratie – Eine politik-ökonomische Analyse*, Frankfurt/ M.

Dietrich Dickertmann
Viktor Wilpert Piel

Gesamtabgabenbelastung in verschiedenen Staaten

Jahr	**Deutschland**[1]	**Frankreich**	**Großbritannien**	**Schweden**	**Slowakei**	**Schweiz**	**USA**	**Japan**
				Steuern und Sozialabgaben in % des BIP				
1980	34,6	40,6	35,2	46,1	-	28,9	27,0	25,1
1990	32,9	43,0	36,8	51,9	-	26,9	26,7	30,0
2000	37,8	45,2	37,2	54,0	34,9	31,2	29,7	27,5
2004[2]	36,2	44,2	35,9	50,6	33,8	31,3	17,7	16,0

[1] Bis einschl. 1990 alte Bundesländer. [2] Vorläufig.
Quelle: Institut der deutschen Wirtschaft Köln.

Staatsverschuldung

Neben hoheitlichen Abgaben (Steuern, Gebühren und Beiträge) und Erwerbseinkünften (aus →*öffentlichen Unternehmen*) dient auch die Schuldenaufnahme des Staates der Einnahmenerzielung zugunsten der öffentlichen Haushalte des Bundes, der Länder und der Gemeinden. Die Staatsverschuldung ist wie die Erwerbseinnahmen – aber anders als Steuern (hier mit Zwang) – durch die Freiwilligkeit der Mittelhergabe charakterisiert, wenn von dem Fall einer Zwangsanleihe (gleichsam eine Steuer mit Anspruch auf Rückzahlung) abgesehen wird. Es gelten marktwirtschaftliche Prinzipien: Als Nachfrager auf den Kreditmärkten konkurrieren die öffentlichen Hände mit den dort auftretenden privaten Kreditnachfragern. Die Kapitalanbieter (inländische Banken, Kapitalsammelstellen, private Haushalte und →*Unternehmen* sowie entsprechende Anlegergruppen im Ausland) überlassen dem Staat ihre Liquidität (Kapital) und erhalten als Gegenleistung dafür eine marktliche Verzinsung. Die Mittel aus der Verschuldung (in Form von Schatzwechseln, Schatzanweisungen, Finanzierungsschätzen, Bundesschatzbriefen, Schuldscheindarlehen, Bundesobligationen, Anleihen) haben eine befristete Laufzeit; sie sind durch Tilgungen an die jeweiligen Gläubiger zurückzuzahlen.

Generell erfüllt die Staatsverschuldung den Zweck, das zeitliche Auseinanderfallen von Einnahmen und Ausgaben des öffentlichen Haushalts auszugleichen. Dabei geht es zum einen um die Überbrückung von kurzfristigen Liquiditätsengpässen im laufenden Haushalt, welche durch *Kassen(verstärkungs)kredite* gedeckt werden. Zum anderen dienen die Mittel zur Finanzierung der Ausgaben in Form von *Deckungskrediten*. Bei der Kreditaufnahme ist zwischen der *Netto-* und der *Bruttokreditaufnahme* zu unterscheiden: Die Nettokreditaufnahme ist der Teil der gesamten Kreditaufnahme (Bruttokreditaufnahme), der nicht zur Schuldentilgung (Anschlussfinanzierung), sondern zur Ausgabenfinanzierung (Netto-Neuverschuldung) eingesetzt wird.

Durch die Verschuldung erweitert die öffentliche Hand nicht nur ihren gegenwärtigen Handlungsspielraum, sondern übernimmt auch zukünftige Verpflichtungen in Form des Schuldendienstes (Verzinsung und Tilgung). Deswegen ist die öffentliche Verschuldung an gesetzliche Normen (Verschuldungsgrenzen) gebunden. Beispielgebend bestimmen Art. 115 Abs. 1 Grundgesetz (GG) und § 18 Bundeshaushaltsordnung (BHO) für die Kreditfinanzierung des Bundes, dass die Einnahmen aus der Netto-Neuverschuldung die Summe der im Haushaltsplan veranschlagten Investitionsausgaben nicht überschreiten dürfen. Ausnahmen sind nur zulässig zur Abwehr einer Störung des gesamtwirtschaftlichen Gleichgewichts. Darüber hinaus sind zugehörige Grenzen im EU-Vertrag vorgegeben: Nach den Budgetkriterien des Vertrages von Maastricht (1992) und von Amsterdam (1997) darf das Verhältnis zwischen der Netto-Neuverschuldung und dem Bruttoinlandsprodukt drei

Prozent sowie dasjenige zwischen der Höhe des Schuldenstandes und dem Bruttoinlandsprodukt (jeweils zu Marktpreisen) 60 Prozent nicht übersteigen (Art. 104 EG-Vertrag i. V. m. dem Protokoll über das Verfahren bei einem übermäßigen Defizit).

Die Staatsverschuldung verfolgt vor allem das fiskalische Ziel der Mittelbeschaffung. Darüber hinaus werden auch nicht-fiskalische Ziele angestrebt: Bezüglich des *Stabilisierungs- und Wachstumsziels* werden die Mittel zur Stützung des Marktgeschehens mit Hilfe von nachfrage- oder angebotsverbessernden Aktivitäten eingesetzt. Das *Ziel der intergenerativen Lastenverteilung* gründet auf der Vorstellung, dass investive Ausgaben des Staates (bspw. für Infrastrukturmaßnahmen), deren Inanspruchnahme seitens der Bürger sich über einen längeren Zeitraum erstreckt, schuldenfinanziert werden sollten. Auf diese Weise werden künftige Generationen als Nutznießer einer investiven Ausgabe der Gegenwart durch zukünftige, für den Schuldendienst notwendige Steuerzahlungen belastet. Die zeitliche Verteilung der Nutzen und Lasten wird also angeglichen.

Überdies erfüllt die Staatsverschuldung eine *politische Zielsetzung*, soweit solche Einnahmen für den Bürger weniger merklich sind als Steuererhöhungen und folglich auf einen geringeren Widerstand in der Bevölkerung stoßen. Dadurch vergrößert sich zwar die Wahrscheinlichkeit einer Wiederwahl der betreffenden Politiker. Die Kurzsichtigkeit einer derartigen Politik vernachlässigt aber die zukünftigen Zins- und Tilgungsverpflichtungen sowie den dadurch langfristig verengten staatlichen Handlungsspielraum. So steigt der Schuldenstand bis zu einem Stadium, bei dem eine Haushaltskonsolidierung (Verringerung der Netto-Neuverschuldung bis zur Erzielung eines Einnahmenüberschusses zwecks einer Nettotilgung) nicht mehr zu vermeiden ist. Das verlangt in der Regel eine restriktive Finanzpolitik mit entsprechenden Folgekosten beim zuvor so „umsorgten" Bürger.

Literaturhinweise:
CAESAR, R. (1991), Theoretische Grundlagen der Staatsverschuldung, in: *Wirtschaftswissenschaftliches Studium*, 5/1991, S. 218 ff.; WERNER, G. (2000), *Finanzpolitik in der Europäischen Währungsunion/ Dauerhafte Erfolge erfordern zweigleisiges Vorgehen – Konsolidierung und Entlastung*, Stellungnahme Nr. 27, Wiesbaden; ZIMMERMANN, H. (1999), Ökonomische Rechtfertigung einer kontinuierlichen Staatsverschuldung?, in: *Zur Zukunft der Staatsfinanzierung*, Baden-Baden, S. 157 ff.

Dietrich Dickertmann
Annemarie Leiendecker

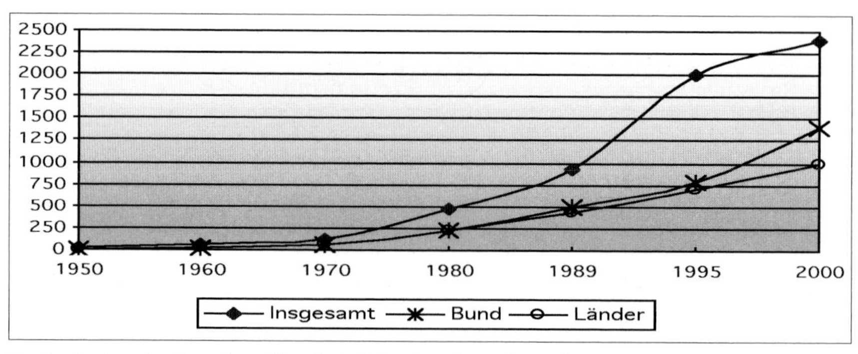

Quelle: Institut der deutschen Wirtschaft Köln, Gutachten des Sachverständigenrates 2001

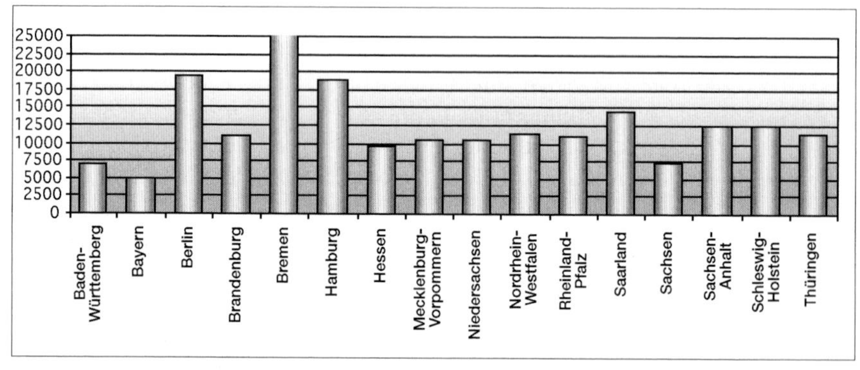

[1] zum 31.12.2000
Quelle: Gutachten des Sachverständigenrates 2001

Statistik als Voraussetzung rationaler Wirtschaftspolitik

Ohne die durch die Statistik gewonnenen allgemeinen Informationen über Gesellschaft, Wirtschaft und Umwelt sind Regierungen nicht handlungsfähig. Das Bundesverfassungsgerichtsurteil zur letzten Volkszählung vom 15. Dezember 1983 stellte fest, dass die Statistik „die für ein am Sozialstaatsprinzip orientierte staatliche Politik unentbehrliche Handlungsgrundlage“ schaffe. In diesem Sinne weist sie den „Weg in die Realität“.

Dabei spielt das „Gesetz über die Statistik für Bundeszwecke“ vom 3. September 1953 eine zentrale Rolle. Es gehört zu den wichtigen ordnungspolitischen Weichenstellungen der Nachkriegszeit und steht gleichberechtigt neben anderen wichtigen Gesetzen wie z. B. dem über die →*Deutsche Bundesbank* (26. Juli 1957), dem →*Gesetz gegen Wettbewerbsbeschränkungen* GWB (27. Juli 1957), dem Außenwirtschaftsgesetz

(28. April 1961) oder der Gründung der EWG (25. März 1957). Es wird daher auch als das „Grundgesetz der Bundesstatistik" bezeichnet. Es spricht für die Qualität dieses Gesetzes, dass es in den fast 50 Jahren seines Bestehens erst zweimal – 1980 und 1987 – novelliert werden musste.

Dieses Gesetz legt die Stellung und die Aufgaben des Statistischen Bundesamtes fest. Zu dessen Aufgaben gehört es u. a., Bundesstatistiken methodisch und technisch vorzubereiten, damit bundesweit einheitliche Ergebnisse gewonnen werden können. Darüber hinaus stellt es die Bundesergebnisse zusammen und veröffentlicht sie. Es regelt die Anordnung von Statistiken und setzt einen statistischen Beirat aus Vertretern der Nutzer und Befragten der Bundesstatistik ein. Durch die Allgemeinverbindlichkeit des Gesetzes werden keine Ausnahmen und Privilegien beim Zugang zu den Statistiken zugelassen.

Häufig greifen statistische Erhebungen in die Rechtssphäre des Einzelnen ein. Auf jeden Fall werden sie häufig vom Bürger als Belastungen empfunden. Diese Eingriffe sind nur aufgrund eines Gesetzes möglich, in dem die Rechte und Pflichten der Betroffenen bei einer Erhebung genau definiert werden. An zentraler Stelle steht dabei die Auskunftspflicht des Befragten und als notwendige Folge davon die Geheimhaltungspflicht der statistischen Ämter bezüglich der Einzelangaben. Dem Schutzgedanken des Bürgers entspricht es, wenn die Auskunftsverweigerung als Ordnungswidrigkeit, die Verletzung der Geheimhaltungspflicht jedoch als Straftat geahndet wird. Jede einzelne Fachstatistik bedarf darüber hinaus einer rechtsverbindlichen Anordnung. In den meisten Fällen ist dies ein Bundesgesetz.

Wenn die amtliche Statistik unentbehrliche staatliche Handlungsgrundlage ist, ist sie zugleich ein Element des öffentlichen Meinungsbildungsprozesses. Jedermann kann sich auf solche statistische Angaben berufen, die er für richtig hält, zumal auch in privater Verantwortung eine Vielzahl von Statistiken erhoben werden. Es würde allerdings ein geordnetes Zusammenleben der Menschen unmöglich machen – zumindest aber sehr erschweren –, wenn nicht nur unterschiedliche Entwürfe über das Gemeinwohl konkurrieren würden, sondern auch noch unterschiedliche Auffassungen über die Realität bestehen würden, auf die sich diese Entwürfe beziehen. Deshalb ist es effektiv, wenn sich die politische Diskussion auf der Grundlage einer einheitlichen Tatsachenfeststellung über die gesellschaftliche, soziale und wirtschaftliche Realität entfaltet.

In Deutschland ist weithin akzeptiert, dass die amtliche Statistik aus der politischen Diskussion herausgenommen ist. Dies ist ein Hinweis darauf, dass sie als ein außerhalb der Politik stehendes objektives Erkenntnismittel angesehen wird. Die Ergebnisse der Statistik sind daher nicht Gegenstand der Politik, sondern ihre akzeptierte Voraussetzung. Dazu ein Beispiel: Die Elemente der gewerkschaftlichen Lohnfindungsformel – nämlich die aktuelle Lohnhöhe, die

Inflationsrate und die Produktivitätsentwicklung – sind in ihren konkreten statistischen Ergebnissen in Tarifverhandlungen unbestritten. Dies, obwohl die Interessengegensätze zwischen Gewerkschaften und Arbeitgebern im Bereich der Lohnverhandlungen so scharf sind, wie in kaum einem anderen gesellschaftlichen Bereich.

Damit kann die amtliche Statistik einen wichtigen Beitrag zur gesellschaftlichen Konsensbildung leisten. In einer Gesellschaft, in der nicht mehr ein Grundkonsens auf der Basis der Religion oder der Weltanschauung herzustellen ist, kann die Statistik zumindest eine Grundübereinstimmung über die gesellschaftlichen Fakten erreichen.

Ein wesentlicher Grund für die weitgehende Akzeptanz der amtlichen Statistik ist, dass sie heute nicht mehr allein als ein regierungsamtliches Instrument verstanden wird. Sie diente ursprünglich bestimmten Verwaltungsaufgaben. Dabei gab es keine systematische Zusammenfügung der einzelnen Statistiken zu einem „Programm“: Es bestand kein geschlossenes, allgemeines Konzept, sondern nur eine Summe von Einzelstatistiken, die für bestimmte staatliche Verwaltungsmaßnahmen in Gang gesetzt wurden. Mit der Ausweitung der Staatstätigkeit im allgemeinen, aber insbesondere im wirtschaftlichen und sozialen Bereich ging auch eine Ausweitung der Statistiktätigkeit einher: In Staaten und Gesellschaften, in denen viel verwaltet wird, ist auch die amtliche Statistik auf den gleichen Gebieten entsprechend umfangreich. Denn es liegt auf der Hand, dass der Staat seine Verwaltungsvorgänge zu zählen geneigt ist, schon um Rechenschaft über seine Tätigkeit abzulegen.

Mit dem Ausbau der Statistik wurde eine Voraussetzung geschaffen, ein „statistisches Gesamtbild“ der Wirtschaft und Gesellschaft zu erstellen. Erleichtert wurde dies durch die Existenz eines statistischen Zentralamtes. Auch die Einführung der Volkswirtschaftlichen Gesamtrechnung (VGR), die die gesamtwirtschaftlichen Zusammenhänge quantitativ herausarbeiten will, hat diesen Prozess beschleunigt. Statistische Lücken mussten geschlossen, Definitionen und Systematiken vereinheitlicht, das Programm teilweise ausgeweitet werden.

Mit dem Ausbau der Statistik wurden die gesammelten Informationen nicht nur für die Verwaltungstätigkeit, sondern auch für den Privatsektor der Wirtschaft interessant. Und folgerichtig wurde die Forderung nach „Government Statistics for Buisiness Use“ erhoben. Die amtliche Statistik hat darauf reagiert, indem sie auch objektive Daten auf solchen Gebieten des Wirtschaftsgeschehens liefert, auf denen der Staat selbst nicht aktiv werden will oder auf denen die geplanten oder ergriffenen staatlichen Maßnahmen ohne ein sehr detailliertes Bild auskommen können. Der Staat hilft mit den Mitteln der amtlichen Statistik für Markttransparenz.

Mit der Ausweitung der Statistik, der Schaffung eines statistischen Gesamtbildes von Wirtschaft und Gesellschaft und dem Vorhandensein eines statistischen Zentralamtes sind wichtige Elemente der Statistik als Teil einer staatlichen Infrastruktur angelegt. Sie stellen die Gesamtheit der für ein befriedigendes Funktionieren der arbeitsteiligen Wirtschaft erforderlichen langlebigen Basiseinrichtung materieller, institutioneller und personeller Art dar. Die Statistik ist damit vergleichbar mit dem Verkehrswesen und der Nachrichtenübermittlung, der Ver- und Entsorgung, dem Bildungs-, Gesundheits- und Sozialwesen. Die Statistik ist deshalb jedermann zugänglich, der Politik, den Interessenvertretern, der Wirtschaft, der Wissenschaft.

Damit sie die Funktion einer informationellen Infrastruktur erfüllen kann, muss sie weitere wichtige Bedingungen erfüllen: Sie darf allein dem Zweck der gesellschaftlichen, wirtschaftlichen und sozialen Tatsachenfeststellung dienen. Sobald auch nur der Verdacht aufkommen würde, dass die amtliche Statistik eine politische Nähe z. B. zur Regierung hätte, wäre ihre Funktion als akzeptierte Infrastruktur gefährdet. Schließlich muss die Statistik auf die Bedürfnisse der Allgemeinheit abgestellt sein. Dies bedeutet, dass das statistische Programm nicht einmal festgelegt wird und dann dauernden Bestand hat. Es muss sich vielmehr in seinen Schwerpunkten der Entwicklung der Gesellschaft anpassen, aber gleichzeitig ein umfassendes und konsistentes Gesamtbild der Gesellschaft garantieren.

Literaturhinweise:
LIPPE, P. M. von der (1996), *Wirtschaftsstatistik*, 5. Aufl., Stuttgart; UNGERER A./ HAUSER, S. (1986), *Wirtschaftsstatistik als Entscheidungshilfe*, Freiburg i. Br.

Horst-Dieter Westerhoff

Steuerpolitik

Die Stellschrauben der Steuerpolitik sind bezeichnet mit der Unterscheidung von *Steuer-Quellen* und *Steuer-Arten*, von *direkten* und *indirekten Steuern* in der *Steuer-Struktur*, von *Steuer-Quote* und *Abgaben-Quote*, von *Steuer-Satz* und *Steuer-Bemessungsgrundlage*, von *Steuer-Zahler* und *Steuer-Träger*.

In Deutschland gibt es gegenwärtig 46 Steuer-*Arten*. Sie schöpfen alle aus einer einzigen Steuer-*Quelle*, dem →*Einkommen*, das die Wirtschaftssubjekte aus dem Einsatz von Produktionsfaktoren erzielen. Insofern ist jede Steuer eine Besteuerung des Einkommens. Dass es dennoch über 40 Arten gibt, diese Quelle abzuschöpfen, drücken fünf *Funktionen der Besteuerung* aus. 1. Die *fiskalische Funktion*: Steuern müssen ergiebig und mit möglichst geringem Verwaltungsaufwand zu erheben sein. 2. Die *soziale Funktion*: Die Steuerbelastung soll gerecht verteilt sein. Ökonomen verwenden anstelle des schwammigen Begriffs der Gerechtigkeit den der Besteuerung nach Leistungsfähigkeit. 3. Die *ökonomische Funktion*: Mit der Besteuerung können unterschiedliche Arten der Einkommens-Entstehung und der Einkommens-Verwendung diskriminiert, unterschiedlich belastet werden. 4. Die *konstitutionelle Funktion*: Die Unabhängigkeit von Gebietskörperschaften im Rahmen der →*Finanzverfassung* wird durch die Möglichkeit gestärkt, eigene Steuern zu erheben. 5. Die *‚politische Funktion'*: Je mehr Steuerarten es gibt, um so weniger können die Bürger die tatsächliche Steuerbelastung ihres Einkommens erkennen. Ein rationales Steuersystem kann die ersten vier Funktionen mit bis zu 12 Steuerarten erfüllen. Dass es in Deutschland mehr als dreimal so viel sind, zeigt den Widerspruch der Besteuerung zum Demokratie-Gebot, zu den Geboten von Wahrheit und Klarheit des Staatshaushaltes und damit zu den Grundsätzen der *→Sozialen Marktwirtschaft.*

Die fiskalischen Funktionen von Ergiebigkeit und Verwaltungseffizienz werden am wirksamsten durch die *Besteuerung der Einkommens-Verwendung* verwirklicht, wie es mit der als Mehrwertsteuer gestalteten Umsatzsteuer geschieht. Sie belastet allerdings weitgehend proportional (regressiver Belastung wirken gespaltene Steuersätze entgegen), trägt also der vom Einkommen bestimmten unterschiedlichen Leistungsfähigkeit der Steuerzahler nicht Rechnung. Das wird verwirklicht mit einer progressiven *Besteuerung der Einkommens-Entstehung*, der Lohn- und Einkommens-Besteuerung. *Proportional-Steuern* belasten jede Einkommenseinheit mit demselben Prozentsatz. *Progressiv-Steuern* belasten zusätzliche Einkommenseinheiten mit einem höheren Prozentsatz als die vorhergehende. Daraus ergibt sich der Unterschied zwischen *Durchschnitts-Steuersatz* (für das gesamte zu versteuernde Einkommen) und *Grenz-Steuersatz* (für die zusätzliche Einkommens-Einheit). Steuern der Einkommens-Entstehung sind *direkte*, der Einkommens-Verwendung *indirekte* Steuern.

Die *Steuer-Struktur* gibt das Verhältnis von direkter und indirekter Besteuerung an. Da Menschen eher zum Geld-Verdienen motiviert werden müssen als zum Geld-Ausgeben, fordert die ökonomische Funktion der Besteuerung, dass in der Steuer-Struktur der Anteil der indirekten Steuern überwiegt. Dies gilt auch in Hinsicht auf den internationalen Standortwettbewerb.

Für internationale Belastungsvergleiche sind zu unterscheiden *Steuer-Quote* und *Abgaben-Quote.* In unterschiedlichen *→Finanzverfassungen* werden gleiche Staatsaufgaben unterschiedlich finanziert, v. a. Sozialleistungen entweder durch Sozialversicherungsbeiträge oder durch Steuern. Die Belastung der Bürger wird nicht durch die Steuer-Quote, sondern durch die Abgaben-Quote zutreffend erfasst. Das gilt jedoch nicht für die – bei Investitionsentscheidungen relevante – Unternehmensbesteuerung. Für die Steuerbelastung ist die *Steuer-Bemessungsgrundlage* ebenso bedeutsam wie der *Steuer-Satz.* Die Steuer-Bemessungsgrundlage wird durch Absetzungsmöglichkeiten und Ausnahmen, also Steuer-Vergünstigungen (*→Subventionen*) bestimmt. Die Steuerpolitik hat zu entscheiden zwischen hohen Sätzen und vielen Ausnahmen oder wenigen Ausnahmen und niedrigen Sätzen. Mit dem Umfang der Ausnahmen steigt der Verwaltungsaufwand beim Staat und bei den Bürgern, sinkt die Überschaubarkeit, wächst die Gefahr von Fehlallokationen. Für niedrige Steuer-

Sätze spricht auch, dass zwischen Steuer-Satz und Steuer-Aufkommen keine lineare Beziehung besteht. Je höher die Steuer-Sätze sind, um so stärker werden die Steuer-Zahler Strategien der legalen und illegalen *Steuer-Vermeidung* entwickeln. Eine Erhöhung von Steuer-Sätzen kann dann zu einer Senkung des Steuer-Aufkommens führen – und umgekehrt.

Personen- und Unternehmens-Steuern zu unterscheiden, ist zugleich notwendig und problematisch. Es ist notwendig, weil sich in der Unternehmensbesteuerung Steuer-Arten unmittelbar addieren und damit Standort-Entscheidungen nachteilig beeinflussen können, je nach Ausgestaltung v. a. bei Körperschafts- und Gewerbe-Steuer. Es ist problematisch, weil politisch oft der Eindruck erweckt wird, als seien untere Einkommensgruppen von Unternehmens-Steuern nicht betroffen. Steuern sind für Unternehmen Kosten. Kosten werden entweder durch die Preise gedeckt, die die Kunden zahlen. Dann findet *Steuer-Überwälzung* statt: Die Kunden tragen auch die Steuern. Oder Steuern können nicht in den Preisen überwälzt werden. Dann werden Unternehmen die Produktionen einstellen und die Beschäftigung einschränken. Zu unterscheiden sind also *Steuer-Zahler* und *Steuer-Träger*.

Ökonomisch falsche Botschaften können auch mit dem Begriff der *Öko-Steuer* verbunden werden. Es kann ökonomisch geboten sein, externe Kosten durch Abgaben zu internalisieren. Eine Öko-Steuer, mit der dauernde Ausgaben des Staates finanziert werden sollen, ist jedoch Etikettenschwindel. Entweder erfüllt die Steuer ihre ökologische Funktion und bewirkt Verhaltensänderungen wie geringeren Energieverbrauch. Dann können mit dem Aufkommen immer weniger staatliche Aufgaben finanziert werden. Oder es soll die fiskalische Funktion gesichert und das Steuer-Aufkommen stabilisiert werden. Dann darf der ökologische Zweck gerade nicht eintreten.

Mangelnde Kenntnisse solcher ökonomischen Zusammenhänge ermöglichen es der Steuerpolitik, Funktionen und Belastungen zu verschleiern. Seit Gründung der Bundesrepublik ist in Deutschland eine völlig unsystematische, überwiegend auf aktuelle politische Zielsetzungen ausgerichtete Steuerpolitik betrieben worden. Auch das hat das Konzept der Sozialen Marktwirtschaft diskreditiert. Zur Herstellung Sozialer Marktwirtschaft gehört deshalb ein Steuersystem, das gekennzeichnet ist durch (a) überwiegende Belastung der Einkommens-Verwendung, (b) durch wenige Steuerarten, (c) durch niedrige Steuer-Sätze mit wenigen Ausnahmen.

Literaturhinweise:
HOMBURG, S. (2001), *Allgemeine Steuerlehre*, München; BUNDESMINISTERIUM DER FINANZEN (2002), *Unsere Steuern von A-Z*, Berlin; SCHMÖLDERS, G. (1970): *Finanz- und Steuerpsychologie*, Reinbek.

Wolfgang Reeder

Strukturpolitik

Der Begriff Strukturpolitik wird in verschiedenartiger Weise verwendet. Häufig wird darunter allein die regionale und die sektorale Strukturpolitik verstanden. Auf diese beiden Politikfelder wird im Folgenden eingegangen. Der ökonomische Strukturbegriff wird jedoch in allen Politikbereichen, insbesondere auch in der Einkommens- und →*Vermögenspolitik* sowie in der →*Arbeitsmarktpolitik* benutzt. Immer dann, wenn es um das Gefüge ökonomischer Erscheinungen und deren staatliche Gestaltung geht, wird von Strukturpolitik gesprochen.

Verwirrend ist die Tatsache, dass unter dem Deckmantel Strukturpolitik die unterschiedlichsten ordnungspolitischen Vorstellungen verfolgt werden: einerseits die Schaffung eines unverzichtbaren staatlichen Ordnungsrahmens für eine möglichst erfolgreiche, gesamtgesellschaftlich zuträgliche Entfaltung der privaten Initiative (z. B. Geldwertstabilitätspolitik, Wettbewerbs-, Eigentums- und Umweltpolitik), andererseits die Ausschaltung oder Behinderung des Wirkens von Marktkräften (z. B. marktwidrige, wettbewerbsbeschränkende, protektionistische Maßnahmen für einzelne Branchen, Subventionspolitik, investitionslenkende staatliche Eingriffe, auch mit Geboten, Verboten oder massiven diskriminierenden finanziellen Anreizen und Strafen). Immer wenn von Strukturpolitik gesprochen wird, sollte daher im Einzelnen geprüft werden, welche (eventuell einseitig interessengefärbten) Ziele mit welchen (oftmals marktwidrigen) Maßnahmen verfolgt werden. Üblicherweise werden im politischen Meinungsstreit die eigentlichen Beweggründe staatlichen Handelns getarnt und bedenkliche wirtschaftspolitische Interventionen als harmlos hingestellt (→*Interventionismus*).

Als unbedenklich gilt weithin die regionale Strukturpolitik. Die „Gemeinschaftsaufgabe Verbesserung der regionalen Wirtschaftsstruktur" soll vor allem die standortpolitischen Nachteile ländlicher Gebiete und vieler Randzonen vermindern. Auch die →*EU* hat mehrere Strukturfonds eingerichtet, die den Rückstand der am stärksten benachteiligten und der im Entwicklungsstand erheblich zurückgebliebenen Gebiete verringern sollen. Insbesondere geht es um den Ausbau der wirtschaftsnahen Infrastruktur (Verkehrswege, Energie- und Wasserversorgung, Entwicklungsprogramme für Gewerbegebiete), aber auch um Investitionsanreize und -zuschüsse (→*EU: Regional- und Strukturpolitik*). Vor allem für Ostdeutschland waren und sind zum Teil noch jetzt Maßnahmen der regionalen Strukturpolitik von erheblicher Bedeutung. Zu beachten ist freilich, dass finanzielle Investitionsanreize als Dauermaßnahme eine schädliche Gewöhnung an staatliche Hilfen (Subventionsmentalität) erzeugen, zu Wettbewerbsverzerrungen führen und Ausgleichsmaßnahmen nicht geförderter Regionen auslösen können. Beim Ausbau der Verkehrswege ist die einseitige Förderung von →*öffentlichen Unternehmen* (defizitäre Eisenbahnen) und die bewusste Hinnahme von Engpässen in anderen Wegenetzen aus ideologischen Gründen als Fehlentwicklung der regionalen Strukturpolitik zu kennzeichnen.

Die sektorale Strukturpolitik, die den ständigen strukturellen Wandel der Wirtschaft fördernd begleiten soll, hat widersinniger Weise weit überwiegend strukturkonservierenden Charakter. Der Druck von Interessentengruppen, einschließlich der Gewerkschaften, und die Sorge vor Arbeitsplatzverlusten veranlassen Politiker häufig dazu, Schutzmaßnahmen zugunsten tendenziell schrumpfender Wirtschaftszweige zu ergreifen. Wie die Geschichte des Steinkohlenbergbaus und des Eisenbahnverkehrs zeigt, verzögern die für die Steuerzahler höchst kostspieligen Strukturkonservierungen jedoch lediglich die letztlich doch unaufhaltsamen Anpassungsschritte. Wer auf Strukturerhaltung setzt, erweist sich als kurzsichtig handelnder Akteur.

Ein anderer Bereich der sektoralen Strukturpolitik ist auf die Förderung des strukturellen Wandels gerichtet. Gelegentlich haben Politiker behauptet, sie wüssten besser als die angeblich meist kurzfristig denkenden →*Unternehmer*, welche Wirtschaftsbereiche sich rasch entwickelten und deshalb mit produktorientierten Forschungssubventionen zu fördern seien („vorausschauende Strukturpolitik"). Solche Behauptungen haben sich regelmäßig als verfehlt und als Anmaßung von Wissen erwiesen. Andererseits werden aussichtsreiche Produktlinien, etwa die Gentechnik und die Kernkrafttechnik, in ihrer Entwicklung aus politischen Gründen massiv behindert.

Nichts einzuwenden ist gegen die verstärkte Förderung der Grundlagenforschung und gegen eine bislang weithin fehlende vorausschauende Förderung der Ausbildung in Mangelberufen. Im Übrigen sollte sich die sektorale Strukturpolitik darauf konzentrieren, Entwicklungshemmnisse in aussichtsreichen Branchen (Marktzugangsbeschränkungen und staatliche Regulierung) zu beseitigen. Zur Förderung des strukturellen Wandels gehört auch der Abbau überzogener, langwieriger Genehmigungsverfahren bei Unternehmensgründungen und größeren Investitionsvorhaben. Zu beachten ist ferner, dass die ständige Ausweitung von →*Mitbestimmungs*vorschriften, die zunehmende staatliche Regulierung des Arbeitsmarktes und der Arbeitsverträge auf eine gesamtwirtschaftlich unerwünschte Einschränkung der privaten Verfügungsrechte hinauslaufen. Eine sinkende Bereitschaft zur Unternehmensgründung und zur Schaffung neuer Arbeitsplätze ist die unmittelbare Folge.

Es wäre verfehlt, aus vorstehender Kritik den Schluss abzuleiten, am besten werde auf die regionale und die sektorale Strukturpolitik verzichtet. Unzweifelhaft ist Strukturpolitik insoweit erwünscht, als sie die wirtschaftliche Entwicklung nachhaltig fördert. Auch gegen eine zeitlich befristete →*Sozialpolitik*, die die Folgen des Strukturwandels erträglich gestaltet, ist nichts einzuwenden. Im Übrigen sind die Rahmenbedingungen für wirtschaftliches Handeln so zu setzen, dass wirksame Anreize für strukturelle Veränderungen entstehen.

Literaturhinweise:
PETERS, H.-R. (1992/ 2000), *Wirtschaftspolitik*, München; MOLITOR, B. (1990), *Wirtschaftspolitik*, München; HAMM, W. (1979), *Freiheitsbeschränkung durch staatliche Struktur- und Forschungspolitik*, Ordo Jahrbuch, 30. Jg., S. 423-439.

Walter Hamm

Erwerbstätige nach Wirtschaftssektoren (in %)

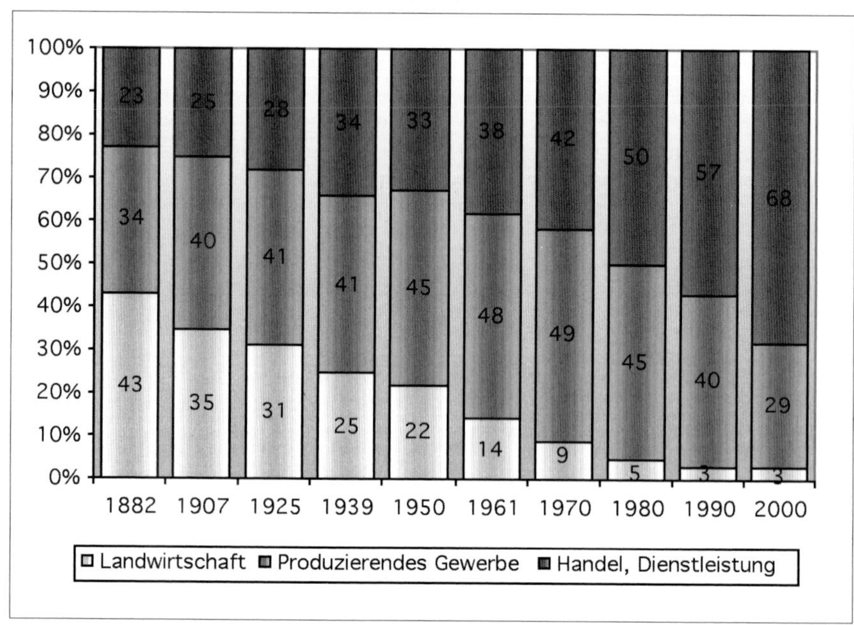

Quelle: Statistisches Jahrbuch, verschiedene Jahrgänge

Subventionen, staatliche Beihilfen

Im Rahmen der →*Sozialen Marktwirtschaft* hat der Staat die Aufgabe, die bei der Umsetzung dieser Ordnung gegebenenfalls auftretenden Fehlentwicklungen zu bekämpfen. Vier Schwachstellen sind insbesondere zu benennen: (1) Die Bildung ökonomischer Macht in der Hand einzelner Wirtschaftsubjekte; dadurch wird die Funktion des Wettbewerbs beeinträchtigt. (2) Die Störung des Preisbildungsprozesses durch die Produktion und/ oder den Konsum von solchen Gütern, welche mit externen Effekten in Form externer Kosten (z. B. unbezahlt bleibende Beeinträchtigung der Umwelt) oder externer Nutzen (z. B. unvergütet bleibende Bereitstellung von Leistungen im öffentlichen Interesse) einhergehen. (3) Die Entstehung einer als ungerecht empfundenen Einkommens- und Vermögensverteilung, wodurch soziale Konflikte verursacht werden können. (4) Die Verfehlung von gesamtwirtschaftlichen Zielen (hoher →*Beschäftigung*sstand, anhaltende →*Preisniveaustabilität*, →*außenwirtschaftliches Gleichgewicht* sowie stetiges und angemessenes Wirtschafts- →*Wachstum*).

Um diesen Aufgaben zu entsprechen, setzt der Staat neben zahlreichen anderen Instrumenten auch

Transferzahlungen an Unternehmen (Subventionen) und an private Haushalte (Zuwendungen, Sozialtransfers) ein. Bei derartigen Transfers (begrifflich verkürzt: Subventionen) handelt es sich um selektive Begünstigungen ohne eine adäquate marktliche Gegenleistung, welche von Trägern der öffentlichen Finanzwirtschaft (→*Bund, Länder, Gemeinden* und →*EU*) an Empfänger außerhalb der staatlichen Verwaltung gewährt werden.

Hauptansatzpunkte für Subventionen an →*Unternehmen* (auf der europäischen Ebene auch Beihilfen genannt) sind drei Felder: (1) Die sektorale →*Strukturpolitik* hat die Aufgabe, die aus dem wirtschaftlichen Wandel erwachsenden Folgen (strukturelle →*Arbeitslosigkeit*) zu mildern sowie den für das Wachstum der Wirtschaft notwendigen Strukturwandel zu beschleunigen. (2) Die regionale Strukturpolitik konzentriert sich auf die Verteilung des Produktionspotenzials und auf die infrastrukturelle Entwicklung der Räume innerhalb der Volkswirtschaft. Dadurch werden wichtige Voraussetzungen für die Gleichwertigkeit der Lebensverhältnisse geschaffen. (3) Die betriebsgrößenorientierte Strukturpolitik (→*Mittelstandspolitik*) versucht, eventuell bestehende Wettbewerbsnachteile kleiner und mittlerer Unternehmen im Vergleich zu großen Unternehmen auszugleichen. Die derart angestrebte Anpassung an den technischen und wirtschaftlichen Wandel trägt gegebenenfalls dazu bei, die Wettbewerbskraft der Wirtschaft insgesamt zu stärken.

Zur Erfüllung diesbezüglicher Aufgaben stehen dem Staat vielfältige Subventionsinstrumente zur Verfügung. Ihr Einsatz hat unterschiedliche finanzwirtschaftliche (budgetbezogene) Wirkungen. Zu nennen sind (1) Ge- und Verbote zugunsten Dritter ohne einen unmittelbaren Bezug zum öffentlichen Haushalt (z. B. Einfuhrvorschriften), (2) Finanzhilfen, bspw. in Form von Zuschüssen, Erstattungen oder Schuldendiensthilfen, welche auf der Ausgabenseite des öffentlichen Haushalts ihren Niederschlag finden, und (3) Steuervergünstigungen, bspw. in Form von Steuerfreibeträgen, Sonderabschreibungen oder Steuersatzermäßigungen, welche Mindereinnahmen im Budget zur Folge haben.

Grundsätzlich sollen in einer Sozialen Marktwirtschaft derartige Subventionsleistungen ausschließlich subsidiär, als Hilfe zur Selbsthilfe, gewährt werden. Denn von der Anlage her stören sie den Prozess marktwirtschaftlicher Entwicklung: Zum einen tragen Subventionen dazu bei, die Position des Subventionsempfängers gegenüber denjenigen Wirtschaftssubjekten zu begünstigen, die von einer Subventionsvergabe ausgeschlossenen sind (Diskriminierungseffekt). Und zum anderen hat die Summe aller Steuerzahler die durch die Subventionsgewährung entstehenden Finanzierungslasten zu tragen (Umverteilungseffekt). Diese Effekte wären prinzipiell geringer, wenn es die Subventionen nicht gäbe. Der alle zwei Jahre vorgelegte Subventionsbericht der Bundes unterscheidet diesbezügliche Leistungen danach, wie sie auf das Angebot am Markt wirken: (1) Produktivitätshilfen, (2) Anpassungshilfen und (3) Erhaltungshilfen, wobei eine zugehörige klare Grenzziehung aus Gründen der politischen Opportunität nicht immer gewollt ist. Letzteres ist auch dafür verantwortlich, dass auf einen stets und allseits geforderten Subventionsabbau immer wieder verzichtet wird.

Literaturhinweise:
BUNDESMINISTERIUM DER FINANZEN (Hrsg.), *Bericht der Bundesregierung über die Entwicklung der Finanzhilfen und Steuervergünstigungen* für die Jahre 1997 bis 2000 gemäß § 12 des Gesetzes zur Förderung der Stabilität und des Wachstums der Wirtschaft; jüngst: 18. Subventionsbericht, BTag-Drucksache 14/6748; DICKERTMANN, D./ DILLER, K. D. (1990), Subventionswirkungen – Einzel- und gesamtwirtschaftliche Effekte der Subventionspolitik, in: *Wirtschaftswissenschaftliches Studium*, 10/1990, S. 478 ff.; NIEDEREICHHOLZ, M. (1995), *Die Subventionsordnung – ein Beitrag zur finanzwirtschaftlichen Ordnungspolitik*, Berlin.

Dietrich Dickertmann
Annemarie Leiendecker

Systemwettbewerb

Diese Bezeichnung wurde für den →*Wettbewerb* zwischen marktwirtschaftlichen, demokratischen Systemen und lenkungswirtschaftlichen, sozialistischen Systemen (→*Sozialismus/ Planwirtschaft*) bis etwa Ende der 80er Jahre verwendet. Heute ist sie gebräuchlich als Sammelbegriff für Vorgänge und Sachverhalte, die man dem Systemwettbewerb zwischen demokratischen Staaten mit →*Marktwirtschaften* zuordnet. Man spricht auch von institutionellem Wettbewerb, Regulierungswettbewerb (regulatory federalism), Wettbewerb zwischen staatlichen Rechts- und Verwaltungsordnungen (competition among jurisdictions, interjurisdictional competition) oder von Standortwettbewerb.

Es geht um Voraussetzungen und Folgen von Tausch- und Wettbewerbsprozessen zwischen staatlichen Anbietern und privaten Nachfragern jener öffentlichen Leistung, die „Institutionelle Regelung“ genannt wird. Derartige Regelungen gibt es entsprechend der Wirtschaftsverfassung in zahlreichen Gestaltungsbereichen, so in der Eigentums-, Unternehmens-, Produktions-, Markt- und →*Sozialverfassung*. Die in diesen Rechtsbereichen gesetzten formalen Regeln – auch äußere Institutionen genannt – sind ein wesentlicher Teil der Standortbedingungen für die Wirtschaft.

In einer offenen Volkswirtschaft, in der sich Kapital und Arbeit, Güter und Dienstleistungen frei über die Landesgrenzen bewegen können, ändern sich für die regelsetzenden Staaten die Bedingungen für den Wettbewerb zwischen Staaten um mobile Produktionsfaktoren, insbesondere um Investitionen. Inländische Nachfrager nach dem immobilen, an ein Staatsgebiet gebundenen öffentlichen Gut „Institutionelle Regeln“ sind auch mobile Marktteilnehmer wie z. B. potenzielle Investoren. Wenn deren Widerspruch gegen für sie ungünstige Rahmenbedingungen fruchtlos bleibt, haben sie die Option der Abwanderung. Abwanderung beinhaltet insbesondere eine Verlagerung des Kapitals für Investitionen und Finanzanlagen in das günstigere Ausland und vermehrte Nachfrage nach Gütern und Dienstleistungen des Auslands. Nach dieser Sicht treten also Länder bzw. deren institutionelle Regelungen (Systeme) in Wettbewerb zueinander.

Die Kernthesen vom neuen Systemwettbewerb betreffen dessen Anreiz- und Wirkungsstrukturen: In der offenen Volkswirtschaft mit steigender tatsächlicher und potenzieller Abwanderung von Wirtschaftsakteuren unterliegen die Staaten bei institutionellen Regelungen einem intensiveren Wettbewerb, der sie langfristig zu einem verbesserten Leistungsangebot zwingt. In der Interpretation des methodologischen Individualismus handelt es sich um einen Wettbewerb zwischen Ländern, die durch ihre Politiker vertreten werden, d. h. es konkurrieren letztlich die Politiker in ihrer Funktion als Vertreter des Staates. Institutionelle Verbesserungen können Innovationen oder Imitationen von im Ausland bewährten Regelungen sein. Die Gegenleistung der inländischen mobilen Marktteilnehmer ist in ökonomischer Hinsicht die Nichtabwanderung aus dem Kompetenzgebiet des Staates. Der neue Analyseansatz vom Systemwettbewerb erweitert sowohl das bisherige Modell vom politischen Wettbewerb in Demokratien durch die Option der wirtschaftlichen Abwanderung als auch die Analyse der Public Choice-Theorie hinsichtlich der Einflüsse auf staatliche Entscheidungsprozesse (→*Institutionenökonomik*).

In der kritischen Auseinandersetzung mit der These vom Systemwettbewerb ist kontrovers, ob bei institutionellem Wettbewerb in Analogie zum wirtschaftlichen Wettbewerb auf Gütermärkten argumentiert werden kann. Zu klären bleibt, unter welchen Bedingungen sich Systemwettbewerb entwickeln kann und ob die Gefahr des gegenseitigen Herunterkonkurrierens der Regelungen (Race-to-the-bottom-Argument) besteht. Noch zu prüfen ist, ob die Auswahl einzelner Regelungen für die Nachfrager überhaupt möglich ist, ob tatsächlich ein hoher Mobilitätsgrad vorliegt sowie ob und wie die staatlichen Anbieter eine drohende Abwanderung durch kollektives Verhalten in Form der Harmonisierung bzw. Vereinheitlichung der institutionellen Regelungen verhindern können (→*Internationale Wanderungen*).

Literaturhinweise:

MONOPOLKOMMISSION (Hrsg.) (1998), *Systemwettbewerb* (Sondergutachten 27), Baden-Baden; STREIT, M. E./ WOHLGEMUTH, M. (Hrsg.) (1999), *Systemwettbewerb als Herausforderung an Politik und Theorie*, Baden-Baden; GERKEN, L. (1999), *Der Wettbewerb der Staaten*, Tübingen.

Ronald Clapham

Wettbewerbsfähigkeit verschiedener Staaten im Vergleich

	Rang			Rang	
	CCI	GCI		CCI	GCI
Finnland	1	1	Spanien	23	22
USA	2	2	Italien	24	26
Niederlande	3	8	Ungarn	26	28
Deutschland	4	17	Estland	27	29
Schweden	6	9	Portugal	31	25
Großbritannien	7	12	Slowenien	32	31
Dänemark	8	14	Tschechien	35	37
Kanada	11	3	Slowakei	39	40
Frankreich	12	20	Polen	41	41
Österreich	13	18	Lettland	42	47
Belgien	14	19	Griechenland	43	36
Japan	15	21	China	47	39
Irland	22	11	Litauen	49	43

CCI = Current Competitiveness Index (Index der aktuellen Wettbewerbsfähigkeit)
GCI = Growth Competitiveness Index (Index der Wettbewerbsfähigkeit beim Wachstum)

Quelle: World Economic Forum in Zusammenarbeit mit M. Porter und J. Sachs, 2001

Tarifrecht

Das Grundgesetz garantiert in Art. 9 Abs. 3 die Tarifautonomie: Arbeitnehmer und Arbeitgeber haben das Recht, sich zu Gewerkschaften und Arbeitgeberverbänden zusammenzuschließen und ihre Arbeits- und Wirtschaftsbedingungen frei von staatlichen Vorgaben eigenverantwortlich zu regeln; dies geschieht vor allem durch Tarifverträge. Sie können sowohl für einzelne →*Unternehmen* als auch für ganze Branchen abgeschlossen werden. Ihr Geltungsbereich kann regional begrenzt sein oder das Bundesgebiet insgesamt umfassen.

Tarifverträge können konkrete Rechte und Pflichten der Arbeitnehmer und Arbeitgeber – etwa über Lohnhöhe oder Arbeitszeit – festlegen, aber auch verbindliche Rechtsnormen enthalten, die für die Betroffenen ähnlich einem Gesetz unmittelbar gelten. Sie binden alle Arbeitgeber des Geltungsbereiches, die dem jeweiligen Arbeitgeberverband angehören und alle Arbeitnehmer, die Mitglied der beteiligten Gewerkschaft sind. Es ist allerdings gängige Praxis, auch unorganisierte Arbeitnehmer an dem tarifvertraglich Vereinbarten teilhaben zu lassen.

Tarifverträge regeln die Arbeitsbedingungen kollektiv und werden in Abständen an die wirtschaftliche Entwicklung angepasst. Die Konditionen jedes individuellen Arbeitsvertrages müssen also nicht immer wieder neu ausgehandelt werden. Tarifverträge erfüllen so eine wichtige Ordnungsfunktion. Zugleich entfalten sie für den einzelnen Arbeitnehmer eine Schutzwirkung gegenüber dem meist wirtschaftlich stärkeren Arbeitgeber. Tarifverträge schützen aber auch den einzelnen Arbeitgeber, der auf sich alleingestellt der Organisationsmacht einer großen Gewerkschaft wenig entgegensetzen könnte. Schließlich haben Tarifverträge eine Friedensfunktion, weil sie das Arbeitsleben über längere Zeiträume von kräftezehrenden Konflikten freihalten.

Mantel- oder Rahmentarifverträge werden in der Regel für längere Zeiträume abgeschlossen; Lohn- und Gehaltstarifverträge haben hingegen kürzere, also in der Entwicklung überschaubare Laufzeiten. Daneben gibt es vielerlei Tarifverträge über zusätzliche Leistungen – etwa Urlaubsansprüche, vermögenswirksame Leistungen oder Sonderzahlungen. Diese Tarifverträge gelten parallel und meist für abweichende Zeiträume. Derzeit sind über 50.000 Tarifverträge gültig.

Tarifverträge können Gesetze und Verordnungen nicht außer Kraft setzten. *Zugunsten* der Arbeitnehmer ist aber eine Abweichung von staatlichen Mindestregelungen grundsätzlich zulässig. Betriebsräte können keine Tarifverträge, sondern nur Betriebsvereinbarungen abschließen. Solche Betriebsvereinbarungen dürfen von tarifvertraglichen Regelungen nur *zugunsten* der Arbeitnehmer abweichen – es sei denn, eine „Öffnungsklausel“ im Tarifvertrag gesteht ein entsprechendes Abweichungsrecht zu (→*Betriebsverfassung*).

Es ist zulässig, auf Tarifverträge durch Arbeitskämpfe einzuwirken. Das Recht zum →*Arbeitskampf* wird durch Art. 9 Grundgesetz garantiert. Seine Einzelheiten sind aber nicht gesetzlich geregelt, sondern wurden durch die Rechtsprechung ausgeformt. Zum Arbeitskampf zählt man den Streik, also die gemeinschaftliche Arbeitsverweigerung in der Absicht, tarifvertragliche Regelungen durchzusetzen. Auf Seiten der Arbeitgeber entspricht dem Streik die Aussperrung, bei der die Beschäftigten nicht zur Arbeit zugelassen werden und die Lohnzahlung verweigert wird. Gewerkschaften und Arbeitgeberverbände legen jeweils Regeln für Arbeitskampfmaßnahmen fest, wie etwa das Erfordernis einer Urabstimmung auf Arbeitnehmerseite oder eines entsprechenden Verbandsbeschlusses auf Arbeitgeberseite. Für alle Arbeitskampfmaßnahmen gilt das Gebot der Verhältnismäßigkeit. Auch darf niemand durch Gewaltanwendung zur Teilnahme an einem Arbeitskampf genötigt werden. Arbeitskämpfe können das gesamte Tarifgebiet umfassen, dürfen aber auch als Schwerpunktstreik auf einzelne Betriebe beschränkt werden. Für die Dauer des Arbeitskampfes erhalten die beteiligten Arbeitnehmer und Unternehmen von ihren Verbänden in der Regel eine finanzielle Unterstützung.

Grundsätzlich dürfen Arbeitskämpfe erst nach Ablauf der „Friedenspflicht" geführt werden, also nach Ende der Gültigkeit eines bestehenden Tarifvertrages. Kurze Warnstreiks in engem Zusammenhang mit Tarifverhandlungen gelten aber als zulässig. Rechtswidrig sind Arbeitskämpfe, die nicht auf die andere Tarifvertragspartei abzielen, z. B. Sympathiestreiks und Solidaritätsaussperrungen in anderen Branchen oder politische Streiks, die sich gegen den Gesetzgeber wenden. Die anfängliche Kontroverse über die Zulässigkeit von Aussperrungen wurde inzwischen durch die Rechtsprechung von Bundesverfassungsgericht und Bundesarbeitsgericht entschieden.

Unter Umständen kann ein Tarifvertrag auch auf Arbeitnehmer und Arbeitgeber erstreckt werden, die nicht tarifgebunden sind. Voraussetzung ist, dass der Tarifvertrag für allgemeinverbindlich erklärt wurde; dies ist gegenwärtig bei knapp 600 Tarifverträgen der Fall. Eine Allgemeinverbindlicherklärung setzt den Antrag zumindest einer Tarifvertragspartei und das positive Votum eines paritätisch besetzten Tarifausschusses voraus; sie ist nur dann zulässig, wenn ein öffentliches Interesse besteht und die tarifgebundenen Arbeitgeber mehr als die Hälfte der Arbeitnehmer im Geltungsbereich des Tarifvertrages beschäftigen. Mindestlöhne, für die es in Deutschland keine gesetzliche Regelung gibt, können nur auf dem Umweg über allgemeinverbindliche Tarifverträge erreicht werden. Allgemeinverbindlicherklärungen sind rechtlich und politisch umstritten, weil sie auch diejenigen Arbeitgeber verpflichten, die eine Tarifbindung erklärtermaßen nicht wünschen. Nach der Rechtsprechung des Bundesverfassungsgerichtes sind sie jedoch zulässig.

Anteil der Betriebe mit Tarifbindung (1999)
(TV = Tarifvertrag)

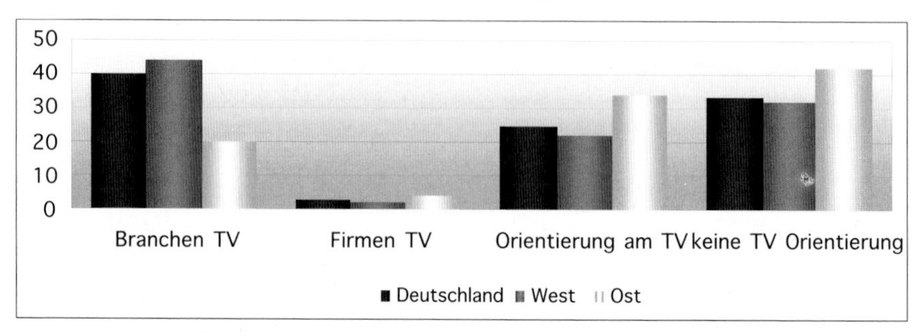

Quelle: Institut der deutschen Wirtschaft Köln

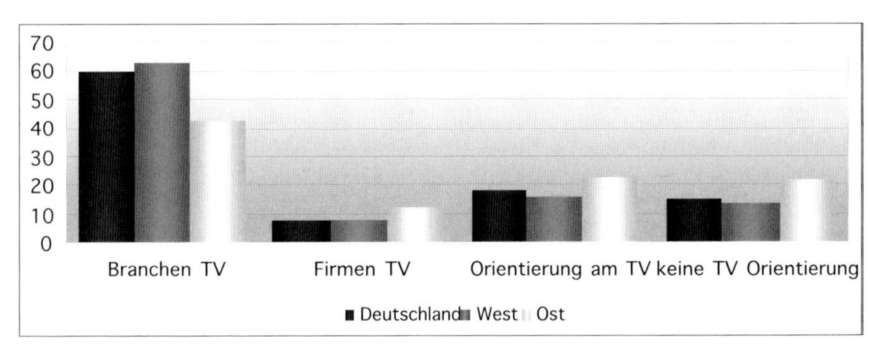

Quelle: Institut der deutschen Wirtschaft Köln

Tarifverträge regeln Mindestbedingungen. Sie hindern nicht daran, Arbeitnehmern übertarifliche Leistungen zu gewähren. Solche übertariflichen Leistungen können sowohl durch betriebliche Vereinbarungen als auch durch Einzelvertrag zugestanden werden.

Literaturhinweise:
GAMILLSCHEG, F. (1997), *Arbeitsrecht. Kollektives Arbeitsrecht*, München; WIEDMANN, H./ STUMPF, H. (1999), *Tarifvertragsgesetz*, München; HALBACH, G./ POLAND, N./ SCHWEDES, R./ WLOTZKE, O. (1998), *Übersicht über das Arbeitsrecht*, 7. Aufl., Bonn.

Gernot Fritz

Treuhandanstalt

Die „Treuhand" war die staatliche Privatisierungsorganisation in der Transformation Ostdeutschlands von der Plan- zur →*Marktwirtschaft*. Die „Anstalt zur treuhänderischen Verwaltung des Volkseigentums (Treuhandanstalt)" wurde Anfang 1990 gegründet, ab 1995 als verkleinerte „Bundesanstalt für vereinigungsbedingte Sonderaufgaben (BvS)" fortgeführt und im Jahre 2000 weitestgehend aufgelöst.

Die Gründungsidee stammte von der damaligen Bürgerbewegung der DDR und der reformkommunistischen Modrow-Regierung. Ursprünglich sollte die Treuhand die ihr übertragenen Unternehmen nur verwalten, um eine spontane →*Privatisierung* zu verhindern und die Möglichkeit eines →*Dritten Weges* offen zu halten.

Mit der Wahl der demokratischen de Maizière-Regierung im März 1990 und der folgenden →*Wiedervereinigung* unter der Kohl-Regierung erhielt die Treuhand einen neuen Auftrag: die Privatisierung der ostdeutschen Wirtschaft. Dabei handelte es sich um eine gewaltige Aufgabe, denn die Treuhand-Unternehmen beschäftigten 4,2 Mio. Arbeitnehmer. Die Treuhand war Eigentümerin von fast allen ostdeutschen Großunternehmen (Kombinaten) und von gut einem Viertel der Hotels, Gaststätten und Ladengeschäfte. Sie besaß knapp ein Drittel der Äcker und Felder und zwei Drittel der Wälder. Daneben hatte sie umfangreichen Immobilienbesitz. Bei der Privatisierung musste die Treuhand Ansprüche anderer Eigentümer berücksichtigen, so von staatlichen Einrichtungen (Kommunalisierung) und von früher in Ostdeutschland enteigneten privaten Personen (Reprivatisierung). Die Privatisierung der Banken und Versicherungen sowie der Monopole in der Energie-, Gas-, Verkehrs- und Wasserwirtschaft waren Sonderfälle. Hier wirkte die Treuhand zwar formal mit, doch in Wirklichkeit wurden die Entscheidungen von den zuständigen Ministerien oder der Regierung gefällt.

Die Treuhand war eine „Anstalt öffentlichen Rechts", d. h. eine etwas freier agierende Behörde, die dem Bundesministerium für Finanzen unterstellt war. Sie war wie eine Aktiengesellschaft aufgebaut. Im Verwaltungsrat (Aufsichtsrat) saßen Vertreter des Bundes und der ostdeutschen Länder sowie Mitglieder wichtiger Arbeitgeberverbände und Gewerkschaften. In den Vorstand wurden erfahrene →*Unternehmer* und Wirtschaftspolitiker berufen. Die wichtigsten Präsidenten (Vorstandsvorsitzenden) der Treuhand waren Detlev Rohwedder (1990-91), der einem politischen Attentat zum Opfer fiel, und Birgit Breuel (1991-94). Große Unternehmen wurden von der Berliner Zentrale und kleine Unternehmen von den 15 Niederlassungen privatisiert. Immobilien wurden über die Treuhand Liegenschaftsgesellschaft (TLG) und Grund und Boden über die Boden-Verwertungs- und Verwaltungsgesellschaft (BVVG) verkauft. Anfangs hatte die Treuhand nur etwa 300 Mitarbeiter, in Spitzenzeiten bis zu 3.000.

Wie privatisierte die Treuhand? Sie wandelte staatliche Betriebe in privatrechtliche Unternehmen (AG, GmbH) um, zerlegte Großunternehmen in 14.000 kleinere Unternehmen und verkaufte diese anschließend. Allerdings waren das keine normalen Unternehmensverkäufe, denn viele Unternehmen waren konkursreif, und die Käufer sollten besondere Bedingungen erfüllen. Die Treuhand versteigerte ihre Unternehmen nicht einfach zum höchsten Preis, sondern forderte auch Zusagen für Arbeitsplätze und Investitionen, die durch detaillierte Geschäftspläne unterlegt werden mussten. Diese Bedingungen schreckten viele, insbesondere ausländische Käufer ab. Im Gegenzug minderte die Treuhand den Kaufpreis, sanierte die Unternehmen teilweise oder bot →*Subventionen.* Ende 1994 waren die meisten Unternehmen verkauft bzw. stillgelegt. Der 1998 gewählten Schröder-Regierung verblieb nur noch die Aufgabe der Restprivatisierung von Immobilien, Grund und Boden sowie der Kontrolle von langfristigen Privatisierungsverträgen.

Die Treuhand war ein →*Parafiskus.* Sie hatte Ausgaben von über 155 Mrd. € und Einnahmen von knapp 40 Mrd. €. Die hohen Ausgaben resultierten v. a. aus der Übernahme alter Unternehmensschulden, der Beseitigung ökologischer Altlasten und der Sanierung von Unternehmen. Die geringen Einnahmen ergaben sich v. a. aus dem geringen Unternehmenswert und den Kaufpreisabschlägen für Arbeitsplatz- und Investitionszusagen. Knapp 107 Mrd. € Schulden wurden auf den →*Erblastentilgungsfonds* übertragen. Die restlichen Schulden wurden aus den jährlichen Bundeshaushalten finanziert.

Die Treuhand stand unter ständiger Kritik. Ein Teil der Kritiker forderte, sie solle langsamer privatisieren, die Unternehmen zuerst sanieren, „industrielle Kerne" erhalten und ein „Aufbauministerium Ost" werden, um möglichst viele Arbeitsplätze zu erhalten. Ein anderer Teil der Kritiker forderte genau das Gegenteil mit der Begründung, dass eine langsamere Privatisierung noch teuerer würde und die Treuhand kein besserer Unternehmer sei als die privaten Käufer. Es offenbarte sich, dass die Treuhand keine unabhängige Behörde war, die nur privatisieren sollte. Sie unterlag vielfältigem politischen Druck der Bundes- und Länderregierungen, der Interessengruppen und der Öffentlichkeit und geriet in wirtschaftspolitische Zielkonflikte. Als Faustregel kann gelten, je größer und je maroder das Unternehmen war, desto größer war der politische Druck zur teuren Sanierung. Kritisiert wurde auch, dass die Treuhand nicht die Löhne für ihre Unternehmen verhandelte. Gerade 1990-91 hätte sie für eine langsamere Lohnangleichung in Ostdeutschland eintreten müssen (→*Wiedervereinigung: Währungs-, Wirtschafts- und Sozialunion*).

Die Treuhand hat ihre Aufgabe der Massenprivatisierung in Ostdeutschland erfüllt. Das war kein automatisches Ergebnis, wie die Erfahrungen aus anderen Transformationsländern zeigen. So ist die Mehrheit der Unternehmen in Ostdeutschland heute privat und trägt das Potenzial für weiteres Wirtschaftswachstum in sich. Der Prozess der Privatisierung war aber nicht effizient.

Literaturhinweise:

FISCHER, W./ HAX, H./ SCHNEIDER, H.-K (Hrsg.) (1993), *Treuhandanstalt: Das Unmögliche wagen*, Berlin; KEMMLER, M. (1994), *Die Entstehung der Treuhandanstalt: Von der Wahrung zur Privatisierung des DDR-Volkseigentums*, Frankfurt/ M.; SIEGMUND, U. (2001), *Privatisierungspolitik in Ostdeutschland: Eine politökonomische Analyse der Treuhandanstalt*, Wiesbaden.

Uwe Siegmund

Umweltbelastung

Bei den Umweltbelastungen unterscheidet man zwischen globalen und regionalen Umweltproblemen. Erstere sind auf dem Vormarsch. Bei ihnen haben lokale Aktivitäten (etwa Betrieb von Anlagen, Abbau von Ressourcen oder Deponierung von Stoffen) globale Auswirkungen und verlangen darum ein gemeinsames Handeln möglichst vieler, wenn nicht sogar aller Staaten. Regionale Umweltprobleme hingegen ergeben sich in der Regel aus einem regional begrenzten Wirkungsbereich lokaler Nutzungen der Umwelt für Produktions-, Konsumtions- oder Deponierungszwecke.

Handelt es sich um regionale Belastungserscheinungen innerhalb der

Grenzen eines Staates, ist die nationale Umweltpolitik gefordert. Unter globalen Belastungsaspekten spielen gegenwärtig vor allem die Anreicherung der Erdatmosphäre mit Treibhausgasen, der Abbau der als „Sonnenbrille der Erde“ fungierenden Ozonschicht in der Troposphäre, die quantitative und qualitative Verschlechterung des Süßwasserangebots, der Verlust an Artenvielfalt (Biodiversität), die Reduktion und Qualitätsverschlechterung der Böden (Desertifikation) sowie die Übernutzung der Weltmeere (durch Überfischung und zu hohen Eintrag von Schadstoffen) eine wichtige Rolle.

Unter den Treibhausgasen kommt dem Kohlendioxid (CO_2) besondere Bedeutung zu. Bis zur industriellen Revolution überstiegen die CO_2-Konzentrationswerte in der Erdatmosphäre kaum 280 parts per million by volume (ppmv). Seitdem sind diese Konzentrationswerte kontinuierlich gestiegen. 1958 betrugen sie 315 ppmv, gegenwärtig belaufen sie sich auf ca. 370 ppmv. Man kann aufgrund der umfangreichen Untersuchungen der Klimaforscher, insbesondere des Intergovernmental Panel on Climate Change (IPPC), mit ziemlicher Sicherheit davon ausgehen, dass dieser Anstieg sowie die mit ihm verbundene Erhöhung der mittleren Temperatur an der Erdoberfläche zwischen 0,4°C und 0,8°C primär vom Menschen verursacht wurde. Simulationsergebnisse kommen zum Ergebnis, dass bei Fortdauer der Trends bei der Nutzung fossiler Energieträger (insbesondere Stein- und Braunkohle sowie Mineralöl) und des hierdurch bedingten Anstiegs der CO_2-Emissionen bis 2100 mit einem Anwachsen der Konzentrationswerte auf über 700 ppmv und damit mit einer weiteren Erhöhung der mittleren Temperatur an der Erdoberfläche in Höhe zwischen 1,4°C und 5,8°C gerechnet werden muss.

Luftbelastung in Deutschland

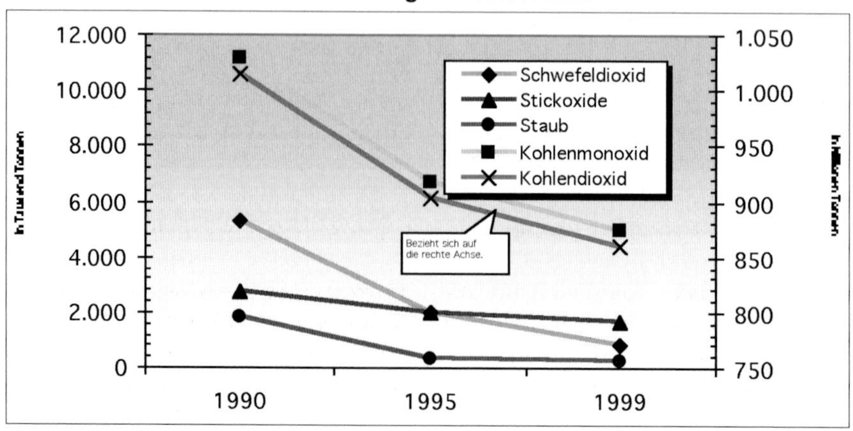

Quelle: Institut der deutschen Wirtschaft Köln

Dies könnte gravierende Auswirkungen auf die globale Verteilung der Vegetationszonen, die Häufigkeit turbulenter Wetterlagen, die Höhe des Meeresspiegels sowie großräumige Systeme (etwa das räumliche Verlaufsbild des Golfstroms oder der nordatlantischer Meeresströmungen) haben.

Literaturhinweise:
ENDRES, A. (2000), *Umweltökonomie*, 2. Aufl., Stuttgart; FEESS, E. (1998), *Umweltökonomie und Umweltpolitik*, 2. Aufl., München; SIEBERT, H. (Hrsg.) (1996), *Elemente einer rationalen Umweltpolitik. Expertisen zur umweltpolitischen Neuorientierung*, Tübingen.

Paul Klemmer

Umweltorientiertes Management

Anfang bis Mitte der achtziger Jahre erkannten Unternehmen in Nordeuropa und später in den USA und in Südeuropa, dass Umweltschutz zu einer strategischen Aufgabe wurde, die weit über den Einbau von nachgeschalteten Reinigungsanlagen hinausging. Die Praxis der Unternehmen zeigte, dass es nicht nur wichtig wurde, eine Vielzahl von Umweltgesetzen ökonomisch effektiv einzuhalten; vielmehr ging es auch um die Beantwortung der Frage, wie Unternehmen eigene Erfolgspotenziale nutzen können, um Umweltschutz und Unternehmensentwicklung zu verzahnen. Als wissenschaftliche Teildisziplin der Betriebswirtschaftslehre bildete sich dafür bald das „Umweltmanagement“ heraus. Die zentrale Leitidee aus den Forschungen: Umweltschutz muss in die Zielsetzungen, Prozesse und Funktionen des Unternehmens eingebunden werden, um wirksam umgesetzt werden zu können.

Umweltschutz kann nie das dominante Ziel eines Unternehmens unter marktwirtschaftlichen Bedingungen sein. Aber ein →*Unternehmen* kann sich aus seinem eigenen Interesse heraus ökonomisch begründbare →*Umweltschutzziele* setzen, um den „ökologischen Fußabdruck“ seiner Produkte und Produktionsprozesse kontinuierlich abzusenken. Ökonomische Treiber dafür sind Kostensenkungspotenziale (z. B. verringerte Abfallgebühren, eingesparte Energiekosten) oder ökologische Produktmerkmale (etwa Lebensmittel ohne Pestizidrückstände). Ohne quantitative Ziele bleibt der Umweltschutz als Manageaufgabe unverbindlich (nach der alten Regel: what's measured gets managed; →*Betriebliches Rechnungswesen*).

Für die Zielerreichung benötigen die Unternehmen (wie üblich) Strategien, Informationen, Managementsysteme und Instrumente. Die *Strategie* wird oft als „Umweltstrategie“ formuliert, weil sich dies einfacher intern und extern vermitteln lässt. Neben den Zielen gehören in eine solche Strategie Maßnahmenpakete (z. B. Investitionen in die Umweltstandards von Anlagen, Produktinnovationen) und eingesetzte Ressourcen. So verständlich die Vermittlungsüberlegung ist, die wirksame Umsetzung einer Umweltstrategie erfolgt erst in den „normalen“ Geschäftsprozessen (wie etwa dem Produktentwicklungsprozess). Die Integration in diese Prozesse entscheidet, ob Umweltziele erreicht werden (z. B. welche Kosten die Entsorgung verursacht, welche Energieeffizienz das Produkt hat). Daher müssen die Umweltziele auch auf diese Funktionen „heruntergebrochen" (d. h. konkret beschrieben) werden, damit sie in den Prozessen auch relevant werden können (z. B. das Ziel: „Abfallverringerung der Produktion um x Prozent für den Produktionsprozess z" wird in dieser konkreten Fassung in den Business Plan aufgenommen und zusammen mit den Maßnahmen und Ressourcen aufgeführt).

Dieses Verfahren wird durch eine gemeinsame *Informationsgrundlage* (Umweltdatenbank) erleichtert, in der die relevanten Emissionen und Umweltwirkungen erfasst sind, die erkennen lassen, wo die Prioritäten für die Strategie zu setzten sind.

Umweltmanagementsysteme (wie ISO 14000 oder die europäische Verordnung über die freiwillige Teilnahme am Environmental Management and Auditing System, EMAS) helfen, Verantwortlichkeiten zu definieren und Informations- und Organisationsprozesse zu beschreiben, die nötig sind, um eine verantwortliche Durchsetzung der festgelegten Umweltschutzziele und Strategien zu gewährleisten. Dazu wurden auch besondere *Instrumente* entwickelt (z. B. Umweltcontrolling, die „Öko-Bilanz"), um den Umweltschutz ähnlich professionell zu managen wie alle anderen Bereiche.

Neben der Unvorhersehbarkeit der Wirtschaftsentwicklung und der damit einhergehenden kurzfristigen Orientierung der Unternehmen sind heute das hedonistische (d. h. auf Lustgewinn versessene und darum oft umweltschädigende) Konsumentenverhalten und die strengen, unübersichtlichen und oft innovationshemmenden Vorschriften des Staates das Haupthemmnis für eine größere Anstrengung der Unternehmen im Umweltmanagement.

Literaturhinweise:
STEGER, U. (Hrsg.) (1997), *Handbuch des integrierten Umweltmanagements*, München, Wien.

Ulrich Steger

Umweltpolitik: Instrumente

Wer umweltpolitische Ziele verfolgt, muss sich überlegen, mit welchen Mitteln er sie erreichen will. „Was gibt es da schon zu überlegen?", so könnte man entgegnen: „Wenn die Gesellschaft keine Umweltverschmutzung will, dann muss sie diese eben verbieten!" Eingedenk der Devise ‚Jeder Mensch ist ein Umweltverschmutzer', müsste bei dieser strengen Haltung natürlich die ganze Menschheit verboten werden. Angesichts gewisser Nachteile dieser „Lösung" könnte eine moderate Version der obigen Forderung lauten: „Es muss verboten werden, die Umwelt über bestimmte Grenzwerte hinaus zu belasten." In der Tat verfährt die Umweltpolitik in Deutschland und anderswo überwiegend nach diesem schlichten und intuitiv womöglich einleuchtenden Motto. Betreiber umweltrelevanter Anlagen erhalten Auflagen. Bei diesem umweltpolitischen Instrument werden z. B. Emissionsgrenzwerte festgelegt oder der Einsatz bestimmter Techniken vorgeschrieben. In Deutschland geschieht dies mit dem Bundesimmissionsschutzgesetz, der technischen Anleitung zur Reinhaltung der Luft, der Großfeuerungsanlagenverordnung, dem Wasserhaushaltsgesetz und vielen anderen Gesetzen und Verordnungen. Ihre Einhaltung soll von den Behörden kontrolliert, Übertretungen sollen bestraft werden.

Das Verfahren hat aber schwerwiegende Nachteile: Wer einen bestimmten Emissionsgrenzwert vorgeschrieben bekommt, macht sich wenig Gedanken darüber, wie er ihn *unter*schreiten könnte. Eine von der Behörde vorgeschriebene Technik kann außerdem ökonomisch (ja sogar ökologisch) ungünstiger sein, als ein anderes Verfahren. Diese und andere Nachteile sind ganz ähnlich, wie wenn jemand forderte: „Weil Lebensmittel oder Computer für die Bevölkerung so wichtig sind, muss der Staat vorschreiben, wieviele und in welcher Qualität produziert werden sollen!". Bei einer derartigen Forderung würde sich sofort und mit Recht Kritik erheben.

In *allen* Bereichen von Wirtschaft und Umwelt stellt sich eben die Frage, ob der Staat detaillierte Vorschriften erlassen oder mehr auf Eigeninitiative und Markt setzen sollte. Im Bereich von Nahrungsmitteln und Computern herrscht ein breiter gesellschaftlicher Konsens zugunsten der marktwirtschaftlichen Alternative. Im Umweltbereich ist das aber ganz anders. Dies ist allerdings nicht einzusehen, denn auch bei der Umweltqualität handelt es sich doch um ein wichtiges knappes Gut.

Es gibt trotz der offensichtlichen Unterschiede zwischen einem Computer und sauberer Luft eine ganze Reihe von guten Ideen, Marktkräfte in den Dienst der Versorgung mit Umweltgütern zu stellen. Hierfür bieten sich z. B. *Emissionszertifikate, Emissionsabgaben* oder das *Umwelthaftungsrecht* an.

Bei *Zertifikaten* können Rechte auf den Ausstoß bestimmter Emissionsmengen unter den Firmen frei gehandelt werden. Das umweltpolitische Ziel wird dadurch erreicht, dass nicht mehr Emissionsrechte ausgegeben werden, als gesellschaftlich toleriert wird. Der Vorteil gegenüber Auflagen besteht darin, dass Unternehmen, die Emissionen billig vermeiden können, ihre Rechte an solche Firmen verkaufen können, die höhere Kosten bei der Vermeidung von Umweltbelastungen haben. Das ist nicht nur für die Betreiber äußerst erfreulich, sondern auch für die gesamte Volkswirtschaft: Schließlich wird der Umweltschutz durch die intelligente Verteilung der damit verbundenen Lasten zwischen Firmen mit verschiedenen Kostenstrukturen insgesamt billiger erreicht, als dies bei einer Auflagenpolitik möglich wäre. In der →*EU* ist im Januar 2005 ein System des Emissionshandels in Kraft treten. Dieses soll die klimapolitischen Ziele der EU möglichst kostengünstig erreichen. Das System greift zahlreiche Elemente der Idee der Emissionszertifikate auf und setzt sie in die Praxis um.

Auch *Emissionsabgaben* haben Vorteile gegenüber Auflagen. Muss ein Unternehmen Emissionsabgaben zahlen, so wirkt dies, als ob das Emittieren seinen Preis hätte. Der Abgabesatz ist zwar kein frei gebildeter

Marktpreis, sondern ein staatlich fixierter Preis, aber immerhin: Das Gewinnstreben mobilisiert die unternehmerische Kreativität, den kostenträchtigen Faktor *Emission* „wegzurationalisieren“. Damit kommt eine unternehmerische Dynamik in den Umweltschutz, von der man bei der Auflagenpolitik nur träumen kann. Mittlerweile haben viele Industrieländer Abgabensysteme entwickelt, die ökologische Elemente enthalten.

In ähnlicher Weise wird das unternehmerische Eigeninteresse durch das *Haftungsrecht* in den Dienst des Umweltschutzes gestellt. Der beste Schutz vor einer Schadensersatzklage ist nämlich eine gute Umweltschutztechnologie. Ist der Unternehmer versichert, wird die Versicherung den Stand der Umwelttechnik bei ihrem Vertragspartner genau im Auge behalten. Mit dem 1991 in Kraft getretenen deutschen Umwelthaftungsgesetz werden Elemente dieser Idee praktisch angewendet.

Bei der Würdigung „marktwirtschaftlicher Instrumente“ in der Umweltpolitik sollte man allerdings Vorsicht walten lassen. Häufig werden Gesetze und andere Regelungen in der Praxis von den Politikern als marktwirtschaftlich etikettiert, enthalten aber tatsächlich überwiegend marktwirtschaftsferne Elemente. So ist z. B. das deutsche Abwasserabgabengesetz so gestaltet, dass von den von einer Umweltabgabe zu erwartenden Impulsen kaum etwas übrig bleibt. Auch das deutsche Umwelthaftungsgesetz ist von dieser Kritik betroffen.

Also: Gerade im Bereich der umweltpolitischen Instrumente besteht noch ein großer ordnungspolitischer Nachholbedarf. Auf dem Wege zur Vollendung einer ökosensiblen →*Marktwirtschaft* ist noch eine weite Strecke zurückzulegen.

Literaturhinweise:

BINDER, K. G. (1999), *Grundzüge der Umweltökonomie*, München; ENDRES, A. (2000), *Umweltökonomie*, Stuttgart; ENDRES, A. (2000), *Moderne Mikroökonomik*, München.

Alfred Endres

Umweltpolitik: Träger

Träger (oder Akteure) der Umweltpolitik sind zum einen die öffentlichen Gebietskörperschaften (→*EU*, →*Bund, Länder, Gemeinden*), die für die Verabschiedung und Umsetzung von umweltpolitischen Zielen und Maßnahmen direkt verantwortlich sind, zum anderen aber auch weitere gesellschaftliche Gruppierungen, die einen indirekten Einfluss auf die Umweltpolitik ausüben.

(1) Die Kompetenzabgrenzung in der Umweltpolitik erfolgt in der Bundesrepublik Deutschland in der Weise, dass der Bund zumeist für die Verabschiedung der entsprechenden Gesetze verantwortlich ist (Gesetzeskompetenz beim Bund). Dies führt im Allgemeinen dazu, dass einheitliche Gesetzesvorgaben bestehen, die den maximalen Ausstoß von Schadstoffen an der einzelnen Quelle in Form von Konzentrationswerten festlegen. Eine Berücksichtigung unterschiedlicher Belastungszustände der Umwelt (unterschiedliche Reinigungsfähigkeit der Umwelt; unterschiedliche ökologische Vorbelastungen) in den einzelnen Regionen er-

folgt dabei zumeist nicht. Für die verwaltungstechnische Umsetzung der entsprechenden Gesetze sind demgegenüber in aller Regel die Bundesländer zuständig, die einen Teil der Aufgaben ihrerseits auf die Regierungspräsidien (als spezielle Verwaltungseinheiten der Länder) übertragen (Verwaltungs- oder Durchführungskompetenz bei den Ländern). Damit folgt die Umweltpolitik der in Deutschland üblichen Kompetenzaufteilung, wie sie durch das Grundgesetz vorgegeben ist.

Als ein Problem für die Umweltpolitik erweist sich jedoch insbesondere die Kompetenzabgrenzung zur Europäischen Union (EU). Der Einfluss der EU in der Umweltpolitik ist in den vergangenen Jahren ständig gestiegen. Die EU versucht, durch Richtlinien und Verordnungen Einfluss auf die Umweltpolitik der einzelnen Staaten zu nehmen. Ein bekanntes Beispiel hierfür ist die neue Wasserrahmenrichtlinie der EU, in der eine Bewirtschaftung von Gewässern nach einheitlichen Vorgaben vorgeschrieben ist. Die Verordnungen und Richtlinien der EU stehen jedoch häufig im Gegensatz zum Subsidiaritätsgrundsatz, nach dem eine öffentliche Aufgabe von der jeweils unteren Ebene wahrgenommen werden soll. Nur wenn die jeweils untere Ebene dazu nicht in der Lage ist, sollen Kompetenzen an die nächsthöhere Ebene übertragen werden (→*Fiskalföderalismus*). Sofern ein Umweltproblem lediglich eine regionale Dimension aufweist, weil z. B. die Belastungswirkungen räumlich eng begrenzt sind, wäre eine regionale oder nationale Aufgabenwahrnehmung einer europäischen vorzuziehen.

(2) Die Akteure, die auf die umweltpolitische Entscheidungsfindung einen Einfluss nehmen, sind je nach Umweltbereich und je nach Problemlage unterschiedlich. Im Bereich der Abfallentsorgung spielen bspw. andere Akteure eine Rolle als bei der Ausweisung eines Naturschutzgebietes. Auch kann die allgemeine Problemwahrnehmung in der Öffentlichkeit dazu führen, dass ein Umweltproblem zu einem bestimmten Zeitpunkt kaum beachtet wird, weil das öffentliche Problembewusstsein nicht sehr stark ausgeprägt ist, während es zu einem anderen Zeitpunkt aufgrund einer hohen Sensibilisierung der Öffentlichkeit eine sehr starke Betroffenheit hervorruft. Eine Sonderrolle nehmen zudem internationale und globale Umweltprobleme wie etwa der Klimaschutz ein, bei denen die einzelnen Nationalstaaten als Akteure auftreten.

Im nationalen Rahmen geht man üblicherweise davon aus, dass neben den politischen Akteuren und der Bürokratie Unternehmensverbände auf der einen Seite und Umweltverbände auf der anderen Seite als zwei wichtige Akteursgruppen die umweltpolitische Zielfestlegung ganz wesentlich mit beeinflussen. Dabei verfolgen beide Interessengruppen unterschiedliche Ziele: Während die Unternehmensverbände versuchen, umweltschutzbezogene Zielsetzungen möglichst niedrig anzusetzen, um Kostenbelastungen zu begrenzen und im internationalen Standortwettbewerb (→*Systemwettbewerb*) nicht zurückzufallen, plädieren die Umweltverbände für einen möglichst weitgehenden Umweltschutz. Wichtige Umweltverbände in Deutschland sind der Bund für Umwelt- und Naturschutz (BUND), der Naturschutzbund (NABU) oder Greenpeace. Die Auseinandersetzungen um die Festlegung von Umweltzielen werden jedoch in den vergangenen Jahren nicht mehr so scharf geführt wie zuvor. Auf der Seite der →*Unternehmen* wächst anscheinend die Einsicht, dass Umweltschutz ein wichtiger Imagefaktor ist, während auf Seiten der Umweltschutzinteressen zunehmend die ökonomischen Notwendigkeiten anerkannt werden.

Literaturhinweise

JÄNICKE, M. (1995), Akteure der Umweltpolitik, in: Junkernheinrich, M./ Klemmer, P./ Wagner, G. R. (Hrsg.), *Handbuch zur Umweltökonomie*, Berlin, S. 11-15.

Bernd Hansjürgens

Umweltpolitik: Zielkonflikte

Wie alle anderen nützlichen wirtschaftliche Tätigkeiten, so verursachen auch Umweltschutzmaßnahmen Kosten, d. h. es müssen Ressourcen dafür aufgewendet werden. Diese Tatsache führt zu einer Konkurrenz zu anderen Verwendungsmöglichkeiten für die immer begrenzten Ressourcen. Ein Beispiel dafür ist eine aufkommensneutrale ökologische Steuerreform: Aufkommensneutralität bedeutet, dass die →*Unternehmen* für die insgesamt entstehenden Steuerbelastungen einen Ausgleich erhalten bspw. durch Senkungen der Lohnnebenkosten. Dies heißt aber nicht, dass eine ökologische Steuerreform kostenlos ist – die betroffenen Unternehmen ergreifen Umweltschutzmaßnahmen, um die Steuerbelastung zu vermindern, und diese Maßnahmen stellen einen Verbrauch von Ressourcen dar, kosten also etwas. Ein analoger Zielkonflikt mit anderen potenziellen Verwendungsmöglichkeiten ergibt sich, wenn der öffentliche Sektor Umweltschutzmaßnahmen durchführt, obwohl mit dem gleichen Geld bspw. die Krankenversorgung oder das Bildungswesen verbessert werden könnten.

Allerdings verursachen Umweltschutzmaßnahmen nicht nur Kosten, sie stiften auch Nutzen. Diese Nutzen fallen zum Teil direkt monetär an, wenn etwa Sanierungskosten für Gebäude gespart, Umweltkatastrophen verhindert werden oder wenn das Ausmaß umweltbedingter Krankheiten abnimmt. Daneben gibt es auch schwerer messbare Vorteile: So liegt bspw. der Nutzen einer verhinderten Krankheit nicht nur in gesparten Kosten eines nicht notwendigen Krankenhausaufenthaltes, sondern ganz einfach auch in dem Sachverhalt, dass sich gesunde Menschen wohler fühlen als kranke. Empirische Untersuchungen zeigen, dass die Nutzen von Umweltschutzmaßnahmen insgesamt deutlich über ihren Kosten liegen. Dies gilt vor allem (aber nicht nur) für Entwicklungsländer, in denen verseuchtes Trinkwasser und andere Umweltprobleme zu Krankheiten und erheblichen Produktivitätsverlusten führen.

Auf makroökonomischer Ebene stellt sich die Frage, ob eine relativ strenge Umweltpolitik wie in Deutschland über erhöhte Produktionskosten zu Nachteilen für die internationale Konkurrenzfähigkeit führt. Diese Befürchtung mag für einzelne Produktionszweige zutreffen, ist insgesamt aber weder theoretisch noch empirisch belegt. Im Gegenteil zeigen Untersuchungen, dass die strenge deutsche Umweltpolitik zu einer starken Stellung auf dem Weltmarkt für Umweltschutztechnologie geführt hat, weil deutsche Unternehmen frühzeitig in Forschung und Entwicklung investiert haben und daher Technologieführer sind (→*Globalisierung*).

Literaturhinweise:
ENDRES, A. (1994), *Umweltökonomie*, Darmstadt; FEESS, E. (1998), *Umweltökonomie und Umweltpolitik*, 2. Aufl., München.

Eberhard Feess

Umweltschutzziele

Das erste und bis heute wichtigste Ziel der Umweltpolitik besteht in der Verminderung der Belastung von Luft, Wasser und Boden durch Schadstoffe (→*Umweltbelastung*). Dabei muss beachtet werden, dass Umweltschutz nicht nur Nutzen stiftet (etwa in Form sauberer Luft), sondern auch Kosten verursacht (z. B. die Kosten für den Einbau von Filteranlagen). Ziel der Umweltpolitik kann also *nicht* die vollständige Vermeidung jeglicher Umweltbelastung sein; dies wäre mit extrem hohen Kosten verbunden und deshalb *unwirtschaftlich*. Vielmehr geht es darum, Nutzen und Kosten des Umweltschutzes gegeneinander abzuwägen und ein „optimales" Maß an Umweltqualität zu realisieren. Beispielsweise sollte die Belastung der Luft durch Schwefeldioxid nicht auf null, sondern nur soweit vermindert werden, bis die Kosten der Vermeidung einer zusätzlichen Tonne Schwefeldioxid dem Nutzen entsprechen, der durch diese zusätzliche Emissionsminderung gestiftet wird.

In der Realität ist es sehr schwierig, eine solche „optimale" (oder „effiziente") Umweltpolitik zu betreiben: Insbesondere kann der *Nutzen* des Umweltschutzes praktisch nicht gemessen und in Geldeinheiten ausgedrückt werden (was unabdingbar für den so genannten Kosten-Nutzen-Vergleich ist). Deshalb kann die Umweltpolitik meist nur das bescheidenere Ziel der *Kostenminimierung* verfolgen: Es wird auf das Ziel einer optimalen Umweltqualität verzichtet und stattdessen ein bestimmter Grad von Umweltqualität auf politischem Wege vorgegeben, welcher dann mit den geringstmöglichen Kosten erreicht werden soll. Im Fall des Schwefeldioxidausstoßes wird zunächst politisch eine Emissionsobergrenze festgesetzt (die nicht „optimal" sein wird); dann ist zu klären, mit welchen Instrumenten (z. B. Auflagen, Abgaben oder Zertifikaten) die notwendige Verminderung der Schwefeldioxidemissionen am kostengünstigsten bewirkt werden kann. Hier, d. h. bei der Auswahl der Instrumente (→*Umweltpolitik: Instrumente*), und nicht bei der Festlegung der Ziele, ist auch die Hauptaufgabe der Ökonomie im Bereich der Umweltpolitik zu sehen.

In den letzten Jahren und nach den großen Erfolgen bei der Verminderung der Umweltverschmutzung hat sich die Umweltpolitik zunehmend auch neuen Aufgaben zugewandt: Neben der Verbesserung der Luft-, Wasser- und Bodenqualität wird auch die Schonung der natürlichen Ressourcen angestrebt. Bei diesen unterscheidet man zwischen nicht erneuerbaren Ressourcen (wie die Öl- und Gasvorräte) und erneuerbaren Ressourcen (also Tiere und Pflanzen). In diesem Zusammenhang spielt das Ziel der *nachhaltigen Entwicklung* eine wichtige Rolle; hierunter versteht man allgemein eine wirtschaftliche Entwicklung, die den Bedürfnissen der gegenwärtigen *und* der zukünftigen Generationen gleichermaßen Rechnung trägt. Nachhaltigkeit kann deshalb nur dann gewährleistet werden, wenn nicht nur die Umwelt sauber (oder nicht allzu sehr verschmutzt) ist, sondern wenn auch die natürlichen Ressourcen für die Nachwelt erhalten werden. Folglich muss die Umweltpolitik einen verantwortlichen Umgang mit diesen Ressourcen sicherstellen, also den Raubbau an Bodenschätzen, die Ausrottung von Arten und die Zerstörung von Ökosystemen verhindern (→*Ressourcenschutz*).

In der Bundesrepublik genießt der Umweltschutz zwar einen hohen Stellenwert; er ist im Grundgesetz (Art. 20a) als Staatsziel verankert. Doch existiert bislang keine konsequent am Nachhaltigkeitsziel ausgerichtete Umweltpolitik, die den Zusammenhängen zwischen den verschiedenen umweltpolitischen Bereichen Rechnung trägt und auf konkreten, nachprüfbaren Zielen beruht. Stattdessen werden Naturschutz, Bodenschutz, Gewässerschutz, Klimaschutz und Luftreinhaltung sowie Gesundheitsschutz mehr oder weniger unabhängig voneinander betrieben; zudem sind die Ziele – bis auf wenige Ausnahmen (wie z. B. die Immissionsgrenzwerte für Luftschadstoffe in der TA – Technische Anleitung – Luft) – meist nur sehr vage formuliert (z. B. sollen durch das Bundesbodenschutzgesetz „die Funktionen des Bodens nachhaltig geschützt werden"). Solange ein konkretes und in sich schlüssiges umweltpolitisches Zielsystem aber fehlt, ist eine Umweltpolitik, die sowohl ökologisch effektiv als auch ökonomisch effizient ist, nicht möglich.

Literaturhinweise:
BARTMANN, H. (1996), *Umweltökonomie – ökologische Ökonomie*, Stuttgart, insb. S. 80-112; RAT VON SACHVERSTÄNDIGEN FÜR UMWELTFRAGEN (2000), *Umweltgutachten 2000*, Berlin, 10. März 2000; SÖLLNER, F. (2000), Umweltökonomie und Umweltpolitik, in: Festel, G./ Söllner, F./ Bamelis, P. (Hrsg.) (2000), *Ökonomie und chemische Industrie – eine praxisorientierte Einführung in die Volkswirtschaftslehre*, Berlin, S. 816-892.

Fritz Söllner

Unfallversicherung

Die 1884 unter Bismarck gegründete gesetzliche Unfallversicherung (UV) hatte ursprünglich die Aufgabe, Arbeiter und Angestellte hauptsächlich im industriellen Bereich im Fall von Arbeitsunfällen abzusichern. Inzwischen haben sich die Aufgaben der UV inhaltlich und in Bezug auf die versicherten Personengruppen erheblich erweitert.

Versichert sind in der UV im Wesentlichen alle Arbeiter und Angestellten, ebenso Landwirte, Heimarbeiter, Schausteller, Artisten, Künstler und bestimmte Kleinunternehmer. Versichert sind auch Strafgefangene, die Arbeitsleistungen verrichten, Lebensretter, Blutspender und Personen, die bei Unglücksfällen Hilfe leisten, sich zum Schutz eines widerrechtlich Angegriffenen einsetzen oder bei der Verfolgung oder Festnahme einer Person mitwirken, die einer strafbaren Handlung verdächtigt wird. Versichert sind außerdem Kinder während des Besuchs von Kindergärten, Schüler während des Besuchs von allgemeinbildenden Schulen, Lernende während der beruflichen Aus- und Fortbildung, ehrenamtlich Lehrende sowie Studierende während der Aus- und Fortbildung an Hochschulen.

Zuständig für die Durchführung der UV sind die nach Berufszweigen gegliederten gewerblichen und landwirtschaftlichen Berufsgenossenschaften und die Unfallversicherungsträger der öffentlichen Hand. Die Finanzierung der Berufsgenossenschaften erfolgt durch Beiträge der Arbeitgeber. Die Höhe dieser Beiträge bemisst sich nach dem Arbeitsentgelt der versicherten Arbeitnehmer und nach Unfallgefahrenklassen, denen die →*Unternehmen* anhand der in den einzelnen Berufszweigen auftretenden Schadenshäufigkeit und Schadenshöhe zugeordnet werden.

Zu den Aufgaben und Leistungen der UV gehören vorrangig Maßnahmen zur Verhütung von Arbeitsunfällen. Um Unfällen vorzubeugen, haben die Berufsgenossenschaften die Befugnis, in ihrem Zuständigkeitsbereich Unfallverhütungsvorschriften zu erlassen und deren Einhaltung zu kontrollieren. Nach dem Eintreten von Arbeitsunfällen stellt die UV Leistungen zur Wiederherstellung der Gesundheit, zur Wiedereingliederung in das Berufsleben und ggf. zur Entschädigung des Verletzten oder seiner Hinterbliebenen zur Verfügung. Der Arbeitsunfall darf aber nicht absichtlich herbeigeführt worden sein oder im Zusammenhang mit einer strafbaren Handlung stehen.

Der Versicherungsschutz erstreckt sich nicht nur auf Unfälle am Arbeitsplatz, sondern auch auf Unfälle, die auf Wegen zwischen den Werkstätten eines Betriebes, auf dem Weg von der Wohnung zum Arbeitsplatz oder auf dem Weg zu dem Geldinstitut eintreten, an das der Arbeitgeber das Gehalt überwiesen hat.

Als Arbeitsunfälle gelten auch Berufskrankheiten, die bei der Berufsausübung z. B. durch chemische Stoffe, durch Strahlung oder Infektionserreger entstanden sind.

In den zurückliegenden Jahrzehnten ist die Zahl der angezeigten Arbeitsunfälle und die Zahl der tödlich verlaufenden Arbeitsunfälle absolut und bezogen auf die Zahl der beschäftigten Arbeitnehmer deutlich zurückgegangen. Zu dieser erfreulichen Entwicklung trugen die Bemühungen zur Unfallverhütung, aber auch der zunehmende Einsatz von Maschinen bei der Durchführung gefährlicher Arbeiten bei.

Literaturhinweise:
LAMPERT, H./ ALTHAMMER, J. (2004), *Lehrbuch der Sozialpolitik*, 7. Aufl., Berlin u. a.; LAMPERT, H./ BOSSERT, A. (2004), *Die Wirtschafts- und Sozialordnung der Bundesrepublik Deutschland im Rahmen der EU*, 15. Aufl., München, Wien.

Albrecht Bossert

Unternehmen, Betrieb

Die Kernkompetenz eines Unternehmens besteht in der Fähigkeit, Produkte und Dienstleistungen im →*Wettbewerb* auf den nationalen und internationalen Märkten durchzusetzen. Dazu sind Wettbewerbsvorteile notwendig, die in unterschiedlichen Bereichen liegen können:

- dem Produkt, der Herstellungstechnik, den Herstellungskosten sowie der Dienstleistungsqualität,
- dem Vertriebsnetz, dem Markennamen und dem Produktimage,
- der dauerhaften Innovationsfähigkeit und Innovationsqualität.

Während im privaten →*Eigentum* stehende Unternehmen in der Regel ein Gewinnziel verfolgen und die Anteilseigner unternehmerisches Risiko und Verantwortung tragen, orientieren sich die öffentlich-rechtlichen Unternehmen an der Erfüllung eines öffentlichen Versorgungsauftrages (→*öffentliche Unternehmen*). Bund, Länder oder Gemeinden und damit letztlich der Steuerzahler übernehmen Risiko und Haftung.

Unternehmens- und Betriebsbegriff werden im Sprachgebrauch häufig als Synonyme benutzt. Betriebswirtschaftlich wird beim Unternehmensbegriff die finanzwirtschaftliche und rechtliche Einheit betont (Außensicht). Der Betrieb gilt dagegen als örtliche oder technisch-organisatorische Wirtschaftseinheit (Innensicht).

Mit der Entwicklung von Internetwirtschaft und →*New Economy* erweisen sich solche tradierten Begriffsabgrenzungen allerdings zunehmend als fließend: So existieren heute „virtuelle Unternehmen" als Netzwerke unabhängiger Firmen, die sich nur auf kurze Zeit z. B. zur Bündelung von Kernkompetenzen oder zur Erstellung bestimmter Leistungen verbinden.

Zur Erreichung der internationalen Märkte werden außerdem neue Organisationsformen wie z. B. Joint Ventures (mehrere Unternehmen gründen ein gemeinsames Unternehmen) oder strategische Allianzen entwickelt, bei denen oftmals nicht mehr von der wirtschaftlichen oder rechtlichen Einheit des Betriebes ausgegangen werden kann.

Märkte werden internationaler (→*Globalisierung*). Unternehmen müssen diesem Trend folgen, um wettbewerbsfähig zu bleiben. Zur Bedienung der internationalen Märkte orientieren sich die Unternehmen an Standortfaktoren. Trotz vielfacher Standortvorteile in Deutschland, wie dem dualen Ausbildungssystem und der guten Infrastruktur, reagieren internationale Investoren zurückhaltend bezogen auf die Überregulierung insbesondere des →*Arbeitsmarktes* sowie das in der Welt einzigartig hohe Niveau betrieblicher →*Mitbestimmung* (Corporate Governance). Daraus ergibt sich der geringe Anteil Deutschlands bei den Zuflüssen ausländischer Direktinvestitionen im Vergleich zu anderen OECD-Ländern.

Das Thema Corporate Governance hat in den letzten Jahren an Bedeutung gewonnen. Rechtlich und formal obliegt die Kontrolle des Unternehmens und seiner Vorstände dem Aufsichtsrat, dem eigentlichen Kontrollorgan einer Gesellschaft. Der Aufsichtsrat selbst wird in der Regel jährlich durch die Hauptversammlung der Aktionäre bestellt. Im Zuge der Offenheit der internationalen Finanzmärkte wird de facto die Unternehmenskontrolle auch sehr stark über die Finanzberichterstattung und eine transparente Berichterstattung gegenüber den Kapitalmärkten ausgeübt.

Hinsichtlich der möglichen Rechtsformen wird vor allem zwischen Einzelunternehmen, Personen- und Kapitalgesellschaften unterschieden:

Nach der Umsatzsteuerstatistik werden die meisten Unternehmen in Deutschland als Einzelunternehmen (2001: 2.041.786) geführt. Charakteristisch ist das alleinige Entscheidungs- und Dispositionsrecht des Einzelunternehmers, der mit seinem persönlichen Gesamtvermögen (Betriebs- und Privatvermögen) für die Verbindlichkeiten der Firma haftet. →*Eigentum* ist jedoch auch mit einer sozialen Verpflichtung verknüpft. Unternehmerische Entscheidungen sind nicht willkürlich. Zur unternehmerischen Praxis gehört die Einbeziehung der Belegschaft in unternehmensbezogene und betriebliche Belange.

Personengesellschaften erfordern mindestens zwei Gesellschafter. Auch hier sind Kapitaleigentum und Unternehmensleitung meist in Personalunion vereint. Mit Ausnahme der Kommanditisten in einer Kommanditgesellschaft (Haftung nur bis zur Höhe der Einlage) haften die Gesellschafter ebenfalls mit ihrem Gesamtvermögen. Die häufigsten Rechtsformen sind die offene Handelsgesellschaft – oHG (2001: 262.457 Unternehmen) und die Kommanditgesellschaft – KG (2001: 106.147 Unternehmen).

Bei den Kapitalgesellschaften wird die Haftung auf das Vermögen der Gesellschaft als einer juristischen Person beschränkt. Kapitalbeteiligung und unternehmerische Leitung sind häufig getrennt. Die am weitesten verbreitete Kapitalgesellschaft ist die Gesellschaft mit beschränkter Haftung – GmbH (2001: 451.262 Unternehmen). Nur 6.856 Unternehmen besitzen die Rechtsform der Aktiengesellschaft.

Auffällig ist die in Deutschland stark mittelständisch geprägte Unternehmensgrößenstruktur. 89,9 v. H. der Unternehmen haben unter 20 Mitarbeiter und 99,8 v. H. weniger als 500 Mitarbeiter. Lediglich 0,2 v. H. der Unternehmen werden also, bezogen auf die Beschäftigtenzahl, zu den Großunternehmen gezählt. Ähnliches gilt – je nach Branche – für die Rangfolge nach der Höhe des Umsatzes.

Mittelständische Unternehmen beschäftigen mehr als zwei Drittel aller in der Privatwirtschaft Tätigen und sind für 48,8 v. H. der jährlichen Bruttowertschöpfung verantwortlich. Auf das knappe viertel Prozent der Großunternehmen mit mehr als 500 Beschäftigten entfällt allerdings mehr als 50 v. H. des gesamten Umsatzvolumens.

Die 25 größten Unternehmen in Deutschland gehörten auch schon 1960 zu den Großen. In den Vereinigten Staaten zählen dagegen ein Drittel der Top-25-Unternehmen zu den „Newcomern", die erst in den letzten Jahren – vor allem im Bereich der Informationstechnologie – gegründet wurden.

Literaturhinweise:
JESKE, J./ BARBIER, H. D. (2000), *Handbuch Wirtschaft: So nutzt man den Wirtschaftsteil einer Tageszeitung*, Frankfurt/ M.; VAHLENS KOMPENDIUM der Betriebswirtschaftslehre Band 1 (1984/ 1998), München; WOLTER, H.-J./ WOLFF, K./ FREUND, W. (1998), *Das virtuelle Unternehmen: Eine Organisationsform für den Mittelstand*, Wiesbaden.

Kurt J. Lauk
Rainer Gerding

Unternehmer, Manager

Der Unternehmerbegriff konzentrierte sich ursprünglich auf den Eigentümer- oder Inhaberunternehmer. Er leitet sein →*Unternehmen* selbstständig und trägt das unternehmerische Risiko durch die Haftung mit dem eingesetzten Kapital oder dem gesamten persönlichen Vermögen. Kapitalgeber- und Unternehmerfunktion fallen grundsätzlich zusammen.

Nach der Entstehung der Aktiengesellschaften im 19. Jahrhundert entwickelte sich zusätzlich die Form des angestellten Unternehmers oder Managers. Auch er besitzt weitgehendste unternehmerische Entscheidungsbefugnis, doch handelt er auf fremde Rechnung und fremdes Risiko. Durch Aktienoptionen (Gehaltszahlung in Form von Wahlmöglichkeit zwischen Geld oder Aktien des Unternehmens) kann auch der Manager zum Miteigentümer oder Beteiligten des Unternehmens werden. Die Kontrolle des Unternehmensvorstandes obliegt dem Aufsichtsrat. Wechsel im Unternehmensmanagement gehören zur Normalität.

Die etwa 3,1 Millionen Unternehmen in Deutschland werden zu mehr als 94 v. H. von Inhaberunternehmern und zu knapp 5 v. H. als Kapitalgesellschaften von angestellten Managern geleitet. Unternehmer sind flexibel: Sie können entscheiden, wann, was, wo, mit welchen Mitteln produziert wird. Deshalb sind die Standortfaktoren so wichtig: Dazu gehören das Rechts-, Steuer-, Finanz- und Sozialsystem ebenso wie die Ausbildungsqualität, die Nähe zu Universitäten sowie die Verkehrs- und Dienstleistungsinfrastruktur (→*Systemwettbewerb*).

Unternehmer sind vor allem als Innovatoren gefordert, die in der →*Marktwirtschaft* durch gewinnorientierte Eigeninitiative, Leistungs- und Risikobereitschaft das wirtschaftliche Ergebnis ihres Unternehmens verbessern. Die Umsetzung von Erfindungen, die ständige Erneuerung von Produkten und Produktionsprozessen sowie die Erschließung neuer Märkte gehören zu den originären Unternehmeraufgaben. Der österreichische Ökonom Joseph Alois Schumpeter hat in diesem Sinne den Begriff des „schöpferischen Unternehmers" oder „Pionierunternehmers" geprägt. Durchsetzungskraft, Kreativität, organisatorisches Können und Menschenführung gehören zu den unternehmerischen Kernkompetenzen.

Über Markt und →*Wettbewerb* führt die zunächst vom unternehmerischen Eigeninteresse geleitete Dynamik zur bestmöglichen Erfüllung von Konsumentenwünschen (Absatzpotenzial) und zur Anhebung des allgemeinen Wohlstandsniveaus. Wirtschaftliche Erneuerung und Strukturwandel schließen dabei den vorübergehenden Verlust unrentabel gewordener Arbeitsplätze keineswegs aus. Unternehmerischer →*Wettbewerb* und Marktauslese bieten jedoch die besten Chancen, durch hohes Innovationstempo, neu gewonnene Wettbewerbsfähigkeit und wirtschaftliches →*Wachstum* zu einem hohen Beschäftigungsstand zurückzukehren und konkurrenzfähig zu bleiben.

Die wirtschafts- und gesellschaftspolitische Mitverantwortung des Unternehmers entwickelt sich im Zeitalter von →*Globalisierung* und Internetwirtschaft in einem neuen Spannungsfeld. Neue internationale Produktionsformen und Geschäftsmodelle, weltweite Konkurrenz selbst für bislang vorwiegend regional tätige Anbieter tragen zu einer drastischen Verschärfung des internationalen Standortwettbewerbs bei. Das beschleunigte Entscheidungstempo muss durch flachere Unternehmenshierarchien unterstützt werden. Der gegenüber Unternehmern und Managern erhobene Vorwurf einer übertriebenen Orientierung am Shareholder-Value geht dagegen ins Leere. Nachhaltiger Unternehmenserfolg ist gerade unter schwierigsten Wettbewerbsbedingungen nicht gegen die Mitarbeiter zu erreichen. Die Interessen der Unternehmenseigentümer und der Mitarbeiter stehen deshalb nur in einem scheinbaren Widerspruch zueinander.

Deutschland braucht einen Wandel zu neuer Unternehmermentalität: Internationale Untersuchungen belegen, dass Regionen mit der höchsten Unternehmenszuwachsrate, z. B. in den USA, Kanada, Spanien oder Irland, auch das relativ höchste Wirtschafts- und Beschäftigungswachstum erreichen. Zwar hat die Zahl der Unternehmensgründungen in Deutschland seit Ende der 90er Jahren auf jährlich 761.000 zugenommen. Per Saldo ging jedoch die Selbstständigenquote bezogen auf die Gesamtheit der Erwerbstätigen seit Anfang der 60er Jahre von knapp 17 v. H. auf gut 10 v. H. zurück. Auch am Durchschnitt der EU-15 gemessen ist Deutschland damit weit unterentwickelt.

Die neue Wirklichkeit der Unternehmensgründungen erfordert eine stärkere Einbindung der internationalen Kapitalmärkte. Während das deutsche Finanzsystem häufig auf langfristigen, persönlichen und wenig transparenten Beziehungen zwischen Unternehmen und Finanzinstituten basiert, ist das angelsächsische System eher als distanziert, kurzfristig und weitgehend transparent zu beschreiben. Die Unterschiede beider Kulturen treten immer deutlicher hervor. Vor diesem Hintergrund ist es interessant zu beobachten, dass in den letzten Jahren Innovation und Wachstum insbesondere der neuen Technologien in den Vereinigten Staaten deutlich höher waren als in den weniger reformbereiten, durch starre Sozialsysteme und den Mangel an Risikokapital gebremsten Wirtschaftssystemen Europas.

Die Bereitschaft zu privater unternehmerischer Tätigkeit ist entscheidend durch die Rücknahme staatlicher Regulierung in nahezu allen Wirtschaftsbereichen, die Senkung der Steuer- und Abgabenlast, die Fortsetzung einer mutigen →*Privatisierung*spolitik, →*Deregulierung*, die Weiterentwicklung der Venture Capital Märkte (Märkte für Risikokapital) und eine wettbewerbsorientierte Erneuerung des Bildungssystems zu erreichen. Kreativität, Eigenverantwortung, Risikobereitschaft und Führungsfähigkeit müssen zu vorrangigen Zielen der Aus- und Weiterbildung werden. Ebenso wichtig ist, dass die Schlüsselrolle des Unternehmers für die Leistungsfähigkeit der gesamten Volkswirtschaft im Bewusstsein der Bevölkerung gestärkt wird.

Literaturhinweise:
HAMER, E. (2001), *Was ist ein Unternehmer?: Was verdanken ihm Betrieb und Gesellschaft?*, München; RODENSTOCK, R. (2001), *Chancen für Alle: Die Neue Soziale Marktwirtschaft*, Köln; SCHUMPETER, J. A. (1942), *Capitalism, Socialism and Democracy*, New York; SINN, H.-W. (1999), Die Rolle des Unternehmers in der Marktwirtschaft, in: *Eliten und Demokratie*, Berlin, S. 111-124.

Kurt J. Lauk
Rainer Gerding

Verbraucherpolitik

Wettbewerb bindet Produktion und Dienstleistung an die Interessen der Verbraucher. Dieser These von der Konsumentensouveranität ist lange mit drei Hauptargumenten widersprochen worden. Diese Argumente dienten und dienen oft als Begründung für staatliche Interventionen, heute v. a. der Europäischen Kommission: (1) Bedingung sei vollständige Information über das Angebot. Mit dem Internet ist diese Bedingung erfüllt. (2) Durch Marketing, v. a. Werbung, würden die Verbraucher manipuliert. Diese These ist durch die Sozialpsychologie widerlegt. Widerlegbar ist auch die These vom geplanten Verschleiß. (3) Märkte berücksichtigten nur einen Teil der Konsumenteninteressen; für Leistungen der Daseinsvorsorge seien sie ungeeignet. Die Öffnung staatlich regulierter Märkte wie der Telekommunikation für den →*Wettbewerb* zeigt, dass Märkte Konsumenteninteressen eher sichern als staatliche Regulierung.

Dennoch kann sich der Staat nicht auf Wettbewerbspolitik beschränken, um Verbraucherinteressen hinreichend wirksam werden zu lassen.

Es gibt Güter, die wir brauchen, die aber nicht marktfähig sind. Für sie gilt das Ausschlussprinzip nicht oder nur begrenzt. Ausschlussprinzip bedeutet, dass wir ein Gut allein nutzen, dass wir andere von der Nutzung ausschließen können. Das ist bei PKW und Möbeln der Fall, bei innerer und äußerer Sicherheit und Hochwasserschutz nicht. Solche Güter bezeichnen wir als *Infrastruktur*. Dieser Begriff ist präziser als der schwammige Begriff der Daseinsvorsorge, der eher der Ermächtigung des Staates zu marktwidrigen Interventionen dient. Bei Infrastrukturleistungen ist zu prüfen, welche Aufgabe der Staat tatsächlich übernehmen muss. Das kann die Sicherung des Angebotes, die Finanzierung oder – wie es am Beispiel der →*Bildungsfinanzierung* am klarsten zu zeigen ist – die Verteilung sein.

Die juristische Umsetzung von →*Angebot und Nachfrage* ist der Vertrag. Aufgabe des Staates ist es, die Bedingungen von *Vertragsfreiheit* zu garantieren. Dazu gehört, dass der Konsument durch *Gewährleistungsansprüche* die Sicherheit haben muss, dass die erworbenen Produkte tatsächlich die zugesicherten Eigenschaften haben. Dazu gehört, dass Kaufverträge nur durch freie Willenserklärungen zustande kommen. Das gilt für Haustürgeschäfte wie für Dialer.

Der Staat muss durch *Produktanforderungen* vor Gesundheitsgefahren schützen, die die Verbraucher nicht erkennen können. Das gilt für gesundheitsgefährdende Stoffe in Lebensmitteln und für Sicherheitsmängel von technischen Gütern. Das kann nicht gelten, wenn Gesundheitsgefährdungen offensichtlich sind wie beim Rauchen. Produktverbote oder umfassende Schadenersatzansprüche für allgemeine Gefahren, die für den Alltagsverstand einsichtig sind, widersprechen der Konsumentensouveränität. Damit die Konsumenten wählen können, müssen sie über die Inhaltsstoffe von Lebens- und Genussmitteln, über Materialzusammensetzung von Gütern und über den Ressourcenverbrauch von technischen Aggregaten informiert sein. Der Staat muss diese *Produktinformationen* als Bringschuld der Anbieter verpflichtend machen. Allgemeine Verbraucherinformationen, Qualitätsinformationen durch *vergleichende Warentests* und *Verbraucherberatung* sind demgegenüber für den Verbraucher nützliche, geldwerte Leistungen, die auf Märkten nachgefragt und angeboten werden können und werden. Für staatliche Interventionen gibt es keinen Grund.

Wenn Verbraucher selbst ihre Marktposition bei funktionsfähiger Wettbewerbspolitik und hinreichendem Verbraucherschutzrecht für unzureichend halten, so haben sie die Möglichkeit der Selbstorganisation. Das zeigen die Consumerism-Bewegung in den USA und Reaktionen von Verbrauchern in Deutschland auf Informationen über umweltschädigende oder ausbeuterische Praktiken von Unternehmen.

Die wirksamste Verbraucherpolitik neben den genannten gesetzlichen Schutz- und Informationsrechten ist ökonomische Bildung. Konsumenten, die Zusammenhänge und Funktionsweise einer Marktwirtschaft durchschauen, kennen damit auch ihre Einflussmöglichkeiten und die Ansatzpunkte für die Durchsetzung von Verbraucherinteressen.

Literaturhinweise:
KUHLMANN, E. (1990), *Verbraucherpolitik*, München; HANSEN, U./ STAUSS, B./ RIEMER, M. (Hrsg.) (1982), *Marketing und Verbraucherpolitik*, Stuttgart.

Wolfgang Reeder

Verkehrspolitik

Zur Verkehrspolitik rechnen alle Maßnahmen, mit denen staatliche Einrichtungen das Verkehrssystem einer Volkswirtschaft beeinflussen. Das Verkehrssystem ermöglicht die Raumüberwindung bzw. Ortsveränderung von Personen, Gütern und Nachrichten und umfasst neben dem reinen Transport und seinen Akteuren auch die dazu erforderlichen Verkehrsmittel und die notwendige Infrastruktur. Verkehrsmittel sind u. a. Straßenfahrzeuge, Züge, Flugzeuge und Schiffe. Die Verkehrsinfrastruktur besteht aus den Verkehrswegen, das sind z. B. die Straßen, das Schienennetz, die Wasserstraßen, Bahnhöfe, Flughäfen, Stellwerke usw.

Aufgrund seiner herausragenden Bedeutung für die wirtschaftliche Entwicklung und den Wohlstand von Gesellschaften sowie darüber hinaus für die Erschließung und Integration von Räumen und die Überwindung nationaler Grenzen ist der Verkehr seit langem Gegenstand z. T. massiver und umfangreicher staatlicher Eingriffe. Sie waren zunächst staatspolitisch motiviert und dienten der Befriedigung hoheitlicher Bedürfnisse und Machtansprüche (*→Interventionismus*). Mittlerweile bestimmen volkswirtschaftliche und sozialstaatliche Gesichtspunkte die Verkehrspolitik. Volkswirtschaftlich geht es darum, den Mobilitätserfordernissen hochentwickelter und international immer stärker verflochtener Volkswirtschaften (*→Globalisierung*) unter Berücksichtigung der verschiedenen Nutzen- und Kostenkomponenten Rechnung zu tragen. Sozialstaatliche Aufgaben der Verkehrspolitik werden darin gesehen, eine möglichst flächendeckende Versorgung mit Verkehrsleistungen im Raum zu sichern (regionale Komponente) und allen Bürgern unabhängig von *→Einkommen* und Vermögen den Zugang zu Verkehrsmitteln zu gewährleisten (personale Komponente). Bei dieser „Gemeinwohlorientierung“ und „Daseinsvorsorge“ spielen Wirtschaftlichkeitsüberlegungen meist keine Rolle.

Wie jede Art von Politik bedarf auch die Verkehrspolitik einer systematischen Legitimation, die über politische Glaubensbekenntnisse hinausgeht. In marktwirtschaftlich-demokratischen Gesellschaften, die auf der Leistungsfähigkeit von Demokratie, Marktkoordination und *→Wettbewerb* beruhen, können staatliche Eingriffe nur dann gerechtfertigt werden, wenn die Verkehrsmärkte

- Funktionsmängel aufweisen und daher nicht zu einer effizienten und dauerhaften Versorgung der Bürger führen;
- trotz Funktionsfähigkeit Ergebnisse hervorbringen, die nicht den Vorstellungen der Gesellschaft entsprechen.

Funktionsmängel auf Verkehrsmärkten können auftreten im Bereich der Infrastruktur. Hier ist oft ein Anbieter in der Lage, die gesamte Nachfrage allein und zudem billiger zu versorgen als mehrere Unternehmen, so dass sich parallele Einrichtungen etwa bei Straßen, Schienenwegen oder Flughäfen nicht rechnen und ein „Natürliches Monopol“ entsteht. Muss der Monopolist nicht mit Konkurrenz rechnen, wird er für mindere Qualität hohe Monopolpreise verlangen und einzelne Nachfrager diskriminieren. Um dies zu verhindern, muss der Monopolist reguliert werden.

Funktionsmängel bestehen weiterhin, wenn durch Verkehrsaktivitäten

Kosten anfallen, die nicht vom Verursacher, sondern von unbeteiligten Dritten getragen werden. Solche negativen externen Effekte entstehen vor allem durch Umweltbelastungen, Unfallfolgen oder staubedingte Zeitverzögerungen. In besonderem Maße gilt der Straßenverkehr als Verursacher solcher externer Kosten. Aus ökonomischer Sicht kann es hier allerdings nicht darum gehen, den Markt auszuschalten. Vielmehr ist zu erreichen, dass die Marktpreise diese Kosten möglichst genau verrechnen. Geeignete Instrumente sind Auflagen, Steuern, Verhandlungen zwischen Verursachern und Betroffenen oder handelbare Zertifikate (→*Umweltpolitik*). Mit Hilfe von Auflagen könnten etwa Umweltschutzmaßnahmen (Katalysatorpflicht) verordnet werden, deren Kosten allen Nutzern signalisieren, dass eine saubere Umwelt „ihren Preis" hat. Ähnlich wirken Steuern, mit denen umweltschädigendes Verhalten belastet und ein Anreiz geschaffen wird, die schädigenden Aktivitäten einzuschränken. Im Rahmen von Verhandlungen können Schädiger (z. B. lärmverursachende Flughäfen) und Geschädigte (Anwohner) sich auf Kompensationszahlungen einigen und damit das Ausmaß an Schädigungen bestimmen, das von allen Beteiligten und Betroffenen toleriert wird. Beim Zertifikathandel gibt der Staat eine begrenzte Zahl an Schädigungsrechten heraus, die auf Märkten gehandelt werden dürfen und in denen jeweils eine genaue Menge an Schadstoffen (z. B. Kohlendioxid) festgelegt ist. Nur Erwerber dieser Zertifikate dürfen Schadstoffe emittieren, so dass ein Anreiz besteht, weniger Schadstoffe zu emittieren und damit die Ausgaben für Zertifikate zu sparen.

Da der Einsatz dieser Instrumente ebenfalls Kosten verursacht – die Einführung einer Umweltsteuer auf Benzin verringert zwar das Verkehrsaufkommen und damit die Umweltbelastungen, verteuert aber gleichzeitig die Mobilität – , ist genau zu prüfen, in welchem Umfang die Gesellschaft bereit ist, die „Schadenvermeidungskosten" zu tragen. Gleichzeitig ist zu berücksichtigen, dass die genauen Wirkungen, die vom Verkehr ausgehen, bislang noch nicht bekannt sind und Umweltschäden auch vielzählige andere Verursacher haben.

Jeder kann prinzipiell in die Lage geraten, dass ihm oder seinen Angehörigen die Mittel fehlen, um marktliche Verkehrsleistungen in Anspruch zu nehmen. Da Mobilität aber eine wichtige Voraussetzung ist, um am Wirtschafts- und Gesellschaftsleben teilzunehmen, dürfte ein breiter gesellschaftlicher Konsens darüber bestehen, auch solchen Personen die Möglichkeit zur Mobilität zu geben. Instrumente dazu sind die staatliche Herstellung von Verkehrsleistungen zu nicht-kostendeckenden Preisen etwa im Öffentlichen Personennahverkehr, die Beauftragung privater Anbieter mit diesen Aufgaben und die Übernahme der Kosten durch den Staat oder direkte Unterstützungszahlungen an Bedürftige (staatliche Beihilfen, →*Subventionen*). Die bekannten Nachteile staatlicher Produktion – Überbürokratisierung, mangelndes Kostenbewusstsein, geringe Innovationsneigung – legen es nahe, Bedürftige direkt finanziell zu unterstützen und es ihnen zu überlassen, welche der privatwirtschaftlich angebotenen Verkehrsleistungen sie in Anspruch nehmen, oder private Anbieter im Rahmen von öffentlichen Ausschreibungen zu beauftragen, Leistungen für diese Gruppen zu erbringen.

Die Berücksichtigung dieser Prinzipien hat – neben internationalen Erfahrungen (→*EU: Verkehrspolitik*) – dazu geführt, dass sich die Verkehrspolitik mittlerweile stärker an marktwirtschaftlichen Grundsätzen orientiert. Die überzogene Mengen- und Tarifregulierung des Straßengüterverkehrs, des Luftverkehrs und der Binnenschifffahrt wurde in den neunziger Jahren aufgehoben, eine stärker an ökonomischen Kriterien orientierte Reform des Staatsunternehmens Deutsche Bahn eingeleitet und die →*Privatisierung* von Flughäfen und Teilen der Straßeninfrastruktur ermöglicht. Gleichwohl besteht noch immer erheblicher Deregulierungs- und Privatisierungsbedarf vor allem im Schienenverkehr und im Öffentlichen Personennahverkehr. Nur auf diese Weise ist eine von Partikularinteressen freie, dem Wohle aller Bürger dienende effiziente Verkehrspolitik möglich.

Literaturhinweise:
ABERLE, G. (1999), *Transportwirtschaft*, 3. Aufl., München; HARTWIG, K.-H. (1999), Marktwirtschaftliche Optionen der Verkehrspolitik in Europa, in: Apolte, T./ Caspers, R./ Welfens, P. J. J. (Hrsg.), *Standortwettbewerb, wirtschaftspolitische Rationalität und internationale Ordnungspolitik*, Baden-Baden, S. 89-112.

Karl-Hans Hartwig

Vermögenspolitik

Freiheit, →*Eigenverantwortung* und Sozialverpflichtung sind tragende Säulen in der Gesellschafts- und Wirtschaftsordnung →*Soziale Marktwirtschaft*. Privates →*Eigentum* an Vermögenswerten ist eine Ausprägung dieser Grundprinzipien. Wer über Vermögen verfügen kann, besitzt größere Freiheitsspielräume als der Unvermögende. Vermögensbildung zum Zwecke der individuellen Vorsorge (z. B. in Form von Versicherungen, Wohneigentum, Wertpapieren) ist ein Zeichen praktizierter Eigenverantwortung und Sozialverpflichtung (die Solidargemeinschaft nicht zu belasten).

Privateigentum am Produktionsfaktor „Kapital“ unterliegt denselben Grundprinzipien. Übersehen wird dabei häufig die mit privatem Kapital verbundene und realisierte Sozialverpflichtung, und doch ist sie unter marktwirtschaftlichen und wettbewerblichen Rahmenbedingungen weitgehend selbstverständlich. Wer unter diesen Bedingungen Kapital im Produktionsprozess zur Verfügung stellt, sei es, indem er eine Privatfirma betreibt, Aktien kauft oder indirekt über sein Sparbuch (und die Kreditvergabe der Banken) anbietet, lässt sich in der Regel vom Gewinn- und Zinsmotiv leiten. Unter Bedingungen eines funktionsfähigen →*Wettbewerbs* erfüllt er damit unbewusst eine wichtige Sozialfunktion, nämlich Kapital in die Produktion von Gütern und Dienstleistungen zu lenken, die den Wohlstand der Bevölkerung ausmachen, zukünftig sichern und (z. B. über technischen

Fortschritt) vermehren. Unter Wettbewerbsbedingungen ist →*Marktwirtschaft* in der Regel aus sich heraus „sozial". Soziale Marktwirtschaft erhält das Attribut „sozial" also nicht allein deswegen, weil sie durch eine umfangreiche soziale Sicherung (wie z. B. die →*Renten-* und →*Krankenversicherung* oder die →*Soziale Grundsicherung*), Einkommensumverteilung (progressive Einkommensteuer etc.) und öffentliche Güter (Schulen, Justiz etc.) ergänzt wird, sondern weil im Rahmen eines funktionsfähigen Marktwettbewerbs aus den eigennützigen Motiven der Individuen (Gewinn-, Einkommensmotiv) ein Verhalten mit sozialen (wohlstandssteigernden) Folgen wird. Es ist die Aufgabe staatlicher Wettbewerbspolitik, für eine entsprechende Rahmenordnung zu sorgen.

Es ist daher erklärlich, dass der Staat in der Sozialen Marktwirtschaft die Vermögensbildung seiner Mitglieder auf vielfältige Weise fördert und eine breite Streuung privaten Vermögens anstrebt. Das reicht von der (Bau-) Sparförderung, der Förderung von Wertpapiersparen und der Unternehmensbeteiligung der Arbeitnehmer bis zur Alters- und Risikovorsorge durch (Kapital-) Lebensversicherungen. Dort, wo trotz Förderungsangeboten große Bevölkerungsgruppen zu wenig für ihre private Vermögensbildung (z. B. in der Altersvorsorge, beim Krankenversicherungsschutz, aber auch bei der eigenen Humankapital-Bildung) tun bzw. tun können, wird gesetzlicher Zwang angewandt (Gesetzliche Sozialversicherungen, Schulpflicht).

Die Wirkungen der Vermögensbildung sind vielfältig. Neues Vermögen wird über Sparen gebildet, Geldkapitalbildung wird in der Regel zur Sachkapitalbildung (Investitionen) verwandt. Mehr Kapital erhöht die Produktivität der Wirtschaft und damit das Realeinkommen der Hauhalte. Breitere Vermögensstreuung – sofern sie denn gelingt – ist ein eigenständiges Ziel, egalisiert aber auch die Einkommensverteilung. Jedoch sind Vermögensverteilung (noch am ehesten über die Streuung von Wohneigentum) und Einkommensverteilung politisch nur schwer zu beeinflussen.

Über Zukunftsvorsorge verringern sich die wirtschaftlichen Lebensrisiken. Allerdings haben die verschiedenen Formen (Privatvermögen, Privatversicherung, Sozialversicherung, im weiteren Sinne aber auch eigene Ausbildung und Kinder) unterschiedliche Vor- und Nachteile. So verringern z. B. Sozialversicherungen zwar die individuelle Unsicherheit, sie bilden nach dem Umlageverfahren jedoch i. d. R. kein Kapital und tragen damit zur Vermögensbildung und zum Wirtschaftswachstum wenig bei.

Zukunftsrisiken können durch Diversifizierung vermindert werden. Eine möglichst breite Streuung über verschiedene Formen (umlagefinanzierte Sozialversicherung, kapitalgedeckte Versicherungen, Geldvermögen, wie z. B. Sparguthaben, und Realvermögen, wie z. B. Wohneigentum) ist daher vorteilhaft. Da infolge der →*demographischen Entwicklung* die umlagefinanzierten Sozialversicherungen (wie die Renten-, Kranken- und Pflegeversicherung) in Gefahr geraten, wird derzeit politisch versucht, diese durch die Förderung der Eigenvorsorge (d. h. private Altersvermögen) und kapitalbildende Systeme, Stichwort „Riester-Rente", zu ergänzen.

Literaturhinweise:
DEUTSCHES INSTITUT FÜR ALTERSVORSORGE – DIA (Hrsg.) (2000), *Vermögensbildung unter neuen Rahmenbedingungen*, Köln; DIA (Hrsg.) (2003), *Private Lebensökonomie und staatlicher Einfluss. Neue Strategien zur Vermögensbildung*, Köln; DIA (Hrsg.) (2003), *Private Altersvorsorge am Beispiel der „Riester-Rente". Darstellung und Würdigung aus gesamtwirtschaftlicher Sicht*, Köln; LAMPERT, H. (2000), Vermögenspolitik aus der Sicht wirtschaftlicher Entwicklung, in: Lüdeke, Reinar (Hrsg.), *Wirtschaftswissenschaften im Dienste der Verteilungs-, Geld- und Finanzpolitik*, Berlin, S. 83-99; WESTERHEIDE, P. (1999), *Vermögenspolitik in der Sozialen Marktwirtschaft, Ziele und Wirkungsmöglichkeiten*, Münster.

Eckhard Knappe

Verschuldung der Entwicklungsländer

Verschuldung ist die Kurzbezeichnung der ökonomischen und sozialen Problemlage, die mit dem Anstieg der Auslandsverschuldung und Überschuldung vieler Entwicklungsländer vor allem seit den 80er Jahren verbunden ist. Die Auslandsverschuldung ist die Summe der öffentlichen, öffentlich garantierten und privaten langfristigen Verbindlichkeiten, der Kredite vom Internationalen Währungsfonds (IWF) und der kurzfristigen Verbindlichkeiten gegenüber privaten ausländischen Gläubigern.

Die Ursachen für Umfang und Struktur der Verschuldung sind interner und externer Art. Interne Ursachen gehen auf spezifische Gegebenheiten in den Schuldnerländern zurück. Dazu gehören insbesondere Import- und Exportabhängigkeiten aufgrund unzulänglicher Produktionsstrukturen, verzögerte Anpassungen an weltwirtschaftliche Veränderungen, ineffiziente Verwendung privater und öffentlicher Auslandskredite, hohe öffentliche Budgetdefizite – oft Folgen von Bürgerkrieg, Rüstung und Prestigeobjekten –, Fehlen eines auf Wirtschaftswachstum und sozialen Ausgleich ausgerichteten ordnungspolitischen Rahmens und einer stabilitätsorientierten Wirtschaftspolitik, Kapitalflucht, Rechtsunsicherheit und politische Instabilität sowie das Versagen der politisch Verantwortlichen (bad governance).

Externe Ursachen der Verschuldung können die Entwicklungsländer nicht unmittelbar beeinflussen. Es geht hier vor allem um die Handelsbeschränkungen bei Industriegütern und Dienstleistungen und das Agrarschutzsystem der Industrieländer, sinkende Weltmarktpreise für wichtige Rohstoffe, Verschlechterung der Terms of Trade (Verhältnis von Preisen der Exportgüter zu denen der Importgüter) der Entwicklungsländer sowie steigende Zinssätze auf internationalen Finanzmärkten. Folgen der hohen Auslandsverschuldung waren der Anstieg der Schuldendienstquoten (Schuldendienst in Form von Kreditzinsen und -tilgung in Prozent der Exporterlöse) und damit eine akute Verschuldungskrise in vielen Entwicklungsländern. Hohe und steigende Zahlungsverpflichtungen aus bilateralen und multilateralen Entwicklungshilfe- und Handelskrediten sowie gleichzeitig sinkende Devisenerlöse führten zur internationalen Zahlungsunfähigkeit (z. B. vorübergehende Zahlungseinstellung Mexikos 1982). Die jährlichen Zahlungen für Auslandsschulden lagen in vielen Ländern *über* den Exporterlösen. Die Schuldenlast gefährdete Wirtschaftswachstum und Armutsüberwindung.

Zur Lösung der Verschuldungskrise begann 1985 ein Krisenmanagement der internationalen Finanzinstitutionen (Internationaler Währungsfonds, Weltbank, regionale Entwicklungsbanken): Die Vergabe neuer Kredite an Hauptschuldnerländer wurde von wachstumsfördernden Strukturanpassungsprogrammen (SAPs: Structural Adjustment Programs) abhängig gemacht (Baker-Plan). Seit 1989 sieht man die Verschuldung nicht länger als Liquiditäts-, sondern als Insolvenzproblem, dessen Lösung die Geschäftsbanken und die Regierungen der Gläubigerländer durch einen substanziellen Abbau der Schulden bzw. des Schuldendienstes zu unterstützen versuchen (Brady-Plan). Das neue Sanierungskonzept des IWF und der Weltbank bezieht die Forderung aller Gläubiger ein, es enthält transparente einheitliche Regeln, wie und in welchen Schritten Anpassungs- und Reformprozesse in den überschuldeten Ländern einen Anspruch auf Schuldenerleichterung oder die Streichung von Schulden begründen und nach welchen Kriterien eine als tragfähig betrachtete Verschuldung festgelegt wird. Diesem Ansatz folgte 1996 die HIPC-I-Initiative von Weltbank und IWF für hoch verschuldete ärmste Länder (Highly Indebted Poor Countries) und ab 1999 die erweiterte HIPC-II-Initiative. Neu ist die Verknüpfung von Entschuldungsinitiative und Armutsbekämpfung, da ein Schuldenerlass voraussetzt, dass in den ärmsten Ländern in einem Prozess der Partizipation breiter Bevölkerungskreise nationale Strategien zur Armutsbekämpfung (Poverty Reduction Strategies – PRS) ausgearbeitet und ein Jahr erfolgreich umgesetzt (Prinzip Country Ownership) und außerdem dreijährige Strukturanpassungsprogramme durchgeführt werden. Ferner sind die Kriterien für eine noch tragfähige Verschuldung von HIPCs herabgesetzt worden (Schuldendienstquote als Verhältnis des jährlichen Schuldendienstes zu den Exporteinnahmen maximal 15 % und Gegenwartswert der Gesamtschulden maximal 150 % der jährlichen Exporterlöse).

Zur HIPC-Gruppe gehören 42 Länder, überwiegend in Afrika; ihre gesamten Auslandsschulden betrugen 1996 rund 245 Mrd. US-Dollar. Auf dem Kölner G-8-Gipfel 1999 wurde zugesagt, im Rahmen der HIPC-Initiative Schulden in Höhe von bis zu 70 Mrd. US-Dollar zu erlassen. Für 27 Länder, die inzwischen alle Voraussetzungen für einen Schuldenerlass erfüllen, sind vom Schuldenbetrag im Gegenwartswert von 77 Mrd. US-Dollar (2002) bereits 32 Mrd. gestrichen worden (Stand September 2003). Bezogen auf 34 Länder der HIPC-Gruppe würde der Schuldenerlass insgesamt 40 Mrd. US-Dollar betragen. Für viele HIPCs bleibt jedoch die Verschuldung weiterhin das Kernproblem für die wirtschaftliche und soziale Entwicklung, so dass Weltbank und IWF eine Aufstockung des Schuldenerlasses („Topping-up") für erforderlich halten.

Literaturhinweise:
DIEKHEUER, G. (2001), *Internationale Wirtschaftsbeziehungen*, 5. Aufl., München; WEED (Hrsg.) (2003), *Die Umverteilungsmaschine. Finanzmärkte und Verschuldung*, Berlin; WORLD BANK (Hrsg.) (2003), *World Development Report 2004*, Washington, D. C.; http://www.worldbank.org/hipc/.

Ronald Clapham

Auslandsverschuldung ausgewählter Entwicklungs- und Schwellenländer
(Stand: 2001)

Land	**Auslands-verschul dung** in Mio. Euro	**Anteil am BIP**	**Land**	**Auslands-verschul-dung** in Mio. Euro	**Anteil am BIP**
Äthiopien	5.100,5	91,4 %	Liberia	1.779,0	379,9 %
Benin	1.490,7	70,2 %	Mauretanien	1.937,4	214,9 %
Bolivien	4.191,8	58,8 %	Mosambik	3.998,4	123,8 %
Burundi	953,5	154,6 %	Nicaragua	5.721,9	266,7 %
Côte d'Ivoire	10.369,4	111,2 %	Nigeria	27.860,8	75,2 %
Giunea	2.913,3	108,9 %	Sambia	5.077,2	155,8 %
Guinea-Bissau	598,1	335,7 %	Sierra Leone	1.063,6	158,6 %
Guyana	1.258,8	201,1 %	Tansania	5.977,0	71,5 %
Honduras	4.522,2	79,1 %	Togo	1.258,8	111,7 %
Jemen	4.435,3	53,4 %	Tschad	988,4	69,0 %
Kamerun	7.465,0	98,1 %	Vietnam	11.261,1	38,4 %
Kongo, Dem. Republik	10.199,3	219,6 %	Zentralafrikanische Republik	735,9	85,0 %

Quelle: Der Fischer Weltalmanach 2004, Frankfurt/ M.

Verteilung

Die Verteilung der →*Einkommen* auf Personen gewinnt ihre Anziehungskraft durch die stets gegenwärtige Frage nach der *gerechten* Verteilung. Was unter Verteilungsgerechtigkeit zu verstehen ist, lässt sich nicht verbindlich festlegen, weder durch die Wissenschaft noch durch die Politik. Dazu bedarf es der Wertungen und Zielsetzungen. Deren Herleitungen und Begründungen ergeben sich aus der politischen Grundordnung der Gesellschaft. Entscheidendes Gestaltungselement ist in Deutschland die →*Soziale Marktwirtschaft.*

In der →*Marktwirtschaft* bestimmen das Verhältnis von →*Angebot und Nachfrage* den Preis für die Arbeitsleistung und den Einsatz von Kapital und damit die personelle Verteilung von Arbeits- und Kapitaleinkommen. Deshalb ist das →*Leis-*

tungsprinzip die oberste Norm der Gestaltung der Einkommensverteilung. Danach ist das gesamtwirtschaftliche Einkommen entsprechend der individuellen Leistungen auf die einzelnen Wirtschaftssubjekte, die diese durch ihren Einsatz von Kapital und Arbeit erbringen, aufzuteilen. Jede Person soll nach ihrer Leistung entlohnt werden. Das ist die *austeilende Gerechtigkeit.* Sie impliziert, dass Ungleichheiten in den Leistungserstellungen Ungleichheiten in den Einkommenshöhen zwischen Personen begründen.

Die Entlohnung, die den Marktkräften überlassen bleibt, setzt zugleich *Leistungsanreize* frei, auf denen das wirtschaftliche →*Wachstum* und der technische Fortschritt der Marktwirtschaften beruhen. Werden wesentliche Teile des Einkommens, das am freien Markt erzielt werden kann, durch staatliche Eingriffe verhindert oder nachträglich über die Steuern den Einkommensbeziehern entzogen, wird der individuelle Leistungswille geschwächt. Die Folgen sind Fehlleitungen von Kapital, zum Beispiel Abwanderung in das Ausland, und Arbeit, etwa in die Schwarzarbeit, mangelnde Steigerung der Produktivität und Schwächung des wirtschaftlichen Wachstums.

Die Einhaltung des Leistungsprinzips erfordert ergänzend, dass *gleiche Startchancen* für alle Marktteilnehmer gewährleistet werden. Jeder Mensch muss seine Fähigkeiten, mit denen er auf den Arbeitsmärkten ein →*Einkommen* zu erzielen vermag, auch durch eine entsprechende Ausbildung entfalten können. Zudem besteht eine Wechselwirkung zu einer gerechten Verteilung der Vermögen.

Selbst wenn die staatliche →*Ordnungspolitik* diese Rahmen setzt, wird es immer Menschen geben, die nicht in der Lage sind, einen auskömmlichen Lebensunterhalt durch eigene individuelle Leistungen zu verdienen. So kann die Erwerbsfähigkeit durch mangelndes Leistungsvermögen und durch Krankheit oder Invalidität eingeschränkt oder durch unverschuldete →*Arbeitslosigkeit* nicht realisierbar sein. Politisches Einvernehmen besteht deshalb darin, allen Menschen ein Mindesteinkommen zu garantieren. Das Leistungsprinzip wird ergänzt durch das Recht auf ein *Existenzminimum.* In diesem Recht kommt das Egalitätsprinzip zum Durchbruch, nach dem alle Menschen gleich seien. Dessen rigorose Umsetzung in eine vollkommen gleiche Einkommensverteilung würde allerdings das Leistungsprinzip aushebeln und die Wohlfahrt aller Wirtschaftseinheiten einschneidend senken.

Bei der Bestimmung des Existenzminimums unterscheidet man zwischen einer physischen und einer kulturellen Komponente. Das physische Existenzminimum umfasst alle materiellen Güter, die zum Überleben notwendig sind (Nahrung, Kleidung, Wohnung). Das kulturelle Existenzminimum soll eine Mindestteilhabe am gesellschaftlichen Leben ermöglichen. Die Ansichten über die Höhe des Existenzminimums gehen erheblich auseinander. Das Leistungsprinzip erfordert, dass das garantierte Mindesteinkommen nicht den Leistungswillen in dem Sinne aufhebt, dass es nicht lohnend ist, eine vorhandene Erwerbsfähigkeit auch auf dem Arbeitsmarkt anzubieten.

Das Recht auf das Existenzminimum wird durch das *Bedarfsprinzip* erweitert. Danach soll die Einkommensverteilung den ungleichen Bedürfnissen der Wirtschaftssubjekte entsprechen. Darüber lässt sich kein gesellschaftlicher Konsens erzielen. Das gelingt allein in konkreten Problemen der Annäherung an das Existenzminimum. Ein Beispiel ist der familienabhängige Mehrbedarf. Welcher Teil von der Gesellschaft zu tragen ist, bleibt bereits wieder umstritten.

Das so verstandene Bedarfsprinzip und das Recht auf ein Existenzminimum erfordern eine *Politik der Einkommensverteilung* über die Einkommensteuer und Einkommenstransfers. Die aus dem Leistungsprinzip sich einstellende Primärverteilung wird durch diese staatlichen Verteilungsaktivitäten in eine *Sekundärverteilung* umgewandelt. Das ist ein Ausdruck des Solidaritätsaspekts der Sozialen Marktwirtschaft. Dennoch sollte bei der Bemessung der Umverteilungspolitik gerade in der Sozialen Marktwirtschaft im Interesse der langfristigen Wohlstandsmehrung dem Leistungsprinzip der Vorrang eingeräumt werden.

Durchschnittliches Bruttoeinkommen der privaten Haushalte 1998 *

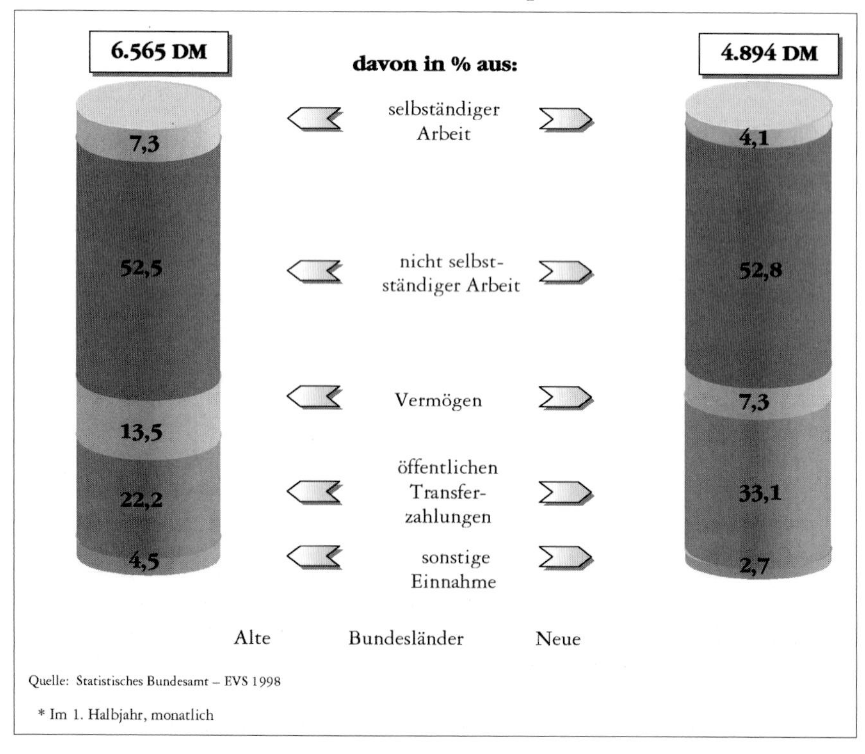

Literaturhinweise:
GAHLEN, B u. a. (Hrsg.) (1998), *Verteilungsprobleme der* Gegenwart, Tübingen; KÜLP, B. (1994), *Verteilung. Theorie und Politik,* Stuttgart u. a.

Jürgen Siebke

Wachstum

Unter wirtschaftlichem Wachstum versteht man die Zunahme des Realeinkommens pro Kopf der Bevölkerung; das Realeinkommen wird hierbei zweckmäßigerweise durch das reale Bruttoinlandsprodukt gemessen. Infolge dieses Wachstums verbessert sich die Versorgung der Menschen mit Gütern und Dienstleistungen. Wichtig ist es festzustellen, dass ein solches Wachstum nicht notwendigerweise in einem Mehr an Gütern und Dienstleistungen (quantitatives Wachstum) bestehen muss, sondern möglicherweise auch darin, dass der reale Wert der Güter und Dienstleistungen zunimmt (qualitatives Wachstum).

Die Produktion in einer Volkswirtschaft erfolgt mit den Produktionsfaktoren Arbeit, Kapital und technisches Wissen. Steigt der Kapitaleinsatz pro Kopf und nimmt das technische Wissen zu, so wächst die Wirtschaft im oben definierten Sinn. Ein steigender Kapitaleinsatz bedeutet, dass Netto-Investitionen durchgeführt werden. Die Investitionstätigkeit wird damit zu einem Motor des wirtschaftlichen Wachstums. Lange Zeit war man der Ansicht, dass diese Investitionstätigkeit der dominante Faktor des Wachstums sei. Auf Grund dieser Ansicht wurde dann insbesondere in den fünfziger und sechziger Jahren des letzten Jahrhunderts in vielen Staaten eine Wachstumspolitik betrieben, die darauf hinauslief, besonders den Ausbau der Schwerindustrien (bspw. Stahlwerke) und den Maschinenbau zu fördern (→*Industriepolitik*). Wie dann spätere Untersuchungen gezeigt haben, ist die Vermehrung des technischen Wissens, also der technische Fortschritt, weitaus bedeutender für das Wachstum als die Investitionen.

Darum steht heute nicht so sehr die Förderung der Investitionen im Zentrum des Interesses, sondern die Förderung des technischen Fortschritts. Um eine sachgerechte Wirtschaftspolitik betreiben zu können, muss man natürlich wissen, wovon der technische Fortschritt abhängt. Hierbei schälen sich in neuester Zeit zwei Erklärungsansätze heraus: Die Akkumulation von Humankapital und die Förderung und Durchführung von Forschung und Entwicklung (F & E). Unter Humankapital versteht man die Aufwendungen für den Erwerb von Wissen, konkret also für Schulen, Universitäten, Fortbildungseinrichtungen. Akkumulation von Humankapital bedeutet somit nichts anderes, als die nachwachsende Generation bestmöglich auszubilden und auch die Berufstätigen permanent fortzubilden und weiter zu qualifizieren (→*Aus- und Weiterbildung, berufliche*).

F & E findet in den Forschungseinrichtungen der Wirtschaft, den Universitäten und Akademien statt. Als Faustregel gilt, dass höhere Aufwendungen für F & E zu einem größeren technischen Fortschritt führen; aller-

Kaufkraft der Lohnminute in Deutschland

h = Stunde(n), min = Minute(n)

Güter	1960	1991	2000
Mischbrot (1kg)	0h 20min	0h 11min	0h 11min
Markenbutter (250g)	0h 39min	0h 6min	0h 5min
Schweinekotelett (1kg)	2h 37min	0h 38min	0h 31min
Bohnenkaffee (250g)	1h 46min	0h 12min	0h 11min
Damenkleid (1 Stück)	26h 28min	9h 33min	8h 34min
Haushaltsstrom (200 kWh)	10h 7min	3h 15min	2h 42min
Normalbenzin (1 Liter)	0h 14min	0h 4min	0h 5min
Kühlschrank (1 Stück)	156h 30min	31h 3min	29h 22min
Fernseher (1 Stück)	351h 38min	80h 38min	51h 30min
Tageszeitung (1 Monat)	1h 41min	1h 13min	1h 25 min

Quelle: Institut der deutschen Wirtschaft Köln

dings lässt sich dieser Zusammenhang (noch) nicht präzise quantifizieren.

Eine langfristig orientierte Wachstumspolitik fördert also die Akkumulation von Humankapital und die Durchführung von F & E-Aktivitäten, ohne die Investitionstätigkeit, also die Bildung von Realkapital, zu vernachlässigen.

Schließlich müssen die Grenzen des Wachstums bedacht werden. Populär ist das Paradigma vom „Raumschiff Erde“. Es besagt, dass wie in einem Raumschiff auch auf der Erde alle natürlichen Ressourcen begrenzt sind. Aus dieser Feststellung wird dann geschlossen, dass Wirtschaftswachstum nicht auf Dauer aufrecht erhalten werden kann, da die für die Produktion notwendigen Ressourcen zur Neige gehen werden. Immerhin ist diese Schlussfolgerung umstritten. Dagegen lässt sich anführen, dass gerade infolge des technischen Fortschritts Ressourcen eingespart werden, so dass ihre Verfügbarkeit praktisch ‚unbegrenzt‘ wird (→*Ressourcenschutz*). Dies gilt allerdings nur für natürliche Ressourcen wie Mineralien, Metalle etc., nicht aber für Energie. Energie lässt sich wegen physikalischer Gesetzmäßigkeiten nicht beliebig einsparen. In der ganz langen Frist wird Wirtschaftswachstum deswegen nur möglich sein, wenn die Menschheit das Energieproblem löst.

Literaturhinweise:
MEYER, E. C./ MÜLLER SIEBERS, K.-W./ STRÖBELE, W. (1998), *Wachstumstheorie*, 2. Aufl., München, Wien; GABISCH, G. (1999), Konjunktur und Wachstum, in: Bender, D., u. a. (Hrsg.), *Vahlens Kompendium der Wirtschaftstheorie und Wirtschaftspolitik*, Band 1, 7. Aufl., München; BARRO, R. J./ SALA-I-MARTIN (1998), *Wirtschaftswachstum*, München, Wien.

Günter Gabisch

Währungsordnung und Wechselkurssystem

Prinzipiell lassen sich Wechselkurssysteme in zwei *Extreme* einteilen: in Systeme mit völlig flexiblen und solche mit vollständig fixierten Wechselkursen. *Völlige Flexibilität* bedeutet, dass die Zentralbanken in den Preisbildungsprozess auf den Devisenmärkten nicht direkt durch An- und Verkauf von Währungen intervenieren. Dann können sich die Wechselkurse frei nach →*Angebot und Nachfrage* bilden (Floating). *Vollständig fixierte Wechselkurse* existieren, wenn die Zentralbanken die Wechselkurse durch prinzipiell unbegrenzte An- und Verkäufe von Währungen auf einem bestimmten Niveau konstant halten oder wenn die Wechselkurse von politischen Instanzen unwiderruflich fixiert sind.

Zwischen diesen beiden Extremen gibt es Systeme mit mehr oder weniger flexiblen Wechselkursen: Managed Floating, feste Wechselkurse mit Bandbreite sowie stufenflexible Wechselkurse mit oder ohne Bandbreite. *Managed Floating* bedeutet, dass Zentralbanken flexible Wechselkurse durch Interventionen in ihrem Niveau beeinflussen. Bei *festen Wechselkursen mit Bandbreite* ist eine Parität zwischen zwei Währungen fixiert, jedoch kann der Wechselkurs innerhalb einer Bandbreite um die Parität nach oben oder unten abweichen (z. B. um ±2,25 v. H.). Erreicht der Wechselkurs die obere oder untere Grenze des Bandes, so muss die Zentralbank obligatorisch intervenieren, sie kann aber auch schon vor Erreichen der Grenzen – intramarginal – intervenieren. Ein *stufenflexibles Wechselkurssystem* liegt vor, wenn die Parität – mit oder ohne Bandbreite – zwar fixiert ist, aber von Zeit zu Zeit aufgrund neuer Devisenmarktbedingungen an ein neues Niveau angepasst wird (Auf-/ Abwertung). Damit eng verwandt ist der Crawling Peg, bei dem ein Land den Wechselkurs in – meist vorangekündigten – Raten erhöht oder verringert, z. B. um 1 v. H. pro Monat entsprechend der Inflationsdifferenz zum Ausland. Eine Kombination von festen und flexiblen Wechselkursen liegt beim Blockfloating vor, bei dem mehrere Länder sich mit einem festen Wechselkurs verbinden, gegenüber Drittwährungen aber gemeinsam im Block einen flexiblen Wechselkurs praktizieren (Währungsschlange). Die Flexibilität des Block-Wechselkurses kann auch auf eine bestimmte Bandbreite beschränkt werden („Schlange im Tunnel“).

Während die Goldwährung (in Kraft besonders vor dem Ersten Weltkrieg) ein System prinzipiell fester Wechselkurse war, wurde das Weltwährungssystem in der Zeit nach dem Zweiten Weltkrieg – das 1944 konzipierte und 1973 zusammengebrochene System von Bretton Woods – als stufenflexibles Wechselkurssystem gehandhabt. Dies galt prinzipiell auch für das Europäische Währungssystem (EWS), das von 1979 bis zur Einführung der Europäischen Währungsunion (EWU) am 1. Januar 1999 praktiziert wurde. Ansonsten existiert seit 1973 weltweit ein System des Managed Floating. Allerdings binden verschiedene Länder ihre Währung mit festen Wechselkursen an eine Ankerwährung oder einen Währungskorb an. Die strengste Bindung stellt das Currency Board dar, bei dem die Zentralbank des sich anbindenden Landes die heimische Geldmenge grundsätzlich nur auf der Basis ihrer Ankerwährungsbestände gestaltet. Existieren in einem Land mehrere Währungen gleichzeitig offiziell oder inoffiziell als Zahlungsmittel, deren Wechselkurse zueinander flexibel sind, so spricht man von einem Konkurrenzwährungssystem. Eine spezielle Ausprägung ist das Parallelwährungssystem, bei dem es nur eine einzige Konkurrenzwährung gibt.

Die Währung eines Landes nennt man voll konvertibel, wenn sie keinen Kapitalverkehrsbeschränkungen unterliegt, d. h. wenn diese Währung von Inländern und Ausländern unbeschränkt ein- und ausgeführt werden kann.

Literaturhinweise:
BORCHERT, M. (1997), *Außenwirtschaftslehre*, 5. Aufl., Wiesbaden; SCHÄFER, W. (1981), *Währungen und Wechselkurse*, Würzburg; MAENNIG, W./ WILFLING, B. (1998), *Außenwirtschaft. Theorie und Politik*, München.

Wolf Schäfer

Welthandelsordnung

Die Welthandelsordnung umfasst die Gesamtheit aller auf zwischenstaatlichen Vereinbarungen beruhenden Handelsregeln und Institutionen, die den internationalen Austausch von Sachgütern und Dienstleistungen zum Vorteil aller beteiligten Länder fördern sollen. Ob und wie dies erreicht werden kann, hängt von dem weltwirtschaftlichen Ordnungsrahmen ab. Dessen Ausgestaltung hat erhebliche Auswirkungen auf die sektoralen Produktions- und Beschäftigungsstrukturen (Exportsektoren und der Importkonkurrenz ausgesetzte Branchen), auf Einkommensniveaus und Wachstumsdynamik der Welthandelsländer.

Internationale Handelsregeln, die einen Ordnungsrahmen für den freien weltwirtschaftlichen Austausch von Gütern und für den internationalen →*Wettbewerb* bilden, fördern eine Intensivierung des internationalen Wettbewerbs und ein weltweites Zusammenwachsen der Gütermärkte. Die Öffnung der nationalen Gütermärkte und internationale Handelsregeln sind ein bedeutsamer Teil der aktuellen Globalisierungsprozesse. Diese können auch in den Formen zunehmender Internationalisierung von Produktionsprozessen (Herstellung von Komponenten und Endfertigung eines Produktes erfolgen in verschiedenen Ländern), gestiegener internationaler Mobilität des Produktionsfaktors Kapital (Globalisierung der Kapitalmärkte: weltweite Zunahme ausländischer Direktinvestitionen) und zunehmender internationaler Verflechtungen der Finanzmärkte (Globalisierung der Finanzmärkte: überdurchschnittliches Wachstum der internationalen Finanzkapitalströme) beobachtet werden (→*Globalisierung*).

Die politische Ausformung von Welthandelsregeln in rechtlich bindenden internationalen Verträgen vollzieht sich allerdings im Spannungsfeld zwischen globalen Freihandelsinteressen und nationalen Partikularinteressen am Schutz heimischer Wirtschaftsbereiche vor dem internationalen Wettbewerb, der Arbeitsplätze und Gewinnpositionen in den Branchen gefährdet, die einem zunehmenden Importdruck ausgesetzt sind. Der Widerstreit zwischen Freihandelsorientierung und protektionistischer Orientierung der Außenwirtschaftspolitik findet seine Entsprechung in der heutigen Diskussion um Chancen und Risiken der Gütermarktglobalisierung.

Die durch eine Freihandelsordnung geförderte Gütermarktglobalisierung führt in allen beteiligten Ländern zu wachsenden Arbeitsproduktivitäten, steigenden Löhnen und Realeinkommen. Die Quellen dieses Wohlstandswachstums werden durch multilaterale Handelsliberalisierung erschlossen, weil in den Ländern, die ihre Märkte gegenseitig öffnen, Exporte und Importe gleichzeitig wachsen. Wachsende Exporte schaffen zusätzliche, relativ hoch entlohnte Arbeitsplätze und höhere Unternehmensgewinne. Wachsende Importe schaffen indirekte Realeinkommenszuwächse, weil hierdurch Kosten eingespart werden und Preise sinken, wenn zu relativ hohen Kosten hergestellte Inlandsprodukte durch Importe ersetzt werden, für die deutlich weniger ausgegeben werden muss. Diese Effekte statischer Effizienzgewinne aus Freihandel werden durch dynamische Effizienzgewinne noch verstärkt, weil in einer offenen Weltwirtschaft nicht nur der Preis, sondern auch der Innovationswettbewerb verstärkt wird. Das hierdurch vermehrt geschaffene neue technische Wissen verbreitet sich weltweit schneller und kostengünstiger, es senkt die Kosten und Preise und verbessert die Versorgung der Konsumenten.

Globalisierung bietet somit Chancen zukünftigen Wohlstandswachstums in entwickelten Industrieländern und in aufholenden Entwicklungsländern. Allerdings sind damit nachhaltige Änderungen der Strukturen von Produktion, Beschäftigung und Einkommensverteilung verbunden. Durch diese Anpassungsprozesse wird es Gewinner und Verlierer geben. Die Chancen der Gütermarktglobalisierung bestehen aber gerade darin, dass der gesamte Wohlstandsgewinn aus einer Welthandelsliberalisierung größer ist als die Summe einzelner Wohlstandseinbußen. Deshalb sind Kompensationslösungen für Verlierer grundsätzlich finanzierbar, um die Anpassungen an veränderte Beschäftigungs- und Verteilungsstrukturen sozial verträglicher zu gestalten und auf dieser Basis zukunftsweisende Lösungen (Auf- und Ausbau zukunftsfähiger Arbeitsqualifikationen, flexiblere Arbeitsmärkte) vorbereiten zu können, so dass eine überwiegende Mehrheit an den Globalisierungsgewinnen beteiligt wird. Umfangreiches statistisches Erfahrungsmaterial belegt für Industrie- und Entwicklungsländer positive Zusammenhänge zwischen Handelsliberalisierung, Globalisierung, Wohlstandswachstum und Armutsminderung. Empirische Belege stützen somit die Vermutung überwiegender Chancen und beherrschbarer Risiken der Globalisierung.

Die aktuelle internationale Handelsordnung wird durch das Abkommen über die neue Welthandelsordnung (WTO-Abkommen) bestimmt, das am 01. Januar 1995 in der Rechtsnachfolge des Allgemeinen Zoll- und Handelsabkommens (GATT-1947) in Kraft getreten ist (→*Internationale Organisationen*). Seitdem hat die Welthandelsorganisation (WTO) mit Sitz in Genf ihre Arbeit aufgenommen, deren Rechtsgrundlagen das revidierte Allgemeine Zoll- und Handelsabkommen (GATT-1994), das neue Dienstleistungsabkommen (General Agreement on Trade in Services: GATS) und das TRIPS-Abkommen über den Schutz handelsbezogener geistiger Eigentumsrechte bilden. Im GATT-1994 sind die Freihandelsregeln für den internationalen Warenhandel (Industriegüter, Agrargüter) kodifiziert, während GATS-1994 auf die Liberalisierung des internationalen Dienstleistungshandels ausgerichtet ist. Für alle unter dem WTO-Dach geregelten Handelsbereiche gilt ein Streitbeilegungsverfahren, das durch Klage eines WTO-Vertragsstaates gegen einen des Verstoßes gegen WTO-Regeln bezichtigten Vertragspartner mit dem Ziel eingeleitet werden kann, diesen zur Aufhebung der beanstandeten handelspolitischen Maßnahmen zu veranlassen.

Die Liberalisierungsverpflichtungen des WTO-Abkommens werden allerdings durch Schutzklauseln eingeschränkt. Sie regeln Voraussetzungen, unter denen Vertragsstaaten ausnahmsweise Beschränkungen des internationalen Wettbewerbs vornehmen dürfen. Die wichtigsten im GATT-1947 und im WTO-Abkommen legalisierten Handelsrestriktionen sind Anti-Dumping-Ausgleichszölle (Art. 6 GATT) und Eingriffe zum Schutz der Zahlungsbilanz (Art. 12 GATT); sie werden zudem abgedeckt durch eine Ermächtigung zu selektiven Schutzmaßnahmen bei einem unvorhergesehenen und schnell wachsenden Anstieg der Einfuhr bestimmter Güter (Art. 19 GATT). Die Reformresistenz dieser „Türöffner" für protektionistische Handelspolitik zeigt, dass auch das WTO-Abkommen ein Verhandlungsergebnis war, mit dem ein für alle letztlich akzeptabler Ausgleich zwischen globalem Freihandelsinteresse und nationalen Protektionsinteressen gefunden werden musste. Somit bleiben die WTO-Handelsregeln ambivalent, weil Liberalisierungsfortschritte in Richtung einer Weltmarktwirtschaft zwar gefördert werden, aber auch blockiert werden können. Beachtliche unausgeschöpfte Liberalisierungspotenziale bestehen vor allem im Agrar- und Dienstleistungshandel. Hier liegen wichtige Zukunftsaufgaben der WTO-Reformpolitik.

Literaturhinweise:
BENDER, D. (2000), Anforderungen an eine wohlstands- und entwicklungsfördernde Weltwirtschaftsordnung im Zeitalter der Globalisierung, in: Jochimsen, R. (Hrsg.), *Globaler Wettbewerb und weltwirtschaftliche Ordnungspolitik*, Bonn, S. 156-181; FRENKEL, M./ BENDER, D. (Hrsg.) (1996), *GATT und neue Welthandelsordnung*, Wiesbaden; SENTI, R. (2000), *WTO-System und Funktionsweise der Welthandelsordnung*, Zürich.

Dieter Bender

Wettbewerb

Wettbewerb bedeutet, dass sich Personen etwas streitig machen. Wirtschaftlicher Wettbewerb besteht in der Rivalität um Geschäftsabschlüsse. Anbieter und Nachfrager müssen ihren Geschäftspartnern günstige Geschäftsbedingungen einräumen, um auf den Märkten erfolgreich zu sein. Dabei kommt es gleichermaßen auf günstige Preise (Preiswettbewerb), hohe Produktqualitäten sowie vorteilhafte Absatz- und Vertriebsmethoden (Qualitätswettbewerb) und teils auch auf eine gelungene Werbung an.

In der →*Marktwirtschaft* erfüllt der Wettbewerb eine Reihe wichtiger Aufgaben. Man spricht von Wettbewerbsfunktionen (siehe Übersicht). Es geht erstens um die Begrenzung staatlicher Macht gegenüber Privaten. Anders als in Planwirtschaften (→*Sozialismus*) wird der Wirtschaftsprozess nicht hauptsächlich durch den Staat gesteuert, sondern unmittelbar durch die privaten Wirtschaftsteilnehmer (marktwirtschaftliche Selbststeuerung auf Grundlage wirtschaftlicher Freiheitsrechte). Zweitens kontrolliert der Wettbewerb die Wirtschaftsmacht der Privaten. Nur wer immer wieder aufs Neue günstige Geschäftsbedingungen bietet, kann erfolgreich sein (wettbewerbliche Selbstkontrolle). Diese beiden Wettbewerbsaufgaben sind gesellschaftspolitisch bedeutsam und werden daher *klassisch-politische Funktionen* genannt.

Dazu kommen ökonomische Funktionen des Wettbewerbs. Erstens erfordert es der Wettbewerb, die erzeugten Güter an die Bedürfnisse der Nachfrager bestmöglich anzupassen (Orientierung an Kundenwünschen). Um Gewinnchancen zu nutzen, werden zweitens die knappen Produktionsfaktoren Arbeit, Boden und Kapital so verwendet, dass ihre Produktivität am höchsten ist (Verringerung der Faktorkosten). Drittens erfolgt eine Einkommensverteilung, die sich nach der Leistung im Marktprozess – d. h. nach dem Beitrag zur Überwindung der Güterknappheit – richtet (Einkommen gemäß Marktleistung). Viertens gehen vom Wettbewerb Anreize aus, neue oder verbesserte Produkte und Produktionsverfahren einzuführen (Stimulierung von Innovationen). Fünftens fördert der Wettbewerb die Schnelligkeit, mit der die Konkurrenten auf solche Innovationen oder sonstige Veränderungen des wirtschaftlichen Umfelds (z. B. Veränderungen der internationalen Handelsbeziehungen) reagieren und so zur Verbreitung der Neuerung auf die gesamte Wirtschaft beitragen (Imitation der Innovation und generell hohe Anpassungsfähigkeit der Wirtschaft).

Die ersten drei Aufgaben werden *statische Wettbewerbsfunktionen* genannt, weil sie bei konstanten wirtschaftlichen Größen besonders erfüllt werden. Im Unterschied dazu bezeichnet man die vierte und fünfte Aufgabe als *dynamische Wettbewerbsfunktionen*, weil sie gesamtwirtschaftliche Änderungen im Zeitablauf berücksichtigen. Ändern können sich z. B. die Bedürfnisse der Konsumenten, das Angebot an Produktionsfaktoren, das technisch-organisatorische Wissen zur Kombination der Produktionsfaktoren (→*Produktion und Angebot*) sowie die Rechts- und →*Sozialordnung*, innerhalb der sich die Wettbewerbsprozesse abspielen. Darüber hinaus ist die ständige Suche innovativer Anbieter nach Gewinnchancen eine Quelle der Veränderung. Sie müssen ihre neuen Ideen im Wettbewerb auf ihre Eignung zur Bedürfnisbefriedigung testen. Dabei werden nur die wirklich gelungenen Neuentwicklungen in Form hoher →*Gewinne* honoriert (Wettbewerb als Suchprozess und Entdeckungsverfahren).

Je erfolgreicher ein vorstoßender Pionier-Unternehmer ist, desto höher wird bei anderen der Druck, den Wettbewerbsvorsprung aufzuholen oder ihn sogar zu überflügeln. Dies beruht zum einen auf der Hoffnung, an den Erfolgen des Innovators teilzuhaben. Zum anderen besteht aber immer auch die Befürchtung, bei Passivität aus dem Markt ausscheiden zu müssen.

Für die Marktteilnehmer ist es indessen naheliegend zu versuchen, sich dem ständigen Wettbewerbsdruck durch wettbewerbsbeschränkende Zusammenarbeit mit anderen →*Unternehmen* oder durch die individuelle Beherrschung des Marktes zu entziehen. Ohne eine staatliche Wettbewerbspolitik zum Schutz des Wettbewerbs könnte daher der Wettbewerbsprozess rasch erstickt werden. Dabei ist zu berücksichtigen, dass die Voraussetzungen für Wettbewerb auf den Märkten unterschiedlich sind. Völlig unproblematisch ist die Situation, wenn jederzeit neue Anbieter (potenzielle Konkurrenten) auf einen Markt treten können, d. h. der Markt aufgrund niedriger Zutrittsschranken „offen" ist. Den aktuellen Anbietern kann es hier nicht gelingen, den Wettbewerb zu beschränken und z. B. die Preise zu erhöhen, weil sie andernfalls von neu in den Markt kommenden Unternehmen (Newcomern) schnell entmachtet würden. Insofern ist in diesem Fall eine besondere Wettbewerbspolitik nicht erforderlich (→*Offene Märkte: Markteintritt und Marktaustritt*).

In Wirklichkeit stehen den potenziellen Anbietern jedoch oft hohe Marktschranken ökonomischer und teils gesetzlicher Art entgegen. Dann kommt es darauf an, die Rivalität zwischen den aktuellen Anbietern zu erhalten. Dazu muss die Wettbewerbspolitik verhindern, dass diese Anbieter wettbewerbsbeschränkende Verträge – etwa in Form von Kartellen oder Fusionen – schließen. Selbst wenn es sehr viele Unternehmen auf einem Markt gibt (Polypol), könnte sonst der Wettbewerb zum Nachteil der Verbraucher ausgeschaltet werden. Noch gefährdeter ist der Wettbewerb, wenn nur wenige Unternehmen auf einem Markt sind (weites Oligopol). Sie können gegebenenfalls auch ohne Vertragsschluss – z. B. nur aufgrund formloser Telefonate oder bracheninterner Tagungen – die Geschäftsbedingungen solidarisch aufeinander abstimmen. Wenn die Anbieterzahl unter sonst gleichen Bedingungen noch geringer wird, kann es sogar sein, dass sich die Unternehmen ganz ohne vorherige Kontaktaufnahme solidarisch verhalten (enges Oligopol). Dann ziehen bei einer Preiserhöhung eines Anbieters die anderen „spontan" nach. Die Unternehmen verhalten sich quasi wie ein Monopolist. Es könnte in solchen Fällen ausnahmsweise erforderlich sein, durch einen staatlichen Eingriff in die Marktstruktur die Anbieterzahl zu erhöhen, also etwa Newcomern den Marktzutritt zu erleichtern oder im Extremfall die etablierten Unternehmen zu entflechten, um so wieder die Voraussetzungen für Wettbewerb zu schaffen.

Wenn auch der Wettbewerb durch seine Funktionen besonders zum gesellschaftlichen Wohlstand beiträgt, werden doch nicht alle Ziele in Marktwirtschaften durch ihn erfüllt (Grenzen des Wettbewerbs). Daher wird ergänzend zum Wettbewerb eine staatliche Wirtschaftspolitik betrieben. Neben der Politik gegen Wettbewerbsbeschränkungen (→*Gesetz gegen Wettbewerbsbeschränkungen – GWB*) sind erstens Regelungen für Wirtschaftsbereiche zu treffen, in denen sich keine vorteilhaften Wettbewerbsprozesse entfalten können. Dies gilt insbesondere für das staatliche Angebot öffentlicher Güter (z. B. innere und äußere Sicherheit). Außerdem kann der Staat z. B. durch die →*Umweltpolitik* Fehlsteuerungen im Wettbewerb korrigieren und damit negative externe Effekte für Dritte

Aufgaben des Wettbewerbs in der Marktwirtschaft

Klassisch-politische Wettbewerbsfunktionen

- Begrenzung staatlicher Macht gegenüber Privaten
- Kontrolle privater Wirtschaftsmacht

Statische Wettbewerbsfunktionen

- Zusammensetzung des Güterangebots nach Konsumentenbedürfnissen
- Optimale Verwendung der Produktionsfaktoren
- Einkommensverteilung gemäß der Marktleistung

Dynamische Wettbewerbsfunktionen

- Innovationen bei Produkten und Produktionsverfahren
- Imitationen und generell hohe Anpassungsfähigkeit

verhindern. Zweitens ist zu beachten, dass die im Marktprozess verwirklichte Einkommensverteilung zwar die Marktleistung der einzelnen Wirtschaftsteilnehmer widerspiegelt, nicht aber unbedingt auf ihre Bedürftigkeit Rücksicht nimmt. Aus diesem Grund nimmt der Staat Korrekturen der Einkommensverteilung z. B. zugunsten kranker oder behinderter Menschen sowie Familien mit Kindern vor (→*Sozialordnung*). Je stärker allerdings von der →*Verteilung* gemäß Marktleistung abgewichen wird, desto größer ist die Gefahr, dass die Leistungsbereitschaft der Marktteilnehmer zurückgeht und so die Steuerungseffizienz des Wettbewerbs beeinträchtigt wird. Drittens versucht der Staat, die bei wettbewerblicher Selbststeuerung zu beobachtenden Ausschläge der Wirtschaftsaktivität (konjunkturelle Schwankungen) zu glätten. Im Einzelnen geht es hierbei um die Verwirklichung der Stabilitäts- und Wachstumsziele, also um Voll-→*Beschäftigung*, →*Preisniveaustabilität*, →*außenwirtschaftliches Gleichgewicht* sowie Wirtschaftswachstum.

Literaturhinweise:

BARTLING, H. (1997), Von der Wettbewerbstheorie zur Theorie der Wettbewerbspolitik, in: Kruse, J. u. a. (Hrsg.), *Wettbewerbspolitik im Spannungsfeld nationaler und internationaler Kartellrechtsordnungen*, Festschrift für I. Schmidt zum 65. Geburtstag, Baden-Baden, S. 17 ff.; SCHMIDT, I. (2001), *Wettbewerbspolitik und Kartellrecht*, 7. Aufl., München; WOLL, A. (1992), *Wirtschaftspolitik*, 2. Aufl., München.

Hans Peter Seitel

Wiedervereinigung: Währungs-, Wirtschafts- und Sozialunion

Im Jahre 1989 verstärkte sich eine Entwicklung in der DDR, die am 3. Oktober 1990 zur politischen Wiedervereinigung führte. Vorläufer dieses Schlusssteins ist die Währungs-, Wirtschafts- und Sozialunion gewesen, die am 1. Juli 1990 eingeführt wurde – zwischen seinerzeit formal noch unabhängigen Staaten.

Der Weg bis zur Währungsunion dauerte nur knapp fünf Monate, denn das erste Angebot hierzu äußerte Bundeskanzler Kohl am 6. Februar 1990. Danach wurde ein Prozess eingeleitet, der in atemberaubender Geschwindigkeit ablief und Politik, Wissenschaft und Administrationen zur Arbeit unter Hochstrom animierte und Ergebnisse hervorbrachte, die zumindest ein Beweis dafür sind, dass alle Institutionen über ein hohes Potenzial an Sachkunde verfügen.

Was geschah am 1. Juli 1990? Die Mark der DDR wurde durch die D-Mark ersetzt, das Währungsgebiet der D-Mark wurde offiziell um die DDR erweitert, und die →*Deutsche Bundesbank* übernahm die volle Verantwortung für die Geldpolitik in der DDR. Diese *Währungsunion* war insofern staatsrechtlich bis zum 3. Oktober 1990 ein völkerrechtliches Unikum. Die *Wirtschaftsunion* wurde parallel errichtet, indem zentrale Elemente der →*Wirtschaftsordnung* der Bundesrepublik auf die DDR übertragen wurden: die Bewertungsvorgaben für die →*Unternehmen*, die Umstellung der Löhne 1:1, die Festlegung des Wirtschaftsgebiets der DDR als wirtschaftlicher Teil des Binnenmarktes der BRD, die über Brüssel erreichte Ausdehnung der EG auf die DDR ohne Beitritt. Die *Sozialunion* wurde gleichermaßen übertragen, ein Vorgang, der anders auch kaum denkbar gewesen wäre. Denn nach dem Recht der BRD war jeder Bürger der DDR immer auch ein Bürger der BRD, wenn er in den Bereich der BRD wechselte – mit allen Pflichten und Ansprüchen.

Die Wiedervereinigung vollzog sich faktisch in drei aufeinander folgenden Etappen:

- Wirtschaftlich am 1. Juli 1990,
- politisch durch den Beitritt der DDR zur BRD am 3. Oktober 1990,
- und definitiv durch die ersten gemeinsamen Wahlen am 2. Dezember 1990.

Im Mittelpunkt der wirtschaftlichen Wiedervereinigung stand der „Vertrag über die Schaffung einer Währungs-, Wirtschafts- und Sozialunion" vom 18. Mai 1990 und seine Ausführungsverpflichtungen. Ordnungspolitisch bedeutsam ist, dass in ihm die *→Soziale Marktwirtschaft* zum ersten Mal in einem Gesetz als die Wirtschaftsordnung der BRD fixiert worden ist. Wirtschaftlich von ausschlaggebender Bedeutung war die Frage, zu welchem Kurs die Mark der DDR in die D-Mark konvertiert werden sollte. Erschwert wurde diese Entscheidung, weil es zwischen einer Markt- und einer Planwirtschaft keinen marktorientierten Wechselkurs gibt. Hinzu kommt, dass die Fixierung der Konvertierungsrate nicht eine einfache Wechselkursentscheidung ist, sondern damit unmittelbar alle Preise, *→Einkommen*, Sparvermögen, alle Sachvermögen, die betriebliche Bewertung von Anlagen, die Bewertung von Rubelverbindlichkeiten und -guthaben u. a. m. in D-Mark fixiert wurden sowie die Erstausstattung (!) der Bürger, öffentlichen Verwaltungen und Unternehmen mit D-Mark mitbestimmt wurde.

Die Bundesbank schlug in einem Gutachten eine Konversionsrate von 2 Mark Ost zu 1 D-Mark vor. Die Bundesregierung veränderte mehrere Positionen, so dass letztlich eine Rate von 1,81 : 1 herauskam. Vor allem beim Umtausch der Sparguthaben „verbesserte" sie die Rate nach sozialen Gesichtspunkten zugunsten der Bevölkerungsgruppen, die weniger Chancen haben würden, am wirtschaftlichen Ertrag in einem veränderten Umfeld aktiv teilhaben zu können. Aufgrund der hohen *→Arbeitslosigkeit* der Personen unter 60 Jahren und der Gleichstellung der Rentner Ost und West, ist die Gruppe der Rentner eindeutig „Gewinner" der Wiedervereinigung.

Der Umtausch wurde wie folgt verfügt:

- Löhne, Renten und Mieten 1:1
- Kredit von Unternehmen und Privatpersonen2:1
- Verbindlichkeiten von Unternehmen und Privatpersonen2:1
  Sachguthaben gemäß Alter
- geb. nach dem 1. Juli 1976:
  2000 DM1:1
- geb. zwischen 2. Juli 1931 und 1. Juli 1976: 4000 DM1:1
- geb. vor dem 2. Juli 1931:
  6000 DM1:1
- alle Sparguthaben oberhalb der Grenzen und Bargeld2:1

- Forderungen von Privatpersonen außerhalb der DDR3:1

Ein weiteres Problemfeld bestand in der Berechnung der Erstausstattung der DDR-Wirtschaft mit Zentralbankgeld. Einmal wusste man nicht, wie die Bargeldverhaltensweise der DDR-Bürger sein würde, um die Umlaufsgeschwindigkeit des Geldes zu bestimmen. Ferner war man unsicher, ob dieselben Methoden zur Ermittlung des Geldbedarfs (Potenzial-orientiert) gültig sein können und ob man das Produktionspotenzial (PP) richtig ermitteln könnte. Das PP gibt die größtmögliche Produktionskapazität einer Volkswirtschaft wieder. Sie wird ermittelt, indem man die Potenziale (Arbeitskräfte, Arbeitsstunden, Sachkapital, Produktivität) ermittelt unter der Annahme, es werden Güter/ Dienstleistungen erstellt, die wettbewerbsfähig sind und am Markt Käufer finden. Sichere Aussagen waren möglich über die Arbeitskräfte, das Sachkapital war veraltet und schwierig zu bewerten, die Produktivität war spekulativ, weil man sehr abweichende Angaben über die Leistungskraft der DDR-Wirtschaft hatte und weil vor allem unklar war, wieviel Produkte überhaupt wettbewerbsfähig waren. Für das PP bedeutsam sind nur marktfähige Produktionen.

Wenn man unterstellt, das reale Potenzial (Arbeit, Kapital) der DDR-Wirtschaft sei 30 Prozent der BRD-Wirtschaft, dann erhält man bei einem Produktivitätsniveau (BRD = 100)

– von 50 % ein PP der DDR von 15 %
– von 30 % ein PP der DDR von 9 %

Wie gravierend die Konversionsraten dadurch beeinflusst werden, verdeutlicht die untenstehende Tabelle.

Aufgrund dieser Unsicherheiten kam es zu einer Überversorgung mit D-Mark, die aber keine Inflation bewirkte, weil die DDR-Bürger sich vorsichtig verhielten: Es gab keinen „Konsumrausch", sie sparten viel von diesem Geld.

Probleme erwuchsen unmittelbar, weil die Konversionsrate wie eine massive Aufwertung wirkte. Hinzu trat, dass viele DDR-Produkte auf westlichen Märkten nicht wettbewerbsfähig waren und die Ostmärkte aufgrund der dort stattfindenden Transformationen wegbrachen. Unternehmenszusammenbrüche häuften sich, die Arbeitslosigkeit stieg rasch an und führte dazu, dass am Anfang über zwei Drittel aller Transfers von West nach Ost Sozialtransfers gewesen sind (*→Solidaritätszuschlag*, *→Erblastentilgungsfonds*). Verschärft wurde die wirtschaftliche Lage durch eine verfehlte Lohnpolitik. Die Zielsetzung der raschen Angleichung der Lohnsätze berücksichtigte nicht die Entwicklung der Produktivität. Die Lohnstückkosten stiegen weit über das Niveau der BRD-Wirtschaft, verringerten die Wettbewerbsfähigkeit, erhöhten und verfestigten die Arbeitslosigkeit und erzwangen riesige Sozialtransfers (*→Aufbau Ost*), die Teil einer überdehnten Sozialunion geworden sind. Eine Folge davon ist, dass sich in den Jahren nach 1995 immer mehr Unternehmen in den neuen Bundesländern entschieden, aus dem Tarifverband auszuscheiden und ihre Lohnsätze mit den Betriebs-

Konversionsraten auf der Basis einer nicht-inflationären D-Mark-Ausstattung der DDR (in Mrd. auf der Basis 1989)

	Aktuelle Werte 1989		Nicht-inflationärer Geldbestand der DDR		Konversionsraten	
	DDR-Mark	D-Mark	in D-Mark A[1]	in D-Mark B[2]	Mark zu D-Mark A	Mark zu D-Mark B
Zentralbankgeld	17,5	146,9	19,5	14,7	0,9:1	1,2:1
M1[3]	146,6	450,6	59,9	45,1	2,4:1	3,3:1
L[4]	252,0	2.738,3	364,2	273,8	0,7:1	2,0:1

1 Annahme: PP der DDR = 13,3 % des PP der BRD
2 Annahme: PP der DDR = 10 % des PP der BRD
3 Zentralbankgeld plus Sichtguthaben von inländischen Nichtbanken bei Kreditinstituten
4 Sicht-, Termin-, Sparguthaben, langfristige Bankanlagen und andere Anlagen von Nichtbanken bei Kreditinstituten

Quellen: Deutsche Bundesbank, Monatsberichte; Jahresbericht der Staatsbank der DDR für 1989.

Lesart der Tabelle (Beispiel Zeile M1): Variante A: 13,3 % von 450,6 = 59,9; 59,9 wäre die inflationsfreie Ausstattung; das vorhandene Geldvolumen ist aber 146,6; folglich wäre eine Rate von 2,4 Mark : 1 D-Mark zu wählen.

räten eigenständig nach dem wirtschaftlich Machbaren auszuhandeln (→*Tarifrecht, Schaubilder*).

Ein zentrales Element der Wirtschaftsunion ist die Auflösung der Kombinate der DDR gewesen sowie deren →*Privatisierung* über die →*Treuhandanstalt.*

Literaturhinweis:

SINN, H.-W./ SINN, G. (1992), *Kaltstart*, 2. Aufl., Tübingen; SACHVERSTÄNDIGENRAT zur Begutachtung der gesamtwirtschaftlichen Entwicklung, Jahresberichte seit 1990; WILLGERODT, H. (1990), *Vorteile der wirtschaftlichen Einheit Deutschlands*, Untersuchungen des Instituts für Wirtschaftspolitik an der Universität zu Köln, Band 84, Köln.

Rolf H. Hasse

Wiedervereinigung: Währungsunion durch Währungsumstellung

Nach der Öffnung der Mauer im November 1989 wurde von der Bevölkerung in der DDR sehr bald die Einführung der D-Mark und damit die Abschaffung der Mark der DDR gefordert. Besonders deutlich kam dies im Slogan „Entweder die D-Mark kommt zu uns oder wir kommen zur D-Mark“ zum Ausdruck. Bundeskanzler Helmut Kohl beschloss daher – im Alleingang – am 7. Februar 1990 eine Währungsunion zwischen der Bundesrepublik und der DDR, die am 1. Juli 1990, d. h. also noch vor der politischen Einheit (3. Oktober 1990), in Kraft treten sollte.

Diese Währungsunion unterscheidet sich in ganz wesentlichen Punkten von der Europäischen Währungsunion, die am 1. Januar 1999 verwirklicht wurde:

1. Mit der DDR und der damaligen Bundesrepublik wurden zwei Staaten währungspolitisch zusammengeführt, die über völlig unterschiedliche →*Wirtschaftsordnungen* mit sehr divergierender Leistungskraft verfügten. Insbesondere fehlte es in der DDR an einem Banken- und Finanzsystem marktwirtschaftlicher Prägung. Dieses musste unmittelbar nach der Währungsunion völlig neu geschaffen werden.
2. In Anbetracht dieser enormen Unterschiede wurde daher für die deutsche Währungsunion keine neue Währung wie der Euro geschaffen. Vielmehr wurde einfach der Währungsraum der leistungsfähigeren Bundesrepublik mit der D-Mark auf das Gebiet der DDR ausgeweitet. Man kann die Währungsunion daher auch als eine Währungsumstellung in der DDR bezeichnen.
3. Da die Einführung der D-Mark mit einem abrupten Übergang zur →*Marktwirtschaft* zusammenfiel, stellte sich das große Problem, die richtigen Umtauschrelationen zu finden. Dies war wiederum anders bei der Einführung des Euro in der →*EU*. Zwischen der D-Mark und der Mark der DDR bestand zwar ein politischer Verrechnungskurs (1:1), aber kein Devisenmarkt, auf dem sich ein Wechselkurs bilden konnte. In der EU gab es seit langem einen intensiven Güteraustausch und einen Devisenmarkt, so dass die bereits existierenden Wechselkursrelationen für die Umrechnung der nationalen Währungseinheiten in den Euro herangezogen werden konnten (→*Europäische Wirtschafts- und Währungsunion*).

Im Ganzen lässt sich heute feststellen, dass die deutsche Währungsunion in technischer Hinsicht als ein sehr großer Erfolg betrachtet werden kann. Die Einführung der D-Mark als Bargeld und die Umstellung des Zahlungsverkehrs verliefen nahezu reibungslos.

Unter volkswirtschaftlichen Aspekten ist das Urteil weniger positiv. Als unproblematisch erwies sich die Umstellung der volkswirtschaftlichen *Bestandsgrößen* (der Bargeldbestände und der finanziellen Forderungen und Verbindlichkeiten). Hierfür wurde grundsätzlich eine Umstellung im Verhältnis zwei Mark der DDR für eine D-Mark vorgenommen; ein persönlicher Festbetrag für Bargeld in Höhe von 4.000 Mark konnte im Verhältnis 1:1 umgetauscht werden. Obwohl die Geldmenge in der DDR nach der Umstellung um rund 50 Prozent höher lag, als von der Bundesbank in einer Studie vorgeschlagen worden war, ergaben sich davon in der Folgezeit keine inflatorischen Impulse für den Währungsraum der D-Mark, weil der größte Teil gespart, also nicht ausgegeben worden ist.

Der schwierigste Teil der D-Mark Einführung betraf die Umstellung der volkswirtschaftlichen *Stromgrößen*, insbesondere der Löhne. Dazu hätte man genaue Schätzungen über die Arbeitsproduktivität in der DDR benötigt, die aber in Anbetracht der generellen Überschätzung der Leistungsfähigkeit der DDR-Wirtschaft und des enormen wirtschaftlichen Umbruchs kaum möglich waren. In der Debatte des Frühjahrs 1990 ging es vor allem darum, ob eine Umstellung der Löhne im Verhältnis 2:1 oder 1:1 vorgenommen werden sollte. Im ersten Fall hätten die Ostlöhne nach der Währungsunion bei einem Niveau von rund einem Sechstel der Westlöhne gelegen, im zweiten Fall bei rund einem Drittel. Nicht zuletzt unter politischem Druck wurde die 1:1 Umstellung gewählt.

Im Rückblick zeigt sich, dass die damalige Diskussion sich viel zu sehr auf den Umstellungssatz für die Löhne konzentriert hatte, wobei völlig unbeachtet blieb, wie sich die Ostlöhne nach der Umstellung entwickeln würden. Besonders gefährlich war dabei, dass die ostdeutschen Unternehmen auch nach dem Juli 1990 noch überwiegend ohne private Eigentümer waren, womit es wenig Widerstand gegen überzogene Lohnforderungen gab. Sie wurden rechtlich in die →*Treuhandanstalt* eingegliedert, die zwar für den Verlustausgleich zuständig war, aber als Quasi-Eigentümerin nie auf der Arbeitgeberseite an Tarifverhandlungen beteiligt worden ist. Es kam so sehr rasch zu Lohnabschlüssen, die eine deutliche Angleichung der Ostlöhne an das Westniveau zum Ziel hatten und deutlich über dem Produktivitätszuwachs lagen. Dadurch stiegen die Lohnstückkosten (→*Betriebliches Rechnungswesen*) deutlich über das Niveau in den alten Bundesländern. Damit verloren die Unternehmen jede Chance, im internationalen →*Wettbewerb* zu bestehen. Während sich die Industrie in den benachbarten Transformationsländern (Polen, Tschechische Republik, Ungarn) gut auf die marktwirtschaftlichen Verhältnisse umstellen konnte, war dies so nur wenigen ostdeutschen Unternehmen möglich, so dass es zu einem massiven und dauerhaften Beschäftigungseinbruch im verarbeitenden Gewerbe kam.

Literaturhinweise:
BOFINGER, P. (1997), The German Monetary Union of 1990 – A Critical Assessment: The Impact on Monetary Policy, in: Frowen, S./ Hölscher, J. (Hrsg.), *The German Monetary Union of 1990 – A Critical Assessment*, London; DEUTSCHE BUNDESBANK (1990a), *Modalitäten der Währungsumstellung in der Deutschen Demokratischen Republik zum 1. Juli 1990*, Monatsbericht, Juni 1990; DEUTSCHE BUNDESBANK (1990b), *Technische und organisatorische Aspekte der Währungsunion mit der Deutschen Demokratischen Republik*, Monatsbericht, Oktober 1990.

Peter Bofinger

Wirtschaften und Planung

Um Sachgüter und Dienstleistungen zu erzeugen, sind menschliche und sachliche Produktionsfaktoren erforderlich – also Arbeit, Natur und Sachkapital – die in quantitativer und qualitativer Hinsicht immer nur begrenzt verfügbar sind (natürliche Ressourcen); sie sind knapp. Dies gilt in gleicher Weise für die Produkte, die mit ihnen hergestellt werden. Sehr häufig sind jedoch die Produktionsfaktoren alternativ für die Herstellung ganz unterschiedlicher Güter im arbeitsteiligen Wirtschaftsprozess geeignet. Es entsteht daher die Frage, wie es gelingen kann, den Grad von Knappheit der einzelnen Faktoren und Produkte zu erkennen und daraufhin die Teilmengen der Faktoren so in die jeweils möglichen Richtungen zu lenken, dass alle arbeitsteiligen Einzelvorgänge sachlich, zeitlich und räumlich richtig ineinander greifen. Diese Koordination muss so erfolgen, dass nach Art, Menge und Qualität letztlich jene Fertigprodukte entstehen können, die den Menschen bei größtmöglicher Schonung der Umwelt dazu verhelfen, ihre persönlichen, familiären und kollektiven Ziele in hohem Umfang zu verwirklichen (= volkswirtschaftliches Lenkungs- oder Allokationsproblem). Die Lösung dieses Problems erfordert es, den Faktoreinsatz in den arbeitsteiligen Einzelakten – bevor sich diese in der Wirklichkeit ereignen – sorgfältig zu planen.

Hinsichtlich der Art der Planung von Produktion und Gütertausch lassen sich auf die Frage, *wer* die Planentscheidungen unmittelbar trifft, nach bisheriger Erfahrung zwei grundsätzlich verschiedene Antworten geben:

Zum einen werden diese Planentscheidungen für die gesamte Volkswirtschaft innerhalb eines hierarchisch gegliederten Organisationsnetzes behördlicher Art getroffen. Dabei wird der gesamte aus den Plänen hervorgehende Wirtschaftsprozess vor allem auf jene Ziele hin ausgerichtet, welche die Spitze dieser Hierarchie verfolgt (= zentrale Wirtschaftsplanung). Hierbei versucht man die für die Entscheidungen unverzichtbaren Informationen vermittels von Meldungen im Rahmen eines Netzes von bürokratischen Kommunikationskanälen zu gewinnen und die Koordination durch Anweisungen zu bewirken. Diese Form der Wirtschaftsplanung hat eine Reihe schwerwiegender Informations- und Motivationsprobleme zur Folge (→*Sozialismus/ Planwirtschaft*).

Zum anderen wird der arbeitsteilige Prozess selbstständig, ohne behördliche Auflagen in den einzelnen Wirtschaftseinheiten – also in Unternehmungen, privaten Haushalten und öffentlichen Haushalten – über Mengen und Preise für die einzelnen Produkte und Produktionsfaktoren geplant, und zwar auf der Grundlage von Informationen über die ökonomische Umwelt, die für die Planung relevant sind und die sich diese Wirtschaftssubjekte selbst verschaffen müssen. Die Pläne werden auf die Ziele hin ausgerichtet, die diese Wirtschaftseinheiten jeweils selbst verfolgen. Instrument für die Informationsgewinnung und für die Koordination der Einzelpläne sind die Tausch- und Preisbildungsprozesse an den Märkten der Produktionsfaktoren (→*Arbeitsmarktordnung*) und der Produkte (= dezentrale Wirtschaftsplanung; →*Marktwirtschaft*, →*Märkte und Preise*).

Der Begriff der Wirtschaftsplanung wird häufig noch in einem anderen Verständnis gebraucht. Neben der unmittelbaren Planung der Verwendung von Produktionsfaktoren zur

Erzeugung von Gütern kennt man noch Formen der Planung jener politischen Aktivitäten des Staates, mit welchen dieser zum einen versucht, die →*Wirtschaftsordnung* zu gestalten, indem er das arbeitsteilige Geschehen vermittels formeller rechtlicher Regeln für das ökonomische Verhalten in grundsätzlicher Weise beeinflusst (= Ordnungspolitik); zum anderen sucht er auch Wege, in das Geschehen unmittelbar einzuwirken (= Prozesspolitik) (→*Ordnungspolitik – Prozesspolitik*). Unter rechtlichem Aspekt kann man insbesondere bei der Prozesspolitik verwaltungsrechtliche Pläne (z. B. Verkehrswegepläne, Bebauungspläne) von staatsrechtlichen Plänen (z. B. Bildungspläne, Verteidigungspläne) unterscheiden. Diese letztere Art der planmäßigen Verfolgung politischer Ziele kann einmal so gestaltet sein, dass die Pläne lediglich über die von der Politik erwünschten Ziele informieren und dazu auffordern, zu deren Verwirklichung beizutragen, ohne dass sie für die Behörden oder gar für Privatpersonen verbindlichen Charakter haben (= indikative Pläne). Sind die Pläne hingegen für Behörden und auch für Private verbindlich, dann wird deren Freiheitsspielraum bei der eigenen Planung erheblich eingeschränkt (= imperative Pläne). Hier verschwimmen dann die Grenzen zur Marktwirtschaft (= dezentrale Wirtschaftsplanung). Die Planung wirtschaftspolitischer Aktivitäten verwandelt sich mehr und mehr in eine zentrale Planung des Wirtschaftsprozesses, wenn die Bereiche staatlicher Planung größer werden und der Staat immer mehr Mittel durch Steuern an sich zieht (→*Staatseinnahmen*).

Literaturhinweise:
GUTMANN, G. (1980), Marktwirtschaft, in: *Handwörterbuch der Wirtschaftswissenschaft* (HdWW), Bd. 5, Stuttgart u. a., S. 140-153; DERS. (1982), Zentralgeleitete Wirtschaft, in: *Handwörterbuch der Wirtschaftswissenschaft* (HdWW), Bd. 9, Stuttgart u. a., S. 599-616; HENSEL, K. P. (1972), *Grundformen der Wirtschaftsordnung. Marktwirtschaft – Zentralverwaltungswirtschaft*, 2. Aufl., München.

Gernot Gutmann

Wirtschaftsethik

Wirtschaftsethik befasst sich mit der Frage, wie moralische Normen und Ideale unter den modernen Bedingungen einer eher internationalen, wettbewerblich verfassten Marktwirtschaft zur Geltung gebracht werden können. Dabei zeigt sich, dass die in der Wirtschaftsethik primär behandelten Probleme wie Umweltverschmutzung, Korruption, Arbeitslosigkeit oder Armut nicht lösbar sind, ohne über den „Bereich Wirtschaft" hinauszugehen. Daher erweitern neuere Ansätze den Begriff, indem sie Wirtschaftsethik als ökonomische Theorie der Moral auffassen und hierbei ein methodisches Verständnis von Ökonomik als allgemeiner (Rational Choice-) Analyse gesellschaftlicher Interaktionen und Institutionen zugrunde legen.

Das Grundproblem der Wirtschaftsethik besteht darin, dass moralisch motivierte Vor- und Mehrleistungen Einzelner – Individuen oder →*Unternehmen* – im Wettbewerb zu gravierenden Nachteilen bis hin zum Ausscheiden aus dem Markt führen können, so dass es zu Nutzeneinbußen kommt, sofern den erhöhten Kosten keine kompensierenden Vorteile gegenüberstehen. Unter Konkurrenzbedingungen sieht es daher oft so aus, als stünden Moral und Eigeninteresse in einem dualistischen Gegensatz zueinander.

Eine solche Wahrnehmung des Problems legt es nahe, eine moralische Domestizierung eigeninteressierten Handelns zu fordern. In diesem Argumentationsmuster setzen Diagnose und Therapie letztlich beim „Wollen" wirtschaftlicher Akteure an: Als Urasche der Übel werden Werteverfall, Egoismus und Profitgier angesehen; zur Lösung werden Bewusstseinswandel und Umkehr empfohlen. Im Zentrum stehen hier die – vermeintlich zu korrigierenden – Präferenzen der Menschen.

Die Alternative hierzu besteht darin, nicht auf das „Wollen", sondern auf das „Können" der Akteure zuzuschreiten. Im Zentrum stehen dann nicht die Präferenzen der Akteure, sondern die Restriktionen ihres Handelns: die wettbewerblichen Anreize, die einen daran hindern, sich moralisch zu verhalten, selbst wenn man es will.

Diese alternative Wahrnehmung des Problems hat eine lange Tradition. Sie kann sich auf Adam Smith berufen, der als Moralphilosoph die Ökonomik als wissenschaftliche Disziplin begründet hat. Zentral hierfür war seine Einsicht in die wettbewerbliche Entkopplung von Handlungsmotiven und Handlungsergebnissen. Die klassische Formulierung hierfür lautet: „Nicht vom Wohlwollen des Metzgers, Brauers oder Bäckers erwarten wir das, was wir zum Essen brauchen, sondern davon, dass sie ihre eigenen Interessen wahrnehmen." Oder anders: Der Wohlstand aller hängt nicht vom Wohl-*Wollen* der Einzelnen ab.

Aus dieser Perspektive kommt es nicht so sehr auf die Motivation des Handelns an, also nicht darauf, *wie stark* das Eigeninteresse der Akteure ist, sondern vielmehr darauf, *wie sozialverträglich* dieses Eigeninteresse kanalisiert wird: inwiefern es gesellschaftlich in Dienst genommen wird. Unterscheidet man zwischen der Rahmenordnung des Handelns und den Handlungen innerhalb der Rahmenordnung – oder in der Sprache des Sports: zwischen Spielregeln und Spielzügen –, so wird dies sofort verständlich. Wenn wirtschaftliche Akteure ihre wettbewerblichen Spielzüge am Gewinnziel orientieren, dann hängt es von den Spielregeln ab, ob die Verfolgung des eigenen Interesses zu Lasten oder zu Gunsten Dritter erfolgt. Deshalb lautet die grundlegende These der Wirtschaftsethik: Unter modernen Wettbewerbsbedingungen avanciert die institutionelle Rahmenordnung zum systematischen Ort der Moral.

Die starke Betonung von Regeln, die für alle Konkurrenten gleichermaßen verbindlich sind, hat ihren Grund darin, dass es darauf ankommt, moralische Leistungen mindestens wettbewerbsneutral, d. h. nicht zu einem Nachteil im Wettbewerb, werden zu lassen. Nur so kann moralisches Verhalten Einzelner vor der Ausbeutung durch Konkurrenten geschützt werden. Zu diesen Regeln oder Institutionen, die es zuallererst ermöglichen, dass grundsätzlich jeder von den Vorteilen des Wettbewerbs profitieren kann, gehören z. B. Eigentumsrechte, die Sicherung der Vertragsfreiheit, Institutionen zur besseren Durchsetzung von Verträgen, Kartellgesetze, Haftungsregeln etc. Da moralisch unerwünschte Zustände nicht auf moralische Defekte der Akteure, sondern auf Funktionsdefizite der Ordnung zurückgeführt werden, müssen angestrebte Veränderungen bei einer Reform dieser Ordnung und ihrer Anreizwirkungen ansetzen. Insofern kann man die ökonomische Ethik auch als Ordnungsethik oder Anreizethik kennzeichnen.

Mit einer solchen Konzeption von Wirtschaftsethik wird den Veränderungen Rechnung getragen, die mit der funktionalen Differenzierung in gesellschaftliche Subsysteme evolutionär entstanden sind. Die alte „Hauswirtschaft“ wird zu einer modernen „Volkswirtschaft“ und heute zu einer „Weltwirtschaft“. Sie ist gekennzeichnet durch tiefe Arbeitsteilung, anonyme Austauschprozesse, lange Produktionswege unter Beteiligung vieler Akteure, wachsende Interdependenzen und hohe Komplexität. Das Resultat einer modernen Wirtschaft hat daher kein Einzelner, kein Unternehmen und kein Staat in der Hand; folglich ist dafür auch kein Einzelner (allein) verantwortlich (zu machen).

Hieraus resultiert als zentrales Problem der modernen Wirtschaft und Gesellschaft die soziale Kontrolle von Handlungen. In kleinen, überschaubaren Gruppen ist die informelle Kontrolle durch Lob und Tadel im täglichen Umgang möglich und vielfach auch tatsächlich ausreichend, um moralischen Normen Geltung zu verschaffen. In großen anonymen Gruppen wie der heutigen Weltgesellschaft ist der Beitrag des Verhaltens Einzelner jedoch kaum bzw. nur unter hohen Kosten kontrollierbar. Daher muss das System der – grundsätzlich unverzichtbaren – Kontrolle umgestellt werden: Die Kontrolle muss in der modernen Gesellschaft prinzipiell als Selbstkontrolle erfolgen – im eigenen Interesse, das durch institutionelle Anreize sozialverträglich kanalisiert wird. In dieser Umstellung sozialer Kontrolle liegen große Potenziale für individuelle Autonomie und Emanzipation, aber auch für gesellschaftliche Produktivität und Zivilisation.

Aus diesen Überlegungen folgt die generelle Anforderung an die Wirtschaftsethik, alternative Ordnungsregeln daraufhin zu prüfen, inwiefern sie geeignet sind, moralische Normen und Ideale unter Wettbewerbsbedingungen zur Geltung zu bringen. In dieser Hinsicht sind individuelle und kollektive Selbstbindungen besonders interessant, denn sie erzeugen jene Verlässlichkeit wechselseitiger Verhaltenserwartungen, die für eine produktive Zusammenarbeit erforderlich sind. Solche Regeln können nur dann Verbindlichkeit erlangen, wenn der Einzelne (hinreichend) sicher sein kann, dass die anderen sich ebenfalls an die Regeln halten. Das aber ist nur zu erwarten, wenn die Regelbefolgung *aller* den Interessen jedes Einzelnen mehr dient als die

Defektion (Verletzung der Regeln) und daher die Durchsetzung von Regeln allgemein zustimmungsfähig wird: Regeln müssen selbstdurchsetzend sein oder gemacht werden.

Dieser Prozess der Regeletablierung kann in modernen Gesellschaften aufgrund der wachsenden Komplexität insbesondere bei grenzüberschreitenden Problemen nicht mehr ausschließlich dem Nationalstaat überlassen werden. Politische Strukturen, welche die Partizipation nichtstaatlicher Akteure ermöglichen, sind allerdings erst im Entstehen begriffen. Doch wächst Unternehmen als „Corporate Citizens" ebenso wie zivilgesellschaftlichen Organisationen eine zunehmende Ordnungsverantwortung für institutionelle Rahmenbedingungen zu, sowohl auf nationaler als auch auf internationaler Ebene. Deshalb werden sich alternative Entwürfe zur Wirtschaftsethik daran messen lassen müssen, welchen Beitrag sie leisten können, um Dialog- und Lernprozesse zwischen den Akteuren konstruktiv anzuleiten. Letzten Endes müssen wir auch auf der Weltebene gemeinsam darüber entscheiden, nach welchen Regeln wir spielen wollen.

Literaturhinweise:
HOMANN, K. (1994/ 2002), Ethik und Ökonomik: Zur Theoriestrategie der Wirtschaftsethik, in: Homann, K./ Lütge, C. (Hrsg.), *Vorteile und Anreize*, Tübingen, S. 45-66; DERS. (2001/ 2002), Ökonomik: Fortsetzung der Ethik mit anderen Mitteln, in: Homann, K./ Lütge, C. (Hrsg.), *Vorteile und Anreize*, Tübingen, S. 243-266; DERS./ SUCHANEK, A. (2000), *Ökonomik: Eine Einführung*, Tübingen; SMITH, A. (1776/ 1994), *An Inquiry into the Nature and Causes of the Wealth of Nations*, edited, with an introduction, notes, marginal summary, and enlarged index by E. Cannan, New York, Toronto; SUCHANEK, A. (2001), *Ökonomische Ethik*, Tübingen.

Ingo Pies
Alexandra von Winning

Wirtschaftskreislauf, Volkseinkommen, Sozialprodukt

Es entspricht alltäglicher Lebenserfahrung, wenn man sagt: Geld geht von Hand zu Hand, Geld läuft um und bildet – vielleicht – einen Kreislauf. Ausgehend von den naturwissenschaftlichen Erkenntnissen über den Blut- und den Wasserkreislauf, schlossen Ökonomen erstmals im 18. Jahrhundert auf die Möglichkeit, auch die Wirtschaftswelt in Form eines Kreislaufes abzubilden. Der erste Kreislauftheoretiker war François Quesnay (1694-1774), der sich neben seinen Pflichten als Leibarzt der Marquise de Pompadour am Hof Ludwigs des XV. in Versailles philosophischen und ökonomischen Studien widmete. Quesnay versuchte zu zeigen, wie sich die jährlichen Kapitalvorschüsse der Grundeigentümer durch die Landwirtschaft bei Berücksichtigung des Gewerbes wiedergewinnen lassen, so dass sie für das nächste Jahr erneut zur Verfügung stehen. Ein Jahrhundert später beschäftigten sich Karl Marx (1818-1883) und schließlich Eugen von Böhm-Bawerk (1851-1914) mit der Modellierung der Nationalökonomie in Kreislaufform. Typisch für diese Darstellungsweise ist die Knüpfung eines Netzes aus Kreislaufpolen, d. h.

funktionellen und institutionellen Transaktoren.

Bei den funktionellen Transaktoren handelt es sich in der Regel um Märkte (Vermögensänderung), bei den Institutionen um volkswirtschaftliche Sektoren (Staat, private Haushalte, Unternehmen, gegebenenfalls Ausland). Die Interaktion der Kreislaufpole wird durch Ströme abgebildet, wobei jedem Güterstrom ein entsprechender, gleich hoher und entgegengerichteter Geldstrom zugeordnet ist (z. B. Konsumgüter von Unternehmen zu den Haushalten, Konsumausgaben von den Haushalten zu den Unternehmen). Das Funktionsschema des Wirtschaftskreislaufs fußt auf dem Grundgedanken, Einnahmen durch Ausgaben zu erzielen (und nicht umgekehrt) und darauf aufbauend Bedingungen für die Wiederholbarkeit des Kreislaufgeschehens abzuleiten.

Hierauf richtet die Kreislaufanalyse, die bei ihren Untersuchungen an einem Gleichgewicht, an der Struktur und dem Niveau der im Kreislauf verknüpften ökonomischen Ströme und Bestände sowie an dem daraus resultierenden Verhalten der Wirtschaftssubjekte interessiert ist, ihr Hauptaugenmerk (ex ante Kreislaufanalyse). In vergangenheitsbezogener Hinsicht dient der Wirtschaftskreislauf als theoretisches Gerüst für die Volkswirtschaftlichen Gesamtrechnungen. Innerhalb dieses Buchungssystems eröffnet die Interdependenz der Kreislaufkomponenten drei Wege, um die Höhe des Sozialprodukts zu ermitteln. Die Verwendungs-, die Entstehungs- und die Verteilungsrechnung bilden in ihrer Gesamtheit den Wirtschaftskreislauf algebraisch ab.

Die *Verwendungsrechnung* gibt an, wofür die Wirtschaftseinheiten das →*Einkommen* ausgeben, wofür die erzeugten Güter in einer Periode verwendet werden: Private Haushalte und Staat konsumieren, private →*Unternehmen* und Staat investieren. In einer offenen Volkswirtschaft zählt überdies der Außenbeitrag (Überschuss der Exporte über die Importe) hinzu. Den Zusammenhang zwischen Produktion und Einkommen legt die *Entstehungsrechnung* offen. Das gesamtwirtschaftliche Ergebnis erwächst durch die Addition der Bruttowertschöpfungen (Bruttoproduktionswert abzüglich der im Herstellungsprozess eingesetzten Vorleistungen) der einzelnen Unternehmen und des Staates. Die *Verteilungsrechnung* ermittelt zunächst das Volkseinkommen und zeigt, wie die in der Güterproduktion genutzten Produktionsfaktoren (Arbeit, Kapital, Boden) am entstandenen Einkommen beteiligt werden. Es ist grob zu unterscheiden in die Bruttolöhne und Gehälter für abhängig Beschäftigte und in Gewinne für Selbstständige und den Faktor Kapital (Einkommen aus Unternehmertätigkeit und Vermögen). Das derart über den Markt verteilte Einkommen unterliegt in der Regel einer sekundären Umverteilung durch das staatliche Steuer-Transfer-System und steht danach zur Verwendung bereit – auf diese Weise schließt sich der Kreislauf.

Feinheiten in der Berechnung führen zu verschiedenen Spielarten des

Sozialprodukts. Neben dem Bruttonationaleinkommen (vormals Bruttosozialprodukt) spielt vor allem in konjunkturpolitischer Hinsicht (→*Konjunktur*, →*Konjunkturpolitik*) das Bruttoinlandsprodukt eine herausragende Rolle. Der Unterschied zwischen beiden Variablen entsteht durch die Zugrundelegung des Inländer- bzw. des Inlandskonzepts, die über den Saldo der Faktoreinkommen mit dem Ausland (im Inland erzielte Einkommen, die ins Ausland überwiesen werden, abzüglich der Einkommen, die im Ausland erzielt worden sind, und ins Inland überwiesen worden sind) und über die →*Subventionen* und Produktions- und Importabgaben innerhalb der Europäischen Union ineinander überführt werden können. Die Differenz zwischen Brutto- und Nettogrößen bestimmt die Höhe der Abschreibungen. Schlussendlich verzerren staatliche Eingriffe via direkte Steuern und Subventionen die ursprünglichen Faktorkosten und damit die tatsächlichen Marktpreise, so dass strenggenommen für jedes Aggregat die entsprechende Bewertungsbasis anzugeben ist. Der verbreitete Begriff des Volkseinkommens lässt sich nun in die Terminologie der Kreislaufzusammenhänge übersetzen: Es handelt sich um das Nettonationaleinkommen zu Faktorkosten.

Literaturhinweise:

MEIER, R./ REICH, U.-P. (2001), *Von Gütern und Geld, Kreisläufen und Konten: eine Einführung in die Volkswirtschaftlichen Gesamtrechnungen der Schweiz*, Bern, Stuttgart, Wien; STOBBE, A. (1975), Stichwort Wirtschaftskreislauf und Sozialprodukt, in: Ehrlicher, W. u. a. (Hrsg.), *Kompendium der Volkswirtschaftslehre*, Bd. 1, 5. Aufl., Göttingen, S. 16-56; WAGNER, A. (1998), *Makroökonomik. Volkswirtschaftliche Strukturen II*, 2. Aufl., Stuttgart, S. 48-80.

Adolf Wagner
Sabine Klinger

Wirtschaftsordnung und Staatsverwaltung

Die →*Marktwirtschaft* erfordert einen stabilen rechtlich-institutionellen Rahmen, den der Staat schaffen kann, indem er für innere und äußere Sicherheit, Rechtspflege und eine angemessene Infrastruktur sorgt. Dafür eignet sich eine berechenbare und zuverlässige Staatsverwaltung. Sie kann nach eingeübten Regeln des Rechts arbeiten, die nur nach sorgfältiger Prüfung geändert werden, sich aber wie Polizei und Justiz innerhalb dieser Regeln durchaus energisch und beweglich zeigen. Ob die Regeln von Staat und Bürgern eingehalten werden, können unabhängige Gerichte prüfen. Dies hemmt nicht den Wirtschaftsprozess, sondern bereinigt ihn von störenden Regelverstößen. Je sparsamer Aufgaben und Verwaltung des Staates bemessen werden, desto höhere Ansprüche kann der Staat bei der Auswahl seiner Bediensteten stellen, sofern er sie entsprechend besoldet.

Der moderne →*Wohlfahrtsstaat* will den Wirtschaftsprozess durch Eingriffe (Interventionen, →*Interventionismus*) und eigene Wirtschaftstätigkeit lenken, gibt dabei aber den Grundsatz stetigen Verhaltens auf, wenn er sich den ständig veränderten

Wirtschaftsbedingungen anpassen will. Formal bleibt der Markt erhalten, der Staat ändert aber ständig dessen Spielregeln. Damit werden Investitionen und der wettbewerbliche Suchprozess immer riskanter. Formal werden Rechtsstaat und Gewaltenteilung beibehalten, Rechtsvorschriften aber immer zahlreicher, komplizierter und kurzlebiger. Der mit der angestrebten Feinsteuerung des Wirtschaftsprozesses überforderte Gesetzgeber delegiert (wie in der →*EU*) zum großen Teil die Rechtsetzung an die Exekutive. Das Erlernen neuer Vorschriften ist nicht nur für die Wirtschaft, sondern auch für die Verwaltung mühsam und kostspielig. Was gestern legal war und →*Gewinn* gebracht hat, wird heute illegal und verlustreich, Planungssicherheit und Rechtsbewusstsein der Bürger nehmen ab, ebenso die Anwendungserfahrung für geltendes Recht. Die Verwaltung ist dann sowohl Normsetzer und Schiedsrichter am Markt als auch privilegierter Mitspieler, der eigene oder fremde Wirtschaftsfehler durch Änderung der Spielregeln verschleiern kann. Die Steuerungsaufgabe stellt zusätzliche Qualitätsanforderungen an eine Verwaltung, die zugleich aufgebläht wird und deswegen auf weniger begabte Staatsdiener zurückgreifen muss. Zunehmende Spezialisierung von Ressorts erfordert Koordination ihrer Detailentscheidungen. Dabei werden dem Markt Lenkungsvorgänge zugunsten der Politik entzogen. Ausgedehnte staatliche „Daseinsvorsorge" wird ebenso wie die →*Sozialpolitik* unberechenbarer.

In einer Zentralverwaltungswirtschaft wird der Wirtschaftsprozess scheinbar weniger umständlich durch umfassende Staatspläne direkt gelenkt. Eine allgemeine gerichtliche Prüfung von Maßnahmen der Staatsverwaltung wird ausgeschlossen, weil sonst die zentrale Lenkung des Wirtschaftsprozesses unmöglich würde. Er kann nicht bis zu einer endgültigen Gerichtsentscheidung und Neuplanung unterbrochen werden. Gewaltenteilung und Rechtsstaat werden durch Gehorsamspflichten, Organisationsregeln und allenfalls Beschwerdemöglichkeiten ersetzt. Insoweit ist die Verwaltung handlungsfähiger. Ihr fehlen aber alle Informationen, die sonst der Markt geliefert hätte, sie ist an starre Pläne gebunden und leidet unter Risikoscheu unterer Instanzen. Nur auf Kosten anderer Zwecke kann sie durch politischen Druck und einseitige Mittelkonzentration zu Höchstleistungen in Teilbereichen (Beispiel Raumfahrt) gebracht werden (→*Sozialismus*).

Literaturhinweise:

WILLGERODT, H. (1979), *Wirtschaftsordnung und Staatsverwaltung*, Ordo Bd. 30, S. 199-217.

Hans Willgerodt

Wirtschaftsordnung: Begriff und praktische Ausformung

Der Begriff, die Formen und die Funktionen der Wirtschaftsordnung erschließen sich am einfachsten in Analogie zu einem Spiel. Alle Spiele wie z. B. die verbreiteten Ball- oder Kartenspiele basieren auf Regeln, deren konkrete Ausformung den Spielverlauf und damit indirekt die Spielergebnisse maßgeblich bestimmen. Das Regelwerk eines Spiels findet in der Wirtschaft sein Pendant in der Ordnung. Die Wirtschaftsordnung umfasst demgemäß die Gesamtheit der bewusst gesetzten und der spontan durch die Marktteilnehmer vereinbarten Regeln des Wirtschaftens einer Gesellschaft.

Die bewusst gesetzten Regeln bestehen vor allem aus den für die Wirtschaft relevanten Gesetzen des öffentlichen Rechts und des Privatrechts. Beispielhaft zu nennen sind die grundlegenden Verfassungsrechte, das Verwaltungs-, Finanz- und Steuerrecht sowie das Sozialrecht mit seinen verschiedenen Teilbereichen. Beim Privatrecht, also beim Eigentums-, Vertrags-, Unternehmens-, Arbeits-, Schuld-, Patent- oder Urheberrecht ist der wirtschaftliche Bezug noch stärker ausgeprägt. Schließlich gehören zu den bewusst gesetzten Regeln auch die von Verbänden oder von privaten Organisationen vereinbarten verbindlichen Abmachungen und Satzungen.

Die Gesamtheit dieser verbindlichen Regeln konstituiert die Wirtschaftsverfassung als wichtigste Grundlage der Wirtschaftsordnung. Am Beispiel der Wirtschaftsverfassung wird die *Interdependenz der Wirtschaftsordnung mit der Staats- und Rechtsordnung* unmittelbar ersichtlich. Daneben werden das wirtschaftliche Verhalten und damit auch die Wirtschaftsprozesse von gewachsenen und meist ungeschriebenen Regeln der Moral und der Sitten bestimmt. An diesen Regeln, die in moderner Terminologie auch als *informelle Institutionen* bezeichnet werden, zeigt sich die *Interdependenz zwischen der Wirtschaftsordnung und der Kultur*. Jede Wirtschaftsordnung weist deshalb auch eine kulturspezifische Prägung auf, deren Einfluss meist verkannt wird. Darüber hinaus bestehen innerhalb der Wirtschaftsordnungen systemspezifische Interdependenzen zwischen den einzelnen Teilordnungen, also zwischen der Koordinations-, Eigentums-, Unternehmens-, Geld- und Sozialordnung. Diese wechselseitigen Abhängigkeiten erschließen sich nur aus den Kenntnissen der Funktionsweise von Wirtschaftsordnungen.

Das Wirtschaften war und ist stets und überall ordnungsbedürftig und ordnungsabhängig. Freilich gibt es verschiedene Möglichkeiten zur Gestaltung der Wirtschaftsordnung, womit die Frage nach deren möglicher Ausformung angesprochen ist. Dazu gilt es, das Grundproblem des Wirtschaftens zu berücksichtigen, das durch die ewig aktuelle Knappheit der Güter vorgegeben wird. Es gehört zu den Grundeinsichten der Wirtschaftswissenschaft, dass Arbeitsteilung und Spezialisierung elementare Voraussetzungen für die wirtschaftliche Entwicklung sind. Mit zunehmender Teilung und Spezialisierung der Arbeit und damit der Güterproduktion nehmen die Unüberschaubarkeit und die wechselseitigen Abhängigkeiten der Wirtschaftsprozesse zu. Dadurch werden zugleich die knappheitsbezogene und bedarfsgerechte Rechnung, Lenkung und Verteilung der Güter schwieriger.

Der Wirtschaftswissenschaft sind bisher nur zwei Möglichkeiten zur Lösung des gesamtwirtschaftlichen Lenkungs- oder Allokationsproblems bekannt: die →*Marktwirtschaft* und die Zentralplanwirtschaft (→*Sozialismus/ Planwirtschaft*). In der Marktwirtschaft werden die Wirtschaftsprozesse von einzelnen Individuen oder Wirtschaftseinheiten selbstständig geplant und über Märkte und Preise koordiniert. Die Marktwirtschaft verkörpert daher ein System dezentraler Planung und Koordination der Wirtschaftsprozesse, wobei die Knappheitsgrade einzelner Güter in Marktpreisen zum Ausdruck kommen.

In der Zentralplanwirtschaft werden die Wirtschaftsprozesse dagegen von einer staatlich organisierten Zentralinstanz geplant und über einen Volkswirtschaftsplan koordiniert, wobei die Knappheitsgrade der Güter über ein zentral aufgestelltes Bilanzierungssystem ermittelt werden. Die Zentralplanwirtschaft ist immer mit einer Staatswirtschaft verbunden, wofür die sozialistischen Planwirtschaften der jüngeren Vergangenheit beredte Belege geliefert haben. Individuelle wirtschaftliche Freiheit ist in diesem System insofern fremd. Der Sozialismus ist aufgrund ökonomischer Defizite und seiner freiheitsbeschränkenden Ordnung gescheitert. Die Marktwirtschaft hat sich in der Konkurrenz der Wirtschaftsordnungen als überlegen erwiesen.

Zu Beginn des 21. Jahrhunderts steht der weltweite Wettbewerb verschiedener marktwirtschaftlicher Ordnungen im Vordergrund. Alle Marktwirtschaften sind zwar im Kern unternehmerisch organisierte Tauschwirtschaften. Es gibt jedoch verschiedene marktwirtschaftliche Leitbilder, denen unterschiedliche reale marktwirtschaftliche Ordnungsmodelle entsprechen (→*Ausprägungen von Marktwirtschaft*, →*Systemwettbewerb*). Verantwortlich dafür ist die unterschiedliche Gewichtung der gesellschaftspolitischen Grundziele der individuellen Freiheit und der →*sozialen Gerechtigkeit*, die auf die ordnungspolitische Frage nach dem angemessenen Verhältnis zwischen privaten Zuständigkeiten und staatlichen Korrekturen hinausläuft.

Das liberale Leitbild, das die Werte der individuellen Freiheit und Selbstverantwortung, des Privateigentums, des freien Unternehmertums und des →*Wettbewerbs* in Verbindung mit einem Rechtsschutz-, Leistungs- und minimalen →*Sozialstaat* postuliert, markiert eine Seite der Vorstellungen. Auf der anderen Seite steht das wohlfahrtsstaatliche Leitbild, das Privateigentum und Marktwirtschaft zwar akzeptiert, jedoch zugleich auch umfassende Zuständigkeiten des Staates bezüglich der Regulierung und Korrektur der Marktprozesse zugunsten der sozialen Gerechtigkeit und Sicherheit einfordert.

Das Leitbild der →*Sozialen Marktwirtschaft* steht zwischen diesen Positionen, weshalb es von einigen geistigen Vätern schon früh als →*„Dritter Weg"* bezeichnet wurde. Die Soziale Marktwirtschaft strebt eine angemessene Synthese zwischen der Freiheit auf dem Markt und dem staatlich bewirkten sozialen Ausgleich an. Es geht also um eine Balance zwischen einer freiheitlichen und produktiven sowie einer sozial gerechten Wirtschaftsordnung. Der Markt und die Privatinitiative werden als unverzichtbare Garanten für wirtschaftlichen Wohlstand und individuelle Freiheitsrechte gesehen. Die dezentrale, selbstverantwortliche Planung und marktmäßige Abstimmung der angebotenen und nachgefragten Güter sichern die Entfaltung der Konsumenten-, Berufs-, Gewerbe-, Eigentums-, Vertrags-, Koalitions- und Wettbewerbsfreiheit. Dabei wird der Marktwettbewerb als das wirksamste Mittel zur Kontrolle wirtschaftlicher Macht eingeschätzt. Deshalb erhält die staatliche Wettbewerbspolitik eine ordnungspolitische Priorität.

Der eingeforderte soziale Ausgleich findet in der →*Arbeitsmarkt-* und →*Sozialordnung* sowie einer Reihe sozialpolitischer Maßnahmen seine praktische Ausformung. Wenngleich die Bilanz der Sozialen Marktwirtschaft in Deutschland positiv ausfällt, bleibt deren Anpassung an aktuelle Herausforderungen eine stete Aufgabe.

Literaturhinweise:
LEIPOLD, H./ PIES, I. (Hrsg.) (2000), *Ordnungstheorie und Ordnungspolitik. Konzeptionen und Entwicklungsperspektiven*, Stuttgart.

Helmut Leipold

Wohnungspolitik: alte Bundesländer

Ob Höhle, Zelt, Eigenheim oder Wolkenkratzer, Wohnen war und ist ein menschliches Grundbedürfnis wie Essen, Trinken und Schlafen. Es ist grundsätzlich nicht durch andere Güter zu ersetzen. Wohnen begleitet den Haushalt – als Nachfrager – in all seinen Lebensphasen und passt sich seinen Veränderungen an und umgekehrt. Dadurch erfüllt das Wohnen eine notwendige Schutzfunktion und ist die Voraussetzung für die individuelle Existenz sowie den Bestand sozialer Gruppen (Familien).

Bereits im 19. Jahrhundert reifte die Erkenntnis, dass man den Wohnungsmarkt nicht sich selbst überlassen dürfe. Infolge der Industrialisierung und der damit verbundenen Landflucht stieg der Wohnungsbedarf in den Städten sprunghaft an. Es kam zu Bodenspekulation, Wuchermieten und Obdachlosigkeit. Eingriffe des Staates wurden aus Gründen der Sicherheit und Ordnung, aber auch aus Gründen des Gesundheitsschutzes notwendig; denn Seuchengefahren bei den ärmeren Bevölkerungsschichten konnten deren Arbeitsfähigkeit spürbar beeinträchtigen. Im Zuge dieses Verstädterungsprozesses wurden erstmals Mindestnormen für den Wohnungsbau festgelegt. Ebenso wurden in dieser Zeit die ersten Selbsthilfeorganisationen (Wohnungsbaugenossenschaften) ins Leben gerufen, und es bildete sich der Werkswohnungsbau heraus.

Die nach dem Ersten Weltkrieg vorherrschende allgemeine Wohnungsnot verstärkte die staatlichen Eingriffe auf dem Wohnungsmarkt. Zahlreiche Gesetze zur Bekämpfung des Wohnungsmangels wurden erlassen. Diese Interventionen mündeten in ein System der „Wohnungszwangswirtschaft“ (u. a. Mietereinweisung und Belegungskontrolle), das bis Anfang der 60er Jahre des vorigen Jahrhunderts andauerte. Nach dem Zweiten Weltkrieg – knapp ein Viertel des Wohnungsbestandes von ca. 18 Mio. Wohnungen war zerstört und mehr als zwölf Millionen Flüchtlinge mussten untergebracht werden – wurde die Versorgung der Bevölkerung mit Wohnraum zur wichtigsten Aufgabe des Staates. Ein Wohnungsbauministerium auf Bundesebene wurde eingerichtet. Weitere Marksteine waren das Erste (1950) und das Zweite Wohnungsbaugesetz (1956), mit denen die drei Segmente staatlicher Interventionen (öffentlich geförderter sozialer Wohnungsbau, steuerbegünstigter und frei finanzierter Wohnungsbau) auf eine gesetzliche Grundlage gestellt wurden. Das Zweite Wohnungsbaugesetz ist bis heute die Grundlage der sozialen Wohnungspolitik, hat aber auch den Grundstein für die familienorientierte Woheigentumsförderung gelegt.

Mit dem Abbau des Wohnungsmangels gingen die →*Deregulierung* der Wohnungswirtschaft und die schrittweise Öffnung des Wohnungswesens für den Markt einher. Es wurde damit der Übergang von der kriegsbedingten Versorgungspolitik hin zu einer marktwirtschaftlich orientierten Wohnungspolitik vollzogen. In der Folgezeit wechselten sich Phasen der Anspannung und der Entspannung immer wieder ab. Heute ist der Wohnungsmarkt rein rechnerisch ausgeglichen: Die Zahl der Wohnungen entspricht insgesamt in etwa der Zahl der Haushalte.

Man könnte meinen, eine staatliche Einflussnahme sei damit überflüssig. Aber ist der Wohnungsmarkt ein Markt wie jeder andere? Kann man ihn sich selbst überlassen? Die Antwort lautet: Ja und Nein. *Ja*, weil Nachfrager und Anbieter nach Maßgabe ihrer Präferenzen frei die Ware „Wohnen" gegen Geld tauschen können und der Marktpreis prinzipiell für einen Ausgleich von Wohnungsnutzungsangebot und Wohnungsnutzungsnachfrage sorgt. Daran ändern auch die Besonderheiten des Gutes Wohnung (Immobilität, lange Lebensdauer etc.) nichts. Diese stören zwar die Funktionsfähigkeit des Wohnungsmarktes, setzen sie aber nicht grundsätzlich außer Kraft. *Nein*, weil der Markt einen Teil der Haushalte nur unzureichend oder gar nicht mit Wohnraum versorgt. Letzteres tritt immer dann ein, wenn Haushalte mit geringen →*Einkommen* einen großen Teil ihrer Einkünfte für den Mindestkonsum beim Wohnen verwenden müssen (Verteilungsproblem) und/ oder wenn bestimmte gesellschaftliche Gruppen wegen ihrer spezifischen Merkmale diskriminiert werden (Zugangsproblem).

Dem Staat kommt in der →*Sozialen Marktwirtschaft* die Aufgabe zu, eine Mindestversorgung mit Wohnraum zu sichern, wenn der Einzelne dazu nicht in der Lage ist („Subsidiaritätsprinzip"). Die Wohnungspolitik hat deshalb vorrangig das Verteilungs- und das Zugangsproblem zu lösen. Das heißt, die Mietbelastung muss für Haushalte mit geringem Einkommen tragbar sein und Haushalten der sog. „Problemgruppen" muss Zutritt auf den Wohnungsmarkt verschafft werden. Neben diesen herausragenden Versorgungszielen setzt der Staat als Träger der Wohnungspolitik auch Rahmenbedingungen, die ein effizientes Zusammenspiel von →*Angebot und Nachfrage* auf dem Wohnungsmarkt gewährleisten sollen, wie z. B. das Mietrecht. Schließlich wird allgemein unter Wohnungspolitik noch die Wohneigentumspolitik subsumiert, die jedoch nur am Rande wohnungspolitische Ziele verfolgt. Ihre Hauptstoßrichtung sind die →*Familien-* und →*Vermögenspolitik* sowie die Altersvorsorge.

Nach Eekhoff lassen sich dementsprechend grob drei Bereiche der praktischen Wohnungspolitik in Deutschland unterscheiden: (1) Soziale Absicherung des Wohnens. Die Umsetzung der sozialen Absicherung erfolgt über die klassischen Instrumente Wohngeld (Verteilungsproblem), sozialer Wohnungsbau und neuerdings Ankauf von Belegungsbindungen aus dem Wohnungsbestand (beide Zugangsproblem). Wohngeld – auch Subjektförderung genannt – erhalten bedürftige Mieter- und Eigentümerhaushalte, damit sie eine ihren Familienverhältnissen angemessene Wohnung zu Marktpreisen anmieten bzw. bewohnen können. Die Vorzüge des Wohngeldes liegen in seiner Flexibilität, seiner sozialen Treffsicherheit und Gleichbehandlung sowie in seiner Effizienz, weil es die Nachfragerpräferenzen berücksichtigt.

Aber: Wohngeld löst das Zugangsproblem nicht. Das wiederum kann der soziale Wohnungsbau, auch Objektförderung genannt. Er setzt beim Wohnungsangebot an, indem Wohnungsbauinvestoren →*Subventionen* gewährt werden. Im Gegenzug müssen sie Belegungsbindungen einräumen und Mietverbilligungen gewähren. Großes Manko: Die soziale Treffsicherheit ist wesentlich geringer als beim Wohngeld, da ein nicht unbeträchtlicher Teil der öffentlich geförderten Wohnungen fehlbelegt ist, das heißt, in ihnen wohnen nicht die bedürftigen Haushalte. Ein Ausweg bestünde im Ankauf von Belegungsbindungen aus dem Wohnungsbestand; das Zugangsproblem würde gelöst. In Verbindung mit Wohngeld, das als Instrument relativ an Bedeutung gewonnen hat, wäre die soziale Absicherung gewährleistet. Jedoch wird bisher vom Belegungsrechtserwerb wenig Gebrauch gemacht.

(2) Sicherung günstiger Angebots- und Nutzungsbedingungen. Dazu zählen die Ausweisung und Erschließung von Bauland, Stadterneuerungs- und Stadtentwicklungsmaßnahmen, das Mietrecht als Koordinationsinstrument der Mieter- und Vermieterinteressen, eng verknüpft mit dem Kündigungsschutz, sowie das Steuerrecht.

(3) Wohneigentumspolitik. Die Förderung des selbstgenutzten Wohneigentums ist teilweise sehr stark vermögenspolitisch motiviert („Eigenheimzulage"), es werden mit ihr aber auch – im Rahmen des sozialen Wohnungsbaus – ureigene wohnungspolitische Ziele verfolgt.

Mit dem Gesetz zur Reform des Wohnungsbaurechts, das am 01. Januar 2002 in Kraft trat, wurde das Wohnungsbaurecht grundlegend reformiert und eine neue Phase in der sozialen Wohnungspolitik in Deutschland eingeleitet. Kern des Gesetzes ist ein neues Wohnraumförderungsgesetz, das das Zweite Wohnungsbaugesetz ablöst. Vier Elemente spielen eine zentrale Rolle: 1. Konzentration der Förderung auf die wirklich Bedürftigen (kinderreiche Familien, niedriges Einkommen), 2. stärkere Berücksichtigung des Wohnungsbestandes, 3. Förderung des Erwerbs von gebrauchtem Wohneigentum, 4. engere Verzahnung von Wohnungs- und Städtebaupolitik.

Literaturhinweise:

EEKHOFF, J. (2002), *Wohnungspolitik*, 2. Aufl., Tübingen; EXPERTENKOMMISSION WOHNUNGSPOLITIK (1994), *Wohnungspolitik auf dem Prüfstand*, Gutachten im Auftrag der Bundesregierung, Bonn; KÜHNE-BÜNING, L./ HEUER, J. H. B. (Hrsg.) (1994), *Grundlagen der Wohnungs- und Immobilienwirtschaft*, 3. Aufl., Frankfurt/ M.

Winfried Michels

Wohnungspolitik: neue Bundesländer

Die Wohnungspolitik der DDR war geprägt durch staatliche Regulierung der Bautätigkeit und der Mietpreise. Aus politischen und wirtschaftlichen Motiven wurde der Neubau in industriell gefertigter Plattenbauweise favorisiert und zugleich die Erhaltung und Modernisierung der Altbausubstanz vernachlässigt. Selbstgenutztes Wohneigentum konnte nur in sehr begrenztem Maße gebildet werden. Die Mieten wurden aus sozialpolitischen Gründen niedrig gehalten. Für Altbauten galten die auf dem Niveau von 1936 eingefrorenen Mieten. Die Mieten für Neubauten wurden 1981 zentral festgelegt und lagen im Durchschnitt bei 0,45 Euro/ m^2 Wohnfläche. Die Mieten waren somit weder wohnwertorientiert noch kostendeckend. Der Kostendeckungsgrad durch die Mieteinnahmen betrug nur 10 bis 15 v. H. mit der Folge, dass die Häuser aufgrund unterlassener Reparaturen vernachlässigt wurden und die Altstadtgebiete sich entvölkerten. Die durchschnittliche Mietbelastungsquote von 4 v. H. wurde mit dem Verfall der Substanz erkauft.

Mit der Vereinigung der beiden deutschen Staaten am 3. Oktober 1990 wurden mit dem Einigungsvertrag die ordnungspolitischen, rechtlichen und wirtschaftlichen Rahmenbedingungen geschaffen, damit auch im Bereich des Wohnungswesens marktwirtschaftliche Strukturen entstehen konnten.

Artikel 22 Abs. 4 des Einigungsvertrages forderte die →*Privatisierung* des ehemals volkseigenen Wohnungsbestandes und verpflichtete die Kommunen, die zunächst Eigentümer des ehemals staatlichen Wohnungsbestandes waren, ihr Eigentum in eine marktwirtschaftliche Ordnung zu überführen. Das bedeutete die Bewirtschaftung und Verwaltung des Wohnungsbestandes durch privatwirtschaftlich geführte →*Unternehmen* und die Veräußerung an Mieter oder Kapitalanleger.

Mit dem Altschuldenhilfegesetz wurde es den Wohnungsunternehmen erleichtert, die aus DDR-Zeiten für den Neubau der Wohnungen gegebenen Staatskredite zu bedienen. Die Bundesrepublik als Nachfolge-Gläubigerin verzichtete teilweise auf die Rückzahlung der Altkredite, wenn die Unternehmen mindestens 15 v. H. ihres Wohnungsbestandes privatisierten.

Die Orientierung auf eine soziale und marktwirtschaftliche Wohnungspolitik in den neuen Ländern musste zugleich folgende Prämissen beachten: Die wohnungswirtschaftliche Ausgangslage war 1990 geprägt durch das hohe Durchschnittsalter und den schlechten Bauzustand der vorhandenen Wohnungen. Deshalb lag der Schwerpunkt der Wohnungspolitik in erster Linie in der Sanierung des Wohnungsbestandes. Das erforderte auch ein schrittweises Anheben der Mieten. Es war dringend erforderlich, privates Kapital für Wohnungsbauinvestitionen zu mobilisieren, um das Wohnungsangebot qualitativ und quantitativ zu verbessern. Ziel der Wohnungspolitik war es, einen funktionierenden Wohnungsmarkt zu schaffen. Dazu mussten die Wohnungsunternehmen marktwirtschaftlich ausgerichtet werden. Außerdem musste die Bildung von selbstgenutztem Wohneigentum angeregt werden.

Eine soziale und marktwirtschaftliche Mietenpolitik mit dem Ziel der Überführung der staatlich kontrollierten Mieten in das marktwirtschaftliche Vergleichsmietensystem wurde mit der 1. und 2. Grundmieten-Verordnung, dem Mietenüberleitungsgesetz und der Einführung des Vergleichsmietensystems im Jahr 1998 umgesetzt. So wurden die höchstzulässigen Mieten unter Berücksichtigung der Einkommensentwicklung und der individuellen Unterstützung durch das Sonderwohngeld schrittweise erhöht. Für Neubauten und um- und ausgebaute Wohnungen galten bereits seit 1990 freie Mieten. Zur individuellen sozialen Abfederung wurde ein Wohngeldsondergesetz eingeführt, um die Mietsteigerungen sozial verträglich individuell abzufedern. Mit dem Wohngeldsondergesetz konnte die dringend erforderliche Sanierung des Wohnungsbestandes sozialverträglich durchgeführt werden.

Für die steuerliche Förderung des Wohnungsbaus wurden zunächst Sonderregelungen durch das Fördergebietsgesetz geschaffen, die am 1. Januar 1999 durch das Investitionszulagengesetz ersetzt wurden. Die großen steuerlichen Anreize im Rahmen des Fördergebietsgesetzes führten jedoch zum Teil zu einem Neubau von Wohnungen, der im Wesentlichen durch die Steuerersparnisse motiviert war und sich weniger am Markt und an der Nachfrage orientierte.

Wichtiger Bestandteil der Wohnungspolitik in den neuen Ländern war und ist die breite Unterstützung der Wohneigentumsbildung, die zunächst überwiegend durch den Neubau erfolgte und sich mittlerweile zunehmend auf den Wohnungsbestand ausrichtet.

Der soziale Wohnungsbau wurde in den neuen Ländern vorrangig und überwiegend zur Durchführung der notwendigen Instandsetzungs- und Modernisierungsinvestitionen des Wohnungsbestandes eingesetzt. Dabei wurde die Chance genutzt, die Strukturmängel des traditionellen sozialen Wohnungsbaus zu vermeiden, die durch das Kostenmietprinzip verursacht werden. Fehlbelegungen konnte durch flexible Ausgestaltung der Förderung weitestgehend vorgebeugt werden. Der Neubau von Sozialwohnungen spielte in den neuen Ländern von Anfang an eine untergeordnete Rolle. Seit Ende der 90er Jahre wird der soziale Wohnungsneubau nur noch in städtebaulich dringend erforderlichen Fällen eingesetzt.

Seit Einführung des Vergleichsmietensystems 1998 übersteigt das Angebot zunehmend die Nachfrage (Mietermarkt). Insbesondere in wirtschaftlich schwachen Regionen gibt es große Leerstände, und zwar bis zu 30 v. H. des Wohnungsbestandes. Die Ursachen dafür liegen zum einen im Verlust der wirtschaftlichen Basis in diesen Regionen. Die Zahl der Einwohner entwickelte sich sehr rückläufig durch arbeitsplatzbedingte Fernwanderungen und einen rapiden Rückgang der Geburten. Zum anderen haben aufgrund des aufgestauten Nachholbedarfes viele private Haushalte selbstgenutztes Wohneigentum gebildet und sind in das Umland der Städte abgewandert. Begleitet wurde die rückläufige Bevölkerungsentwicklung durch die hohe Sanierungs- und Bautätigkeit in den 90er Jahren mit der Folge eines zunehmenden Angebotsüberhanges.

Aufgrund dieser Entwicklung erfolgte seit 1999 eine Umorientierung in der Wohnungspolitik von →*Bund, Ländern und Kommunen*. Zur zielgerichteten Stabilisierung und Weiterentwicklung des Wohnungsmarktes ist der Rückbau oder Abriss von nicht mehr benötigten Wohnungen auf der Grundlage kommunaler Stadtentwicklungskonzepte erforderlich. Damit soll entsprechend der veränderten Nachfrage ein zukunftsorientierter Umbau der Städte angestrebt und gleichzeitig ein ausgeglichener Wohnungsmarkt langfristig gesichert werden. Diese enorme Herausforderung für die Stadtentwicklung und die Wohnungswirtschaft wird durch das Bund-/ Länder-Programm „Stadtumbau Ost“ mit einem erheblichen Subventionsvolumen unterstützt.

Literaturhinweise:
BEHRENDT, J. (1992), *Die Transformation einer zentralverwalteten Wirtschaftsordnung in eine Soziale Marktwirtschaft am Beispiel der Wohnungswirtschaft*, Dissertation an der wirtschafts- und sozialwissenschaftlichen Fakultät der Universität zu Köln; EXPERTENKOMMISSION WOHNUNGSPOLITIK (1994), *Wohnungspolitik für die neuen Länder*, Gutachten im Auftrag der Bundesregierung, Bonn; LEONHARDT, K. (1996), *Wohnungspolitik in der Sozialen Marktwirtschaft*, Bern, Stuttgart, Wien.

Katrin Leonhardt

Zielkonflikte in der Wirtschaftspolitik

Die Ziele, die in der Wirtschaftspolitik verfolgt werden, können in einer unterschiedlichen Beziehung zueinander stehen. So können zwei Ziele, die gleichzeitig verfolgt werden, sich gegenseitig fördern und miteinander in Einklang stehen. Man spricht dann von Zielharmonie. Strebt man eines der Ziele an, so fördert man zugleich auch die Erreichung des anderen Zieles. Nicht selten aber stehen verschiedene wirtschaftspolitische Ziele in einem Konflikt zueinander. In einem solchen Fall wird man das eine Ziel nur erreichen, wenn man die Erreichung des anderen Zieles dafür opfert oder einschränkt. Im Grunde handelt alles Wirtschaften von Zielkonflikten. Da wir nur über eine begrenzte Menge knapper Güter verfügen, muss jeder Mensch fortlaufend Entscheidungen darüber treffen, auf welche Güter er verzichten soll, um im Gegenzug in den Genuss anderer Güter zu gelangen. Sofern ein Mensch wirtschaftlich handelt, trifft er solche Entscheidungen mit Hilfe des Rationalprinzips und löst damit für sich immer wieder neue Zielkonflikte. In einer →*Marktwirtschaft* wird es einzelnen Menschen, Haushalten und →*Unternehmen* weitgehend selbst überlassen, wirtschaftliche Entscheidungen zu treffen und damit Zielkonflikte zu lösen. Dadurch können die jeweiligen Wünsche und Vorlieben der Menschen am besten berücksichtigt werden.

Nun müssen aber auch in einer Marktwirtschaft manche Entscheidungen für die Gemeinschaft als Ganzes getroffen werden. Ob etwa eine Autobahn oder ein Flughafen gebaut wird oder ob die Geldmenge stärker oder weniger stark steigen soll, alles dies und vieles andere sind Entscheidungen, für die die verschiedenen Instanzen der Wirtschaftspolitik zuständig sind. Weil dort aber Personen nicht in erster Linie für sich selbst, sondern vielmehr für die Gemeinschaft als Ganze entscheiden müssen, ist die Vielfalt der möglichen Zielkonflikte dort größer. Dafür gibt es im Wesentlichen drei Gründe. Der erste ist, dass es sehr viele unterschiedliche Personen und Personengruppen mit jeweils sehr unterschiedlichen Wünschen und Ansprüchen an die Wirtschaftspolitik gibt. So wünschen sich diejenigen, die gerne reisen oder aus beruflichen Gründen reisen müssen, einen gut ausgebauten Flughafen in ihrer Nähe. Diejenigen allerdings, die in der unmittelbaren Nähe des Flughafens leben und vielleicht weniger reisen, werden sich eher gegen einen Ausbau wenden. Wirtschaftspolitiker müssen diese Interessen unterschiedlicher Personengruppen gegeneinander abwägen, und damit lösen sie Zielkonflikte.

Ein zweiter Grund für die Vielfalt von Zielkonflikten bei wirtschaftspolitischen Entscheidungen ist, dass auch die Wirtschaftspolitiker selbst eigene Interessen haben. Diese Eigeninteressen der Wirtschaftspolitiker müssen und werden allzu häufig auch nicht in Harmonie zu den Interessen der Wählerschaft stehen. Da die Wirtschaftspolitiker letztlich die Entscheidungen treffen, sitzen sie zunächst einmal „am längeren Hebel", so dass sie grundsätzlich Entscheidungen treffen können, die ihnen selber nützen, der Gesellschaft insgesamt aber schaden. Lange Zeit hat man von den Wirtschaftspolitikern einfach verlangt, dass sie sich bei ihren Entscheidungen am Gemeinwohl und nicht an ihrem eigenen Wohl orientieren sollten. Aber man muss kein schlechtes Menschenbild haben, um eine solche Forderung als letztendlich wenig hilfreich anzusehen. Im Übrigen gestehen wir heutzutage allen Anbietern und Nachfragern an den verschiedenen Märkten zu, dass sie ihr Handeln im Prinzip an ihren eigenen Interessen ausrichten, weil wir heute wissen, dass die Märkte diese unterschiedlichen Interessen recht zuverlässig aufeinander abstimmen. Warum also sollte man einem Wirtschaftspolitiker nicht zugestehen, ebenfalls in seinem wohlverstandenen Eigeninteresse zu handeln? Dazu ist es aber notwendig, dass es Institutionen gibt, die ähnlich wie die Märkte die Interessen der Wirtschaftspolitiker mit denen der übrigen Bevölkerung in Übereinstimmung bringen. In der Tat gibt es solche Institutionen, die wichtigsten sind die Demokratie, der Rechtsstaat und die Freiheit der Medien. Diese zusammen genommen sorgen dafür, dass solche Politiker, die Zielkonflikte fortlaufend in ihrem eigenen und gegen das Interesse der Bevölkerung lösen, nicht lange in ihrem Amt verbleiben werden. Auf diese Weise werden sie gezwungen, bei der Verfolgung ihrer eigenen Ziele jene der Bevölkerung stets mit zu berücksichtigen.

Eine dritte Quelle von Zielkonflikten in der Wirtschaftspolitik ist etwas schwieriger zu verstehen und ergibt sich aus der Tatsache, dass man für wirtschaftliche Entscheidungen Erwartungen über das Verhalten anderer Menschen bilden muss. Ein klassisches Beispiel hierzu ist das folgende: Da Inflation ganz allgemein als ein Übel betrachtet wird, sollte man erwarten, dass eine Regierung im Rahmen ihrer Möglichkeiten stets für niedrige Inflationsraten sorgt. Genau das muss aber nicht der Fall sein. Der Grund dafür hängt damit zusammen, dass ein Anstieg der Inflation von den Menschen häufig erst mit einer gewissen Zeitverzögerung bemerkt wird. In einem solchen Falle könnten die Arbeitnehmer darauf verzichten, höhere Löhne zu fordern, um den Verlust auszugleichen, den sie durch steigende Güterpreise im Zuge der Inflation erleiden. Das aber bedeutet für die Unternehmen, dass durch die steigenden Preise ihre Erlöse zunehmen, wegen der konstanten Löhne die Lohnkosten aber konstant bleiben. Dadurch werden die Arbeitskräfte für die Unternehmen rentabler, was diese dazu veranlasst, mehr Arbeitskräfte einzustellen. Im Ergebnis führt die Inflation zu einem Rückgang der Arbeitslosigkeit! Genau daraus ergibt sich der vielleicht berühmteste Zielkonflikt in der Wirtschaftspolitik, und zwar jener zwischen der Bekämpfung von Inflation einerseits und von →*Arbeitslosigkeit* andererseits. Eine Zeit lang war es eine gängige Auffassung, dass man durch ein wenig mehr Inflation die Arbeitslosigkeit gezielt senken könne.

Bei Licht betrachtet kann das aber nicht lange gut gehen. Denn natürlich werden die Arbeitnehmer die gestiegene Inflationsrate bald bemerken und dann höhere Löhne fordern. Dann aber sinken die →*Gewinne* der Unternehmen wieder, und die Arbeitslosigkeit geht nach einer kurzen Erholungsphase wieder auf ihr altes Niveau zurück. Was bleibt, ist Inflation. Manchmal reicht es einer Regierung allerdings, wenn die Arbeitslosigkeit nur kurzfristig sinkt – etwa bis nach der nächsten Wahl. Oder eine

Regierung hofft, mit einem solchen kurzfristigen Effekt eine drohende Rezession gerade zu überbrücken. Solche und ähnliche Gründe führen dazu, dass Regierungen die Aufgabe der Inflationsbekämpfung häufig nicht so strikt wahrnehmen, wie sich die Bevölkerung dies wünscht. Deshalb sind die Zentralbanken vieler Länder heute von der Regierung unabhängig, damit die Zentralbanker als die Hauptverantwortlichen für die Bekämpfung der Inflation der Verlockung nicht erliegen, sich mit Hilfe der Inflation eine Verbesserung der Lage am Arbeitsmarkt zu erkaufen, die dann aber doch nicht von Dauer ist.

Alles in allem sind Zielkonflikte auf der wirtschaftspolitischen Ebene also vielschichtiger und problematischer als auf der Ebene individuellen wirtschaftlichen Handelns. Dies ist nur ein weiterer von vielen anderen Gründen, warum eine an den Wünschen der Bürger orientierte →*Ordnungspolitik* so viele Entscheidungen wie möglich den Bürgern selbst überlässt. Dahinter verbirgt sich nicht weniger als das für das Konzept der →*Sozialen Marktwirtschaft* zentrale Prinzip der Subsidiarität.

Literaturhinweise:

BENDER, D./ BERG, H./ CASSEL, D., u. a. (1999), *Vahlens Kompendium der Wirtschaftstheorie und Wirtschaftspolitik*, Band 2, 7. Aufl., München; FREY, B./ KIRCHGÄSSNER, G. (2001), *Demokratische Wirtschaftspolitik*, 3. Aufl., München.

Thomas Apolte

Glossar

Agenda 2000

Die Agenda 2000 wurde auf der Sitzung des Europäischen Rats 1999 in Berlin beschlossen. Es sollten mehrere Ziele gleichzeitig verwirklicht werden: die Reform der Landwirtschafts- und →*Strukturpolitik*, die Festlegung des Finanzrahmens der Europäischen Union (EU) für den Zeitraum 2000-2006 sowie die Begrenzung und Zuordnung von Finanzmitteln zur Vorbereitung und zur ersten Phase der Osterweiterung. Die EU wollte also interne Reformen, die finanzielle Solidität der Altmitglieder sowie die Begrenzung der Ausgaben als Folge der Osterweiterung bis 2006 in einem Entscheidungsakt erreichen. Die ehrgeizigen Ziele wurden nur teilweise realisiert. Dennoch wirkt die Agenda 2000 immer noch wie ein Ausgabenplafond.

Agglomeration

Agglomeration beschreibt die Tendenz von →*Unternehmen*, sich an einem bestimmten Ort in größerer Zahl anzusiedeln, um bspw. Kostenvorteile durch die Nähe von Zulieferern zu erreichen (z. B. der „Gewerbepark"). Für Verbraucher kann z. B. durch die Ansammlung von mehreren Handelsunternehmen die Attraktivität einer Region erhöht werden (z. B. Einkaufszentren), aber auch durch kulturelle Einrichtungen.

Allfinanzkonzept

Ein Finanzmarkt, auf dem alle Finanzierungsmöglichkeiten (Kredite, Wertpapiere, Hypotheken, Versicherungen) aus einer Hand angeboten werden können, wird als Allfinanzmarkt bezeichnet. Es gibt keine „typischen" Anbieter für Finanzierungen. So bieten bspw. auch Nicht-Banken (z. B. Versicherungen) bankennahe Produkte an.

Allokation

Allokation bezeichnet den Einsatz und die Verteilung von Gütern und Produktionsfaktoren innerhalb einer Volkswirtschaft auf die verschiedenen Produktionen (was wird wie und wieviel wird produziert) und zu den verschiedenen Produktionsstandorten (wo wird produziert). In einer →*Marktwirtschaft* werden Güter und Produktionsfaktoren in erster Linie über ihren Preis auf den Märkten optimal verteilt (Allokationsfunktion des Preises).

Annuität

Die Aufnahme eines Kredites ist i. d. R. mit der Zahlung eines Zinses pro Jahr und der Rückzahlung der geliehenen Summe nach einer vereinbarten Frist verbunden. Der jährlich zu zahlende Betrag besteht aus der Zinszahlung und der vereinbarten Tilgung; beide Teilleistungen zusammen werden als Annuität bezeichnet.

Äquivalenzprinzip

Der grundlegende Gedanke ist, dass sich Leistung und Gegenleistung entsprechen sollen. Das Äquivalenzprinzip findet in vielen Bereichen des Wirtschaftslebens Anwendung, z. B. bei der Lohnfindung nach Leistung und in jeder Rentenversicherung, in der die spätere Rente von den Einzahlungen abhängt.

Arbitrage

Arbitrage ist ein Schlüsselbegriff der Wirtschaftswissenschaften, der das Verhalten der Wirtschaftssubjekte im Alltag wie auf speziellen Märkten erläutert. Jemand der mit seinem Einkaufswagen zur Kasse fährt und abschätzt, in welcher Schlange er am schnellsten abgefertigt wird, betreibt Arbitrage; sein Ziel ist, Zeit einzusparen. Wer Aktienmärkte oder Devisenmärkte beobachtet und feststellt, es sind Preisunterschiede für ein und dieselben Aktien bzw. Devisen entstanden, kauft bzw. verkauft Aktien oder Devisen, um an dieser Preisdifferenz zu verdienen. Gleichzeitig wird durch dieses Verhalten bewirkt, dass die Warteschlangen sich angleichen und die Preise an den Märkten angeglichen werden. Diese Ausgleichswirkung der Arbitrage ist für die →*Verteilung* bzw. das Funktionieren des →*Marktmechanismus* von großer Bedeutung.

Basel II

Kurzbezeichnung für den Baseler Akkord, der vom Baseler Ausschuss für Bankenaufsicht verabschiedet wurde. Ziel des Akkords ist es, das nationale und internationale Bankensystem zu stabilisieren und Wettbewerbsverzerrungen durch Harmonisierung der Bankenregulierung zu vermeiden. Die erste Eigenkapitalvereinbarung (Basel I) trat 1992 in Kraft. Seit der Umsetzung ihrer Bestimmungen haben sich die Bankprodukte und die Bankenlandschaft stark verändert. Die bestehenden Eigenkapitalvorschriften konnten die Risiken der Kreditinstitute nicht mehr genau abbilden. Der Baseler Ausschuss begann daher 1998 die neuen Standards zu entwickeln. Sie werden Ende 2006 in Kraft treten. Der neue Baseler Eigenkapitalakkord (Basel II) besteht aus drei Säulen: den Eigenkapitalanforderungen, dem bankenaufsichtlichen Überprüfungsprozess und der erweiterten Offenlegung. Basel II hält an der bisherigen Eigenkapitaldefinition und der Mindesteigenkapitalquote von 8 % fest. Neben den Markt- und Kreditrisiken wird nun auch das operationelle Risiko berücksichtigt. Die Bonität des Kreditnehmers rückt verstärkt in den Mittelpunkt der Risikoberechnung: Statt pauschaler Vergabe der Risikogewichtungssätze wird die Bonität jedes Schuldners anhand externer Ratings oder bankinterner Einschätzungen beurteilt. Die zweite Säule regelt die Überprüfungsverfahren der nationalen Aufsichtsbehörden und stärkt ihre qualitative Ausrichtung. Die dritte Säule erweitert die Offenlegungspflichten der Banken, um so eine stärkere Disziplinierung der Finanzinstitute zu erreichen.

Benchmark

Im Rahmen der Erfolgsanalyse eines Unternehmens wird für den zu analysierenden Bereich eine Referenzeinheit gewählt (intern oder extern), anhand der ein ständiger und fortlaufender Vergleich der Ergebnisse durchgeführt wird. Die besten Resultate werden als „Benchmark" bezeichnet und als Richtwerte betrachtet. Referenzeinheiten können z. B. Profit Center des eigenen Unternehmens, aber auch Konkurrenten sein. Benchmark können z. B. betriebliche Kennziffern, wie Umsatz, Kosten, Marktanteile etc. sein. Der Begriff wird in der Wirtschaft sehr breit verwendet. So sind die Zinssätze der Anleihe des Bundes, der eine untadelige Bonität (Kreditwürdigkeit) beigemessen wird, die Benchmark am Kapitalmarkt für festverzinsliche Wertpapiere.

BIP siehe Bruttoinlandsprodukt

Bizone

Nach dem Zweiten Weltkrieg wurde Deutschland in drei Westzonen und in die Ostzone geteilt. In Westdeutschland wurde am 01. Januar1947 die Bizone gegründet, um die Wirtschaftsverwaltung für den amerikanisch und britisch besetzten Teil Deutschlands neu zu gestalten. Als Übergangslösung wurden deutsche Verwaltungsorgane geschaffen, um bis zur Errichtung einer gesamtdeutschen Regierung die wirtschaftlichen Versorgungsprobleme zu bewältigen. Die Länderparlamente stellten Mitglieder für einen Wirtschaftsrat, Ländervertreter bildeten einen Exekutivrat, und ein Direktorium wurde berufen. Die Bizone wurde im April 1949 um den französisch besetzten Teil zur Trizone erweitert. Damit verbunden war die Gründung einer „Alliierten Hohen Kommission", als höchste Kontrollbehörde in der zukünftigen jungen Bundesrepublik.

Blaue-Liste-Institute

Im Rahmen der Förderung der wirtschaftlichen Beratung der politischen Institutionen und der Öffentlichkeit werden mehrere wirtschaftswissenschaftliche Forschungsinstitute vom Bund und den Ländern gefördert, die in einer sog. „Blauen Liste" geführt werden. Sie werden regelmäßig überprüft, ob ihr Leistungsstand eine weitere Förderung rechtfertigt. Zur Zeit sind es folgende Forschungsinstitute:

- Institut für Weltwirtschaft, Kiel
- Rheinisch-Westfälisches Institut für Wirtschaftsforschung, Essen (RWI)
- Hamburgisches Welt-Wirtschafts-Archiv, Hamburg (HWWA)
- Institut für Wirtschaftsforschung, München (Ifo)
- Institut für Wirtschaftsforschung Halle
- Deutsches Institut für Wirtschaftsforschung, Berlin (DIW)

BRACERO-Programm

Das Bracero-Programm war ein formales bilaterales Übereinkommen zwischen den USA und Mexiko von 1942-64. Es ermöglichte 4-5 Millionen Mexikanern, als Gastarbeiter in den USA zu arbeiten – allerdings nur in weniger qualifizierten (Saison-) Jobs, bspw. auf kalifornischen Landwirtschaftsbetrieben. Wie in Europa scheiterte das Bracero-Programm, weil die „Gäste" blieben und sich nichts als dauerhafter erwies als die temporär geplante Zuwanderung.

Braindrain
Als Braindrain wird die Auswanderung höherqualifizierter Arbeitskräfte bezeichnet. Braindrain kann ein Problem werden, wenn Spezialisten oder Fachkräfte auswandern und an einem Standort das Humankapital „austrocknet". Dann können auch weniger qualifizierte Personen, die bleiben wollen, ihren Arbeitsplatz verlieren, weil die Wettbewerbsfähigkeit verloren geht oder spezielle Dienstleistungen nicht mehr angeboten werden. Wenn beispielsweise ÄrztInnen wegziehen, ist es möglich, dass deswegen Krankenhäuser nicht mehr betriebsfähig sind. Allerdings erzeugt ein Braindrain auch Anreize, besonders viel Humankapital zu erwerben, was generell zu einem höheren Bildungsstand führt. Auch die Geldüberweisungen der Ausgewanderten (Remittances) und die Chancen einer späteren Rückkehr nach Hause müssen berücksichtigt werden.

Bruttoinlandsprodukt
Das Bruttoinlandsprodukt bezeichnet das Sozialprodukt einer Volkswirtschaft (→*Wirtschaftskreislauf*).

Deflation
Die übliche Erklärung der Deflation ist, dass die Preise so stark sinken, dass auch das Preisniveau negative Veränderungen aufweist. Vielfach wird bereits von deflationären Tendenzen gesprochen, wenn eine anhaltende (moderate) Senkung des Preisniveaus eintritt – aufgrund sinkender wirtschaftlicher Aktivität oder mit der Folge einer starken Abnahme des wirtschaftlichen →*Wachstums*. Begleiterscheinungen sind ebenso wie bei der Inflation Ungleichgewichte zwischen dem Güter- und Geldkreislauf in der Volkswirtschaft.

Disparität
Lateinisch für Ungleichheit, Verschiedenheit.

Distribution
Bezeichnet allgemein eine →*Verteilung*. Volkswirtschaftlich ist die Verteilung von →*Einkommen* und von Vermögen gemeint. Betriebswirtschaftlich umfasst die Distribution alle Aktivitäten und Absatzkanäle, die zur Verteilung der Produkte an die Nachfrager dienen.

Dollarisierung siehe Euroisierung

EFTA (European Free Trade Area) siehe Europäische Freihandelszone

Egalitarismus

Die Sozialtheorie des Egalitarismus vertritt die Auffassung und strebt die Verwirklichung einer möglichst vollkommenen Gleichheit der Menschen in der Gesellschaft an.

Emission, emittieren

Wertpapiere, die an die Börse gebracht werden sollen, werden emittiert, also herausgegeben. Als Emittent kommen dabei Unternehmen (i. d. R. Aktiengesellschaften), Gebietskörperschaften (Bundesstaaten, Länder, Städte) und andere staatliche Einrichtungen bzw. →*öffentliche Unternehmen* in Frage. Die Emission kann auf direktem Wege plaziert oder über eine Bank bzw. mehrere Banken (Bankenkonsortium) vermittelt werden, was der allgemein übliche Weg ist.

Empirie, empirisch

Empirie bedeutet Erfahrungswissen, das auf Daten und/ oder Informationen basiert. Sie setzt Untersuchungen voraus und umfasst auch die Überprüfung von Annahmen (Hypothesen) mit Daten der wirtschaftlichen Realität.

Empirische Evidenz

Empirische Evidenz liegt vor, wenn die getroffene Aussage durch in der Vergangenheit gesammelte Daten bzw. Erfahrungen belegt wird. Oft werden dafür statistische Methoden herangezogen, um die Signifikanz der Daten, also deren Verlässlichkeit, zu bestimmen.

Endogen

Endogen bezeichnet Entwicklungen aus dem System heraus, die also systemimmanent, ohne äußere Einflüsse entstehen. Der Gegensatz ist exogen.

ERP-Sondervermögen

Das European Recovery Program (ERP) ist ein Sondervermögen des Bundes. Es wurde 1953 gebildet und fasst vor allem die Mittel der ehemaligen Marshall-Plan-Hilfe für den Wiederaufbau nach dem Zweiten Weltkrieg zusammen. Die ERP-Mittel werden als langfristige Darlehen zu günstigen Zinssätzen vergeben, um spezielle Wirtschaftsregionen und -sektoren (z. B. Umweltschutz) sowie den Mittelstand zu fördern. ERP-Mittel wurden auch bereits 1990 zur Modernisierung der DDR zur Verfügung gestellt. Das ERP-Sondervermögen hat einen revolvierenden Charakter, da die Darlehensrückzahlung an das Sondervermögen erfolgt.

Euroisierung/ Dollarisierung

Von Euroisierung/ Dollarisierung spricht man, wenn die nationale Währung aufgrund der Verhaltensweisen der Wirtschaftssubjekte oder durch eine politische Entscheidung teilweise oder ganz in seinen Funktionen ersetzt wird. Dann übernimmt eine ausländische Währung in der Regel in Bargeldform die Funktion als Zahlungsmittel, als Recheneinheit und als Wertaufbewahrungsmedium. Hauptursachen eines derartigen Austauschs der nationalen Währung (Währungssubstitution) sind Inflation und politische Unsicherheiten. Man schätzt, dass vom Dollar-Bargeld ca. 70 % außerhalb der USA zirkulieren; bei der D-Mark sollen es 30-40 % gewesen sein. Der Begriff der Euroisierung wird auch in einem anderen Zusammenhang verwendet: Wenn ein Land, das der EU beitritt, vor einem offiziellen Beitritt zur Europäischen Währungsunion den Euro als gesetzliches Zahlungsmittel anerkennt.

Europäische Freihanelszone (EFTA)

Die Europäische Freihandelszone ist 1960 auf Initiative Großbritanniens gegründet worden. Ihre Zielsetzung war, erstens ein Gegenpol zur Europäischen Wirtschaftsgemeinschaft (EWG) zu sein und zweitens als Ersatz zu dienen für die Länder, die nicht in die EWG konnten oder wollten. Die Gründungsmitglieder waren: Dänemark, Großbritannien, Norwegen, Österreich, Portugal, Schweden und die Schweiz. Island (1970) und Finnland (1985) traten später hinzu. Die EFTA hat ihre wichtigsten Mitglieder verloren, indem diese in die Europäische Wirtschaftsgemeinschaft (EWG)/ Europäische Gemeinschaft (EG) eingetreten sind: 1973 Dänemark, Großbritannien; 1986 Portugal; 1995 Finnland, Österreich, Schweden. Der Unterschied der Freihandelszone zur Zollunion der EWG ist: Die Freihandelszone hebt zwar die Zölle und Handelsschranken untereinander auch auf, sie führt aber kein einheitliches Außenregime gegenüber Drittstaaten ein. Ferner hat die EFTA auf eine →*Integration* bzw. gemeinsame →*Agrarpolitik* verzichtet.

Europäisches Währungssystem (EWS)

Das Europäische Währungssystem trat im März 1979 in Kraft. Es hat einen Vorläufer – den Europäischen Währungsverbund (von April 1972 an). Das EWS war ein spezielles System von festen Wechselkursen mit Bandbreiten (± 2,25 %) mit dem neu geschaffenen Währungskorb der ECU (European Currency Unit). Als Folge der Währungskrisen von September 1992 und August 1993 wurde die Bandbreite auf ± 15 % ausgeweitet. Als Konsequenz der Europäischen Währungsunion und der Einführung des Euro als Gemeinschaftswährung zum 1. Januar 1999 wurde das ursprüngliche EWS (EWS 1) umgestaltet zu dem EWS 2; das Prinzip des Systems fester Wechselkurse mit Bandbreiten um Leitkurse gegenüber dem Euro wurde beibehalten.

Evolution, evolutorisch

Beschreibt eine allmählich fortschreitende Entwicklung aus dem Zeitablauf heraus. Damit wird die Entwicklung in einem gewissen Maße auch prognostizierbar (vorhersehbar).

EWG/ EG/ EU

Die Begriffswahl ist von vielen Unsicherheiten geprägt. EWG = Europäische Wirtschaftsgemeinschaft, sie wurde 1958 gegründet als Zollunion mit weiter reichenden, auch politischen Zielsetzungen. Parallel dazu wurde die europäische Atomgemeinschaft EURATOM gegründet und es existierte bereits seit 1952 die Europäische Gemeinschaft für Kohle und Stahl (EGKS). In einem Fusionsvertrag vom 8. April 1965 wurde beschlossen, die Organe der drei Teile (EWG, EURATOM, EGKS) zum 1. Juli 1967 zu fusionieren. Es entstand die EG = die Europäischen Gemeinschaften. Mit dem Vertrag über die Europäische Union (EUV) vom 7. Februar 1992 in Maastricht entstand die Europäische Union = EU, die am 1. November 1993 in Kraft trat. Die EU löste die EG ab. EURATOM und EGKS wurden als eigenständige Organe Ende 2003 aufgelöst; es existiert nur noch die EU.

Externe Effekte, externe Kosten

Von externen Effekten spricht der Ökonom, wenn der wirtschaftlich Tätige entweder nicht alle Kosten tragen muss, die er verursacht (negative externe Effekte – externe Kosten), oder wenn er nicht in der Lage ist, alle durch ihn erzeugten Vorteile für sich zu reservieren (positive externe Effekte – externe Vorteile). Negative externe Effekte sind Umweltkosten, wenn Flüsse und die Umwelt verschmutzt werden, ohne dass in der Kostenkalkulation der Unternehmen diese Wirkungen berücksichtigt werden. Die Umweltpolitik hat die Aufgabe, derartige Folgen eines Marktversagens zu verhindern bzw. nachträglich zu korrigieren (→*Umweltpolitik: Instrumente*). Ebenso liegt Marktversagen vor, wenn positive externe Effekte entstehen. Wenn ein Erfinder keinen Patentschutz erhält, jeder also die Erfindung nutzen kann, erhält der Erfinder keinen fairen Gegenwert für seine Leistung. Dies bremst die Suche nach neuen technologischen und wirtschaftlichen Lösungen.

Fazilität (Kredit-)

Bereitstellung von Krediten, in der Regel zwischen Zentralbanken, für Devisenmarktinterventionen (→*Währungsordnung und Wechselkurssysteme*).

Fertilität

Fruchtbarkeit.

Freiburger Ordo-Kreis

Bezeichnung einer Gruppe von Wirtschaftswissenschaftlern und Juristen (W. →*Eucken*, F. →*Böhm*, H. Großmann-Doerth), die sich in den 30er Jahren an der Universität Freiburg i. Br. bildete. Ihre Grundidee ist es gewesen, in einer Zeit des zunehmenden Verfalls der internationalen Wirtschaftsordnung (Weltwirtschaftskrise), zunehmender staatlicher Interventionen und Planung die Grundlagen einer Ordnung von Wirtschaft und Gesellschaft (Interdependenz der Ordnungen) zu erforschen. Im Mittelpunkt steht die Freiheit des Individuums als politischer und wirtschaftlicher Bürger. Diese Grundlagen haben nach 1945 großen Einfluss bei der Beendigung der staatlichen Planung und bei der Realisierung der →*Marktwirtschaft* in der Ausprägung der →*Sozialen Marktwirtschaft* in der Bundesrepublik Deutschland gehabt. (→*Wirtschaftsordnung: Begriff*, →*Ausprägungen von Marktwirtschaft*).

Freihandel

Freihandel ist ein Idealzustand der Welthandelsordnung: Es bestehen weltweit keine Handelserschwernisse durch Zölle, nichttarifäre Hemmnisse (z. B. diskriminierende Verwaltungsvorschriften gegen ausländische Produkte) oder mengenmäßigen Beschränkungen. Zusätzlich muss mindestens die Freiheit des Zahlungsverkehrs gewährleistet sein, besser auch noch die Freiheit des Kapitalverkehrs. Die →*Welthandelsordnung* des GATT/ der WTO hat eine pragmatische Zielsetzung: Liberalisierung des internationalen Handels durch Abbau von Handelsschranken, Sicherung eines erreichten Liberalisierungsniveaus, Transparenz der noch bestehenden Handelsschranken und rechtsstaatliche Verfahren bei Verstößen gegen die gegenseitig anerkannten Regeln.

Freizügigkeit

Das Recht, international seinen Wohnort und besonders seinen Arbeitsplatz frei wählen zu können. Der ausländische Arbeitnehmer wird bei gewährter Freizügigkeit wie ein Inländer behandelt (Verbot der Diskriminierung).

Geldmarktpapiere

Verbriefte Vermögensrechte, die am Geldmarkt gehandelt werden (kurzfristige Finanzgeschäfte). Dem gegenüber steht der Kapitalmarkt mit langfristigen Finanzgeschäften und Wertpapieren.

Globalsteuerung

Die wirtschaftspolitische Konzeption der Globalsteuerung entstammt dem →*Keynesianismus*. Ziel ist es, mit geld- und fiskalpolitischen Maßnahmen, die makroökonomischen Größen wie Investitionen, Konsum, Sparen, Angebot, Nachfrage so zu beeinflussen, dass der Konjunkturverlauf stabilisiert wird, das Preisniveau sinkt/ steigt, die →*Beschäftigung* zunimmt und die Wirtschaft wächst. Vertreter der Globalsteuerung glauben an die Gestaltung der Wirtschaft und die Beherrschbarkeit der →*Konjunktur* (→*Konstruktivismus*).

Hebesätze

Ein Begriff, der vor allem bei der Gewerbesteuer auftritt. Für die Ermittlung der Gewerbesteuer wird die bundeseinheitlich berechnete Gewerbesteuer (Steuermessbetrag) mit einem von der Gemeinde beschlossenen Prozentsatz (Hebesatz) multipliziert. Das Produkt ergibt den tatsächlich anzuwendenden Steuersatz. Der Hebesatz kann mehrere Hundert Prozent ausmachen.

Historische Schule

Eine Schule und Forschungsrichtung der Wirtschaftswissenschaft in Deutschland ab Mitte des 19. Jahrhunderts.

Hypertrophie

Übermäßige Vergrößerung aufgrund von erhöhter Beanspruchung.

Innovation, Innovator
Einführung (Einführer) von etwas Neuem in die Produktion (technischer Fortschritt) oder eines neuen Produkts.

Insider-Problematik (Insiderregeln)
Informationen, die durch die berufliche Tätigkeit vorliegen, dürfen nicht an Außenstehende weitergegeben werden, da dies eine Beeinflussung der normalen Abläufe des Marktes darstellt. Das Wertpapierhandelsgesetz (WpHG) schreibt dies bspw. für Bankangestellte vor, um unfaire Handelspraktiken zu vermeiden.

Insolvenz
Bezeichnet die Zahlungsunfähigkeit bzw. die Zahlungseinstellung als Folge eines Mangels an Liquidität bei Unternehmen oder Personen.

Kasuistisch
Methode des Argumentierens, des Forschens. Fallweise vorgehen bzw. alle Möglichkeiten in Betracht ziehen.

Konvergenz, konvergieren
Entwicklung bis zur Übereinstimmung von Meinungen oder Zielen bzw. ein Verfahren, um diese Übereinstimmung zu erreichen.

Konvertibilität
Konvertibilität beschreibt das Recht, nationale in ausländische Währung umzutauschen, zu konvertieren. Wenn dies zur Bezahlung von Importen/ Exporten von Waren und Dienstleistungen erfolgt, spricht man vom Zahlungsverkehr bzw. von der Freiheit des Zahlungsverkehrs. Wenn der Import oder Export von finanziellen Mitteln (Kapital) Gegenstand ist, spricht man von der Freiheit des Kapitalverkehrs. Im EU-Vertrag gilt die vollständige Freiheit des Zahlungsverkehrs und des Kapitalverkehrs (Art. 56) zwischen den Mitgliedstaaten und gegenüber Drittstaaten (erga omnes). In der Charta des Internationalen Währungsfonds existiert nur eine Konvertibilitätsgarantie für die „Transaktionen der laufenden Rechnung", die in etwa der Freiheit des Zahlungsverkehrs entsprechen (Art. VIII).

Lag
Time lag, Englisch: zeitliche Verzögerung zwischen dem Einsatz eines wirtschaftspolitischen Instrumentes und dessen Wirkung; bei der Geldpolitik z. B. 1 bis 2 Jahre.

Laisser-faire
Französisch: machen lassen (laufen lassen); Parole des extremen →*Liberalismus* (Laisser-faire-Liberalismus). Forderung nach möglichst geringer staatlicher Aktivität in der Wirtschaft (Nachtwächterstaat), da die Entscheidung der einzelnen Wirtschaftssubjekte zu den besten Lösungen führen, die über den Markt koordiniert werden.

Liquidität

Ein Unternehmen ist liquide, wenn es jederzeit seinen Zahlungsverpflichtungen nachkommen kann. Unter Liquidität wird die Summe der zu einem Zeitpunkt verfügbaren Finanzmittel verstanden.

Makroökonomik

Als Teilgebiet der Volkswirtschaftstheorie wird in der Makroökonomik das Zusammenwirken gesamtwirtschaftlicher Aggregate (Sparen, Konsum, Zahlungsbilanz, Staatseinnahmen und -ausgaben) untersucht. Gegenstand der makroökonomischen Zielsetzungen sind u. a. →*Wachstum*, →*Verteilung*, →*Konjunktur*, →*Beschäftigung*.

Margentarif

Eine Marge beschreibt eine Bandbreite (mit Ober- und Untergrenze). Wird für die Teilnehmer eines Marktes kein fester Tarif vorgeschrieben, sondern eine Marge, innerhalb derer der Tarif frei verhandelt werden kann, wird ein Margentarif angewendet.

Marktkonformität

Marktkonformität ist gegeben, wenn staatliche Eingriffe in den Wirtschaftsablauf die Marktprozesse in ihrer Wirksamkeit möglichst wenig beeinträchtigen.

Marshall-Plan

Der amerikanische Außenminister George C. Marshall initiierte ein Europäisches Wiederaufbauprogramm für das vom Zweiten Weltkrieg zerstörte Europa (European Recovery Program – ERP). Das einheitliche Hilfsprogramm wurde 1948 durch den amerikanischen Kongress erlassen; es wird auch als Marshall-Plan bezeichnet.

Materialismus

Die philosophische Lehre des Materialismus führt die gesamte existierende Wirklichkeit (auch die Seele, den Geist, das Denken) auf Kräfte oder Bedingungen der Materie zurück (im Gegensatz zum Idealismus). Auch die Ursachen von sozialen Veränderungen und von Revolutionen werden ausschließlich in den Veränderungen von z. B. Produktions- und Austausch- verhältnissen gesehen und nicht in Überzeugungen von Personen.

Mennonit, mennonitisch

Ein Mennonit ist Anhänger einer weit verbreiteten evangelischen Freikirche mit strenger Kirchenzucht und Verwerfung des Kriegsdienstes; benannt nach Menno Simons (1496-1561).

Merkantilismus, Merkantilisten

In der Zeit des Absolutismus (16. bis 18. Jahrhundert) vorherrschende Wirtschaftspolitik. Kennzeichen war, dass der Staat stark auf die Wirtschaft einwirkte, um den Wohlstand des Fürsten und somit seine Macht zu erhöhen.

Bevorzugte Mittel waren: Förderung von (arbeitsintensiven) Gewerben, aktive Bevölkerungspolitik, Technologieförderung, Importbeschränkungen und Exportanregung, um einen Handelsbilanzüberschuss zu erzielen.

Methodologischer Individualismus

Philosophische Anschauung, die dem Individuum Vorrang vor der Gemeinschaft einräumt.

Mikroökonomik

Als Teilgebiet der Wirtschaftswissenschaften beschäftigt sich die Mikroökonomik mit dem Verhalten und den Entscheidungen einzelner Wirtschaftssubjekte (private Haushalte, Unternehmen) innerhalb einer Volkswirtschaft.

Mont Pèlerin Society

Internationale Vereinigung liberaler Ökonomen. Benannt nach dem Mont Pèlerin (Schweiz), wo sich diese Gruppe 1947 zum ersten Mal traf.

Moral hazard

Der Begriff stammt aus dem Versicherungswesen. Er beschreibt folgende Verhaltensweise: Der Versicherer kennt nur das normale, sachbezogene, nicht aber das ganze Risiko, wenn durch den Versicherungsnehmer ein zusätzliches „moralisches" Wagnis geschaffen wird. Der Versicherer kann aufgrund mangelnder Informationen und Kontrollmöglichkeiten beide Risiken nicht trennen und zuordnen, so dass die Versicherungsprämie für alle erhöht wird. Geradezu klassische Fälle sind: In der Autounfallversicherung werden im Schadensfall kleinere Reparaturen mit abgerechnet, die nicht durch den Unfall entstanden sind. Bei großen, anonymen Versicherungen (Krankenversicherung) oder staatlichen Sozialleistungen mit Umverteilungsanteilen (Wohlfahrtsstaat) entstehen vielfach Mentalitätsveränderungen: Man möchte nicht ständig Netto-Zahler sein, „alle tun es", „der Ehrliche ist der Dumme". So entstehen Verhaltensweisen des „moral hazard", die die Nachfrage nach Leistungen zusätzlich steigern und diese Systeme verteuern. Ein Mittel der Wahl gegen diese Entwicklung ist die stärkere Berücksichtigung des Verhältnisses zwischen individuellem Risiko und Beitragssatz; die Eigenbeteiligung als Element des Verursacherprinzips. Ein Beispiel: Sind Verletzungen, die durch eine anerkannte Risikosportart entstehen, ein privates Risiko oder ein allgemeines Risiko der Gemeinschaft einer Zwangsversicherung?

Moral-suasion-Politik der Beeinflussung

Ein Instrument der qualitativen Wirtschaftspolitik. Ziel ist es, durch Argumente die Verhaltensweise der Wirtschaftssubjekte zu beeinflussen. Erfolgreich ist Moral-suasion immer dann, wenn der Träger der Wirtschaftspolitik auch mit härteren Instrumenten eingreifen könnte.

Niederlassungsfreiheit

Das Recht, international den Standort des Unternehmens frei zu wählen. Das ausländische Unternehmen wird wie ein Inländer behandelt (Verbot der Diskriminierung).

Nutzen

Der Nutzen beschreibt ein Maß an subjektiver Bedürfnisbefriedigung, die ein Konsument durch den Konsum eines Gutes oder einer Dienstleistung zu einer bestimmten Zeit an einem bestimmten Ort erfährt.

Offenheitsgrad

Der Offenheitsgrad einer Volkswirtschaft bezeichnet, in welchem Ausmaß sie in Außenhandel und Kapitalverkehr integriert ist. Berechnet wird der Offenheitsgrad z. B. als Verhältnis Exporte zu Bruttoinlandsprodukt.

Ordnungskonformität, ordnungskonform

Den Regeln und Bestimmungen eines Ordnungssystems bzw. einer Ordnung entsprechendes Verhalten. Instrumente bzw. eine Wirtschaftspolitik, mit der die →*Wirtschaftsordnung* (z. B. die →*Marktwirtschaft*) in ihrer Wirksamkeit nicht gestört wird.

Paradigma

Denkmuster, Modell. Ein Satz von Aussagen, die für richtig gehalten werden.

Polluter-Pays-Principle

Verursacherprinzip im Umweltschutz. Der Verursacher zahlt für die von ihm verursachten Kosten.

Portfolio

Der Begriff ist von Portefeuille (Tasche mit vielen Fächern) abgeleitet. Er wird verwendet, um die Zusammensetzung von Vermögenswerten zu umschreiben, z. B. in welchen Formen (Bargeld, Termingeld, Inhaberschuldverschreibungen, Aktien, Grundstücke u. a. m.) und Proportionen Vermögen gebildet und gehalten wird, um den unterschiedlichen Risikoneigungen und Renditeerwartungen zu entsprechen.

Prinzipal-Agent-Ansatz

Das Prinzipal-Agent-Problem besteht z. B. in Aktiengesellschaften (Prinzipal: die Eigentümer; Agent: der Vorstand) und in der Demokratie (Prinzipal: der Wähler; Agent: die Regierung, der Politiker). Das Modell beschäftigt sich mit Kooperations- und Abhängigkeitsproblemen zweier Individuen, die am Erfolg einer Aktion beteiligt sind. Nur ein Individuum wählt die Aktion (Agent); es kann seinen eigenen Nutzen maximieren, nicht aber zwangsläufig den des anderen (Prinzipal). Dieser wird deshalb versuchen, auf die Wahl der Aktion einen Einfluss zu nehmen. Probleme ergeben sich hier vorrangig aus Informationsdefiziten, Kosten der Vertragsgestaltung und unterschiedlichen nutzenmaximierenden Verhalten der kooperierenden Individuen. Somit wird angenommen, dass ein soziales Optimum nicht mehr automatisch durch den Markt hergestellt wird. Beispiele sind Beziehungen zwischen Eigentümer und Manager eines Unternehmens oder Wähler und Politiker einer Partei. In einer Publikums-AG hat der Vorstand einen Informationsvorsprung dem Aktionär gegenüber, der dazu führen kann, dass der Agent seine Ziele mehr als die des Prinzipals realisiert.

Produktionsfaktoren

In der Volkswirtschaftstheorie unterscheidet man drei Produktionsfaktoren: Boden, Arbeit und Kapital. Ihre Besonderheit ist, dass mit ihnen im Produktionsprozess ein Mehrertrag erzielt werden kann.

Protektionismus

Protektionismus umschreibt die Situation einer Welthandelsordnung, in der private und vor allem staatliche Maßnahmen (Zölle, nicht-tarifäre Hemmnisse, mengenmäßige Beschränkungen) den internationalen Austausch von Waren und Dienstleistungen beschränken. Der ideale Zustand ohne derartige Hemmnisse ist der Freihandel. Wenn ähnliche, staatliche Maßnahmen im Zahlungs- und Kapitalverkehr eingesetzt werden, spricht man von Kapitalverkehrskontrollen bzw. von Devisenbewirtschaftung. Wenn die freie Wahl des Arbeitsplatzes im Ausland eingeschränkt wird, spricht man von Einschränkungen der Freizügigkeit. Ähnliches gilt, wenn die Niederlassungsfreiheit für Unternehmen verboten oder Kontrollen unterworfen wird, die nur für Ausländer gelten. In der EU wird der Binnenmarkt bzw. eine Wirtschafts- und Währungsunion realisiert (→*Europäische Wirtschafts- und Währungsunion*). Es wird ein Zustand ohne Diskriminierung und Protektionismus angestrebt.

Public-Choice-Schule

Die Public-Choice-Theorie befasst sich mit der Analyse staatlicher Entscheidungsprozesse. Im Mittelpunkt stehen die Beziehungen zwischen den Bürgern und der kollektiven Entscheidung des Staates, die nicht-marktlich sind. Fragestellungen sind: Ermittlung des Bedarfs an öffentlichen Gütern, die Bestimmung eines optimalen Budgets, wann ein Budget eher mit Steuern oder mit Verschuldung finanziert wird, wie kann die optimale Größe kollektiver Entscheidungseinheiten bestimmt werden.

Publizitätspflicht

Unterrichtung der Öffentlichkeit über die Entwicklung eines Unternehmens. Die Gesellschaftsform der Aktiengesellschaft ist nach deutschem Recht der Pflicht unterworfen, den Jahresabschlussbericht sowie den Lagebericht zu veröffentlichen und den Anlegern (Aktionären) zugänglich zu machen. Diese Publizitätspflicht sichert die Transparenz der Unternehmensentwicklung für die aktuellen und potenziellen Unternehmenseigner und ermöglicht somit eine Eingriffsmöglichkeit in die Entwicklung des Unternehmens z. B. durch Verkauf/ Zukauf von Anteilen an der Börse oder die Wahl bzw. Abwahl von Mitgliedern des Aufsichtsrates auf der Hauptversammlung.

Rationalprinzip

Prinzip für das wirtschaftliche Handeln. Das Rationalprinzip beschreibt die Verhaltensweise der Wirtschaftssubjekte, nach der jede Tätigkeit wirtschaftlich rational entschieden und vollzogen wird mit dem Ziel, einen bestimmten wirtschaftlichen Erfolg mit geringstmöglichem Mitteleinsatz (Minimumprinzip) bzw. mit einem bestimmten Einsatz von Mitteln (Rohstoffe, Arbeitszeit) den größtmöglichen Produktionserfolg (Zahl der Produkte) zu realisieren (Maximumprinzip).

Realeinkommen/ reale Kaufkraft

Reale Kaufkraft des Geldeinkommens und das Realeinkommen sind eng verbunden. Das Realeinkommen drückt die Menge an Konsumgütern aus, die ein Konsument mit einem bestimmten (Nominal-) Einkommen erwerben kann; es ist ein Indikator für die reale Kaufkraft. Die „realen Werte" werden errechnet, indem die nominalen (zahlenmäßigen) Geld-Einkommen bzw. die nominale Kaufkraft (Kaufkraft zu geltenden Preisen) um einen Preisindex (in der Regel das Preisniveau für Konsumentenpreise) bereinigt wird (dividiert wird). Wenn die Preise der Konsumgüter steigen, sinkt das Realeinkommen, weil man mit einem bestimmten Geld-Einkommen weniger Güter kaufen kann.

Refinanzierung

Ein Kredit, den der Kreditgeber (z. B. eine Bank) nicht mit eigenen Mitteln (Eigenkapital), sondern mit fremden Mitteln (z. B. Einlagen von Sparern) gewährt, muss refinanziert (mit anderen Mitteln finanziert) werden, wenn der Sparer seine Einlagen abhebt. Andere Personen mit ihren Einlagen ermöglichen diesen Vorgang der Refinanzierung.

Rezession, rezessiv

Eine Rezession bezeichnet eine Phase der →*Konjunktur*, bei der ein Rückgang des →*Wachstums* einer (Volks-) Wirtschaft zu beobachten ist. Sie gilt dann als gegeben, wenn zwei Quartale hintereinander negative Wachstumsraten des Bruttoinlandsprodukts auftreten.

Shareholder-Value

Share = engl. Anteil, Aktie; holder = engl. Halter, Eigner; value = engl. Wert. Der Shareholder-Value-Ansatz betrachtet alle durch ein Unternehmen miteinander verbundenen Aktionäre als Shareholder (Anteilseigner). Ziel der Unternehmenspolitik ist es, den Shareholder-Value zu erhöhen, also den Wert der Aktien bzw. des Vermögens der Eigentümer der Aktiengesellschaft durch die Unternehmensstrategie und -politik zu maximieren.

Sichteinlagen

Einlagen auf Konten bei Banken oder Sparkassen, die jederzeit fällig sind, werden als Sichteinlagen bezeichnet. Bekannteste Variante ist das Girokonto zum Zweck des bargeldlosen Zahlungsverkehrs.

Solidarität, solidarisch

Zusammengehörigkeitsgefühl, für einander einstehend, eng verbunden. Sie setzt also immer mindestens zwei Personen voraus. Je größer die Gruppe wird, desto personenungebundener wird dieses Gefühl. Es können dann Probleme entstehen, sich in dieser Gruppe noch solidarisch zu fühlen.

Spareinlagen

Einlagen, die ausschließlich der Ansammlung oder Anlage von Vermögen dienen, werden durch die Ausfertigung einer Urkunde (insbes. das Sparbuch) als Spareinlagen klassifiziert.

Staatsquote

Anteil der Staatsausgaben am Bruttosozialprodukt.

Subsidiarität

Subsidiarität umschreibt ein gesellschaftspolitisches Prinzip von Entscheidungsrechten und von Verantwortung. In einer Gesellschaft wird davon ausgegangen, dass Einzelpersonen und kleine Gruppen (z. B. Familien) grundsätzlich fähig sind, ihre Angelegenheiten in eigener Verantwortung zu regeln (auf der „unteren" Ebene). Entscheidungen sollen erst dann an eine nächst „höhere" Ebene (z. B. Kommune, Land, Bund) zur Lösung weiter gereicht werden, wenn sie die Erkennungs-, Entscheidungs- und/ oder Gestaltungskompetenzen der „unteren" Ebene übersteigen. Ein Transfer ist auch dann zweckmäßig, wenn die Auswirkungen weit über den eigenen Gestaltungsbereich hinaus reichen (externe Effekte).

Subsistenz (-niveau)

Existenzniveau, Versorgungsgrad, materielles Existenzniveau, i. d. R. für Einzelpersonen oder eine Familie.

Substitution, substituieren

Ersetzen eines Gutes oder eines Produktionsfaktors durch ein anderes Gut bzw. Produktionsfaktor, das einen gleichen oder größeren Nutzen stiftet. Meist sind diese Güter qualitativ bzw. quantitativ gleichartig (z. B. Butter und Margarine).

Subsumtion, subsumieren

Die Ordnung bzw. Zusammenfassung von Begriffen unter Oberbegriffen wird als Subsumtion bezeichnet. Begriffe engeren Umfangs werden Begriffen mit weiterem Umfang untergeordnet (z. B. Zuordnung eines Sachverhaltes zu einer Rechtsnorm).

Synergieeffekte

Synergieeffekte entstehen, wenn mehrere Effekte zusammen eine größere Auswirkung haben, als von der Addition der einzelnen Effekte her erwartet werden konnte. Meist entstehen die Effekte unabhängig voneinander und koppeln sich dann bzw. werden gekoppelt. So können bspw. bereits existierende Produktionsstraßen für die Herstellung eines neuen Produktes genutzt werden. Synergieeffekte werden vor allem bei Fusionen von Unternehmen erwartet.

Termineinlagen

Einlagen auf Konten bei Banken oder Sparkassen, die zu einem vereinbarten oder gesetzlich festgelegten Termin fällig sind, werden als Termineinlagen bezeichnet. Davon ausgenommen sind Spareinlagen sowie Fristen unter 30 Tagen (gehören zu den Sichteinlagen).

Terms of Trade

Terms of Trade (TOT) bezeichnen das reale Austauschverhältnis von Import und Export zwischen einzelnen Staaten oder auch Handelsblöcken. Sie werden ermittelt, indem der Index der Exportpreise geteilt wird durch den Index der Importpreise. Wenn Rohstoffpreise bspw. stark steigen, steigt der Index der Importpreise. Wenn die Preise der Exportgüter unverändert bleiben, sinken die TOT. Das bedeutet, man muss mehr Exportgüter im Ausland anbieten, um die Importgüter zu bezahlen.

Trade-off

Ein Begriff in den Wirtschaftswissenschaften, mit dem vor allem ein Zielkonflikt beschrieben wird. Wenn ein Zielkonflikt zwischen Geldwertstabilität und Vollbeschäftigung angenommen wird, bestünde ein Trade-off, weil eine höhere *→Beschäftigung* nur durch Verletzung des Ziels der Geldwertstabilität zu erreichen wäre. Diese Beziehung wird in der Phillips-Kurve unterstellt.

Transaktion, Transaktionskosten

Einer Transaktion entspricht im wirtschaftlichen Sinne ein Leistungsaustausch. Die mit der Vereinbarung zum Leistungsaustausch verbundenen Kosten werden als Transaktionskosten bezeichnet. Sie entstehen z. B. durch das Sammeln von Informationen über mögliche Tauschpartner und Preise sowie aufgrund von zeitlichen Aspekten.

Verfügungsrechte

Verfügungsrechte (Eigentumsrechte, property rights) regeln die Zuordnung von Anspruchsrechten zwischen Individuen z. B. auf Ressourcen. Es handelt sich dabei nicht zwingend um formale, juristische Eigentumsrechte. Dabei können Rechte der Art der Nutzung, Rechte zur Veränderung, zur Aneignung von Gewinnen und Verlusten aus der Nutzung sowie Rechte zur Veräußerung unterschieden werden. Je weniger konkret diese Rechte auf verschiedene Individuen aufgeteilt werden, desto unwirtschaftlicher ist das Verhalten und das Ergebnis des Produktionsprozesses (*→Eigentum*).

Volatilität

Ein Begriff, der vor allem bei Wechselkursbewegungen auf Devisenmärkten verwendet wird. Wenn ein Wechselkurs im Tagesverlauf oder über einen längeren Zeitraum große Wertveränderungen nach beiden Seiten aufweist, spricht man von einem volatilen Kursverlauf.

Währungsschlange
Die Europäische Währungsschlange hat von 1972 bis 1979 existiert. Sie entstand, indem einige europäische Regierungen verabredeten, dass die Schwankungsbreite ihrer Währungen untereinander geringer sein sollte als die gegenüber dem Dollar. So entstand im April 1972 die Schlange im (Dollar-) Tunnel. Als die europäischen Währungen im März 1973 gegenüber dem Dollar flexible Wechselkurse (Floating) einführten, entfiel der Tunnel. Bis März 1979 bestand die europäische Währungsschlange, da die Währungen untereinander weiterhin enge Wechselkursbandbreiten von ± 2,25 % verteidigten.

Wertschöpfungskette
Die Wertschöpfungskette beschreibt die Entstehung eines Gutes oder einer Dienstleistung vom Rohstoff über die Verarbeitungsstufen bis zum Fertigprodukt. Man spricht von einer Wertschöpfungskette im Unternehmen (vom Einkauf über die Produktion bis zum Verkauf) und in einer Volkswirtschaft (vom Rohstoff über Halbfabrikate zum Fertigprodukt). Wertschöpfung umfasst den Kostenaufwand (z. B. Maschinen-, Arbeits-, Zinskosten), der in diesem Produktionsprozess entsteht.

Win-Win-Situation
Der Begriff stammt aus der Spieltheorie. Er beschreibt eine Situation, bei der sich zwei Spieler durch die erfolgten Aktionen beide besser gestellt haben als in der Ausgangssituation – beide haben gewonnen (Englisch: win). Ausgangspunkt ist, dass es nicht nur einen Sieger gibt (sog. Null-Summenspiel: was der eine gewinnt, verliert der andere), sondern dass im Spiel mehrere Teilnehmer Erfolge erzielen können (sog. Mehr-Summenspiel).

Wirtschaftliche Renten
Eine wirtschaftliche Rente ist ein Einkommen(seffekt), den eine Person erzielt, ohne dafür eine eigene Leistung erbracht zu haben. In der Wirtschaftstheorie werden Konsumenten- und Produzentenrenten unterschieden. Eine Konsumentenrente streichen all jene Nachfrager auf einem Markt ein, die bereit wären, einen höheren Preis p für ein bestimmtes Gut x zu zahlen, als den Preis, der sich als Marktgleichgewicht eingestellt hat. Hingegen streicht derjenige Produzent eine Produzentenrente ein, der in der Lage ist das Gut x zu einem geringeren Preis p anzubieten, weil er geringere Kosten hat als den aktuellen Preis im Marktgleichgewicht.

Wirtschaftsstil
Die Anwendung des Stilbegriffes auf die Wirtschaft erfolgt in Anlehnung an den Stilbegriff der Kunst und erfasst somit Formen sinnähnlicher Prägung. Ein Wirtschaftsstil ist Ausdruck der Einbindung der Wirtschaft in die Gesamt-

kultur der jeweiligen Zeitepoche und gibt Hinweise auf die herrschende Wirtschaftsgesinnung, die Wirtschaftsorganisation und die angewandten Techniken des Wirtschaftens. Pioniere der Wirtschaftsstilforschung sind Max Weber, Werner Sombart, Artur Spiethoff und Alfred →*Müller-Armack*. Aktuell erlebt der Begriff des Wirtschaftsstils eine Renaissance als eine der Grundkategorien der Wirtschaftskulturforschung.

Wirtschaftssubjekte
Individuen bzw. Organisationen, die regulär am Wirtschaftsprozess beteiligt sind, wie z. B. private Haushalte, Unternehmen, der Staat und seine Organisationen und das Ausland.

Sachgliederung der Beiträge

A. Grundlagen

1. Ökonomische Grundbegriffe
2. Alternative Ordnungsrahmen – Konzeptionen und Wirtschaftsordnungen
3. Soziale Marktwirtschaft – Konzeption

B. Wirtschaftspolitik in der Sozialen Marktwirtschaft

1. Ziele der Wirtschaftspolitik
2. Träger der Wirtschaftspolitik (Akteure)
3. Wettbewerbsordnung und Wettbewerbspolitik
4. Währungspolitik und Geldpolitik
5. Finanzordnung und Finanzpolitik
6. Sozialordnung und Sozialpolitik
7. Arbeitsmarkt und Beschäftigung
8. Internationale Wirtschaftsordnung und -politik
9. Europäische Union
10. Umweltschutz, Umweltpolitik
11. Wiedervereinigung
12. Bildungs- und Wissenschaftspolitik
13. Spezielle Politikfelder

A. Grundlagen

1. Ökonomische Grundbegriffe

2. Alternative Ordnungsrahmen – Konzeptionen und Wirtschaftsordnungen

3. Soziale Marktwirtschaft – Konzeption

B. Wirtschaftspolitik in der Sozialen Marktwirtschaft

1. Ziele der Wirtschaftspolitik

2. Träger der Wirtschaftspolitik (Akteure)

Bundeskartellamt	Dr. Kurt Stockmann
Aufsichtsämter	Dr. Dieter Fritz-Aßmus
Industrie- und Handelskammern	Dr. Dagmar Boving
Kammerwesen	Dr. Hans Werner Hinz
Bundesagentur für Arbeit	Prof. Dr. Gerhard D. Kleinhenz
Parafiski	Prof. Dr. Dietrich Dickertmann
Konzertierte Aktion, Bündnis für Arbeit	Prof. Dr. Walter Hamm
Sozialpartner	Prof. Dr. Hans Jürgen Rösner
Parteien	Prof. Dr. Horst-Dieter Westerhoff
Interessenverbände, Lobby	Prof. Dr. h. c. Werner Lachmann, Ph. D.
Sachverständigenrat	Dr. Martin Wolburg
Politikberatung	Dr. Stefan Okruch
EU: Handlungsmaximen	Prof. Dr. Hans-Eckart Scharrer
EU: Organe und Institutionen	Prof. Dr. Wolfgang Wessels Dr. Jürgen Mittag
Internationale Organisationen	Dipl. Kfr. Marina Ignatjuk

3. Wettbewerbsordnung und Wettbewerbspolitik

Gesetz gegen Wettbewerbsbeschränkung (GWB)	Dr. Kurt Stockmann
Bundeskartellamt	Dr. Kurt Stockmann
Ordnungspolitische Ausnahmebereiche und Ausnahmeregelungen	Prof. Dr. Norbert Eickhoff
Subventionen, staatliche Beihilfen	Prof. Dr. Dietrich Dickertmann Dipl. Vw. Annemarie Leiendecker
Deregulierung	Prof. Dr. Juergen B. Donges
Patentwesen	Dr. Dieter Fritz-Aßmus
EU: Wettbewerbspolitik	Prof. Dr. Peter Behrens

4. Geld und Währung: Ordnung und Politik

Geldordnung	Prof. Dr. Wim Kösters
Europäische Geld- und Währungspolitik:	
– Ziele und Aufgaben	Dr. Diemo Dietrich
– Akteure	Dr. Diemo Dietrich
– Strategien	Dr. Diemo Dietrich
– Instrumente	Dr. Diemo Dietrich
Kreditwirtschaft, Struktur und Aufsicht	Prof. Dr. Stephan Paul
Kapitalmärkte	Prof. Dr. Stephan Paul
Währungsordnung und Wechselkurssysteme	Prof. Dr. Wolf Schäfer

5. Finanzordnung und Finanzpolitik

Finanzverfassung	Prof. Dr. Dietrich Dickertmann Dr. Peter T. Baltes
Fiskalföderalismus	Prof. Dr. Dietrich Dickertmann Dr. Peter T. Baltes
Staatseinnahmen	Prof. Dr. Dietrich Dickertmann

	Dipl. Vw. Viktor Wilpert Piel
Staatsausgaben	Prof. Dr. Dietrich Dickertmann
	Dipl. Vw. Annemarie Leiendecker
Staatsverschuldung	Prof. Dr. Dietrich Dickertmann
	Dipl. Vw. Annemarie Leiendecker
Steuerpolitik	Dipl. Vw. Wolfgang Reeder
Öffentliche Unternehmen	Prof. Dr. Dietrich Dickertmann
	Dipl. Vw. Viktor Wilpert Piel
Privatisierung	Prof. Dr. Dietrich Dickertmann
	Dr. Peter T. Baltes
Public Private Partnership	Prof. Dr. Peter Oberender
	Dipl. Vw. Thomas Rudolf

6. Sozialordnung und Sozialpolitik

Sozialordnung	Prof. Dr. Heinz Lampert
Sozialpolitik	Prof. Dr. Heinz Lampert
Internationale Sozialpolitik	Prof. Dr. Hans Jürgen Rösner
Sozialstaat und Wohlfahrtsstaat	Prof. Dr. Heinz Lampert
Altersrente	Prof. Dr. Thomas Apolte
Rentenversicherung (sonstige Leistungen)	Prof. Dr. Werner Schönig
Krankenversicherung, Krankheitsvorsorge	Dr. Albrecht Bossert
Pflegeversicherung	Dr. Albrecht Bossert
Unfallversicherung	Dr. Albrecht Bossert
Arbeitslosigkeit: Soziale Sicherung	Prof. Dr. Hans-Günter Krüsselberg
Armut	Prof. Dr. Horst-Dieter Westerhoff
Sozialbudget	Prof. Dr. Jörg Althammer
Soziale Grundsicherung	Prof. Dr. Jörg Althammer
Demographische Entwicklung	Prof. Dr. Thomas Straubhaar
Wohnungspolitik	
– alte Bundesländer	Akad. D. Dr. Winfried Michels
– neue Bundesländer	Dr. Katrin Leonhardt
Familienpolitik	Prof. Dr. Hans Jürgen Rösner
Vermögenspolitik	Prof. Dr. Eckhard Knappe

7. Arbeitsmarkt und Beschäftigung

Arbeitsmarktordnung	Prof. Dr. Gerhard D. Kleinhenz
Sozialpartnerschaft	Prof. Dr. Hans Jürgen Rösner
Tarifrecht	Min. Dir. a.D. Dr. Gernot Fritz
Arbeitsrecht	Min. Dir. a.D. Dr. Gernot Fritz
Arbeitsschutz	Prof. Dr. Werner Schönig
Betriebsverfassung	Min. Dir. a.D. Dr. Gernot Fritz
Mitbestimmung	Min. Dir. a.D. Dr. Gernot Fritz
Arbeitskampf	Prof. Dr. Hans Jürgen Rösner
Arbeitslosigkeit: Soziale Sicherung	Prof. Dr. Hans-Günter Krüsselberg
Arbeitslosigkeit: Wirkungszusammenhänge	Prof. Dr. Hans-Günter Krüsselberg
Arbeitsmarktpolitik	Prof. Dr. Rüdiger Soltwedel
Bundesagentur für Arbeit	Prof. Dr. Gerhard D. Kleinhenz

8. Internationale Wirtschaftsordnung und -politik

9. Europäische Union

10. Umweltschutz, Umweltpolitik

11. Wiedervereinigung

12. Bildungs- und Wissenschaftspolitik

13. Spezielle Politikfelder

Abkürzungsverzeichnis

a. D.	außer Dienst
Aufl.	Auflage
Bd.	Band
bspw.	beispielsweise
ca.	cirka
d. h.	das heißt
Dipl. Kfr.	Diplom Kauffrau
Dipl. Ök.	Diplom Ökonom
Dipl. Vw.	Diplom Volkswirt/ in
ders.	derselbe
dies.	dieselbe
Drs.	Drucksache
ebd.	ebenda
erw.	erweitert
etc.	et cetera
evtl.	eventuell
f.	folgende
ff.	fortfolgende
geb.	geboren
gest.	gestorben
ggf.	gegebenenfalls
Hrsg.	Herausgeber
hrsg.	herausgegeben
i. A.	im Allgemeinen
i. d. R.	in der Regel
i. R.	im Ruhestand
i.V.m.	in Verbindung mit
insbes.	insbesondere
Jg.	Jahrgang
Jh.	Jahrhundert
m. a. W.	mit anderen Worten
Mio.	Million
Mrd.	Milliarde
Nr.	Nummer
o. g.	oben genannte
p. a.	per annum (im Jahr)
PD	Privatdozent
S.	Seite
s. a.	siehe auch
sog.	sogenannte
Sp.	Spalte
Std.	Stunde
u. a.	unter anderem; und andere
u. a. m.	unter anderem mit
u. d. T.	unter dem Titel
überarb.	überarbeitet
usw.	und so weiter
v. a.	vor allem
v. H.	von Hundert (= Prozent)
vgl.	vergleiche
z. B.	zum Beispiel
z. T.	zum Teil
z. Z.	zur Zeit

Abbildungsverzeichnis

Abbildungen von Ökonomen

Abbildungen, Tabellen und Schaubilder bei den Sachbeiträgen

Abbildungsverzeichnis

Autorenverzeichnis

Althammer, Jörg, Prof. Dr., Lehrstuhl für Sozialpolitik und Sozialökonomik der Universität Bochum; Forschungsgebiete: Systeme sozialer Sicherung, Arbeitsmarkttheorie, Verteilungstheorie.

Anderegg, Ralph G., Prof. Dr., Wirtschaftspolitisches Seminar der Universität zu Köln; Forschungsgebiete: Wirtschaftspolitik, Agrarpolitik, Internationale Wirtschaftsbeziehungen.

Apolte, Thomas, Prof. Dr., Institut für Ökonomische Bildung der Universität Münster; Forschungsgebiete: Institutioneller Wettbewerb, Europäische Integration, Neue Institutionenökonomik, Systemvergleich und Transformationsökonomie, Theorie und Politik der Alterssicherung.

Baltes, Peter T., Dr., wissenschaftlicher Mitarbeiter am Lehrstuhl für Finanzwissenschaft der Universität Trier; Forschungsgebiete: Neue Institutionenökonomie, Ökonomie der Äußeren Sicherheit, der Verteidigung, der Abrüstung und der Konversion.

Baumgärtner, Frank, Dipl. Ök., wissenschaftlicher Mitarbeiter am Institut für Volkswirtschaftslehre, Lehrstuhl für Außenwirtschaft, der Universität Hohenheim; Forschungsgebiete: Europäische Integration, EWU, Europäische Regionen, Fiskalföderalismus.

Behrens, Peter, Prof. Dr., Fachbereich Rechtswissenschaft der Universität Hamburg, Mitglied des Direktoriums des Instituts für Integrationsforschung des Europa-Kollegs Hamburg; Forschungsgebiete: Internationales Wirtschaftsrecht, Europarecht, Law and Economics.

Belke, Ansgar, Prof. Dr., Institut für Volkswirtschaftslehre, Lehrstuhl für Außenwirtschaft, der Universität Hohenheim und Forschungsinstitut zur Zukunft der Arbeit (IZA) in Bonn; Forschungsgebiete: Beschäftigung, Konjunktur, Makroökonomie offener Volkswirtschaften, quantitative Wirtschaftsforschung.

Bender, Dieter, Prof. Dr., Lehrstuhl für Internationale Wirtschaftsbeziehungen der Universität Bochum; Forschungsgebiete: Außenwirtschaft, Ökonomische Entwicklung, Entwicklungsländer.

Bofinger, Peter, Prof. Dr., Lehrstuhl für Volkswirtschaftslehre, Geld und internationale Wirtschaftsbeziehungen der Universität Würzburg; Forschungsgebiete: Geldtheorie und -politik, Währungstheorie und -politik, europäische Integration, Wirtschaftstransformation, Reform der sozialen Sicherungssysteme.

Böhle, Detlef, Dr., Deutscher Industrie- und Handelskammertag, Referatsleiter Asien-Pazifik.

Bossert, Albrecht, Dr., wissenschaftlicher Mitarbeiter am Lehrstuhl für Umwelt- und Ressourcenökonomie der Universität Augsburg; Forschungsgebiete: Wirtschafts- und Sozialpolitik, Ordnungspolitik, Entwicklungspolitik, Umweltökonomie.

Boving, Dagmar, Dr., Referatsleiterin Europa/ Gesamtkoordination Europa beim Deutschen Industrie- und Handelskammertag.

Cieleback, Marcus, Dr., Real Estate Market Analyst bei Meag Munich Ergo Asset Management GmbH München.

Clapham, Ronald, Prof. Dr. (emeritiert), Lehrstuhl für Wirtschaftswissenschaft und Didaktik der Wirtschaftslehre der Universität Gesamthochschule Siegen; Forschungsgebiete: Wirtschaftssysteme, Industrieökonomik, Entwicklungsländer und Marktwirtschaft.

Clever, Peter, Ministerialdirektor a. D., selbstständiger Unternehmensberater, ehem. Mitglied im Verwaltungsrat der Internationalen Arbeitsorganisation (ILO), ehem. Mitglied im Verwaltungsrat und stellvertretendes Vorstandsmitglied der Bundesanstalt für Arbeit, Berater des Zentralkomitees der Deutschen Katholiken und der Deutschen Katholischen Bischofskonferenz.

Dickertmann, Dietrich, Prof. Dr., Lehrstuhl für Finanzwissenschaft der Universität Trier; Forschungsgebiete: Theorie und Politik der öffentlichen Verschuldung, Theorie und Politik der Subventionen, Steuerpolitik, Staat und Notenbank, Öffentliche Unternehmen sowie Umweltschutz und öffentlicher Haushalt.

Dietrich, Diemo, Dr., Abteilung Konjunktur und Wachstum des Instituts für Wirtschaftsforschung Halle; Forschungsgebiete: Internationale Kreditmärkte, Bankenregulierung.

Diller, Klaus Dieter, Prof. Dr., Institut für Management der Universität Koblenz-Landau; Forschungsgebiet: Finanzwissenschaft.

Donges, Juergen B., Prof. Dr., Wirtschaftspolitisches Seminar der Universität zu Köln; Forschungsgebiete: Außenwirtschaft, Makroökonomik und monetäre Ökonomik, Wirtschaftspolitik.

Eickhof, Norbert, Prof. Dr., Lehrstuhl für Volkswirtschaftslehre, insbes. Wirtschaftspolitik, der Universität Potsdam; Forschungsgebiete: Ordnungspolitik, Wettbewerbsökonomik, Industrie-, Forschungs- und Technologiepolitik, Sektorale Wirtschaftspolitik (insbes. Agrar-, Verkehrs-, Energie- und Medienpolitik).

Endres, Alfred, Prof. Dr., Lehrstuhl für Volkswirtschaftslehre, insbes. Wirtschaftstheorie, der FernUniversität in Hagen und Lehrstuhl für integrative Umweltökonomie der privaten Universität Witten/ Herdecke; Forschungsgebiete: Umwelt- und Ressourcenökonomie, Ökonomie des Rechts, Informationsökonomie.

Eppendorfer, Carsten, Dr., Referent für Europapolitik am Bundesministerium der Finanzen; Schwerpunkte: Europäische Wirtschafts- und Währungsunion, institutionelle Fragen der EZB, europäische Finanzmärkte.

Feess, Eberhard, Prof. Dr., Lehrstuhl für Volkswirtschaft, insbes. Mikroökonomie, der Technischen Hochschule Aachen; Forschungsgebiete: Umweltökonomie, Umweltpolitik.

Fritz, Gernot, Dr., Ministerialdirektor a. D., bis 1999 Bundesbeamter (Bundesarbeitsministerium, Bundeskanzleramt, zuletzt stellvertretender Chef des Bundespräsidialamtes); seither Rechtsanwalt.

Fritz-Aßmus, Dieter, Dr., wissenschaftlicher Assistent am Institut für Wirtschaftspolitik der Universität der Bundeswehr Hamburg; Forschungsgebiete: Industrieökonomik, Wettbewerbspolitik, Institutionenökonomik, Dogmengeschichte, Außenwirtschaftspolitik.

Gabisch, Günter, Prof. Dr., Professur für Volkswirtschaft, insbes. Konjunktur- und Wachstumstheorie, der Universität Göttingen; Forschungsgebiete: Konjunktur-, Wachstums- und Außenhandelstheorie, volkswirtschaftliche Simulationsmodelle.

Gerding, Rainer, Dr., Geschäftsführer des Wirtschaftsrats der CDU e. V. in Berlin.

Gerken, Lüder, PD Dr., Vorstand der Stiftung für Ordnungspolitik in Freiburg i. Br. und geschäftsführender Vorstand der Friedrich-August-von-Hayek-Stiftung; Forschungsgebiete: Ordnungspolitik, Politische Ökonomie.

Goldschmidt, Nils, Dr., Forschungsreferent am Walter Eucken Institut in Freiburg i. Br.; Forschungsgebiete: Wirtschafts- und Sozialpolitik, Kulturelle Ökonomik, Wirtschaftsethik.

Gröner, Helmut, Prof. Dr. (emeritiert), Lehrstuhl für Volkswirtschaftslehre, Wirtschaftspolitik, der Universität Bayreuth; Forschungsgebiete: insbes. Wettbewerbspolitik, Energiewirtschaftspolitik, Internationale Wirtschaftsbeziehungen, Wirtschaftsordnung.

Gutmann, Gernot, Prof. Dr. Dres. h. c. (emeritiert), Lehrstuhl für Volkswirtschaftslehre, insbes. Systemvergleich, am staatswissenschatlichen (volkswirtschaftlichen) Seminar der Universität zu Köln; Forschungsgebiete: Vergleich von Wirtschaftssystemen, Ordnungspolitik.

Habermann, Gerd, Prof. Dr., Direktor des Unternehmerinstituts der Arbeitsgemeinschaft Selbständiger Unternehmer e. V.; Honorarprofessur an der Universität Potsdam; Mitbegründer und Sekretär der Friedrich August von Hayek-Gesellschaft.

Habisch, André, Prof. Dr., Lehrstuhl für Christliche Sozialethik und Gesellschaftspolitik der Katholischen Universität Eichstätt, Direktor des Zentralinstituts für Ehe und Familie in der Gesellschaft; Forschungsgebiete: Christliche Sozialethik, Gesellschaftspolitik.

Hamer, Eberhard, Prof. Dr., Leiter des Mittelstandsinstituts Niedersachen in Hannover, Gründer und Präsident der Deutschen Mittelstandsstiftung, ehemaliger Professor für Wirtschafts- und Finanzpolitik an der Universität Bielefeld, Rechtsanwalt.

Hamm, Walter, Prof. Dr. (emeritiert), Lehrstuhl für Volkswirtschaftslehre der Universität Marburg; Forschungsgebiete: Wirtschaftssysteme, Industrieökonomik, Ordnungspolitik, Verkehrspolitik, Genossenschaftswesen.

Hansjürgens, Bernd, Prof. Dr., Sektion Ökonomie, Soziologie und Recht des Umweltforschungszentrums Leipzig-Halle GmbH, Professor an der Universität Halle-Wittenberg; Forschungsgebiete: Umwelt- und Ressourcenökonomik, Finanzwissenschaft.

Hartwig, Karl-Hans, Prof. Dr., Direktor des Instituts für Verkehrswissenschaft der Universität Münster, Herausgeber des List Forums für Wirtschafts- und Finanzpolitik; Forschungsgebiete: Verkehrspolitik, Wirtschaftssysteme, Ordnungspolitik.

Hasse, Rolf H., Prof. Dr., Direktor des Instituts für Wirtschaftspolitik an der Universität Leipzig, Präsident der Leipziger Wirtschaftspolitischen Gesellschaft, Direktor des Zentrums für Internationale Wirtschaftsbeziehungen in Leipzig; Forschungsgebiete: Ordnungspolitik, Europäische Integration, Internationale Handels- und Währungspolitik.

Hegner, Jan, Dr., Director Strategic Sourcing, Freightliner LLC, DaimlerChrysler Commercial Vehicle Devision, Portland, OR.

Heilemann, Ullrich, Prof. Dr., Direktor des Instituts für empirische Wirtschaftsforschung der Universität Leipzig, stellvertretender Vorsitzender der FERI AG in Bad Homburg; Forschungsgebiete: Konjunkturanalyse und -prognose, Finanzpolitik, Ökonometrische Modelle.

Hemmer, Hans-Rimbert, Prof. Dr., Lehrstuhl für Volkswirtschaftslehre und Entwicklungsländerforschung der Universität Gießen; Mitglied im Wissenschaftlichen Beirat beim Bundesministerium für wirtschaftliche Zusammenarbeit und Entwicklung; Forschungsgebiete: Kinderarbeit, Mikro- und Makrodeterminanten der Armut in Entwicklungsländern, Armut und Armutsbekämpfung im Transformationsprozess.

Hinz, Hans Werner, Dr., ehemaliger Leiter der Rechtsabteilung des Deutschen Industrie- und Handelskammertages (DIHK).

Höfer, Heinrich, Dr., Leiter der Abteilung Technologie- und Innovationspolitik beim Bundesverband der Deutschen Industrie in Berlin.

Honecker, Martin, Prof. Dr. (emeritiert), Abteilung für Sozialethik und Systematische Theologie der Universität Bonn; Forschungsgebiet: Sozialethik.

Ignatjuk, Marina, Dipl. Kfr., wissenschaftliche Mitarbeiterin am Institut für Wirtschaftspolitik der Universität Leipzig; Forschungsgebiete: Internationale Wirtschaftsbeziehungen, Change Management und Globalisierung.

Immenga, Ulrich, Prof. Dr. Dr. h. c. (emeritiert), Professor für Rechtswissenschaft an der Universität Göttingen; Forschungsgebiete: insbes. Wettbewerbsrecht, Gesellschaftsrecht, Wirtschaftsrecht, Internationales Privatrecht.

Karl, Helmut, Prof. Dr., Lehrstuhl für Wirtschaftspolitik III der Universität Bochum; Forschungsgebiet: Regionaltheorie und -politik, Umwelt- und Ressourcenökonomie.

Kleinhenz, Gerhard D., Prof. Dr., Lehrstuhl für Wirtschafts- und Sozialpolitik der Universität Passau, Mitglied des Wissenschaftlichen Beirats für Familienfragen beim Bundesministerium für Familie, Senioren, Frauen und Jugend; Forschungsgebiete: Allgemeine Wirtschaftspolitik, insbesondere Ordnungspolitik, Sozialpolitik, insbes. Alterssicherungs- und Familienpolitik, Arbeitsmarktpolitik

Klemmer, Paul, Prof. Dr. (emeritiert), Lehrstuhl für Volkswirtschaftspolitik III der Universität Bochum, Präsident des Rheinisch-Westfälischen Instituts für Wirtschaftsforschung (RWI), Vorsitzender des Ruhr Forschungsinstituts für Innovations- und Strukturpolitik (RUFIS); Forschungsgebiete: Ressourcenpolitik, Stadt- und Regionalpolitik.

Klinger, Sabine, Dipl. Vw., wissenschaftliche Mitarbeiterin am Institut für Arbeitsmarkt- und Berufsforschung in Nürnberg; Forschungsgebiete: Ökonometrie von Ein- und Mehrgleichungsmodellen – methodische Grundlagen, Ströme- und Beständeökonomik, Einfluss des Vermögensbestands auf den Konsum privater Haushalte.

Kloten, Norbert, Prof. Dr. Dres. h. c. (emeritiert), Honorarprofessor für Wirtschaftspolitik an der Universität Tübingen, Landeszentralbankpräsident a. D., ehemaliger Vorsitzender des Sachverständigenrates zur Begutachtung der gesamtwirtschaftlichen Entwicklung; Forschungsgebiete: Wirtschaftspolitik, insbes. Ordnungspolitik, Geld- und Währungspolitik.

Klump, Rainer, Prof. Dr., Lehrstuhl für Volkswirtschaftslehre, insbes. Wirtschaftliche Entwicklung und Integration, der Universität Frankfurt/ M.; Forschungsgebiete: Wirtschaftsentwicklung und Internationale Wirtschaftsbeziehungen.

Knappe, Eckhard, Prof. Dr., Fachbereich IV (Volkswirtschaftslehre), Services Administration and Management, der Universität Trier, Direktor des Zentrums für Gesundheitsökonomie; Forschungsgebiete: Sozialpolitik, Gesundheitsökonomie.

König, Reiner, Dr., ehemals Leiter der Hauptabteilung Volkswirtschaft der Deutschen Bundesbank, Mitglied im geldpolitischen Ausschuss des Europäischen Systems der Zentralbanken und im Wirtschaftspolitischen Ausschuss der EU.

Kösters, Wim, Prof. Dr., Lehrstuhl für Theoretische Volkswirtschaftslehre I der Universität Bochum, Mitglied des Vorstands des Rheinisch-Westfälischen Instituts für Wirtschaftsforschung in Essen, auch geschäftsführender Direktor des Instituts für Europäische Wirtschaft; Forschungsgebiete: Geldtheorie und -politik, Konjunkturtheorie und Stabilitätspolitik, Währungstheorie und -politik, Arbeitsmarkttheorie und -politik, Integrationstheorie und -politik, insbes. Fragen der monetären Integration, Internationale Handelspolitik.

Kramer, Rolf, Prof. Dr. (emeritiert), Seminar für Systematische Theologie, insbes. Sozialethik, der Humboldt-Universität zu Berlin; Forschungsgebiete: Personalethik, Wirtschaftsethik, Gesellschaftsethik.

Krüsselberg, Hans-Günter, Prof. Dr. (emeritiert), Lehrstuhl für Wirtschaftliche Staatswissenschaften der Universität Marburg; Mitglied im Wissenschaftlichen Beirat für Familienpolitik beim Bundesministerium für Familie, Senioren, Frauen und Jugend; Forschungsgebiete: Politische Ökonomik, Wettbewerbstheorie und -politik, Theorie und Politik des Arbeitsmarktes und der Verteilung, Sozial- und Familienpolitik.

Lachmann, Werner, Prof. Dr. h. c., Ph. D., Lehrstuhl für Wirtschafts- und Entwicklungspolitik der Universität Erlangen-Nürnberg; Forschungsgebiete: Genese und Ethik der Sozialen Marktwirtschaft, Marktwirtschaft in Entwicklungsländern, internationale Wettbewerbspolitik, Geldpolitik, Wirtschaftsethik.

Lampert, Heinz, Prof. Dr. (emeritiert), Lehrstuhl für Volkswirtschaftslehre, insbes. Wirtschafts- und Sozialpolitik, der Universität Augsburg; Forschungsgebiete: Wirtschaftsordnungstheorie und -politik, Theorie der Sozialen Marktwirtschaft, Sozialpolitik, insbes. Arbeitsmarktpolitik und Familienpolitik.

Lauk, Kurt J., Prof. Dr., MdEP, Präsident des Wirtschaftsrates der CDU e. V., des Deutsch-Französischen Instituts, Direktor des International Institute of Strategic Studies (IIS) in London, Honorarprofessor an der European Business School in Reichertshausen/ Eltville. Forschungsgebiete: Corporate Governance and Management in the Global Economy.

Leiendecker, Annemarie, Dipl. Vw., Schneider Organisationsberatung – RAT (Rheinland-pfälzische Beratungsstelle – Arbeitsmarktintegration Benachteiligter – Technische Hilfe zum Europäischen Sozialfonds), Trier.

Leipold, Helmut, Prof. Dr., Forschungsstelle zum Vergleich wirtschaftlicher Lenkungssysteme der Universität Marburg; Forschungsgebiete: insbes. Wirtschaftssysteme, Transformation und Integration von Wirtschaftssystemen.

Leonhardt, Katrin, Dr., Prokuristin in der Abteilung Förderpolitik in der Kreditanstalt für Wiederaufbau (KfW) in Frankfurt/ M.

Leschke, Martin, Prof. Dr., Lehrstuhl für Volkswirtschaftslehre 5, insbes. Institutionenökonomik, der Universität Bayreuth; Forschungsgebiete: Institutionenökonomik, Geld- und Währungspolitik, Europäische Integration, Aktuelle Wirtschaftspolitik.

Leven, Franz-Josef, Dr., Deutsches Aktieninstitut e. V. in Frankfurt/ M.

Lith, Ulrich van, Prof. Dr., Rhein-Ruhr-Institut für Wirtschaftspolitik und Universität zu Köln; Forschungsgebiete: Wirtschaftspolitik, Institutionen-, Bildungs- und Wissenschaftsökonomie.

Martin, Reiner, Dr., Principal Economist, Convergence and Structural Analysis Unit, Europäische Zentralbank in Frankfurt/ M.

Menck, Karl Wolfgang, Dr., Hamburgisches Welt-Wirtschafts-Archiv (HWWA); Forschungsgebiet: Entwicklungsländer.

Michels, Winfried, Akad. D. Dr., Geschäftsführer des Instituts für Siedlungs- und Wohnungswesen der Universität Münster; Forschungsgebiete: Wohnungswesen und Wohnungspolitik, Regionalökonomie, Arbeitsmarktökonomik.

Mittag, Jürgen, Dr., Geschäftsführer des Instituts für soziale Bewegung und der Stiftung Bibliothek des Ruhrgebiets der Universität Bochum; Forschungsgebiete: Europäische Integration, Fußball- und Sportpolitik.

Molsberger, Josef, Prof. Dr. Dr. h. c. (emeritiert), Lehrstuhl für Volkswirtschaftslehre, insbes. Internationale Wirtschaftspolitik, der Universität Tübingen; Forschungsgebiete: Internationaler Handel, Wirtschaftssysteme.

Neimke, Markus, Dr., Bundesministerium der Finanzen, Referat für Internationale Finanz- und Währungsfragen.

Never, Henning, Dr., Deutsche Telekom AG.

Oberender, Peter, Prof. Dr. Dr. h. c., Lehrstuhl für Wirtschaftstheorie der Universität Bayreuth, Mitglied der Bayerischen Bioethik-Kommission, Direktor der Forschungsstelle für Sozialrecht und Gesundheitsökonomie und des Instituts für Angewandte Gesundheitsökonomie; Forschungsgebiete: Internationaler Handel, Wettbewerbstheorie, Gesundheitsökonomie.

Okruch, Stefan, Dr., Dekan der Fakultät für Internationale Beziehungen der Andrássy Universität Budapest.

Papier, Hans-Jürgen, Prof. Dr., Lehrstuhl für Deutsches und Bayerisches Staats- und Verwaltungsrecht, sowie Öffentliches Sozialrecht an der Universität München; Präsident des Bundesverfassungsgerichts; Forschungsgebiete: Grundrechte, Öffentliches Wirtschaftsrecht, Umweltrecht.

Paul, Stephan, Prof. Dr., Lehrstuhl für Angewandte Betriebswirtschaftslehre II, Finanzierung und Kreditwirtschaft, der Universität Bochum; Forschungsgebiete: Unternehmensfinanzierung, Intermediationstheorie, Regulierung, Ertrags- und Risikomanagement von Banken.

Piazolo, Daniel, Dr., wissenschaftlicher Mitarbeiter am Forschungsinstitut Financial & Economic Research International (FERI) in Bad Homburg; Forschungsgebiete: Europäische Marktanalysen und Bewertungen.

Piel, Viktor Wilpert, Dipl. Vw., Lehrbeauftragter im Fachbereich Wirtschafts- und Sozialwissenschaften/ Mathematik, Informatik der Universität Trier.

Piepenschneider, Melanie, Dr., Leiterin der Akademie der Konrad-Adenauer-Stiftung, Lehrbeauftragte der Humboldt-Universität Berlin; Forschungsgebiet: Europäische Integration.

Pies, Ingo, Prof. Dr., Lehrstuhl für Wirtschaftsethik der Universität Halle-Wittenberg, wissenschaftlicher Leiter des Wittenberg-Zentrums für Globale Ethik; Forschungsgebiete: Wirtschaftsethik, Institutionenökonomik, Ordnungspolitik.

Preuße, Heinz Gert, Prof. Dr., Sektion Volkswirtschaftslehre, insbes. internationale Wirtschaftspolitik, der Universität Tübingen; Forschungsgebiete: Regionalisierungstendenzen in Amerika, Globalisierung der Weltwirtschaft, Außenhandel und Entwicklung, Welthandelsordnung.

Quaas, Friedrun, Prof. Dr., Institut für Wirtschaftspolitik der Universität Leipzig; Forschungsgebiete: Geschichte der ökonomischen Theorie, Wirtschaftspolitik, Ethik und Ökonomie.

Rappen, Hermann, Dipl. Ök., wissenschaftlicher Mitarbeiter in der Forschungsgruppe „Öffentliche Finanzen und Steuern" des Rheinisch-Westfälischen Instituts für Wirtschaftsforschung (RWI); Forschungsgebiete: Finanz- und gesamtwirtschaftliche Analyse öffentlicher Haushalte, Finanzausgleich, finanzpolitische Probleme der Deutschen Einigung.

Rauscher, Anton, Prof. Dr. Dr. h. c. (emeritiert), Lehrstuhl für Christliche Gesellschaftslehre der Universität Augsburg, Direktor der Katholischen Sozialwissenschaftlichen Zentralstelle; Forschungsgebiete: u. a. Wirtschaftsethik, Wirtschafts- und Gesellschaftssysteme.

Reeder, Wolfgang, Dipl. Vw., selbstständiger Wirtschaftsberater in den Bereichen Wirtschaft und Politik sowie Management-Training.

Richard, Marc, Dipl. Ök., wissenschaftlicher Mitarbeiter am Lehrstuhl für Internationale Unternehmensrechnung der Universität Bochum; Forschungsgebiete: insbes. Internationale Rechnungslegung, Konzernrechnungslegung, Unternehmensbewertung.

Roos, Lothar, Prof. Dr. (emeritiert), Seminar für Christliche Gesellschaftslehre und Pastoralsoziologie der Universität Bonn; Forschungsgebiete: Grundsatzfragen und Anwendung der Katholischen Soziallehre, ethische Grundlagen der politischen und wirtschaftlichen Ordnung.

Rösner, Hans Jürgen, Prof. Dr., Seminar für Sozialpolitik der Universität zu Köln; Forschungsgebiet: Arbeitsökonomik, Internationale Sozialpolitik, sozialpolitische Entwicklungszusammenarbeit.

Ruckdäschel, Stephan, Dr., Manager Disease/ Care Management, Pfizer Inc., Karlsruhe.

Rudolf, Thomas, Dipl. Vw., wissenschaftlicher Mitarbeiter am Lehrstuhl für Wirtschaftstheorie der Universität Bayreuth; Forschungsgebiete: Wettbewerbstheorie, Institutionen- und Gesundheitsökonomie, Public Private Partnerships.

Schäfer, Wolf, Prof. Dr., Institut für Theoretische Volkswirtschaftslehre der Universität der Bundeswehr Hamburg; Forschungsgebiete: Internationale Wirtschaftsbeziehungen, Geld und Währung, Makroökonomische Theorie, Ordnungstheorie, Public Choice.

Scharrer, Hans-Eckart, Prof. Dr. (emeritiert), Lehrstuhl für Volkswirtschaft an der Universität der Bundeswehr Hamburg, ehemals Vize-Präsident des Hamburgischen Welt-Wirtschafts-Archivs (HWWA); Forschungsgebiete: monetäre und realwirtschaftliche Aspekte der europäischen und internationalen Wirtschaftsintegration.

Schlecht, Christian Otto, Prof. Dr. (†), ehemaliger Vorsitzender der Ludwig-Erhard-Stiftung, ehemaliger Staatssekretär im Bundesministerium für Wirtschaft.

Schmitz, Wolfgang, C.R. Dr. Dr. h. c., Bundesminister für Finanzen a. D. (Österreich), Präsident der Österreichischen Nationalbank a. D.; Forschungsgebiete: Wirtschaftssysteme, öffentliche Finanzen.

Schneider, Hermann, Dr., wissenschaftlicher Mitarbeiter der Konrad-Adenauer-Stiftung in Sankt Augustin (bei Bonn).

Schönig, Werner, Prof. Dr., Professor im Fachbereich Sozialwesen an der Katholischen Fachhochschule Nordrhein-Westfalen in Köln, Mitglied der Enquete-Kommission ‚Kommunen' des Landtags Rheinland-Pfalz als Sachverständiger; Forschungsgebiete: Armut und Sozialraum, Ökonomik der Sozialen Arbeit, kommunale Handlungskonzepte.

Schoser, Franz, Dr., ehemaliger Hauptgeschäftsführer des Deutschen Industrie- und Handelskammertags in Berlin.

Schüller, Alfred, Prof. Dr., Lehrstuhl für Ordnungstheorie und Wirtschaftspolitik der Universität Marburg, Leiter der Forschungsstelle zum Vergleich wirtschaftlicher Lenkungssysteme; Forschungsgebiete: vergleichende Analyse von Wirtschaftssystemen, Ordnungsfragen der internationalen Wirtschafts- und Währungsbeziehungen.

Schumann, Alexander, Dr., Mitteldeutscher Rundfunk Leipzig.

Schumm, Andreas, Dipl. Vw., wissenschaftlicher Assistent in der Abteilung Volkswirtschaftslehre, insbes. Wirtschaftspolitik I der Universität Tübingen; Forschungsgebiete: Forschungs- und Technologiepolitik.

Seitel, Hans Peter, PD Dr., früher Lehrstuhl für Wirtschaftspolitik der Universität Mainz; Forschungsgebiete: Wettbewerbspolitik und Deregulierung, Internationale Ordnungspolitik, Rundfunkpolitik, Beschäftigungspolitik.

Siebke, Jürgen, Prof. Dr., Alfred Weber-Institut für Wirtschaftswissenschaften und Lehrstuhl für Wirtschaftspolitik II der Universität Heidelberg; Forschungsgebiete: Monetäre Makroökonomik, Einkommens- und Vermögensverteilung, Internationale Währungspolitik.

Siegmund, Uwe, Dr., Investment Strategist der R+V Versicherung AG in Wiesbaden.

Sket, Michael, Dipl. Vw., wissenschaftlicher Mitarbeiter im Fachgebiet Volkswirtschaftslehre der Universität Düsseldorf.

Smeets, Heinz-Dieter, Prof. Dr., Leiter des Fachgebietes Volkswirtschaftslehre der Universität Düsseldorf; Forschungsgebiete: Internationale Wirtschaftsbeziehungen, Geldtheorie und -politik, Empirische Wirtschaftsforschung.

Söllner, Fritz, Prof. Dr., Leiter des Fachgebiets Finanzwissenschaft der Universität Ilmenau, Berater für die OECD, Paris, den Internationalen Währungsfonds (IWF), Washington; Forschungsgebiete: Fragen der Finanzverfassung und der Steuerpolitik, Umweltökonomie, Dogmengeschichte, Neue Politische Ökonomie.

Soltwedel, Rüdiger, Prof. Dr., Leiter der Abteilung Raumwirtschaft am Institut für Weltwirtschaft, Universität Kiel; Forschungsgebiete: Räumliche Aspekte der europäischen Integration, ordnungspolitische Aspekte der Liberalisierung im Bereich der Netzwerkinfrastruktur.

Starbatty, Joachim, Prof. Dr. Dr. h. c., Abteilung für Volkswirtschaftslehre, insbes. Wirtschaftspolitik I, der Universität Tübingen, Vorsitzender der Aktionsgemeinschaft Soziale Marktwirtschaft; Forschungsgebiete: Ordnungspolitik einschl. Transformation von Wirtschaftssystemen, Dogmengeschichte, Stabilisierungspolitik, Industrie- und Technologiepolitik, Internationale Politikkoordination.

Steger, Ulrich, Prof. Dr., Institut für Ökologie und Unternehmensführung der ebs e. V., Vorsitzender des Forschungsinstituts für Umweltmanagement und Unternehmsführung in Oestrich-Winkel, Professor für Umweltmanagement an der IMD Business School/ Schweiz.

Stockmann, Kurt, Dr., Vizepräsident des Bundeskartellamts i. R..

Straubhaar, Thomas, Prof. Dr., Präsident des Hamburgischen Welt-Wirtschafts-Archivs (HWWA); Forschungsgebiete: Internationale Wirtschaftsbeziehungen, Europäische Integration, Bevölkerungsökonomie, Bildungsökonomie.

Tangermann, Stefan, Prof. Dr., Agrardirektor der OECD in Paris.

Thieme, Hans Jörg, Prof. Dr., Lehrstuhl für Volkswirtschaftslehre der Universität Düsseldorf; Forschungsgebiete: Geld- und Kredittheorie und wirtschaftspolitische Implikationen, Geldpolitische Implikationen der Europäischen Währungsunion, Transmissionstheorie und Konjunkturprozesse, Zinsstrukturanalyse und internationaler Zinsstrukturzusammenhang, Wirtschaftssysteme und Transformationsprozesse in Ost- und Südosteuropa.

Tuchtfeldt, Egon, Prof. Dr. Dr. h. c. (emeritiert), Professor für Volkswirtschaftslehre an der Universität Bern (Schweiz); Forschungsgebiete: Allgemeine und sektorale Wirtschaftspolitik, Wirtschaftssysteme (insbes. Soziale Marktwirtschaft), Wettbewerbspolitik, Internationale Wirtschaftsbeziehungen, Europäische Integration, Sozialpolitik, Dogmengeschichte.

Vaubel, Roland, Prof. Dr., Lehrstuhl für Volkswirtschaftslehre der Universität Mannheim; Forschungsgebiete: Geldpolitik, Währungspolitik, Politische Ökonomie, Sozialpolitik.

Veit-Bachmann, Verena, Dr., ehemalige Assistentin von Prof. Dr. Friedrich A. Lutz.

Wagner, Adolf, Prof. Dr. (emeritiert), Institut für Empirische Wirtschaftsforschung der Universität Leipzig, Redaktion der Jahrbücher für Nationalökonomie und Statistik; Forschungsgebiete: Empirische Wirtschaftsforschung, insbes. Konjunktur-, Wachstums- und Strukturpolitik, Bevölkerungspolitik, Evolutorische Ökonomik.

Watrin, Christian, Prof. Dr. (emeritiert), Institut für Wirtschaftspolitik an der Universität zu Köln, Mitglied des Wissenschaftlichen Beirates beim Bundesministerium für Wirtschaft und Technologie; Vorsitzender der Mont Pèlerin Society, Washington D. C.; Forschungsgebiete: Wirtschaftspolitik, insbes. Ordnungspolitik, Wirtschaftssysteme.

Weigelt, Klaus, Dipl. Vw., wissenschaftlicher Mitarbeiter der Konrad-Adenauer-Stiftung, Leiter der Außenstelle der Stiftung in Budapest (Ungarn).

Welsch, Thomas, Dipl. Vw., wissenschaftlicher Mitarbeiter in der Forschungsstelle zum Vergleich wirtschaftlicher Lenkungssysteme der Universität Marburg.

Wessels, Wolfgang, Prof. Dr., Forschungsinstitut für Politische Wissenschaft und Europäische Fragen der Universität zu Köln; Forschungsgebiete: Politisches System der Europäischen Union, Theorien Internationaler Beziehungen und europäische Integration, Vertiefung und Erweiterung der EU.

Westerhoff, Horst-Dieter, Prof. Dr., Bundeskanzleramt, Gruppenleiter in verschiedenen Funktionen, u. a. für den Bereich Statistik; Honorarprofessor an der Universität Duisburg-Essen, Gruppenleiter im Bundeskanzleramt.

Wichert, Peter, Dr., ehemaliger Mitarbeiter im Bundesministerium für Finanzen, Abteilung Geld und Kredit, ehemaliger Staatssekretär im Bundesministerium der Verteidigung.

Willgerodt, Hans, Prof. Dr. (emeritiert), Institut für Wirtschaftspolitik an der Universität zu Köln; Forschungsgebiete: Wirtschaftspolitik, insbes. Ordnungspolitik, Theorie und Politik der Außenwirtschaft.

Winning, Alexandra von, Dipl. Kfr., wissenschaftliche Mitarbeiterin am Wittenberg-Zentrum für soziale Ethik.

Winterberg, Jörg, Prof. Dr., Professor für Volkswirtschaftslehre an der Fachhochschule Braunschweig/ Wolfenbüttel; Forschungsgebiete: Währungsintegration, Zukunft des Sozialstaates.

Wogau, Karl von, Dr., Mitglied des Europäischen Parlaments seit 1979, Vorsitzender des Unterausschusses Sicherheit und Verteidigung, Mitglied im Ausschuss für Auswärtige Angelegenheiten, stellvertretendes Mitglied im Ausschuss für Wirtschaft und Währung, Mitglied in der Delegation für die Beziehungen zur NATO; Forschungsgebiete: Europäische Verteidigung, Soziale Marktwirtschaft in der EU.

Wolburg, Martin, Dr., Research AM Generali Invest, Köln.

Zimmermann, Horst, Prof. Dr. Dr. h. c. (emeritiert), Professor im Fachgebiet Finanzwissenschaft der Universität Marburg; Forschungsgebiete: Finanzaspekte des Föderalismus, Regionalökonomie, Probleme des Wohlfahrtsstaates..

Zimmermann, Klaus W., Prof. Dr., Institut für Finanzwissenschaft der Universität der Bundeswehr Hamburg, geschäftsführender Herausgeber der Zeitschrift für Umweltpolitik und Umweltrecht; Forschungsgebiete: Umweltpolitik, Politische Ökonomie, Policy Analysis, Unternehmenspolitik, Verteidigungsökonomie.

Personenregister

Sachregister

R

S

Z

Verzeichnis

wichtiger wirtschaftswissenschaftlicher Forschungs- und Beratungsinstitute

Arbeitsgemeinschaft Selbständiger Unternehmer e. V. (ASU)
Reichsstraße 17
14052 Berlin
Tel.: 030/ 300650
http://www.asu.de/

Aktionsgemeinschaft Soziale Marktwirtschaft e. V. (ASM)
Mohlstraße 26
72074 Tübingen
Tel.: 07071/ 550600
http://www.asm-ev.de/

Europa Kolleg Hamburg
Institut für Integrationsforschung
Windmühlenweg 27
22607 Hamburg
Tel.: 040/ 822727-0
http://www.europa-kolleg-hamburg.de

Deutsches Institut für Wirtschaftsforschung e. V. (DIW)
Königin-Luise-Straße 5
14195 Berlin
Tel.: 030/ 897890
http://www.diw.de/

Forschungsstelle zum Vergleich Wirtschaftlicher Lenkungssysteme
Universität Marburg
Barfüßertor 2
35032 Marburg
Tel.: 06421/ 28-23196
http://www.wiwi.uni-marburg.de/Lehrstuehle/VWL/WITHEO2/forschung/forschung.htm

ifo Institut für Wirtschaftsforschung München e. V.
Poschingerstraße 5
81679 München
Tel.: 089/ 92240
http://www.ifo.de/

Institut der deutschen Wirtschaft e. V. (IW)
G.-Heinemann-Ufer 84-88
50968 Köln
Tel.: 0221/ 4981510
http://www.iwkoeln.de/

Institut Finanzen und Steuern Bonn
Markt 14
53111 Bonn
Tel.: 0228/ 98221-0
http://www.ifst.de/

List Gesellschaft e. V.
Universität Münster
Am Stadtgraben 9
48143 Münster
Tel.: 0251/ 8322904
http://list-gesellschaft.de/

Ludwig-Erhard-Stiftung e. V.
Johanniterstraße 8
53113 Bonn
Tel.: 0228/ 53988-0
http://www.ludwig-erhard-stiftung.de/

Max-Planck-Institut zur Erforschung von Wirtschaftssystemen
Kahlaische Straße 10
07745 Jena
Tel.: 03641/ 6865
http://www.mpiew-jena.mpg.de/deutsch/

Rheinisch-Westfälisches Institut für Wirtschaftsforschung e. V. (RWI)
Hohenzollernstraße 1-3
45128 Essen
Tel.: 0201/ 81490
http://www.rwi-essen.de/

Wirtschafts- und Sozialwissenschaftliches Institut der Hans-Böckler-Stiftung (WSI)
Bertha-von-Suttner-Platz 1
40227 Düsseldorf
Tel.: 0211/ 7778187
http://www.boeckler.de/

Zentrum für Europäische Wirtschaftsforschung GmbH (ZEW)
L 7,1
68161 Mannheim
Tel.: 0621/ 123501
http://www.zew.de/

Institut für Weltwirtschaft Kiel (IFW)
Universität Kiel
Düsternbrooker Weg 120
24105 Kiel
Tel.: 0431/ 88141
http://www.uni-kiel.de/ifw/

Institut für Wirtschaft und Gesellschaft Bonn e. V. (IWG)
Ahrstraße 45
53175 Bonn
Tel.: 0228/ 37204445
http://www.iwg-bonn.de/

Institut für Wirtschaftsforschung Halle e. V.
Kleine Märkerstraße 8
06108 Halle/ Saale
Tel.: 0345/ 775360
http://www.iwh.uni-halle.de/

Hamburgisches Welt-Wirtschafts-Archiv (HWWA)
Neuer Jungfernstieg 21
20347 Hamburg
Tel.: 040/ 428340
http://www.hwwa.de/

Institut für Wirtschaftspolitik an der Universität zu Köln
Pohligstraße 1
50969 Köln
Tel.: 0221/ 4705347
http://www.uni-koeln.de/wiso-fak/iwp/

Konrad-Adenauer-Stiftung e. V.
Tiergartenstraße 35
10785 Berlin
Tel.: 030/269960
Fax: 030/26996217

Institut für Angewandte Wirtschaftsforschung Tübingen (IAW)
Ob dem Himmelreich 1
72074 Tübingen
Tel.: 07071/ 98960
http://www.uni-tuebingen.de/iaw/

Forschungsinstitut der Friedrich-Ebert-Stiftung e. V.
Godesberger Allee 149
53175 Bonn
Tel.: 0228/ 883228
http://www.fes.de/

Walter Eucken Institut e. V.
Goethestraße 10
79100 Freiburg i. Br.
Tel.: 0761/ 790970
http://www.eucken.de

Forschungsinstitut für Wirtschaftspolitik an der Universität Mainz e. V.
Jakob-Welder-Weg 4
55122 Mainz
Tel.: 06131/ 374770
http://www.ffw-mainz.de/

Osteuropa-Institut München
Scheinerstraße 11
81679 München
Tel.: 089/ 9983960
http://www.lrz-muenchen.de/~oeim/

Finanzwissenschaftliches Forschungsinstitut an der Universität zu Köln
Zeilpicher Straße 182
50937 Köln
Tel.: 0220/426979
http: //wiso.uni-koeln.de/finanzfors/
index.htm